고등학교 문학 [illegible] 해야 하는 거지?

걱정 마! 우리에겐
〈해법문학Q〉가 있잖아!
문학 공부 때문에 고민인
사람들 모두 모여~

1 어떤 작품부터 공부해야 할지 모르는 사람

〈해법문학Q〉에는 시대별로 고심해서 선별한 중요 작품들이 수록되어 있어.
여기 실린 작품만 공부해도 문학 '좀' 한다고 자부할 수 있을 거야!

2 고등학교 문학 교과서 필수 작품을 쭉~ 훑어 보려는 사람

그렇다면 〈해법문학Q〉가 딱이야! 이 책에 실린 작품들은 **고등학교 10종 문학 교과서** 두 종 이상, 기출문제로 2회 이상 출제되었던 작품들이기 때문에 진짜 진짜 필수 작품이라고 할 수 있거든.

3 수능형 문학 문제를 많~이 연습하고 싶은 사람

〈고전 문학 문제편〉과 **〈현대 문학 문제편〉** 두 권에는 수능형 문학 문제가 빼곡하게 실려 있어.
문학 문제에 갈증을 느낀다면, 여기 여기 붙어라!

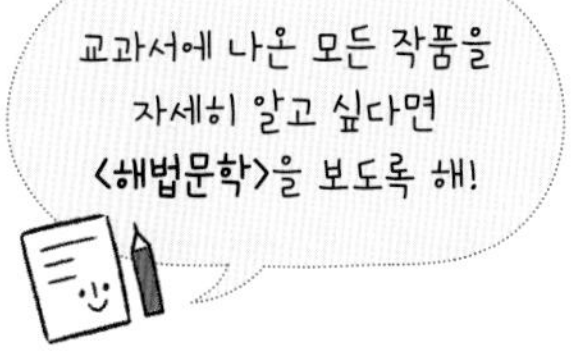
교과서에 나온 모든 작품을
자세히 알고 싶다면
〈해법문학〉을 보도록 해!

공부 잘하는 그 친구는 계획이 다 있구나!

작품 이해가 필요할 땐 **해법문학!** **문제 훈련**이 필요할 땐 **해법문학Q!**

둘 다 있다면 문학 공부 끝!

공부 체크

고전 시가

공부 시작

- 1강 • 공무도하가 • 정읍사
- 2강 • 찬기파랑가 • 제망매가
- 3강 • 제가야산독서당 • 추야우중
- 4강 • 가시리 • 동동
- 5강 • 정석가
- 6강 • 청산별곡
- 7강 • 시조 (애상과 한탄)
- 8강 • 시조 (명분과 현실의 대립)
- 9강 • 송인 • 사리화
- 10강 • 용비어천가
- 11강 • 시조 (자연을 누리는 삶)
- 12강 • 시조 (사랑과 이별)
- 13강 • 시조 (옛 왕조에 대한 그리움)
- 14강 • 시조 (지조와 충절)
- 15강 • 어부단가
- 16강 • 오륜가
- 17강 • 방옹시여
- 18강 • 사우가
- 19강 • 견회요
- 20강 • 만흥
- 21강 • 강호구가
- 22강 • 전원사시가
- 23강 • 매화사
- 24강 • 사설시조 (임을 기다리는 마음)
- 25강 • 사설시조 (삶의 고뇌와 시름)
- 26강 • 사설시조 (해학과 풍자)
- 27강 • 상춘곡
- 28강 • 만분가
- 29강 • 관동별곡
- 30강 • 속미인곡
- 31강 • 고공가 • 고공답주인가
- 32강 • 탄궁가
- 33강 • 누항사
- 34강 • 농가월령가
- 35강 • 유산가
- 36강 • 시집살이 노래 • 잠 노래
- 37강 • 정선 아리랑 • 밀양 아리랑
- 38강 • 만보
- 39강 • 영립 • 곡자
- 40강 • 보리타작 • 고시 7 • 탐진촌요

고전 산문

- 1강 • 주몽 신화
- 2강 • 김현감호
- 3강 • 조신의 꿈
- 4강 • 공방전
- 5강 • 이옥설
- 6강 • 차마설
- 7강 • 접과기
- 8강 • 이생규장전
- 9강 • 만복사저포기
- 10강 • 최고운전
- 11강 • 홍길동전
- 12강 • 최척전
- 13강 • 박씨전
- 14강 • 홍계월전
- 15강 • 숙향전
- 16강 • 구운몽
- 17강 • 사씨남정기
- 18강 • 운영전
- 19강 • 채봉감별곡
- 20강 • 유충렬전
- 21강 • 임경업전
- 22강 • 조웅전
- 23강 • 정을선전
- 24강 • 적성의전
- 25강 • 춘향전
- 26강 • 심청전
- 27강 • 토끼전
- 28강 • 허생전
- 29강 • 호질
- 30강 • 주옹설
- 31강 • 수오재기
- 32강 • 일야구도하기
- 33강 • 통곡할 만한 자리
- 34강 • 규중칠우 쟁론기
- 35강 • 동명일기
- 36강 • 한중록
- 37강 • 춘향가
- 38강 • 흥보가
- 39강 • 봉산 탈춤
- 40강 • 하회 별신굿 탈놀이
- 41강 • 꼭두각시놀음
- 42강 • 바리데기 신화

실전 복합

- 실전 1회
- 실전 2회
- 실전 3회

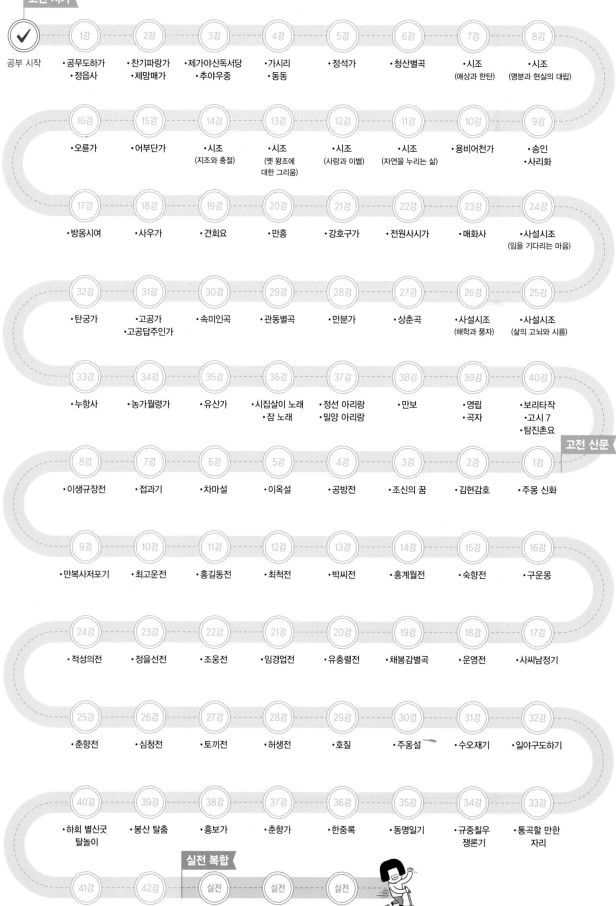

해법 문학Q

고전 문학 문제편

구성과 특징

본문 학습

지문과 문제로 구성되어 있습니다.
지문 옆 보조단에는 작품이 수록된 교과서 정보와 작품 이해를 돕는 내용을 제시하였습니다.

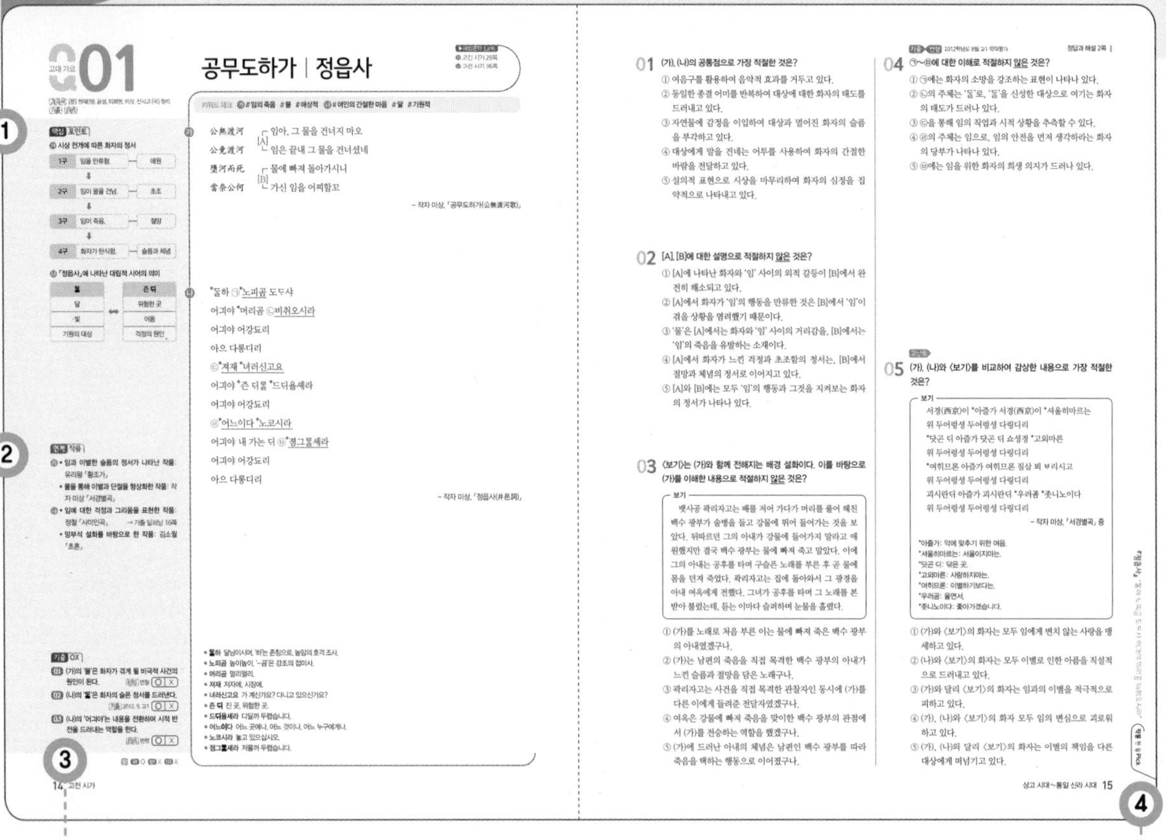

1 핵심 포인트

㉮ 시상 전개에 따른 화자의 정서

1구	임을 만류함.	애원
2구	임이 물을 건넘.	초조
3구	임이 죽음.	절망

작품의 주제나 특징과 관련된 핵심 내용을 도식화하여 한눈에 파악할 수 있도록 하였습니다.

2 연계 작품

㉮ • 임과 이별한 슬픔의 정서가 나타난 작품: 유리왕 「황조가」
• 물을 통해 이별과 단절을 형상화한 작품: 작자 미상 「서경별곡」

㉯ • 임에 대한 걱정과 그리움을 표현한 작품: 정철 「사미인곡」 → 기출 딥러닝 16쪽
• 망부석 설화를 바탕으로 한 작품: 김소월 「초혼」

본 작품과 주제, 구성, 작가 등 다양한 측면에서 엮어 읽을 수 있는 작품을 안내하였습니다.

3 기출 OX

01 바라는 공간에 있지 못한 안타까운 심정이 드러나 있다. 기출 2006. 수능 (O | X)

02 '텬상 뵈옥경'은 화자에게 상실감을 안겨 준 공간이다. 기출 2009. 5. 고3 (O | X)

03 '반벽청등'은 화자의 처지와 대비되는 소재로, 화자의 인식 변화를 부각한다. 기출 2019. 9. 고2 (O | X)

본 작품과 관련된 기출 문항 선택지를 활용하여 OX 문제를 제시하였습니다.

4 작품 한 줄 Pick 『만흥』 "그 나믄 녀나믄 일이야 부

작품에 제시된 인상 깊은 구절을 다시 한번 감상하며 학습을 마무리할 수 있도록 하였습니다.

해법문학Q 제대로 사용법

소중한 내 성적! 기초부터 차곡차곡 탄탄히 관리해요~

❶ 본 작품 풀기

매일 계획을 세워서 세 작품씩 반드시, 꾸준히 풀어 나갑니다.

❷ 기출 딥러닝 확인하기

수능과 모의평가 등에는 관련 작품이 어떻게 출제되었는지 확인합니다.

❸ 〈해법문학〉 찾아보기

작품을 더 자세하게 살펴보고 싶다면 꼭 〈해법문학〉을 찾아 봅니다.

기출 딥러닝

실전 복합

정답과 해설

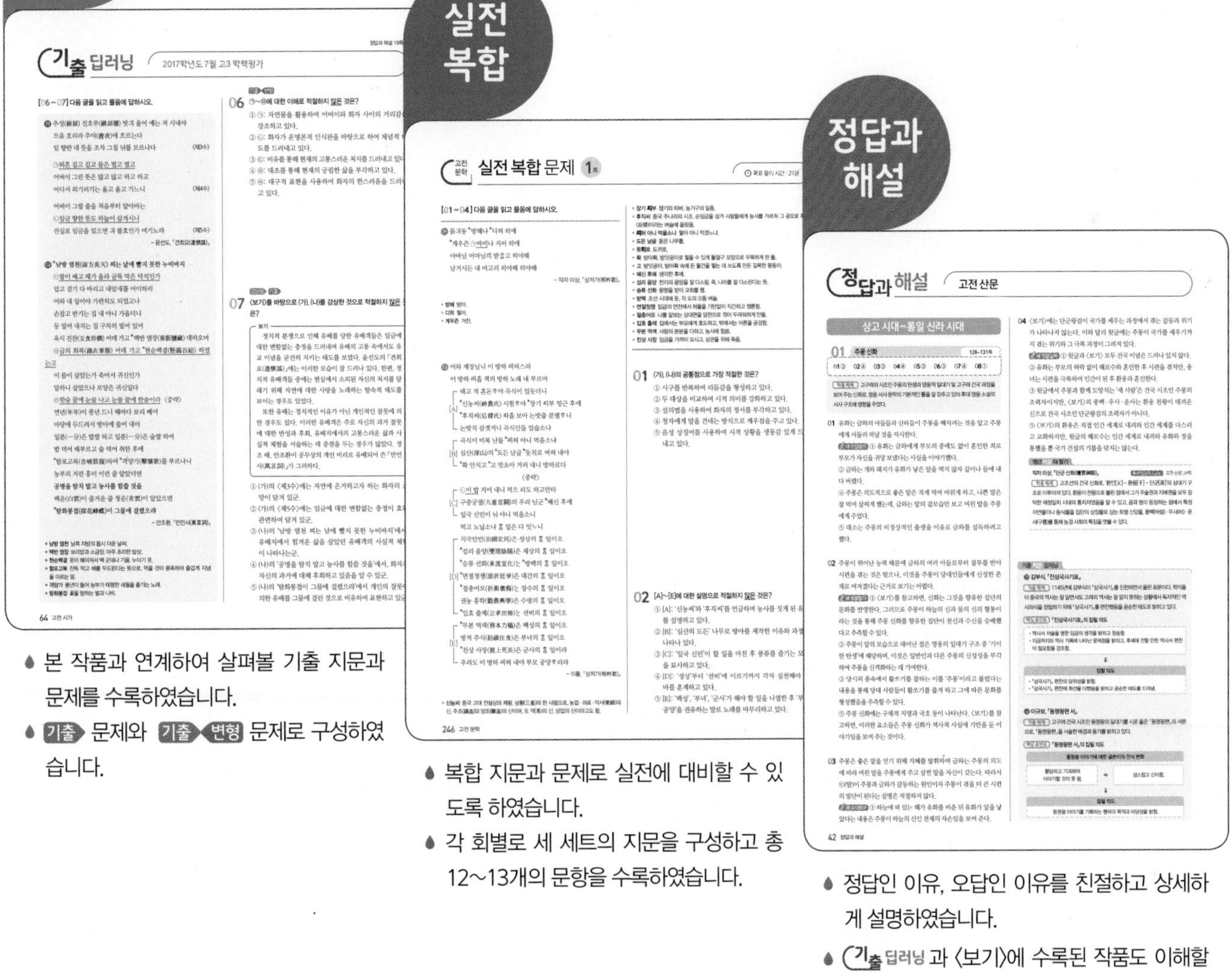

- 본 작품과 연계하여 살펴볼 기출 지문과 문제를 수록하였습니다.
- 기출 문제와 기출 변형 문제로 구성하였습니다.

- 복합 지문과 문제로 실전에 대비할 수 있도록 하였습니다.
- 각 회별로 세 세트의 지문을 구성하고 총 12~13개의 문항을 수록하였습니다.

- 정답인 이유, 오답인 이유를 친절하고 상세하게 설명하였습니다.
- 기출 딥러닝 과 〈보기〉에 수록된 작품도 이해할 수 있도록 작품 해제와 핵심 포인트 등을 제시하였습니다.

차례 고전 시가

상고 시대~통일 신라 시대 쪽

01 **공무도하가** | 작자 미상, **정읍사** | 작자 미상 14 기출 딥러닝 정읍사 + 사미인곡

02 **찬기파랑가** | 충담사, **제망매가** | 월명사 17 기출 딥러닝 길 + 제망매가

03 **제가야산독서당** | 최치원, **추야우중** | 최치원 20

고려 시대 쪽

04 **가시리** | 작자 미상, **동동** | 작자 미상 24 기출 딥러닝 가시리 + 규원가

05 **정석가** | 작자 미상 28

06 **청산별곡** | 작자 미상 30 기출 딥러닝 청산별곡 + 오우가

07 애상과 한탄 **이화에 월백ᄒᆞ고** | 이조년, **춘산에 눈 노긴 ᄇᆞ람** | 우탁 33 기출 딥러닝 국화야 너는 어이 + 이화에 월백하고 + 촉규화

08 명분과 현실의 대립 **이런들 엇더ᄒᆞ며** | 이방원, **이 몸이 주거 주거** | 정몽주 36

09 **송인** | 정지상, **사리화** | 이제현 38

조선 시대 쪽

10 **용비어천가** | 정인지·권제·안지 등 42

11 자연을 누리는 삶 **십 년을 경영ᄒᆞ여** | 송순, **말 업슨 청산이오** | 성혼, **초암이 적료ᄒᆞᆫ듸** | 김수장 44

12 사랑과 이별 **어져 내 일이야** | 황진이, **이화우 흣ᄲᅮ릴 제** | 계랑, **묏버들 갈히 것거** | 홍랑 46 기출 딥러닝 어져 내 일이야 + 임 이별하올 져긔 + 내게는 원수가 업셔

13 옛 왕조에 대한 그리움 **오백 년 도읍지를** | 길재, **흥망이 유수ᄒᆞ니** | 원천석, **눈 마ᄌᆞ 휘여진 듸를** | 원천석 49 기출 딥러닝 천만리 머나먼 길히 + 청초 우거진 골에 + 흥망이 유수ᄒᆞ니

14 지조와 충절 **수양산 ᄇᆞ라보며** | 성삼문, **방 안에 혓는 촛불** | 이개, **국화야 너ᄂᆞᆫ 어이** | 이정보 52

15 **어부단가** | 이현보 54

16 **오륜가** | 주세붕 56

17 **방옹시여** | 신흠 58

18 **사우가** | 이신의 60

19 **견회요** | 윤선도 62 ········ 기출 딥러닝 견회요 + 만언사

20 **만흥** | 윤선도 65 ········ 기출 딥러닝 만흥 + 훈민가

21 **강호구가** | 나위소 68

22 **전원사시가** | 신계영 70

23 **매화사** | 안민영 72

24 임을 기다리는 마음 **님이 오마 ᄒᆞ거늘** | 작자 미상, **어이 못 오던가** | 작자 미상, **개를 여라믄이나 기르되** | 작자 미상 74

25 삶의 고뇌와 시름 **한숨아 셰 한숨아** | 작자 미상, **창 내고쟈 창을 내고쟈** | 작자 미상, **두터비 ᄑᆞ리를 물고** | 작자 미상 76

26 해학과 풍자 **붉가버슨 아해ㅣ 들리** | 이정신, **댁들에 동난지이 사오** | 작자 미상, **일신이 사쟈 ᄒᆞ니** | 작자 미상 78

27 **상춘곡** | 정극인 80 ········ 기출 딥러닝 상춘곡 + 고산구곡가

28 **만분가** | 조위 84 ········ 기출 딥러닝 서경별곡 + 만분가

29 **관동별곡** | 정철 88 ········ 기출 딥러닝 관동별곡 + 유한라산기

30 **속미인곡** | 정철 92 ········ 기출 딥러닝 속미인곡 + 사노친곡

31 **고공가** | 허전, **고공답주인가** | 이원익 96 ········ 기출 딥러닝 어와 동량재를 + 고공답주인가

32 **탄궁가** | 정훈 101

33 **누항사** | 박인로 104 ········ 기출 딥러닝 빈천을 팔려고 + 누항사

34 **농가월령가** | 정학유 109

35 **유산가** | 작자 미상 112

36 **시집살이 노래** | 작자 미상, **잠 노래** | 작자 미상 114

37 **정선 아리랑** | 작자 미상, **밀양 아리랑** | 작자 미상 117 ········ 기출 딥러닝 어이 못 오던다 + 청천에 떠서 + 정선 아리랑

38 **만보** | 이황 120

39 **영립** | 김병연, **곡자** | 허난설헌 122

40 **보리타작** | 정약용, **고시 7** | 정약용, **탐진촌요** | 정약용 124

차례 고전 산문

상고 시대~통일 신라 시대 쪽

01 주몽 신화 | 작자 미상 128 기출 딥러닝 진삼국사기표 + 동명왕편 서
02 김현감호 | 작자 미상 132
03 조신의 꿈 | 작자 미상 134

고려 시대 쪽

04 공방전 | 임춘 138 기출 딥러닝 국순전
05 이옥설 | 이규보 142
06 차마설 | 이곡 144
07 접과기 | 이규보 146

조선 시대 쪽

08 이생규장전 | 김시습 150
09 만복사저포기 | 김시습 152 기출 딥러닝 취유부벽정기
10 최고운전 | 작자 미상 156
11 홍길동전 | 허균 158 기출 딥러닝 장생전
12 최척전 | 조위한 162
13 박씨전 | 작자 미상 164
14 홍계월전 | 작자 미상 166
15 숙향전 | 작자 미상 168
16 구운몽 | 김만중 170 기출 딥러닝 옥루몽
17 사씨남정기 | 김만중 174 기출 딥러닝 창선감의록
18 운영전 | 작자 미상 178
19 채봉감별곡 | 작자 미상 180 기출 딥러닝 매화전
20 유충렬전 | 작자 미상 184 기출 딥러닝 소대성전
21 임경업전 | 작자 미상 188
22 조웅전 | 작자 미상 190
23 정을선전 | 작자 미상 192
24 적성의전 | 작자 미상 194

25 **춘향전** | 작자 미상 196 ········ 기출 딥러닝 이춘풍전

26 **심청전** | 작자 미상 200

27 **토끼전** | 작자 미상 202 ········ 기출 딥러닝 장끼전

28 **허생전** | 박지원 206

29 **호질** | 박지원 208

30 **주옹설** | 권근 210

31 **수오재기** | 정약용 212 ········ 기출 딥러닝 선상탄 + 파리를 조문한다

32 **일야구도하기** | 박지원 216

33 **통곡할 만한 자리** | 박지원 218

34 **규중칠우쟁론기** | 작자 미상 221 ········ 기출 딥러닝 손과 발의 일기

35 **동명일기** | 의유당 224

36 **한중록** | 혜경궁 홍씨 226

37 **춘향가** | 작자 미상 228 ········ 기출 딥러닝 적벽가

38 **흥보가** | 작자 미상 232

39 **봉산 탈춤** | 작자 미상 235

40 **하회 별신굿 탈놀이** | 작자 미상 238

41 **꼭두각시놀음** | 작자 미상 240

42 **바리데기 신화** | 작자 미상 242

실전 복합 문제

1회 ········ 246

상저가(고려 가요) | 작자 미상
상저가(가사) | 이황

다모전 | 송지양
시절도 저러ᄒᆞ니 | 이항복

젓 건너 흰옷 닙은 사ᄅᆞᆷ | 작자 미상
천지간 만물지중에 | 작자 미상
나모도 바히돌도 업슨 | 작자 미상

2회 ········ 252

강호연군가 | 장경세
통곡헌기 | 허균

민옹전 | 박지원
이야기꾼 | 작자 미상

몽혼 | 이옥봉
설월이 만창ᄒᆞᆫᄃᆡ | 작자 미상
베틀 노래 | 작자 미상

3회 ········ 258

도산십이곡 | 이황
수의 비밀 | 한용운

이상자대 | 이규보
여백을 위한 잡담 | 박태원

어부사시사 | 윤선도
북어 대가리 | 이강백

찾아보기

작품	쪽	문학 천재(김)	문학 천재(정)	문학 금성	문학 동아	문학 미래엔	문학 비상	문학 신사고	문학 지학사	문학 창비	문학 해냄	국어	기출	EBS
ㄱ														
가시리 | 작자 미상	24, 27						●					천재(박) 외	●	
강호구가 | 나위소	68												●	
강호연군가 | 장경세	252												●	
개를 여라믄이나 기르되 | 작자 미상	74											미래엔 외		●
견회요 | 윤선도	62, 64												●	●
고공가 | 허전	96												●	●
고공답주인가 | 이원익	97, 100												●	
고산구곡가 | 이이	83												●	●
고시 7 | 정약용	124												●	●
곡자 | 허난설헌	122													●
공무도하가 | 작자 미상	14		●	●		●								●
공방전 | 임춘	138					●	●	●						●
관동별곡 | 정철	88, 91											천재(이) 외	●	●
구운몽 | 김만중	170		●	●					●				●	●
국순전 | 임춘	140			●									●	
국화야 너ᄂᆞᆫ 어이 | 이정보	35, 52												●	●
규원가 | 허난설헌	27			●							●		●	●
규중칠우쟁론기 | 작자 미상	221												●	●
길 | 윤동주	19												●	
김현감호 | 작자 미상	132						●		●				●	●
꼭두각시놀음 | 작자 미상	240													●
ㄴ														
나모도 바히돌도 업슨 | 작자 미상	250	●		●									●	●
내게는 원수가 업셔 | 박문욱	48												●	
농가월령가 | 정학유	109												●	
누항사 | 박인로	104, 108					●	●						●	●
눈 마ᄌᆞ 휘여진 ᄃᆡ를 | 원천석	49											비상(박영)	●	●
님이 오마 ᄒᆞ거ᄂᆞᆯ | 작자 미상	74				●					●		동아 외	●	●
ㄷ														
다모전 | 송지양	247													
댁들에 동난지이 사오 | 작자 미상	78													●
도산십이곡 | 이황	258		●										●	●
동동 | 작자 미상	24						●	●					●	●
동명왕편 서 | 이규보	130												●	
동명일기 | 의유당	224	●							●				●	●
두터비 ᄑᆞ리를 물고 | 작자 미상	76											비상(박영)	●	●
ㅁ														
만보 | 이황	120							●					●	●
만복사저포기 | 김시습	152												●	●
만분가 | 조위	84, 87												●	
만언사 | 안조환	64	●											●	●

작품	쪽	문학 천재(김)	문학 천재(정)	문학 금성	문학 동아	문학 미래엔	문학 비상	문학 신사고	문학 지학사	문학 창비	문학 해냄	국어	기출	EBS
만흥 | 윤선도	65, 67		●		●		●	●				신사고 외	●	●
말 업슨 청산이오 | 성혼	44												●	●
매화사 | 안민영	72												●	
매화전 | 작자 미상	182												●	
몽혼 | 이옥봉	257												●	
묏버들 갈히 것거 | 홍랑	46		●			●						금성	●	●
민옹전 | 박지원	254												●	●
밀양 아리랑 | 작자 미상	117													●
ㅂ 바리데기 신화 | 작자 미상	242			●										●
박씨전 | 작자 미상	164						●					동아 외	●	●
붉가버슨 아해ㅣ 들리 | 이정신	78												●	●
방 안에 혓는 촛불 | 이개	52												●	●
방옹시여 | 신흠	58				●								●	●
베틀 노래 | 작자 미상	257													●
보리타작 | 정약용	124		●	●									●	●
봉산 탈춤 | 작자 미상	235		●			●	●	●	●	●		천재(박) 외	●	●
북어 대가리 | 이강백	262	●						●		●			●	
빈천을 팔려고 | 조찬한	108												●	
ㅅ 사노친곡 | 이담명	95												●	
사리화 | 이제현	38						●						●	
사미인곡 | 정철	16		●	●		●			●				●	●
사씨남정기 | 김만중	174	●						●				천재(박) 외	●	●
사우가 | 이신의	60												●	●
상저가 | 이황	246													
상저가 | 작자 미상	246													
상춘곡 | 정극인	80, 83	●										천재(박) 외	●	●
서경별곡 | 작자 미상	87	●	●		●			●			●		●	●
선상탄 | 박인로	214												●	●
설월이 만창훈듸 | 작자 미상	257													
소대성전 | 작자 미상	186					●							●	●
속미인곡 | 정철	92, 95		●		●		●	●		●		동아 외	●	●
손과 발의 일기 | 정진권	223												●	
송인 | 정지상	38				●		●		●	●		금성	●	●
수양산 ᄇᆞ라보며 | 성삼문	52			●		●	●				●			●
수오재기 | 정약용	212						●					천재(박)		●
수의 비밀 | 한용운	258							●					●	●
숙향전 | 작자 미상	168												●	●
시절도 저러ᄒᆞ니 | 이항복	248													
시집살이 노래 | 작자 미상	114												●	
심청전 | 작자 미상	200					●						미래엔	●	●
십 년을 경영ᄒᆞ여 | 송순	44			●	●							비상(박안) 외		●

	작품	작가	쪽	문학 천재(김)	문학 천재(정)	문학 금성	문학 동아	문학 미래엔	문학 비상	문학 신사고	문학 지학사	문학 창비	문학 해냄	국어	기출	EBS
ㅇ	어부단가	이현보	54												●	●
	어와 동량재를	정철	100												●	
	어이 못 오던가	작자 미상	74, 119					●							●	●
	어져 내 일이야	황진이	46, 48				●			●			●		●	●
	여백을 위한 잡담	박태원	260									●				
	영립	김병연	122												●	
	오륜가	주세붕	56												●	●
	오백 년 도읍지를	길재	49					●			●				●	●
	오우가	윤선도	32											천재(이) 외	●	
	옥루몽	남영로	172								●				●	●
	용비어천가	정인지·권제·안지 등	42						●					천재(이) 외	●	●
	운영전	작자 미상	178			●							●		●	●
	유산가	작자 미상	112												●	●
	유충렬전	작자 미상	184				●			●				지학사 외	●	
	유한라산기	최익현	91												●	
	이런들 엇더ᄒᆞ며	이방원	36											비상(박안)		
	이 몸이 주거 주거	정몽주	36											비상(박안)		
	이상자대	이규보	260								●				●	
	이생규장전	김시습	150			●	●	●	●		●	●			●	●
	이야기꾼	작자 미상	254													
	이옥설	이규보	142							●		●	●	동아 외	●	
	이춘풍전	작자 미상	198							●					●	●
	이화에 월백ᄒᆞ고	이조년	33, 35			●								천재(박) 외	●	●
	이화우 흣뿌릴 제	계랑	46						●						●	
	일신이 사쟈 ᄒᆞᆫ이	작자 미상	78							●						●
	일야구도하기	박지원	216		●									미래엔	●	●
	임경업전	작자 미상	188						●						●	●
	임 이별하올 져긔	안민영	48												●	
ㅈ	잠 노래	작자 미상	115											동아	●	●
	장끼전	작자 미상	204							●		●			●	●
	장생전	허균	160												●	
	적벽가	작자 미상	230					●							●	●
	적성의전	작자 미상	194												●	●
	전원사시가	신계영	70												●	
	접과기	이규보	146												●	
	정석가	작자 미상	28	●	●	●							●		●	●
	정선 아리랑	작자 미상	117, 119		●	●				●	●		●	비상(박영)	●	●
	정을선전	작자 미상	192												●	●
	정읍사	작자 미상	14, 16						●	●				창비	●	●
	제가야산독서당	최치원	20					●						천재(이)	●	●
	제망매가	월명사	17, 19	●			●		●		●	●	●	동아 외	●	●
	졋 건너 흰옷 닙은 사ᄅᆞᆷ	작자 미상	250													
	조신의 꿈	작자 미상	134			●									●	●
	조웅전	작자 미상	190				●								●	●

	작품	쪽	문학 천재(김)	문학 천재(정)	문학 금성	문학 동아	문학 미래엔	문학 비상	문학 신사고	문학 지학사	문학 창비	문학 해냄	국어	기출	EBS
	주몽 신화 | 작자 미상	128					●	●			●		금성 외		●
	주옹설 | 권근	210												●	●
	진삼국사기표 | 김부식	130												●	
ㅊ	차마설 | 이곡	144					●							●	●
	찬기파랑가 | 충담사	17			●		●		●					●	●
	창 내고자 창을 내고자 | 작자 미상	76						●		●		●	천재(이) 외	●	●
	창선감의록 | 작자 미상	176												●	●
	채봉감별곡 | 작자 미상	180										●		●	●
	천만리 머나먼 길히 | 왕방연	51												●	
	천지간 만물지중에 | 작자 미상	250													
	청산별곡 | 작자 미상	30, 32					●			●	●		금성 외	●	●
	청천에 떠서 | 작자 미상	119												●	
	청초 우거진 골에 | 임제	51												●	
	초암이 적료훈듸 | 김수장	44												●	
	촉규화 | 최치원	35		●										●	
	최고운전 | 작자 미상	156								●				●	●
	최척전 | 조위한	162					●						신사고	●	●
	추야우중 | 최치원	20				●								●	
	춘산에 눈 노긴 ᄇᆞ람 | 우탁	33					●								
	춘향가 | 작자 미상	228				●					●			●	
	춘향전 | 작자 미상	196	●					●					천재(박) 외	●	●
	취유부벽정기 | 김시습	154												●	
ㅌ	탄궁가 | 정훈	101												●	
	탐진촌요 | 정약용	124													
	토끼전 | 작자 미상	202												●	
	통곡할 만한 자리 | 박지원	218											금성 외	●	
	통곡헌기 | 허균	252													●
ㅍ	파리를 조문한다 | 정약용	214												●	●
ㅎ	하회 별신굿 탈놀이 | 작자 미상	238			●							●			●
	한숨아 셰 한숨아 | 작자 미상	76		●										●	
	한중록 | 혜경궁 홍씨	226							●						
	허생전 | 박지원	206								●			천재(박) 외	●	●
	호질 | 박지원	208					●					●		●	●
	홍계월전 | 작자 미상	166	●										미래엔 외	●	●
	홍길동전 | 허균	158											해냄	●	●
	훈민가 | 정철	67												●	
	흥망이 유수ᄒᆞ니 | 원천석	49, 51												●	●
	흥보가 | 작자 미상	232	●	●	●	●				●	●	●		●	●

상고 시대~통일 신라 시대

음악·무용·시가가 분리되지 않은 원시 종합 예술이
개인적·서정적 시가로 발전하면서 고대 서정 가요가 발생하였다.
신라 시대에는 국문학사상 최초의 정형화된 서정시인 향가가 등장하였다.

고대 가요

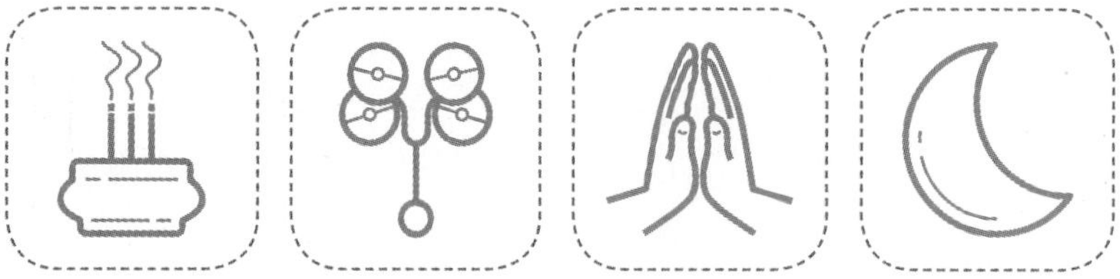

\# 고대 부족 국가 시대부터 삼국 시대 초기까지 불린 노래
\# 원시 종합 예술에서 분화됨.
\# 초기에는 집단 노동요, 의식요 위주로 창작되다가 이후 개인적 서정 가요가 창작됨.
\# 대부분 배경 설화와 함께 전해짐.

㉠ 「공무도하가」(작자 미상), 「정읍사」(작자 미상)

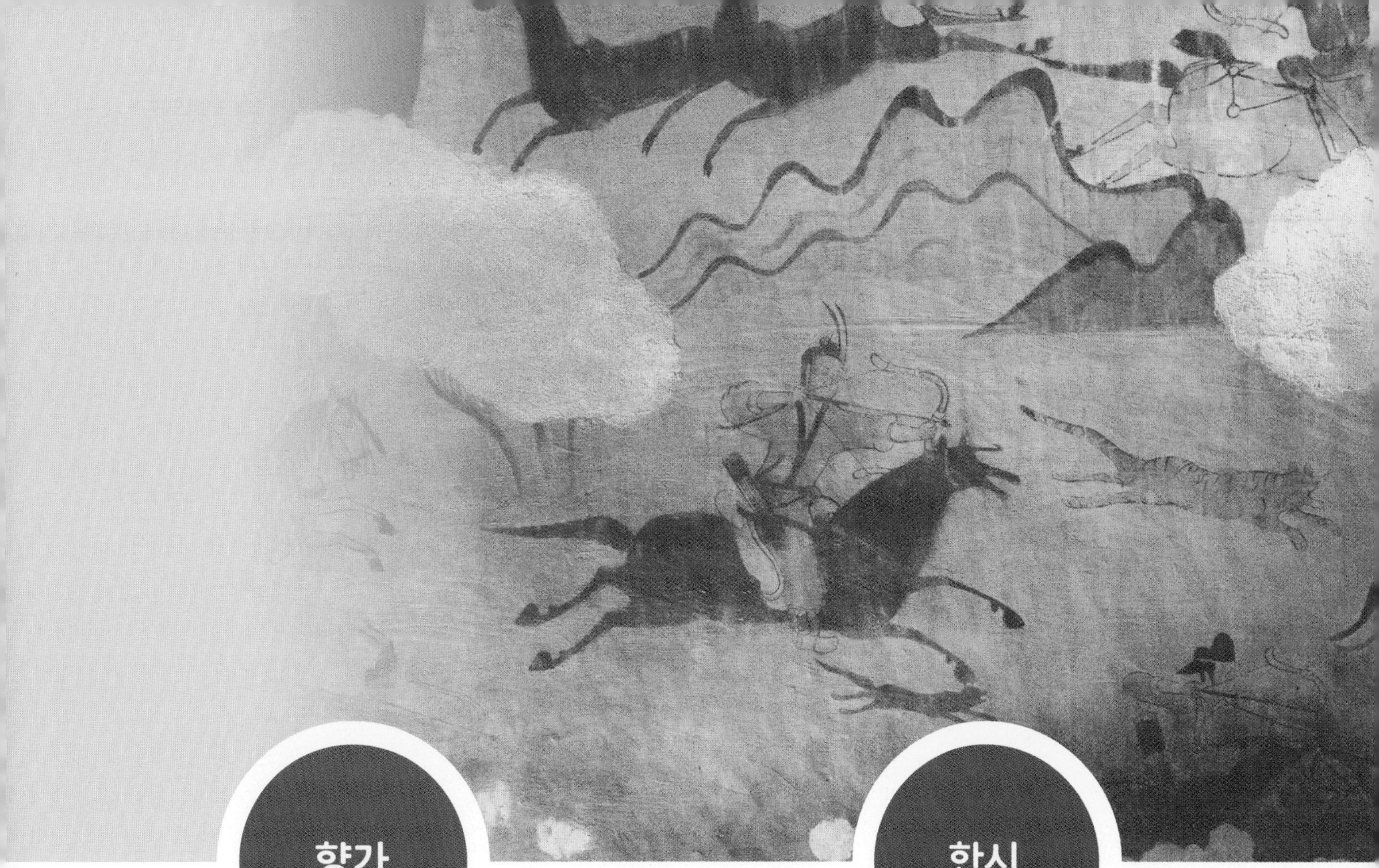

향가

신라 시대부터 고려 초기까지 창작·향유되었던 서정시
향찰로 표기된 우리 고유의 시가
4구체, 8구체, 10구체의 형식
공덕의 찬양, 미래에 대한 기원 등 다양한 내용을 담음.

예 「찬기파랑가」(충담사), 「제망매가」(월명사)

한시

한자로 된 정형시
음률의 아름다움 중시
일정한 형식과 규칙
통일 신라 이후 활발히 창작됨.

예 「제가야산독서당」(최치원), 「추야우중」(최치원)

고대 가요 Q01

공무도하가 | 정읍사

▶해법문학 Link
㉮ 고전 시가 28쪽
㉯ 고전 시가 36쪽

교과서 [문] 천재(정), 금성, 미래엔, 비상, 신사고 [국] 창비
기출 EBS

키워드 체크 ㉮ #임의 죽음 #물 #애상적 ㉯ #여인의 간절한 마음 #달 #기원적

핵심 포인트

㉮ 시상 전개에 따른 화자의 정서

1구	임을 만류함.	애원
2구	임이 물을 건넘.	초조
3구	임이 죽음.	절망
4구	화자가 탄식함.	슬픔과 체념

㉯ 「정읍사」에 나타난 대립적 시어의 의미

ᄃᆞᆯ	↔	즌 ᄃᆡ
달		위험한 곳
빛		어둠
기원의 대상		걱정의 원인

연계 작품

㉮ • 임과 이별한 슬픔의 정서가 나타난 작품: 유리왕 「황조가」
• 물을 통해 이별과 단절을 형상화한 작품: 작자 미상 「서경별곡」

㉯ • 임에 대한 걱정과 그리움을 표현한 작품: 정철 「사미인곡」 ⋯→ 기출 딥러닝 16쪽
• 망부석 설화를 바탕으로 한 작품: 김소월 「초혼」

기출 OX

Q1 (가)의 '물'은 화자가 겪게 될 비극적 사건의 원인이 된다. EBS 변형 (O | X)

Q2 (나)의 'ᄃᆞᆯ'은 화자의 슬픈 정서를 드러낸다. 기출 2012. 9. 고1 (O | X)

Q3 (나)의 '어긔야'는 내용을 전환하며 시적 반전을 드러내는 역할을 한다. EBS 변형 (O | X)

답 Q1 O Q2 X Q3 X

㉮

公無渡河 ┌ 임아, 그 물을 건너지 마오
　　　　 [A]
公竟渡河 └ 임은 끝내 그 물을 건너셨네
墮河而死 ┌ 물에 빠져 돌아가시니
　　　　 [B]
當奈公何 └ 가신 임을 어찌할꼬

– 작자 미상, 「공무도하가(公無渡河歌)」

㉯

•ᄃᆞᆯ하 ㉠•노피곰 도ᄃᆞ샤
어긔야 •머리곰 ㉡비취오시라
어긔야 어강됴리
아으 다롱디리
㉢•져재 •녀러신고요
어긔야 •즌 ᄃᆡᄅᆞᆯ •드ᄃᆡ욜셰라
어긔야 어강됴리
㉣•어느이다 •노코시라
어긔야 내 가논 ᄃᆡ ㉤•졈그ᄅᆞᆯ셰라
어긔야 어강됴리
아으 다롱디리

– 작자 미상, 「정읍사(井邑詞)」

• **ᄃᆞᆯ하** 달님이시여. '하'는 존칭으로, 높임의 호격 조사.
• **노피곰** 높이높이. '-곰'은 강조의 접미사.
• **머리곰** 멀리멀리.
• **져재** 저자에, 시장에.
• **녀러신고요** 가 계신가요? 다니고 있으신가요?
• **즌 ᄃᆡ** 진 곳, 위험한 곳.
• **드ᄃᆡ욜셰라** 디딜까 두렵습니다.
• **어느이다** 어느 곳에나. 어느 것이나. 어느 누구에게나.
• **노코시라** 놓고 있으십시오.
• **졈그ᄅᆞᆯ셰라** 저물까 두렵습니다.

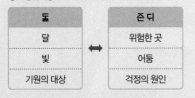

01 **(가), (나)의 공통점으로 가장 적절한 것은?**

① 여음구를 활용하여 음악적 효과를 거두고 있다.
② 동일한 종결 어미를 반복하여 대상에 대한 화자의 태도를 드러내고 있다.
③ 자연물에 감정을 이입하여 대상과 멀어진 화자의 슬픔을 부각하고 있다.
④ 대상에게 말을 건네는 어투를 사용하여 화자의 간절한 바람을 전달하고 있다.
⑤ 설의적 표현으로 시상을 마무리하여 화자의 심정을 집약적으로 나타내고 있다.

02 **[A], [B]에 대한 설명으로 적절하지 않은 것은?**

① [A]에 나타난 화자와 '임' 사이의 외적 갈등이 [B]에서 완전히 해소되고 있다.
② [A]에서 화자가 '임'의 행동을 만류한 것은 [B]에서 '임'이 겪을 상황을 염려했기 때문이다.
③ '물'은 [A]에서는 화자와 '임' 사이의 거리감을, [B]에서는 '임'의 죽음을 유발하는 소재이다.
④ [A]에서 화자가 느낀 걱정과 초조함의 정서는, [B]에서 절망과 체념의 정서로 이어지고 있다.
⑤ [A]와 [B]에는 모두 '임'의 행동과 그것을 지켜보는 화자의 정서가 나타나 있다.

03 **〈보기〉는 (가)와 함께 전해지는 배경 설화이다. 이를 바탕으로 (가)를 이해한 내용으로 적절하지 않은 것은?**

보기

뱃사공 곽리자고는 배를 저어 가다가 머리를 풀어 헤친 백수 광부가 술병을 들고 강물에 뛰어 들어가는 것을 보았다. 뒤따르던 그의 아내가 강물에 들어가지 말라고 애원했지만 결국 백수 광부는 물에 빠져 죽고 말았다. 이에 그의 아내는 공후를 타며 구슬픈 노래를 부른 후 곧 물에 몸을 던져 죽었다. 곽리자고는 집에 돌아와서 그 광경을 아내 여옥에게 전했다. 그녀가 공후를 타며 그 노래를 본받아 불렀는데, 듣는 이마다 슬퍼하며 눈물을 흘렸다.

① (가)를 노래로 처음 부른 이는 물에 빠져 죽은 백수 광부의 아내였겠구나.
② (가)는 남편의 죽음을 직접 목격한 백수 광부의 아내가 느낀 슬픔과 절망을 담은 노래구나.
③ 곽리자고는 사건을 직접 목격한 관찰자인 동시에 (가)를 다른 이에게 들려준 전달자였겠구나.
④ 여옥은 강물에 빠져 죽음을 맞이한 백수 광부의 관점에서 (가)를 전승하는 역할을 했겠구나.
⑤ (가)에 드러난 아내의 체념은 남편인 백수 광부를 따라 죽음을 택하는 행동으로 이어졌구나.

04 **㉠~㉤에 대한 이해로 적절하지 않은 것은?**

① ㉠에는 화자의 소망을 강조하는 표현이 나타나 있다.
② ㉡의 주체는 '돌'로, '돌'을 신성한 대상으로 여기는 화자의 태도가 드러나 있다.
③ ㉢을 통해 임의 직업과 시적 상황을 추측할 수 있다.
④ ㉣의 주체는 임으로, 임의 안전을 먼저 생각하라는 화자의 당부가 나타나 있다.
⑤ ㉤에는 임을 위한 화자의 희생 의지가 드러나 있다.

고난도

05 **(가), (나)와 〈보기〉를 비교하여 감상한 내용으로 가장 적절한 것은?**

보기

서경(西京)이 *아즐가 서경(西京)이 *셔울히마르는
위 두어렁셩 두어렁셩 다링디리
*닷곤 ᄃᆡ 아즐가 닷곤 ᄃᆡ 쇼셩경 *고외마른
위 두어렁셩 두어렁셩 다링디리
*여ᄒᆡ므론 아즐가 여ᄒᆡ므론 질삼 뵈 ᄇᆞ리시고
위 두어렁셩 두어렁셩 다링디리
괴시란ᄃᆡ 아즐가 괴시란ᄃᆡ *우러곰 *좃니노이다
위 두어렁셩 두어렁셩 다링디리

– 작자 미상, 「서경별곡」 중

*아즐가: 악에 맞추기 위한 여음.
*셔울히마르는: 서울이지마는.
*닷곤 ᄃᆡ: 닦은 곳.
*고외마른: 사랑하지마는.
*여ᄒᆡ므론: 이별하기보다는.
*우러곰: 울면서.
*좃니노이다: 좇아가겠습니다.

① (가)와 〈보기〉의 화자는 모두 임에게 변치 않는 사랑을 맹세하고 있다.
② (나)와 〈보기〉의 화자는 모두 이별로 인한 아픔을 직설적으로 드러내고 있다.
③ (가)와 달리 〈보기〉의 화자는 임과의 이별을 적극적으로 피하고 있다.
④ (가), (나)와 〈보기〉의 화자 모두 임의 변심으로 괴로워하고 있다.
⑤ (가), (나)와 달리 〈보기〉의 화자는 이별의 책임을 다른 대상에게 떠넘기고 있다.

『정읍사』 "ᄃᆞᆯ하 노피곰 도ᄃᆞ샤 어긔야 머리곰 비취오시라" 작품 한 줄 Pick

기출 딥러닝 2003학년도 6월 모의평가

[06~08] 다음 글을 읽고 물음에 답하시오.

(가) ㉠돌하 노피곰 도ᄃᆞ샤
어긔야 머리곰 비취오시라
어긔야 어강됴리 / 아으 다롱디리
ⓐ져재 녀러신고요
어긔야 ⓑ즌 ᄃᆡ롤 드ᄃᆡ욜셰라
어긔야 어강됴리
어느이다 노코시라
어긔야 내 가ᄂᆞᆫ ᄃᆡ 졈그ᄅᆞᆯ셰라
어긔야 어강됴리 / 아으 다롱디리

– 작자 미상, 「정읍사(井邑詞)」

(나) 꽃 지고 새 잎 나니 녹음이 깔렸는데 •나위(羅幃) 적막하고 •수막(繡幕)이 비어 있다. 부용(芙蓉)을 걷어 놓고 공작(孔雀)을 둘러 두니 **가뜩 시름 많은데 날은 어찌 길던고.** 원앙금(鴛鴦錦) 베어 놓고 오색선 풀어내어 금자에 겨누어서 임의 옷 지어내니, 수품(手品)은 물론이고 제도(制度)도 갖출시고. 산호수 지게 위에 백옥함에 담아 두고 임에게 보내려고 임 계신 데 바라보니 산인가 ⓒ구름인가 험하기도 험하구나. 천리만리 길에 뉘라서 찾아갈꼬. 가거든 열어 두고 나인가 반기실까.

하룻밤 서리 기운에 기러기 울어 엘 제 **•위루(危樓)에 혼자 올라 수정렴(水晶簾) 걷으니** 동산에 달이 나고 북극에 별이 뵈니, 임이신가 반기니 눈물이 절로 난다. 청광(淸光)을 쥐어 내어 봉황루(鳳凰樓)에 부치고져. 누 위에 걸어 두고 팔황(八荒)에 다 비추어 심산궁곡(深山窮谷) 한낮같이 만드소서.

•건곤이 얼어붙어 백설이 한 빛인 때 사람은 물론이고 나는 새도 그쳐 있다. •소상남반(瀟湘南畔)도 ⓓ추위가 이렇거늘 •옥루 고처(玉樓高處)야 더욱 일러 무엇 하리. **양춘(陽春)을 부쳐 내어 임 계신 데 쏘이고져.** 초가 처마 비친 해를 옥루에 올리고져. 홍상(紅裳)을 여며 입고 푸른 소매 반만 걷어 **해 저문 대나무에 생각도 많고 많다.** 짧은 해 쉬이 지고 ⓔ긴 밤을 꼿꼿이 앉아 청등 걸어 둔 곁에 공후를 놓아 두고 꿈에나 임을 보려 턱 받치고 기대니 **•앙금(鴦衾)도 차도 찰샤 이 밤은 언제 샐꼬.**

하루도 열두 때 한 달도 서른 날 잠시라도 생각 말아 이 시름 잊자 하니 마음에 맺혀 있어 뼛속까지 사무치니 •편작(扁鵲)이 열이 온들 이 병을 어찌하리. 어와 내 병이야 이 님의 탓이로다. 차라리 죽어서 범나비 되리라. 꽃나무 가지마다 간 데 족족 앉았다가 향 묻은 날개로 님의 옷에 옮으리라. 님이야 나인 줄 모르셔도 내 님 좇으려 하노라.

– 정철, 「사미인곡(思美人曲)」

- **나위** 얇은 비단으로 만든 장막.
- **수막** 수놓은 장막.
- **위루** 높은 누각.
- **건곤** 하늘과 땅을 아울러 이르는 말.
- **소상남반** 소상강의 남쪽. 여기서는 작가가 은거하고 있는 전라도 창평을 가리킴.
- **옥루 고처** 옥황상제가 있는 궁궐. 여기서는 임금이 계신 궁궐을 말함.
- **앙금** 원앙을 수놓은 이불.
- **편작** 중국 춘추 시대의 명의.

기출 변형

06 (가), (나)의 공통점으로 가장 적절한 것은?

① 화자와 임 사이의 거리감이 드러나 있다.
② 임을 원망하는 화자의 마음이 그려져 있다.
③ 고사를 인용하여 화자의 처지를 강조하고 있다.
④ 자연을 대하는 화자의 경건한 태도가 나타나 있다.
⑤ 시상 전개에 따라 화자의 정서가 극적으로 반전되고 있다.

기출 변형

07 ⓐ~ⓔ 중, 화자의 부정적인 인식이 반영된 시어가 아닌 것은?

① ⓐ　② ⓑ　③ ⓒ　④ ⓓ　⑤ ⓔ

기출

08 <보기>의 설화를 바탕으로 ㉠을 이해할 때, (나)에서 이와 유사한 심리가 드러난 것은?

보기

정읍현에 사는 사람이 행상을 떠난 뒤 오랫동안 돌아오지 않으므로 그의 아내가 산에 올라가 멀리 남편이 간 곳을 바라보며, 남편이 밤에 다니다가 해를 입을까 염려하는 마음을 진흙에 빠짐에 비유하여 노래하였다. 세상에 전하는 바에 의하면 아내가 서 있던 고개 위에 망부석(望夫石)이 있다고 한다.

① 가뜩 시름 많은데 날은 어찌 길던고.
② 위루에 혼자 올라 수정렴 걷으니
③ 양춘을 부쳐 내어 임 계신 데 쏘이고져.
④ 해 저문 대나무에 생각도 많고 많다.
⑤ 앙금도 차도 찰샤 이 밤은 언제 샐꼬.

향가 Q02

찬기파랑가 | 제망매가

▶해법문학 Link
㉮ 고전 시가 46쪽
㉯ 고전 시가 44쪽

[교과서] [문] 천재(김), 금성, 동아, 미래엔, 비상, 신사고, 지학사, 창비, 해냄 [국] 동아, 미래엔, 비상, 신사고 [기출] [EBS]

키워드 체크 ㉮ #기파랑 찬양 #자연물을 통한 비유와 상징 ㉯ #누이의 죽음 추모 #슬픔의 종교적 승화

핵심 포인트

㉮ 기파랑을 나타내는 상징적 시어

달	세상을 밝히는 존재. 모두가 우러러보는 존재인 기파랑의 고결한 모습
물가	기파랑의 맑고 깨끗한 성품
잣나무 가지	기파랑의 절개와 지조, 높은 기상

㉯ 시어의 비유적 의미

이른 바람	젊은 나이에 죽음.
떨어질 잎	죽은 누이
한 가지	한 부모, 같은 핏줄

㉮

咽嗚爾處米	㉠흐느끼며 바라보매
露曉邪隱月羅理	이슬 밝힌 ㉡달이
白雲音逐于浮去隱安支下	흰 구름 따라 떠간 언저리에
沙是八陵隱汀理也中	모래 가른 ㉢물가에
耆郎矣皃史是史藪邪	기랑(耆郎)의 모습이올시 수풀이여
逸烏川理叱磧惡希	•일오(逸烏)내 ㉣자갈 벌에서
郎也持以支如賜烏隱	낭(郎)이 지니시던
心未際叱肹逐內良齊	마음의 갓을 좇고 있노라
阿耶栢史叱枝次高支好	아아, ㉤잣나무 가지가 높아
雪是毛冬乃乎尸花判也	눈이라도 덮지 못할 •고깔이여

– 충담사, 「찬기파랑가(讚耆婆郎歌)」

㉯

生死路隱	•생사(生死) 길은
此矣有阿米次肹伊遣	예 있으매 머뭇거리고
吾隱去內如辭叱都	나는 간다는 말도
毛如云遣去內尼叱古	못다 이르고 어찌 갑니까
於內秋察早隱風未	어느 가을 이른 바람에
此矣彼矣浮良落尸葉如	이에 저에 떨어질 잎처럼
一等隱枝良出古	한 가지에 나고
去奴隱處毛冬乎丁	가는 곳 모르온저
阿也彌陀刹良逢乎吾	아아, •미타찰(彌陀刹)에서 만날 나
道修良待是古如	도(道) 닦아 기다리겠노라

– 월명사, 「제망매가(祭亡妹歌)」

연계 작품

㉮ • 대상의 성품을 예찬한 작품: 윤선도 「오우가」
• 화랑을 그리워하는 마음을 담은 작품: 득오 「모죽지랑가」

㉯ • 혈육의 죽음으로 인한 슬픔을 표현한 작품: 박목월 「하관」
• 재회에 대한 믿음으로 사별의 슬픔을 이겨 내는 모습이 나타난 작품: 도종환 「옥수수밭 옆에 당신을 묻고」

기출 OX

Q1 (가)의 '흰 구름'은 화자가 물리쳐야 할 부정적인 대상을 가리킨다. [EBS] 변형 (O | X)

Q2 (가)는 따르고 싶은 덕성을 갖춘 존재를 시적 대상으로 하고 있다. [EBS] 변형 (O | X)

Q3 (나)의 '바람'은 화자가 삶에 대해 반성하고 있음을 보여 준다. [기출] 2007. 5. 고1 (O | X)

답 Q1 X Q2 O Q3 X

• **일오내** 일오에 있는 내. '일오'는 지명으로 추정됨.
• **고깔** 화랑의 우두머리.
• **생사 길** 삶과 죽음의 갈림길을 이르는 말.
• **미타찰** 아미타불(부처)이 살고 있는 정토(淨土)로, 괴로움이 없으며 지극히 안락하고 자유로운 세상.

01 (가), (나)에 대한 설명으로 적절한 것은?

① (가)는 계절의 흐름에 따라 시상을 전개하고 있다.
② (가)는 자연물의 변화를 통해 대상의 속성을 드러내고 있다.
③ (나)는 명령적 어조를 활용하여 화자의 의지를 보여 주고 있다.
④ (나)는 대화를 인용하여 시적 상황을 생생하게 묘사하고 있다.
⑤ (가)와 (나)는 모두 시적 대상의 부재에 따른 화자의 감정을 드러내고 있다.

02 〈보기〉를 참고하여 ㉠~㉤을 설명한 내용으로 적절하지 않은 것은?

보기

「찬기파랑가」의 화자는 화랑 기파랑이 지녔던 맑고 깨끗한 인품, 고결한 정신과 고고한 기상을 기리고 있다. 또한, 화자는 이제는 볼 수 없는 기파랑의 모습과 기파랑이 추구하던 가치나 이상이 남아 있지 않은 현실을 안타까워하고 있다.

① ㉠: 기파랑의 모습을 볼 수 없는 상황에 대한 화자의 안타까움이 나타나 있다.
② ㉡: 기파랑의 고결한 정신을 하늘 높이 떠 있는 '달'의 이미지를 통해 나타내고 있다.
③ ㉢: 기파랑의 인품을 맑고 깨끗한 '물'의 이미지를 통해 형상화하고 있다.
④ ㉣: 기파랑의 숭고한 정신이 사라져 버린 부정적인 현실에 대한 화자의 반감이 나타나 있다.
⑤ ㉤: 기파랑의 고고한 기상을 높게 뻗어 있는 '잣나무 가지'를 통해 드러내고 있다.

03 대상에 대한 화자의 태도가 (가)와 가장 유사한 것은?

① 나 하늘로 돌아가리라. / 아름다운 이 세상 소풍 끝내는 날, / 가서, 아름다웠더라고 말하리라……. - 천상병, 「귀천」
② 땀내와 사랑 내 포근히 품긴 / 보내 주신 학비 봉투를 받아 // 대학 노-트를 끼고 / 늙은 교수의 강의 들으러 간다.
- 윤동주, 「쉽게 씌어진 시」
③ 나는 나룻배 / 당신은 행인. // 당신은 흙발로 나를 짓밟습니다. / 나는 당신을 안고 물을 건너갑니다.
- 한용운, 「나룻배와 행인」
④ 흐르는 강물은 / 길이길이 푸르리니 / 그대의 꽃다운 혼 / 어이 아니 붉으랴. - 변영로, 「논개」
⑤ 삽자루에 맡긴 한 생애가 / 이렇게 저물고, 저물어서 / 샛강 바닥 썩은 물에 / 달이 뜨는구나
- 정희성, 「저문 강에 삽을 씻고」

04 〈보기〉를 바탕으로 (나)를 이해한 내용으로 적절하지 않은 것은?

보기

「제망매가」는 경덕왕 때의 승려인 월명사(月明師)가 이른 나이에 세상을 떠난 누이를 추모하기 위해 지은 향가이다. 「제망매가」에는 혈육의 죽음에 대한 슬픔, 삶과 죽음에 대한 성찰, 인간적인 고통을 종교적으로 극복하려는 숭고한 자세가 나타나 있다.

① '생사 길은 / 예 있으매'에는 삶과 죽음의 갈림길이 멀리 있지 않다는 화자의 인식이 나타나 있어.
② '나는 간다는 말도 / 못다 이르고 어찌 갑니까'에는 누이의 임종을 지키지 못한 화자의 자책이 나타나 있어.
③ '어느 가을 이른 바람에 / 이에 저에 떨어질 잎처럼'은 이른 나이에 죽음을 맞이하게 된 누이의 모습을 형상화한 표현이야.
④ '한 가지에 나고'는 화자와 누이의 관계를 나타내는 비유적 표현이야.
⑤ '미타찰에서 만날 나'에는 죽은 누이와 재회할 수 있다는 종교적 믿음이 드러나 있어.

05 〈보기 1〉, 〈보기 2〉를 참고할 때, ⓐ, ⓑ에 들어갈 말로 적절한 것은?

보기 1

선생님: 우리 시가의 대표 갈래인 시조는 향가, 고려 가요 등 다양한 갈래의 영향을 받아 만들어진 것으로 보고 있어요. (가), (나)는 10구체 향가가 시조의 형식에 미친 영향을 보여 주고 있어요. (가), (나)와 아래의 시조를 비교해 볼까요? (가), (나)의 낙구(落句)와 〈보기 2〉의 종장이 모두 (　ⓐ　)할 뿐 아니라, 이 부분에서 (　ⓑ　)한다는 점에서 시조와 유사하다는 것을 알 수 있습니다.

보기 2

오백 년(五百年) 도읍지(都邑地)를 *필마(匹馬)로 도라드니
산천(山川)은 *의구(依舊)ᄒᆞ되 인걸(人傑)은 간 ᄃᆡ 업다
어즈버 태평연월(太平烟月)이 ᄭᅮᆷ이런가 ᄒᆞ노라
- 길재

*필마: 한 필의 말. *의구: 옛날 그대로 변함이 없음.

	ⓐ	ⓑ
①	여음구로 시작	주제를 함축하는 시어를 제시
②	여음구로 시작	시적 상황과 관련된 시어를 나열
③	감탄사로 시작	작품의 주된 정서나 주제를 제시
④	감탄사로 시작	현실에 대한 화자의 인식을 표현
⑤	정서를 직접 드러내는 시어로 시작	시상을 전환

기출 딥러닝

2008학년도 6월 모의평가

[06 ~ 08] 다음 글을 읽고 물음에 답하시오.

(가) 잃어버렸습니다.
무얼 어디다 잃었는지 몰라
㉠두 손이 주머니를 더듬어
길에 나아갑니다.

㉡돌과 돌과 돌이 끝없이 연달아
길은 돌담을 끼고 갑니다.

담은 쇠문을 굳게 닫아
길 위에 긴 그림자를 드리우고

길은 아침에서 저녁으로
저녁에서 아침으로 통했습니다.

돌담을 더듬어 눈물짓다
쳐다보면 하늘은 부끄럽게 푸릅니다.

㉢풀 한 포기 없는 이 길을 걷는 것은
담 저쪽에 내가 남아 있는 까닭이고,

내가 사는 것은, 다만,
잃은 것을 찾는 까닭입니다.

– 윤동주, 「길」

(나) ㉣생사(生死) 길은
예 있으매 머뭇거리고
나는 간다는 말도
못다 이르고 어찌 갑니까
어느 가을 이른 ⓐ바람에
이에 저에 떨어질 ⓑ잎처럼
㉤한 가지에 나고
가는 곳 모르온저
아아, 미타찰(彌陀刹)에서 만날 나
도(道) 닦아 기다리겠노라

– 월명사, 「제망매가(祭亡妹歌)」

기출

06 (가)의 하늘과 (나)의 미타찰에 대한 설명으로 적절한 것은?

① '하늘'과 '미타찰'은 화자가 몸을 담고 있는 공간이다.
② '하늘'은 숭고함을, '미타찰'은 비장함을 자아내는 공간이다.
③ '하늘'과 '미타찰'은 화자에게 환상을 불러일으키는 공간이다.
④ '하늘'은 화자의 반성을, '미타찰'은 화자의 지향을 함축하는 공간이다.
⑤ '하늘'은 자연의 영원성을, '미타찰'은 인간의 유한성을 상징하는 공간이다.

기출 변형

07 ㉠~㉤에 대한 설명으로 적절하지 않은 것은?

① ㉠의 '더듬어'는 화자의 내면적인 방황을 함축하고 있다.
② ㉡에서는 '돌'을 반복함으로써 화자의 답답한 심리를 드러내고 있다.
③ ㉢의 '풀 한 포기 없는'은 화자가 처한 상황이 황량함을 표현하고 있다.
④ ㉣의 '머뭇거리고'는 생사의 문제에 대한 인간적 고뇌를 담고 있다.
⑤ ㉤의 '가는 곳 모르온저'는 삶의 방향을 잃어버린 화자의 좌절감을 담고 있다.

고난도 기출

08 (나)의 ⓐ, ⓑ와 <보기>의 밑줄 친 시어들을 비교하여 이해한 내용으로 적절하지 않은 것은?

보기

A. 간밤에 부던 바람 만정 도화(桃花) 다 지겠다
아이는 비를 들어 쓸려고 하는구나
낙화인들 꽃이 아니랴 쓸어 무엇 하리오

B. 바람 불어 쓰러진 나무 비 온다 싹이 나며
임 그려 든 병이 약 먹다 나을쏘냐
저 임아 널로 든 병이니 네 고칠까 하노라

① ⓐ와는 달리 A의 '바람'은 화자의 시련을 상징하고 있다.
② ⓐ와 B의 '바람'은 어떤 결과를 가져오는 원인으로 작용하고 있다.
③ ⓑ와는 달리 A의 '도화'는 화자의 감회와 흥취를 부각하고 있다.
④ ⓑ와는 달리 B의 '나무'는 화자 자신을 비유하고 있다.
⑤ ⓑ, A의 '도화', B의 '나무'는 수동성을 함축하고 있다.

한시 Q03

제가야산독서당 | 추야우중

▶해법문학 Link
㉮ 고전 시가 62쪽
㉯ 고전 시가 60쪽

교과서 [문] 동아, 미래엔 [국] 천재(이) 기출 EBS

키워드 체크 ㉮ #산속 은둔 #세상과의 단절 #고뇌와 좌절 ㉯ #지식인의 고뇌 #고국에 대한 그리움 #애상적

㉮

狂奔疊石吼重巒	첩첩한 돌 사이로 미친 듯 달려 겹겹 봉우리에 울리니
人語難分咫尺間	사람 말소리야 지척에서도 분간하기 어렵네
常恐是非聲到耳	항상 시비하는 소리 귀에 들릴까 두려워하기에
故敎流水盡籠山	㉠일부러 흐르는 물로 하여금 온 산을 둘러싸게 했네

– 최치원, 「제가야산독서당(題伽倻山讀書堂)」

㉯

秋風唯苦吟	가을바람에 이렇게 힘들여 읊고 있건만
世路少知音	세상 어디에도 알아주는 이 없네
窓外三更雨	창밖엔 깊은 밤 비 내리는데
燈前萬里心	등불 앞에선 ㉡만 리 밖으로 마음 향하네

– 최치원, 「추야우중(秋夜雨中)」

핵심 포인트

㉮ '물'의 함축성

단절	화자가 있는 자연과 속세 사이를 가로막는 단절을 의미함.
자연	화자가 은거하고 있는 자연의 공간을 의미함.
갈등 해소	세상의 시비하는 소리를 막아 화자의 내면적 갈등을 해소함.

㉯ 주요 소재의 역할

가을바람	쓸쓸하고 우울한 분위기를 조성함.
깊은 밤, 비	• 화자와 세상 사이의 단절을 암시함. • 화자의 고독과 괴로움을 더욱 고조함.
등불	화자의 고독과 괴로움을 더욱 고조함.

연계 작품

㉮ 자연에 은거하여 살아가고자 하는 소망을 표현한 작품: 신흠 「산촌에 눈이 오니」, 윤선도 「어부사시사」

㉯ • 자신을 알아주지 않는 세상에 대한 한탄을 표현한 작품: 최치원 「촉규화」
• 가을날에 느끼는 고독이 드러난 작품: 박재삼 「울음이 타는 가을 강」

기출 OX

Q1 (가)의 '달려'와 '울리니'의 주체는 물이고, '둘러싸게 했네'의 주체는 화자라고 볼 수 있다. 기출 2006. 5. 고3 (O | X)

Q2 (나)의 '가을바람'은 세상에서 소외된 화자의 처지와 조응하여 쓸쓸함을 더한다. 기출 2010. 7. 고3 (O | X)

Q3 (나)의 '알아주는 이 없네'에는 화자의 재능과 포부를 몰라주는 세상에 대해 한탄하는 마음이 담겨 있다. 기출 2010. 7. 고3 (O | X)

답 Q1 O Q2 O Q3 O

01 (가), (나)의 공통점으로 적절한 것은?

① 대조적인 대상을 통해 주제 의식을 부각하고 있다.
② 자연과 동화된 삶을 살고자 하는 태도가 나타나 있다.
③ 현실 상황에 대한 부정적 인식을 바탕으로 하고 있다.
④ 과거와 현재를 대비하여 화자의 처지를 부각하고 있다.
⑤ 감각적 이미지를 활용하여 대상의 역동적인 모습을 형상화하고 있다.

02 (가), (나)에 나타난 시적 공간을 〈보기〉와 같이 나타낼 때, 〈보기〉와 관련지어 (가), (나)를 감상한 내용으로 가장 적절한 것은?

보기

ⓐ	ⓑ
화자가 머물러 있는 공간	세상

① (가)의 화자는 ⓐ와 ⓑ의 단절을 추구하지만, (나)의 화자는 ⓐ와 ⓑ의 합일을 추구한다.
② (가)의 화자는 ⓐ를 추구하고 ⓑ를 멀리하지만, (나)의 화자는 ⓐ를 멀리하고 ⓑ를 지향한다.
③ (가)의 화자는 (나)의 화자와 달리 자신의 의지에 따라 ⓐ에 머물고 있음을 밝히고 있다.
④ (가)와 (나)에서 모두 ⓐ는 탈속적인 공간을, ⓑ는 세속적인 공간을 가리킨다.
⑤ (가)와 (나)에서 모두 ⓐ는 화자가 뜻을 펼치는 공간을, ⓑ는 화자의 뜻이 억압받는 공간을 의미한다.

03 (가)의 물과 (나)의 비에 대한 설명으로 가장 적절한 것은?

① '물'은 화자의 흥취를 심화하지만, '비'는 화자의 비애를 심화한다.
② '물'은 화자의 내적 갈등을 막아 주지만, '비'는 화자의 내적 갈등을 심화한다.
③ '물'은 화자가 추구하는 이상을 가리키지만, '비'는 화자가 처한 현실의 한계를 가리킨다.
④ '물'과 '비' 모두 화자가 현재의 삶에 안주하도록 하는 계기가 된다.
⑤ '물'과 '비' 모두 화자가 자신의 삶을 성찰하도록 유도하는 소재이다.

04 〈보기〉는 ㉠에 대한 설명이다. 다음 중 이와 유사한 발상이 담긴 작품이 아닌 것은?

보기

㉠에서 화자는 산 주위를 흐르는 물을 보고 자신이 일부러 물로 하여금 산을 둘러싸도록 했다고 표현하고 있다. 이러한 발상은 대상이 지닌 본래의 속성을 주관적으로 변용(變容)하여 해석한 것이다.

① 동지(冬至)ㅅ ᄃᆞᆯ 기나긴 밤을 한 허리를 버혀 내여
춘풍(春風) 니불 아릐 서리서리 너헛다가
어론 님 오신 날 밤이여든 구뷔구뷔 펴리라 - 황진이
② 춘산(春山)에 눈 노긴 ᄇᆞ람 건듯 불고 간 듸 업다
잠간 비러다가 불리고쟈 마리 우희
귀 밋틔 희무근 서리를 노겨 볼가 ᄒᆞ노라 - 우탁
③ 십 년을 경영(經營)ᄒᆞ여 초려 삼간(草廬三間) 지여 내니
나 ᄒᆞᆫ 간 ᄃᆞᆯ ᄒᆞᆫ 간에 청풍(淸風) ᄒᆞᆫ 간 맛져 두고
강산(江山)은 들일 듸 업스니 둘러 두고 보리라 - 송순
④ 보리밥 풋ᄂᆞ물을 알마초 머근 후(後)에
바횟 ᄀᆞᆺ 믉ᄀᆞ의 슬ᄏᆞ지 노니노라.
그 나믄 녀나믄 일이야 부ᄅᆞᆯ 줄이 이시랴. - 윤선도
⑤ 방(房) 안에 혓는 촛불 눌과 이별(離別)ᄒᆞ엿관ᄃᆡ
것츠로 눈물 디고 속 타는 쥴 모로는고
뎌 촛불 날과 갓트여 속 타는 쥴 모로도다 - 이개

05 〈보기〉를 바탕으로 ㉡의 의미를 해석한 내용으로 적절한 것은?

보기

「추야우중」은 작가 최치원이 작품을 창작한 시기에 따라 해석이 달라진다. 창작 시기를 당나라에서 유학하던 때로 본다면 이 작품은 이방인으로서의 소회를 읊은 것으로 해석할 수 있다. 이와 달리 창작 시기를 고국인 신라로 돌아온 뒤로 본다면 이 작품은 육두품이라는 신분의 한계로 자신의 능력을 발휘할 수 없는 지식인의 고뇌를 노래한 것으로 해석할 수 있다.

	창작 시기	㉡의 의미
①	당나라 유학 시절	속세로부터 벗어나고 싶은 마음
②	당나라 유학 시절	멀리 떨어진 고국에 대한 그리움
③	당나라 유학 시절	말이 통하지 않아 자신의 뜻을 펼칠 수 없는 아쉬움
④	신라로 돌아온 뒤	관직에 나가 출세하고 싶은 욕망
⑤	신라로 돌아온 뒤	당나라 유학 시절에 대한 그리움

고려 시대

신라 시대에 유행하던 향가가 쇠퇴하고, 귀족들을 중심으로 한문학이 융성하였다.
평민들은 생활 감정을 진솔하게 표현한 고려 가요를 향유했으며,
귀족 문학과 평민 문학을 아우르는 시조가 발생하였다.

고려 가요

고려 시대의 평민들이 주로 부른 노래
연이 구분되고 후렴구가 있음.
남녀 간의 사랑, 이별의 안타까움, 삶의 고뇌 등을 다룸.
훈민정음 창제 이후 문자로 기록됨.

예 「가시리」(작자 미상), 「청산별곡」(작자 미상)

시조

한시

- # 고려 말부터 널리 창작된 고유의 정형시
- # 신진 사대부들이 유교적 이념을 표출하기 위해 개척한 문학 양식
- # 향유층이 확대되어 새로운 국민 문학의 기틀을 형성함.
- # 3장 6구 45자 내외를 기본 형식으로 함.

예 「이 몸이 주거 주거」(정몽주)

- # 상류층이 활발히 창작함.
- # 과거제 실시, 불교 융성으로 인한 한시 발달
- # 개인 서정, 사회 풍자 등 다양한 주제의 등장
- # 빈번한 외부 침입의 영향으로 민족 서사시 등장

예 「송인」(정지상), 「사리화」(이제현)

고려 가요 Q04

가시리 | 동동

▶해법문학 Link
㉮ 고전 시가 70쪽
㉯ 고전 시가 72쪽

교과서 [문] 비상, 신사고 [국] 천재(박), 천재(이), 비상(박안), 신사고, 지학사, 해냄 기출 EBS

키워드 체크 ㉮ #이별의 정한 #애이불비(哀而不悲) #원망 ㉯ #월령체 #애절한 그리움 #임을 떠나보내는 여인

핵심 포인트

㉮ 「가시리」에 나타난 화자의 정서 변화

기(1연)	이별의 상황에 대한 놀람과 안타까움
승(2연)	허탈감과 좌절, 임에 대한 원망
전(3연)	절제와 체념
결(4연)	임이 돌아오기를 바라는 소망과 기원

㉯ '님'과 화자를 비유한 소재

님	화자
• 등ㅅ블(이월령) • 도욋곶(삼월령)	• 별해 ᄇᆞ론 빗(유월령) • 져미연 ᄇᆞᆺ(시월령) • 반잇 져(십이월령)
훌륭한 인격과 아름다운 모습을 지닌 예찬의 대상	임에게 버림받은 처지
↕	↕
곳고리 새(사월령)	나릿믈(정월령)
임과 달리 잊지 않고 찾아옴.	변함없이 홀로 지내는 화자와 달리 얼었다 녹았다 함.

㉮

㉠가시리 가시리잇고 나ᄂᆞᆫ
ᄇᆞ리고 가시리잇고 나ᄂᆞᆫ
위 증즐가 대평셩ᄃᆡ(大平盛代)

날러는 엇디 살라 ᄒᆞ고
ᄇᆞ리고 가시리잇고 나ᄂᆞᆫ
위 증즐가 대평셩ᄃᆡ(大平盛代)

㉡잡ᄉᆞ와 두어리마ᄂᆞᄂᆞᆫ
선ᄒᆞ면 아니 올셰라
위 증즐가 대평셩ᄃᆡ(大平盛代)

셜온 님 보내ᄋᆞᆸ노니 나ᄂᆞᆫ
가시ᄂᆞᆫ ᄃᆞᆺ 도셔 오쇼셔 나ᄂᆞᆫ
위 증즐가 대평셩ᄃᆡ(大平盛代)

– 작자 미상, 「가시리」

㉯

덕(德)으란 •곰ᄇᆡ예 받ᄌᆞᆸ고 복(福)으란 •림ᄇᆡ예 받ᄌᆞᆸ고
덕(德)이여 복(福)이라 호ᄂᆞᆯ •나ᅀᆞ라 오소이다
아으 동동(動動)다리 〈서사〉

정월(正月)ㅅ 나릿ᄆᆞᄅᆞᆫ 아으 •어져 녹져 ᄒᆞ논ᄃᆡ
누릿 가온ᄃᆡ 나곤 몸하 ᄒᆞ올로 •녈셔
아으 동동(動動)다리 〈정월령〉

이월(二月)ㅅ 보로매 아으 노피 •현 등(燈)ㅅ블 다호라
만인(萬人) 비취실 •즈ᅀᅵ샷다
아으 동동(動動)다리 〈이월령〉

삼월(三月) 나며 개(開)ᄒᆞᆫ 아으 만춘(滿春) •ᄃᆞᆯ욋고지여
ᄂᆞᄆᆡ •브롤 즈ᅀᅳᆯ 디녀 나샷다
아으 동동(動動)다리 〈삼월령〉

연계 작품

㉮ **이별의 정한을 노래한 작품**: 작자 미상 「서경별곡」, 홍랑 「묏버들 갈히 것거」
㉯ **월령체 형식의 작품**: 정학유 「농가월령가」

사월(四月) 아니 니저 아으 오실셔 곳고리 새여
•므슴다 •녹사(錄事)니문 녯나ᄅᆞᆯ •닛고 신뎌
아으 동동(動動)다리 〈사월령〉

오월(五月) 오일(五日)애 아으 수릿날 아ᄎᆞᆷ 약(藥)은
즈믄 ᄒᆡᆯ 장존(長存)ᄒᆞ샬 약(藥)이라 받ᄌᆞᆸ노이다
아으 동동(動動)다리 〈오월령〉

유월(六月)ㅅ 보로매 아으 •별해 ᄇᆞ룐 빗 다호라
도라보실 니믈 •젹곰 좃니노이다
아으 동동(動動)다리 〈유월령〉

칠월(七月)ㅅ 보로매 아으 •백종(百種) 배(排)ᄒᆞ야 두고
㉢니믈 ᄒᆞᆫᄃᆡ •녀가져 원(願)을 비ᄉᆞᆸ노이다
아으 동동(動動)다리 〈칠월령〉

팔월(八月)ㅅ 보로ᄆᆞᆫ 아으 가배(嘉俳) 나리마ᄅᆞᆫ
㉣니믈 •뫼셔 녀곤 오ᄂᆞᆳ낤 가배(嘉俳)샷다
아으 동동(動動)다리 〈팔월령〉

구월(九月) 구일(九日)애 아으 약(藥)이라 먹논
황화(黃花)고지 안해 드니 •새셔 가만ᄒᆞ얘라
아으 동동(動動)다리 〈구월령〉

시월(十月)애 아으 •져미연 ᄇᆞᄅᆞᆺ 다호라
것거 ᄇᆞ리신 후(後)에 디니실 ᄒᆞᆫ 부니 업스샷다
아으 동동(動動)다리 〈시월령〉

십일월(十一月)ㅅ •봉당 자리예 아으 •한삼(汗衫) 두퍼 누워
•슬ᄒᆞᆯᄉᆞ라온뎌 •고우닐 •스싀옴 녈셔
아으 동동(動動)다리 〈십일월령〉

십이월(十二月)ㅅ •분디남ᄀᆞ로 갓곤 아으 •나ᄅᆞᆯ •반(盤)잇 져 다호라
㉤니믜 알ᄑᆡ 드러 •얼이노니 소니 가재다 •므ᄅᆞᅀᆞᆸ노이다
아으 동동(動動)다리 〈십이월령〉

– 작자 미상, 「동동(動動)」

기출 OX

Q1 (가)의 화자는 슬픔 속에서도 떠나가는 임을 축복하고 있다.
기출 2003. 10. 고1 (O | X)

Q2 (가)의 '가시리 가시리잇고'에서 3·3·2조의 3음보 율격을 확인할 수 있다.
기출 2014. 3. 고1 (O | X)

Q3 (나)에서 〈오월령〉의 '받ᄌᆞᆸ노이다'와 〈칠월령〉의 '비ᄉᆞᆸ노이다'에는 정성과 기원이 담겨 있다.
기출 2013. 3. 고2 (O | X)

Q4 (나)에서 〈칠월령〉의 '백종'은 화자가 임과의 재회를 확신하며 준비한 것으로, 임의 변치 않는 사랑을 드러내는 소재이다.
EBS 변형 (O | X)

- **곰ᄇᆡ예** 뒷 잔에, 신령님께.
- **림ᄇᆡ예** 앞 잔에, 임(임금)께.
- **나ᅀᆞ라 오소이다** 진상하러 오십시오.
- **어져 녹져** 얼려 하고 녹으려 하고.
- **녈셔** 살아가는구나. 지내는구나.
- **현** 켠. 매달린.
- **즈ᅀᅵ샷다** 모습이시도다.
- **돌욋고지** 진달래꽃 또는 오얏꽃.
- **브롤** 부러워할.
- **므슴다** 무엇 때문에.
- **녹사** 고려 때의 벼슬 이름.
- **닛고 신뎌** 잊고 계신지요.
- **별해 ᄇᆞ룐 빗** 벼랑에 버린 빗.
- **젹곰** 조금. 잠시나마.
- **백종** '백중날'을 달리 이르는 말. 여기서는 백중날 차리는 온갖 음식을 말함.
- **녀가져** 살아가고자. 지내고자.
- **뫼셔 녀곤** 모시어 지내야만.
- **새셔 가만ᄒᆞ얘라** 초가집이 조용하구나.
- **져미연 ᄇᆞᄅᆞᆺ** 잘게 썬 보리수나무.
- **봉당** 안방과 건넌방 사이의 토방. 안방과 건넌방 사이의 마루를 놓을 자리에 마루를 놓지 않고 흙바닥 그대로 둔 곳.
- **한삼** 속적삼.
- **슬ᄒᆞᆯᄉᆞ라온뎌** 슬픈 일이구나.
- **고우닐** 사랑하는 임을. 애인을.
- **스싀옴** 제각기.
- **분디남ᄀᆞ로** 분디나무로.
- **나ᄅᆞᆯ** 진상할. 차려 올릴.
- **반잇 져** 소반에 있는 젓가락.
- **얼이노니** 합치노니. 가지런히 놓으니.
- **므ᄅᆞᅀᆞᆸ노이다** 무옵니다.

답 Q1 X Q2 O Q3 O Q4 X

01 **(가), (나)에 대한 설명으로 적절하지 않은 것은?**

① (가)는 (나)와 달리 대상과의 관계를 긍정적으로 전망하고 있다.
② (나)는 (가)와 달리 화자와 대조되는 자연물을 통해 화자의 상황을 부각하고 있다.
③ (가)와 (나) 모두 현재의 상황에 대한 화자의 안타까움을 드러내고 있다.
④ (가)와 (나) 모두 동일한 구절을 반복하여 형태적 안정감을 부여하고 있다.
⑤ (가)와 (나) 모두 경어체를 사용하여 대상에 대한 화자의 태도를 드러내고 있다.

02 **(가)에 대한 이해로 적절하지 않은 것은?**

① 1연에는 임이 떠나는 상황이 제시되어 있다.
② 2연에서 화자는 1연에 나타난 상황 때문에 자신이 겪게 될 고통을 임에게 호소하고 있다.
③ 2연에서 화자는 1연의 질문을 되풀이하며 임에 대한 원망과 허탈감을 표현하고 있다.
④ 3연에는 욕망과 현실 사이의 괴리감에 따른 화자의 갈등이 나타나 있다.
⑤ 4연에는 임이 떠나는 것을 거부하는 화자의 행동이 구체적으로 드러나고 있다.

서술형

03 **(가)의 '셜온 님'의 의미를 〈조건〉에 맞게 서술하시오.**

조건
- '셜온'의 주체를 각각 '화자'와 '임'으로 설정하여 두 가지로 해석할 것.
- 각각 20~30자 범위로 쓰되, '주체가 ~일 때에는 ~을/를 의미한다.' 형식의 한 문장으로 쓸 것.

04 **㉠~㉤에 대한 설명으로 적절하지 않은 것은?**

① ㉠: 임과의 이별을 쉽게 받아들이지 못하는 화자의 심리가 드러나 있다.
② ㉡: 화자가 임을 붙잡지 못하는 이유가 나타나 있다.
③ ㉢: 임과 함께 살고 싶은 화자의 바람이 직접적으로 드러나고 있다.
④ ㉣: 풍요로운 한가위를 맞아 잠시나마 임의 부재로 인한 슬픔을 잊은 화자의 모습이 나타나 있다.
⑤ ㉤: 원치 않는 사람과 인연을 맺게 된 화자의 상황이 나타나 있다.

05 **(나)의 시어에 대한 이해로 적절하지 않은 것은?**

① 〈정월령〉의 '나릿믈'은 홀로 살아가는 화자의 처지를 반영한 대상이다.
② 〈이월령〉의 '등ᄉᆞ블'은 훌륭한 인품을 지닌 임을 빗대어 표현한 대상이다.
③ 〈오월령〉의 '아ᄎᆞᆷ 약'은 임을 향한 화자의 정성과 사랑을 상징하는 소재이다.
④ 〈유월령〉의 '별해 ᄇᆞ론 빗'은 임에게 버림받은 화자와 동일시되는 대상이다.
⑤ 〈구월령〉의 '황화곶'은 화자가 느끼는 외로움을 심화하는 역할을 한다.

고난도

06 **〈보기〉를 참고하여 (나)를 감상한 내용으로 적절하지 않은 것은?**

보기

「동동」은 고려 가요이자 가장 오래된 월령체 노래로, 각 달에 행하는 세시 풍속이나 계절의 분위기를 시적 상황으로 활용하여 임과 이별한 여인의 슬픔을 표현하고 있다. 서민 계층에서 널리 유행하던 고려 가요는 조선 시대에 궁중 의식에 사용되면서 궁중 음악의 성격을 띠게 되었는데, 이러한 과정에서 악기의 음을 흉내 내어 읽는 소리와 여음 등이 추가되었고, 일부 대목이 바뀌거나 새롭게 추가되기도 했다.

① 다른 연과 내용의 차이를 보이는 것으로 보아, 〈서사〉는 궁중 의식을 위해 새롭게 추가된 부분으로 볼 수 있겠군.
② 〈이월령〉과 〈삼월령〉, 〈오월령〉의 '임'은 임금과 같은 공적인 존재로 볼 수도 있겠군.
③ 〈사월령〉에서 임을 '녹사'라고 칭하는 것을 보니 (나)의 화자가 여성임을 짐작할 수 있겠군.
④ 〈칠월령〉과 달리 〈오월령〉은 세시 풍속을 시적 상황으로 활용하여 화자의 바람을 표현하고 있군.
⑤ 〈십일월령〉에서는 계절의 분위기와 임에게 버림받은 화자의 처지가 조응하고 있군.

07 **(나)의 곳고리 새와 〈보기〉의 꾀꼬리에 대한 설명으로 가장 적절한 것은?**

보기

펄펄 나는 저 꾀꼬리 / 암수 서로 정답구나
외로워라 이내 몸은 / 뉘와 함께 돌아갈꼬

– 유리왕, 「황조가」

① '곳고리 새'는 화자를, '꾀꼬리'는 임을 비유한 대상이다.
② '곳고리 새'는 이별의 상황을, '꾀꼬리'는 재회의 상황을 보여 준다.
③ '곳고리 새'는 부정적인 정서를, '꾀꼬리'는 긍정적인 정서를 유발한다.
④ '곳고리 새'와 '꾀꼬리' 모두 화자의 외로움을 심화한다.
⑤ '곳고리 새'와 '꾀꼬리' 모두 화자의 감정을 대신 나타내 준다.

기출 딥러닝

2001학년도 수능

[08 ~ 10] 다음 글을 읽고 물음에 답하시오.

(가) 가시리 가시리잇고 나는
ᄇᆞ리고 가시리잇고 나는
위 증즐가 대평셩ᄃᆡ(大平盛代)

날러는 엇디 살라 ᄒᆞ고
ᄇᆞ리고 가시리잇고 나는
위 증즐가 대평셩ᄃᆡ(大平盛代)

잡ᄉᆞ와 두어리마ᄂᆞᆫ
선ᄒᆞ면 아니 올셰라
위 증즐가 대평셩ᄃᆡ(大平盛代)

셜온 님 보내ᄋᆞᆸ노니 나는
가시는 ᄃᆞᆺ 도셔 오쇼셔 나는
위 증즐가 대평셩ᄃᆡ(大平盛代)

– 작자 미상, 「가시리」

(나) ㉠<u>천상(天上)의 견우직녀(牽牛織女)</u> 은하수(銀河水) 막혔어도
칠월 칠석(七月七夕) 일 년 일도(一年一度) •실기(失期)치 아니커든
우리 님 가신 후는 무슨 •약수(弱水) 가렸관데
오거나 가거나 소식(消息)조차 그쳤는고?
난간(欄干)에 비겨 서서 님 가신 데 바라보니
•초로(草露)는 맺혀 있고 •모운(暮雲)이 지나갈 제
죽림(竹林) 푸른 곳에 새소리 더욱 섧다
세상(世上)에 설운 사람 수없다 하려니와
박명(薄命)한 •홍안(紅顔)이야 나 같은 이 또 있을까?
아마도 이 님의 탓으로 살 동 말 동 하여라

– 허난설헌, 「규원가(閨怨歌)」

- **실기치** 시기를 놓치지.
- **약수** 도저히 건널 수 없다는 전설상의 강 이름.
- **초로** 풀잎에 맺힌 이슬.
- **모운** 날이 저물 무렵의 구름.
- **홍안** 붉은 얼굴이라는 뜻으로, 젊어서 혈색이 좋은 얼굴을 이르는 말.

기출 변형

08 (가), (나)의 공통점으로 가장 적절한 것은?

① 이별에 따른 정서를 노래하고 있다.
② 상대방의 덕을 송축(頌祝)하고 있다.
③ 안빈낙도(安貧樂道)하는 삶을 추구하고 있다.
④ 자연의 섭리에 대한 경외감을 노래하고 있다.
⑤ 자연물에 의탁해 자신의 심정을 노래하고 있다.

기출 변형

09 (가)와 (나)의 화자가 동일하다고 가정할 경우, (가)에서 (나)로 상황이 변한 데 따른 심정을 표현한 것으로 가장 적절한 것은?

① 지금 와서 생각해 보니, 헤어질 때 왜 그렇게 애달파했을까?
② 처음에는 내가 임을 버렸는데, 이제는 임이 나를 버리는구나.
③ 붙잡고 싶었던 임을 보내 주었는데, 어찌하여 소식조차 없을까?
④ 임을 떠나보내고 처음에는 그리워했지만, 이제는 익숙해져서 괜찮다.
⑤ 애초에는 망설임 없이 임을 떠나보냈는데, 지금은 그게 너무 후회된다.

10 (나)의 화자가 ㉠을 인용한 의도로 가장 적절한 것은?

① 자신이 이야기 속 인물과 같은 처지에 있음을 강조하기 위해서이다.
② 이야기 속 인물을 본받아 임과의 이별로 인한 슬픔을 극복하기 위해서이다.
③ 자신의 처지와 이야기 속 인물의 처지를 대조하여 위안을 얻기 위해서이다.
④ 자신의 감정을 이야기 속 인물에게 이입하여 임의 부재로 인한 슬픔을 나타내기 위해서이다.
⑤ 이야기 속 인물과는 다르게 임과의 만남을 기약조차 할 수 없는 자신의 처지를 부각하기 위해서이다.

고려 가요 **005**

교과서 [문] 천재(김), 천재(정), 금성, 해냄 기출 EBS

정석가(鄭石歌) | 작자 미상

▶해법문학 Link 고전 시가 80쪽

키워드 체크 #태평성대 기원 #임과의 영원한 사랑 #불가능한 상황 설정 #역설적 표현

[A] 딩아 돌하 당금(當今)에 계샹이다 / 딩아 돌하 당금(當今)에 계샹이다
선왕셩딕(先王聖代)예 노니ᄋᆞ와지이다

삭삭기 셰몰애 별헤 나는 / 삭삭기 셰몰애 별헤 나는
구은 밤 닷 되를 심고이다
그 바미 우미 도다 삭 나거시아 / 그 바미 우미 도다 삭 나거시아
유덕(有德)ᄒᆞ신 님믈 여히ᄋᆞ와지이다

옥(玉)으로 련(蓮)ㅅ고즐 사교이다 / 옥(玉)으로 련(蓮)ㅅ고즐 사교이다
바회 우희 졉듀(接柱)ᄒᆞ요이다
그 고지 삼동(三同)이 퓌거시아 / 그 고지 삼동(三同)이 퓌거시아
유덕(有德)ᄒᆞ신 님 여히ᄋᆞ와지이다

므쇠로 텰릭을 ᄆᆞᆯ아 나는 / 므쇠로 텰릭을 ᄆᆞᆯ아 나는
텰ᄉᆞ(鐵絲)로 주롬 바고이다
그 오시 다 헐어시아 / 그 오시 다 헐어시아
유덕(有德)ᄒᆞ신 님 여히ᄋᆞ와지이다

므쇠로 한 쇼를 디여다가 / 므쇠로 한 쇼를 디여다가
텰슈산(鐵樹山)애 노호이다
그 쇠 텰초(鐵草)를 머거아 / 그 쇠 텰초(鐵草)를 머거아
유덕(有德)ᄒᆞ신 님 여히ᄋᆞ와지이다

구스리 ㉠바회예 디신ᄃᆞᆯ / 구스리 바회예 ㉡디신ᄃᆞᆯ
㉢긴힛ᄃᆞᆫ 그츠리잇가
㉣즈믄 ᄒᆡ를 ㉤외오곰 녀신ᄃᆞᆯ / 즈믄 ᄒᆡ를 외오곰 녀신ᄃᆞᆯ
신(信)잇ᄃᆞᆫ 그츠리잇가

- **딩아 돌하** 징이여 돌이여. 이를 악기 소리를 표현한 의성어나 사람의 이름으로 해석하기도 함.
- **계샹이다** 계십니다.
- **선왕셩딕** 선왕이 다스리던 거룩한 태평성대.
- **노니ᄋᆞ와지이다** 노닐고 싶습니다.
- **삭삭기 셰몰애 별헤** 바삭바삭 (소리가 나는) 가는 모래 벼랑에.
- **삭 나거시아** 싹이 나야만.
- **여히ᄋᆞ와지이다** 이별하고 싶습니다.
- **사교이다** 새깁니다.
- **졉듀ᄒᆞ요이다** 접을 붙입니다.
- **삼동** 세 묶음. 또는 '삼동(三冬)'의 오기로 보아 추운 겨울로 해석하기도 함.
- **텰릭** 철릭. 무관이 입던 제복.
- **ᄆᆞᆯ아** 마름질하여, 재단하여.
- **한 쇼** 큰 소, 황소.
- **디신ᄃᆞᆯ** 떨어진들.
- **긴힛ᄃᆞᆫ** 끈이야.
- **그츠리잇가** 끊어지겠습니까.
- **즈믄 ᄒᆡ** 천 년.
- **외오곰 녀신ᄃᆞᆯ** 외롭게 살아간들, 외따로 살아간들.

핵심 포인트

「정석가」에 나타난 역설적 상황과 표현

연	불가능한 상황 가정	결심
2연	구운 밤에 움이 돋아 싹이 나면	유덕한 임과 이별할 것임.
3연	바위에 붙인 옥 연꽃에 꽃이 피면	
4연	무쇠로 만든 철릭이 헐면	
5연	무쇠로 된 소가 쇠풀을 먹으면	

⬇

임과 절대 이별하지 않겠다는 강한 소망과 의지를 드러냄.

'임'의 의미에 따른 「정석가」의 성격

'임'의 의미	「정석가」의 성격
연인	연인에 대한 영원한 사랑을 표현한 연정가로 볼 수 있음.
임금	태평성대를 기원하며 임금에게 바치는 송축가로 볼 수 있음.

연계 작품

- 6연과 유사한 구절이 나타난 작품: 작자 미상 「서경별곡」
- 불가능한 상황을 설정하여 소망을 표현한 작품: 김구 「오리의 짧은 다리」

기출 OX

Q1 과장을 통해 화자의 의지를 강조하고 있다. 기출 2013. 9. 고1 (O | X)

Q2 대화를 나누는 형식을 사용하여 친근감을 주고 있다. 기출 2013. 9. 고1 (O | X)

Q3 3연과 6연의 '바회'는 모두 단단하다는 속성을 함축하고 있다. EBS 변형 (O | X)

답 Q1 O Q2 X Q3 O

01 다음은 윗글의 구성을 도식적으로 나타낸 것이다. 이를 참고하여 윗글을 이해한 내용으로 적절하지 않은 것은?

서사	본사	결사
1연	2~5연	6연

① '서사', '본사', '결사' 모두 시구를 반복하여 리듬감을 살리고 있군.
② '본사'에서는 다양한 소재를 활용하여 불가능한 상황을 설정하고 있군.
③ '본사'에서는 임과의 이별을 수용하는 화자의 심정을 반어적으로 드러내고 있군.
④ '본사'에서는 각 연의 끝에 동일한 구절을 배치하여 주제 의식을 강화하고 있군.
⑤ '결사'에서는 설의적 표현을 사용하여 화자의 의지를 강조하고 있군.

02 윗글의 시어에 대한 설명으로 적절하지 않은 것은?

① 2연의 '셰몰애 별헤'와 3연의 '삼동'은 모두 생명이 살아가기 힘든 척박한 환경을 의미한다.
② 2연의 '구은 밤'과 3연의 '련ㅅ곶'은 모두 생명력이 없는 대상이다.
③ 2연의 '삭 나거시아'와 3연의 '퓌거시아'는 모두 새로운 생명이 생성하는 상황을 의미한다.
④ 3연의 '바회'와 4연의 '텰ㅅ'는 임에 대한 화자의 굳건한 사랑을 의미한다.
⑤ 4연의 '텰릭'과 달리 6연의 '구슬'은 비교적 훼손되기 쉽다는 속성이 있다.

03 [A]에 대한 설명으로 적절하지 않은 것은?

① 구성 면에서 다른 연들과 차이를 보이고 있다.
② 태평성대를 바라는 마음을 직설적으로 표현하고 있다.
③ 문장 어순에 변화를 주어 화자의 희망을 강조하고 있다.
④ 2~5연의 '님'을 임금으로 볼 수 있는 근거를 제공하고 있다.
⑤ 뒤에 이어지는 연들의 내용과 관련이 없는 내용을 담고 있다.

기출 2015학년도 9월 모의평가 A형

04 ㉠~㉤ 중, 〈보기〉의 ⓐ의 의미와 가장 가까운 것은?

보기

고려 시대에는 민간의 노래 가운데 풍속을 교화하는 데 적합하다고 여겨지는 노래를 궁중의 악곡으로 편입시켰다. 궁중 연회에서 사랑 노래가 많이 불린 것은 사랑 노래가 잔치 분위기와 잘 어울리면서도 남녀 간의 사랑을 ⓐ군신 간의 충의로 그 의미를 확장하여 수용할 수 있었기 때문이다. 민간에서 널리 불린 「정석가」가 궁중 연회의 노래로 정착된 것 역시 이런 맥락에서 볼 수 있다.

① ㉠ ② ㉡ ③ ㉢ ④ ㉣ ⑤ ㉤

기출 변형 2015학년도 9월 모의평가 A형

05 윗글과 〈보기〉에 대한 설명으로 가장 적절한 것은?

보기

임이 오마 하거늘 저녁밥을 일찍 지어 먹고
중문(中門) 나서 대문(大門) 나가 지방 위에 올라가 앉아 손을 이마에 대고 오는가 가는가 건넌 산 바라보니 *거머희뜩 서 있거늘 저것이 임이로구나. 버선을 벗어 품에 품고 신 벗어 손에 쥐고 *곰비임비 임비곰비 *천방지방 지방천방 진 데 마른 데를 가리지 말고 워렁퉁탕 건너가서 정(情)엣말 하려 하고 곁눈으로 흘깃 보니 작년 칠월 사흗날 껍질 벗긴 주추리 *삼대가 살뜰히도 날 속였구나.
모쳐라 밤이기에 망정이지 행여나 낮이런들 남 웃길 뻔 하였어라.

– 작자 미상

*거머희뜩: 검은빛과 흰빛이 뒤섞인 모양.
*곰비임비: 거듭거듭 앞뒤로 계속하여.
*천방지방: 몹시 급하게 허둥대는 모양.
*삼대: 삼[麻]의 줄기.

① 윗글은 〈보기〉에 비해 시간과 공간이 구체적으로 드러난다.
② 〈보기〉는 윗글에 비해 역설적 표현이 두드러지게 드러난다.
③ 윗글과 〈보기〉 모두 연쇄법과 대조법을 통해 생동감을 드러낸다.
④ 윗글과 〈보기〉 모두 음성 상징어를 통해 고요한 분위기를 조성한다.
⑤ 윗글은 상황의 가정에서, 〈보기〉는 행동의 묘사에서 과장이 드러난다.

고려 가요 06

청산별곡(靑山別曲) | 작자 미상

▶해법문학 Link
고전 시가 84쪽

[교과서] [문] 미래엔, 지학사, 창비 [국] 금성, 비상(박영)
[기출] [EBS]

키워드 체크 #삶의 애환 #이상향 #음악적 효과 #감각적 언어 사용

살어리 살어리랏다 청산(靑山)애 살어리랏다
ⓐ멀위랑 ᄃᆞ래랑 먹고 청산(靑山)애 살어리랏다
얄리얄리 얄랑셩 얄라리 얄라

우러라 우러라 ㉠새여 자고 니러 우러라 새여
널라와 시름 한 나도 자고 니러 우니노라
얄리얄리 얄라셩 얄라리 얄라

㉡가던 새 가던 새 본다 믈 아래 가던 새 본다
잉 무든 장글란 가지고 믈 아래 가던 새 본다
얄리얄리 얄라셩 얄라리 얄라

이링공 뎌링공 ᄒᆞ야 나즈란 디내와손뎌
ⓑ오리도 가리도 업슨 바므란 ᄯᅩ 엇디 호리라
얄리얄리 얄라셩 얄라리 얄라

어듸라 더디던 돌코 누리라 마치던 돌코
ⓒ믜리도 괴리도 업시 마자셔 우니노라
얄리얄리 얄라셩 얄라리 얄라

살어리 살어리랏다 바ᄅᆞ래 살어리랏다
ᄂᆞᄆᆞ자기 구조개랑 먹고 바ᄅᆞ래 살어리랏다
얄리얄리 얄라셩 얄라리 얄라

가다가 가다가 드로라 에졍지 가다가 드로라
ⓓ사ᄉᆞ미 짒대예 올아셔 ᄒᆡ금을 혀거를 드로라
얄리얄리 얄라셩 얄라리 얄라

가다니 ᄇᆡ브른 도긔 설진 강수를 비조라
ⓔ조롱곳 누로기 ᄆᆡ와 잡ᄉᆞ와니 내 엇디 ᄒᆞ리잇고
얄리얄리 얄라셩 얄라리 얄라

- **가던 새** 날아가던 새. 혹은 갈던 사래(밭)로 보기도 함.
- **잉 무든 장글란** ① 이끼 묻은 쟁기일랑. ② 이끼 묻은 은장도랑. ③ 날이 무딘 병기랑.
- **믜리도 괴리도** 미워할 사람도 사랑할 사람도.
- **ᄂᆞᄆᆞ자기** 해초의 일종인 나문재.
- **짒대** 장대.
- **에졍지** 외딴 부엌이나 마당.
- **강수** 강술. 독한 술.

핵심 포인트

'청산'과 '바다'를 중심으로 한 대칭 구조
5연과 6연의 순서를 바꾸면, '청산'과 '바다'를 중심으로 각 연이 안정적인 대칭 구조를 이룸.

청산(청산)			바ᄅᆞᆯ(바다)	
1연	자연에 대한 동경	—	6연	자연에 대한 동경
2연	삶의 고독과 비애	—	5연	운명적 고독
3연	속세에 대한 미련	—	7연	생의 절박함
4연	고독과 비탄	—	8연	고뇌의 해소

시어의 의미

청산, 바ᄅᆞᆯ	이상향, 도피처(↔ 믈 아래)
밤	절망적 고독의 시간
돌	화자의 의지와 무관한 삶
강수	현실의 괴로움을 잊기 위한 매개체

연계 작품

- **삶의 고뇌와 비애감을 표현한 작품**: 작자 미상 「창 내고쟈 창을 내고쟈」, 작자 미상 「아리랑 타령」
- **자연을 지향하는 마음을 노래한 작품**: 윤선도 「어부사시사」

기출 OX

01 상징적인 시어를 사용하여 주제를 효과적으로 드러내고 있다.
[기출] 2005. 10. 고1 (O | X)

02 반어적인 표현으로 삶의 모순을 드러내고 있다. [기출] 2008. 6. 고2 (O | X)

03 윗글의 후렴구는 연과 연의 관계를 분명히 하여 시상이 자연스럽게 전개되도록 한다.
[기출] 2000. 수능 (O | X)

답 01 O 02 X 03 X

01 윗글의 화자에 대한 설명으로 가장 적절한 것은?

① 자연을 벗 삼아 한가로운 삶을 즐기고 있다.
② 절망적인 현실 속에서 희망을 발견하고 있다.
③ 답답하고 힘겨운 현실에서 벗어나고 싶어 하고 있다.
④ 무기력했던 삶을 반성하며 삶의 의지를 다지고 있다.
⑤ 부조리와 모순이 가득한 현실을 개선하기 위해 노력하고 있다.

02 윗글의 표현상 특징으로 적절하지 않은 것은?

① 울림소리를 반복하여 음악적 효과를 얻고 있다.
② 동일한 시구를 반복하여 시적 의미를 강화하고 있다.
③ 설의적 표현을 사용하여 화자의 다짐을 강조하고 있다.
④ 의인화된 대상에게 말을 건네며 화자의 정서를 드러내고 있다.
⑤ 대칭적인 구조로 시상을 전개하여 주제 의식을 표현하고 있다.

03 ㉠과 ㉡의 역할에 대한 이해로 가장 적절한 것은?

① ㉠은 화자의 비애를 자극하고, ㉡은 화자의 의지를 북돋운다.
② ㉠은 화자의 만족감을 드러내고, ㉡은 화자의 고뇌를 심화한다.
③ ㉠은 화자의 현재 모습을, ㉡은 화자의 예전 모습을 형상화한 것이다.
④ ㉠은 화자의 심리를 대변하고, ㉡은 속세에 대한 화자의 미련을 나타낸다.
⑤ ㉠과 ㉡은 모두 화자의 처지와 대비되는 자연물로, 화자가 동경하는 삶을 나타낸다.

04 ⓐ~ⓔ에 대한 설명으로 적절하지 않은 것은?

① ⓐ: 화자가 꿈꾸는 소박한 삶의 모습이 상징적으로 드러나 있다.
② ⓑ: 고독한 삶에 대한 화자의 탄식과 절망감이 나타나 있다.
③ ⓒ: 고통스러운 삶의 원인을 내부에서 찾고, 성찰을 통해 이를 극복하려는 태도가 나타나 있다.
④ ⓓ: 기적 같은 일이 일어나기를 바라는 화자의 절박한 심정이 드러나 있다.
⑤ ⓔ: 술을 통해 현실의 고뇌를 해소하려는 체념적 태도가 드러나 있다.

05 윗글과 〈보기〉의 공통점으로 적절하지 않은 것은?

보기

문전의 옥토는 어찌되고
쪽박의 신세가 웬 말인가
아리랑 아리랑 아라리요
아리랑 배 띄워라 노다 가세

밭은 헐려서 신작로 되고
집은 헐려서 정거장 되네
아리랑 아리랑 아라리요
아리랑 배 띄워라 노다 가세

– 작자 미상, 「아리랑 타령」 중

① 3음보의 율격을 사용하여 음악성을 확보하고 있다.
② 유사한 문장 구조를 반복하여 운율을 형성하고 있다.
③ 역사적 사건을 짐작할 수 있는 소재를 제시하고 있다.
④ 현실 상황에 대한 화자의 부정적인 인식이 나타나 있다.
⑤ 연마다 후렴구를 삽입하여 형태적 안정감을 부여하고 있다.

06 윗글의 화자를 〈보기〉의 ㉮~㉰로 각각 가정하여 감상한 내용으로 적절하지 않은 것은?

보기

「청산별곡」은 화자를 누구로 보느냐에 따라 작품에 대한 해석이 달라진다. 대표적으로 「청산별곡」의 화자를 ㉮빈번한 난리로 삶의 터전을 잃은 유랑민으로 보기도 하고, ㉯사랑하는 이와 이별한 사람, ㉰권력자의 횡포 등으로 좌절한 지식인으로 보기도 한다.

① ㉮~㉰ 모두에게 1연의 '청산', 6연의 '바룰'은 이상향에 해당하는 공간이겠군.
② ㉮의 입장에서 3연의 '가던 새'는 '갈던 사래(밭)'를 의미한다고 볼 수 있겠군.
③ ㉮의 입장에서 4연의 '이링공 뎌링공'은 목적 없이 떠도는 화자의 삶의 모습을 보여 주는군.
④ ㉯의 입장에서 3연의 '잉 무든 장글'은 '이끼 묻은 은장도'를 뜻한다고 볼 수 있겠군.
⑤ ㉰의 입장에서 5연의 '돌'은 부당한 현실에 대한 저항 의지를 상징하는 것이겠군.

기출 딥러닝 2014학년도 9월 고1 학력평가

[07 ~ 09] 다음 글을 읽고 물음에 답하시오.

(가) 살어리 살어리랏다 **청산**에 살어리랏다
멀위랑 ᄃᆞ래랑 먹고 청산에 살어리랏다
얄리얄리 얄랑셩 얄라리 얄라 〈제1장〉

우러라 우러라 **새**여 자고 니러 우러라 새여
널라와 시름 한 나도 자고 니러 우니로라
얄리얄리 얄라셩 얄라리 얄라 〈제2장〉

어듸라 더디던 ㉠돌코 누리라 마치던 돌코
믜리도 괴리도 업시 마자셔 우니노라
얄리얄리 얄라셩 얄라리 얄라 〈제5장〉

– 작자 미상, 「청산별곡(靑山別曲)」

(나) 내 벗이 몇이나 하니 수석(水石)과 송죽(松竹)이라
동산에 달 오르니 긔 더욱 반갑구나
두어라 이 **다섯** 밧긔 또 더하여 무엇하리 〈제1수〉

구름 빛이 좋다 하나 검기를 자주 한다
바람 소리 맑다 하나 그칠 적이 하노매라
좋고도 그칠 뉘 없기는 물뿐인가 하노라 〈제2수〉

꽃은 무슨 일로 피면서 쉬이 지고
풀은 어이하여 푸르는 듯 누르나니
아마도 변치 아닐손 ㉡바위뿐인가 하노라 〈제3수〉

더우면 꽃 피고 추우면 잎 지거늘
솔아 너는 어찌 눈서리를 모르느냐
구천의 뿌리 곧은 줄을 그로 하여 아노라 〈제4수〉

나무도 아닌 것이 풀도 아닌 것이
곧기는 뉘 •시기며 속은 어이 비었느냐
저렇게 사시(四時)에 푸르니 그를 좋아하노라 〈제5수〉

작은 것이 높이 떠서 만물(萬物)을 다 비추니
밤중의 광명(光名)이 너만 한 이 또 있느냐
보고도 말 아니 하니 내 벗인가 하노라 〈제6수〉

– 윤선도, 「오우가(五友歌)」

• **시기며** 시키며

기출

07 (가), (나)에 대한 설명으로 적절하지 <u>않은</u> 것은?

① (가)는 후렴구를 반복하여 운율감을 높이고 있다.
② (나)의 〈제1수〉는 전체 내용을 안내하는 역할을 하고 있다.
③ (나)는 (가)와 달리 4음보를 사용하여 안정감을 주고 있다.
④ (가)와 (나)는 모두 각 연의 마지막 행에 시상이 집약되고 있다.
⑤ (가)와 (나)는 모두 대구를 사용하여 시적 의미를 강조하고 있다.

기출 변형

08 ㉠과 ㉡에 대한 설명으로 가장 적절한 것은?

① ㉠과 ㉡은 모두 자아 성찰의 매개물이다.
② ㉠과 ㉡은 모두 화자가 극복하고자 하는 대상을 상징한다.
③ ㉠은 흠모의 감정을, ㉡은 설움을 유발한다.
④ ㉠은 화자의 비극적 운명과, ㉡은 화자가 지향하는 삶과 관련이 있다.
⑤ ㉠은 변덕스러운 속성을, ㉡은 영원히 변치 않는 속성을 지니고 있다.

기출

09 〈보기〉를 바탕으로 (가)와 (나)를 이해한 것으로 적절하지 <u>않은</u> 것은?

보기

고시가 속의 '자연'은 화자가 현실의 어려움을 극복할 수 없는 상황에서 선택하는 '현실 도피의 공간'으로 나타난다. 또는 '본받아야 할 대상'으로 표현되기도 하는데, 이때 화자는 다양한 자연물의 속성에서 본받고자 하는 덕목을 찾아 이를 바람직한 삶의 태도로 내면화한다.

① (가)의 '청산'은 현실 도피의 공간이다.
② (가)의 '새'는 화자가 합일하고자 하는 자연물이다.
③ (나)의 '다섯'은 바람직한 삶의 덕목을 담고 있다.
④ (나)의 '꽃'은 본받아야 할 대상과 대조적인 존재이다.
⑤ (나)의 '그'는 화자가 내면화하고 싶은 모습을 지니고 있다.

Q07 시조

[교과서] [문] 금성, 미래엔 [국] 천재(박), 금성 [기출] [EBS]

애상과 한탄

▶해법문학 Link
㉮, ㉯ 고전 시가 92쪽

키워드 체크 ㉮ #봄밤의 애상 #다정가 ㉯ #늙음에 대한 한탄 #달관적

핵심 포인트

㉮ 시어의 이미지

이화, 월백, 은한	• 시각적 이미지 • 흰색 이미지 → 순수, 애상
자규	• 청각적 이미지 연상 • 울음소리 → 고독, 한(恨)

㉯ 시어의 상징적 의미

춘산		눈, 서리
• 녹색 이미지(눈이 녹고 새순이 돋은 산) • '젊음'을 상징함.	⟷	• 흰색 이미지(귀 밑의 흰머리) • '늙음'을 상징함.

㉮

이화(梨花)에 월백(月白)ᄒᆞ고 •은한(銀漢)이 •삼경(三更)인 제
일지 춘심(一枝春心)을 •자규(子規)ㅣ야 아랴마ᄂᆞᆫ
다정(多情)도 병(病)인 냥ᄒᆞ여 ㉠좀 못 드러 ᄒᆞ노라

- 이조년

㉯

춘산(春山)에 눈 노긴 ᄇᆞ람 건듯 불고 간 듸 업다
잠간 비러다가 불리고쟈 마리 우희
귀 밋틔 ᄒᆡ무근 서리를 노겨 볼가 ᄒᆞ노라

- 우탁

연계 작품

㉮ 봄밤의 정한을 표현한 작품: 호석균 「삶에나 님을 볼려」
㉯ 늙음에 대한 한탄을 담은 작품: 우탁 「ᄒᆞᆫ 손에 막딘 잡고」

기출 OX

Q1 (가)는 명령적 어조를 활용하여 화자의 의지를 강조하고 있다. [EBS] 변형 (O | X)

Q2 (가)의 '이화', '월백', '은한'은 서로 어울려 밝고 환한 이미지를 강화한다. [기출] 2006. 6. 모평 (O | X)

Q3 (나)에서는 늙음을 서리와 관련지어 추상적인 것을 구체적인 것으로 형상화했다. [EBS] 변형 (O | X)

답 Q1 X Q2 O Q3 O

• 은한 은하수.
• 삼경 하룻밤을 오경(五更)으로 나눈 셋째 부분. 밤 열한 시에서 새벽 한 시 사이.
• 자규 두견과의 새.

01 (가), (나)의 공통점으로 가장 적절한 것은?

① 자연과 속세를 대비하여 자연을 예찬하고 있다.
② 과장법을 사용하여 화자의 처지를 해학적으로 나타내고 있다.
③ 밝음과 어둠의 대비를 통해 상황을 선명하게 부각하고 있다.
④ 자문자답의 방식으로 화자가 추구하는 삶의 태도를 보여 주고 있다.
⑤ 영탄적 어조를 사용하여 상황에 대한 화자의 정서를 드러내고 있다.

02 (가), (나)의 화자에 대한 설명으로 적절한 것은?

① (가)의 화자는 자신의 과거 모습을 돌아보고 있다.
② (가)의 화자는 부정적 현실로부터 벗어나려 하고 있다.
③ (나)의 화자는 자연물과 자신의 모습을 동일시하고 있다.
④ (나)의 화자는 자신의 처지를 한탄하면서도 한편으로 달관의 자세를 드러내고 있다.
⑤ (가), (나)의 화자는 모두 자연 속에서 풍류를 즐기며 만족감을 느끼고 있다.

03 (가)와 〈보기〉에 대한 설명으로 적절하지 않은 것은?

보기

꿈에나 님을 볼려 잠 일울가 누엇드니
시벽달 지시도록 자규성(子規聲)을 어이ᄒᆞ리
두어라 단장 춘심(斷腸春心)은 너나 ᄂᆡ나 달으리

– 호석균

① (가)와 달리 〈보기〉에는 화자가 그리워하는 대상이 나타나 있다.
② (가)와 〈보기〉의 화자는 모두 밤이 깊도록 잠을 이루지 못하고 있다.
③ (가)의 '자규'와 〈보기〉의 '자규'는 모두 잠든 화자를 깨우는 역할을 한다.
④ (가)의 '삼경'과 〈보기〉의 '시벽달'은 모두 시간적 배경을 구체적으로 나타내 준다.
⑤ (가)의 '일지 춘심'과 〈보기〉의 '단장 춘심'에는 화자가 느끼는 애상감이 반영되어 있다.

04 ㉠의 상황을 나타내기에 가장 적절한 말은?

① 전전반측(輾轉反側)
② 풍수지탄(風樹之嘆)
③ 설상가상(雪上加霜)
④ 이심전심(以心傳心)
⑤ 동상이몽(同床異夢)

05 (나)를 이해한 내용으로 적절하지 않은 것은?

① 작품 전반에 인생무상(人生無常)에 대한 화자의 인식이 깔려 있군.
② 초장에서 화자는 봄과 같은 청춘의 시기가 짧음을 탄식하고 있군.
③ 초장에서는 '춘산'과 '눈'의 색채 대비를 통해 대상을 인상적으로 드러내고 있군.
④ 중장에서는 '잠간'이라는 부사어를 사용하여 인생이 짧다는 것을 강조하고 있군.
⑤ 종장에는 자연의 힘을 빌려 화자의 상황을 변화시켜 보고자 하는 발상이 드러나 있군.

06 (나)와 〈보기〉를 비교하여 감상한 내용으로 적절하지 않은 것은?

보기

ᄒᆞᆫ 손에 막ᄃᆡ 잡고 ᄯᅩ ᄒᆞᆫ 손에 *가싀 쥐고
늙는 길 가싀로 막고 오는 백발(白髮) 막ᄃᆡ로 치려터니
백발(白髮)이 제 몬져 알고 즈럼길노 오더라

– 우탁

*가싀: 가시.

① (나)와 〈보기〉의 화자는 모두 늙는 것을 원하지 않는군.
② (나)의 'ᄒᆡ무근 서리'는 〈보기〉의 '백발'을 빗대어 표현한 것이겠군.
③ (나)의 화자는 'ᄇᆞ람', 〈보기〉의 화자는 '막ᄃᆡ'와 '가싀'를 사용하여 늙음을 막고자 하고 있군.
④ (나)의 화자와 달리 〈보기〉의 화자는 흐르는 세월 앞에서 무력함을 느끼며 괴로워하고 있군.
⑤ (나)와 달리 〈보기〉에서는 대상을 의인화하여 자연의 섭리를 거스를 수 없다는 인식을 드러내고 있군.

기출 딥러닝

2015학년도 6월 모의평가 A형

[07~09] 다음 글을 읽고 물음에 답하시오.

(가) 국화(菊花)야 너는 어이 **삼월 동풍(三月東風)** 다 지내고
•낙목한천(落木寒天)에 **네 홀로** 피었느냐
아마도 **오상고절(傲霜孤節)**은 **너뿐인가 하노라**

- 이정보

• **낙목한천** 나뭇잎이 떨어지는 때의 추운 하늘.

(나) **이화(梨花)**에 월백(月白)하고 **은한(銀漢)이 삼경(三更)**인 제
일지 춘심(一枝春心)을 **자규(子規)**야 알랴마는
다정(多情)도 병(病)인 양하여 **잠 못 들어 하노라**

- 이조년

(다) ㉠쓸쓸하게 황량한 밭 곁에 寂寞荒田側
㉡탐스러운 꽃이 여린 가지 누르고 있네 繁花壓柔枝
향기는 •매우(梅雨) 지나 희미해지고 香經梅雨歇
그림자는 •맥풍(麥風) 맞아 기우뚱하네 影帶麥風攲
㉢수레나 말 탄 사람 그 뉘가 보아 줄까? 車馬誰見賞
㉣벌이나 나비들만 엿볼 따름이네 蜂蝶徒相窺
㉤태어난 곳 비천하니 스스로 부끄럽고 自慚生地賤
사람들이 내버려 두니 그저 한스럽네 堪恨人棄遺

- 최치원, 「•촉규화(蜀葵花)」

• **매우** 매실이 누렇게 익을 무렵의 장맛비.
• **맥풍** 보리가 익어 가는 시절에 부는 바람.
• **촉규화** 접시꽃.

기출 변형

07 (가)~(다)의 공통점에 대한 설명으로 가장 적절한 것은?

① 청각적 심상을 통해 화자의 처지를 강조하고 있다.
② 계절감을 주는 어휘로 시적 분위기를 조성하고 있다.
③ 대화체를 사용하여 대상과의 친밀감을 나타내고 있다.
④ 설의적 표현으로 화자의 단호한 의지를 표출하고 있다.
⑤ 자연과 인간을 대비하여 인간의 부정적 속성을 부각하고 있다.

기출

08 (가), (나)에 대한 이해로 적절하지 않은 것은?

① (가)의 '네 홀로'에는 다른 꽃들과 대조되는 국화의 속성이 드러나 있다.
② (나)에서는 밝은 달빛을 받는 '이화'에서 환기된 화자의 정서가 '자규'를 통해 심화되고 있다.
③ (가)에서는 '동풍'이 불어오는 '삼월'이, (나)에서는 '은한'이 기우는 '삼경'이 화자가 대상과 이별하는 시간적 배경으로 제시되어 있다.
④ (가)의 '오상고절'에는 굳건한 절개가, (나)의 '다정'에는 애상적 정서가 표현되어 있다.
⑤ (가)의 '너뿐인가 하노라'에는 대상을 예찬하는 화자의 태도가, (나)의 '잠 못 들어 하노라'에는 감정을 주체하지 못하는 화자의 모습이 나타나 있다.

기출 변형

09 〈보기〉를 참고하여 ㉠~㉤을 이해한 내용으로 적절하지 않은 것은?

보기

최치원의 「촉규화」는 삶의 현실이나 인식 태도를 사물에 투사하여 그 사물과 자아의 동일성을 이룬 한문 서정시의 하나이다. 최치원의 삶을 고려할 때, 그는 탁월한 능력을 갖추고 있었지만 출신상의 한계로 인해 세상에 크게 쓰이지 못한 채 평범한 사람들 속에서 살아야 할 때가 많았다. 최치원은 이 작품에서 자신의 목소리를 대변하는 '화자'를 통해 이와 같은 자신의 처지를 '촉규화'에 투사하여 표현하고 있다.

① ㉠: 화자의 능력을 펼칠 수 없는 척박한 현실을 뜻한다.
② ㉡: 탁월한 능력을 갖춘 화자 자신을 가리킨다.
③ ㉢: 화자를 크게 써 줄 수 있는 왕이나 고위 관료들을 뜻한다.
④ ㉣: 화자를 음해하고 괴롭히는 세력을 뜻한다.
⑤ ㉤: 출신상의 한계에 대한 화자의 탄식이 담겨 있다.

시조

Q08 명분과 현실의 대립

▶해법문학 Link
㉮, ㉯ 고전 시가 94쪽

교과서 [국] 비상(박안)

키워드 체크 ㉮ #왕조 교체 #회유 #비유적 ㉯ #일편단심 #충심 #직설적

핵심 포인트

㉮와 ㉯에 나타난 화자의 상반된 삶의 자세

㉮의 화자		㉯의 화자
시류에 영합하기를 권유함.(회유)	↔	일편단심의 지조를 강조함.(거절)

㉮의 표현 방식

비유적·우회적 표현
만수산 드렁츩이 얼거진들 엇더ᄒᆞ리

⬇

의도
변화하는 세상에 맞추어 시류에 영합하라.

㉯의 표현 방식

점층적 표현	'이 몸이 주거 → 일백 번 고쳐 주거 → 백골이 진토되여'(초장, 중장)
직설적, 설의적 표현	일편단심이야 가실 줄이 이시랴(종장)

⬇

의도
고려 왕조에 대한 충성심 강조

㉮

이런들 엇더ᄒᆞ며 져런들 엇더하료
만수산(萬壽山) 드렁츩이 얼거진들 엇더ᄒᆞ리
우리도 이ᄀᆞᆺ치 얼거져 백 년(百年)ᄭᆞ지 누리리라

- 이방원

㉯

이 몸이 주거 주거 일백 번(一百番) 고쳐 주거
백골(白骨)이 •진토(塵土)되여 넉시라도 잇고 업고
님 향ᄒᆞᆫ ㉠일편단심(一片丹心)이야 가실 줄이 이시랴

- 정몽주

• **진토** 티끌과 흙을 통틀어 이르는 말.

연계 작품

㉮ • 상대방을 회유하려는 의도가 나타난 작품: 황진이 「청산리 벽계수야」
• 시류에 영합하는 태도를 정당화한 작품: 이직 「가마귀 검다 ᄒᆞ고」

㉯ 죽음에도 굴하지 않는 굳은 절의를 노래한 작품: 성삼문 「이 몸이 주거 가셔」

01 **(가), (나)의 표현상 공통점으로 가장 적절한 것은?**

① 고사를 인용하여 시적 상황을 드러내고 있다.
② 연쇄적 표현을 통해 시적 긴장감을 조성하고 있다.
③ 특정 서술어를 반복하여 화자의 의도를 강조하고 있다.
④ 자연물에 감정을 이입하여 화자의 심리를 표현하고 있다.
⑤ 서로 다른 대상을 비교하여 화자의 의지를 드러내고 있다.

02 **〈보기〉는 (가)와 (나)의 창작 배경을 설명한 내용이다. 〈보기〉를 바탕으로 (가)의 화자와 (나)의 화자가 나눈 대화를 구성했다고 할 때, 그 내용으로 적절하지 <u>않은</u> 것은?**

보기
(가)는 고려가 멸망할 무렵, 훗날 조선의 태종이 된 이방원이 정몽주를 회유하기 위해 지었다고 전해지는 시조로, 「하여가」라고도 불린다. (나)는 정몽주가 (가)에 답하기 위해 지은 시조로 「단심가」라고도 불린다.

① (가): 대세는 이미 정해졌으니 우리와 함께 새로운 세상을 만들어 봅시다.
② (나): 이 몸은 고려의 신하로 고려와 운명을 같이할 것입니다.
③ (가): 자연의 섭리에 따라 사는 것이 오히려 당신의 목숨을 위태롭게 할 수 있습니다.
④ (나): 이 몸이 죽어 흙이 된다고 해도 고려를 절대 배신하지 않을 것입니다.
⑤ (가): 우리와 뜻을 같이하면 여생을 안락하게 보낼 수 있습니다.

03 **(가), (나)를 이해한 내용으로 적절하지 <u>않은</u> 것은?**

① (가)의 초장에서 '이런들', '져런들'은 두 가지 선택 사이에서 갈등하는 화자의 모습을 보여 주는군.
② (가)의 중장에서 '드렁츩이 얼기진들'은 화자가 바라는 상황을 빗대어 표현한 구절이군.
③ (가)의 종장에서 화자는 '백 년ᄭᆞ지 누리리라'를 통해 상대방을 회유하려는 의도를 드러내고 있군.
④ (나)의 초장에서 화자는 '일백 번 고쳐 주거'를 통해 극단적인 상황을 가정하고 있군.
⑤ (나)의 중장에서 '백골이 진토되여'는 오랜 시간이 흐른 후를 의미하는 구절이군.

04 **〈보기〉의 작품 해설을 참고할 때, [A]의 화자가 (나)의 화자에게 보일 반응으로 가장 적절한 것은?**

보기
다음 작품은 조선 개국에 참여한 고려 유신이 지은 시조로, 자신의 행위를 정당화하기 위한 의도를 담고 있다.

가마귀 검다 ᄒᆞ고 백로(白鷺)야 웃지 마라
것치 거믄들 속조차 거믈소냐 [A]
아마도 것 희고 속 거믈손 너뿐인가 ᄒᆞ노라

- 이직

① 나도 그대와 동병상련(同病相憐)의 처지라 할 수 있소.
② 권력층에 부화뇌동(附和雷同)하는 태도는 적절하지 않소.
③ 당신은 조금도 표리부동(表裏不同)하지 않다고 단언할 수 있겠소?
④ 우리끼리라도 유유상종(類類相從)하여 이 시국을 이겨 내지 않겠소?
⑤ 자신의 안위만을 생각하는 배은망덕(背恩忘德)한 사람은 되지 맙시다.

05 **밑줄 친 시어 중, ㉠과 그 의미가 가장 유사한 것은?**

① 오백 년(五百年) 도읍지(都邑地)를 필마(匹馬)로 도라드니
산천(山川)은 의구(依舊)ᄒᆞ되 인걸(人傑)은 간 듸 업다
어즈버 <u>태평연월(太平烟月)</u>이 ᄭᅮᆷ이런가 ᄒᆞ노라
- 길재

② 이 몸이 주거 가셔 무어시 될고 ᄒᆞ니
봉래산 제일봉에 낙락장송(落落長松) 되야 이셔
백설이 만건곤ᄒᆞᆯ 제 <u>독야청청(獨也靑靑)</u>ᄒᆞ리라
- 성삼문

③ 삭풍(朔風)은 나모 긋희 불고 명월(明月)은 눈 속에 촌듸
만리변성(萬里邊城)에 일장검(一長劍) 집고 셔셔
<u>긴 ᄑᆞ람 큰 ᄒᆞᆫ 소릐</u>예 거칠 거시 업세라
- 김종서

④ 이런ᄃᆞᆯ 엇더ᄒᆞ며 뎌런ᄃᆞᆯ 엇더ᄒᆞ료
초야 우생(草野愚生)이 이러타 엇더ᄒᆞ료
ᄒᆞ믈며 <u>천석고황(泉石膏肓)</u>을 고텨 므슴ᄒᆞ료
- 이황

⑤ 추강(秋江)에 밤이 드니 물결이 차노매라
낚시 드리우니 고기 아니 무노매라
<u>무심(無心)한 달빛</u>만 싣고 빈 배 저어 오노라
- 월산 대군

▶해법문학 Link
㉮ 고전 시가 98쪽
㉯ 고전 시가 102쪽

송인 | 사리화

교과서 [문] 동아, 비상, 지학사, 창비 [국] 금성
기출 EBS

키워드 체크 ㉮ #자연사와 인간사의 대비 #서경과 서정의 조화 ㉯ #풍자적·우의적 #탐관오리의 횡포

핵심 포인트

㉮ 「송인」의 짜임

기(1구)	강변의 서경	자연사
승(2구)	이별의 슬픔	인간사
전(3구)	무정한 대동강변	자연사
결(4구)	이별의 슬픔 고조	인간사

서경 / 서정

㉯ • 「사리화」에 나타난 풍자성

기(1구) 승(2구)	민중을 수탈하는 탐관오리	풍자를 통한 세태 고발
전(3구) 결(4구)	수탈당하는 농민의 원망	

↓

탐관오리의 수탈을 참새가 농작물을 쪼아 먹고 날아가는 것에 빗대어 비판함.

• 제목 '사리화'의 의미

사(沙)	리(里)	화(花)
목이 쉬다	근심하다	꽃

↓

농부들이 목이 쉬고, 근심하며 얻은 꽃 = 곡식

㉮

雨歇長堤草色多　　비 개인 긴 둑에 ㉠풀빛이 고운데
送君南浦動悲歌　　㉡남포에서 임 보내며 ㉢슬픈 노래 부르네
大同江水何時盡　　㉣대동강 물이야 언제나 마르려나
別淚年年添綠波　　이별 눈물 해마다 푸른 물결 보태나니

– 정지상, 「송인(送人)」

㉯

黃雀何方來去飛　　참새야 어디서 오가며 나느냐
一年農事不曾知　　일 년 농사는 아랑곳하지 않고
鰥翁獨自耕耘了　　늙은 홀아비 홀로 갈고 맸는데
耗盡田中禾黍爲　　밭의 벼며 기장을 ㉤다 없애다니

– 이제현, 「사리화(沙里花)」

연계 작품

㉮ 이별의 슬픔을 심화하는 자연의 모습이 나타난 작품: 이수복 「봄비」
㉯ 탐관오리의 수탈로 고통받는 백성의 모습이 나타난 작품: 정약용 「탐진촌요」

기출 OX

Q1 (가)는 실제 지명을 사용하여 공간적 배경을 구체화하고 있다.
　　기출 2007. 10. 고1 ○ X

Q2 (가)는 대동강변에서 이별하는 장면을 감각적 이미지를 통해 형상화하고 있다.
　　기출 2005. 10. 고2 ○ X

Q3 (나)는 풍경 묘사에 이어 화자의 심정을 드러내고 있다. 기출 2004. 11. 고1 ○ X

답 01 ○ 02 ○ 03 X

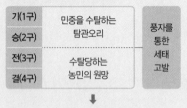

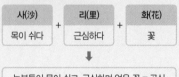

01 (가), (나)에 대한 설명으로 적절하지 않은 것은?

① (가)는 (나)와 달리 서경과 서정의 조화를 통해 화자의 정서를 드러내고 있다.
② (가)는 (나)와 달리 도치의 방식으로 시상을 마무리하여 시적 여운을 주고 있다.
③ (나)는 (가)와 달리 우의적 방식을 활용하여 세태를 비판하고 있다.
④ (나)는 (가)와 달리 화자와 대상 사이의 대화를 통해 생동감을 부각하고 있다.
⑤ (가)와 (나) 모두 7언 절구의 형식을 통해 주제를 형상화하고 있다.

02 ㉠~㉤에 대한 설명으로 적절하지 않은 것은?

① ㉠: 화자가 느끼는 슬픔을 심화하는 역할을 한다.
② ㉡: 임과의 이별이 시작되는 공간이다.
③ ㉢: 이별의 상황에 처한 화자의 정서가 표출되어 있다.
④ ㉣: 화자의 감정이 이입되어 있는 대상이다.
⑤ ㉤: 대상에 대한 화자의 원망과 탄식이 나타나 있다.

기출 1998학년도 수능

03 (가)의 결구(結句)에 대한 설명으로 적절하지 않은 것은?

① 기구(起句)의 '풀빛'과 시각적으로 어울린다.
② 과장된 표현으로 이별의 슬픔을 강조하고 있다.
③ 이별의 정한이 깊은 강물의 흐름과 어우러진다.
④ 전구(轉句)의 '언제나 마르려나'와 의미가 호응한다.
⑤ 해마다 더해 가는 현실에 대한 무상감이 푸른 물결과 대응한다.

04 (나)의 화자에 대한 설명으로 가장 적절한 것은?

① 부정적 현실을 적극적으로 극복하고자 한다.
② 약자에 대한 동정과 연민의 정을 지니고 있다.
③ 자연의 모습을 통해 자신의 삶을 성찰하고 있다.
④ 농사를 지으며 소박하게 사는 삶을 꿈꾸고 있다.
⑤ 속세를 떠나 자연과 벗하며 한가롭게 지내고 있다.

05 (가)와 〈보기〉의 공통점으로 가장 적절한 것은?

보기

이 비 그치면 / 내 마음 강나루 긴 언덕에
서러운 풀빛이 짙어 오것다.

푸르른 보리밭 길 / 맑은 하늘에
종달새만 무어라 지껄이것다.

이 비 그치면 / 시새워 벙글어질 고운 꽃밭 속
처녀 애들 짝하여 새로이 서고,

임 앞에 타오르는 / *향연(香煙)과 같이
땅에선 또 아지랑이 타오르것다.

– 이수복, 「봄비」

*향연: 향이 타며 나는 연기.

① 과거 회상을 통해 그리움의 정서를 환기하고 있다.
② 설의적 표현을 사용하여 시적 긴장감을 고조하고 있다.
③ 원경에서 근경으로 시선을 이동하며 시상을 전개하고 있다.
④ 유사한 통사 구조를 반복하여 형태적 안정감을 부여하고 있다.
⑤ 화자의 상황과 자연 현상을 대비하여 애상적 정서를 강조하고 있다.

06 (나)와 〈보기〉를 비교하여 감상한 내용으로 적절하지 않은 것은?

보기

새로 짜낸 무명이 눈결같이 고왔는데
이방 줄 돈이라고 황두가 뺏어 가네
누전 세금 독촉이 성화같이 급하구나
삼월 중순 *세곡선(稅穀船)이 서울로 떠난다고

– 정약용, 「탐진촌요」

*세곡선: 조세로 거둔 곡식을 실어 수송하는 배.

① (나)와 〈보기〉에는 모두 가렴주구(苛斂誅求)의 실태가 반영되어 있다.
② (나)의 '벼며 기장'과 〈보기〉의 '무명'은 백성의 생계와 관련이 있다.
③ (나)의 '참새'와 〈보기〉의 '황두'는 백성을 수탈하는 존재를 가리킨다.
④ (나)의 '늙은 홀아비'와 〈보기〉의 '이방'은 화자의 비판 의식을 불러일으키는 대상이다.
⑤ (나)는 우회적인 방식으로, 〈보기〉는 직설적인 방식으로 주제를 드러내고 있다.

조선 시대

조선 전기에는 사대부층을 중심으로
시조와 가사가 발달하여 시가 문학의 전성기를 맞이하였다.
조선 후기에는 신분제의 동요, 평민 의식의 성장, 실학사상의 대두 등으로
평민과 부녀자도 문학 활동에 활발히 참여하였다.

악장

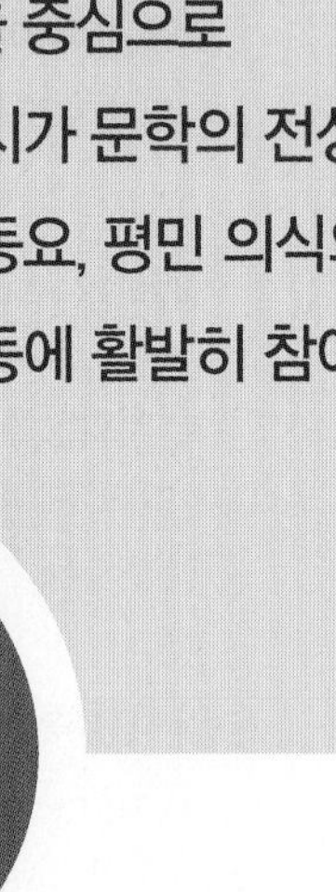

\# 궁중 의식과 행사에서 사용된 노래
\# 왕조 교체기인 조선 초기에만 나타남.
\# 조선 건국의 정당화란 목적의식이 뚜렷함.
\# 조선의 창업을 송축하고 왕의 덕을 기리는 내용

예 「용비어천가」(정인지 · 권제 · 안지 등)

시조

\# 조선 시대의 주요 문학 갈래
\# 사대부는 자연 예찬, 유교 윤리를 노래함.
\# 기녀들은 주로 남녀 간의 사랑을 노래함.
\# 평민들은 내용이 길어진 사설시조를 창작함.

예 「수양산 ᄇᆞ라보며」(성삼문), 「어져 내 일이야」(황진이)
「창 내고쟈 창을 내고쟈」(작자 미상)

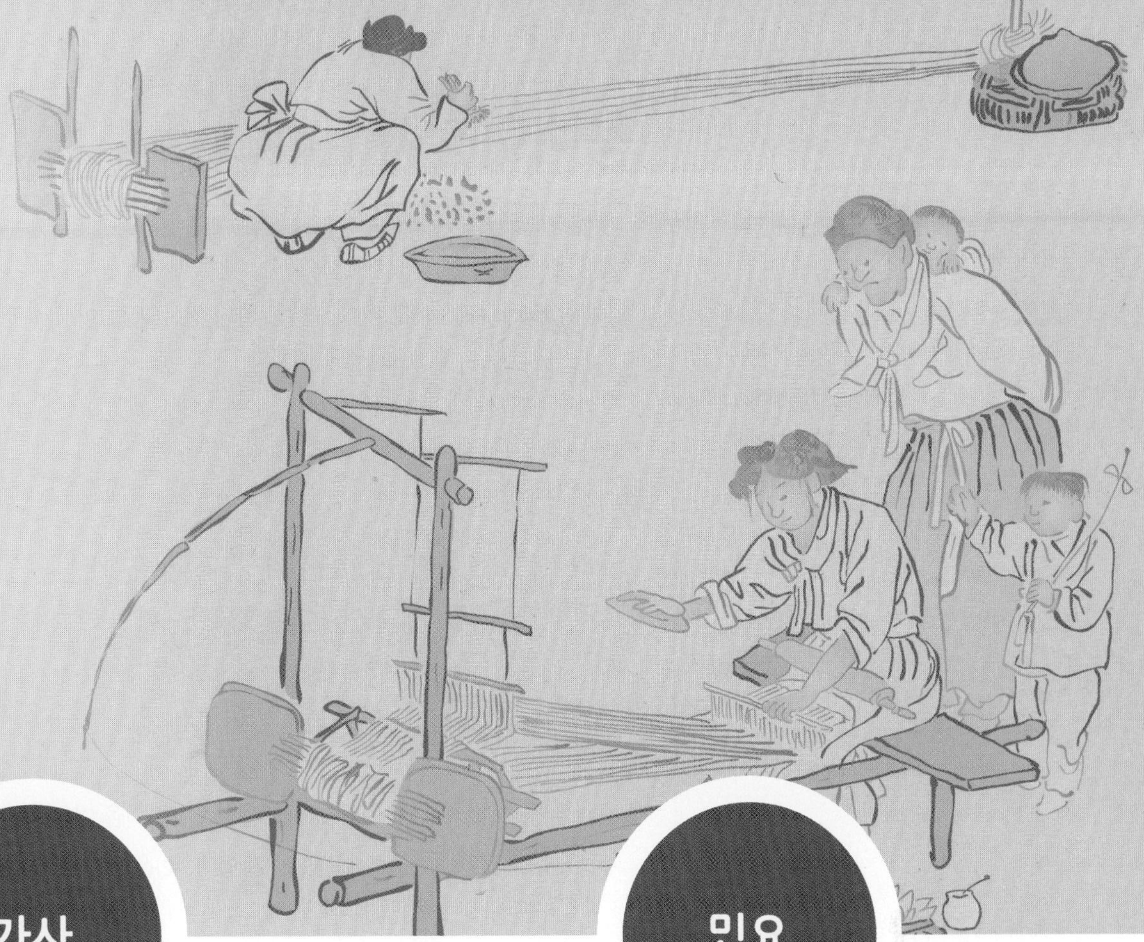

가사

\# 행수에 제한이 없는 4음보의 시가
\# 짧은 형식의 시조를 보완하는 역할
\# 전기에는 안빈낙도, 연군지정과 같은 관념적인 성격의 주제를 표현함.
\# 후기에는 체험을 사실적 · 구체적으로 표현함.

예 「상춘곡」(정극인), 「속미인곡」(정철), 「누항사」(박인로)

민요

\# 예로부터 민중들 사이에서 구전되어 온 노래
\# 서민들의 소박한 생활상과 감정이 나타남.
\# 노동의 능률을 높이거나 흥을 돋우는 역할
\# 후렴구가 있는 작품이 많음.

예 「시집살이 노래」(작자 미상), 「정선 아리랑」(작자 미상)

Q10 악장

교과서 [문] 비상 [국] 천재(이), 미래엔, 비상(박안), 창비
기출 **EBS**

핵심 포인트

「용비어천가」의 전체 구성

서사	1장	조선 창업의 정당성을 밝힘.
	2장	조선의 무궁한 발전을 송축함.
본사	3장~8장	태조의 선조인 사조(四祖)의 사적을 노래함.
	9장~89장	태조의 인품과 업적을 노래함.
	90장~109장	태종의 위업을 찬양함.
결사	110장~125장	후대 왕에게 권계함.

「용비어천가」(본사)의 표현상 특징

전절	중국의 역대 성인과 제왕의 사적	대등·유사한 점을 제시(대구 형식)	↓ 조선 건국의 정당성 강조
후절	조선을 창업한 육조의 행적		

연계 작품

새 왕조의 번영을 송축한 작품: 정도전 「신도가」

기출 OX

Q1 윗글에서는 '백성'이 '임금'의 정통성을 인정하는 과정이 서술되어 있다.
EBS 변형 (O | X)

Q2 〈제1장〉에서는 상상의 동물에 빗대어 대상의 권위를 높이고 있다.
EBS 변형 (O | X)

Q3 〈제125장〉에서는 행에 따라 종결 어미를 달리 하고 있다.
기출 2016. 수능 A (O | X)

답 Q1 X Q2 O Q3 O

용비어천가(龍飛御天歌) | 정인지·권제·안지 등

▶해법문학 Link 고전 시가 112쪽

키워드 체크 #장편 영웅 서사시 #조선 건국의 정당성 #새 왕조 창업 송축

•해동(海東) •육룡(六龍)이 ᄂᆞᄅᆞ샤 일마다 천복(天福)이시니
㉠•고성(古聖)이 동부(同符)ᄒᆞ시니

〈제1장〉

불휘 기픈 남ᄀᆞᆫ ㉡ᄇᆞᄅᆞ매 아니 뮐씨 곶 됴코 여름 하ᄂᆞ니
㉢시미 기픈 므른 ᄀᆞᄆᆞ래 아니 그츨씨 내히 이러 바ᄅᆞ래 가ᄂᆞ니

〈제2장〉

주국 대왕(周國大王)이 빈곡애 사ᄅᆞ샤 제업(帝業)을 여르시니
우리 시조(始祖) ㅣ ㉣경흥에 사ᄅᆞ샤 왕업(王業)을 여르시니

〈제3장〉

•사조(四祖) ㅣ 편안(便安)히 몯 겨샤 현 고ᄃᆞᆯ 올마시뇨 몃 간(間)ㄷ 지븨 사ᄅᆞ시리잇고
㉤구중(九重)에 드르샤 태평(太平)을 누리싫 제 이 ᄠᅳ들 닛디 마ᄅᆞ쇼셔

〈제110장〉

천세(千世) 우희 미리 정ᄒᆞ샨 한수(漢水) 북(北)에 •누인개국(累仁開國)ᄒᆞ샤 복년(卜年)이 ᄀᆞᇫ업스시니
•성신(聖神)이 니ᅀᆞ샤도 •경천근민(敬天勤民)ᄒᆞ샤ᅀᅡ 더욱 구드시리이다
님금하 아ᄅᆞ쇼셔 낙수(洛水)예 산행(山行)가 이셔 하나빌 미드니잇가

〈제125장〉

- **해동** '발해의 동쪽'이라는 말로, 우리나라의 별칭.
- **육룡** 조선 창업의 주역인 6조(목조, 익조, 도조, 환조, 태조, 태종)를 용에 비유한 것.
- **고성** 중국의 역대 성군을 일컬음.
- **사조** 태조 이성계의 네 조상. 목조, 익조, 도조, 환조를 가리킴.
- **누인개국** 여러 대에 걸쳐 인(仁)을 쌓아 나라를 엶.
- **성신** 성스럽고 신령스런 임금.
- **경천근민** 하늘을 공경하고 백성을 다스리는 데 부지런히 함.

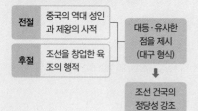

01 **〈보기〉를 참고하여 윗글을 이해한 것으로 적절하지 않은 것은?**

> 보기
>
> 악장은 새 왕조의 창업을 기리거나 왕에 대한 권계 등을 담아 궁중 의례에서 연행하기 위해 만든 노래이다. 왕조가 교체된 조선 초기에만 나타나는 독특한 문학 양식으로, 목적성이 강하고 궁중에서만 향유된다는 제약이 있어 다른 문학 갈래에 큰 영향을 미치지 못하고 점차 사라졌다. 악장의 대표적인 작품인 「용비어천가」는 신흥 왕조에 대한 찬양과 송축, 조선 건국의 정당성을 도모하려고 하였다. 더불어 「용비어천가」는 훈민정음으로 창작된 최초의 문학 작품으로, 훈민정음을 시험하고 국자(國字)로서의 권위를 부여하려는 목적이 담겨 있다고 볼 수 있다.

① 조선 왕들의 인품과 업적을 중국에 알려 조선 건국의 정당성을 부각하고 있다.
② 조선을 건국한 육조(六祖)의 업적을 찬양하고 조선의 무궁한 발전을 기원하고 있다.
③ 조선 건국이 하늘의 뜻임을 강조하여 백성들에게 건국의 정당성을 설득하려 하였다.
④ 갈래의 특성상 대중성이 결여되었기 때문에 지속적인 창작이 이루어지지 못하였다.
⑤ 최초로 훈민정음을 활용하여 작품을 창작함으로써 훈민정음의 실용성을 실험하고자 했다.

02 **〈보기〉를 참고하여, 윗글을 분석한 내용으로 적절하지 않은 것은?**

> 보기
>
> 「용비어천가」의 대부분은 2절 4구의 형식으로 되어 있으며 전절은 중국 성왕들의 사적(事績)을, 후절에는 그와 견줄 만한 조선 육조(六祖)의 사적을 제시하여 대구를 이루고 있다. 이를 통해 조선 개국의 정당성을 강조하고, 후대 왕들이 경계해야 하는 내용을 효과적으로 전달하였다.

① 〈제1장〉은 〈제2장〉과 달리 2절 4구의 형식에서 벗어나 있다.
② 〈제1장〉과 〈제3장〉은 조선 개국의 정당성을 강조하고 있다.
③ 〈제2장〉은 〈제3장〉과 달리 대구를 통해 선조의 사적을 제시하지 않았다.
④ 〈제3장〉과 〈제110장〉의 전절에는 중국 고사를 인용하고 있다.
⑤ 〈제110장〉과 〈제125장〉은 후대 왕들이 경계해야 하는 내용을 담고 있다.

03 **㉠~㉤에 대한 이해로 적절하지 않은 것은?**

① ㉠의 ‘고성’은 중국 역대 성군을 가리키는 것으로, 조선 건국이 하늘의 뜻임을 보여 주기 위한 것이다.
② ㉡의 ‘ᄇᆞᄅᆞᆷ’은 부정적 의미로 사용되어 국가적 시련이나 고통을 의미한다.
③ ㉢의 ‘시미 기픈 믈’은 선조들이 이겨 냈던 시련으로, 왕권 강화의 필요성을 드러낸다.
④ ㉣의 ‘경흥’은 조선의 왕업이 시작된 곳으로, ‘빈곡’과 같은 의미의 공간임을 드러낸다.
⑤ ㉤의 ‘구중’은 임금이 있는 대궐로, 왕조를 창업한 선조들의 고난을 잊지 말아야 할 공간이다.

기출 변형 2016학년도 수능 A형

04 **〈제2장〉과 〈제125장〉의 표현상 특징으로 적절하지 않은 것은?**

① 〈제2장〉에서는 자연의 이치가 담긴 사례를 들어 화자가 바라는 바를 드러내고 있다.
② 〈제125장〉에서는 설의적 표현을 통해 말하고자 하는 바를 강조하고 있다.
③ 〈제2장〉과 달리, 〈제125장〉은 돈호법을 사용하여 청자를 명확하게 밝히고 있다.
④ 〈제125장〉과 달리, 〈제2장〉은 한자어를 배제하고 순우리말의 어감을 살리고 있다.
⑤ 〈제2장〉과 〈제125장〉은 모두 자연 현상과 인간의 삶을 대조적으로 보여 주고 있다.

05 **다음을 참고하여 〈제125장〉을 이해한 내용으로 적절하지 않은 것은?**

> • **전절:** 신라 때의 승려 도선이 한강의 북쪽에 도읍을 정하면 나라가 흥하리라고 하였다.
> • **후절:** 하나라 태강왕은 치수 사업의 업적을 남긴 할아버지인 우왕의 공만 믿고 정사를 돌보지 않았다. 나중에는 낙수(洛水) 밖으로 사냥 간 지 백 날이 넘어도 돌아오지 않자 제후인 예(羿)가 백성을 위하여 참을 수 없다 하여 태강왕을 폐위해 버렸다.

① ‘한수 북’은 ‘천세 우’에 선택된 곳으로, 조선의 개국은 예정되어 있었던 것임을 의미하는군.
② ‘복년’이 끝없다는 것은 한강의 북쪽에 도읍을 정하면 나라가 흥할 것이라는 도선의 말에서 비롯되었군.
③ ‘경천근민’은 나라가 흥하기 위해서는 백성들이 하늘을 공경하고 부지런해야 함을 의미하는군.
④ ‘님금하 아ᄅᆞ쇼셔’는 선대의 임금의 덕에만 기대어서는 안 됨을 후대 임금에게 권계하는 것이군.
⑤ ‘낙수예 산행’은 폐위된 태강왕이 우왕의 공만 믿고 정사를 돌보지 않는 모습을 보여 주는군.

시조 **011**

자연을 누리는 삶

▶해법문학 Link
㉮ 고전 시가 134쪽
㉯ 고전 시가 154쪽
㉰ 고전 시가 237쪽

교과서 [문] 금성, 동아 [국] 비상(박안), 신사고, 창비
기출 EBS

키워드 체크 ㉮ #자연과의 일체감 #안분지족 ㉯ #자연 속에 사는 즐거움 ㉰ #자연 속의 풍류

(가)
십 년(十年)을 경영(經營)ᄒᆞ여 •초려 삼간(草廬三間) 지여 내니
나 ᄒᆞᆫ 간 ᄃᆞᆯ ᄒᆞᆫ 간에 청풍(淸風) ᄒᆞᆫ 간 맛져 두고
강산(江山)은 들일 듸 업스니 둘러 두고 보리라

– 송순

(나)
말 업슨 청산(靑山)이오 •태(態) 업슨 유수(流水)ㅣ로다
갑 업슨 청풍(淸風)이오 님ᄌᆞ 업슨 명월(明月)이로다
이 즁에 병(病) 업슨 이 몸이 ⓐ분별(分別) 업시 늘그리라

– 성혼

(다)
㉠•초암(草庵)이 적료(寂廖)ᄒᆞᆫᄃᆡ ㉡벗 업시 ᄒᆞᆫᄌᆞ 안ᄌᆞ
㉢•평조(平調) •한닙히 ㉣백운(白雲)이 절로 존다
언의 뉘 이 ㉤죠흔 뜻을 알 리 잇다 ᄒᆞ리오

– 김수장

핵심 포인트

㉮ 화자의 자연관

초려 삼간: 나 / 돌(달) / 청풍
↓
자연과 인간의 구분이 없는 물아일체의 경지

㉯ 대구를 통한 주제의 형상화

초장	말 업슨 청산 / 태 업슨 유수
중장	갑 업슨 청풍 / 님ᄌᆞ 업슨 명월

↓
유연하고 다툼 없는 자연의 덕목을 추구하는 삶의 태도

㉰ 시상 전개 방식

선경	적료ᄒᆞᆫ 초암, 백운
후정	죠흔 뜻 → 물아일체의 경지

연계 작품

자연 친화적 태도가 나타난 작품: 월산 대군 「추강에 밤이 드니」, 조식 「두류산 양단수를」

기출 OX

Q1 (가)의 '강산'은 아름다움을 즐기는 일시적인 유희의 공간이다. EBS 변형 (O | X)

Q2 (나)의 화자는 자연과 인간의 대조를 통해 세태의 모순을 풍자하고 있다. 기출 2007. 5. 고3 (O | X)

Q3 (다)의 화자는 자연 속에 묻혀 사는 삶을 노래하고 있다. 기출 2004. 4. 고3 (O | X)

답 Q1 X Q2 X Q3 O

- **초려삼간** 세 칸밖에 안 되는 작은 초가.
- **태** 겉에 나타나는 모양새.
- **초암** 짚, 풀 따위로 지붕을 엮은 암자. 소박한 집이라는 뜻.
- **평조** 낮은 음조의 노래.
- **한닙** 곡조 이름인 대엽(大葉)을 뜻함.

01 (가)~(다)의 표현상 특징으로 적절하지 <u>않은</u> 것은?

① (가)는 근경에서 원경으로 시선을 이동하여 시상을 전개하고 있다.
② (가)는 시각적 이미지를 활용하여 소박한 삶의 모습을 드러내고 있다.
③ (나)는 비슷한 문장 구조를 반복하여 리듬감을 형성하고 있다.
④ (나)는 종장의 종결 어미에 변화를 주어 화자의 반성적 태도를 드러내고 있다.
⑤ (다)는 의문형 문장을 사용하여 화자의 정서를 강조하고 있다.

02 〈보기〉를 참고하여 (가), (나)를 이해한 내용으로 가장 적절한 것은?

> 보기
> 조선 시대에 사대부들은 자의로, 때로는 타의로 자연에 머물면서 번잡한 속세와 구별되는 소박한 삶을 추구하였다. 이들은 자연과 더불어 살면서 자연을 예찬하거나 자연에 귀의하고자 하는 소망을 시에 담아 표현하였다. 이들에게 자연은 심성을 수양하는 공간이자 인간의 도를 깨우쳐 주는 스승과 같은 존재라 할 수 있다.

① (가)와 (나)의 화자 모두 타의에 의해 자연에 머물면서 위로를 받고 있군.
② (가)와 (나)의 화자 모두 자연 속에서 수양하면서 얻은 깨달음을 열거하고 있군.
③ (가)와 (나)의 화자 모두 대상에 인격을 부여하여 자연과 더불어 살고 싶은 마음을 드러내었군.
④ (나)의 화자와 달리 (가)의 화자는 속세에 대한 미련을 '경영'이라는 시어로 드러내고 있군.
⑤ (가)의 화자와 달리 (나)의 화자는 '갑 업슨'이라는 시어를 통해 자연 속에서 소박한 삶을 추구하겠다는 의지를 드러내었군.

기출 변형 2007학년도 5월 고3 경기도학업성취도평가

03 (나)의 화자가 (다)에 나타난 삶을 지향한다고 할 때, ⓐ가 뜻하는 바로 가장 적절한 것은?

① 병들지 않은 건강한 몸으로 살리라
② 세속에서 벗어나 분수에 맞게 살리라
③ 과거를 돌아보는 성찰의 삶을 살리라
④ 소박한 삶을 위해 걱정거리를 버리리라
⑤ 아름다운 자연에 몰입하는 삶을 누리리라

04 〈보기〉를 참고하여 ㉠~㉤을 이해한 내용으로 적절하지 <u>않은</u> 것은?

> 보기
> (다)의 화자는 인적조차 없이 적막하고 고요한 초가에 홀로 앉아 삶에 대한 만족을 드러내고 있다. 이는 자연과 더불어 풍류를 즐기고, 물아일체의 경지에 이른 화자의 만족스러움과 노래하는 가객(歌客)으로서의 자부심에서 비롯한 것이다.

① ㉠은 번잡하지 않고 조용한 공간을 보여 주는 것이군.
② ㉡은 누구의 방해도 없이 홀로 있는 화자의 상황을 드러낸 것이군.
③ ㉢은 풍류를 즐기는 가객으로서의 화자의 모습을 드러낸 것이군.
④ ㉣은 물아일체의 경지에 이른 화자 자신을 표현한 것이군.
⑤ ㉤은 자연과 더불어 사는 삶에 대한 화자의 만족을 표현한 것이군.

05 (다)와 〈보기〉의 공통점으로 가장 적절한 것은?

> 보기
> *곡구롱 우는 소리에 낮잠 깨어 일어 보니
> 작은아들 글 읽고 며늘아기 베 짜는데 어린 손자는 꽃놀이한다
> 마초아 지어미 술 거르며 맛보라고 하더라
> – 오경화
>
> *곡구롱: 꾀꼬리가 우는 소리를 한자로 표현한 의성어.

① 선경후정의 방식을 활용하여 여운을 주고 있다.
② 대상과의 대화를 삽입하여 친밀감을 드러내고 있다.
③ 의인화를 통해 자연과 인간의 조화를 드러내고 있다.
④ 청각적 이미지를 활용하여 화자의 정서를 표현하고 있다.
⑤ 대구법을 활용하여 자연 속에서의 행위를 구체적으로 형상화하고 있다.

06 (가)~(다)의 주제와 거리가 <u>먼</u> 한자 성어는?

① 안빈낙도(安貧樂道)
② 유유자적(悠悠自適)
③ 연하고질(煙霞痼疾)
④ 풍월주인(風月主人)
⑤ 고립무원(孤立無援)

시조

Q12 사랑과 이별

▶해법문학 Link
㉮, ㉯ 고전 시가 138쪽
㉰ 고전 시가 136쪽

[교과서] [문] 동아, 비상, 신사고, 해냄 [기출] [EBS]

키워드 체크 ㉮~㉰ #기녀 시조 ㉮ #이별의 정한 ㉯ #이별의 슬픔 ㉰ #임에게 보내는 사랑

가

㉠<u>어져 내 일이야</u> •그릴 줄을 모로ᄃᆞ냐
㉡•<u>이시라 ᄒᆞ더면</u> 가랴마ᄂᆞᆫ [제 구ᄐᆡ야]
보내고 그리ᄂᆞᆫ 정(情)은 나도 몰라 ᄒᆞ노라

– 황진이

나

•이화우(梨花雨) 흣ᄲᅮ릴 제 울며 잡고 이별(離別)ᄒᆞᆫ 님
㉢<u>추풍낙엽(秋風落葉)</u>에 저도 날 ᄉᆡᆼ각ᄂᆞᆫ가
천 리(千里)에 외로온 ᄭᅮᆷ만 오락가락 ᄒᆞ노매

– 계랑

다

•묏버들 갈ᄒᆡ 것거 ㉣<u>보내노라 님의손ᄃᆡ</u>
자시ᄂᆞᆫ 창(窓)밧긔 심거 두고 보쇼셔
밤비예 ㉤<u>새닙곳 나거든</u> 날인가도 너기쇼셔

– 홍랑

• **그릴 줄** 그리워할 줄.
• **이시라 ᄒᆞ더면** 있으라고 했다면.
• **이화우** 비처럼 흩날리는 배꽃.
• **묏버들** 산버들. 버드나뭇과의 하나로 산의 습기가 많은 곳에 자람. 버들 류(柳)자는 머물 류(留)와 발음이 같아 상대방이 머물러 주기를 바라는 심정을 담은 이별의 정표로 사용됨.

핵심 포인트

㉮ 중의적 표현

도치로 볼 경우	'제 구ᄐᆡ야 가랴마ᄂᆞᆫ'
	'임'을 주어로 하여 '임'의 행위를 강조함.
행간 걸침으로 볼 경우	가랴마ᄂᆞᆫ / 제 구ᄐᆡ야 보내고
	화자 '나'가 주어가 됨.

㉯ 임과의 거리감

시간의 흐름	하강 이미지	
	이화우 → 추풍낙엽	
	봄	가을

\+

공간	천 리(임과의 심리적 거리)

㉰ 소재의 역할

화자 → 묏버들 → 임

- 임에게 보내는 이별의 선물
- 화자 대신 임 곁에 두려는 분신
- 임과의 사랑을 이어 줄 매개체

연계 작품

사랑과 이별을 노래한 기녀의 시조: 황진이 「내 언제 무신하여」

기출 OX

Q1 (가)에는 이별로 인한 삶의 무상감이 나타나고 있다. [기출] 2014. 7. 고3 (O | X)

Q2 (나)는 시간의 흐름을 바탕으로 대상에 대한 화자의 심정을 표출하고 있다. [기출] 2018. 6. 고2 (O | X)

Q3 (다)는 민중의 적극적인 생활 의지를 담고 있다. [기출] 2001. 수능 (O | X)

답 Q1 X Q2 O Q3 X

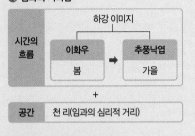

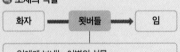

01 (가)~(다)의 공통점으로 가장 적절한 것은?

① 임과의 이별에서 느낀 정한을 노래하고 있다.
② 행복했던 과거로 되돌아가기를 기원하고 있다.
③ 자연물에 의탁해 화자의 슬픔을 드러내고 있다.
④ 예기치 않은 이별로 인한 서러움을 표현하고 있다.
⑤ 주어진 상황을 운명으로 받아들이려는 자세를 보이고 있다.

02 ㉠~㉤에 대한 이해로 적절하지 않은 것은?

① ㉠: 감탄사를 활용하여 자신의 감정을 집약적으로 드러내고 있다.
② ㉡: 실제와는 다른 상황을 가정하여 후회의 심정을 드러내고 있다.
③ ㉢: 계절감을 나타내는 시어를 통해 시간의 흐름을 드러내고 있다.
④ ㉣: 정상적인 언어 배열의 순서를 바꿈으로써 문장의 변화감을 이끌어 내고 있다.
⑤ ㉤: 자연물에 자신을 비유하여 소박한 삶을 살고 싶은 소망을 드러내고 있다.

03 다음은 (가)의 제 구티야에 대한 설명이다. 이와 같은 표현의 효과를 추측한 것으로 가장 적절한 것은?

> '제 구티야'는 행동의 주체를 중의적으로 해석할 수 있다. 앞에 있는 서술어와 도치된 것으로 보면 행동의 주체는 '임'이고 '임이 제 구태여 가겠냐만'으로 이해할 수 있다. 한편 행간 걸침으로 보아 종장과 이어지는 말로 해석하면 행동의 주체는 화자 자신이 되고 '제 구태여 내가 보내고'라는 의미가 된다.

① 떠나려 하는 상대방을 설득하려 하고 있어.
② 이별로 인한 화자의 복잡한 심경을 드러내고 있어.
③ 상대방의 행위가 비도덕적인 것임을 강조하고 있어.
④ 화자의 진심이 겉으로 드러나지 않도록 감추고 있어.
⑤ 이별한 뒤에도 임과 다시 만날 수 있다는 희망을 보여 주고 있어.

04 〈보기〉를 바탕으로 (나)를 감상한 내용으로 적절하지 않은 것은?

> 보기
> 고전 시가에는 헤어진 임에 대한 그리움과 변함없는 사랑을 여성 화자의 목소리로 표현한 작품들이 많다. 이러한 작품 중에는 (나)처럼 여성 작자가 자신이 실제 겪었던 이별의 상황과 아픔을 진솔하게 표현한 노래도 있다.

① 작가가 여성 화자로 등장하여 실제 경험 속의 '님'에 대한 사랑을 노래하고 있군.
② '이화우'는 '님'에 대한 화자의 변함없는 사랑을 반영한 자연물이군.
③ '저도 날 싱각는가'를 통해 여전히 '님'을 그리워하는 화자의 모습이 드러나는군.
④ '천 리'라는 시어를 통해 '님'과 멀어져 있는 현재의 상황을 표현하고 있군.
⑤ '쑴'이라는 시어를 통해 이별로 인한 화자의 외로움을 부각하고 있군.

05 〈보기〉를 참고하여 (다)를 이해한 내용으로 적절하지 않은 것은?

> 보기
> 1573년 가을, 최경창은 함경도 경성에 북평사로 부임했다. 조선의 유명한 문장가였던 그는 문학적 교양과 재색을 갖춘 기생 홍랑을 만나 깊이 사랑하게 된다. 그러나 다음 해 최경창의 임기가 끝나면서 둘은 이별을 하게 되는데, 한양으로 돌아간 최경창은 병으로 몸져눕는다. 그 소식을 들은 홍랑은 함경도 관청을 벗어나지 못하는 관기 신분이었으나 국법을 어기면서까지 한양으로 병문안을 간다. 이 일이 빌미가 되어 결국 최경창은 사헌부 탄핵을 받고 관직에서 파면되었으며, 이후 45세 나이로 객사하게 된다.
> 그 뒤 홍랑은 스스로 얼굴을 상하게 하고 최경창의 무덤에서 *시묘살이를 하였으며 삼년상을 마친 뒤에도 그의 무덤을 떠나지 않고 있다가 임진왜란이 일어나자 최경창의 시를 들고 피난했다. 전쟁이 끝난 뒤 홍랑은 해주 최씨 문중에 그의 유작을 전하고, 사랑하던 최경창의 무덤 앞에서 스스로 생을 마감하였다.
>
> *시묘(侍墓)살이: 부모의 상중에 3년간 그 무덤 옆에서 움막을 짓고 사는 일.

① 이 시조는 홍랑이 최경창과 헤어지면서 보낸 작품이었구나.
② '묏버들'을 자기 대신 보내고 싶었던 심정을 이해할 수 있을 것 같아.
③ '창밧긔' 심어 달라고 한 건 둘의 신분의 차이를 인식한 거리감이 아니었을까?
④ '밤비'는 두 사람의 사랑에 장애가 된 임진왜란을 비유적으로 표현한 말이겠군.
⑤ '날인가도 너기쇼셔'에는 비록 이별했더라도 자신을 잊지 말아 달라는 홍랑의 바람이 담겨 있겠군.

기출 딥러닝

2014학년도 7월 고3 학력평가 B형

[06~08] 다음 글을 읽고 물음에 답하시오.

(가) 어져 내 일이야 그릴 줄을 모로ᄃᆞ냐
이시라 ᄒᆞ더면 가랴마ᄂᆞᆫ 제 구ᄐᆡ여
보내고 그리ᄂᆞᆫ 정(情)은 나도 몰라 ᄒᆞ노라

– 황진이

(나) 임 이별하올 져긔 **져는 나귀 한치 마소**
가노라 돌쳐셜 제 저난 거름 안이런덜
꽃 아릐 눈물 젹신 얼골을 엇지 자세이 보리요

– 안민영

(다) 내게는 원수가 업셔 개와 ᄃᆞᆰ이 큰 원수로다
벽사창 깁픈 밤에 품에 들어 자는 님을 자른 목 느르혀 홰홰 쳐 울어 닐어 가게 하고 적막 중문(重門)에 왔는 님을 물으락 나으락 캉캉 즈저 도로 가게 하니
아마도 유월 유두 백종(百種) 전에 스러져 업씨하리라

– 박문욱

기출 변형

06 (가)~(다)의 공통점으로 가장 적절한 것은?

① 부정적인 현실을 비판하고 있다.
② 임과 함께 있고 싶은 소망을 담고 있다.
③ 자연물에 인격을 부여하여 대화하고 있다.
④ 감정을 이입하여 이별의 정한을 표출하고 있다.
⑤ 음성 상징어를 구사하여 화자의 상황을 구체화하고 있다.

기출 변형

07 (가)와 (나)에 대한 이해로 적절하지 않은 것은?

① (가)의 '어져 내 일이야 그릴 줄을 모로ᄃᆞ냐'는 영탄과 설의적 표현을 활용하여 화자의 회한을 나타내고 있다.
② (가)의 '보내고 그리ᄂᆞᆫ 정(情)'은 화자의 행위와 심리를 대비시켜 임을 그리워하는 화자의 모습을 드러내고 있다.
③ (나)의 '져는 나귀 한치 마소'는 다리를 절며 느리게 걷는 '나귀'를 통해 임과 함께 있는 시간을 연장하고 싶은 화자의 심정을 담아내고 있다.
④ (나)의 '가노라 돌쳐셜 제'는 빠르게 멀어지는 임의 모습을 통해 이별을 맞이하는 임의 태도에 대한 섭섭함을 나타내고 있다.
⑤ (나)의 '꽃 아릐 눈물 젹신 얼골'은 감각적 표현을 통해 이별의 슬픔과 안타까움을 드러내고 있다.

기출

08 (다)와 〈보기〉를 비교하여 감상한 내용으로 적절하지 않은 것은?

보기

*행궁견월상심색(行宮見月傷心色)의 달만 비쳐도 님의 생각
*춘풍도리화개야(春風桃李花開夜)의 꽃만 피여도 님의 생각
*야우문령단장성(夜雨聞鈴斷腸聲)의 비 죽죽 와도 님의 생각
추절(秋節) 가고 동절(冬節)이 오면 명사벽해(明沙碧海)를 바라보고
뚜루룰 낄룩 울고 가는 기러기 소리에도 님의 생각
앉어 생각 누어 생각 생각 끝일 날이 전혀 없어
모진 간장의 불이 탄들 어느 물로 이 불을 끌거나
아이고 아이고 내 일이야

– 작자 미상, 「춘향가」 중

*행궁견월상심색: 행궁에서 달을 보니 사뭇 구슬픈 느낌이 듦.
*춘풍도리화개야: 복숭아꽃, 오얏꽃이 활짝 핀 봄의 으스름달밤.
*야우문령단장성: 밤비에 울리는 풍경 소리가 간장을 도려내는 듯함.

① (다)와 〈보기〉는 독백적 어조를 통해 화자의 심정을 드러내고 있군.
② (다)와 〈보기〉는 유사한 구조를 지닌 문장을 반복하여 화자의 정서를 강조하고 있군.
③ (다)와 달리 〈보기〉는 계절의 변화에 따른 화자의 그리움을 드러내고 있군.
④ 〈보기〉와 달리 (다)는 상황을 가정하여 화자의 소망을 드러내고 있군.
⑤ 〈보기〉와 달리 (다)의 의성어는 화자에게 원망의 감정을 불러일으키고 있군.

시조

Q13 옛 왕조에 대한 그리움

[교과서] [문] 미래엔, 지학사 [국] 비상(박영) [기출] [EBS]

▶해법문학 Link
㉮, ㉯ 고전 시가 126쪽
㉰ 고전 시가 128쪽

키워드 체크 ㉮ #고려 멸망의 한 #인생무상 ㉯ #고려 왕조에 대한 회고 #무상감 ㉰ #고려에 대한 굳은 지조

핵심 포인트

㉮ 대조적 시어를 통한 정서 표출

산천(자연)	대조	인걸(인간사)
• 변하지 않음. • 무한함.	↔	• 변함. • 유한함.

→ 인생무상, 회한의 정서

㉯ 비유적 표현을 통한 주제 형상화

추초	가을의 풀	황폐해진 고려 왕조
목적	목동의 피리	세월의 무상함.
석양	저녁때 저무는 해	고려 왕조의 몰락
객	손님	화자(작가) 자신

⬇ 멸망한 고려에 대한 탄식과 무상감

㉰ 비유와 상징을 통한 화자의 의지

눈	조선에 협력하라는 압력과 회유
휘여진	절개를 지키며 견디는 고충
디(대나무)	높은 절개를 지닌 존재 → 화자(작가) 자신

⬇ 고려에 대한 화자의 지조와 충성

㉮ 오백 년(五百年) 도읍지(都邑地)를 필마(匹馬)로 도라드니
산천(山川)은 •의구(依舊)ᄒᆞ되 ㉠인걸(人傑)은 간ᄃᆡ업다
어즈버 태평연월(太平烟月)이 ᄭᅮᆷ이런가 ᄒᆞ노라

– 길재

㉯ 흥망(興亡)이 •유수(有數)ᄒᆞ니 •만월대(滿月臺)도 추초(秋草)ㅣ로다
오백 년(五百年) 왕업(王業)이 •목적(牧笛)에 •부쳐시니
석양(夕陽)에 지나는 객(客)이 눈물계워ᄒᆞ노라

– 원천석

㉰ 눈 마ᄌᆞ 휘여진 ㉡디를 뉘라셔 굽다턴고
구블 절(節)이면 눈 속의 프를소냐
아마도 •세한 고절(歲寒孤節)은 너ᄲᅮᆫ인가 ᄒᆞ노라

– 원천석

• 의구ᄒᆞ되 옛날과 같이 변함이 없지만.
• 유수ᄒᆞ니 정해진 운수나 순서가 있으니.
• 만월대 고려의 왕궁 터.
• 목적 목동의 피리.
• 부쳐시니 깃들어 있으니.
• 세한 고절 한겨울의 추위도 이겨 내는 높은 절개.

연계 작품

㉮, ㉯ 고려의 멸망과 조선 건국을 긍정적으로 보는 작품: 정도전 「선인교 나린 물이」
㉰ 굳은 절의가 나타난 작품: 성삼문 「수양산 ᄇᆞ라보며」, 「이 몸이 죽어 가서」

기출 OX

Q1 (가)는 감탄사를 통해 고조된 감정을 드러내고 있다. [기출] 2015. 9. 고1 (O | X)

Q2 (나)에서 '만월대'는 고려 왕조의 도읍지를 표상하는 구체적인 장소를 의미한다. [EBS] 변형 (O | X)

Q3 (다)에서는 불합리한 사회를 개선하려는 화자의 의지가 드러나 있다. [기출] 2010. 3. 고1 (O | X)

답 Q1 O Q2 O Q3 X

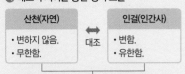

01 (가)~(다)에 대한 설명으로 적절하지 않은 것은?

① (가)에서는 유구한 자연과 유한한 인간사를 대조하여 인생무상의 정서를 드러내고 있다.
② (가)에서는 공감각적 이미지를 활용하여 고려 왕조의 멸망에 대한 탄식을 드러내고 있다.
③ (나)에서는 비유적 표현을 활용하여 고려의 옛 도읍지에서 느끼는 화자의 감회를 드러내고 있다.
④ (나)에서는 중의적 의미가 담긴 표현을 활용하여 망국에서 느끼는 슬픔과 무상감을 형상화하고 있다.
⑤ (다)에서는 사물을 마치 사람인 것처럼 표현함으로써 사물이 지닌 상징적 의미와 화자를 동일시하고 있다.

기출 변형 2010학년도 3월 고1 학력평가

02 〈보기〉를 바탕으로 (나)와 (다)를 감상한 내용으로 적절하지 않은 것은?

보기

(나)와 (다)의 작가 원천석은 고려 말의 학자이자 문인이다. 이성계가 새로운 왕조를 세우려 하자, 고려의 신하들은 그에게 협력하는 사람과 격렬하게 저항하는 사람으로 나뉘었다. 이 상황에서 작가는 새 왕조에 반대하여 치악산에 은거하였다. 조선 건국 후 태종이 즉위하여 여러 차례 벼슬을 내리고 그를 불렀으나 끝내 응하지 않았다. (나)와 (다)는 이런 상황을 반영하고 있다.

① (나): 초장의 '만월대도 추초ㅣ로다'는 이성계가 세운 새로운 왕조로 인해 멸망한 고려를 의미한다고 볼 수 있겠군.
② (나): 종장의 '객'은 이성계의 회유에 응하지 않고 은거한 작가 자신을 객관화한 것으로 볼 수 있겠군.
③ (다): 초장의 '눈'은 새로운 왕조에 협력할 것을 강요하는 세력을 의미한다고 볼 수 있겠군.
④ (다): 중장의 '눈 속의 프를소냐'는 새 왕조에 협력하는 사람들에 대한 원망이 담겨 있다고 볼 수 있겠군.
⑤ (다): 종장의 '너'는 초장의 '디'와 동일한 대상으로, 조선의 건국 과정에서 보여 준 작가의 태도와 유사한 특성을 가지고 있다고 볼 수 있겠군.

03 (가)~(다)의 공통적인 주제와 가장 관련 깊은 한자 성어는?

① 맥수지탄(麥秀之嘆)
② 수구초심(首丘初心)
③ 일장춘몽(一場春夢)
④ 타산지석(他山之石)
⑤ 표리부동(表裏不同)

04 ㉠과 ㉡에 대한 설명으로 가장 적절한 것은?

① ㉠과 ㉡은 모두 화자의 상황과 대조되는 대상이다.
② ㉠과 ㉡은 모두 화자가 긍정적으로 생각하는 대상이다.
③ ㉠은 화자가 그리워하는, ㉡은 화자가 원망하는 대상이다.
④ ㉠은 화자가 거리감을, ㉡은 화자가 동질감을 느끼는 대상이다.
⑤ ㉠은 화자에게 위안을, ㉡은 화자에게 깨달음을 주는 대상이다.

05 (가)와 〈보기 2〉는 동일한 시기에 쓰인 작품이다. 〈보기 1〉을 참고하여 (가)와 〈보기 2〉를 감상한 내용으로 적절하지 않은 것은?

보기 1

시조는 고려 후기에 창안된 문학 양식으로, 형식이나 운율이 매우 안정적이고 단아하여 유학자나 사대부들이 그들의 사상과 감정을 절제하여 표현하는 데에 적합한 서정 갈래였다. 고려에서 조선으로 왕권이 교체되면서 3음보 중심이었던 고려 가요가 주도권을 상실하고, 4음보 중심의 시조가 새로운 주도적 시가 형식으로 자리잡게 되는 변화의 과정은 시가의 주된 창작자가 서민층에서 사대부층으로 전환되었다는 사실과 맞물려 있다. 조선 시대의 사대부들에게는 간결하고 안정감이 있는 시조가 그들의 사고방식을 표현하기에 더 적합했던 것이다.

보기 2

선인교(仙人橋) 나린 물이 자하동(紫霞洞)에 흘너 드러,
반천 년(半千年) 왕업(王業)이 물소릐뿐이로다.
아희야, 고국흥망(古國興亡)을 무러 무엇ᄒᆞ리오.
- 정도전

① (가)와 〈보기 2〉는 모두 작가가 서민이 아닌 사대부 계층이겠군.
② (가)와 〈보기 2〉는 모두 오랜 세월 동안 유지된 왕조의 위업을 회상하고 있군.
③ (가)와 〈보기 2〉는 모두 시조라는 정제된 형식을 통해 사상과 감정을 표현한 것이군.
④ (가)는 〈보기 2〉와 달리 3음보의 형식을 택함으로써 고려의 시가 형식을 유지하려 노력하였군.
⑤ 〈보기 2〉는 (가)와 달리 고려 왕조의 멸망을 돌이킬 수 없는 역사의 흐름으로 받아들이고 있군.

기출 딥러닝

2014학년도 수능 B형

[06~09] 다음 글을 읽고 물음에 답하시오.

(가) 천만리(千萬里) 머나먼 길희 고은 님 여희옵고
ᄂᆡ ᄆᆞ음 둘 ᄃᆡ 업셔 ㉠냇ᄀᆞ의 안자시니
져 물도 ᄂᆡ ᄋᆞᆫ ᄀᆞᆺᄒᆞ여 우러 밤길 녜놋다

- 왕방연

(나) ㉡청초(靑草) 우거진 골에 자ᄂᆞᆫ다 누어ᄂᆞᆫ다
*홍안(紅顔)을 어듸 두고 백골(白骨)만 무쳣ᄂᆞ다
잔(盞) 자바 권(勸)ᄒᆞᆯ 이 업스니 그를 슬허ᄒᆞ노라

- 임제

(다) 흥망(興亡)이 유수(有數)ᄒᆞ니 만월대(滿月臺)도 ㉢추초(秋草)ㅣ로다
오백 년(五百年) 왕업(王業)이 목적(牧笛)에 부쳐시니
석양(夕陽)에 지나는 객(客)이 눈물계워ᄒᆞ노라

- 원천석

* 홍안 젊어서 혈색이 좋은 얼굴.

기출 변형

06 (가)~(다)의 공통점에 대한 설명으로 가장 적절한 것은?

① 대상의 부재에서 느끼는 안타까움이 드러나 있다.
② 화자가 지향했던 초월적인 삶의 세계가 드러나 있다.
③ 구체적인 묘사를 통해 경물의 변화를 보여 주고 있다.
④ 거스를 수 없는 자연의 섭리에 대한 경외감이 드러나 있다.
⑤ 자신의 이념과 배치되는 현실에 대한 실망감이 드러나 있다.

기출

07 (가), (나)에 대한 이해로 적절하지 않은 것은?

① (가)의 '천만리 머나먼 길희 고은 님 여희옵고'는 과장된 표현을 통해 '님'과 이별한 상황을 강조하고 있다.
② (가)의 '져 물도 ᄂᆡ ᄋᆞᆫ ᄀᆞᆺᄒᆞ여'는 인간과 자연물의 동일시를 통해 화자의 슬픔을 표현하고 있다.
③ (가)의 '밤길 녜놋다'는 캄캄한 '밤'의 속성을 통해 화자의 암담한 심경을 표현하고 있다.
④ (나)의 '홍안을 어듸 두고 백골만 무쳣ᄂᆞ다'는 시어의 대비를 통해 화자의 무상감을 드러내고 있다.
⑤ (나)의 '잔 자바 권ᄒᆞᆯ 이 업스니'는 각박한 세태의 제시를 통해 속세에서 벗어나고자 하는 염원을 드러내고 있다.

08 ㉠~㉢을 비교하여 감상한 것으로 적절한 것은?

① ㉠은 ㉡과 달리 화자의 원망을 유발하고 있다.
② ㉡은 ㉢과 달리 인간사와 대조되어 시적 상황을 강조하고 있다.
③ ㉠과 ㉡은 모두 자연사와 인간사의 유사점을 바탕으로 하여 시적 화자의 슬픔을 표현하고 있다.
④ ㉠과 ㉢은 모두 화자가 말을 건네는 대상으로 화자의 슬픔을 위로하고 있다.
⑤ ㉡과 ㉢은 모두 색채의 대비를 통하여 시적 공간을 선명하게 드러내고 있다.

고난도 기출

09 (다)와 〈보기〉를 비교하여 감상한 내용으로 적절하지 않은 것은?

보기

홍진(紅塵)에 뭇친 분네 이내 생애(生涯) 엇더ᄒᆞᆫ고
녯사ᄅᆞᆷ 풍류(風流)ᄅᆞᆯ 미ᄎᆞᆯ가 못 미ᄎᆞᆯ가
천지간(天地間) 남자(男子) 몸이 날만 ᄒᆞᆫ 이 하건마ᄂᆞᆫ
산림(山林)에 뭇쳐 이셔 지락(至樂)을 ᄆᆞᄅᆞᆯ 것가
수간모옥(數間茅屋)을 벽계수(碧溪水) 앏픠 두고
송죽(松竹) 울울리(鬱鬱裏)예 풍월주인(風月主人) 되여셔라
엇그제 겨을 지나 새봄이 도라오니
도화 행화(桃花杏花)ᄂᆞᆫ 석양리(夕陽裏)예 퓌여 잇고
녹양방초(綠楊芳草)ᄂᆞᆫ 세우 중(細雨中)에 프르도다
칼로 ᄆᆞᆯ아 낸가 붓으로 그려 낸가
조화신공(造化神功)이 물물(物物)마다 헌ᄉᆞ롭다

- 정극인, 「상춘곡」 중

① (다)와 〈보기〉는 동일한 음보율을 사용하여 리듬감을 살리고 있군.
② (다)는 〈보기〉와 달리 이질적 공간을 대비하여 주제를 드러내고 있군.
③ (다)에서는 침울한 분위기를, 〈보기〉에서는 들뜬 분위기를 느낄 수 있군.
④ (다)의 '석양'은 화자의 정서를 심화하는 배경으로, 〈보기〉의 '석양'은 경치를 돋보이게 하는 배경으로 기능하고 있군.
⑤ (다)는 화자가 혼잣말을 하는 방식으로, 〈보기〉는 화자가 청자에게 말을 건네는 방식으로 자신의 내면을 드러내고 있군.

시조 **Q14**

[교과서] [문] 금성, 미래엔, 비상, 해냄 [기출] [EBS]

지조와 충절

▶해법문학 Link
㉮ 고전 시가 128쪽
㉯ 고전 시가 132쪽
㉰ 고전 시가 196쪽

키워드 체크 ㉮ #절의 #백이숙제의 고사 ㉯ #임(단종)과 이별한 슬픔 #감정 이입 ㉰ #국화의 절개 #의인법

(가)
수양산(首陽山) ᄇᆞ라보며 ㉠ •이제(夷齊)를 한(恨)ᄒᆞ노라
주려 주글진들 •채미(採薇)도 ᄒᆞᄂᆞᆫ 것가
비록애 ㉡ •푸새엣 거신들 긔 뉘 ᄯᅡ헤 낫ᄃᆞ니

- 성삼문

(나)
방(房) 안에 혓는 ㉢ 촛불 눌과 이별(離別)ᄒᆞ엿관ᄃᆡ
것츠로 눈물 디고 속 타는 쥴 모로는고
뎌 촛불 날과 갓트여 속 타는 쥴 모로도다

- 이개

(다)
국화(菊花)야 너ᄂᆞᆫ 어이 ㉣ 삼월 동풍(三月東風) 다 지ᄂᆡ고
㉤ •낙목한천(落木寒天)에 네 홀로 퓌엿ᄂᆞᆫ다
아마도 •오상고절(傲霜孤節)은 너ᄲᅮᆫ인가 ᄒᆞ노라

- 이정보

• **이제** 백이와 숙제.
• **채미** 고사리를 캠.
• **푸새** 푸성귀. 산과 들에 저절로 나서 자란 풀의 총칭.
• **낙목한천** 나뭇잎이 다 떨어진 겨울의 춥고 쓸쓸한 풍경. 또는 그런 계절.
• **오상고절** 서릿발이 심한 속에서도 굴하지 않고 외로이 지키는 절개라는 뜻으로, '국화'를 이르는 말.

핵심 포인트

㉮ 화자의 태도

백이숙제의 태도	주나라 무왕의 은나라 정벌을 반대하고 수양산에 은거하여 고사리를 캐 먹다가 굶어 죽음.

⬆ 비판 – 화자의 굳은 절개 강조

화자의 태도	세조(수양 대군)의 왕위 찬탈을 부당하게 여겨 그의 녹을 먹지 않고 쌓아 둠.

㉯ 시어의 의미

촛불 – 감정 이입의 대상
- 떨어지는 촛농 – 흘리는 눈물
- 타들어 가는 심지 – 속 타는 심정

㉰ 시의 짜임

일반 꽃		국화
삼월동풍(봄)에 개화함.	⟷ 대조	낙목한천(늦가을 또는 초겨울)에 개화함.
평범함.		특별함.
		⬇ 오상고절인 '국화' 예찬

연계 작품

임금에 대한 지조와 충절이 나타난 작품: 성삼문 「이 몸이 주거 가셔」, 정철 「내 ᄆᆞ음 버혀 내여」, 김상헌 「가노라 삼각산아」

기출 OX

Q1 (가)의 화자는 두 임금을 섬기지 않고 절개를 지키는 행위를 가치 있게 여기고 있다. [EBS] 변형 (O | X)

Q2 (나)의 '뎌 촛불 날과 갓트여'의 '촛불'은 화자와 동일시되는 대상이다. [기출] 2017. 6. 고1 (O | X)

Q3 (다)에서는 '동풍'이 불어오는 '삼월'이 화자가 대상과 이별하는 시간적 배경으로 제시되어 있다. [기출] 2015. 6. 모평 A (O | X)

답 Q1 O Q2 O Q3 X

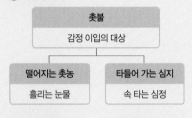

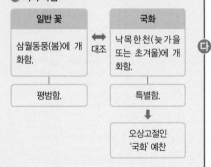

01 (가)~(다)의 공통점에 대한 설명으로 가장 적절한 것은?

① 고사를 활용하여 삶에 대한 반성을 드러내고 있다.
② 계절감을 주는 어휘로 시적 분위기를 조성하고 있다.
③ 과거와 현재를 대비하여 화자가 지향하는 삶의 자세를 드러내고 있다.
④ 예찬하고자 하는 속성을 지닌 대상을 통해 주제를 부각하고 있다.
⑤ 영탄적 표현을 통해 시적 상황에 대한 화자의 정서를 부각하고 있다.

02 〈보기〉를 참고하여 (가)를 감상한 내용으로 적절하지 <u>않은</u> 것은?

보기

'이제(夷齊)'는 백이(伯夷)와 숙제(叔齊)를 가리키는데, 끝까지 군주에 대한 충성을 지킨 의인으로 알려져 있다. 두 사람은 형제로 본래 은(殷)나라 고죽국의 왕자였는데, 아버지가 죽은 뒤 서로 후계자가 되기를 사양하다가 둘 다 나라를 떠났다. 그 무렵 주나라 무왕은 폭정을 일삼던 은나라 주(紂)왕을 무너뜨리고 주(周) 왕조를 세웠는데, 두 사람은 무왕의 행위가 인의(仁義)에 위배되는 것이라 하여 주나라 곡식 먹기를 거부하고, 서우양산[수양산, 首陽山]에 들어가 몸을 숨기고 고사리를 캐어 먹고 지내다가 굶어 죽었다.

① (가)의 '수양산'은 '이제'가 임금에 대한 충의를 지키기 위해 선택한 공간이군.
② (가)의 화자는 '이제'가 은나라 주왕의 폭정을 막으려 하지 않고 숨어 산 것을 원망하고 있군.
③ (가)의 화자는 '이제'와 자신을 비교함으로써 자신의 절개와 충절이 더욱 굳세다는 점을 강조하고 있군.
④ (가)의 화자는 비록 풀이라도 '뉘 따헤' 난 것인지가 중요하다고 생각하고 있군.
⑤ (가)의 화자는 유교적 도리를 따르다가 '주려 죽'는 행위가 가치 있는 일이라고 여기는 것이군.

03 (나)와 〈보기〉를 비교한 내용으로 적절한 것은?

보기

간밤에 우던 여흘 슬피 우러 지내여다
이제야 성각ᄒᆞ니 님이 우러 보내도다
져 물이 거스리 흐르고져 나도 우러 녜리라

– 원호

① (나)는 〈보기〉와 달리 화자의 심리를 직설적으로 드러내고 있다.
② (나)는 〈보기〉와 달리 객관적 상관물을 활용하여 화자의 심리를 드러내고 있다.
③ 〈보기〉는 (나)와 달리 상황의 가정을 통해 화자의 심리를 드러내고 있다.
④ 〈보기〉는 (나)와 달리 설의법을 통해 '님'에 대한 화자의 원망을 드러내고 있다.
⑤ (나)와 〈보기〉는 모두 시각적 심상을 활용하여 화자의 심리를 구체화하고 있다.

04 (다)에 대한 감상으로 적절하지 <u>않은</u> 것은?

① '국화'는 '오상고절'과 관계있는 대상으로 자연물이면서도 일정한 상징적 의미를 지니고 있군.
② '삼월 동풍'은 '국화'가 겪는 고난과 시련을 상징하는 외부적인 환경이겠군.
③ '낙목한천'은 '국화'의 가치를 돋보이게 하는 계절적 배경을 의미하는군.
④ '네 홀로'를 통해 국화가 지닌 속성이 범상한 것이 아님을 부각하고 있군.
⑤ '너뿐인가 하노라'에서 의인화된 대상을 예찬하는 화자의 태도가 드러나고 있군.

05 ㉠~㉤ 중, 다음에서 설명한 표현 기법이 사용된 것은?

감정 이입이란 화자의 감정을 특정 대상에 투사하여 자신의 감정을 객관화함으로써 정서를 효과적으로 표현하는 기법이다.

① ㉠ ② ㉡ ③ ㉢ ④ ㉣ ⑤ ㉤

『국화야 너는 어이』 "아마도 오상고절은 너뿐인가 하노라"
작품 한 줄 Pick

Q15 연시조

기출 EBS

어부단가(漁父短歌) | 이현보

▶해법문학 Link
고전 시가 142쪽

키워드 체크 #어부가 #자연 #풍류 #고기잡이 #어부의 생활 #강호가도

이 중에 시름없으니 어부(漁父)의 생애(生涯)로다
*일엽편주(一葉片舟)를 *만경파(萬頃波)에 띄워 두고
인세(人世)를 다 잊었거니 날 가는 줄을 알랴 〈제1수〉

굽어보면 ㉠*천심 녹수(千尋綠水) 돌아보니 ⓐ*만첩청산(萬疊靑山)
십장 홍진(十丈紅塵)이 얼마나 가렸는고
강호(江湖)에 월백(月白)하거든 더욱 무심(無心)하여라 〈제2수〉

*청하(靑荷)에 밥을 싸고 녹류(綠柳)에 고기 꿰어
㉡*노적 화총(蘆荻花叢)에 배 매어 두고
*일반 청의미(一般淸意味)를 어느 분이 아실까 〈제3수〉

㉢산두(山頭)에 한운(閑雲) 일고 수중(水中)에 백구(白鷗) 난다
무심(無心)코 다정한 이 이 두 것이로다
일생에 시름을 잊고 너를 좇아 놀리라 〈제4수〉

㉣장안(長安)을 돌아보니 북궐(北闕)이 천 리(千里)로다
㉤어주(漁舟)에 누어신들 잊은 때가 있으랴
두어라 내 시름 아니라 *제세현(濟世賢)이 없으랴 〈제5수〉

- **일엽편주** 한 척의 조그마한 배.
- **만경파** 만 이랑의 푸른 물결이라는 뜻으로, 한없이 넓고 넓은 바다를 이르는 말.
- **천심 녹수** 천 길이나 되는 푸른 물.
- **만첩청산** 겹겹이 둘러싸인 푸른 산.
- **청하** 푸른 연잎.
- **노적 화총** 갈대와 물억새의 덤불.
- **일반 청의미** 중국 송나라의 시인 소강절이 지은 「청야음(淸夜吟)」의 한 구절로 '평범하지만 그 속에 맑은 의미를 담고 있는 것'이라는 뜻. 여기서는 '자연과 더불어 사는 삶의 참된 의미'를 뜻함.
- **제세현** 세상을 구제할 현명한 선비.

핵심 포인트

화자의 내적 갈등

강호 한정	1수, 2수	속세를 잊고 자연 속에 서 사는 즐거움
	3수, 4수	자연과의 물아일체를 통한 참된 의미
↕		
속세에 대한 미련	5수	어주(魚舟)에 누워 속세(장안, 북궐)를 잊지 못함.

자연과 속세의 대립

자연	↔	속세
시름이 없는 곳 (긍정적 인식)	↔	인세, 십장 홍진 (부정적 인식)

연계 작품

- **어부를 화자로 내세운 작품**: 윤선도 「어부사시사」
- **강호에서의 삶을 노래한 작품**: 맹사성 「강호사시가」, 나위소 「강호구가」, 신계영 「전원사시가」

기출 OX

Q1 윗글은 서로 다른 성격을 띤 공간을 대비하고 있다. 기출 2014. 6. 고1 O X

Q2 '만경파'는 화자에게 삶의 위태로움을 경험하게 하는 소재이다. 기출 2014. 6. 고1 O X

Q3 〈제2수〉의 '돌아보니'는 '더욱 무심하여라'와 연결되어 강호 공간에서 화자가 추구하려는 자기 절제의 내면세계를 드러낸다. 기출 2010. 9. 모평 O X

답 Q1 O Q2 X Q3 O

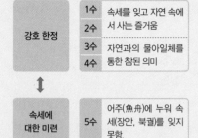

기출 변형 2014학년도 10월 고3 학력평가

01 윗글의 표현상의 특징으로 적절하지 않은 것은?

① 시선의 이동에 따라 시상을 전개하고 있다.
② 대구의 방식을 통해 운율감을 조성하고 있다.
③ 색채 이미지를 활용하여 공간의 성격을 드러내고 있다.
④ 설의적 표현을 사용하여 화자의 태도를 강조하고 있다.
⑤ 음성 상징어를 활용하여 상황을 생동감 있게 표현하고 있다.

02 윗글에 드러난 화자에 대한 이해로 적절하지 않은 것은?

① 자연 속에 있으면서 욕심 없는 삶을 추구한다.
② 임금이 부르면 언제든 돌아가야 한다고 생각한다.
③ 세상에는 어진 사람이 많이 있을 것이라고 생각한다.
④ 속세와의 단절을 통해 인간 세상의 일을 잊고자 한다.
⑤ 생업의 어부가 아니라 관념적인 어부의 삶을 생각한다.

03 〈보기〉를 참고하여 윗글을 감상할 때 적절하지 않은 것은?

보기

이현보는 32세에 문과에 급제하였으나 평탄하지 않은 관직 생활을 이어 왔다. 그는 만년에 혼탁한 정계(政界)에 싫증을 느껴 병을 핑계로 사직하고 고향에 돌아와 여생을 보냈다. 이때 자연을 즐기며 시를 짓는 데 힘썼으며, 고려 때부터 전해지던 「어부가」를 「어부단가」로 개작하였다. 이 작품에는 작가가 자연과 더불어 살면서 깨달은 참된 의미와 유유자적하는 삶의 즐거움이 담겨 있으며, 한편으로는 끝까지 놓을 수 없었던 우국의 심정도 나타나 있다.

① 〈제1수〉에서 '어부의 생애'는 고향에 돌아와 유유자적하는 삶을 표현한 것이겠군.
② 〈제1수〉에서 '일엽편주를 만경파에 띄워' 둔 모습은 자연을 즐기는 모습을 표현한 것이겠군.
③ 〈제3수〉에서 '일반 청의미'는 화자가 자연과 더불어 살면서 느낀 평범하지만 참된 삶의 의미를 표현한 것이겠군.
④ 〈제5수〉에서 '잊은 때가 있으랴'는 유유자적하는 삶을 살면서도 지니고 있었던 우국의 심정을 표현한 것이겠군.
⑤ 〈제5수〉에서 '시름'은 작가가 겪은 순탄하지 않은 관직 생활과 혼탁한 정계에 대한 회한을 표현한 것이겠군.

04 ㉠~㉤ 중, 의미하는 바가 다른 하나는?

① ㉠ ② ㉡ ③ ㉢ ④ ㉣ ⑤ ㉤

05 윗글에 드러난 공간을 〈보기〉와 같이 정리할 때, [A], [B]에 대한 화자의 태도로 가장 적절한 것은?

보기

[A]	……	[B]
강호(江湖)		인세(人世)

① 화자는 [A]와 [B]가 조화로운 세상이 되기를 원하고 있다.
② 화자는 [A]에서의 즐거움을 [B]에서도 누리기를 원하고 있다.
③ 화자는 [A]에서 만족하면서도 [B]에 대한 미련을 보이고 있다.
④ 화자는 [B]를 통해 [A]에서 느끼는 아쉬움을 채우려고 하고 있다.
⑤ 화자는 [B]에서의 성공을 위해 [A]에서의 깨달음이 필요하다고 생각하고 있다.

기출 변형 2014학년도 10월 고3 학력평가 B형

06 윗글의 ⓐ와 〈보기〉의 ⓑ의 기능으로 가장 적절한 것은?

보기

물가의 외로운 솔 혼자 어이 씩씩한고
　배 매여라 배 매여라
ⓑ머흔 구름 한(恨)치 마라 세상을 가리운다
　지국총 지국총 어사와
*파랑성(波浪聲)을 염(厭)치 마라 *진훤을 막는도다
– 윤선도, 「어부사시사」 중 〈동사(冬詞) 8수〉

*파랑성: 물결 소리.
*진훤: 속세의 시끄러움.

① ⓐ와 ⓑ는 모두 변화무쌍한 자연의 속성을 보여 주고 있다.
② ⓐ와 ⓑ는 모두 화자가 지향하는 도덕적 가치를 상징하고 있다.
③ ⓐ와 ⓑ는 모두 화자가 부정적으로 인식하는 공간을 차단하고 있다.
④ ⓐ는 감흥을 자아내고 있고, ⓑ는 향수를 유발하고 있다.
⑤ ⓐ는 공간적 배경을, ⓑ는 계절적 배경을 알려 주고 있다.

연시조 Q16

기출 EBS

오륜가(五倫歌) | 주세붕

▶해법문학 Link
고전 시가 153쪽

키워드 체크 #삼강오륜 #유교 사상 #교훈적 #도덕적 #백성 교화

㉠사람 사람마다 이 말삼 드러사라
이 말삼 아니면 사람이라도 사람 아니니
이 말삼 잇디 말고 배우고야 마로리이다 〈제1수〉

아바님 날 나흐시고 어마님 날 기르시니
부모(父母)곧 아니시면 내 몸이 업실랏다
㉡이 덕(德)을 갚흐려 하니 하늘 가이 업스샷다 〈제2수〉

종과 주인과를 뉘라셔 삼기신고
벌과 개미가 이 뜻을 몬져 아니
㉢한 마암애 두 뜻 업시 속이지나 마옵사이다 〈제3수〉

지아비 밭 갈라 간 데 •밥고리 이고 가
㉣반상을 들오되 눈썹에 마초이다
진실로 고마오시니 •손이시나 다르실가 〈제4수〉

형님 자신 젖을 내 조처 먹나이다
어와 우리 아우야 어마님 너 사랑이야
㉤형제(兄弟)가 불화(不和)하면 개돼지라 하리라 〈제5수〉

늙은이는 부모 같고 어른은 형 같으니
같은데 •불공(不恭)하면 어디가 다를고
나이가 많으시거든 절하고야 마로리이다 〈제6수〉

• 밥고리 '도시락'의 옛말. 밥을 담아 나르는 광주리를 일컫는 말.
• 손 손님.
• 불공하면 공손하지 아니하면.

핵심 포인트

각 수의 내용과 구성

1수	유교적 덕목을 배워야 하는 이유	서사

⬇

2수	부모에 대한 자식의 도리	유교적 덕목 형상화
3수	주인(임금)에 대한 종(신하)의 도리	
4수	남편에 대한 아내의 도리	
5수	형제간에 지켜야 할 도리	
6수	늙은이(어른)에 대한 아랫사람의 도리	

연계 작품

- 유교 윤리를 강조한 작품: 정철 「훈민가」
- 백성을 교화할 목적으로 지은 작품: 정학유 「농가월령가」

기출 OX

Q1 삶의 태도에 대한 경계와 권고의 의도를 드러내고 있다. 기출 2018. 6. 모평 (O | X)

Q2 관념적 덕목을 열거하여 각각이 지닌 모순점을 밝히고 있다. 기출 2018. 6. 모평 (O | X)

Q3 가족 관계를 활용하여 말하고자 하는 바를 표현하고 있다. EBS 변형 (O | X)

답 Q1 O Q2 X Q3 O

기출 변형 2017학년도 6월 고2 학력평가

01 〈보기〉를 바탕으로 ㉠~㉤을 설명한 내용으로 적절하지 않은 것은?

보기

조선 시대 시조 문학은 크게 강호가류(江湖歌類)와 오륜가류(五倫歌類)의 두 가지 경향으로 발전하게 되었다. 오륜가류는 백성들에게 유교적 덕목인 오륜을 실생활 속에서 실천할 것을 권장하려는 목적으로 창작한 시조이다. 오륜가류는 쉬운 일상어를 활용하여 백성들이 일상생활에서 마땅히 행하거나 행하지 말아야 할 것들을 명령이나 청유 등의 어조로 노래하였다. 이러한 작품들은 유교적 덕목인 인륜을 실천함으로써 인간과 인간이 이상적 조화를 이루고, 이를 통해 천하가 평화로운 상태까지 나아가는 것을 주요 내용으로 하였다.

① ㉠: 백성을 교화하는 것이 글의 목적임을 드러내고 있다.
② ㉡: 백성들에게 부모님의 은혜에 보답할 것을 권장하고 있다.
③ ㉢: 임금과 신하가 서로 거짓 없이 정직해야 함을 강조하고 있다.
④ ㉣: 밥상을 드는 행위를 통해 남편에게 아내가 실천해야 할 자세를 보여 주고 있다.
⑤ ㉤: 행하지 말아야 할 일을 한다면 짐승과 다르지 않음을 강조하고 있다.

기출 변형 2018학년도 6월 모의평가

02 〈보기〉를 바탕으로 윗글을 감상한 내용으로 적절하지 않은 것은?

보기

교훈적 내용의 시조에는 설득력을 높이기 위한 몇 가지 특징적인 표현 전략이 있다. 우선 윤리적 덕목을 실천해야 하는 인물을 화자로 설정하여 대화 형식을 취하는 경우가 있다. 또한 비유나 상징, 유추, 가정 등을 통해 화자가 개인 윤리는 물론 가정과 사회의 윤리를 반드시 실천해야 할 주체라는 당위성을 부여하기도 한다.

① 〈제1수〉에서는 배우고야 말 것이라는 표현을 통해 화자를 윤리적 덕목을 실천하려는 인물로 설정하고 있다.
② 〈제2수〉에서는 부모님이 아니었으면 자신이 없을 것이라는 가정을 통해 자식이 추구해야 할 도리에 당위성을 부여하고 있다.
③ 〈제3수〉에서는 벌과 개미의 생태로부터 윤리적 실천의 주체가 실천해야 할 바를 유추하고 있다.
④ 〈제4수〉에서 화자로 내세운 지아비와 지어미의 문답 방식을 통해 아내가 취해야 할 윤리적 태도를 제시하고 있다.
⑤ 〈제6수〉에서는 늙은이와 어른을 부모, 형에 빗대어 표현함으로써 사회 윤리가 가정 윤리만큼 중요한 실천 덕목임을 드러내고 있다.

03 윗글과 〈보기〉를 비교하여 감상한 내용으로 적절한 것은?

보기

형아 아우야 네 살을 만져 보아
뉘에게 태어났기에 모습조차 같은가
같은 젖을 먹고 자라났으니 딴 마음을 먹디 마라
〈제3수〉

오늘도 다 새거다 호미 메고 가쟈스라
내 논 다 매여든 네 논 좀 매여 주마
오는 길에 뽕 따다가 누에 머겨 보쟈스라
〈제13수〉

– 정철, 「훈민가」 중

① 윗글과 달리 〈보기〉는 이웃의 일을 돕는 자세도 강조하고 있군.
② 〈보기〉와 달리 윗글은 백성들이 읽을 것을 고려해 직설적으로 표현하였군.
③ 윗글과 〈보기〉는 모두 젖을 먹여 키워 준 부모님의 사랑을 강조하고 있군.
④ 윗글과 〈보기〉는 모두 형제간의 모습이 닮은 것을 언급하며 우애의 중요성을 강조하고 있군.
⑤ 윗글과 〈보기〉는 모두 각 행마다 명령형 종결 어미를 사용하여 교화의 의도를 드러내고 있군.

04 윗글의 내용과 관련이 없는 한자 성어는?

① 군신유의(君臣有義)
② 부부유별(夫婦有別)
③ 부자유친(父子有親)
④ 붕우유신(朋友有信)
⑤ 장유유서(長幼有序)

서술형

05 윗글에서 〈제1수〉의 역할을 〈조건〉에 맞게 서술하시오.

조건
• 〈제2수〉부터 〈제6수〉와의 차이점을 중심으로 쓸 것
• 50자 내외로 쓸 것

연시조 Q17

교과서 [문] 동아 기출 EBS

방옹시여(放翁詩餘) | 신흠

▶해법문학 Link
고전 시가 216, 238쪽

키워드 체크 #유배 #자연에 은거하는 삶 #만족감 #임에 대한 그리움 #연군지정

핵심 포인트

「방옹시여」의 각 수에 나타난 화자와 정서

(가), (나)	화자	자연 속에서 사는 사람
	정서	• 자연을 즐기며, 안빈낙도함. • 자연에 은거하는 삶에 대한 자긍심
(다)~(마)	화자	임과 헤어진 사람
	정서	• 임을 그리워함. • 연군지정
(바)	화자	시름이 많은 사람
	정서	시름을 풀어 보고자 함.

(가)
산촌(山村)에 눈이 오니 돌길이 뭇쳐셰라
시비(柴扉)를 여지 마라 날 ᄎᆞ즈리 뉘 이스리
밤듕만 일편명월(一片明月)이 긔 벗인가 ᄒᆞ노라 〈제1수〉

(나)
섯ᄀᆞ래 기나 ᄌᆞ르나 기동이 기우나 트나
•수간모옥(數間茅屋)을 ᄌᆞᆨ은 줄 웃지 마라
어즈버 •만산 나월(滿山蘿月)이 다 ᄂᆡ 거신가 ᄒᆞ노라 〈제8수〉

(다)
한식(寒食) 비 온 밤에 봄빗치 다 퍼졋다
무정(無情)ᄒᆞᆫ 화류(花柳)도 ᄣᅢ를 아라 픠엿거든
엇더타 우리의 님은 가고 아니 오ᄂᆞᆫ고 〈제17수〉

(라)
창(窓)밧긔 워셕버셕 님이신가 이러 보니
•혜란 혜경(蕙蘭蹊徑)에 낙엽(落葉)은 무스 일고
어즈버 유한ᄒᆞᆫ 간장(肝腸)이 다 끈칠ᄶᅡ ᄒᆞ노라 〈제19수〉

(마)
봄이 왓다 ᄒᆞ되 소식(消息)을 모로더니
냇ᄀᆞ에 푸른 버들 네 몬져 •아도괴야
어즈버 인간(人間) 이별(離別)을 ᄯᅩ 엇지 ᄒᆞᄂᆞᆫ다 〈제21수〉

(바)
㉠노래 •삼긴 사ᄅᆞᆷ 시름도 하도 할샤
닐러 다 못 닐러 불러나 ᄑᆞ돗ᄃᆞᆫ가
진실(眞實)로 풀릴 거시면은 ㉡나도 불러 보리라 〈제29수〉

연계 작품

• 자연 속에서 사는 즐거움을 노래한 작품: 송순 「면앙정가」
• 임에 대한 그리움으로 인한 화자의 착각이 나타난 작품: 작자 미상 「님이 오마 ᄒᆞ거놀」, 「벽사창이 어룬어룬커놀」

기출 OX

Q1 윗글은 영탄적 표현을 통해 감정을 효과적으로 표출하고 있다.
기출 2019. 3. 고1 (O | X)

Q2 (가)의 '산촌'은 세상과 대비되는 공간으로서의 자연을 의미한다.
기출 2019. 3. 고1 (O | X)

Q3 '임'을 군왕으로 이해한다면 '간장이 다 끈칠ᄶᅡ ᄒᆞ노라'에는 임금을 향한 신하의 애끓는 심정이 함축되어 있다.
기출 2019. 3. 고1 (O | X)

답 Q1 O Q2 O Q3 O

• **수간모옥** 방이 몇 칸 되지 않는 작은 초가.
• **만산 나월** 산에 가득 자란 덩굴 풀에 비친 달.
• **혜란 혜경** 난초가 자라난 지름길.
• **아도괴야** 아는구나.
• **삼긴** 만든.

01 윗글의 표현상 특징으로 적절하지 않은 것은?

① (가)는 설의적 표현을 통해 화자의 상황을 드러내고 있다.
② (나)는 대구의 방식을 활용하여 공간의 특성을 구체화하고 있다.
③ (다)는 대상에 감정을 이입하여 화자의 정서를 표현하고 있다.
④ (라)는 계절적 이미지를 활용하여 시적 분위기를 형성하고 있다.
⑤ (마)는 자연과 인간을 대비하여 화자의 심정을 부각하고 있다.

02 윗글의 화자에 대한 설명으로 적절하지 않은 것은?

① (가): 외부와 단절된 상태에 있다.
② (나): 자신의 삶에 자긍심을 느끼고 있다.
③ (다): 자연물을 보며 임을 그리워하고 있다.
④ (라): 임의 부재로 인한 화자의 정서를 직설적으로 드러내고 있다.
⑤ (마): '소식'을 전해 주지 않는 임을 원망하고 있다.

기출 변형 2019학년도 3월 고1 학력평가

03 〈보기〉를 참고하여 윗글을 이해한 내용으로 가장 적절한 것은?

보기

윗글은 선조의 총애를 받던 신흠이 선조 사후 '계축옥사'에 연루되어 관직을 박탈당하고 김포로 내쫓겼던 시기에 쓴 시조 30수 중 일부이다. 이들 30수는 자연 지향, 세태 비판, 연군, 취흥 등의 다양한 주제 의식을 형성하고 있다.

① '눈'은 부정적인 세태에 맞서 화자가 이겨 내야 할 고난을 비유적으로 표현한 것이군.
② '일편명월'은 자신이 그리워하는 절대적인 존재인 선조를 상징하는 것이군.
③ '수간모옥'은 관직을 박탈당한 작가의 답답한 심정이 투영되어 있는 대상이군.
④ '만산 나월'은 자신의 억울한 처지를 호소하는 작가를 상징하는 것이겠군.
⑤ '시름'은 정치적 혼란기에 정계에서 쫓겨나 버림받은 작가의 복잡한 심경을 나타내는 것이겠군.

04 (라)와 〈보기〉의 화자를 비교하여 감상한 내용으로 적절하지 않은 것은?

보기

벽사창(碧紗窓)이 어른어른커ᄂᆞᆯ 님만 너겨 풀쩍 니러나 뚝딱 나셔 보니

님은 아니오 명월(明月)이 만정(滿庭)ᄒᆞᆫᄃᆡ 벽오동(碧梧桐) 져즌 닙히 봉황(鳳凰)이 ᄂᆞ려안자 긴 부리를 휘여다가 두 ᄂᆞ래예 너허 두고 슬금슬젹 깃 다듬ᄂᆞᆫ 그림자ㅣ로다

모쳐로 밤일ᄉᆡ만졍 행여 낫이런들 ᄂᆞᆷ 우일 번ᄒᆞ여라

– 작자 미상

① (라)의 초장과 〈보기〉의 초장에서는 모두 감각적 자극이 착각을 불러일으키는 원인이 되고 있군.
② (라)의 초장과 〈보기〉의 초장에서는 모두 창밖의 변화에 즉각적으로 반응하는 화자의 모습이 그려지고 있군.
③ (라)의 중장과 〈보기〉의 중장에서는 모두 화자의 착각을 불러일으킨 대상이 확인되고 있군.
④ (라)의 중장에서는 착각을 야기한 대상에 대한 묘사가, 〈보기〉의 중장에서는 착각을 야기한 대상에 대한 비판이 제시되고 있군.
⑤ (라)의 종장에서는 화자의 내면적 고통을 토로하고 있고, 〈보기〉의 종장에서는 타인의 평가와 조소를 의식하고 있군.

05 ㉠과 ㉡에 대한 설명으로 적절한 것은?

① ㉠과 ㉡은 동일한 인물이다.
② ㉠은 ㉡에게 근심의 원인을 제공한다.
③ ㉡은 ㉠과 달리 근심이 많은 인물이다.
④ ㉠은 ㉡의 근심을 덜어 주기 '노래'를 만들었다.
⑤ ㉡은 근심을 해소하기 위해 ㉠과 동일한 방법을 시도해 보려고 한다.

연시조 Q18

기출 EBS

사우가(四友歌) | 이신의

▶출제 예감!

키워드 체크 #예찬 #소나무 #국화 #매화 #대나무 #지조와 절개

바위에 섰는 솔이 •늠연(凜然)한 줄 반가온뎌
풍상(風霜)을 겪어도 여위는 줄 전혀 업다
어쩌다 ㉠봄빛을 가져 고칠 줄 모르나니 〈제1수〉

•동리(東籬)에 심은 국화(菊花) 귀(貴)한 줄 뉘 아나니
㉡춘광(春光)을 •번폐하고 •엄상(嚴霜)에 혼자 피니
어즈버 •청고(淸高)한 내 벗이 다만 넨가 하노라 〈제2수〉

[A] 꽃이 무한(無限)호되 매화(梅花)를 심은 뜻은
눈 속에 꽃이 피어 한 빛인 줄 귀하도다
하물며 그윽한 향기(香氣)를 아니 귀(貴)코 어이리 〈제3수〉

백설(白雪)이 잦은 날에 대를 보려 창(窓)을 여니
온갖 꽃 간데업고 대숲이 푸르러셰라
어째서 청풍(淸風)을 반겨 •흔덕흔덕하나니 〈제4수〉

• 늠연한 위엄이 있고 당당한.
• 동리 동쪽 울타리라는 뜻으로, 국화를 심은 곳을 이르는 말.
• 번폐하고 마다하고.
• 엄상 늦가을에 아주 되게 내리는 서리. 된서리.
• 청고한 맑고 고결한.
• 흔덕흔덕 큰 물체 따위가 둔하게 자꾸 흔들리는 모양.

핵심 포인트

「사우가」의 각 수에 나타난 예찬의 대상

	대상	속성
1수	소나무	풍상을 겪어도 움츠러들지 않고 봄빛을 지킴.
2수	국화	엄상에 혼자 피어 있음. 맑고 고결함.
3수	매화	눈 속에서 피는 강인함과 그윽한 향기를 지님.
4수	대나무	백설 속에서 혼자 푸른 빛을 지님.

⬇

자연물의 속성을 근거로 자연물에 긍정적 가치를 부여하여 예찬함.

연계 작품

자연물에 유교적 속성을 부여하여 예찬하는 작품: 윤선도 「오우가」

기출 OX

Q1 윗글은 대상을 예찬하는 태도를 나타내고 있다. 기출 2018. 10. 고3 (O | X)

Q2 〈제1수〉의 '봄빛'은 자신의 뜻을 바꾸는 속된 선비들에게서는 찾을 수 없는, 작가가 지니고자 하는 삶의 자세라 할 수 있다. 기출 2015. 11. 고2 (O | X)

Q3 〈제4수〉의 '청풍을 반겨'는 청빈한 삶에 대한 지향을 드러내고 있다. 기출 2018. 10. 고3 (O | X)

답 Q1 O Q2 O Q3 X

기출 변형 2018학년도 10월 고3 학력평가

01 윗글의 표현상 특징으로 적절한 것은?

① 〈제1수〉와 〈제4수〉는 음성 상징어를 활용하여 대상의 동작을 묘사하고 있다.
② 〈제2수〉는 〈제3수〉와 달리 상승과 하강의 이미지를 교차하여 대상의 역동성을 강조하고 있다.
③ 〈제3수〉와 〈제4수〉는 색채 대비를 통해 시적 의미를 부각하고 있다.
④ 〈제1수〉부터 〈제4수〉까지 모두 과거와 현재를 교차하여 대상의 특성을 제시하고 있다.
⑤ 〈제1수〉부터 〈제4수〉까지 모두 계절감을 나타내는 시어를 활용하여 대상의 긍정적인 속성을 드러내고 있다.

02 윗글의 시어에 대한 이해로 적절하지 않은 것은?

① '바위'는 시적 대상이 놓여 있는 척박한 상황을 나타내는 시어이다.
② '솔', '국화', '매화', '대'는 각 수의 중심 대상으로, 지조와 절개를 상징한다.
③ '청고'와 '청풍'은 시적 대상의 맑고 깨끗한 속성을 나타내는 시어이다.
④ '온갖 꽃'은 눈 속에서도 항상 푸른 '대'와 대조되는 대상이다.
⑤ '흔덕흔덕'은 시련에 유연하게 대처하는 '대'의 모습을 형상화한 시어이다.

03 ㉠, ㉡을 비교한 내용으로 가장 적절한 것은?

① ㉠과 ㉡은 모두 대상의 특성을 빗댄 것이다.
② ㉠은 가변성을, ㉡은 불변성을 함축하고 있다.
③ ㉠은 대상에게 도움을 주는 존재이지만, ㉡은 대상을 방해하는 존재이다.
④ ㉠은 대상이 성숙하기 전의 모습을, ㉡은 성숙한 대상의 모습을 형상화한 것이다.
⑤ ㉠은 대상이 지닌 고유한 속성을, ㉡은 대상의 속성을 부각하는 외적 상황을 나타낸다.

기출 변형 2015학년도 11월 고2 학력평가

04 〈보기〉를 참고하여 윗글을 감상한 내용으로 적절하지 않은 것은?

보기

「사우가」는 작가가 인목 대비를 폐위한 광해군의 폭정에 상소하였다가 함경북도 회령에 유배되었을 때 창작되었다. 이 작품에서 작가는, 당시의 정치적 상황에 굴복하고 자신의 뜻을 바꾸는 선비들과는 달리 시류에 영합하지 않겠다는 고고한 정신을 드러냈다. 또한 유배지에서 힘든 생활을 했음에도 불구하고 자신의 삶에 대한 자부심과 씩씩한 기상을 드러냈다. 작품에 사용된 소재들은 당대의 상황과 이에 따른 작가의 삶의 자세를 보여 준다고 할 수 있다.

① '솔'이 '풍상'을 겪는 모습을 통해 당시 정치 상황 속에서 시련을 겪는 작가의 상황을 짐작할 수 있군.
② '여위는 줄 전혀' 없는 '솔'은 힘든 유배 생활에도 불구하고 씩씩한 기상을 잃지 않는 작가의 모습을 형상화한 것이겠군.
③ '엄상에 혼자' 피어난 국화를 벗으로 여기는 화자의 모습에서 시류에 영합하지 않았던 작가의 자세를 확인할 수 있군.
④ '눈 속'에 피는 '매화'를 귀하게 여기는 화자의 모습에서 자신의 고고한 삶에 대한 작가의 자부심을 느낄 수 있군.
⑤ '백설이 잦은 날'의 '대'는 폐위된 인목 대비를 상징하는 소재로 '창을 여'는 행동을 통해 작가의 변치 않는 충심을 엿볼 수 있군.

05 [A]와 〈보기〉를 비교하여 이해한 내용으로 적절하지 않은 것은?

보기

어리고 성긴 매화(梅花) 너를 믿지 않았더니
눈 기약(期約) 능(能)히 지켜 두세 송이 피었구나
촉(燭) 잡고 가까이 사랑할 제 암향부동(暗香浮動)하더라

\- 안민영, 「매화사」 중 〈제2수〉

① [A]와 〈보기〉는 모두 대상을 의인화하여 친근감을 드러내고 있다.
② [A]와 〈보기〉는 모두 감각적 심상을 통해 대상의 속성을 표현하고 있다.
③ [A]와 〈보기〉는 모두 영탄적 표현을 통해 대상에 대한 화자의 정서를 나타내고 있다.
④ 〈보기〉와 달리 [A]는 다른 대상을 언급하여 매화가 지닌 가치를 부각하고 있다.
⑤ [A]와 달리 〈보기〉는 시상이 전개됨에 따라 대상에 대한 화자의 심리가 달라지고 있다.

연시조

Q19 견회요(遣懷謠) | 윤선도

기출 EBS

▶해법문학 Link
고전 시가 226쪽

핵심 포인트

「견회요」의 시상 전개 방식

1~3수		4수		5수
충(忠)	+	효(孝)	➡	충=효

충(忠)과 효(孝)를 차례로 언급한 후, 마지막에 둘을 일치시킴.
- '군사부일체(君師父一體)'라는 유교적 가치관이 반영됨.

자연물에 반영된 화자의 정서

3수	임 향한 내 뜻	감정 이입 →	시내
	임금을 향한 충성심 표출		
4수	어버이 그린 뜻	감정 이입 →	외기러기
	부모님에 대한 그리움 표출		

연계 작품

- **억울함을 호소하고 변함없는 충성심을 노래한 작품**: 정서 「정과정」
- **유배 생활 중 창작된 작품**: 안조환 「만언사」

⋯→ 기출 딥러닝 64쪽

기출 OX

Q1 윗글의 화자는 불가능한 상황을 설정하여 현실을 도피하고 있다.
기출 2014. 3. 고2 O | X

Q2 〈제1수〉의 '옳다 하나 외다 하나'는 〈제2수〉의 '아무가'의 행위로 볼 수 있다.
기출 2012. 6. 모평 O | X

Q3 〈제4수〉의 '뜻'은 〈제5수〉의 '뜻'에 와서 더욱 확대되어 표출된 것으로 볼 수 있다.
기출 2012. 6. 모평 O | X

답 Q1 X Q2 O Q3 O

키워드 체크 #귀양살이 #부모님 #효심 #임금 #충성심 #사대부 의식 #마음을 달래는 노래

슬프나 즐거오나 옳다 하나 •외다 하나
내 몸의 해올 일만 닦고 닦을 뿐이언정
그 밖의 여남은 일이야 분별(分別)할 줄 이시랴 〈제1수〉

[A] 내 일 •망령된 줄 내라 하여 모를 것인가
이 마음 어리석기도 임 위한 탓이로세
아무가 아무리 일러도 임이 생각하여 보소서 〈제2수〉

•추성(楸城) •진호루(鎭胡樓) 밖에 울어 예는 저 ㉠시내야
•므음 호리라 주야에 흐르는가
임 향한 내 뜻을 조차 그칠 줄을 모르는가 〈제3수〉

[B] 뫼흔 길고 길고 물은 멀고 멀고
어버이 그린 뜻은 많고 많고 하고 하고
어디서 ㉡외기러기는 울고 울고 가느니 〈제4수〉

어버이 그릴 줄을 처음부터 알아마는
임금 향한 뜻도 하늘이 삼겨시니
진실로 임금을 잊으면 긔 불효인가 여기노라 〈제5수〉

- **외다** 그르다, 잘못되다.
- **망령된** 언행이 상식에서 벗어나 주책이 없는.
- **추성** 함경북도 경원의 옛 이름. 여기서는 화자가 유배된 곳을 의미함.
- **진호루** 경원에 있는 누각 이름.
- **므음 호리라** 무엇을 하려고.

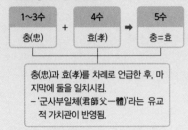

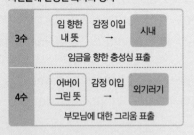

01 윗글의 표현상의 특징으로 적절하지 않은 것은?

① 설의적 표현을 통해 화자의 의지를 강조하고 있다.
② 대구적 표현을 사용하여 화자의 처지를 드러내고 있다.
③ 규칙적인 음보의 배열을 통해 리듬감을 부여하고 있다.
④ 반어적 표현을 통해 현실의 부정적인 측면을 강조하고 있다.
⑤ 대상에게 말을 건네는 방식으로 화자의 정서를 드러내고 있다.

기출 변형 2016학년도 6월 고1 학력평가

02 [A], [B]에 대한 이해로 가장 적절한 것은?

① [A]와 [B]에는 모두 대상의 속성에 빗대어 화자의 심정을 드러낸 표현이 나타나 있다.
② [A]와 [B]에는 모두 자신의 마음을 몰라주는 대상을 원망하는 화자의 태도가 나타나 있다.
③ [A]에는 임금에 대한 화자의 충성심이, [B]에는 부모에 대한 화자의 간절한 그리움이 나타나 있다.
④ [A]에는 화자가 현실에서 고뇌하는 모습이, [B]에는 화자가 자연에서 유유자적하는 모습이 나타나 있다.
⑤ [A]에는 과거의 행동에 대한 화자의 자부심이, [B]에는 현재 자신의 처지에 대한 화자의 억울함이 나타나 있다.

03 ㉠, ㉡에 대한 설명으로 가장 적절한 것은?

① ㉠과 ㉡은 모두 화자가 감정을 이입하여 정서를 간접적으로 드러내는 대상이다.
② ㉠과 ㉡은 모두 청각적 이미지를 통해 화자가 지향하는 공간을 형상화하는 소재이다.
③ ㉠은 화자와 대상을 연결해 주는, ㉡은 화자와 대상을 단절시키는 소재이다.
④ ㉠은 화자가 부정적으로 생각하는, ㉡은 화자가 긍정적으로 생각하는 대상이다.
⑤ ㉠은 화자가 과거를 회상하게 하는, ㉡은 화자가 미래를 예측하게 하는 소재이다.

기출 변형 2014학년도 3월 고2 학력평가

04 〈보기〉를 바탕으로 윗글을 이해할 때 적절하지 않은 것은?

보기

윤선도는 권신 이이첨의 횡포에 대해 탄핵 상소를 올린 일로 유배를 가게 됐고, 그의 아버지마저 관직에서 쫓겨났다. 그는 이러한 결과를 예상했으나 화를 당할 것이 두려워 불의를 외면해서는 안 된다고 생각하였다. 윤선도는 유배 생활 중에 「견회요」를 지었는데, 이때 '견회(遣懷)'는 '시름을 쫓다, 마음을 달래다'라는 뜻이다. 그는 이 작품을 통해 자신이 추구하는 삶의 자세와 임금·어버이에 대한 그리움을 표현하였다. 때로는 자신의 억울함을 호소하고 자신을 모함한 상대편에 대한 부정적 감정을 드러내기도 하였다.

① 〈제1수〉의 '해올 일만 닦고 닦을 뿐'은 자신이 할 일을 하겠다는 것으로 불의를 외면하지 않는 것이겠군.
② 〈제2수〉의 '아무가 아무리 일러도'에서 자신을 모함한 상대편에 대한 작가의 부정적인 감정을 엿볼 수 있군.
③ 〈제3수〉의 '임 향한 내 뜻'은 아버지의 관직 복귀를 염원하는 마음에서 비롯된 것이겠군.
④ 〈제4수〉의 '많고 많고 하고 하고'는 반복을 통해 유배지에서 느끼는 작가의 시름을 강조한 것이겠군.
⑤ 〈제5수〉의 '임금을 잊으면'은 화를 당할 것이 두려워 임금에게 올바른 말을 하지 않는 태도라 할 수 있겠군.

고난도

05 윗글의 화자 '갑'과 〈보기〉의 화자 '을'을 비교한 것으로 가장 적절한 것은?

보기

아니시며 *거츠르신달 아으
*잔월효성(殘月曉星)이 알으시리이다
넋이라도 님은 한데 *녀져라 아으
*벼기더시니 뉘러시니잇가
과(過)도 허물도 천만(千萬) 업소이다
*말힛 마리신저

– 정서, 「정과정」 중

*거츠르신달: 거짓인 줄을. *잔월효성: 새벽녘의 달과 별.
*녀져라: 지내고 싶어라. *벼기더시니: 어기신 이가.
*말힛 마리신저: 무리들의 말입니다.

① '갑'과 '을'은 모두 자연물에게 자신의 결백함을 호소하고 있다.
② '갑'은 '을'과 달리 임에 대한 변치 않은 사랑을 드러내고 있다.
③ '갑'은 '을'과 달리 자신의 행동에 대해 자책하는 표현을 쓰고 있다.
④ '을'은 '갑'과 달리 신념대로 행동하겠다는 의지를 표현하고 있다.
⑤ '을'은 '갑'과 달리 '님'이 자신이 억울함을 알아주기를 바라고 있다.

기출 딥러닝 2017학년도 7월 고3 학력평가

[06~07] 다음 글을 읽고 물음에 답하시오.

(가) 추성(楸城) 진호루(鎭胡樓) 밧긔 울어 예는 저 시내야
므음 호리라 주야(晝夜)에 흐르는다
임 향한 내 뜻을 조차 그칠 뉘를 모르나다 〈제3수〉

㉠뫼흔 길고 길고 물은 멀고 멀고
어버이 그린 뜻은 많고 많고 하고 하고
어디서 외기러기는 울고 울고 가느니 〈제4수〉

어버이 그릴 줄을 처음부터 알아마는
㉡임금 향한 뜻도 하늘이 삼겨시니
진실로 임금을 잊으면 긔 불효인가 여기노라 〈제5수〉

– 윤선도, 「견회요(遣懷謠)」

(나) *남방 염천(南方炎天) 찌는 날에 빨지 못한 누비바지
㉢땀이 배고 때가 올라 굴뚝 막은 덕석인가
덥고 검기 다 바리고 내암새를 어이하리
어와 내 일이야 가련히도 되었고나
손잡고 반기는 집 내 아니 가옵더니
등 밀어 내치는 집 구차히 빌어 있어
옥식 진찬(玉食珍饌) 어데 가고 *맥반 염장(麥飯鹽藏) 대하오며
㉣금의 화복(錦衣華服) 어데 가고 *현순백결(懸鶉百結) 하였는고
이 몸이 살았는가 죽어서 귀신인가
말하니 살았으나 모양은 귀신일다
㉤한숨 끝에 눈물 나고 눈물 끝에 한숨이라 〈중략〉
연년(年年)이 풍년 드니 해마다 보리 베어
마당에 두드려서 방아에 쓸어 내어
일분(一分)은 밥쌀 하고 일분(一分)은 술쌀 하여
밥 먹어 배부르고 술 먹어 취한 후에
*함포고복(含哺鼓腹)하여 *격양가(擊壤歌)를 부르나니
농부의 저런 흥미 이런 줄 알았더면
공명을 탐치 말고 농사를 힘쓸 것을
백운(白雲)이 즐거운 줄 청운(靑雲)이 알았으면
***탐화봉접(探花蜂蝶)이 그물에 걸렸으랴**

– 안조환, 「만언사(萬言詞)」

* **남방 염천** 남쪽 지방의 몹시 더운 날씨.
* **맥반 염장** 보리밥과 소금장. 아주 초라한 밥상.
* **현순백결** 옷이 헤어져서 백 군데나 기움. 누더기 옷.
* **함포고복** 잔뜩 먹고 배를 두드린다는 뜻으로, 먹을 것이 풍족하여 즐겁게 지냄을 이르는 말.
* **격양가** 풍년이 들어 농부가 태평한 세월을 즐기는 노래.
* **탐화봉접** 꽃을 탐하는 벌과 나비.

기출 변형

06 ㉠~㉤에 대한 이해로 적절하지 않은 것은?

① ㉠: 자연물을 활용하여 어버이와 화자 사이의 거리감을 강조하고 있다.
② ㉡: 화자가 운명론적 인식관을 바탕으로 하여 체념적 태도를 드러내고 있다.
③ ㉢: 비유를 통해 현재의 고통스러운 처지를 드러내고 있다.
④ ㉣: 대조를 통해 현재의 궁핍한 삶을 부각하고 있다.
⑤ ㉤: 대구적 표현을 사용하여 화자의 한스러움을 드러내고 있다.

고난도 기출

07 〈보기〉를 바탕으로 (가), (나)를 감상한 것으로 적절하지 않은 것은?

보기

정치적 분쟁으로 인해 유배를 당한 유배객들은 임금에 대한 변함없는 충정을 드러내며 유배의 고통 속에서도 유교 이념을 굳건히 지키는 태도를 보였다. 윤선도의 「견회요(遣懷謠)」에는 이러한 모습이 잘 드러나 있다. 한편, 정치적 유배객들 중에는 현실에서 소외된 자신의 처지를 달래기 위해 자연에 대한 사랑을 노래하는 탈속적 태도를 보이는 경우도 있었다.

또한 유배는 정치적인 이유가 아닌 개인적인 잘못에 의한 경우도 있다. 이러한 유배객은 주로 자신의 과거 잘못에 대한 반성과 후회, 유배지에서의 고통스러운 삶과 사실적 체험을 서술하는 데 중점을 두는 경우가 많았다. 정조 때, 안조환이 공무상의 개인 비리로 유배되어 쓴 「만언사(萬言詞)」가 그러하다.

① (가)의 〈제3수〉에는 자연에 은거하고자 하는 화자의 소망이 담겨 있군.
② (가)의 〈제5수〉에는 임금에 대한 변함없는 충정이 효와 관련하여 담겨 있군.
③ (나)의 '남방 염천 찌는 날에 빨지 못한 누비바지'에서, 유배지에서 힘겨운 삶을 살았던 유배객의 사실적 체험이 나타나는군.
④ (나)의 '공명을 탐치 말고 농사를 힘쓸 것을'에서, 화자가 자신의 과거에 대해 후회하고 있음을 알 수 있군.
⑤ (나)의 '탐화봉접이 그물에 걸렸으랴'에서 개인의 잘못에 의한 유배를 그물에 걸린 것으로 비유하여 표현하고 있군.

연시조
Q20

교과서 [문] 천재(정), 동아, 비상, 신사고 [국] 신사고, 해냄
기출 EBS

핵심 포인트

「만흥」에 주로 나타난 시상 전개 방식

초장 · 중장	자연 ↔ 속세	➡	부귀공명을 추구하는 삶 ＞ 자연에서의 소박한 삶
종장	자연에의 귀의		

자연과 속세의 대립

자연	↔	속세
이상적 공간		현실
작가가 지향하는 공간		작가에게 좌절감을 준 벼슬길

연계 작품

- 자연 속에서 누리는 한가로운 삶을 임금의 은혜와 관련지은 작품: 맹사성 「강호사시가」, 나위소 「강호구가」, 송순 「면앙정가」
- 안분지족(安分知足)의 태도가 나타난 작품: 김병연 「영립」, 정약용 「어사재기」

기출 OX

01 윗글에서는 동일한 시적 대상을 지칭하는 다양한 시어로 화자가 지향하는 세계를 드러내고 있다. 기출 2005. 4. 고3 (O | X)

02 〈제1수〉에서는 '놈들'과 '하암'을 대조하여 화자가 지향하는 바를 드러내었다. 기출 2017. 6. 고2 (O | X)

03 〈제3수〉의 '먼 뫼'는 현실에 존재하지 않는 이상적 공간을 의미한다. 기출 2014. 6. 고2 (O | X)

답 01 O 02 O 03 X

만흥(漫興) | 윤선도

▶해법문학 Link
고전 시가 224쪽

키워드 체크 #자연 #세속 #은자의 삶 #선비 #가치관 #안분지족

산수 간(山水間) 바회 아래 •뛰집을 짓노라 ᄒᆞ니
그 모ᄅᆞᆫ 놈들은 웃ᄂᆞᆫ다 ᄒᆞᆫ다마ᄂᆞᆫ
어리고 •하암의 ᄯᅳᆺ의ᄂᆞᆫ 내 분(分)인가 ᄒᆞ노라 〈제1수〉

보리밥 픗ᄂᆞ물을 알마초 머근 후(後)에
바횟 긋 믉ᄀᆞ의 슬ᄏᆞ지 노니노라
㉠<u>그 나믄 녀나믄 일</u>이야 부ᄅᆞᆯ 줄이 이시랴 〈제2수〉

잔 들고 혼자 안자 먼 뫼흘 ᄇᆞ라보니
그리던 님이 오다 반가옴이 이리ᄒᆞ랴
말ᄉᆞᆷ도 우움도 아녀도 몯내 됴하ᄒᆞ노라 〈제3수〉

누고셔 삼공(三公)도곤 낫다 ᄒᆞ더니 •만승(萬乘)이 이만ᄒᆞ랴
이제로 헤어든 •소부 허유(巢父許由)ㅣ 냑돗더라
아마도 ㉡<u>•임천한흥(林泉閑興)</u>을 비길 곳이 업세라 〈제4수〉

내 셩이 게으르더니 하ᄂᆞᆯ히 아ᄅᆞ실샤
인간 만ᄉᆞ(人間萬事)ᄅᆞᆯ ᄒᆞᆫ 일도 아니 맛뎌
다만당 ᄃᆞ토리 업슨 강산(江山)을 딕히라 ᄒᆞ시도다 〈제5수〉

[A]
강산(江山)이 됴타 ᄒᆞᆫ돌 내 분(分)으로 누얻ᄂᆞ냐
님군 은혜(恩惠)ᄅᆞᆯ 이제 더욱 아노이다
아므리 갑고쟈 ᄒᆞ야도 ᄒᆡ올 일이 업세라 〈제6수〉

- **뛰집** 띠풀로 지은 집. 움막. 초가집.
- **하암** 향암(鄕闇). 시골에서 지내 온갖 사리에 어둡고 어리석은 사람.
- **만승** 만 대의 수레라는 뜻으로, 천자 또는 천자의 자리를 이르는 말.
- **소부 허유** 고대 중국의 인물들로, 속세에 나서지 않고 자연을 벗 삼아 즐기며 삶.
- **임천한흥** 자연 속에서 느끼는 한가한 흥취.

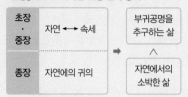

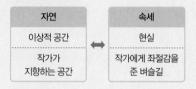

01 〈보기〉에서 윗글의 표현상 특징을 골라 바르게 묶은 것은?

보기

ㄱ. 대화체를 활용하여 친근한 분위기를 조성하고 있다.
ㄴ. 의문형 문장을 활용하여 화자의 정서를 강조하고 있다.
ㄷ. 서로 다른 대상을 비교하여 주제 의식을 강조하고 있다.
ㄹ. 대상을 다양한 관점으로 묘사하여 생동감을 드러내고 있다.

① ㄱ, ㄴ ② ㄱ, ㄷ ③ ㄴ, ㄷ
④ ㄴ, ㄹ ⑤ ㄷ, ㄹ

02 윗글에 대한 이해로 적절하지 않은 것은?

① 화자는 '놈들'이 자신을 보고 비웃더라도 '뛰집'을 짓고 사는 것이 자신의 분수에 맞다고 생각하고 있다.
② 화자는 세속의 일에는 관심을 두지 않은 채 '바횟 긋 믉 ᄀ'에서 즐거움을 느끼고 있다.
③ 화자는 '그리던 님이 오'는 반가움보다 '잔 들고 혼자 안아' 먼 산을 보는 즐거움이 더 좋다고 여기고 있다.
④ 화자는 자신이 '만승'과 '소부 허유'보다 더 낫다고 생각하고 있다.
⑤ 화자는 자신이 '강산'에 머무를 수 있는 이유를 '님군 은혜' 덕분이라고 여기고 있다.

03 ㉠과 ㉡에 대한 이해로 가장 적절한 것은?

① 화자는 ㉠을 이룬 사람을 부러워하고 있다.
② ㉠은 화자가 삶의 목표로 삼고 있는 일을 의미한다.
③ 화자는 ㉡을 떠나 ㉠으로 돌아가겠다고 다짐하고 있다.
④ 화자는 ㉠보다 ㉡이 자신의 분수에 어울린다고 생각할 것이다.
⑤ 화자는 ㉡을 추구하기 어려운 현실에 대한 아쉬움을 드러내고 있다.

고난도 기출 변형 2014학년도 6월 고2 학력평가

04 〈보기〉를 참고하여 윗글을 감상한 내용으로 적절하지 않은 것은?

보기

이 작품은 작가가 병자호란 때 임금을 모시지 않았다는 죄목으로 유배되었다가 풀려난 뒤, 고향인 전라도 해남 금쇄동에 은거할 때 지은 연시조이다. 작가는 혼탁한 정치적 상황으로 인해 정적들로부터 숱하게 탄핵과 모함을 받아 수십 년간이나 유배와 낙향을 반복하며 시련을 겪었다. 이러한 영향으로 작가는 은둔의 삶을 추구하면서 순우리말을 잘 살린 작품을 다수 창작하였다.

① 작가가 은둔하면서 살아가는 모습은 '뛰집'과 '보리밥 픗ᄂᆞ물'에서 짐작할 수 있겠군.
② '그 모론 놈들'에는 작가를 탄핵하고 모함했던 정적들이 포함될 수 있겠군.
③ 작가는 유배와 낙향을 반복하면서 세상 물정에 어두워져 '하암' 같은 존재가 되었겠군.
④ 윗글 역시 '알마초', '슬ᄏ지' 등과 같은 순우리말 표현을 잘 살린 작품이군.
⑤ 작가에게 '먼 뫼'는 유배 체험에서 겪은 시련을 치유해 주는 자연 공간이라 할 수 있겠군.

05 [A]와 〈보기〉를 비교하여 이해한 내용으로 가장 적절한 것은?

보기

강호(江湖)에 봄이 드니 미친 흥(興)이 절로 난다
탁료계변(濁醪溪邊)에 금린어(錦鱗魚) 안주로다
이 몸이 한가하옴도 역군은(亦君恩)이샷다

– 맹사성, 「강호사시가」 중 〈춘사(春詞)〉

① [A]와 〈보기〉 모두 자연에서 풍류를 즐기는 화자의 구체적인 행동이 드러나 있다.
② [A]와 〈보기〉의 화자는 모두 자연에서 느끼는 즐거움을 임금의 은혜로 여기고 있다.
③ [A]와 〈보기〉의 화자는 모두 속세와 자연을 비교하여 자연에서의 만족감을 드러내고 있다.
④ [A]의 화자는 〈보기〉의 화자와 달리 자연에서의 소박하고 여유로운 삶을 지향하고 있다.
⑤ 〈보기〉의 화자는 [A]의 화자와 달리 고사를 인용하여 속세에 대한 미련을 드러내고 있다.

기출 딥러닝 2017학년도 6월 고2 학력평가

[06 ~ 07] 다음 글을 읽고 물음에 답하시오.

(가) 산수 간(山水間) 바위 아래 띠집을 짓노라 하니
그 모른 남들은 웃는다 한다마는
어리고 하암의 뜻에는 내 분(分)인가 하노라 〈제1수〉

보리밥 풋나물을 알맞게 먹은 후에
바위 끝 물가에 슬카지 노니노라
그 남은 여남은 일이야 부럴 줄이 있으랴 〈제2수〉

누고셔 삼공(三公)도곤 낫다 하더니 만승(萬乘)이 이만하랴
이제로 헤어든 소부 허유(巢父許由)가 약돗더라
아마도 임천한흥(林泉閑興)을 비길 곳이 없어라 〈제4수〉

강산이 좋다 한들 내 분(分)으로 누었느냐
임금 은혜를 이제 더욱 아노이다
아무리 갚고자 하여도 하올 일이 없어라 〈제6수〉

- 윤선도, 「만흥(漫興)」

(나) 님금과 백성 사이 하늘과 땅이로되
나의 셜운 일을 다 알려고 하시거든
우린들 살진 미나리를 혼자 엇디 머그리 〈제2수〉

어버이 사라신 제 셤길 일란 다하여라
디나간 후(後)면 애닯다 엇디하리
평생(平生)애 고텨 못할 일이 이뿐인가 하노라 〈제4수〉

남으로 삼긴 중의 벗같이 유신(有信)하랴
나의 •왼 일을 다 닐오려 하노매라
이 몸이 벗님이 아니면 사람 되미 쉬올가 〈제10수〉

비록 못 니버도 남의 옷을 앗디 마라
비록 못 먹어도 남의 밥을 비디 마라
•한적곳 •때 시른 후면 고텨 씻기 어려우리 〈제14수〉

- 정철, 「훈민가(訓民歌)」

• **왼** 그른. 잘못된.
• **한적곳** 한 번이라도.
• **때 시른** 때가 묻은.

기출 변형 2017학년도 6월 고2 학력평가

06 **(가), (나)에 대한 설명으로 가장 적절한 것은?**

① (가)에서는 설의적 어조를 통해 '삼공'보다 '만승'을 가치 있게 여기는 화자의 삶의 태도를 제시하고 있다.
② (나)에서는 '벗같이 유신하랴'라는 명령의 어조로 교화의 의도를 드러내고 있다.
③ (나)에서는 '어버이 사라신 제'라고 상황을 가정하여 말하고자 하는 바를 강조하고 있다.
④ (나)에서는 '비록 ~ 마라'를 반복하여 전달하고자 하는 바를 효과적으로 표현하고 있다.
⑤ (가)는 '슬카지 노니노라'에서, (나)는 '닐오려 하노매라'에서 청유형 어미를 사용하여 공감을 유도하고 있다.

기출 변형 2006학년도 10월 고3 학력평가

07 **〈보기〉에 근거할 때, (가)의 〈제1수〉에 대한 설명으로 적절하지 않은 것은?**

보기

연시조는 하나의 주제 아래 여러 수의 평시조가 연결되는 시가의 형태이다. 각각의 수는 독립성을 유지하면서 유사한 시구나 대립 구조를 반복하는 등의 방식을 통해 유기적으로 연결되어 있다. 「만흥」 역시 6수로 이루어진 연시조로, 〈제1수〉는 대개의 시조와 같이 '긴장 조성 - 긴장 고조 - 긴장 해소'의 의미 구조를 지니고 있다. 이러한 구조는 주체와 세계와의 갈등, 즉 가치와 지향을 두고 '나'와 '나'를 둘러싼 세계와의 갈등을 제시하고 이를 해소하는 전개 과정으로도 볼 수 있다.

① '띠집'을 짓는 '나'의 행위가 긴장을 조성한다고 볼 수 있군.
② '나'의 행위에 대한 '남'들의 웃음은 긴장을 고조하고 있군.
③ '나'의 행위와 '남'들의 웃음을 절충함으로써 긴장이 해소되고 있군.
④ '나'와 다른 가치를 지닌 세계인 '남' 사이에서 갈등이 일어나는 것이군.
⑤ 〈제1수〉의 '내 분'이라는 시어를 〈제6수〉에서 반복하여 두 수를 유기적으로 연결하고 있군.

연시조

Q21

기출

강호구가(江湖九歌) | 나위소

▶출제 예감!

키워드 체크 #강호가도 #자연 #풍류 #안분지족 #임금의 은혜

어와 성은(聖恩)이야 ㉠망극(罔極)할사 성은(聖恩)이다
강호(江湖) 안로(安老)도 분(分) 밧긔 일이어든
하물며 두 아들 정성을 다해 봉양함은 또 어인가 하노라 〈제2수〉

연하(煙霞)의 깁픠 든 병(病) 약(藥)이 효험(效驗) 업서
강호(江湖)에 °바리연디 십 년(十年) 밧기 되어세라
그러나 이제 다 못 죽음도 긔 성은(聖恩)인가 하노라 〈제3수〉

°전나귀 바삐 몰아 다 저문 날 오신 손님
보리피 거친 밥에 °찬물(饌物)이 아조 업다
㉡아희야 배 내어 띄워라 그물 놓아 보리라 〈제4수〉

달 밝고 바람 잔잔하니 물결이 비단 일다
°단정(短艇)을 비스듬히 놓아 오락가락하는 흥(興)을
백구(白鷗)야 하 즐겨 마라 ㉢세상(世上) 알가 하노라 〈제5수〉

모래 우희 자는 백구(白鷗) 한가(閑暇)할샤
강호(江湖) 풍취(風趣)를 네가 지닐 때 내가 지닐 때
석양(夕陽) °반범귀흥(半帆歸興)은 너도 날만 못하리라 〈제6수〉

㉣°식록(食祿)을 긋친 후(後)로 °어조(漁釣)을 생애(生涯)하니
혬 업슨 아이들은 괴롭다 하지마는
두어라 강호한적(江湖閑適)이 ㉤이내 분(分)인가 하노라 〈제9수〉

- **바리연디** 버려진 지.
- **전나귀** 다리를 절름거리는 나귀.
- **찬물** 반찬이 될 만한 것.
- **단정** 자그마한 배.
- **반범귀흥** 돛을 반쯤 올리고 돌아오는 멋.
- **식록** 벼슬아치에게 일 년 또는 계절 단위로 나누어 주던 금품을 통틀어 이르는 말.
- **어조** 낚시질.

핵심 포인트

각 수의 짜임과 주제

2수, 3수		4수, 5수, 6수, 9수
자연 속에서 사는 삶을 임금의 은혜로 귀결함.	+	자연을 즐기며 유유자적하는 삶(안분지족)
사대부로서의 유교적 충의관		강호 한정

연계 작품

자연 속에서 임금의 은혜에 감사하며 사는 삶의 모습이 나타난 작품: 송순 「면앙정가」, 윤선도 「어부사시사」

기출 OX

Q1 과거와 미래를 대비하여 주제를 부각하고 있다. 기출 2018. 9. 고1 O X

Q2 다른 대상과 비교하는 방식으로 의미를 강조하고 있다. 기출 2018. 3. 고3 O X

Q3 초월적 세계에 대한 동경의 태도가 드러나 있다. 기출 2018. 9. 고1 O X

답 Q1 X Q2 O Q3 X

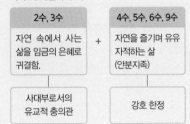

01 윗글의 각 수에 공통적으로 나타나는 표현상 특징으로 적절한 것은?

① 점층적 표현을 활용하여 주제를 강조하고 있다.
② 반어적 표현을 활용하여 시적 긴장감을 조성하고 있다.
③ 도치의 방식을 활용하여 화자의 의지를 부각하고 있다.
④ 비유적 표현을 활용하여 자연의 아름다움을 드러내고 있다.
⑤ 동일한 어미로 시상을 마무리하여 시 전체에 통일감을 형성하고 있다.

02 윗글의 화자에 대한 설명으로 가장 적절한 것은?

① 지병을 고치기 위해 자연에 은거하고 있다.
② 자연을 관조하며 인생의 무상함을 느끼고 있다.
③ 현재의 삶에 안분지족하는 태도를 보이고 있다.
④ 노동으로 인한 육체적 고통을 겸허히 수용하고 있다.
⑤ 천진난만한 아이의 모습을 통해 자신의 지난 삶을 성찰하고 있다.

기출 2018학년도 9월 고1 학력평가

03 〈보기〉를 참고하여 ㉠~㉤을 감상한 내용으로 적절하지 않은 것은?

보기

「강호구가」는 나위소가 관직에서 물러난 뒤 고향인 나주에 돌아와 영산강을 배경으로 지은 작품이다. 이 작품은 나이가 들어 벼슬에서 물러난 처지에서 성은(聖恩)의 감격을 드러내며, 강호에서 자연을 즐기며 소박하게 살아가는 어부의 생활을 노래하였다. 또한 세속의 삶을 부러워하지 않고, 강호의 삶에 만족하는 태도가 잘 표현되어 있다.

① ㉠에는 자연을 즐기며 자식의 봉양을 받는 것을 임금의 은혜로 여기는 모습이 드러나 있군.
② ㉡에는 손님을 대접하기 위해 낚시를 하는 소박한 삶의 모습이 드러나 있군.
③ ㉢에는 자연에서 누리는 흥을 세속의 사람들에게 알리고자 하는 모습이 드러나 있군.
④ ㉣에는 관직에서 물러난 뒤 강호에서 어부로서 생활하는 모습이 드러나 있군.
⑤ ㉤에는 자연에서 유유자적하는 삶에 만족하는 모습이 드러나 있군.

04 윗글의 백구에 대한 설명으로 가장 적절한 것은?

① 여유로운 모습으로 화자의 질투를 유발하는 대상이다.
② 이상 세계에 대한 화자의 동경을 상징적으로 보여 주는 대상이다.
③ 화자의 상황과 대비되어 화자에게 비애를 느끼게 하는 대상이다.
④ 화자가 자연 속에서 느끼는 감정을 부각하여 보여 주는 대상이다.
⑤ 자유롭게 날아다니는 존재로 화자의 마음을 임금에게 전달하는 대상이다.

기출 변형 2018학년도 3월 고3 학력평가

05 윗글과 〈보기〉의 공통점으로 가장 적절한 것은?

보기

인간(人間)을 떠나와도 내 몸이 겨를 업다
이것도 보려 하고 져것도 들으려 하고
바람도 쐬려 하고 달도 맞으려 하고
밤으란 언제 줍고 고기란 언제 낙고
시비(柴扉)는 뉘 다드며 진 꽃은 뉘 쓸려뇨 〈중략〉
술이 닉엇거니 벗이라고 업슬소냐
불게 하며 타이며 켜이며 흔들며
온가지 소리로 취흥(醉興)을 배야거니
근심이라 이시며 시름이라 붙어 있으랴
누으락 안즈락 구브락 져츠락
을프락 휘파람하락 마음 놓고 노니
천지(天地)도 넙고넙고 일월(日月)도 한가하다
희황(羲皇)을 모를러니 지금이야 긔로고야
신선(神仙)이 엇더턴지 이 몸이야 긔로고야
강산풍월(江山風月) 거느리고 내 백 년(百年)을 다 누리면
악양루상(岳陽樓上)의 이태백(李太白)이 사라 오다
호탕 정회(浩蕩情懷)야 이에서 더할소냐
이 몸이 이렁 굼도 역군은(亦君恩)이샷다

– 송순, 「면앙정가」 중

① 선정을 베풀고자 하는 포부가 드러나 있다.
② 궁핍한 생활상을 한탄하는 모습이 드러나 있다.
③ 속세와 거리를 두고 지내는 삶의 모습이 드러나 있다.
④ 벼슬에서 억울하게 물러나 임금을 원망하는 마음이 드러나 있다.
⑤ 자연에서 느끼는 흥취를 타인과 나누려는 마음가짐이 드러나 있다.

연시조 Q22

기출

▶출제 예감!

전원사시가(田園四時歌) | 신계영

키워드 체크 #자연 친화적 #전원생활 #사계절의 흐름 #사시가 #흥취

가 봄날이 졈졈 기니 잔설(殘雪)이 다 녹거다
매화(梅花)는 볼셔 디고 버들가지 누르럿다
아희야 울 잘 고티고 •채전(菜田) 갈게 ᄒᆞ야라 〈제1수-춘(春) 1〉

나 •잔화(殘花) 다 딘 후의 녹음(綠陰)이 기퍼 간다
백일(白日) 고촌(孤村)에 낫돍의 소릐로다
아희야 •계면됴 불러라 긴 조롬 ᄶᅵ오쟈 〈제3수-하(夏) 1〉

다 흰 이슬 서리 되니 ᄀᆞ을히 느저 잇다
긴 들 황운(黃雲)이 ᄒᆞᆫ 빗치 피거고야
아희야 비즌 술 걸러라 추흥(秋興) 계워ᄒᆞ노라 〈제5수-추(秋) 1〉

라 북풍(北風)이 노피 부니 압 뫼히 눈이 딘다
모첨(茅檐) ᄎᆞᆫ 빗치 석양(夕陽)이 거에로다
아희야 •두죽(豆粥) 니것ᄂᆞ냐 먹고 자랴 ᄒᆞ로라 〈제7수-동(冬) 1〉

마 이바 아희돌아 새히 온다 즐겨 마라
•헌ᄉᆞᄒᆞᆫ 세월(歲月)이 소년(少年) 아사 가ᄂᆞ니라
우리도 새히 즐겨ᄒᆞ다가 이 백발(白髮)이 되얏노라 〈제9수-•제석(除夕) 1〉

• **채전** 채소를 심어 가꾸는 밭.
• **잔화** 거의 지고 남은 꽃. 또는 시들어 가는 꽃.
• **계면됴** 계면조(界面調). 국악의 음계 중 하나로 슬프고 애타는 느낌을 주는 음조.
• **두죽** 불린 콩을 갈아서 쌀과 함께 끓인 죽. 팥죽을 의미함.
• **헌ᄉᆞᄒᆞᆫ** 야단스러운.
• **제석** 섣달 그믐날 밤.

핵심 포인트

계절감의 감각적 형상화

봄	(녹은) 잔설, 매화, 버들가지
여름	(떨어진) 잔화, 녹음, 낫돍의 소릐
가을	서리, 황운
겨울	북풍, 눈

⬇

사계절의 모습과 정취를 감각적으로 형상화함.

마에 나타난 화자의 정서

우리(화자)
세월이 청춘을 앗아 가니 새해가 온다고 즐거워하지 말 것을 '아희들'에게 훈계함.

⬇

정서
늙음에 대한 한탄과 안타까움

연계 작품

사계절의 흐름에 따른 풍경과 감흥을 노래한 작품: 황희 「사시가」, 맹사성 「강호사시가」, 이이 「고산구곡가」

기출 OX

Q1 영탄적 표현을 사용하여 화자의 정서를 드러내고 있다. 기출 2017. 4. 고3 (O | X)

Q2 〈제3수〉의 종장에는 시름을 일시적으로 잊고자 하는 화자의 의도가 드러나 있다. 기출 2016. 9. 모평 B (O | X)

Q3 〈제9수〉에서 '새히'가 옴을 직접 언급함으로써 자연의 순환성에 대한 작가의 인식을 드러내고 있다. 기출 2017. 4. 고3 (O | X)

답 Q1 O Q2 X Q3 O

01 윗글에 대한 설명으로 가장 적절한 것은?

① 감각적 이미지를 활용하여 계절감을 표현하고 있다.
② 점층적인 시상 전개로 화자의 흥취를 고조하고 있다.
③ 일 년의 세시 풍속을 중심으로 시상을 전개하고 있다.
④ 설의적 표현을 활용하여 화자의 흥취를 드러내고 있다.
⑤ 화자와 청자의 대화 형식으로 생동감을 부여하고 있다.

02 (라)를 이해하기 위해 나눈 대화로 적절하지 않은 것은?

선우: '북풍'은 우리나라에서는 주로 겨울에 부는 바람이라는 점에 주목해야겠군. ······ ①
민서: 그렇다면 '북풍'은 '눈'과 마찬가지로 겨울을 나타내는 시어로 볼 수 있겠네. ······ ②
선우: '모첨'은 초가지붕의 처마로, 추운 겨울을 혹독하게 보내야 하는 화자의 처지와 조응하는 대상이야. ·· ③
민서: '석양'은 저녁때의 햇빛 또는 저무는 해를 의미하므로, 저녁이라는 시간적 배경을 알 수 있어. ······ ④
선우: 계절적 배경을 고려할 때 '두죽'을 통해 동짓날의 이미지를 떠올릴 수 있어. ······ ⑤

03 (마)에 대한 설명으로 적절하지 않은 것은?

① (가)~(라)와 달리 한탄의 어조가 나타나 있다.
② (가)~(라)와 달리 풍경 묘사가 나타나지 않는다.
③ '아히돌'의 태도는 현재의 화자와 대비되고 있다.
④ '우리'도 예전에는 '아히돌'과 같은 마음으로 새해를 맞았음을 알 수 있다.
⑤ 화자는 '아히돌'이 자연 속에서의 유유자적한 삶을 방해한다고 생각하고 있다.

04 〈보기〉의 ㉠에 주목하여 윗글을 이해한 내용으로 적절하지 않은 것은?

보기

사시가(四時歌)에 나타나는 이상향으로서의 자연은 속세와 단절되어 은자(隱者)로서의 삶을 누리는 공간으로 형상화되기도 하고, 속세와 단절되지 않은 연장선상에서 만족스러운 삶을 향유하는 공간으로 형상화되기도 한다. 사시가는 자연을 심미의 대상, 소박한 삶의 공간, 노동의 삶이 드러나는 생활공간 등으로 인지하고 그속에 자신의 생활을 합치하고자 하는 ㉠사대부층의 의식을 반영하고 있다.

① (가)의 '채전 갈게 ᄒᆞ야라'에는 자연을 노동의 삶이 드러나는 생활공간으로 바라보는 사대부층의 관점이 나타난다.
② (나)의 '녹음이 기퍼 간다'에는 속세와 단절되어 은자로서의 삶을 누리는 사대부층의 모습이 나타난다.
③ (나)의 '계면됴 불러라 긴 조롬 ᄭᅵ오쟈'에는 자연에서 여유로움을 느끼는 사대부층의 생각이 나타난다.
④ (다)의 '긴 들 황운이 ᄒᆞᆫ 빗치 피거고야'에는 풍요로운 자연에 대한 사대부층의 만족감이 드러난다.
⑤ (다)의 '비즌 술 걸러라'에는 흥취를 느끼는 공간으로 자연을 바라보는 사대부층의 인식이 나타난다.

고난도 기출 변형 2016학년도 9월 모의평가 B형

05 〈보기〉를 참조하여 윗글을 감상한 내용으로 적절하지 않은 것은?

보기

사시가(四時歌)는 대개 사계절의 추이에 맞추어 시상을 전개하는 시가를 일컫는다. 사시가에서는 계절에 관한 시상이 드러나는 연들을 유기적으로 연결하기 위해 동일한 어휘나 유사한 표현을 연마다 반복하는 경우가 있다. 또한 자연을 묘사하기 위한 시어 및 구절을 먼저 제시한 후 화자의 반응이나 정취를 덧붙이는 것이 일반적이다. 작품에 따라서는 일상의 풍경을 도입하여 계절의 변화에 따른 세상살이의 모습을 조명하거나, 어김없이 순환하는 자연의 이치와 무상한 인간사를 대비하기도 한다.

① 사계절의 추이가 나타난다는 점에서 사시가의 요건을 갖추고 있군.
② '아히야'가 반복적으로 등장하여 연 사이의 유기성을 부여하고 있군.
③ 계절이 다루어진 연은 자연의 모습이 먼저 묘사되고 화자의 반응이 이어지는 방식으로 구성되는군.
④ 봄에 울을 고치고 밭을 가는 것과 가을에 빚은 술을 거르는 것은 일상의 풍경을 그려 낸 사례이겠군.
⑤ 각 연에서는 일정하게 순환하는 자연의 이치와 그러한 이치를 삶에 구현하지 못하는 인간을 대비하고 있군.

연시조 Q23

기출

매화사(梅花詞) | 안민영

▶해법문학 Link
고전 시가 232쪽

키워드 체크 #매화 #의인화 #강인한 생명력 #절개 #예찬

매영(梅影)이 부딪힌 창(窓)에 •옥인 금차(玉人金釵) 비꼈구나
이삼(二三) 백발옹(白髮翁)은 **거문고와 노래**로다
이윽고 **잔 들어 권할 적에** 달이 또한 오르더라 〈제1수〉

㉠어리고 성긴 매화(梅花) 너를 믿지 않았더니
눈 기약(期約) 능(能)히 지켜 두세 송이 피었구나
촉(燭) 잡고 가까이 사랑할 제 •암향부동(暗香浮動)하더라 〈제2수〉

•빙자옥질(氷姿玉質)이여 눈 속에 네로구나
가만이 향기(香氣) 놓아 **황혼월(黃昏月)**을 기약하니
아마도 •**아치 고절(雅致高節)**은 너뿐인가 하노라 〈제3수〉

㉡눈으로 기약(期約)터니 네 과연(果然) 피었구나
황혼(黃昏)에 달이 오니 그림자도 성기구나
㉢청향(淸香)이 잔(盞)에 떴으니 취(醉)코 놀려 하노라 〈제4수〉

황혼(黃昏)의 돋는 달이 너와 기약(期約) 두었더냐
•합리(閤裡)에 자던 꽃이 향기 놓아 맞는구나
내 어찌 매월(梅月)이 벗 되는 줄 몰랐던고 하노라 〈제5수〉

바람이 눈을 몰아 산창(山窓)에 부딪히니
㉣찬 기운(氣運) 새어 들어 자는 매화를 침노(侵擄)하니
아무리 얼우려 한들 **봄뜻**이야 앗을쏘냐 〈제6수〉

동각(東閣)에 숨은 꽃이 철쭉인가 두견화(杜鵑花)인가
건곤(乾坤)이 눈이어늘 제 어찌 감히 피리
㉤알괘라 백설 양춘(白雪陽春)은 매화밖에 뉘 있으리 〈제8수〉

• **옥인 금차** 미인의 금비녀.
• **암향부동** 그윽한 향기가 은은히 떠돎. 흔히 매화의 향기를 이름.
• **빙자옥질** 얼음같이 맑고 깨끗한 살결과 구슬같이 아름다운 자질. '매화'를 달리 이르는 말.
• **아치 고절** 우아한 풍치와 높은 절개.
• **합리** 방 안.

핵심 포인트

'매화'에 부여된 의미

	시어	의미
1수	매영	풍류의 배경
2수	암향부동	고결하고 그윽한 성품
3수	빙자옥질	맑고 깨끗한 자태와 성품
3수	아치 고절	우아한 풍치와 높은 절개
6수	봄뜻	봄이 찾아옴을 알리겠다는 의지
8수	백설 양춘	지조와 절개

〈제2수〉에 나타난 화자의 심리 변화

	상황	심리
초장	개화에 대한 기대가 없음.	의구심
중장	매화가 피어남.	감탄
종장	촛불을 잡고 가까이 다가감.	애정, 도취

연계 작품

• 매화를 지조와 절개를 상징하는 소재로 삼은 작품: 정철 「사미인곡」
• 사군자(四君子)를 예찬하는 작품: 이정보 「국화야 너는 어이」

기출 OX

Q1 윗글은 상반된 의미의 시어를 대비하여 주제를 효과적으로 드러내고 있다. 기출 2008. 4. 고3 (O X)

Q2 〈제2수〉에서 '매화'는 화자가 추구하는 속성을 상징한다. 기출 2015. 9. 모평 B (O X)

Q3 〈제8수〉의 '눈'은 매화의 생명력을 부각하는 소재이다. 기출 2007. 6. 모평 (O X)

답 Q1 O Q2 O Q3 O

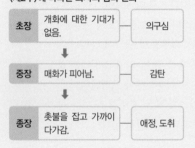

01 윗글의 표현상 특징으로 적절하지 않은 것은?

① 감각적 심상을 사용하여 대상의 특징을 표현하고 있다.
② 영탄적 표현을 사용하여 화자의 정서를 강조하고 있다.
③ 규칙적인 음보를 사용하여 음악적 효과를 거두고 있다.
④ 시간의 흐름에 따른 대상의 변화 과정을 나타내고 있다.
⑤ 말을 건네는 방식으로 대상에 대한 친밀감을 드러내고 있다.

02 윗글에 대한 설명으로 가장 적절한 것은?

① 〈제1수〉에 비해 〈제2수〉는 대상의 동일한 특성을 더욱 심도 깊게 분석하고 있다.
② 〈제1수〉와 〈제5수〉는 대상을 의인화하여 대상의 특징을 나타내고 있다.
③ 〈제3수〉와 〈제6수〉는 서로 동일한 대상의 상반된 속성을 표현하고 있다.
④ 〈제4수〉와 〈제6수〉는 의문의 형식을 통해 대상의 가치를 강조하고 있다.
⑤ 〈제8수〉는 대상과 대조되는 자연물을 활용하여 대상의 면모를 부각하고 있다.

기출 2013학년도 3월 고3 학력평가

03 〈보기〉를 참고하여 윗글을 이해한 내용으로 적절하지 않은 것은?

보기

「매화사」는 8수로 이루어진 연시조이다. 연시조에는 내용이나 형식 면에서 각 수를 통합하는 구성 원리가 있다. 이 작품의 경우 매화를 중심으로 통합이 이루어진다. 매화가 꽃을 피우고 향기를 내는 것은 자연적인 현상이다. 이 시의 화자는 자신의 행위나 '눈', '달'과 같은 다른 자연물과의 조응으로 이러한 현상이 일어난다고 보고 있다.

① 〈제2수〉에서 화자는 '어리고 성긴 매화'가 꽃을 '두세 송이' 피운 것을 '눈'과의 기약을 지킨 결과라고 여기고 있다.
② 〈제2수〉에서 화자가 '촉 잡고 가까이 사랑'하는 행위에 매화가 향기를 내어 조응하고 있다.
③ 〈제3수〉에서 '눈'과 '달'의 조응이 이루어진 후에야 화자와 '매화' 사이에도 조응이 일어나고 있다.
④ 〈제4수〉에서 '달'이 뜨자 매화가 '그림자'를 나타내고, 화자의 '잔'에도 매화의 '청향'이 차오르고 있다.
⑤ 〈제5수〉에서 화자는 '합리에 자던' 매화가 일어나 향기를 내는 것은 '황혼의 돋는 달'을 맞이하는 행위라고 보고 있다.

04 ㉠~㉤에 대한 감상으로 적절하지 않은 것은?

① ㉠: 아직 성숙하지 않은 매화에 대한 화자의 의구심이 나타나 있군.
② ㉡: 매화를 신의 있는 대상으로 바라보는 화자의 태도가 나타나 있군.
③ ㉢: 매화의 향기를 공감각적으로 형상화하여 눈에 보이듯 표현한 것이군.
④ ㉣: 매화와 조화를 이루는 대상에 대한 화자의 인식이 드러난 것이군.
⑤ ㉤: 설의적 표현을 활용하여 매화의 강인함을 예찬하고 있군.

고난도 기출 2014학년도 9월 모의평가

05 〈보기〉를 참고하여 윗글을 이해한 내용으로 적절하지 않은 것은?

보기

안민영의 「매화사」에는 매화를 감상하는 여러 가지 태도가 나타나 있다. 기본적으로 시흥(詩興)을 불러일으키는 자연물로서의 속성에 초점을 맞춰 매화를 감상하는 태도가 바탕이 된다. 여기에 당대의 이념과 관련하여 매화에 규범적 가치를 부여하여 감상하는 태도, 매화에 심미적으로 접근하여 아름다움을 음미하는 태도, 매화의 흥취를 즐기는 풍류적 태도 등이 덧붙여지기도 한다.

① '거문고와 노래'는 매화가 불러일으킨 시흥을 즐기기 위한 풍류적 요소이다.
② '잔 들어 권할 적에'는 고조된 흥취를 사람들과 함께하고 싶은 마음을 드러낸다.
③ '황혼월'은 매화를 심미적으로 감상할 때, 매화의 아름다움을 더욱 돋보이게 한다.
④ '아치 고절'은 자연물인 매화에 부여된 심미적이면서도 규범적인 가치이다.
⑤ '봄뜻'은 매화를 당대 이념에 국한하여 감상해야 의미를 파악할 수 있는 시어이다.

사설시조 **Q24**

임을 기다리는 마음

▶해법문학 Link
㉮, ㉯ 고전 시가 208쪽
㉰ 고전 시가 210쪽

교과서 [문] 동아, 미래엔, 창비 [국] 동아, 미래엔, 비상(박안), 신사고 기출 EBS

키워드 체크 ㉮ #해학적 #낙천적 #착각 ㉯ #해학적 #원망 #연쇄 ㉰ #해학적 #원망의 전가

㉮ 님이 오마 ᄒᆞ거ᄂᆞᆯ 저녁밥을 일 지어 먹고

중문(中門) 나셔 대문(大門) 나가 지방 우희 치ᄃᆞ라 안자 •이수(以手)로 가액(加額)ᄒᆞ고 오ᄂᆞᆫ가 가ᄂᆞᆫ가 건넌산(山) ᄇᆞ라보니 •거머흿들 셔 잇거ᄂᆞᆯ 져야 님이로다 보션 버서 품에 품고 신 버서 손에 쥐고 •곰븨님븨 님븨곰븨 •쳔방지방 지방쳔방 즌 듸 ᄆᆞ른 듸 ᄀᆞᆯ희지 말고 •워렁충창 건너가셔 •정(情)엣 말 ᄒᆞ려 ᄒᆞ고 겻눈을 흘긧 보니 상년(上年) 칠월(七月) 열사ᄒᆞᆫ날 ᄀᆞᆯ가 벅긴 •주추리 삼대 ᄉᆞᆯ드리도 날 소겨다

모쳐라 밤일싀 만졍 힝혀 낫이런들 ᄂᆞᆷ 우일 번ᄒᆞ괘라

– 작자 미상

㉯ 어이 못 오던가 무슴 일노 못 오던가

너 오ᄂᆞᆫ 길에 무쇠로 성(城)을 ᄊᆞ고 성(城) 안에 담 ᄊᆞ고 담 안에 집을 짓고 집 안에 •두지 노코 두지 안에 궤(樻)를 노코 그 안에 너를 필자형(必字形)으로 결박(結縛)ᄒᆞ여 너코 •쌍비목 •걸쇠에 ㉠<u>금(金)거북 자물쇠</u>로 •수기수기 잠가관ᄃᆡ 네 어이 그리 못 오던다

ᄒᆞᆫ ᄒᆡ도 열두 ᄃᆞᆯ이오 ᄒᆞᆫ ᄃᆞᆯ 셜흔 ᄂᆞᆯ의 날 보라 올 ᄒᆞᆯ리 업스랴

– 작자 미상

㉰ 개를 여라믄이나 기르되 요 개ᄀᆞᆺ치 얄믜오랴

뮈온 님 오며ᄂᆞᆫ ᄭᅩ리를 •홰홰 치며 쒸락 ᄂᆞ리쒸락 반겨서 내ᄃᆞᆺ고 고온 님 오며ᄂᆞᆫ 뒷발을 버동버동 므르락 나으락 캉캉 즈져셔 도라가게 ᄒᆞᆫ다

쉰밥이 그릇그릇 난들 너 머길 줄이 이시랴

– 작자 미상

• **이수로 가액ᄒᆞ고** 이마에 손을 얹고.
• **거머흿들** 검은빛과 흰빛이 뒤섞인 모양.
• **곰븨님븨** 엎치락뒤치락 급히 구는 모양.
• **쳔방지방** 허둥지둥하는 모양.
• **워렁충창** 급히 달리는 발소리. 우당탕퉁탕.
• **정엣 말** 정이 있는 말.
• **주추리 삼대** 씨를 받느라고 밭머리에 세워 둔 삼의 줄기.
• **두지** 뒤주. 쌀 같은 곡식을 담아 두는 세간.
• **쌍비목** 쌍으로 된 문고리를 거는 쇠.
• **걸쇠** 여닫이문을 잠그기 위해 빗장으로 쓰는 'ㄱ' 자 모양의 쇠.
• **수기수기** 깊이깊이.
• **홰홰** 가볍게 자꾸 휘두르거나 휘젓는 모양.

핵심 포인트

㉮ 시어에 나타난 화자의 태도

곰븨님븨, 쳔방지방, 워렁충창	임을 보고픈 마음을 행동으로 구체화함.	서민적 진솔성
주추리 삼대	임으로 착각한 대상. 자신의 행동을 겸연쩍어함.	해학적, 낙천적

㉯ 중장에 나타난 표현상 특징

연쇄	'성 → 성 안에 담 → 담 안에 집 → 집 안에 두지 → 두지 안에 궤 → 궤 안에 너'와 같이 앞 구절의 끝 어구를 다음 구절에서 이어받음.
열거	임이 오지 못하는 상황을 나열함.
과장	임이 오지 못하는 이유를 과장하여 표현함.

⬇

오지 않는 임에 대한 원망과 애타는 심정을 효과적으로 드러냄.

㉰ '개'에 대한 화자의 태도

'뮈온 님' 올 때	꼬리를 휘저으며 반김.

↕

'고온 님' 올 때	뒷발을 버둥거리며 캉캉 짖어 돌아가게 함.

⬇

오지 않는 임에 대한 원망을 '개'에게 전가함.

연계 작품

• **임에 대한 원망과 기다림을 표현한 작품**: 작자 미상 「가시리」
• **임을 그리워하는 마음을 표현한 작품**: 작자 미상 「귀뚜리 져 귀뚜리」

기출 OX

Q1 (가)는 행동의 묘사에서 과장이 드러난다. 기출 2015. 9. 모평 A (O | X)

Q2 (나)는 임이 거주하는 공간의 특징을 묘사하여 화자의 고독감을 강조하여 드러내고 있다. 기출 2016. 6. 모평 B (O | X)

Q3 (다)의 화자는 현실의 고통을 자연물에 의지하여 잊으려 하고 있다. EBS 변형 (O | X)

답 Q1 O Q2 X Q3 X

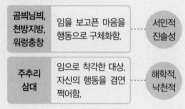

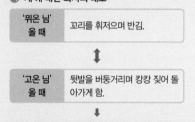

01 (가)의 화자 '갑', (나)의 화자 '을', (다)의 화자 '병'이 대화를 나눈다고 가정할 때, 적절한 것은?

① 갑: 저는 어제 임이 온다고 해서 저녁도 먹지 않고 임을 기다리고 있었답니다.
② 을: 제가 그리워하는 임은 지금 집 안에 갇혀 있는 처지라 임이 오지 않는다고 원망할 수도 없어요.
③ 병: 저희 집 개는 애써 찾아온 고운 님을 쫓아 버렸어요. 그래서 앞으로는 그 개에게 쉰밥만 먹이려고 해요.
④ 갑: 임을 만날 수 있다는 기대감에 경솔하게 행동한 것이 부끄럽네요.
⑤ 을: 앞으로 많은 날이 남아 있으니, 우리도 곧 임을 만날 수 있을 거예요.

02 (가)~(다)의 표현상 특징을 비교한 내용으로 적절하지 않은 것은?

① (다)와 달리 (가)는 반어적 표현을 통해 화자의 상황을 부각하고 있다.
② (가)와 달리 (나)는 연쇄적 표현으로 대상과의 단절감을 강조하고 있다.
③ (가)와 (나) 모두 상황을 가정하여 화자의 바람을 표현하고 있다.
④ (가)와 (다) 모두 유사한 문장 구조를 반복하여 운율을 형성하고 있다.
⑤ (나)와 (다) 모두 의문형 문장을 활용하여 화자의 정서를 드러내고 있다.

기출 변형 2013학년도 3월 고2 학력평가

03 〈보기〉에 근거하여 (가)를 분석한 내용으로 적절한 것은?

보기

한 작품 속에 화자의 상이한 두 가지 모습이 동시에 나타나는 경우가 있다. 즉 아무도 안 보는 곳에서 타인의 시선을 전혀 의식하지 않고 꾸밈없이 행동하는 모습과 타인의 시선을 의식한 뒤에 보이는 모습이 그것이다.

A	B	C	D	E
상황	착각	행동	자각	반응

① A: '님이 ~ ᄇᆞ라보니'는 화자와 임이 이별하는 상황이다.
② B: '거머횟들 ~ 님이로다'는 간절한 그리움으로 인해 생긴 화자의 착각이다.
③ C: '보션 ~ 건너가셔'는 화자가 타인의 시선을 의식하여 취한 행동이다.
④ D: '정엣 말 ~ 소겨다'는 화자가 사랑하는 임에게 속았음을 자각하는 부분이다.
⑤ E: '모쳐라 ~ 우일 번ᄒᆞ괘라'는 타인의 시선을 의식하지 않고 자신의 행동을 비웃는 화자의 반응이다.

04 다음 중 밑줄 친 시어의 시적 기능이 (나)의 ㉠과 가장 유사한 것은?

① 나도 ᄌᆞᆷ을 ᄭᅵ여 바다ᄒᆞᆯ 구버보니 기픠ᄅᆞᆯ 모ᄅᆞ거니 ᄀᆞ인들 엇디 알리

– 정철, 「관동별곡」

② 우리 님 가신 후는 무슨 약수(弱水) 가렷관ᄃᆡ 오거나 가거나 소식(消息)조차 ᄭᅳ쳣는고

– 허난설헌, 「규원가」

③ 이바 니웃드라 산수(山水) 구경 가쟈스라 답청(踏靑)으란 오ᄂᆞᆯ ᄒᆞ고 욕기(浴沂)란 내일(來日) ᄒᆞ새

– 정극인, 「상춘곡」

④ ᄒᆞᆫ이 ᄲᅮᆯ희 되고 눈물로 가디 삼아 님의 집 창 밧긔 외나모 매화(梅花) 되어 설중(雪中)의 혼자 픠여 침변(枕邊)의 이위ᄂᆞᆫ 듯

– 조위, 「만분가」

⑤ 잡거니 밀거니 놉픈 뫼ᄒᆡ 올라가니 구롬은ᄏᆞ니와 안개ᄂᆞᆫ 무ᄉᆞ 일고 산쳔(山川)이 어둡거니 일월(日月)을 엇디 보며 지쳑(咫尺)을 모ᄅᆞ거든 천 리(千里)ᄅᆞᆯ ᄇᆞ라보랴

– 정철, 「속미인곡」

기출 변형 2017학년도 6월 고1 학력평가

05 〈보기〉를 바탕으로 (가)~(다)를 감상한 내용으로 적절하지 않은 것은?

보기

조선 후기에 등장한 사설시조는 형식 면에서 평시조와 달리 중장이 제한 없이 길어졌다. 내용 면에서는 실생활 소재들을 활용하여 일상에서 일어나는 문제를 주로 다루었는데 솔직함, 해학성, 애정을 서슴없이 표현하려는 대담성 등을 그 특징으로 하며 비유, 상징 등 다양한 표현 기법을 활용하여 대상을 생동감 있게 그려 냈다.

① (가)는 일상에서 흔히 볼 수 있는 '보션', '신' 등의 소재가 임의 소중함을 상징하고 있군.
② (나)에서 임이 오지 못하는 이유를 과장하여 표현하다 보니 중장이 길어진 것이군.
③ (나)의 화자는 임에게 자신을 보러 올 하루가 없냐고 반문하며, 애정 문제를 서슴없이 표현하고 있군.
④ (다)에서 '개'가 '고운 님'을 쫓아낸다고 표현하여 임에 대한 원망을 담아낸 부분에는 사설시조의 해학성이 나타나고 있군.
⑤ (다)는 '버동버동', '캉캉'과 같은 음성 상징어를 활용하여 '개'의 행동을 생동감 있게 표현하고 있군.

삶의 고뇌와 시름

▶해법문학 Link
㉮ 고전 시가 216쪽
㉯ 고전 시가 214쪽
㉰ 고전 시가 220쪽

교과서 [문] 천재(정), 비상, 지학사, 해냄 [국] 천재(이), 비상(박영), 창비 기출 EBS

키워드 체크 ㉮ #해학적 #한숨 ㉯ #해학적 #시름 #창 ㉰ #풍자 #우의적 #탐관오리의 횡포

가

㉠한숨아 셰 한숨아 네 어ᄂᆡ 틈으로 드러온다

•고모장ᄌᆞ •셰살장ᄌᆞ 가로다지 여다지에 •암돌져귀 •수돌져귀 •ᄇᆡ목걸새 ᄯᅮᆨ닥 박고 용(龍) 거북 ㉡ᄌᆞ물쇠로 수기수기 ᄎᆞ엿ᄂᆞᆫᄃᆡ 병풍(屛風)이라 덜걱 져븐 족자(簇子)ㅣ라 ᄃᆡᄃᆡ글 ᄆᆞᆫ다 네 어ᄂᆡ 틈으로 드러온다

어인지 ㉢너 온 날 밤이면 ᄌᆞᆷ 못 드러 ᄒᆞ노라

– 작자 미상

나

창(窓) 내고쟈 창(窓)을 내고쟈 이내 가슴에 창(窓) 내고쟈

고모장지 셰살장지 •들장지 •열장지에 암돌져귀 수돌져귀 ᄇᆡ목걸새 ㉣크나큰 쟝도리로 ᄯᅮᆨ닥 바가 이내 가슴에 창(窓) 내고쟈

잇다감 하 답답ᄒᆞᆯ 제면 여다져 볼가 ᄒᆞ노라

– 작자 미상

다

두터비 ᄑᆞ리를 물고 두험 우희 치ᄃᆞ라 안자

것넌산(山) ᄇᆞ라보니 ㉤•백송골(白松骨)이 ᄯᅥ 잇거ᄂᆞᆯ 가슴이 금즉ᄒᆞ여 풀덕 ᄯᅱ여 내ᄃᆞᆺ다가 두험 아래 쟛바지거고

모쳐라 ᄂᆞᆯ낸 •낼싀만졍 •에헐질 번ᄒᆞ괘라

– 작자 미상

- **고모장ᄌᆞ** 고미장지. 고미다락의 장지. 장지는 방과 방 사이 또는 방과 마루 사이에 칸을 막아 끼우는 문을 뜻함.
- **셰살장ᄌᆞ** 세살장지. 가는 살을 가로세로로 좁게 대어 짠 장지.
- **암돌져귀** 암톨쩌귀. 수톨쩌귀의 뾰족한 부분을 끼우도록 구멍이 뚫린 돌쩌귀.
- **수돌져귀** 수톨쩌귀. 문짝에 박아서 문설주에 있는 암톨쩌귀에 꽂게 되어 있는, 뾰족한 촉이 달린 돌쩌귀.
- **ᄇᆡ목걸새** 배목걸쇠. 두 배목(문고리를 거는 데 또는 문고리를 문짝에 다는 데 쓰는 물건)을 양쪽에 박고 문고리를 걸도록 만든 쇠.
- **들장지** 들어 올려서 매달아 놓게 된 장지.
- **열장지** 좌우로 열어 젖히게 된 장지.
- **백송골** 매의 한 종류로, 몸은 흰색이며 성질이 굳세고 날쌔어 사냥하는 데 쓰임.
- **낼싀만졍** 나이기에 망정이지.
- **에헐질 번ᄒᆞ괘라** 멍이 들 뻔하였구나.

핵심 포인트

㉮ 표현상 특징

한숨아	한숨을 의인화하여 청자로 설정함.
고모장ᄌᆞ ~ ᄎᆞ엿ᄂᆞᆫᄃᆡ	한숨을 막기 위한 노력을 기발하고 재치 있게 표현함.

⬇

시름에 잠길 수밖에 없는 현실을 해학적으로 극복하고자 함.

㉯ '창'의 의미

창
화자가 자신의 가슴에 내고자 하는 것으로, 답답함을 해소해 주는 매개체

⬇

'창 내고쟈'를 반복하여 삶의 시름과 답답함에서 벗어나고 싶은 소망을 강조함.

㉰ 우의적 표현 기법

두터비
탐관오리

물고 있음. (착취) → ᄑᆞ리 / 놀라 자빠짐. (두려움) → 백송골

ᄑᆞ리	백송골
힘없는 백성	중앙 관리, 외세

⬇

자화자찬하며 자신을 합리화하는 '두터비'를 통해 탐관오리를 풍자함.

연계 작품

㉮, ㉯ **일상적인 사물을 나열하여 삶의 고충을 해학적으로 표현한 작품**: 작자 미상 「식어마님 며느라기 낫바」

㉰ **탐관오리의 횡포를 풍자한 작품**: 작자 미상 「일신이 사쟈 ᄒᆞ니」, 「ᄒᆞᆫ 눈 멀고 ᄒᆞᆫ 다리 저는」

기출 OX

Q1 (가)는 감정을 이입하여 대상에 대한 친밀감을 드러내고 있다. 기출 2015. 3. 고1 (O | X)

Q2 (나)는 체념적 삶의 모습이 드러나 있다. 기출 2004. 5. 고1 (O | X)

Q3 (다)는 대상에 인격을 부여하여 시적 상황을 표현하고 있다. 기출 2016. 3. 고2 (O | X)

답 Q1 X Q2 X Q3 O

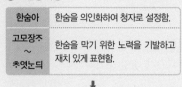

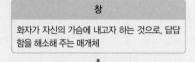

01 (가)~(다)의 공통점으로 가장 적절한 것은?

① 현실에 대한 부정적인 인식이 드러나 있다.
② 우의적인 방법으로 주제 의식을 표현하고 있다.
③ 반복적인 표현을 통해 화자의 정서를 강조하고 있다.
④ 의인화된 대상에게 말을 건네며 시상을 전개하고 있다.
⑤ 의문형 문장을 사용하여 화자의 심정을 부각하고 있다.

02 (가), (나)에 대한 감상으로 적절하지 않은 것은?

① (가)와 (나) 모두 일상적인 사물을 나열하여 화자의 바람을 강조하고 있어.
② (가)와 (나) 모두 삶의 비애와 고통을 해학으로 승화하려는 태도를 엿볼 수 있어.
③ (가)에서 화자는 '한숨'의 원인을 자신의 내부에서 찾고 있어.
④ (나)에는 마음에 창을 내어 답답함을 해소하고 싶다는 기발한 발상이 담겨 있어.
⑤ (가)와 (나)의 중장에 유사한 표현이 사용된 것으로 보아 두 작품은 서로 영향 관계가 있었던 것 같아.

기출 변형 2015학년도 3월 고1 학력평가

03 ㉠~㉤에 대한 설명으로 적절하지 않은 것은?

① ㉠: 화자의 내적 심리가 드러난 것이다.
② ㉡: 부정적 상황에 처하지 않기를 바라는 화자의 마음이 담겨 있다.
③ ㉢: 화자의 근심과 걱정이 심화되는 시간이다.
④ ㉣: 현재의 상황을 개선하고자 하는 화자의 의지가 반영된 대상이다.
⑤ ㉤: 화자가 동병상련의 감정을 느끼는 대상이다.

04 (다)와 〈보기〉를 비교하여 감상한 내용으로 적절한 것은?

> **보기**
>
> ᄒᆞᆫ 눈 멀고 ᄒᆞᆫ 다리 저는 두터비 셔리 마즌 전ᄑᆞ리 물고 두엄 우희 치다라 안자
>
> 건넌산 ᄇᆞ라보니 백송골(白松骨)리 써 잇거늘 가슴이 금죽ᄒᆞ여 ᄑᆞᆯ덕 ᄯᅱ여 내닫다가 그 아ᄅᆡ로 잣바지거고나
>
> 모쳐라 놀낸 낼싀만졍 힝혀 둔자(鈍者)ㅣ런들 어혈질 번ᄒᆞ괘라
>
> – 작자 미상

① (다)와 〈보기〉 모두 '두터비'를 화자로 내세워 시적 상황을 묘사하고 있다.
② (다)는 '두터비'를 희화화한 반면, 〈보기〉는 '전ᄑᆞ리'를 희화화하고 있다.
③ (다)에는 대상의 자기 합리화가 나타나 있는 반면, 〈보기〉에는 대상의 자기반성이 나타나 있다.
④ 〈보기〉에 비해 (다)는 한자어를 활용하여 '두터비'의 허장성세를 더욱 신랄하게 보여 주고 있다.
⑤ (다)에 비해 〈보기〉는 '두터비'의 외양을 구체적으로 묘사하여 대상에 대한 인식을 강조하고 있다.

기출 변형 2011학년도 6월 모의평가

05 밑줄 친 대상 간의 관계가 (다)의 '두터비', 'ᄑᆞ리', '백송골' 간의 관계와 유사한 것은?

① 나비야 청산 가자 범나비 너도 가자
가다가 저물거든 꽃에 들어 자고 가자
꽃에서 푸대접하거든 잎에서나 자고 가자
– 작자 미상

② 까마귀 검다 하고 백로야 웃지 마라
겉이 검은들 속조차 검을쏘냐
아마도 겉 희고 속 검은 것은 너뿐인가 하노라
– 이직

③ 간밤에 불던 바람에 눈서리 치단말가
낙락장송이 다 기울어 가는구나
하물며 못다 핀 꽃이야 일러 무엇하리오
– 유응부

④ 대추 볼 붉은 골에 밤은 어이 떨어지며
벼 벤 그루터기에 게는 어이 내려오는가
술 익자 체 장사 돌아가니 아니 먹고 어이리
– 황희

⑤ 장공에 떴는 솔개 눈 살핌은 무슨 일인가
썩은 쥐를 보고 빙빙 돌고 가지 않는구나
만일에 봉황을 만나면 웃음거리 될까 하노라
– 김진태

사설시조

26 해학과 풍자

▶해법문학 Link
㉮, ㉯ 고전 시가 218쪽
㉰ 고전 시가 220쪽

[교과서] [문] 신사고 [EBS]

키워드 체크 ㉮ #세태 비판 #언어유희 ㉯ #현학적 태도 비판 #해학적 ㉰ #탐관오리의 횡포 풍자 #우의적

㉮ ⓐ붉가버슨 아해(兒孩)ㅣ 들리 •거믜줄 테를 들고 ᄀᆡ천(川)으로 왕래(往來)ᄒᆞ며
붉가숭아 붉가숭아 져리 가면 죽ᄂᆞ니라 이리 오면 ᄉᆞᄂᆞ리라 부로나니 ⓑ붉가숭이로다
아마도 ㉠세상(世上)일이 다 이러ᄒᆞᆫ가 ᄒᆞ노라

– 이정신

㉯ 댁(宅)들에 ㉡동난지이 사오 저 장사야 네 •황화 그 무엇이라 웨는다 사자
외골내육(外骨內肉) 양목(兩目)이 상천(上天) 전행(前行) 후행(後行) 소(小)아리 팔족(八足) 대(大)아리 이족(二足) •청장(淸醬) 아스슥하는 동난지이 사오
장사야 하 ㉢거북이 웨지 말고 게젓이라 하렴은

– 작자 미상

㉰ 일신(一身)이 사쟈 ᄒᆞᆫ이 물썻 •계워 못 견딜쐬
•피(皮)ㅅ겨 ᄀᆞᆺ튼 갈앙니 볼리알 ᄀᆞᆺ튼 슈통니 줄인니 ᄀᆞᆺ씐니 ᄌᆞᆫ •별록 굴근 별록 강별록 왜(倭)별록 긔는 놈 ᄯᅱ는 놈에 비파(琵琶) ᄀᆞᆺ튼 빈대 삿기 사령(使令) ᄀᆞᆺ튼 등에아비 •갈따귀 삼의약이 셴 박희 눌은 박희 박음이 •거절이 불이 ᄲᅩ족ᄒᆞᆫ 목의 달리 기다ᄒᆞᆫ 목의 야왼 목의 술진 목의 •글임애 ᄲᅧ록이 주야(晝夜)로 뷘 ᄯᆡ 업시 물건이 쏘건이 ᄲᅡᆯ건이 ᄯᅳᆺ건이 심(甚)ᄒᆞᆫ ㉣•당(唐)빌리 예셔 얼여왜라
그중(中)에 ᄎᆞᆷ아 못 견들쓴 오유월(五六月) 복(伏)더위예 ㉤쉬ᄑᆞ린가 ᄒᆞ노라

– 작자 미상

• **거믜줄 테** 막대 끝에 거미줄을 걸어 감아 곤충을 잡는 테.
• **황화** 황아. 여러 가지 자질구레한 잡화나 물건.
• **청장** 맑은 간장. 게의 뱃속에 들어 있는 푸른 빛깔의 장.
• **계워** 이기지 못하여.
• **피ㅅ겨** 피의 겨. '피'는 볏과의 한해살이풀.
• **별록** 벼룩.
• **갈따귀** 각다귀. 모기와 비슷하나 크기는 더 큰 벌레로, 사람과 동물의 피를 빨아 먹음.
• **거절이** 거저리. 거저릿과의 곤충으로 그 애벌레가 곡물을 해침.
• **글임애** 그리마. 지네와 비슷하게 생긴 벌레.
• **당빌리** 당비루. 피부병의 일종.

핵심 포인트

㉮ 시어 '붉가숭이'의 중의적 의미

붉가숭이
- 붉가버슨 아해(부르는 이) → 모해하는 자, 속이는 자
- 고추잠자리(붉가버슨 아해가 부르는 붉가숭이) → 모해당하는 자, 속는 자

㉯ 비판과 풍자의 대상

대화
- 게젓 장수: '게'를 한자어로 장황하게 묘사함. → 현학적 태도
- ↑ 비판
- 사람들: '거북이 웨지 말고 게젓이라 하렴은'

㉰ 우의적 풍자

물썻: 갈앙니, 슈통니, 줄인니, ᄀᆞᆺ씐니, ᄌᆞᆫ 별록, 굴근 별록, …… 술진 목의, 글임애, ᄲᅧ록이, 쉬ᄑᆞ리
→ 백성을 착취하는 부패한 탐관오리
→ 쉴 새 없이 물어대는 '물썻'을 열거하여 탐관오리의 횡포를 풍자함.

연계 작품

㉮, ㉯ **부정적 세태에 대한 경계를 해학적으로 형상화한 작품:** 작자 미상 「개야미 불개야미」
㉰ **탐관오리의 횡포를 우의적으로 풍자한 작품:** 작자 미상 「두터비 ᄑᆞ리를 물고」, 「ᄒᆞᆫ 눈 멀고 ᄒᆞᆫ 다리 져는 두터비」

기출 OX

Q1 (나)는 음성 상징어를 활용하여 대상의 특성을 드러내고 있다. [EBS] 변형 (O | X)
Q2 (다)는 세밀한 관찰력을 바탕으로 시적 대상을 나열하고 있다. [EBS] 변형 (O | X)
Q3 (나)의 초장, (다)의 종장은 대상이 화자에게 한 말을 인용하여 화자의 처지를 드러내고 있다. [EBS] 변형 (O | X)

답 Q1 O Q2 O Q3 X

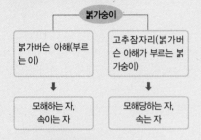

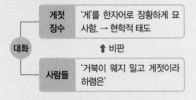

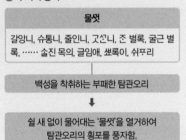

01 (가)~(다)의 공통점으로 가장 알맞은 것은?

① 대구법을 활용하여 리듬감을 부여하고 있다.
② 시상을 점층적으로 확대하여 의미를 강조하고 있다.
③ 대화를 인용하여 시적 상황을 생동감 있게 제시하고 있다.
④ 직유법을 사용하여 시적 대상의 특징을 구체적으로 보여 주고 있다.
⑤ 비현실적인 배경을 설정하여 현실을 개선하려는 의지를 강조하고 있다.

02 〈보기〉를 참고하여 ⓐ, ⓑ를 이해한 내용으로 적절하지 않은 것은?

보기
(가)는 어린아이들이 고추잠자리를 잡는 모습을 통해 서로가 속고 속이는 부정적인 세태를 보여 주는 사설시조이다. (가)는 하나의 표현이 두 가지 이상으로 해석되는 중의적 표현을 통해 주제를 드러내고 있다.

① ⓐ는 고추잠자리를 잡기 위해 개천을 오가는 아이들을 가리킨다.
② ⓐ가 반복적으로 부르는 ⓑ는 타인에게 속아 넘어가는 자를 의미한다.
③ ⓑ는 ⓐ의 의미로도 해석할 수 있고, '고추잠자리'로 해석할 수도 있다.
④ '져리 가면 죽ᄂᆞ니라 이리 오면 ᄉᆞᄂᆞ리라'는 ⓐ가 고추잠자리를 속이기 위해 한 말이다.
⑤ ⓐ는 타인을 속이는 자인 동시에 타인에게 속아 넘어가는 자를 의미하는 중의적 표현이다.

03 (나)의 화자가 장사에게 해 줄 말로 가장 알맞은 것은?

① 허장성세(虛張聲勢)가 심하군.
② 후안무치(厚顔無恥)도 유분수지.
③ 안하무인(眼下無人)으로 행동하는군.
④ 견강부회(牽强附會)도 적당히 해야지.
⑤ 부화뇌동(附和雷同)하는 태도가 우습군.

04 (다)에 대해 탐구한 내용으로 적절하지 않은 것은?

	질문	탐구 내용
①	'물쩟'의 원관념은 무엇일까?	'물쩟'을 못 견디겠다는 화자의 호소와 '사령 굿튼 등에아비'라는 구절로 보아, '물쩟'은 백성을 괴롭히는 탐관오리를 의미 한다.
②	왜 '물쩟'에 비유했을까?	관리 개인의 힘은 '물쩟'처럼 하찮지만, 수탈을 일삼는 관리가 늘어나면 백성이 입는 피해가 매우 클 것이라는 의미를 강조하기 위해서이다.
③	온갖 '물쩟'을 열거한 이유는 무엇일까?	여러 가지 '물쩟'을 열거함으로써 삶의 괴로움을 해학적이고 우의적으로 표현하기 위해서이다.
④	'물쩟'의 행위를 구체적으로 표현한 이유는 무엇일까?	'물건이 쏘건이 쌜건이 뜻건이'와 같은 구체적인 행위를 통해 관리들의 횡포를 강조하기 위해서이다.
⑤	이 작품이 창작될 당시의 시대적 배경은 어떠했을까?	관리들의 착취와 해악으로 인해 '오유월 복더위'처럼 몹시 살기 어려웠을 것이다.

05 ㉠~㉤에 대한 설명으로 가장 적절한 것은?

① ㉠: 화자의 슬픔을 유발하는 근본적인 원인이다.
② ㉡: 화자가 긍정적으로 바라보는 대상이다.
③ ㉢: 시적 대상에 대한 화자의 인식이 집약적으로 나타나 있다.
④ ㉣: 화자의 삶을 가장 고통스럽게 하는 대상이다.
⑤ ㉤: 화자의 감정이 이입된 자연물이다.

『댁들에 동난지이 사오』, "장사야 하 거북이 웨지 말고 게젓이라 하렴은"

작품 한 줄 Pick

가사

27 상춘곡(賞春曲) | 정극인

교과서 [문] 천재(김) [국] 천재(박), 해냄 기출 EBS

▶해법문학 Link
고전 시가 156쪽

키워드 체크 #은일 가사 #자연의 아름다움 #삶의 흥취 #물아일체

핵심 포인트

화자의 공간 이동에 따른 시상 전개

수간 모옥 ➡ 정자 ➡ 시냇ᄀᆞ(시냇가) ➡ 봉두

좁은 공간 ⟶ 넓은 공간

⬇

속세와 가까운 세계로부터 점차 탈속의 세계로 나아가고 있음.

「상춘곡」에 나타난 자연관

홍진(속세)		산림(자연)
관직에 나아가 정치에 참여하며 부귀와 공명을 누리는 공간	⬌	학문을 닦고 수양하며, 풍류를 즐기는 공간

시구에 나타난 화자의 정서와 태도

송죽 울울리예 풍월주인 되여셔라	➡	자부심, 만족감
한중진미ᄅᆞᆯ 알 니 업시 호재로다	➡	즐거움, 아쉬움
단표누항에 흣튼 혜음 아니 ᄒᆞᄂᆡ	➡	청빈함

연계 작품

- 자연 속에서 사는 즐거움을 노래한 작품: 송순 「면앙정가」, 정철 「성산별곡」
- 자연의 아름다움을 소재로 사대부의 인식을 표출한 작품: 이이 「고산구곡가」

⋯› 기출 딥러닝 83쪽

홍진(紅塵)에 뭇친 분네 이내 생애(生涯) 엇더ᄒᆞᆫ고
녯사ᄅᆞᆷ 풍류(風流)ᄅᆞᆯ 미ᄎᆞᆯ가 뭇 미ᄎᆞᆯ가
천지간(天地間) 남자(男子) 몸이 날만 ᄒᆞᆫ 이 하건마ᄂᆞᆫ
산림(山林)에 뭇쳐 이셔 지락(至樂)을 ᄆᆞᄅᆞᆯ 것가
•수간모옥(數間茅屋)을 벽계수(碧溪水) 앏픠 두고
송죽(松竹) •울울리(鬱鬱裏)예 •**풍월주인(風月主人)** 되여셔라
엇그제 겨을 지나 새봄이 도라오니
[A] ┌ 도화 행화(桃花杏花)ᄂᆞᆫ 석양리(夕陽裏)예 퓌여 잇고
└ 녹양방초(綠楊芳草)ᄂᆞᆫ 세우 중(細雨中)에 프르도다
칼로 ᄆᆞᆯ아 낸가 붓으로 그려 낸가
조화신공(造化神功)이 물물(物物)마다 헌ᄉᆞ롭다
㉠수풀에 우ᄂᆞᆫ 새ᄂᆞᆫ 춘기(春氣)ᄅᆞᆯ 뭇내 계워 소리마다 교태(嬌態)로다
물아일체(物我一體)어니 흥(興)이ᄋᆡ 다ᄅᆞᆯ소냐
시비(柴扉)예 거러 보고 **정자(亭子)**애 안자 보니
•소요음영(逍遙吟詠)ᄒᆞ야 산일(山日)이 적적(寂寂)ᄒᆞᆫᄃᆡ
•한중진미(閑中眞味)ᄅᆞᆯ 알 니 업시 호재로다
㉡이바 니웃드라 산수(山水) 구경 가쟈스라
[B] ┌ •답청(踏靑)으란 오ᄂᆞᆯ ᄒᆞ고 •욕기(浴沂)란 내일(來日) ᄒᆞ새
└ 아ᄎᆞᆷ에 채산(採山)ᄒᆞ고 나조ᄒᆡ 조수(釣水)ᄒᆞ새
[C] ┌ ᄀᆞᆺ 괴여 닉은 술을 갈건(葛巾)으로 밧타 노코
└ 곳나모 가지 것거 수 노코 먹으리라
[D] ┌ 화풍(和風)이 건ᄃᆞᆺ 부러 녹수(綠水)ᄅᆞᆯ 건너오니
└ 청향(淸香)은 잔에 지고 낙홍(落紅)은 옷새 진다
준중(樽中)이 뷔엿거든 날ᄃᆞ려 알외여라
소동(小童) 아ᄒᆡᄃᆞ려 주가(酒家)에 술을 믈어
얼운은 막대 집고 아ᄒᆡᄂᆞᆫ 술을 메고
•미음완보(微吟緩步)ᄒᆞ야 시냇ᄀᆞ의 호자 안자
명사(明沙) 조ᄒᆞᆫ 물에 잔 시어 부어 들고
청류(淸流)ᄅᆞᆯ 굽어보니 ᄯᅥ오ᄂᆞ니 도화(桃花)ㅣ로다
㉢•무릉(武陵)이 갓갑도다 져 •ᄆᆡ이 긘 거인고
송간(松間) 세로(細路)에 **두견화(杜鵑花)**ᄅᆞᆯ 부치 들고
봉두(峰頭)에 급피 올나 구름 소긔 안자 보니
천촌만락(千村萬落)이 곳곳이 버러 잇ᄂᆡ

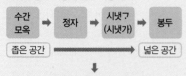

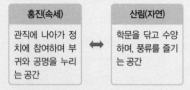

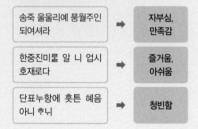

[E] *연하일휘(煙霞日輝)는 금수(錦繡)를 재폇는 둧
엇그제 검은 들이 봄빗도 유여(有餘)홀샤

㉣**공명(功名)**도 날 씌우고 **부귀(富貴)**도 날 씌우니

㉤청풍명월(淸風明月) 외(外)예 엇던 벗이 잇亽올고

*단표누항(簞瓢陋巷)에 **흣튼 혜음** 아니 ᄒᆞᄂᆡ

아모타 *백년행락(百年行樂)이 이만ᄒᆞᆫ들 엇지ᄒᆞ리

- **수간모옥** 몇 칸 안 되는 작은 초가.
- **울울리** 빽빽하게 우거진 속.
- **풍월주인** 맑은 바람과 밝은 달 따위의 아름다운 자연을 즐기는 사람.
- **소요음영** 자유롭게 이리저리 슬슬 거닐며 나지막이 시를 읊조림.
- **한중진미** 한가한 가운데 깃드는 참된 즐거움.
- **답청** 봄에 파랗게 난 풀을 밟으며 산책함. 또는 그런 산책.
- **욕기** 기수(沂水)에서 목욕한다는 뜻으로, 명리를 잊고 유유자적함을 이르는 말.
- **미음완보** 작은 소리로 읊으며 천천히 거닒.
- **무릉** '무릉도원(武陵桃源)'의 준말. 도연명의 「도화원기」에 나오는 말로, '이상향', '별천지'를 비유적으로 이르는 말.
- **미** 들이나 벌. '뫼'의 오기로 보아 '산'이라 풀이하기도 함.
- **연하일휘** 안개와 노을과 빛나는 햇살이라는 뜻으로, 아름다운 자연 경치를 비유적으로 이르는 말.
- **단표누항** 좁고 지저분한 거리에서 먹는 한 그릇의 밥과 한 바가지의 물이라는 뜻으로, 선비의 청빈한 생활을 이르는 말.
- **백년행락** 한평생 잘 놀고 즐겁게 지냄.

기출 OX

Q1 구체적인 묘사를 통해 대상의 아름다움을 드러내고 있다.
기출 2015. 3. 고3 B (O | X)

Q2 자연과 인간사를 대비하여 자기반성의 계기로 삼고 있다.
기출 2015. 3. 고3 B (O | X)

Q3 '단표누항'에 만족하는 화자의 모습을 통해 그의 가치관을 보여 주고 있다.
기출 2017. 11. 고2 (O | X)

Q4 관념적인 주제에서 벗어나 생활과 밀착된 주제를 다룬다.
기출 2013. 9. 고2 A (O | X)

답 Q1 O Q2 X Q3 O Q4 X

01 윗글의 표현상 특징으로 적절하지 않은 것은?

① 색채의 대비를 통해 표현 효과를 높이고 있다.
② 청각적 심상을 활용하여 생동감을 부여하고 있다.
③ 문장의 어순을 바꾸어 주제 의식을 강조하고 있다.
④ 동일한 문장 구조를 반복하여 리듬감을 형성하고 있다.
⑤ 대상을 의인화하여 대상의 긍정적 속성을 부각하고 있다.

기출 변형 2013학년도 9월 고2 학력평가 A형

02 ㉠~㉤에 대한 이해로 적절하지 않은 것은?

① ㉠: 자연물에 감정을 이입하여 화자의 흥취를 드러내고 있다.
② ㉡: 청유형 어미를 활용하여 자신의 행동에 동참할 것을 권유하고 있다.
③ ㉢: 관용적인 연상을 통해 이상향에 대한 갈망을 표현하고 있다.
④ ㉣: 주체와 객체를 바꾸어 표현함으로써 화자의 가치관을 나타내고 있다.
⑤ ㉤: 설의적 표현을 활용하여 화자의 지향을 보여 주고 있다.

03 윗글의 시어에 대한 설명으로 적절하지 않은 것은?

① '홍진'은 번잡스러운 속세를 의미하는 시어로, '산림'과 대조적인 공간이다.
② '풍월주인'은 화자를 가리키는 시어로, 자신의 생활에 대한 화자의 자부심이 드러난다.
③ '정자'는 화자가 잠시 머무는 공간을 가리키는 시어로, 화자에게 슬픔을 불러일으킨다.
④ '두견화'는 계절적 배경을 드러내는 시어로, 화자의 흥취를 고조한다.
⑤ '흣튼 혜음'은 헛된 생각을 의미하는 시어로, '공명', '부귀'와 관련 있다.

04 윗글의 시상 전개 방식에 대한 설명으로 적절한 것은?

① 사계절의 흐름에 따라 시상을 전개하고 있다.
② 원경에서 근경으로 시선을 이동하며 시상을 전개하고 있다.
③ 좁은 공간에서 넓은 공간으로 이동하며 시상을 전개하고 있다.
④ 화자의 내면세계와 외부 세계를 대비하며 시상을 전개하고 있다.
⑤ 첫 부분과 끝부분에 동일한 내용을 상응하여 시상을 전개하고 있다.

고난도 기출 2013학년도 9월 고2 학력평가 A형

05 〈보기〉를 바탕으로 윗글을 감상한 내용으로 적절하지 않은 것은?

보기

가사 문학은 조선 전기 사대부들이 지녔던 삶의 양식이나 그들의 사유 체계를 잘 담고 있다. 「상춘곡」에는 '절제와 균형'이라는 유교적 세계관에 입각한 조선조 사대부들의 사고가 중요한 요소로 작용하고 있다.

① [A]: '석양'과 '세우'의 하강 이미지 속에 피어나는 '도화행화'와 파랗게 돋는 '녹양방초'의 상승 이미지는 조화를 이루고 있군.
② [B]: '오늘'과 '내일'로, '아츰'과 '나조'로 봄놀이를 적절히 조절하여 안배하려는 모습이 나타나는군.
③ [C]: 술을 과하게 마시지 않으려고 '곳나모 가지'로 술잔을 세는 모습에서 사대부의 절제된 풍류가 느껴지는군.
④ [D]: 술과 더불어 '청향'과 '낙홍'에 취해 고조되는 감정을 '진다'라는 표현을 통해 다스리는군.
⑤ [E]: '검은 들'이 '봄빗'으로 넘치는 것은 인간과 자연이 조화로운 합일을 이루어 감을 의미하는군.

서술형

06 윗글과 〈보기〉에 공통적으로 드러난 화자의 태도를 사자성어를 사용하여 40자 내외로 서술하시오.

보기

내 소리 담박(淡薄)한 중(中)에 다만 남겨진 것은
수경 포도(數莖葡萄)와 일 권 가보(一卷歌譜)뿐이로다
이 중(中)에 유신(有信)한 것은 풍월(風月)인가 하노라

- 김수장

현대어 풀이를 확인해 보세요

• □□에 묻혀 사는 분들이여, 이내 생활이 어떠한가? 옛사람의 풍류에 미칠까 못 미칠까? 세상의 남자로 태어나 나만 한 사람이 많지만 □□에 묻혀 사는 지극한 즐거움을 모르는 것인가? 몇 칸짜리 초가집을 맑은 시냇물 앞에 지어 놓고, 소나무와 대나무가 우거진 속에 자연의 주인이 되었구나!

• 엊그제 겨울 지나 새봄이 돌아오니, 복숭아꽃과 살구꽃은 저녁 햇빛 속에 피어 있고, 푸른 버들과 향기로운 풀은 가랑비 속에 푸르도다. 칼로 □□해 내었는가, 붓으로 그려 내었는가? 조물주의 신비스러운 솜씨가 사물마다 야단스럽구나! 수풀에서 우는 새는 □□□을 이기지 못하여 소리마다 아양을 떠는 모습이로다.

• 자연과 내가 한 몸이니 흥겨움이야 다르겠는가? 사립문 주변을 걸어보고 정자에 앉아 보기도 하니, 천천히 거닐며 시를 읊조려 산속의 하루가 적적한데, 한가로운 가운데 참된 즐거움을 아는 사람이 없어 □□로구나.

• 이봐, 이웃들아 산수 구경 가자꾸나. 산책은 오늘 하고 냇물에서 목욕하는 것은 내일 하세. 아침에 산나물을 캐고 □□에 낚시질을 하세.

• 막 익은 □을 갈건으로 걸러 놓고, 꽃나무 가지를 꺾어 잔 수를 세면서 먹으리라. 화창한 바람이 문득 불어서 푸른 시냇물을 건너오니, 맑은 향기는 술잔에 가득하고 붉은 꽃잎은 옷에 떨어진다. 술동이가 비었으면 나에게 알리어라. 심부름하는 아이를 시켜 술집에 술이 있는지 물어 (술을 사서) 어른은 지팡이 짚고 아이는 술을 메고, 나직이 읊조리며 천천히 걸어 시냇가에 혼자 앉아, 고운 모래가 비치는 맑은 물에 잔을 씻어 부어 들고, 맑은 시냇물을 굽어보니 떠내려오는 것이 □□□□이로다. 무릉도원이 가까이 있구나. 저 산이 바로 그곳인가?

• 소나무 사이 좁은 길로 진달래꽃을 손에 들고, 산봉우리에 급히 올라 구름 속에 앉아 보니, 수많은 촌락이 곳곳에 벌여 있네. 안개와 노을과 빛나는 햇살은 비단을 펼쳐 놓은 듯 엊그제까지 검던 들판이 이제 □□이 넘치는구나.

• 공명도 나를 꺼리고 부귀도 나를 꺼리니, 아름다운 자연 외에 어떤 벗이 있을까. 가난한 처지에 헛된 □□ 아니 하네. 아무튼 한평생 즐거움을 누리는 것이 이만하면 족하지 않은가?

답 속세, 자연, 재단, 봄기운, 혼자, 저녁, 술, 복숭아꽃, 봄빛, 생각

기출 딥러닝

2020학년도 9월 모의평가

[07 ~ 08] 다음 글을 읽고 물음에 답하시오.

(가) ㉠홍진(紅塵)에 뭇친 분네 이내 생애 엇더ᄒᆞᆫ고
녯사ᄅᆞᆷ 풍류롤 미ᄎᆞᆯ가 못 미ᄎᆞᆯ가
천지간 남자(男子) 몸이 날만 ᄒᆞᆫ 이 하건마ᄂᆞᆫ
산림에 뭇쳐 이셔 지락(至樂)을 ᄆᆞ롤 것가
수간모옥(數間茅屋)을 벽계수(碧溪水) 앏픠 두고
송죽 울울리(鬱鬱裏)에 풍월주인 되여셔라
엇그제 겨을 지나 새봄이 도라오니
도화 행화(桃花杏花)ᄂᆞᆫ 석양리(夕陽裏)에 퓌여 잇고
녹양방초(綠楊芳草)ᄂᆞᆫ 세우(細雨) 중에 프르도다
칼로 ᄆᆞᆯ아 낸가 붓으로 그려 낸가
조화신공(造化神功)이 물물마다 헌ᄉᆞ롭다
수풀에 우ᄂᆞᆫ 새ᄂᆞᆫ 춘기(春氣)롤 못내 계워 소ᄅᆡ마다 교태로다
물아일체(物我一體)어니 흥이ᄋᆡ 다ᄅᆞᆯ소냐
시비예 거러 보고 정자애 안자 보니
소요음영(逍遙吟詠)ᄒᆞ야 산일(山日)이 적적ᄒᆞᆫᄃᆡ
한중진미(閑中眞味)롤 알 니 업시 호재로다
㉡이바 니웃드라 산수 구경 가쟈스라
답청(踏靑)으란 오ᄂᆞᆯ ᄒᆞ고 욕기(浴沂)란 내일 ᄒᆞ새
아ᄎᆞᆷ에 채산(採山)ᄒᆞ고 나조ᄒᆡ 조수(釣水)ᄒᆞ새
ᄀᆞᆺ 괴여 닉은 술을 갈건(葛巾)으로 밧타 노코
곳나모 가지 것거 수 노코 먹으리라
화풍(和風)이 건ᄃᆞᆺ 부러 녹수(綠水)롤 건너오니
청향(淸香)은 잔에 지고 낙홍(落紅)은 옷새 진다
㉢준중(樽中)이 뷔엿거든 날ᄃᆞ려 알외여라
소동(小童) 아ᄒᆡᄃᆞ려 주가(酒家)에 술을 믈어
얼운은 막대 집고 아ᄒᆡᄂᆞᆫ 술을 메고
미음완보(微吟緩步)ᄒᆞ야 시냇ᄀᆞ의 호자 안자
명사(明沙) 조ᄒᆞᆫ 믈에 잔 시어 부어 들고
청류(淸流)롤 굽어보니 ᄠᅥ오ᄂᆞ니 도화(桃花)ㅣ로다
무릉(武陵)이 갓갑도다 져 ᄆᆡ이 귄 거인고

– 정극인, 「상춘곡(賞春曲)」

(나) 이곡은 어ᄃᆡ미오 화암에 춘만(春晚)커다
*벽파에 곳을 ᄯᅴ워 야외로 보ᄂᆡ노라
㉣사ᄅᆞᆷ이 승지(勝地)를 모로니 알게 ᄒᆞᆫ들 엇더리 〈제3수〉

칠곡은 어ᄃᆡ미오 풍암에 추색(秋色) 됴타
청상(淸霜) 엷게 치니 절벽이 금수(錦繡)ㅣ로다
한암(寒巖)에 혼ᄌᆞ셔 안쟈 집을 잇고 잇노라 〈제8수〉

구곡은 어ᄃᆡ미오 문산에 *세모(歲暮)커다
기암괴석이 눈 속에 무쳐셰라
㉤유인(遊人)은 오지 아니ᄒᆞ고 볼 것 업다 ᄒᆞ더라 〈제10수〉

– 이이, 「고산구곡가(高山九曲歌)」

- **벽파** 푸른 물결.
- **세모** 한 해가 끝날 무렵. 설을 앞둔 섣달그믐께를 이름.

기출 변형

07 (가), (나)의 공통점으로 가장 적절한 것은?

① 대상과의 문답을 통해 시적 상황을 제시하고 있다.
② 점층적인 표현으로 대상과의 거리감을 강조하고 있다.
③ 자연물을 통하여 시간적 배경을 시각적으로 드러내고 있다.
④ 과거와 현재를 대비하여 화자의 삶의 태도를 암시하고 있다.
⑤ 대상에 감정을 이입하여 심리적 변화를 우회적으로 표출하고 있다.

기출

08 〈보기〉를 참고하여 ㉠~㉤을 설명한 내용으로 가장 적절한 것은?

보기

조선 전기의 시조와 가사는 노래로 향유되며, 사대부들이 서로의 문화적 동질성을 확인하는 데 활용되었다. 이러한 갈래적 특성으로 인해 사대부 시가에는 대화 상황이 연상되는 여러 표현으로 공감을 유도하는 방식이 관습화되었다.

① ㉠에서는 청자와 화자가 서로 동질적인 삶을 살고 있음을 질문하기를 통해 확인하고 있다.
② ㉡에서는 청자를 불러들여 함께했던 지난날의 경험을 상기시키며 동질성 회복을 권유하고 있다.
③ ㉢에서는 화자가 상대의 부탁을 수용하며 자신과 뜻을 같이할 것을 청자에게 명령하고 있다.
④ ㉣에서는 사람들을 일깨우려는 화자의 생각을 청자에게 묻는 방식으로 제시해 공감을 유도하고 있다.
⑤ ㉤에서는 눈으로 확인한 사실만을 믿어야 한다고 주장하는 이의 말을 청자에게 전하며 조언을 구하고 있다.

가사 **28**

기출

만분가(萬憤歌) | 조위

▶해법문학 Link 고전 시가 158쪽

키워드 체크 #유배 가사의 효시 #충신연군지사 #귀양살이의 억울함 호소

핵심 포인트

「만분가」의 시상 전개 과정

서사	임금에게 자신의 심정을 아뢰어 호소하고 싶은 마음 ⋯ 수록 부분
본사	무고하게 유배를 당한 억울함과 임금에 대한 변함없는 충성심 ⋯ 수록 부분
결사	자신의 뜻을 알아줄 사람과 영원히 교유(交遊)하고 싶음.

제목 '만분가'의 의미

만(萬)	분(憤)	가(歌)
만 가지	분노	노래

→ 유배 생활의 억울함을 토로하는 노래

시어의 의미

백옥경, 자청전, 삼청 동리, 자미궁	옥황상제 또는 신선이 사는 곳 → 임금이 계신 곳
초객, 가 태부	억울한 누명을 썼던 고사 속 인물 → 화자를 비유함.
두견, 구름	화자의 분신 → 임금에게 화자의 억울함과 연군지정을 전하는 자연물

연계 작품

- **유배 생활의 고통을 형상화한 작품**: 안조환 「만언사」
- **연군지정을 표현한 작품**: 정철 「사미인곡」, 「속미인곡」

(가)

천상 백옥경(白玉京) 십이루 어디매오
오색운(五色雲) 깊은 곳에 자청전(紫淸殿)이 가렸으니
천문(天門) 구만리(九萬里)를 꿈이라도 갈 동 말 동
[A] 차라리 싀어지어 억만(億萬) 번 변화(變化)하여
남산(南山) 늦은 봄의 두견(杜鵑)의 넋이 되어
이화(梨花) 가지 위에 밤낮을 못 울거든
삼청 동리(三淸洞裏)에 저문 하늘 ⓐ구름 되어
바람에 흘리 날아 자미궁(紫微宮)에 날아올라
옥황(玉皇) 향안 전(香案前)의 지척(咫尺)에 나아 앉아
[B]- 흉중(胸中)에 쌓인 말씀 쓸커시 사뢰리라

(나)

어와 이내 몸이 천지간(天地間)에 늦게 나니
황하수(黃河水) 맑다마는
초객(楚客)의 후신(後身)인가 상심(傷心)도 끝이 없고
가 태부(賈太傅)의 넋이런가 한숨은 무슨 일인고
㉠형강(荊江)은 고향이라 십 년을 유락(流落)하니
백구(白鷗)와 벗이 되어 함께 놀자 하였더니
어루는 듯 괴는 듯 남의 없는 임을 만나
금화성(金華省) 백옥당(白玉堂)의 꿈이조차 향기롭다
오색(五色)실 이음 짧아 임의 옷을 못 하여도
바다 같은 임의 은(恩)을 추호(秋毫)나 갚으리라
[C]- **백옥 같은 이내 마음** 임 위하여 지키더니
㉡장안(長安) 어젯밤의 무서리 섞여 치니
[D]- 일모 수죽(日暮脩竹)에 취수(翠袖)도 냉박(冷薄)할사
[E]- 유란(幽蘭)을 꺾어 쥐고 임 계신 데 바라보니
약수(弱水) 가려진 데 ⓑ구름 길이 험하구나
다 썩은 닭의 얼굴 첫 맛도 채 몰라서
초췌(憔悴)한 이 얼굴이 임 그려 이러턴가
천층랑(千層浪) 한가운데 백척간(百尺竿)에 올랐더니
㉢무단한 회오리바람이 환해 중(宦海中)에 나리나니
억만 장(丈) 못에 빠져 하늘 땅을 모르겠구나

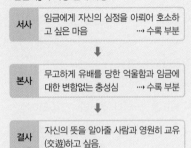

다 노나라 흐린 술에 한단(邯鄲)이 무슨 죄며
진인(秦人)이 취(醉)한 잔에 월인(越人)이 웃은 탓인고
성문(城門) 모진 불에 옥석(玉石)이 함께 타니
뜰 앞에 심은 난(蘭)이 반(半)이나 시들었네
오동(梧桐) 저문 날 비에 외기러기 울어 옐 제
관산(關山) 만 리(萬里) 길이 눈에 암암 밟히는 듯
청련시(青蓮詩) 고쳐 읊고 팔도 한을 스쳐보니
화산(華山)에 우는 새야 이별도 괴로워라
망부 산전(望夫山前)에 석양(夕陽)이 거의로다
기다리고 바라다가 안력(眼力)이 다했던가
낙화(落花) 말이 없고 벽창(碧窓)이 어두우니
입 노란 새끼 새들 어미를 그리누나
㉣팔월 추풍(八月秋風)이 띠집을 거두니
빈 깃에 쌓인 알이 수화(水火)를 못 면하네
생리 사별(生離死別)을 한 몸에 혼자 맡아
삼천 장(丈) 백발이 일야(一夜)에 기도 길샤
㉤풍파에 헌 배 타고 함께 놀던 저 벗들아
강천 지는 해에 배는 탈이 없는가

기출 OX

Q1 (가)의 '바람'은 화자와 대상의 만남을 도와주는 매개체이다.
기출 2015. 9. 모평 B (O | X)

Q2 (나)의 '초객'은 화자가 동질감을 느끼는 존재이다. 기출 2015. 9. 모평 B (O | X)

Q3 (다)의 '성문 모진 불에 옥석이 함께 타니'는 무오사화 당시 비극적인 사건이 벌어졌음을 짐작하게 하는 구절로 볼 수 있다.
기출 2003. 10. 고3 (O | X)

- **천상 백옥경** 하늘 위의 궁전, 즉 옥황상제가 있는 궁전. 여기서는 한양의 궁궐.
- **삼청 동리** 신선이 산다는 동네 안.
- **자미궁** 북두칠성의 동북쪽에 있는 열다섯 개의 별 가운데 하나로, 중국 천자(天子)의 운명과 관련된다고 함. 여기서는 한양의 궁궐.
- **초객** 초나라의 시인 굴원. 간신들의 모함으로 뜻을 펼치지 못하자 물에 빠져 자살함.
- **가 태부** 한나라의 가의. 간신들의 모함으로 태부로 좌천되자 자신의 처지를 굴원에 빗댐.
- **취수도 냉박할사** 푸른 옷소매도 차디차구나.
- **천층랑** 천 층이나 되게 높이 솟은 파도. 험한 물결.
- **환해** 관리들의 사회. 흔히 험난한 벼슬길을 이름.

답 Q1 O Q2 O Q3 O

01 윗글에 대한 설명으로 적절하지 않은 것은?

① 대구법을 사용하여 화자의 정서를 강조하고 있다.
② 과장된 표현을 통해 화자의 심리를 부각하고 있다.
③ 고사 속 인물을 언급하여 화자의 감정을 나타내고 있다.
④ 자연물에 의탁하여 화자의 심정을 간접적으로 드러내고 있다.
⑤ 구체적인 묘사를 통해 계절에 따라 달라지는 경치를 보여 주고 있다.

기출 변형 2003학년도 10월 고3 학력평가

02 〈보기〉를 참조할 때, ㉠~㉤에 대한 설명으로 적절하지 않은 것은?

보기

조위는 연산군 4년(1498) 무오사화(戊午士禍)에 연루되어 전라도 순천으로 유배 가게 되었다. 그는 끝내 유배지를 벗어나지 못하고 생을 마감했는데, 이때에 임금에게 하소연하고 싶은 심정을 그린 작품이 바로 「만분가」이다.

① ㉠: 작가가 유배 생활을 하며 십 년 동안 떠돌아다녔음을 짐작할 수 있다.
② ㉡: 무오사화로 인해 혼란스러운 조정의 상황을 나타낸 구절로 볼 수 있다.
③ ㉢: 작가 자신이 몸담고 있던 조정에 불어닥친 정치적 파동으로 해석할 수 있다.
④ ㉣: 임금의 사랑을 잃고 위기 상황에 처해 있는 작가 자신의 처지로 해석할 수 있다.
⑤ ㉤: 무오사화의 화(禍)를 면하기 위해 작가 자신과 동료들이 함께 피난했던 상황을 드러낸 것으로 볼 수 있다.

고난도 기출 2015학년도 9월 모의평가 B형

03 〈보기 1〉을 참고하여 윗글과 〈보기 2〉를 감상한 내용으로 적절하지 않은 것은?

보기 1

「만분가」는 유배를 간 작가가 천상의 옥황에게 호소하는 형식으로 연군(戀君)의 마음을 표현한 유배 가사의 효시이며 이후 여러 작품에 영향을 주었다. 가사 문학의 대표작인 「속미인곡」 역시 탄핵을 받아 조정에서 물러나게 된 작가가 임금에 대한 그리움을 「만분가」의 형식을 계승하여 표현한 작품이다.

보기 2

모첨(茅簷) 찬 자리에 밤중만 돌아오니 ……………… [가]
반벽청등(半壁靑燈)은 눌 위하여 밝았는고
오르며 내리며 헤매며 바장이니
저근덧 역진(力盡)하여 풋잠이 잠깐 드니
정성이 지극하여 꿈에 임을 보니
옥(玉) 같은 얼굴이 반(半)이 넘게 늙으셨네 ……… [나]
마음에 먹은 말씀 슬카장 삷자 하니 ………………… [다]
눈물이 바라 나니 말씀인들 어이 하며
정(情)을 못 다하여 목이조차 메었으니
방정 맞은 계성(鷄聲)에 잠은 어찌 깨었는고
어와 허사(虛事)로다 이 임이 어디 간고
결에 일어나 앉아 창(窓)을 열고 바라보니 ………… [라]
어여쁜 그림자 날 좇을 뿐이로다
차라리 싀어지어 낙월(落月)이나 되어 있어 ……… [마]
임 계신 창(窓) 안에 번듯이 비추리라

– 정철, 「속미인곡」 중

① [A]와 [마]에는 죽어서 다른 존재가 되어서라도 자신의 소망을 이루고자 하는 의지가 담겨 있다.
② [B]와 [다]에는 마음에 담아 둔 말을 실컷 전하고 싶어 하는 화자의 바람이 담겨 있다.
③ [C]와 [나]에는 임금에 대한 자신의 마음이 옥처럼 순수하다는 뜻이 담겨 있다.
④ [D]와 [가]에는 임금과 떨어져 있는 고독한 시·공간에서 느끼는 화자의 쓸쓸함이 담겨 있다.
⑤ [E]와 [라]에는 먼 곳에 있는 임금을 향한 화자의 그리움이 담겨 있다.

04 ⓐ와 ⓑ에 대한 설명으로 가장 적절한 것은?

① ⓐ와 ⓑ는 모두 화자가 임과의 재회를 기원하는 대상이다.
② ⓐ와 ⓑ는 모두 현실을 벗어나고 싶은 화자의 소망을 드러내는 대상이다.
③ ⓐ는 화자의 억울한 심정을, ⓑ는 임에 대한 화자의 그리움을 드러내는 대상이다.
④ ⓐ는 화자가 교감을 나누는 대상이고, ⓑ는 화자에게 상실감을 유발하는 대상이다.
⑤ ⓐ는 임을 만나고 싶어 하는 화자를, ⓑ는 임과 화자 사이를 가로막고 있는 장애물을 상징한다.

05 윗글의 작가가 유배 생활을 했다는 점을 고려할 때, (가)에서 작가가 윗글을 창작한 동기가 드러난 부분을 찾아 쓰시오.

현대어 풀이를 확인해 보세요

• 가 천상 백옥경의 열두 □□은 어디인가? 오색구름 깊은 곳에 자청전이 가렸으니, 구만 리 먼 하늘을 꿈이라도 갈 듯 말 듯하구나. 차라리 죽어서 억만 번 변화하여 남산의 늦은 봄날 두견의 넋이 되어 배꽃 가지 위에서 밤낮으로 못 울거든, 삼청 동리(신선이 사는 고을)에 저문 하늘 구름 되어 바람에 흩날리며 날아 자미궁에 날아올라 옥황상제 앞에 놓인 상 앞에 가까이 나가 앉아 가슴속에 쌓인 □□ 실컷 아뢰리라.

• 나 아아, 이내 몸이 천지간에 늦게 나니, 황하수 맑다지만 굴원의 후신인가 □□도 끝이 없고, 가 태부의 넋인가 한숨은 무슨 일인가? 형강은 고향이라 십 년을 유배 생활로 떠돌아다니니, 갈매기와 벗이 되어 함께 놀자 하였더니, 아양을 부리는 듯 사랑하는 듯 남의 없는 임을 만나 금화성 백옥당의 꿈조차 향기롭다. 오색실 이음이 짧아 임의 옷을 못 지어도 바다 같은 임의 □□를 조금이나마 갚으리라. 백옥 같은 이내 마음을 임 위하여 지키고 있었더니, 장안 어젯밤에 무서리 섞어 치니 해 질 녘 긴 대나무에 의지하여 서 있으니 푸른 옷소매도 찬 기운이 돌 만큼 얇구나. 난꽃을 꺾어 쥐고 임 계신 데 바라보니, 약수 가로놓인 데 구름 길이 험하구나. 다 썩은 닭의 얼굴 첫 맛도 채 몰라서 초췌한 이 얼굴이 임 그려서 이리 되었구나. 험한 물결 한가운데 긴 장대 위에 올랐더니 끝이 없는 회오리바람이 □□□ 풍파 중에 내리니 억만 장 못에 빠져 하늘 땅을 모르겠도다.

• 다 노나라 흐린 술에 한단이 무슨 죄며, 진나라 사람들의 취한 잔이 월나라 사람들이 웃은 탓인가? 성문 모진 불에 □□이 함께 타니 뜰 앞에 심은 난이 반이나 시들었구나. 저물녘 오동잎에 내리는 비에 외기러기 울며 갈 때 관산 멀고 먼 길이 눈에 밟히는 듯하구나. 이백의 시를 고쳐 읊고 팔도 한을 스쳐보니, 화산에 우는 새야 이별도 괴로워라. 망부산 앞에 석양이로다. 기다리고 바라다가 시력이 다했던가. 낙화는 말이 없고 창문이 어두우니, 입 노란 새끼 □들이 어미를 그리는구나. 팔월 가을바람이 띠집을 거두니 빈 새집에 쌓인 알이 물과 불을 못 면하도다. 살아서 이별하고 죽어서 헤어짐을 한 몸에 혼자 맡아, □□□가 밤새 많이도 길었구나. 풍파에 헌 배 타고 함께 놀던 저 무리들아. 강가에 저녁이 돌아왔는데 배는 탈이 없는가.

답 누각, 말씀, 상심, 은혜, 벼슬길, 옥석, 새, 흰머리

기출 딥러닝 2019학년도 6월 모의평가

[06~07] 다음 글을 읽고 물음에 답하시오.

(가) 서경(西京)이 아즐가 서경(西京)이 **셔울**히마르는
위 두어렁셩 두어렁셩 다링디리
닷곤 ᄃᆡ 아즐가 닷곤 ᄃᆡ 쇼셩경 *고외마른
위 두어렁셩 두어렁셩 다링디리
여히므론 아즐가 여히므논 **질삼뵈** ᄇᆞ리시고
위 두어렁셩 두어렁셩 다링디리
*괴시란ᄃᆡ 아즐가 괴시란ᄃᆡ ***우러곰 좃니노이다**
위 두어렁셩 두어렁셩 다링디리 〈제1연〉

구스리 아즐가 구스리 바회예 *디신ᄃᆞᆯ
위 두어렁셩 두어렁셩 다링디리
긴히ᄯᆞᆫ 아즐가 긴힛ᄯᆞᆫ 그츠리잇가 나ᄂᆞᆫ
위 두어렁셩 두어렁셩 다링디리
즈믄 ᄒᆡ를 아즐가 즈믄 ᄒᆡ를 외오곰 녀신ᄃᆞᆯ
위 두어렁셩 두어렁셩 다링디리
신(信)잇ᄃᆞᆫ 아즐가 신(信)잇ᄃᆞᆫ **그츠리잇가** 나ᄂᆞᆫ
위 두어렁셩 두어렁셩 다링디리 〈제2연〉

- 작자 미상, 「서경별곡(西京別曲)」

- **고외마른** 사랑하지마는.
- **괴시란ᄃᆡ** 사랑만 해 주신다면.
- **우러곰 좃니노이다** 울면서 따르겠습니다.
- **디신ᄃᆞᆯ** 떨어진들.

(나) 이 몸이 녹아져도 옥황상제 처분이요
이 몸이 석여져도 옥황상제 처분이라
녹아지고 석여지어 혼백(魂魄)조차 흩어지고
*공산(空山) 촉루(髑髏)같이 임자 업시 구닐다가
곤륜산(崑崙山) 제일봉의 만장송(萬丈松)이 되어 이셔
바람비 뿌린 소리 님의 귀에 들리기나
윤회(輪廻) 만겁(萬劫)ᄒᆞ여 금강산(金剛山) 학(鶴)이 되어
일만 이천봉에 ᄆᆞ음껏 솟아올라
ᄀᆞ을 ᄃᆞᆯ 볼근 밤에 두어 소리 **슬피 우러**
님의 귀에 들리기도 옥황상제 처분이로다
ᄒᆞᆫ(恨)이 뿌리 되고 눈물로 가지 삼아
님의 집 창밧긔 외나모 매화(梅花) 되어
설중(雪中)에 혼자 피어 *침변(枕邊)에 시드는 듯
*월중(月中) 소영(疎影)이 님의 옷에 **빗취어든**
어엿븐 이 얼굴을 너로다 **반기실가**
동풍이 유정(有情)ᄒᆞ여 암향(暗香)을 불어 올려
고결(高潔)ᄒᆞᆫ 이내 생애 죽림(竹林)에나 부치고져
빈 낙대 빗기 들고 빈 ᄇᆡ를 혼자 ᄯᅴ워
백구(白鷗) 건네 저어 **건덕궁**(乾德宮)에 가고지고

- 조위, 「만분가(萬憤歌)」

- **공산 촉루** 텅 빈 산의 해골.
- **침변** 베갯머리.
- **월중 소영** 달빛에 언뜻언뜻 비치는 그림자.

기출

06 (가), (나)에 대한 설명으로 가장 적절한 것은?

① (가)의 '셔울'과 (나)의 '건덕궁'은 모두 화자가 현재 머무르고 있는 공간이다.
② (가)의 '질삼뵈'와 (나)의 '빈 낙대'는 모두 화자가 현재 회피하고 싶은 대상이다.
③ (가)의 '우러곰'과 (나)의 '슬피 우러'는 모두 임의 심정을 드러내고 있다.
④ (가)의 '좃니노이다'와 (나)의 '빗취어든'은 모두 임의 곁에 있고 싶은 화자의 소망을 드러내고 있다.
⑤ (가)의 '그츠리잇가'와 (나)의 '반기실가'는 모두 미래 상황에 대한 의혹을 드러내고 있다.

기출 변형

07 (나)에 대한 감상으로 적절하지 <u>않은</u> 것은?

① 화자는 자신의 처지를 '옥황상제 처분'으로 여기며 체념적인 태도를 드러내고 있다.
② '만장송'과 '금강산 학'은 화자의 분신으로 임을 향한 화자의 마음을 표상하고 있다.
③ '바람비 뿌린 소리'와 '두어 소리'에는 임에게 전하고자 하는 화자의 마음이 담겨 있다.
④ '외나모 매화'의 '뿌리'와 '가지'를 활용하여 화자의 억울함과 한의 정서를 형상화하고 있다.
⑤ 'ᄀᆞ을 ᄃᆞᆯ 볼근 밤'과 '월중'이라는 시간적 배경을 통해 임과 재회한 순간을 드러내고 있다.

가사

Q29 관동별곡(關東別曲) | 정철

▶해법문학 Link
고전 시가 166쪽

교과서 [국] 천재(이), 금성, 신사고 기출 EBS

키워드 체크 #기행 가사 #관동 팔경 유람 #연군지정 #애민 사상

핵심 포인트

「관동별곡」의 구성과 여정

구분	내용
서사	관찰사 부임과 관내 순력
	전라도 창평 → 한양 → 평구(양주)역 → 흑수(여주) → 섬강·치악(원주) → 소양강(춘천) → 동주(철원) → 회양
본사 1	내금강 유람
	만폭동 → 금강대 → 진헐대 → 개심대 → 화룡소 → 불정대 십이 폭포 ⋯→ 수록 부분 ㉮, ㉯
본사 2	관동 팔경과 동해안 유람
	총석정 → 삼일포 → 의상대 → 경포 → 죽서루 → 망양정 ⋯→ 수록 부분 ㉰
결사	동해의 달맞이와 풍류 ⋯→ 수록 부분 ㉱

화자의 내적 갈등과 그 해결

관찰사로서의 공적 임무(왕명)	갈등	자연을 즐기고 싶은 개인적 욕구
유교	⟺	도교
사회적 자아		본연적 자아

꿈

꿈속에서 신선과 만남.
자신이 신선이었음을 깨달은 후
평온한 마음으로 충의와 연군을 지향함.

연계 작품

- 기행 가사: 김인겸 「일동장유가」, 홍순학 「연행가」, 조우인 「출새곡」
- 자연에 은거하는 삶과 관직 생활 사이의 갈등이 드러난 작품: 권호문 「한거십팔곡」

㉮
영듕(營中)이 무ᄉᆞ(無事)ᄒᆞ고 시절(時節)이 삼월(三月)인 제
화쳔(花川) 시내길히 풍악(楓岳)으로 버더 잇다
ᄒᆡᆼ장(行裝)을 다 ᄯᅥᆯ티고 셕경(石逕)의 막대 디퍼
ᄇᆡᆨ쳔동(百川洞) 겨ᄐᆡ 두고 만폭동(萬瀑洞) 드러가니
은(銀) ᄀᆞᄐᆞᆫ 무지게 옥(玉) ᄀᆞᄐᆞᆫ 룡(龍)의 초리
섯돌며 ᄲᅮᆷᄂᆞᆫ 소ᄅᆡ 십 리(十里)의 ᄌᆞ자시니
들을 제ᄂᆞᆫ 우레러니 보니ᄂᆞᆫ 눈이로다
금강ᄃᆡ(金剛臺) ᄆᆡᆫ 우층(層)의 션학(仙鶴)이 삿기 치니
츈풍(春風) 옥뎍셩(玉笛聲)의 첫ᄌᆞᆷ을 ᄭᆡ돗던디
•호의현샹(縞衣玄裳)이 반공(半空)의 소소 ᄯᅳ니
㉠<u>셔호(西湖) 녯 쥬인(主人)을 반겨셔 넘노ᄂᆞᆫ 듯</u>

㉯
쇼향노(小香爐) 대향노(大香爐) 눈 아래 구버보고
졍양ᄉᆞ(正陽寺) 진헐ᄃᆡ(眞歇臺) 고텨 올나 안ᄌᆞᆫ마리
㉡<u>녀산(廬山) 진면목(眞面目)이 여긔야 다 뵈ᄂᆞ다</u>
어와 조화옹(造化翁)이 헌ᄉᆞ토 헌ᄉᆞᄒᆞᆯ샤
ᄂᆞᆯ거든 ᄯᅱ디 마나 셧거든 솟디 마나
부용(芙蓉)을 고잣ᄂᆞᆫ 듯 ᄇᆡᆨ옥(白玉)을 믓것ᄂᆞᆫ 듯
동명(東溟)을 박ᄎᆞᄂᆞᆫ 듯 북극(北極)을 괴왓ᄂᆞᆫ 듯
[A] 놉흘시고 망고ᄃᆡ(望高臺) 외로올샤 혈망봉(穴望峰)이
하ᄂᆞᆯ의 추미러 므ᄉᆞ 일을 ᄉᆞ로리라
쳔만겁(千萬劫) 디나ᄃᆞ록 구필 줄 모ᄅᆞᄂᆞᆫ다
어와 너여이고 너 ᄀᆞᄐᆞ니 ᄯᅩ 잇ᄂᆞᆫ가

〈중략〉

㉰
진쥬관(眞珠館) 듁셔루(竹西樓) 오십쳔(五十川) ᄂᆞ린 믈이
태ᄇᆡᆨ산(太白山) 그림재ᄅᆞᆯ 동ᄒᆡ(東海)로 다마 가니
㉢<u>ᄎᆞᆯ하리 한강(漢江)의 목멱(木覓)의 다히고져</u>
왕뎡(王程)이 유ᄒᆞᆫ(有限)ᄒᆞ고 풍경(風景)이 못 슬믜니
•유회(幽懷)도 하도 할샤 •ᄀᆡᆨ수(客愁)도 둘 ᄃᆡ 업다
㉣<u>•션사(仙槎)ᄅᆞᆯ ᄯᅴ워 내여 •두우(斗牛)로 향(向)ᄒᆞ살가</u>
션인(仙人)을 ᄎᆞᄌᆞ려 단혈(丹穴)의 머므살가

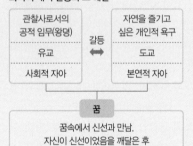

[B]
*텬근(天根)을 못내 보와 망양뎡(望洋亭)의 올은말이
바다 밧근 하ᄂᆞᆯ이니 하ᄂᆞᆯ 밧근 므서신고
ᄀᆞᆺ득 노ᄒᆞᆫ 고래 뉘라셔 놀내관ᄃᆡ
블거니 ᄲᅳᆷ거니 어즈러이 구ᄂᆞᆫ디고
은산(銀山)을 것거 내여 *뉵합(六合)의 ᄂᆞ리ᄂᆞᆫ ᄃᆞᆺ
오월(五月) 댱텬(長天)의 ᄇᆡᆨ셜(白雪)은 므ᄉᆞ 일고
〈중략〉

라 송근(松根)을 베여 누어 픗ᄌᆞᆷ을 얼픗 드니
ᄭᅮᆷ애 ᄒᆞᆫ 사ᄅᆞᆷ이 날ᄃᆞ려 닐온 말이
그ᄃᆡᄅᆞᆯ 내 모ᄅᆞ랴 샹계(上界)예 진션(眞仙)이라
*황뎡경(黃庭經) 일ᄌᆞ(一字)ᄅᆞᆯ 엇디 그ᄅᆞᆺ 닐거 두고
인간(人間)의 내려와셔 우리ᄅᆞᆯ ᄯᆞᆯ오ᄂᆞᆫ다
져근덧 가디 마오 이 술 ᄒᆞᆫ 잔 머거 보오
븍두셩(北斗星) 기우려 챵ᄒᆡ슈(滄海水) 부어 내여
저 먹고 날 머겨ᄂᆞᆯ 서너 잔 거후로니
화풍(和風)이 습습(習習)ᄒᆞ야 *냥익(兩腋)을 추혀드니
구만 리(九萬里) 댱공(長空)애 져기면 ᄂᆞᆯ리로다
이 술 가져다가 ᄉᆞᄒᆡ(四海)예 고로 ᄂᆞᆫ화
㉤ *억만창ᄉᆡᆼ(億萬蒼生)을 다 ᄎᆔ(醉)케 ᄆᆡᆼ근 후(後)의
그제야 고텨 맛나 ᄯᅩ ᄒᆞᆫ 잔 ᄒᆞ쟛고야
말 디쟈 학(鶴)을 ᄐᆞ고 *구공(九空)의 올나가니
공듕(空中) 옥쇼(玉簫) 소ᄅᆡ 어제런가 그제런가
나도 ᄌᆞᆷ을 ᄭᆡ여 바다ᄒᆞᆯ 구버보니
기픠ᄅᆞᆯ 모ᄅᆞ거니 ᄀᆞ인ᄃᆞᆯ 엇디 알리
명월(明月)이 쳔산만낙(千山萬落)의 아니 비쵠 ᄃᆡ 업다

기출 OX

Q1 윗글에는 현재 상황에 대한 화자의 내면적 다짐이 드러나 있다.
기출 2012. 11. 고1 (O | X)

Q2 (나)에서 화자는 '진헐ᄃᆡ'에서 '녀산' 쪽을 바라보며 변화무쌍한 경치를 즐기고 있다.
기출 2010. 6. 모평 (O | X)

Q3 윗글은 영탄적 어조를 통해 대상에 대한 예찬적 태도를 드러내고 있다.
EBS 변형 (O | X)

- **호의현샹** 흰 비단 저고리와 검은 치마 차림. 학의 모습을 비유적으로 이르는 말.
- **유회** 마음속 깊이 품은 생각.
- **ᄀᆡᆨ수** 객지에서 느끼는 쓸쓸함이나 시름.
- **션사** 신선이 탄다는 배.
- **두우** 북두성과 견우성.
- **텬근** 천근. 하늘의 맨 끝을 상상하여 이르는 말.
- **뉵합** 육합. 천지와 사방을 통틀어 이르는 말. 곧 하늘과 땅. 동·서·남·북.
- **황뎡경** 황정경. 도가(道家)의 경서. 신선이 옥황상제 앞에서 이 경서의 한 글자만 잘못 읽어도 그 죄로 이 세상에 내쳐진다는 말이 있음.
- **냥익** 양액. 양쪽 겨드랑이.
- **억만창ᄉᆡᆼ** 억만창생. 수많은 백성.
- **구공** 구만리장천. 아득히 높고 먼 하늘.

답 Q1 O Q2 X Q3 O

01 윗글에 대한 설명으로 적절하지 않은 것은?

① 시간과 공간의 이동에 따라 내용을 전개하고 있다.
② 의문형 종결 어미를 반복하여 화자의 소망을 표현하고 있다.
③ 자연을 현실 도피의 공간으로 여기는 화자의 인식이 나타나 있다.
④ 유람 여정에 대한 감상과 더불어 화자의 정치적 포부를 드러내고 있다.
⑤ 3(4)·4조, 4음보의 율격을 바탕으로 우리말의 아름다움을 잘 살리고 있다.

02 (가), (나)의 표현상 특징에 대한 설명으로 적절하지 않은 것은?

① 공감각적 심상을 활용하여 '만폭동'으로 들어가는 화자의 모습을 생동감 있게 묘사하고 있다.
② '폭포'를 '룡의 초리'에 빗대어 대상이 지닌 역동성을 강조하고 있다.
③ '금강ᄃᆡ' 꼭대기에 있는 '션학'에 인격적 요소를 부여하여 '호의현샹'으로 표현하고 있다.
④ '셔호 녯 주인'과 관련된 고사를 활용하여 화자의 정서를 드러내고 있다.
⑤ 대구의 방식을 활용하여 '진헐ᄃᆡ'에서 바라본 산봉우리의 모습을 표현하고 있다.

03 (다), (라)에 대한 이해로 적절하지 <u>않은</u> 것은?

① 화자는 '듁셔루 오십쳔'을 보면서 '한강의 목멱'으로 떠나고 싶은 마음을 드러내고 있다.

② 화자는 자연을 더 즐기지 못하는 아쉬움을 '유회'와 '긱수'로 표현하고 있다.

③ 화자는 '쑴'을 통해 '왕뎡'과 자연을 즐기고 싶은 개인적 욕구 사이의 갈등을 해소하고 있다.

④ 화자는 '챵히슈'를 먹으며 '억만창싱'과 함께 나누고 싶다는 애민 정신을 드러내고 있다.

⑤ 화자는 '쳔산만낙'에 비춘 '명월'을 보며 임금의 은혜를 떠올리고 있다.

서술형

04 〈보기〉를 참고하여, [A]에 나타난 화자의 태도를 서술하시오.

보기

조선 시대 사대부들은 자연물을 소재로 하여 자신이 지향하는 바를 드러내고자 했다. 정철 역시 '망고대'와 '혈망봉'에 도덕적 가치를 부여하여 자신이 지향하는 바를 드러내고 있다.

기출 변형 2015학년도 수능 B형

05 〈보기〉는 윗글의 다른 부분이다. 〈보기〉와 [B]를 비교한 내용으로 가장 적절한 것은?

보기

외나모 뻐근 ᄃᆞ리 불정대(佛頂臺) 올라ᄒᆞ니
천심(千尋) 절벽을 반공(半空)애 셰여 두고
은하수 한 구ᄇᆡ롤 촌촌이 버혀 내여
실ᄀᆞ티 플텨이셔 뵈ᄀᆞ티 거러시니

① [B]와 〈보기〉는 모두 자연물의 모습을 비유적으로 표현하고 있다.

② [B]와 〈보기〉는 모두 자연이 시간의 흐름에 따라 변화하는 모습을 표현하고 있다.

③ [B]와 〈보기〉는 모두 인간의 접근을 허용하지 않는 자연의 냉혹함을 드러내고 있다.

④ [B]는 자연의 모습을 관조하고 있고, 〈보기〉에서는 자연을 통해 자신을 반성하고 있다.

⑤ [B]는 천문 현상을 지상의 자연물에, 〈보기〉는 지상의 자연물을 천문 현상에 비유하고 있다.

06 ㉠~㉤ 중, 〈보기〉에 드러난 정서와 가장 유사한 것은?

보기

심산(深山)의 밤이 드니 북풍(北風)이 더욱 차다
옥루 고처(玉樓高處)에도 이 ᄇᆞ름 부ᄂᆞᆫ게오
긴 밤의 치우신가 북두(北斗) 비겨 바릐로라

– 박인로, 「오륜가」 중 〈제9수〉

① ㉠　② ㉡　③ ㉢　④ ㉣　⑤ ㉤

현대어 풀이를 확인해 보세요

•• 가 감영 안이 무사하고 시절이 삼월인 때, 화천의 시내 길이 금강산으로 뻗어 있다. 행장을 간편히 하고 돌길에 지팡이를 짚어 백천동을 지나서 □□□ 계곡으로 들어가니, 은 같은 무지개, 옥 같은 용의 꼬리처럼 섞여 돌며 내뿜는 소리가 십 리 밖까지 퍼졌으니, 멀리서 들을 때에는 천둥소리 같더니, 가까이서 보니 눈이 날리는 것 같구나. 금강대 맨 꼭대기에 새끼를 친 학이 봄바람에 들려오는 옥피리 소리에 선잠을 깨었던지, □이 공중에 솟아 뜨니, 서호의 옛 주인 임포를 반기듯 나를 반겨 넘나들며 노는 듯하구나!

•• 나 소향로봉과 대향로봉을 눈 아래 굽어보고, 정양사 □□□에 다시 올라 앉으니, 여산같이 아름다운 금강산의 참모습이 여기서야 다 보인다. 아아, 조물주의 솜씨가 야단스럽기도 야단스럽구나. 저 수많은 봉우리가 나는 듯하면서도 뛰는 듯하고, 우뚝 섰으면서도 솟은 듯하니, 참으로 장관이로다. 또 □□을 꽂아 놓은 듯, 백옥을 묶어 놓은 듯, 동해를 박차는 듯, 북극을 떠받쳐 괴고 있는 듯하구나. 높기도 하구나 망고대여, 외롭기도 하구나 혈망봉이여. (망고대와 혈망봉은) 하늘에 치밀어 무슨 일을 아뢰려고 오랜 세월이 지나도록 굽힐 줄 모르는가? 아, 너로구나. 너 같은 높은 기상을 지닌 것이 또 있겠는가?

•• 다 진주관 죽서루 아래 오십천의 흘러내리는 물이 태백산의 그림자를 동해로 담아 가니, 차라리 그 물줄기를 임금 계신 한강으로 돌려 서울의 남산에 대고 싶구나. □□로서의 임무는 유한하고, 풍경은 볼수록 싫증 나지 않으니, 마음속 깊이 품은 생각이 많기도 많고, 나그네의 시름도 달랠 길 없구나. 신선이 타는 배를 띄워 내어 북두성과 견우성으로 향할까? 신선을 찾으러 단혈에 머무를까? 하늘의 맨 끝을 끝내 못 보고 □□□에 오르니, 바다 밖은 하늘인데 하늘 밖은 무엇인가? 가뜩이나 성난 고래(파도)를 누가 놀라게 하기에, 물을 불거니 뿜거니 하면서 어지럽게 구는 것인가? (파도가) 은산을 꺾어 내어 온 세상에 흩뿌려 내리듯, 오월 드높은 하늘에 백설(물보라)은 무슨 일인가?

•• 라 소나무 뿌리를 베고 누워 선잠이 얼핏 들었는데, 꿈에 한 사람(신선)이 나에게 이르기를, "그대를 내가 모르랴? 그대는 하늘의 □□이라, 황정경 한 글자를 어찌 잘못 읽고 인간 세상에 내려와서 우리를 따르는가? 잠시 가지 말고 이 술 한 잔 먹어 보오." 북두칠성과 같은 국자를 기울여 동해 물 같은 술을 부어 저 먹고 나에게도 먹이거늘 서너 잔을 기울이니 온화한 봄바람이 산들산들 불어 양 겨드랑이를 추켜올리니, 아득한 하늘도 웬만하면 날 것 같구나. "이 신선주를 가져다가 □□□에 고루 나눠 수많은 백성을 다 취하게 만든 후에, 그때에야 다시 만나 또 한 잔 하자꾸나." 말이 끝나자, 신선은 학을 타고 높은 하늘에 올라가니, 공중의 옥피리 소리가 어제던가 그제던가 어렴풋하네. 나도 잠을 깨어 바다를 굽어보니, 깊이를 모르는데 하물며 끝인들 어찌 알리? 밝은 달이 온 세상에 아니 비친 곳이 없다.

답 만폭동, 학, 진헐대, 연꽃, 관리, 망양정, 신선, 온 세상

작품 한 줄 Pick 『관동별곡』 "억만창생을 다 취하게 만든 후에 그제야 고쳐 만나 또 한 잔 하자꾸나"

기출 딥러닝

2015학년도 수능 B형

[07 ~ 08] 다음 글을 읽고 물음에 답하시오.

(가) 비로봉 상상두(上上頭)의 올라 보니 긔 뉘신고 ㉠동산(東山) 태산(泰山)이 어ᄂᆞ야 놉돗던고 노국(魯國) 조븐 줄도 우리ᄂᆞᆫ 모ᄅᆞ거든 넙거나 넙은 천하 엇찌ᄒᆞ야 젹닷 말고 ㉡어와 뎌 디위ᄅᆞᆯ 어이ᄒᆞ면 알 거이고 오ᄅᆞ디 못ᄒᆞ거니 ᄂᆞ려가미 고이ᄒᆞᆯ가 원통골 ᄀᆞᄂᆞᆫ 길로 사자봉을 ᄎᆞ자가니 그 알ᄑᆡ 너러바회 **화룡(化龍)쇠** 되여셰라 천 년 노룡(老龍)이 구ᄇᆡ구ᄇᆡ 서려 이셔 주야의 흘녀내여 창해(滄海)예 니어시니 ㉢풍운(風雲)을 언제 어더 삼일우(三日雨)ᄅᆞᆯ 디련ᄂᆞᆫ다 음애(陰崖)예 이온 풀을 다 살와 내여ᄉᆞ라

㉣마하연(摩訶衍) 묘길상(妙吉祥) 안문(雁門)재 너머 디여 외나모 뻐근 ᄃᆞ리 불정대(佛頂臺) 올라ᄒᆞ니 천심(千尋) 절벽을 반공(半空)애 셰여 두고 은하수 한 구ᄇᆡᄅᆞᆯ 촌촌이 버혀 내여 실ᄀᆞ티 플텨이셔 뵈ᄀᆞ티 거러시니 도경(圖經) 열두 구ᄇᆡ 내 보매ᄂᆞᆫ 여러히라 이적선(李謫仙)이 이제 이셔 고텨 의논ᄒᆞ게 되면 **여산(廬山)**이 여긔도곤 낫단 말 못ᄒᆞ려니

산중을 ᄆᆡ양 보랴 동해로 가쟈ᄉᆞ라 ㉤남여(籃輿) 완보(緩步)ᄒᆞ야 산영루(山映樓)의 올나ᄒᆞ니 영롱 벽계(玲瓏碧溪)와 수성 제조(數聲啼鳥)ᄂᆞᆫ 이별을 원(怨)ᄒᆞᄂᆞᆫ 듯

– 정철, 「관동별곡(關東別曲)」

(나) 마음을 굳게 먹고 곧장 수백 보를 전진해 북쪽 가의 오목한 곳에 당도하여 굽어보니, 상봉이 여기에 이르러 갑자기 가운데가 터져 구덩이를 이루었는데 이것이 바로 **백록담**이었다. 주위가 1리 남짓하고 수면이 담담한데 반은 물이고 반은 얼음이었다. 홍수나 가뭄에도 물이 줄거나 불지 않는데, 얕은 곳은 무릎에, 깊은 곳은 허리에 찼으며 맑고 깨끗하여 조금의 먼지 기운도 없으니 은연히 신선이 사는 듯하였다. 사방을 둘러싼 봉우리들도 높고 낮음이 모두 균등하니 참으로 천부의 성곽이었다.

석벽에 매달려 백록담을 따라 남쪽으로 내려가다가 털썩 주저앉아 잠깐 휴식을 취했다. 일행은 모두 지쳐서 남은 힘이 없었지만 서쪽의 가장 높은 봉우리가 최고봉이었으므로 조심스럽게 조금씩 올라갔다. 그러나 따라오는 자는 겨우 세 명뿐이었다.

최고봉은 평평하게 퍼지고 넓어서 그리 아찔해 보이지는 않았으나, 위로는 별자리에 닿을 듯하고 아래로는 세상을 굽어보며, 좌로는 *부상(扶桑)을 돌아보고 우로는 서쪽 바다를 접했으며, 남으로는 소주와 항주를 가리키고 북으로는 내륙을 끌어당기고 있었다. 그리고 옹기종기 널려 있는 섬들이 큰 것은 구름 조각 같고 작은 것은 달걀 같아 놀랍고 괴이한 것들이 천태만상이었다.

『맹자』의 "바다를 본 자에게는 다른 물이 물로 보이지 않으며 태산에 오르면 천하가 작게 보인다."라는 말에 담긴 **성현**의 역량을 이로써 가히 상상할 수 있다. 또 **소동파**에게 당시에 이 산을 먼저 보게 하였다면 그의 이른바, "허공에 떠 바람을 다스리고 신선이 되어 하늘에 오른다."라는 시구가 적벽에서만 알맞지는 않았을 것이다.

– 최익현, 「유한라산기(遊漢拏山記)」

* 부상 해가 뜨는 동쪽 바다.

기출 변형

07 ㉠~㉤에 대한 이해로 가장 적절한 것은?

① ㉠: 동산과 태산의 기상에 미치지 못하는 비로봉에 대한 아쉬움을 의문형 문장으로 표현하고 있다.
② ㉡: 정치적 포부를 펼칠 만큼 높은 지위에 이르지 못한 데 대한 불만을 우회적으로 드러내고 있다.
③ ㉢: 백성을 돌보지 않는 위정자에 대한 비판을 자연 현상에 비유하여 표현하고 있다.
④ ㉣: 거쳐 온 곳을 열거하면서 행위를 나타내는 서술어를 최소화하여 여정을 압축적으로 제시하고 있다.
⑤ ㉤: 동해로 이동하는 모습을 과장되게 묘사하여 자신의 권위를 강조하고 있다.

고난도 기출

08 〈보기〉를 참조하여 (가), (나)를 감상한 내용으로 적절하지 <u>않은</u> 것은?

보기

선비들의 산수 유람에는 와유(臥遊)와 원유(遠遊)가 있다. 와유는 일상에서 산수화나 산수 유람의 글 등을 감상하며 국내외의 여러 경치를 간접적인 방식으로 즐기는 것을 말한다. 이와 달리 원유는 이름난 경치를 직접 찾아가 실제의 자연을 즐기는 흔치 않은 체험으로, 유교에서 강조하는 호연지기를 기르는 기회가 되기도 하였다.

① (가)의 화자가 '화룡소'를 보고 감상한 부분은 다른 이들이 같은 장소를 와유할 때 활용될 수 있겠군.
② (가)의 화자는 와유를 통해 상상하던 '여산'의 모습과 원유를 통해 실제로 바라본 '여산'의 모습을 비교하며 와유의 가치를 확인하고 있군.
③ (나)의 글쓴이는 원유를 통해 '백록담'에서 실감한 자연의 형세를 묘사하고 있군.
④ (나)의 글쓴이가 정상에 올라 '성현'의 호연지기를 상상하는 데서 원유가 호연지기를 기르는 기회가 될 수 있음을 알 수 있군.
⑤ (나)의 글쓴이는 '소동파'의 시를 통해 와유했던 적벽의 모습과 원유를 통해 확인한 한라산의 모습을 비교하여 한라산의 아름다움을 강조하고 있군.

가사 Q30

[교과서] [문] 천재(정), 동아, 비상, 신사고, 창비 [국] 동아, 비상(박안), 지학사 [기출] [EBS]

속미인곡(續美人曲) | 정철

▶해법문학 Link
고전 시가 176쪽

키워드 체크 #서정 가사 #충신연주지사 #두 여인의 대화 #뛰어난 우리말 표현

뎨 가ᄂᆞᆫ 뎌 각시 본 듯도 ᄒᆞᆫ뎌이고
텬샹(天上) ⓐ ᄇᆡᆨ옥경(白玉京)을 엇디ᄒᆞ야 니별(離別)ᄒᆞ고
ᄒᆡ 다 뎌 져믄 날의 눌을 보라 가시ᄂᆞᆫ고
어와 네여이고 이내 ᄉᆞ셜 드러 보오
내 얼굴 이 거동이 님 괴얌 즉ᄒᆞᆫ가마ᄂᆞᆫ
엇딘디 날 보시고 네로다 녀기실ᄉᆡ
나도 님을 미더 군ᄠᅳ디 전혀 업서
이ᄅᆡ야 교ᄐᆡ야 어ᄌᆞ러이 ᄒᆞ돗쎤디
반기시ᄂᆞᆫ ᄂᆞᆺ비치 녜와 엇디 다ᄅᆞ신고
누어 ᄉᆡᆼ각ᄒᆞ고 니러 안자 혜여ᄒᆞ니
내 몸의 지은 죄 뫼ᄀᆞ티 빠혀시니
하ᄂᆞᆯ히라 원망ᄒᆞ며 사ᄅᆞᆷ이라 허믈ᄒᆞ랴
㉠셜워 플텨 혜니 조믈(造物)의 타시로다
글란 ᄉᆡᆼ각 마오
ᄆᆡ친 일이 이셔이다
님을 뫼셔 이셔 님의 일을 내 알거니
믈 ᄀᆞᄐᆞᆫ 얼굴이 편ᄒᆞ실 적 몃 날일고
츈한 고열(春寒苦熱)은 엇디ᄒᆞ야 디내시며
츄일 동텬(秋日冬天)은 뉘라셔 뫼셧ᄂᆞᆫ고
쥭조반(粥早飯) 죠셕(朝夕) 뫼 녜와 ᄀᆞᆺ티 셰시ᄂᆞᆫ가
기나긴 밤의 ᄌᆞᆷ은 엇디 자시ᄂᆞᆫ고
님다히 쇼식(消息)을 아므려나 아쟈 ᄒᆞ니
오ᄂᆞᆯ도 거의로다 ᄂᆡ일이나 사ᄅᆞᆷ 올가
내 ᄆᆞᄋᆞᆷ 둘 ᄃᆡ 업다 어드러로 가쟛 말고
잡거니 밀거니 ⓑ놉픈 뫼ᄒᆡ 올라가니
구롬은 ᄏᆞ니와 안개ᄂᆞᆫ 므ᄉᆞ 일고
㉡산쳔(山川)이 어둡거니 일월(日月)을 엇디 보며
지쳑(咫尺)을 모ᄅᆞ거든 쳔 리(千里)를 ᄇᆞ라보랴
ᄎᆞᆯ하리 ⓒ믈ᄀᆞ의 가 ᄇᆡ길히나 보랴 ᄒᆞ니
㉢ᄇᆞ람이야 믈결이야 어둥졍 된뎌이고
㉣샤공은 어ᄃᆡ 가고 빈 ᄇᆡ만 걸렷ᄂᆞᆫ고
강텬(江天)의 혼쟈 셔셔 디ᄂᆞᆫ ᄒᆡᄅᆞᆯ 구버보니
님다히 쇼식(消息)이 더옥 아득ᄒᆞᆫ뎌이고

핵심 포인트

「속미인곡」에 나타난 두 화자

갑녀	• 보조적 위치에 있는 화자로, 작품을 전개하고 종결하는 역할을 함. • 을녀의 하소연을 유발함.
	↑ 하소연·자책 ↓ 질문·위로
을녀	• 작가의 처지를 대변하는 중심 화자로, 작품의 주제를 구현하는 중추적 역할을 함. • 갑녀의 질문에 응하여 신세 한탄을 함으로써 작품의 주된 정서를 형성함.

'낙월'과 '구준비'의 의미

낙월(지는 달)	구준비(궂은비)
밤 동안만 멀리서 임을 비춤.	• 오랫동안 내리며, 임에게 직접 닿을 수 있음. • 눈물을 연상시킴.
⬇	⬇
임에 대한 소극적이고 수동적인 사랑	임에 대한 적극적이고 능동적인 사랑

연계 작품

- 여성 화자를 설정하여 임금을 향한 일편단심을 노래한 작품: 정철 「사미인곡」
- 임금에 대한 변함없는 충정을 표현한 작품: 정서 「정과정」
- 임에 대한 그리움과 독수공방의 외로움을 노래한 작품: 작자 미상 「상사별곡」

ⓓ모쳠(茅簷) ᄎᆞᆫ 자리의 밤듕만 도라오니
Ⓐ반벽청등(半壁靑燈)은 눌 위ᄒᆞ야 ᄇᆞᆯ갓ᄂᆞᆫ고
오ᄅᆞ며 ᄂᆞ리며 헤ᄯᅳ며 바자니니
져근덧 녁진(力盡)ᄒᆞ야 픗ᄌᆞᆷ을 잠간 드니
졍셩(精誠)이 지극ᄒᆞ야 ⓔᄭᅮᆷ의 님을 보니
옥(玉) ᄀᆞᄐᆞᆫ 얼굴이 반(半)이나마 늘거셰라
ᄆᆞᄋᆞᆷ의 머근 말ᄉᆞᆷ 슬ᄏᆞ장 ᄉᆞᆲ쟈 ᄒᆞ니
눈믈이 바라 나니 말인들 어이ᄒᆞ며
졍(情)을 못다ᄒᆞ야 목이조차 몌여 ᄒᆞ니
㉤오뎐된 계셩(鷄聲)의 ᄌᆞᆷ은 엇디 ᄭᆡ돗던고
어와 허ᄉᆞ(虛事)로다 이 님이 어ᄃᆡ 간고
결의 니러 안자 창(窓)을 열고 ᄇᆞ라보니
어엿븐 그림재 날 조ᄎᆞᆯ ᄲᅮᆫ이로다
ᄎᆞᆯ하리 싀여디여 낙월(落月)이나 되야이셔
님 겨신 창(窓) 안히 번드시 비최리라
각시님 ᄃᆞᆯ이야ᄏᆞ니와 구ᄌᆞᆫ비나 되쇼셔

- **ᄇᆡᆨ옥경** 백옥경. 옥황상제가 산다고 하는 하늘의 서울. 여기서는 임금이 있는 한양을 가리킴.
- **괴얌 즉ᄒᆞᆫ가마ᄂᆞᆫ** 사랑받음 직한가마는. 사랑받을 만한가마는.
- **이릐야** 아양이며. 응석이며.
- **츈한 고열** 봄의 꽃샘추위와 여름의 괴로운 더위.
- **츄일 동텬** 가을날과 겨울날.
- **셰시ᄂᆞᆫ가** 올리시는가. 잡숫게 하시는가.
- **님다히** 임의 쪽. 임 계신 곳.
- **ᄏᆞ니와** 물론이거니와. 말할 나위 없거니와.
- **어둥졍** 어수선하게. 어리둥절하게.
- **모쳠** 초가지붕의 처마.
- **반벽청등** 벽 가운데 걸린 청사로 장식한 등불.
- **헤ᄯᅳ며** 헤매며.
- **바자니니** 부질없이 짧은 거리를 오락가락 거니니.
- **녁진ᄒᆞ야** 역진하여. 힘이 다하여 지쳐.
- **슬ᄏᆞ장** 실컷.
- **오뎐된** 방정맞은.

기출 OX

Q1 바라는 공간에 있지 못한 안타까운 심정이 드러나 있다. 기출 2006. 수능 (O | X)

Q2 '텬샹 ᄇᆡᆨ옥경'은 화자에게 상실감을 안겨 준 공간이다. 기출 2009. 5. 고3 (O | X)

Q3 '반벽청등'은 화자의 처지와 대비되는 소재로, 화자의 인식 변화를 부각한다. 기출 2019. 9. 고2 (O | X)

답 Q1 O Q2 O Q3 X

01 윗글에 대한 설명으로 적절하지 않은 것은?

① 자연물을 통해 화자와 대상 간의 단절감을 형상화하고 있다.
② 영탄적 어조를 활용하여 화자의 정서를 직접적으로 제시하고 있다.
③ 시간적 배경을 나타내는 시어를 사용하여 화자의 애상감을 강조하고 있다.
④ 다른 인물의 질문에 대답하는 방식을 통해 화자가 자신의 상황과 정서를 들려주고 있다.
⑤ 계절의 순환에 따라 시상을 전개하여 화자와 대상 간의 관계가 변화하는 과정을 보여 주고 있다.

02 윗글의 화자에 대한 설명으로 적절하지 않은 것은?

① 임의 건강과 안위를 염려하며 지내고 있다.
② 임의 곁에 머물며 임의 사랑을 받은 적이 있었다.
③ 임을 보고 싶은 마음을 구체적인 행동으로 표출했다.
④ 임과 이별한 원인을 자신의 잘못된 행동에서 찾고 있다.
⑤ 꿈에서 임을 만나 그동안의 서운한 마음을 실컷 하소연했다.

03 ⓐ~ⓔ에 대한 설명으로 적절하지 않은 것은?

① ⓐ는 화자가 과거에 임과 함께 머물던 공간이고, ⓓ는 화자가 현재 임과 떨어져 머물고 있는 공간이다.
② ⓑ와 ⓒ는 화자가 임의 소식을 듣지 못하는 답답함을 해소하기 위해 찾아간 공간이다.
③ 화자는 ⓑ에 이어 ⓒ를 찾아가지만, 기대가 좌절되면서 절망감을 느끼고 있다.
④ ⓓ는 화자가 임과의 재회를 확신하며 좌절감을 극복하는 공간이다.
⑤ ⓔ에서 임을 만나고 싶은 화자의 소망이 일시적으로나마 실현된다.

04 윗글의 낙월과 〈보기〉의 범나비를 비교하여 감상한 내용으로 적절하지 않은 것은?

보기

하루도 열두 때 한 달도 서른 날
잠깐 동안 생각 말아 이 시름 잊자 하니
마음에 맺혀 있어 골수에 사무치니
편작이 열이 온들 이 병을 어찌하리
어와 내 병이야 이 임의 탓이로다
차라리 죽어져서 범나비 되리라
꽃나무 가지마다 간 데 족족 앉았다가
향 묻힌 날개로 임의 옷으로 옮기리라.
임이야 나인 줄 모르셔도 내 임 좇으려 하노라

- 정철, 「사미인곡」 중

① 윗글의 '낙월'과 〈보기〉의 '범나비'는 모두 현실에서는 임을 만나기 어렵다는 화자의 인식이 반영된 대상이다.
② 윗글의 '낙월'과 〈보기〉의 '범나비'는 모두 임의 곁에 가까이 가고 싶은 화자의 소망이 투영된 대상이다.
③ 〈보기〉의 '범나비'는 임의 옷에 직접 닿을 수 있다는 점에서 윗글의 '낙월'에 비해 적극성을 띠고 있다.
④ 〈보기〉의 '범나비'는 내세의 존재라는 점에서 윗글의 '낙월'에 비해 긍정적인 전망을 함축하고 있다.
⑤ 윗글의 '낙월'과 〈보기〉의 '범나비'는 모두 화자의 분신으로, 화자의 의지를 보여 주는 대상이다.

05 ㉠~㉤ 중, 〈보기〉를 참고할 때, 표현 방식과 의미가 Ⓐ와 가장 유사한 것은?

보기

Ⓐ에서 화자는 벽에 걸린 등불을 보며 임과 떨어져 홀로 지내는 자신의 처지를 떠올리고 있다. 이와 같이 화자는 자신과 유사한 상황에 놓여 있는 대상을 제시함으로써, 임의 부재로 인한 외로움과 상실감을 우회적으로 드러내고 있다.

① ㉠ ② ㉡ ③ ㉢ ④ ㉣ ⑤ ㉤

현대어 풀이를 확인해 보세요

• 저기 가는 저 각시 본 듯도 하구나. 천상의 백옥경(임금이 계시는 대궐)을 어찌하여 이별하고, 해 다 져 저문 날에 누구를 만나러 가시는고?

• 아, 너로구나. 내 사정 이야기를 들어 보오. 내 모습과 이 태도가 임께 □□받음 직한가마는 어쩐지 (임께서) 나를 보시고 너로구나 (하며 특별하게) 여기시기에 나도 임을 믿어 딴생각이 전혀 없어 아양이며 교태며 어지럽게 하였던지 반기시는 얼굴빛이 옛날과 어찌 다르신고? 누워 생각하고 일어나 앉아 헤아려 보니 내 몸이 지은 죄가 산같이 쌓였으니, 하늘이라고 원망하겠으며 사람을 탓하겠는가. 서러워서 여러 가지 일을 풀어내어 헤아려 보니 조물주의 □이로다.

• 그렇게는 생각하지 마오.

• (마음에) 맺힌 일이 있습니다. 예전에 □을 모시어서 임의 일을 내가 알거니, 물 같은 얼굴(연약한 몸)이 편하실 때가 몇 날일까? 이른 봄날의 추위와 여름철의 무더위는 어떻게 지내시며, 가을날 겨울날은 누가 모셨는고? 아침 죽과 아침저녁 진지는 예전과 같이 잘 잡숫게 하시는가? 기나긴 밤에 잠은 어떻게 주무시는가? 임 계신 곳의 소식을 어떻게 해서라도 알려고 하니, 오늘도 거의 저물었구나. 내일이나 (임의 소식 전해 줄) 사람이 올까? 내 마음 둘 곳이 없다. 어디로 가자는 말인가? (나무를) 잡기도 하고 밀기도 하면서 높은 □에 올라가니, 구름은 물론이거니와 안개는 또 무슨 일로 저렇게 끼어 있는고? 산천이 어두우니 해와 달은 어떻게 바라보며, 눈앞의 가까운 곳도 모르는데 천 리나 되는 먼 곳을 바라볼 수 있겠는가. 차라리 물가에 가서 뱃길이나 보려고 하니 바람과 물결로 □□□하게 되었구나. 뱃사공은 어디 가고 빈 □만 걸려 있는고? 강가에 혼자 서서 지는 해를 굽어보니 임 계신 곳의 소식이 더욱 아득하구나. □□□의 찬 잠자리에 한밤중에 돌아오니, 벽 가운데 걸려 있는 등불은 누구를 위하여 밝게 켜져 있는가? (산을) 오르내리며 (강가 여기저기를) 헤매며 오락가락하니 잠깐 사이에 힘이 다하여 풋잠을 잠깐 드니, 정성이 지극하여 꿈에 임을 보니 옥과 같이 곱던 모습이 반 넘게 늙었구나. 마음속에 품은 생각을 실컷 아뢰려고 하였더니, 눈물이 쏟아지니 말인들 어찌하며 정을 못다 풀어 목마저 메니 방정맞은 □ □□에 잠은 어찌 깨었던가? 아, 헛된 일이로다. 이 임이 어디 갔는가? 꿈결에 일어나 앉아 창문을 열고 밖을 바라보니, 가엾은 그림자만이 나를 따를 뿐이로다. 차라리 죽어 없어져서 지는 □이나 되어 임이 계신 창문 안에 환하게 비치리라.

• 각시님, 달은커녕 □□□나 되십시오.

답 사랑, 탓, 임, 산, 어수선, 배, 초가집, 닭 소리, 달, 궂은비

작품 한 줄 Pick 『속미인곡』 "각시님 ᄃᆞᆯ이야ᄏᆞ니와 구ᄌᆞᆫ비나 되쇼셔"

기출 딥러닝

2018학년도 11월 고2 학력평가

[06 ~ 08] 다음 글을 읽고 물음에 답하시오.

(가) 어와 네여이고 이내 ᄉᆞ셜 드러 보오
내 얼굴 이 거동이 **님** 괴얌 즉ᄒᆞᆫ가마ᄂᆞᆫ
엇던디 날 보시고 네로다 녀기실ᄉᆡ
나도 님을 미더 군ᄠᅳ디 전혀 업서
이ᄅᆡ야 교ᄐᆡ야 어ᄌᆞ러이 ᄒᆞ돗썬디
반기시ᄂᆞᆫ ᄂᆞᆺ비치 녜와 엇디 다ᄅᆞ신고
누어 ᄉᆡᆼ각ᄒᆞ고 니러 안자 혜여ᄒᆞ니
내 몸의 지은 죄 뫼ᄀᆞᆺ티 ᄡᅡ혀시니
하ᄂᆞᆯ히라 원망ᄒᆞ며 사ᄅᆞᆷ이라 허믈ᄒᆞ랴
셜워 플텨 혜니 조믈(造物)의 타시로다 〈중략〉
져근덧 녁진(力盡)ᄒᆞ야 픗ᄌᆞᆷ을 잠간 드니
정셩(精誠)이 지극ᄒᆞ야 ᄭᅮᆷ의 님을 보니
옥(玉) ᄀᆞᄐᆞᆫ 얼굴이 반(半)이나마 늘거셰라
ᄆᆞᄋᆞᆷ의 머근 말ᄉᆞᆷ 슬ᄏᆞ장 ᄉᆞᆲ쟈 ᄒᆞ니
눈믈이 바라 나니 말인들 어이ᄒᆞ며
졍(情)을 못다ᄒᆞ야 목이조차 메여 ᄒᆞ니
㉠오뎐된 계셩(鷄聲)의 ᄌᆞᆷ은 엇디 ᄭᆡ돗던고
어와 허ᄉᆞ(虛事)로다 이 님이 어ᄃᆡ 간고
결의 니러 안자 창(窓)을 열고 ᄇᆞ라보니
어엿븐 그림재 날 조출 ᄲᅮᆫ이로다.

– 정철, 「속미인곡(續美人曲)」

(나) 봄은 오고 ᄯᅩ 오고 플은 플으고 ᄯᅩ 플으ᄂᆡ
나도 이 봄 오고 이 플 프르기 ᄀᆞᄐᆡ
어ᄂᆞ날 고향(故鄕)의 도라가 노모(老母)ᄭᅴ 뵈오려뇨

〈제1수〉

*친년(親年)은 칠십오(七十五)ㅣ오 *영로(嶺路)ᄂᆞᆫ 수천리(數千里)오
도라갈 기약(期約)은 가디록 아득ᄒᆞ다
아마도 ᄌᆞᆷ 업ᄉᆞᆫ 중야(中夜)의 눈믈계워 셜웨라

〈제2수〉

㉡기럭이 아니 ᄂᆞ니 편지(片紙)를 뉘 전(傳)ᄒᆞ리
시름이 ᄀᆞ득ᄒᆞ니 ᄭᅮᆷ인ᄃᆞᆯ 이룰손가
매일(每日)의 노친(老親) 얼굴이 눈의 삼삼(森森)ᄒᆞ야라

〈제6수〉

– 이담명, 「사노친곡(思老親曲)」

- **친년** 어머님 연세.
- **영로** 고갯길.

기출

06 (가), (나)에 대한 설명으로 가장 적절한 것은?

① (나)와 달리 (가)는 대구법을 사용하여 운율을 형성하고 있다.
② (가)와 달리 (나)는 직유법을 사용하여 대상의 속성을 드러내고 있다.
③ (가)와 (나)는 모두 설의적 표현을 사용하여 의미를 강조하고 있다.
④ (가)와 (나)는 모두 의성어를 활용하여 대상의 생동감을 드러내고 있다.
⑤ (가)와 (나)는 모두 의인법을 활용하여 대상을 친근하게 드러내고 있다.

기출 변형

07 〈보기〉를 바탕으로 (가)를 감상한 내용으로 적절하지 않은 것은?

> 보기
>
> 정쟁(政爭)으로 인한 낙향이나 유배는 많은 문학 작품 창작의 계기가 되었다. 이러한 작품에 드러난 그리움과 원망의 정서는 충(忠)을 적극적으로 실현할 수 없는 작가의 처지에서 기인한다. 그리움은 이별의 슬픔, 임금에 대한 연모와 감사 등으로 표출되며 이 과정에서 우의적 형상화가 나타나기도 한다. 또한 원망은 정치적 반대 세력에 대한 울분, 자신을 잊은 임금에 대한 서운함, 죄를 지은 자신에 대한 자책 등으로 드러난다.

① 화자를 '님'을 잃은 여인의 모습으로 설정하여 임금과 작가 자신의 관계를 우의적으로 형상화하고 있군.
② '내 몸의 지은 죄'에는 임금을 잘 모시지 못한 자신을 자책하는 모습이 나타나 있군.
③ '셜워 플텨 혜'는 화자의 모습에서 자신을 잊은 임금에 대한 서운함을 드러내고 있군.
④ '옥 ᄀᆞᄐᆞᆫ 얼굴이 반이나마 늘거셰라'를 통해 임금에 대한 충을 실현할 수 없는 신하의 염려를 드러내고 있군.
⑤ '눈믈이 바라 나'는 화자의 모습에서 이별의 슬픔과 임금에 대한 연모를 표현하고 있군.

기출

08 ㉠과 ㉡의 공통점으로 가장 적절한 것은?

① 화자의 소망을 실현해 주는 소재이다.
② 화자의 감정이 이입되어 있는 소재이다.
③ 화자가 추구하는 이상향을 드러내는 소재이다.
④ 화자가 처한 현실 상황을 깨닫게 하는 소재이다.
⑤ 자연에 대한 화자의 경외감을 보여 주는 소재이다.

Q31 가사

기출 EBS

▶출제 예감!

고공가 | 고공답주인가

키워드 체크 ㉮ #임진왜란 직후 #비유적 #비판적 ㉯ #문제 해결 방안 제시 #연쇄법

핵심 포인트

㉮와 ㉯의 관계

㉮의 화자		㉯의 화자
새끼 ᄭᅩ는 주인	비판 → ← 충고	어른 종

↓

㉯는 ㉮의 답가로 창작된 작품임.

㉮ 현실의 비유

임진왜란	도적의 침입
↓	↓
피폐한 나라	몰락한 집안
임금 / 신하	주인 / 종

↓

- 국가의 살림을 집안의 살림에 비유함.
- 태만하며 당쟁만 일삼는 신하를 비판함.

㉯ 상전에 대한 화자의 태도

'큰나큰 기운 집의 ~ 편ᄒᆞ실 적 몇 날이리'	안타까움과 걱정
'이 집 이리 되기 ~ 마누라 타시로다'	책임을 물음.

연계 작품

- **국가를 집으로 표현한 작품**: 정철 「어와 동량재를」 ⋯ 기출 딥러닝 100쪽
- **현실에 대한 비판 의식이 나타난 작품**: 장유 「곡목설」, 작자 미상 「두터비 ᄑᆞ리를 물고」

㉮

집의 옷 밥 제쳐 놓고 •들먹는 져 •고공(雇工)아
우리 집 긔별을 아는다 모로는다
비 오는 날 일 없을 때 새끼 ᄭᅩ며 니ᄅᆞ리라
㉠처음의 ᄒᆞᆫ아비 살림살이하려 할 때
인심(仁心)을 많이 쓰니 사ᄅᆞᆷ이 졀로 모여
풀 베고 터를 닦아 큰 집을 지어 내고
써레 보습 쟁기 쇼로 전답(田畓)을 갈아 일궈
올벼논 텃밭이 여드레 갈이로다
자손(子孫)에 전계(傳繼)ᄒᆞ야 대대(代代)로 내려오니
논밭도 좋거니와 ㉡고공(雇工)도 근검(勤儉)터라
저희마다 농사지어 •가ᄋᆞᆷ여리 살던 것을
요사이 고공(雇工)들은 혬이 어찌 아주 업서
㉢밥 사발 크나 작으나 •동옷이 좋고 즈나
ᄆᆞᄋᆞᆷ을 다투는 듯 •호수(戶首)를 샘하는 듯
무슴 일 감겨드러 흘깃할깃 ᄒᆞᄂᆞ순다
너희ᄂᆡ 일 아니 하고 시절(時節)까지 사나워서
가뜩이나 ᄂᆡ 살림이 줄어들게 되야는ᄃᆡ
엇그제 ㉣화강도(火強盜)에 가산(家產)을 탕진(蕩盡)ᄒᆞ니
집 ᄒᆞ나 불에 타고 먹을 썻이 전혀 업다
큰나 큰 셰ᄉᆞ(歲事)을 엇지ᄒᆞ여 이루려나
김가(金哥) 이가(李哥) 고공(雇工)들아 새 마음 먹어스라
너희ᄂᆡ 젊어는다 혬 하려 아니순다
ᄒᆞᆫ 소ᄐᆡ 밥 먹으며 매양의 •회회(恢恢)ᄒᆞ랴
ᄒᆞᆫ ᄆᆞᄋᆞᆷ ᄒᆞᆫ 뜻으로 농사를 지어스라
ᄒᆞᆫ 집이 가ᄋᆞᆷ열면 옷밥을 분별(分別)ᄒᆞ랴 〈중략〉
㉤너희ᄂᆡ ᄃᆞ리고 새 살림 사쟈 ᄒᆞ니
엇그지 왓던 도적 아니 멀리 갓다 ᄒᆞᄃᆡ
너희ᄂᆡ 귀눈 업서 져런 줄 모르관ᄃᆡ
화살을 전혀 언고 옷밥만 다투는다
너희ᄂᆡ ᄃᆞ리고 •ᄐᆞᆸ는가 주리는가
죽조반(粥早般) 아춤저녁 더 ᄒᆞ다 먹엿거든
은혜란 ᄉᆡᆼ각 아녀 제 일만 ᄒᆞ려 ᄒᆞ니
혬 혜는 새 들이리 어ᄂᆡ 제 얻어 이셔
집일을 맏기고 시름을 니즈려뇨
너희 일 ᄋᆡᄃᆞ라 ᄒᆞ며셔 ᄉᆞᆺ ᄒᆞᆫ ᄉᆞ리 다 ᄭᅩ괘라

– 허전, 「고공가(雇工歌)」

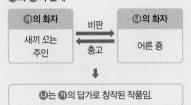

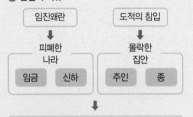

(나) 우리 댁 살림이 녜부터 이러튼가
전민(田民)이 많단 말이 일국(一國)에 소문이 났는데
먹고 입으며 드나드는 종이 백여 명이 넘는데도
무슨 일 ᄒᆞ노라 텃밭을 묵혔는가
농장이 업다ᄒᆞᄂᆞᆫ가 호미 연장 못 갖추었는가
날마다 무엇ᄒᆞ려 밥만 먹고 다니면서
열나모 정자 아래 낫줌만 자는가
아이들 탓이던가
우리 댁 종의 버릇 볼수록 이상하구나
ⓐ<u>쇼 먹이는 아이들이 상마름을 능욕하고</u>
오고 가는 어린 손들 큰 양반을 •기롱(譏弄)한다
ⓑ<u>옳지 못하게 재산 모아 다른 꾀로 제 일하니</u>
한 집의 많은 일을 뉘라서 힘써 할까
곡식고(穀食庫) 븨엿거든 •고직(庫直)인들 어이ᄒᆞ며
세간 살림 흐터지니 질그릇인들 어이ᄒᆞᆯ고
내 왼줄 내 몰라도 남 왼줄 모를넌가
ⓒ<u>플치거니 맷히거니 헐뜯거니 돕거니</u>
ᄒᆞ로 열두 때 어수선 핀 거이고
바깥 •별감 많이 있어 바깥 마름 •달화주도
ⓓ<u>제 소임 다 바리고 몸 ᄡᅳ릴 ᄲᅮᆫ이로다</u>
비 ᄉᆡ여 셔근 집을 뉘라셔 곳쳐 이며
옷 버서 문허진 담 뉘라셔 곳쳐 쌀고
불한당 구멍 도적 아니 멀니 단이거든
화살 춘 •수하상직(誰何上直) 뉘라셔 힘써 ᄒᆞᆯ고
큰나큰 기운 집의 •마누라 혼자 안자
명령을 뉘 드ᄅᆞ며 논의를 눌라 ᄒᆞᆯ고
낫 시름 밤 근심 혼자 맛다 계시거니
옥 ᄀᆞᆺ튼 얼굴리 편ᄒᆞ실 적 몇 날이리
이 집 이리 되기 뉘 타시라 ᄒᆞᆯ셔이고
혬 업는 종의 일은 뭇도 아니 ᄒᆞ려니와
도로혀 혜여ᄒᆞ니 마누라 타시로다
ᄂᆡ 주인 외다 ᄒᆞ기 종의 죄 만컨마ᄂᆞᆫ
그러타 세상 보려 민망ᄒᆞ야 사뢰나이다
새끼 ᄭᅩ기 마르시고 내 말솜 드로쇼셔
ⓔ<u>집일을 곳치거든 종들을 휘오시고</u>
종들을 휘오거든 상벌(賞罰)을 밝히시고
상벌(賞罰)을 밝히거든 어른 종을 미드쇼셔
진실노 이리 ᄒᆞ시면 •가도(家道) 절노 닐니이다

- 이원익, 「고공답주인가(雇工答主人歌)」

기출 OX

Q1 (가)에는 부정적인 상황을 극복하고자 하는 화자의 의지가 드러나 있다.
기출 2011. 6. 모평 (O | X)

Q2 (가)는 청자에게 말을 건네는 방식으로 깨우침을 주고 있다.
기출 2015. 9. 고2 (O | X)

Q3 (나)는 가상의 사례를 들어 가치관의 대립을 강조하고 있다. 기출 2018. 3. 고2 (O | X)

Q4 (나)의 '녜부터 이러튼가'로 보아 나라의 상황이 오래전부터 황폐했음을 알 수 있다.
기출 2013. 9. 고2 B (O | X)

- **들먹눈** 빌어먹는.
- **고공** 머슴.
- **가옴여리** 부유하게.
- **동옷** 남자가 입는 저고리.
- **호수** 다섯 가구의 장. 여기에서는 고공의 우두머리라는 뜻으로 쓰임.
- **회회** 서로 다투는 모양.
- **팁눈가** 추운가.
- **기롱한다** 기롱하는가. '기롱하다'는 '실없는 말로 놀리다'라는 의미임.
- **고직** 고지기. 관아의 창고를 보살피고 지키던 사람.
- **별감** 사내 하인끼리 서로 존대하여 부르던 말.
- **달화주** 주인집 밖에서 생활하는 종들에게서 주인에게 내야 할 대가를 받아오는 일을 맡아보던 사람.
- **수하상직** "누구냐!" 하고 외치는 상직군.
- **마누라** 상전, 마님 등을 이르는 말.
- **가도** ① 집안에서 마땅히 지켜야 할 도덕적 규범. ② 집안 살림을 하여 가는 방도.

답 Q1 O Q2 O Q3 X Q4 X

01 (가), (나)의 공통점으로 가장 적절한 것은?

① 과거 사실에 대한 반성적 성찰이 드러나 있다.
② 자연물에 인격을 부여하여 대상을 예찬하고 있다.
③ 대상을 호명하여 화자의 친밀감을 드러내고 있다.
④ 담담한 어조를 통해 현실 순응적인 태도를 나타내고 있다.
⑤ 현실에 대한 비판적 인식을 기반으로 내용을 전개하고 있다.

기출 변형 2018학년도 3월 고2 학력평가

02 (가), (나)에 대한 설명으로 적절하지 않은 것은?

① (가)에서는 과거와 현재를 대비하여 시상을 전개하고 있다.
② (가)에서는 직유법을 사용하여 머슴들로 인한 피해를 드러내고 있다.
③ (나)에서는 대구를 활용하여 문제 상황을 제시하고 있다.
④ (나)에서는 설의적 표현을 통해 '마누라'의 심리적 부담감을 부각하고 있다.
⑤ (나)에서는 앞말을 다음 구절에 반복하는 방식을 통해 청자가 우선적으로 해야 할 일을 제시하고 있다.

03 (가)의 시상 전개 방식을 〈보기〉와 같이 나타낼 때, [A]~[D]에 대한 설명으로 적절하지 않은 것은?

보기

[A]		[B]		[C]		[D]
집안 내력	➡	문제 상황	➡	문제의 원인	➡	문제의 해결

① [A]: 조상들이 인심을 많이 쓰고 고공들도 근검하여 재산을 축적함.
② [B]: 살림살이가 점점 줄어듦.
③ [C]: 고공들이 서로 다투고 시기함.
④ [C]: 화강도가 침입하여 가산을 탕진함.
⑤ [D]: 고공들을 믿고 집안일을 맡겨 시름을 잊음.

기출 변형 2015학년도 9월 고2 학력평가

04 〈보기〉를 참고하여 ㉠~㉤을 이해한 내용으로 적절하지 않은 것은?

보기

임진왜란 직후 허전이 쓴 「고공가」는 국사(國事)를 한 집안의 일에 비유하여, 왜적의 침입으로 백성들이 어려움에 빠졌음에도 당파 싸움만 일삼는 무능하고 부패한 당시 신하들의 각성을 촉구한 작품이다.

① 나라를 '한 집안'에 비유하였으므로 ㉠은 조선을 건국한 이성계를 의미하겠군.
② ㉡은 근검의 덕목을 지녔던 건국 초기의 신하들을 의미하겠군.
③ ㉢은 당파 싸움을 일삼던 신하들의 사리사욕을 채우기 위한 벼슬자리를 의미하겠군.
④ ㉣은 나라의 형편을 악화시키는 원인으로 당시 조선을 침략한 왜적을 의미하겠군.
⑤ ㉤은 어려움에 빠진 백성들을 구할 새로운 인재를 의미하겠군.

기출 변형 2011학년도 7월 고3 학력평가

05 ⓐ~ⓔ 중, 그 성격이 다른 것은?

① ⓐ ② ⓑ ③ ⓒ ④ ⓓ ⑤ ⓔ

06 (나)에 나타난 화자의 태도를 고려할 때, 화자가 마누라에게 할 말로 가장 적절한 것은?

① 저는 당신에 비하면 정말 보잘것없어 제 삶에 회의를 느끼게 됩니다.
② 의논할 상대 없이 홀로 근심하고 있는 당신의 처지가 정말 안타깝습니다.
③ 저는 완벽하게 일을 처리하고 슬기롭게 문제를 해결하는 당신을 정말 존경합니다.
④ 당신의 삶을 바라보고 있자니 저희 집의 상황과 제 인생의 의미를 생각해 보게 됩니다.
⑤ 저는 집안을 일으키고 싶은 당신의 마음을 충분히 알고 있고 당신의 선택을 응원합니다.

07 (가)와 관련지어 (나)를 이해할 때, (나)의 창작 의도로 가장 적절한 것은?

① 무능한 신하들을 대체할 수 있는 새로운 인재를 등용할 것을 주장하기 위해서
② 임금이 자신의 잘못을 반성하고 신하들을 존중해야 한다는 것을 깨닫게 하기 위해서
③ 국가의 재건을 위해서는 임금이 신하를 신뢰하고 서로 합심해야 한다는 교훈을 주기 위해서
④ 정치와 경제는 떼려야 뗄 수 없는 관계이므로 두 영역의 조화를 추구해야 한다는 것을 강조하기 위해서
⑤ 신하들 간의 갈등을 해결하기 위해서는 조정에서 모든 신하들을 공정하게 대해야 한다는 것을 알리기 위해서

고난도 기출 변형 2018학년도 3월 고2 학력평가

08 〈보기〉를 바탕으로 (가), (나)에 대해 이해한 내용으로 적절하지 않은 것은?

보기

문학 작품에 등장하는 인물의 발화는 작가에 의해 기획되고 통제된다. 화자의 역할을 맡은 인물이 청자를 상정하지만 독백에 가까운 형태로 발화가 이루어지기도 하고, 인물들 간에 주고받는 발화로 구성된 대화가 작품 내에서 나타나기도 하며, 발화의 주고받음이 텍스트 단위로 이루어지면서 '텍스트 간의 대화'가 나타나기도 한다. 작가는 이와 같이 발화 내용 및 발화들 간의 관계를 주재하고 조정함으로써 전달하고자 하는 내용과 의도를 구체화한다.

① (가)와 (나) 사이에는 텍스트 간의 대화가 이루어지고 있다.
② (가)에서는 청자로 호명된 '고공'의 반응이 제시되지 않아 화자의 발화가 독백에 가까운 형태로 전달되고 있다.
③ (나)는 이 작품이 (가)에 대한 화답임을 알 수 있게 하는 표지를 포함하고 있다.
④ (나)에서는 인물들 간의 대화를 통해 (가)의 청자에게까지 공감의 확대를 꾀하고 있다.
⑤ (나)의 화자는 (가)의 화자를 청자로 상정하여 자신이 전달하고자 하는 의도를 구체화하고 있다.

현대어 풀이를 확인해 보세요

가 • • 제 집 옷과 밥을 두고 빌어먹는 저 □□아, 우리 집 소식을 아느냐 모르느냐? 비 오는 날 일 없을 때 새끼 꼬면서 말하리라.

• • 처음에 할아버님께서 살림살이를 시작할 때에, 어진 마음을 베푸시니 사람들이 저절로 모여, 풀을 베고 터를 닦아 큰 집을 지어 내고, 써레, 보습, 쟁기, 소로 논밭을 갈아 일구니, 올벼논과 텃밭이 여드레 동안 갈 만한 큰 땅이 되었도다. 자손에게 물려주어 대대로 내려오니, 논밭도 좋거니와 머슴들도 근검하더라.

• • 저희마다 □□지어 부유하게 살던 것을, 요새 머슴들은 생각이 어찌 아주 없어서, 밥그릇이 크거나 작거나 입은 옷이 좋거나 나쁘거나, 마음을 다투는 듯 우두머리를 시기하는 듯, 무슨 일에 감겨들어 흘깃흘깃 반목을 일삼느냐? 너희들 일 아니 하고 흉년까지 들어서, 가뜩이나 내 살림이 줄어들게 되었는데, 엊그제 □□□를 만나 가산을 탕진하니, 집은 불타 버리고 먹을 것이 전혀 없다. 크나큰 세간살이를 어떻게 해서 일으키려는가? 김가 이가 머슴들아, 새 마음을 먹으려무나.

• • 너희들 젊었다 하여 □□하려고 아니하느냐? 한 솥에 밥 먹으며 항상 서로 다투기만 하겠느냐? 한 마음 한 뜻으로 농사를 짓자꾸나. 한 집이 부유하게 되면 옷밥을 차별하랴? 〈중략〉

• • 너희를 데리고 새 살림을 살려 하니, 엊그제 왔던 □□ 멀리 가지 않았다는데, 너희는 귀와 눈이 없어 저런 줄 모르는지, 화살을 전혀 준비하지 않고 옷밥만 다투는구나. 너희들 데리고 추운가 굶주리는가. 죽조반 아침저녁 더 해서 먹였는데, 은혜는 생각하지 않고 자기에게 이익이 되는 일만 하려 하니, 생각 있는 새 머슴을 어느 때에 얻어서 집안일을 맡기고 시름을 잊겠느냐. 너희 일을 애달파하면서 새끼 한 사리를 다 꼬았다.

나 • • 우리 댁 살림이 예부터 이렇던가. 농민이 많단 말이 온 나라에 소문이 났는데, 먹고 입으며 드나드는 종이 백여 명이 넘는데도, 무슨 일 하느라 텃밭을 묵혔는가. 농장이 없다던가? 호미 연장 못 갖추었나? 날마다 무엇 하러 밥만 먹고 다니면서 열나무 정자 아래 □□만 자는가? 아이들 탓이던가? 우리 집 종의 버릇 볼수록 이상하구나. 소 먹이는 아이들이 높은 마름을 능욕하고, 오고 가는 어린 손들 큰 양반을 실없는 말로 놀리는구나. 옳지 못하게 재산 모아 다른 꾀로 자기 이익만 챙기니, 한 집의 많은 일을 누가 힘써 할까? 곡식고 비었거든 창고지기인들 어이하며, □□ 살림이 흩어지니 질그릇인들 어이할꼬. 내 그른 줄 내 몰라도 남 그른 줄 모르겠는가. 풀어헤치거니 맺거니 헐뜯거니 돕거니, 하루 열두 때 어수선 피는 것인가. 바깥 별감 많이 있어 바깥 마름 달화주도 제 소임 다 버리고 몸 사릴 뿐이로다.

• • 비 새어 □□ □을 누가 고쳐 이며 옷 벗어 무너진 담 누가 고쳐 쌓을꼬. 불한당 구멍 □□ 아니 멀리 다니거든, 화살 찬 수하상직을 누가 힘써 할꼬. 크게 기운 집에 마누라 혼자 앉아, 명령을 누가 들으며 누구와 논의할까? 낮 시름 밤 근심 혼자 맡아 계시거니, 옥 같은 얼굴이 편하실 적 몇 날이리. 이 집 이리 되기 뉘 탓이라 할 것인고. 생각 없는 종의 일은 묻지도 아니 하려니와, 돌이켜 생각하니 □□□ 탓이로다.

• • 내 주인 그르다 하기에는 종의 죄 많건마는, 그렇지만 세상 보기에 민망하여 아룁니다. 새끼 꼬기 멈추시고 내 말씀 들으소서. 집일을 고치거든 종들을 휘어잡고, 종들을 휘어잡거든 □□을 밝히시고, 상벌을 밝히거든 어른 종을 믿으소서. 진실로 이리 하시면 가도가 절로 일어날 것입니다.

답 머슴, 농사, 화강도, 생각, 도적, 낮잠, 세간, 썩은 집, 도적, 마누라, 상벌

기출 딥러닝 2016학년도 수능 B형

[09~11] 다음 글을 읽고 물음에 답하시오.

(가) 어와 *동량재(棟梁材)를 뎌리 ᄒᆞ야 어이 ᄒᆞᆯ고
헐뜨더 **기운 집**의 **의논(議論)**도 하도 할샤
뭇 목수 *고자(庫子) 자 들고 허둥대다 말려ᄂᆞ다

- 정철

• **동량재** 건축물의 마룻대와 들보로 쓸 만한 재목.
• **고자 자** 창고지기가 쓰는 작은 자.

(나) 바깥 별감 많이 있어 ㉠바깥 마름 달화주도
제 소임 다 바리고 몸 ᄭᅳ릴 ᄲᅮᆫ이로다
비 시여 셔근 집을 뉘라셔 곳쳐 이며
옷 버서 **문허진 담** 뉘라셔 곳쳐 쏠고
㉡불한당 구멍 도적 아니 멀니 단이거든
화살 츤 수하상직(誰何上直) 뉘라셔 힘써 ᄒᆞᆯ고
큰나큰 **기운 집**의 마누라 혼자 안자
명령을 뉘 드ᄅᆞ며 **논의**를 눌라 ᄒᆞᆯ고
낫 시름 밤 근심 혼자 맛다 계시거니
옥 ᄀᆞᆺ튼 얼굴리 편ᄒᆞ실 적 몇 날이리
이 집 이리 되기 뉘 타시라 ᄒᆞᆯ셔이고
혬 업는 죵의 일은 뭇도 아니 ᄒᆞ려니와
도로혀 혜여ᄒᆞ니 마누라 타시로다
㉢너 주인 외다 ᄒᆞ기 죵의 죄 만컨마는
그러타 세상 보려 민망ᄒᆞ야 사뢰나이다
㉣새끼 ᄭᅩ기 마르시고 내 말솜 드로쇼셔
집일을 곳치거든 죵들을 휘오시고
죵들을 휘오거든 상벌을 밝히시고
㉤상벌을 밝히거든 **어른 죵**을 미드쇼셔
진실노 이리 ᄒᆞ시면 가도(家道) 절노 닐니이다

- 이원익, 「고공답주인가(雇工答主人歌)」

기출 변형

09 (가), (나)의 표현 방식에 대한 설명으로 적절하지 않은 것은?

① (가)와 달리 (나)에서는 연쇄와 반복을 통해 리듬감이 나타나고 있다.
② (가)와 달리 (나)에서는 직유의 방식을 통해 대상의 이미지가 드러나고 있다.
③ (가), (나)에는 모두 현재 세태에 대한 비판이 드러나 있다.
④ (가), (나)에서는 모두 색채어를 통해 대상의 면모가 강조되고 있다.
⑤ (가), (나)에서는 모두 설의적인 표현을 통해 안타까움의 정서를 강조하고 있다.

기출 변형

10 ㉠~㉤에 대한 이해로 가장 적절한 것은?

① ㉠: 잘못된 일을 고치도록 화자가 설득하고 있는 청자
② ㉡: 화자가 일을 가르쳐 집안일을 맡기고자 하는 인재
③ ㉢: 사리사욕을 챙기기에 바빠 화자에 의해 비판을 받고 있는 존재
④ ㉣: 화자가 청자에게 당부하는 시급하고 중요한 행위
⑤ ㉤: 화자가 공정하고 엄중하게 시행되기를 바라고 있는 일

고난도 기출

11 〈보기〉를 참고하여 (가), (나)를 감상한 내용으로 가장 적절한 것은?

보기

유학 이념에서는 국가를 가족의 확장된 형태로 본다. 집안의 화목을 위해서는 구성원들이 자기 역할에 충실해야 하듯, 국가의 안정적인 경영을 위해서는 군신(君臣)이 본분을 다해야 한다. 조선 시대 시가에서는 이러한 이념을 담아 국가를 집으로 표현하는 경우가 많다.

① (가)의 '동량재'와 (나)의 '어른 죵'은 모두 국가의 바람직한 경영을 위해 요구되는 중요한 요소를 뜻하겠군.
② (가)의 '기운 집'은 위태로운 상태에 놓인 국가를, (나)의 '기운 집'은 되돌릴 길 없이 기울어 패망한 국가를 나타내겠군.
③ (가)의 '의논'과 (나)의 '논의'는 모두 국가 대사를 위해 임금과 신하가 합의하여 도출해 낸 올바른 대책을 뜻하겠군.
④ (가)의 '뭇 목수'는 조정의 일에 무관심한 신하들을, (나)의 '혬 업는 죵'은 조정의 일에 지나치게 관여하는 신하를 나타내겠군.
⑤ (가)의 '고자 자'와 (나)의 '문허진 담'은 모두 외세의 침입에 협조하며 국익을 저버리고 사익을 추구하는 마음을 뜻하겠군.

Q32 가사

기출

▶출제 예감!

탄궁가(嘆窮歌) | 정훈

키워드 체크 #구체적·사실적 묘사 #가난의 고통과 수용 #가난의 의인화

핵심 포인트

작가의 경험을 통한 가난의 묘사

농사짓기 힘든 상황	빌린 농기구, 상한 씨앗, 비웃는 종들, 잡초만 무성한 밭
어려운 살림살이	일상생활(환곡 장리 갚기, 부역과 세금, 제사와 잔치)의 어려움, 쓸 일 없는 베틀과 시루 솥

⬇

관념적인 기존 양반 문학과 달리 가난을 구체적·사실적으로 묘사함.

화자의 태도 변화

화자의 기존 인식

고통스러운 가난 속에서 벗어나고 싶음.

⬇

- 가난을 의인화하여 '궁귀(가난 귀신)'라고 부르며 떠나 줄 것을 요구함.
- 궁귀는 평생을 함께한 사이임을 내세우며 화자를 꾸짖음.

⬇

화자의 인식 전환

궁귀의 말에 동의하며 가난을 수용함.

연계 작품

- 사대부의 가난한 삶을 형상화한 작품: 박인로 「누항사」
- 대상을 귀신으로 표현해 화자의 정서를 드러낸 작품: 작자 미상 「봉선화가」

기출 OX

Q1 의인화를 사용하여 해학적 분위기를 조성하고 있다. 기출 2012. 9. 고2 B (O | X)

Q2 '하늘'은 화자의 신세를 위로하는 존재이다. 기출 2012. 9. 고2 B (O | X)

Q3 가난으로 인해 마땅히 해야 할 도리를 다할 수 없을 것에 대한 염려가 나타나 있다. 기출 2016. 9. 모평 A (O | X)

답 Q1 O Q2 X Q3 O

(가)

하늘이 삼기심을 일정 고루 하련마는 ┐
어찌한 인생(人生)이 이대도록 •고초(苦楚)한고 ┘[A]
•삼순구식(三旬九食)을 얻거나 못 얻거나
•십 년 일관(十年一冠)을 쓰거나 못 쓰거나
•안표 누공(顔瓢屢空)인들 나같이 비었으며
•원헌 간난(原憲艱難)인들 나같이 극심할까

(나)

춘일(春日)이 더디 흘러 ㉠뻐꾸기가 보채거늘
동린(東鄰)에 •따비 얻고 서사(西舍)에 호미 얻고
집 안에 들어가 씨앗을 마련하니
올벼 씨 한 말은 반(半) 나마 쥐 먹었고
기장 피 조 팥은 서너 되 부쳤거늘
•한아한 식구(食口) 이리하야 어이 살리

(다)

이봐 아희들아 아무려나 힘써 쓰라
죽 쑨 물 상전 먹고 건더기 건져 종을 주니
눈 위에 바늘 젓고 코로는 휘파람 분다
올벼는 한 발 뜯고 조 팥은 다 묵히니
•**싸리피 바랑이**는 나기도 싫지 않던가
환곡 장리(長利)는 무엇으로 장만하며
㉡부역(負役) 세금은 어찌하야 차려 낼꼬
•백이사지(百爾思之)라도 견딜 가능성이 전혀 없다
㉢•장초(萇楚)의 무지(無知)를 **부러워하나 어찌하리**

(라)

시절이 풍년인들 지어미 배부르며
겨울을 덥다 한들 몸을 어이 가리올꼬
베틀 북도 쓸데없어 공벽(空壁)에 남아 있고
시루 솥도 버려 두니 ㉣붉은빛이 다 되었다
세시(歲時) 절기 •명일 기제(名日忌祭)는 무엇으로 제사하며
원근 친척(遠近親戚) 내빈왕객(來賓往客)은 어이하야 접대할꼬
이 얼굴 지녀 있어 어려운 일 하고많다

마 이 원수 궁귀(窮鬼)를 어이하야 여희려뇨
술에 ⓜ 후량(餱粮)을 갖추오고 이름 불러 전송(餞送)하야
일길신량(日吉辰良)에 사방(四方)으로 가라 하니
추추분분(啾啾憤憤)하야 원노(怨怒)하야 니론 말이
자소지로(自少至老)히 희로우락(喜怒憂樂)을 너와로 함께하야
죽거나 살거나 녀흴 줄이 없었거늘
어디 가 뉘 말 듣고 가라 하여 니라나뇨
우는 듯 꾸짖는 듯 온 가지로 협박커늘
돌이켜 생각하니 네 말도 다 옳도다

바 무정(無情)한 세상(世上)은 다 나를 버리거늘
네 호자 유신(有信)하야 나를 아니 버리거든
인위(人威)로 피절(避絕)하여 좀꾀로 여흴러냐
하늘 삼긴 이내 궁(窮)을 설마한들 어이하리 ┐
빈천(貧賤)도 내 분(分)이어니 셜워 므슴하리 ┘ [B]

- **고초한고** 고난스러운가.
- **삼순구식** 삼십 일에 아홉 끼니밖에 먹지 못하는 몹시 가난한 생활.
- **십 년 일관** 십 년 동안 한 갓만 쓴다는 뜻으로, 지독히 가난함을 이름.
- **안표 누공** 공자의 제자인 안연이 가난하여 음식을 담는 표주박이 자주 비었음을 이르는 말.
- **원헌 간난** 공자의 제자인 원헌이 몹시 가난했음을 이르는 말.
- **따비** 쟁기. 풀뿌리를 뽑거나 밭을 가는 데 쓰는 농기구.
- **한아한** 춥고 굶주린.
- **싸리피 바랑이** 둘 다 잡초의 일종.
- **백이사지** 이리저리 여러 가지로 생각함.
- **장초의 무지** 『시경』의 한 구절로, '진펄에 난 잡초가 아무것도 모르고 자라남.'을 뜻함.
- **명일 기제** 명절 때의 각종 잔치와 제사.
- **후량** 말린 음식.
- **일길신량** 경사스러운 행사를 거행하려고 미리 받아 놓은 날짜가 길하고 때가 좋음.
- **추추분분** 시끄럽게 떠들며 화를 냄.
- **자소지로** 어릴 때부터 늙을 때까지.
- **피절하여** 피하여 관계를 끊어.

01 윗글의 화자가 자신의 처지를 드러내는 방식을 골라 알맞게 묶은 것은?

보기
ㄱ. 가난한 탓에 쓸모가 없어져 버린 일상의 소재들을 나열한다.
ㄴ. 가난 때문에 세상으로부터 버림받았던 과거의 사연을 들려준다.
ㄷ. 가난을 지금껏 자신의 곁을 떠난 적 없던 귀신으로 형상화한다.
ㄹ. 자신과 유사한 상황에 처했던 고사(故事) 속 인물과 자신을 비교한다.
ㅁ. 자신의 삶을 혹독한 추위를 견디며 서 있는 자연물에 빗대어 나타낸다.

① ㄱ, ㄴ, ㄷ ② ㄱ, ㄷ, ㄹ ③ ㄴ, ㄷ, ㄹ
④ ㄴ, ㄹ, ㅁ ⑤ ㄷ, ㄹ, ㅁ

02 (가), (라)에 공통적으로 사용된 표현 방식으로 가장 적절한 것은?

① 시간의 흐름에 따라 시상을 전개하고 있다.
② 유사한 통사 구조를 반복적으로 사용하고 있다.
③ 자연과 인간의 속성을 대조적으로 제시하고 있다.
④ 외부의 정경을 먼저 제시한 후 화자의 정서를 드러내고 있다.
⑤ 스스로 질문을 던지고 그에 대답하는 방식을 사용하고 있다.

03 ㉠~㉤에 대한 설명으로 적절하지 않은 것은?

① ㉠: 농사를 시작할 때가 되었음을 알려 주는 대상이다.
② ㉡: 외부로부터 주어진 의무로, 화자에게 부담을 주는 대상이다.
③ ㉢: 시련 속에서도 중심을 잃지 않는 삶의 자세를 일깨워 주는 대상이다.
④ ㉣: 화자의 궁핍한 처지를 시각적 이미지로 나타낸 것이다.
⑤ ㉤: 부족하지만 예를 갖추어 궁귀를 떠나보내려는 화자의 배려가 담긴 대상이다.

04 [A], [B]에 주목하여 윗글을 감상한 내용으로 가장 적절한 것은?

① [A]의 '일정 고루 하려마는'에 나타난, 모든 사람은 평등하다는 화자의 신념이 [B]의 '하늘 삼긴 이내 궁'에 이르러서 강화되어 있군.

② [A]의 '어찌한 인생'에 나타난 화자의 비관적 인생관이, '싸리피 바랑이'에 이르러서는 낙관적 세계관으로 변화되어 있군.

③ 화자의 가난한 삶이 '이대도록 고초한고'에서는 탄식의 대상이지만, [B]의 '셜워 므슴하리'에 이르러서는 체념적 수용의 대상으로 변모되어 있군.

④ '부러워하나 어찌하리'에 나타난 화자의 열등감이, [B]의 '설마한들 어이하리'에 이르러서는 우월감으로 극복되어 있군.

⑤ '이 얼굴 지녀 있어'에서는 화자가 자신의 능력에 대해 자신감을 보이나, [B]의 '빈천도 내 분'에 이르러서는 그 자신감이 약화되어 있군.

05 윗글의 화자 '갑'과 〈보기〉의 화자 '을'에 대한 설명으로 적절하지 <u>않은</u> 것은?

보기

강호(江湖) 한 꿈을 꾸언 지도 오래러니
*구복(口腹)이 *위루(爲累)하야 어지버 이져떠다 〈중략〉
내 빈천(貧賤) 슬피 너겨 손을 헤다 물러가며
남의 부귀(富貴) 불리 너겨 손을 치다 나아 오랴
인간(人間) 어내 일이 명(命) 밧긔 삼겨시리
*빈이무원(貧而無怨)을 어렵다 하건마난
내 생애(生涯) 이러호대 설운 뜻은 업노왜라

– 박인로, 「누항사」 중

*구복: 생계. 먹고사는 일.
*위루: 누가 됨. 거리낌이 됨.
*빈이무원: 가난하지만 원망하지 않음.

① '갑'과 '을' 모두 현재 생계를 유지하는 데 어려움을 겪고 있다.

② '갑'과 '을' 모두 자신의 가난을 하늘이 정한 운명으로 받아들이고 있다.

③ '갑'과 '을' 모두 가난에 대한 경험을 토대로 물질을 추구하는 삶이 덧없음을 깨닫고 있다.

④ '을'과 달리 '갑'은 세상이 자신을 버렸다는 인식을 드러내고 있다.

⑤ '갑'과 달리 '을'은 중요한 삶의 가치를 떠올리며 그것을 잊고 살았던 자신을 되돌아보고 있다.

06 윗글을 바탕으로 화자의 삶의 모습을 담은 영상을 만들 때, 영상에 들어갈 장면으로 적절하지 <u>않은</u> 것은?

① 화자가 이웃집을 여기저기 다니며 농기구를 빌리는 장면

② 곡식보다 잡초가 더 무성하게 자란 밭을 보며 허탈해하는 장면

③ 겨울에도 옷을 제대로 갖춰 입지 못한 채 추위에 떨고 있는 장면

④ 힘들게 장만한 음식으로 조상들에게 정성껏 제사를 올리는 장면

⑤ 종들이 음식을 풍족하게 주지 못하는 화자에게 불만을 표현하는 장면

현대어 풀이를 확인해 보세요

• 가 하늘이 (사람을) 만드시길 일정하게 □□□ 하련마는, 어찌된 인생이 이토록 고난스러운가? 삼십 일에 아홉 끼니 얻거나 못 얻거나, 십 년에 갓 하나를 쓰거나 못 쓰거나, 안연의 밥그릇이 나같이 비었으며, 원헌의 가난인들 나같이 심했을까?

• 나 봄날이 더디 흘러 뻐꾸기가 보채거늘, 동편 이웃에 쟁기 얻고 서편 이웃에 호미 얻고, 집 안에 들어가 씨앗을 마련하니, 올벼 씨 한 말은 반 넘어 쥐 먹었고, 기장 피 조 팥은 서너 되 심었거늘, 춥고 굶주린 식구 이리하여 어찌 살아갈까.

• 다 이봐 아이들아 어쨌거나 힘써 일하라. (가난한 살림이라 면목 없어) 죽을 쑨 물은 상전이 먹고 건더기 건져 □을 주니, 눈살을 찌푸리며 콧방귀만 뀐다. 올벼는 한 발만 수확하고 조와 팥은 다 묵히니, 싸리피 바랑이 등 여러 잡초는 나기도 싫지 않던가. 나라 빚과 이자는 무엇으로 장만하며, □□과 세금은 어찌하여 채워 낼까? 이리저리 생각해도 견딜 수가 전혀 없다. □□가 아무 걱정 모르는 것을 부러우나 어찌하리?

• 라 시절이 풍년인들 지어미 배부르며, 겨울이 덥다 한들 무엇으로 몸을 가릴까? 베틀 북도 쓸데없이 빈 벽에 걸려 있고, 시루 솥도 버려두니 □□ □이 다 끼었다. 세시 절기 명절 제사는 무엇으로 받들어 올리며, 친척들과 손님들은 어찌하여 대접할까? 이 몰골 지니고 있어 어려운 일 많고 많다.

• 마 이 원수 같은 □□ 귀신을 어찌해야 이별할 수 있겠는가. 술에 말린 음식 갖추고 이름 불러 떠나보내, 좋은 날 좋은 때에 사방으로 가라 하니 시끄럽게 떠들며 화를 내어 이른 말이, "어려서부터 지금까지 기쁨, 노여움, 근심, 즐거움을 너와 함께하여, 죽거나 살거나 이별한 적이 없었거든, 어디 가 누구 말 듣고 가라고 말하느냐?" 타이르듯 꾸짖는 듯 온 가지로 협박하거늘, 돌이켜 생각하니 네 말이 다 옳도다.

• 바 무정한 세상은 다 나를 버리거늘, 너 혼자 □□가 있어 나를 아니 버리거든, 억지로 피하며 잔꾀로 헤어질 수 있겠느냐? 하늘이 만든 이내 궁핍 설마한들 어이하리. 가난과 천함도 내 □□이니 서러워한들 무엇하리.

답 골고루, 종, 부역, 잡초, 붉은 녹, 가난, 신의, 분수

가사

Q33

교과서 [문] 미래엔, 비상 기출 EBS

누항사(陋巷詞) | 박인로

▶해법문학 Link
고전 시가 246쪽

키워드 체크 #사실적 묘사 #선비의 궁핍한 생활 #안빈낙도 #유교적 정신

가 어리고 우활(迂闊)할산 이내 우해 더니 업다
길흉화복(吉凶禍福)을 하날긔 부쳐 두고
누항(陋巷) 깁푼 곳의 초막(草幕)을 지어 두고
•풍조우석(風朝雨夕)에 석은 짚히 셥히 되야
세 홉 밥 닷 홉 죽(粥)에 연기(煙氣)도 하도 할샤
㉠설 데인 숙냉(熟冷)애 뷘 배 속일 뿐이로다
생애 이러하다 장부(丈夫) 뜻을 옴길넌가
•안빈 일념(安貧一念)을 젹을망정 품고 이셔
수의(隨宜)로 살려 하니 날로 조차 저어(齟齬)하다

나 [A] ┌ 가을히 부족(不足)거든 봄이라 유여(有餘)하며
└ 주머니 뷔엿거든 병(甁)의라 담겨시랴
빈곤(貧困)한 인생(人生)이 천지간(天地間)의 나뿐이라
기한(飢寒)이 절신(切身)하다 일단심(一丹心)을 이질난가
분의 망신(奮義忘身)하야 죽어야 말녀 너겨
•우탁우낭(于橐于囊)의 줌줌이 모아 녀코
병과(兵戈) 오재(五載)예 •감사심(敢死心)을 가져 이셔
이시섭혈(履尸涉血)하야 몃 백전(百戰)을 지내연고

다 일신(一身)이 여가(餘暇) 잇사 일가(一家)를 도라보랴
㉡•일노장수(一奴長鬚)는 노주분(奴主分)을 이졋거든
•고여춘급(告余春及)을 어내 사이 생각하리
•경당문노(耕當問奴)인들 눌다려 물을난고
[B] ┌ 궁경가색(躬耕稼穡)이 내 분(分)인 줄 알리로다
│ •신야경수(莘野耕叟)와 •농상경옹(壟上耕翁)을 천(賤)타 하리 업것마는
└ 아므려 갈고젼들 어내 쇼로 갈로손고

라 •한기태심(旱旣太甚)하여 시절(時節)이 다 느즌 제
서주(西疇) 놉흔 논애 잠깐 갠 녈비예
•도상무원수(道上無源水)를 반쯤만 대혀 두고
ⓐ쇼 한 젹 듀마 하고 엄섬이 하는 말삼
[C] ┌ 친절호라 너긴 집의
│ 달 업슨 황혼의 허위허위 다라가셔
│ 구디 다든 문밧긔 어득히 혼자 셔셔
└ 큰 기침 •아함이를 •양구(良久)토록 하온 후에
어화 긔 뉘신고 염치업산 내옵노라

핵심 포인트

'누항'에 드러난 작가의 인생관

누항	• 『논어』에 등장하는 말로, '누추하고 좁은 집'을 가리킴. • 가난 속에서도 도학(道學)을 연마하는 즐거움을 즐기는 공간

↓

가난을 원망하지 않고 자연을 벗 삼아 풍류를 즐기고자 하는 '빈이무원(貧而無怨)'의 경지를 나타냄.

화자의 상황에 반영된 시대 현실

시대 현실	• 경제적으로 몰락한 양반의 증가 • 양반의 권위와 위상이 무너짐.

↓

화자의 상황	• 극심한 가난에 몸소 농사를 지음. • 이웃에게 소를 빌리러 가지만 거절당함.

'소 빌리기 일화'에 나타난 표현상의 특징

• 두 인물의 일상적 대화를 인용함.
• 음성 상징어를 사용하여 화자의 심리 변화를 해학적으로 그려 냄. (허위허위 → 설피설피)
• 시간적(초경)·공간적 배경(이웃집)이 드러남.

↓

현실의 체험을 구체적이고 생생하게 드러냄.

연계 작품

• 사대부의 가난한 삶을 사실적으로 형상화한 작품: 정훈 「탄궁가」
• 자연에 묻혀 사는 즐거움을 노래한 작품: 김천택 「전원에 나믄 흥을」

마 ⓑ초경(初更)도 거읜대 긔 엇지 와 겨신고
연년(年年)에 이러하기 구차한 줄 알건마난
쇼 업산 궁가(窮家)애 혜염 만하 왓삽노라
공하니나 갑시나 주엄 즉도 하다마는
다만 어제 밤의 거넨 집 저 사람이
목 불근 수기치(雉)를 •옥지읍(玉脂泣)게 꾸어 내고
간 이근 •**삼해주(三亥酒)**를 취(醉)토록 권하거든
ⓒ이러한 은혜를 어이 아니 갑흘넌고
내일로 주마 하고 큰 언약 하야거든
ⓓ•실약(失約)이 •미편(未便)하니 사설이 어려왜라
ⓔ실위(實爲) 그러하면 혈마 어이할고
㉢헌 먼덕 수기 스고 측 업슨 집신에 •설피설피 물너오니
풍채(風采) 저근 형용(形容)애 개 즈칠 뿐이로다

바 와실(蝸室)에 드러간들 잠이 와사 누어시랴
북창(北窓)을 비겨 안자 새배랄 기다리니
무정(無情)한 •대승(戴勝)은 이내 한(恨)을 도우나다
•종조추창(終朝惆悵)하며 먼 들흘 바라보니
[D] 즐기는 농가(農歌)도 흥(興) 업서 들리나다
세정(世情) 모란 한숨은 그칠 줄을 모라나다
아까운 져 •소뷔난 •볏보님도 됴할세고
가시 엉긘 묵은 밧도 용이(容易)케 갈련마는
㉣허당반벽(虛堂半壁)에 슬듸업시 걸려고야
춘경(春耕)도 거의거다 **후리쳐 던져 두쟈**

사 강호(江湖) 한 꿈을 꾸언 지도 오래러니
구복(口腹)이 •위루(爲累)하야 어지버 이져떠다
•첨피기욱(瞻彼淇燠)혼대 녹죽(綠竹)도 하도 할샤
㉤•유비군자(有斐君子)들아 낙대 하나 빌려사라
노화(蘆花) 깁픈 곳애 **명월청풍(明月淸風) 벗이 되야**
님재 업산 풍월강산(風月江山)애 절로절로 늘그리라
무심(無心)한 백구(白鷗)야 오라 하며 말라 하랴
다토리 업슬산 다문 인가 너기로라
무상(無狀)한 이 몸애 무슨 •지취(志趣) 이스리마난
두세 이렁 밧논를 다 무거 던져 두고
이시면 죽(粥)이오 업시면 굴물망정
남의 집 남의 거슨 전혀 부러 말렷노라
[E] 내 빈천(貧賤) 슬히 너겨 손을 헤다 물러가며
남의 부귀(富貴) 불리 너겨 손을 치다 나아 오랴
인간(人間) 어내 일이 명(命) 밧긔 삼겨시리 〈후략〉

기출 OX

Q1 (가), (사)의 '죽'은 화자의 궁핍한 생활을 나타내는 소재이다. 기출 2013. 9. 모평 ○ X

Q2 (사)의 '풍월강산'은 현재의 소망을 다짐하는 공간이다. 기출 2018. 6. 고1 ○ X

Q3 윗글에는 불만족스러운 삶의 현실이 내재되어 있다. 기출 2009. 6. 모평 ○ X

- **풍조우석** 바람 부는 아침과 비 오는 저녁.
- **안빈 일념** 가난한 삶 속에서도 마음을 편히 가지겠다는 한결같은 마음.
- **우탁우낭** 전대와 망태.
- **감사심** 죽음을 두려워하지 않는 마음.
- **일노장수** 긴 수염이 난 종. 늙은 종.
- **고여춘급** 봄이 왔다고 '나'에게 알려 줌.
- **경당문노** 밭일은 당연히 종에게 물어야 함.
- **신야경수** 잡초 많은 들에서 밭을 가는 늙은이. 신야에서 밭을 갈다 입신하여 은나라 탕왕의 재상이 된 이윤(伊尹)을 말함.
- **농상경옹** 밭두렁 위에서 밭을 가는 늙은이. 진나라의 재상 진승(陳勝)을 말함.
- **한기태심** 가뭄이 매우 극심함.
- **도상무원수** 길 위에 흐르는 근원이 없는 물.
- **아함이** '에헴' 하는 인기척.
- **양구토록** 오래도록.
- **옥지읍게** 구슬 같은 기름이 끓어오르게.
- **삼해주** 정월 셋째 해일(亥日)에 빚은 좋은 술.
- **실약** 약속을 지키지 못함.
- **미편하니** 편하지 않으니.
- **설피설피** 맥없이 어슬렁어슬렁 걷는 모습.
- **대승** 오디새. 봄에 밭갈이를 재촉한다고 함.
- **종조추창** 아침이 끝날 때까지 슬퍼함.
- **소뷔** 쟁기.
- **볏보님** 농기구의 일종인 보습에 끼우는 쇳조각.
- **위루** 누가 됨. 거리낌이 됨.
- **첨피기욱혼대** 저 기(淇)나라 땅의 물가를 바라보니.
- **유비군자** 교양 있는 선비.
- **지취** 뜻과 취향을 아울러 이르는 말.

답 Q1 ○ Q2 ○ Q3 ○

01 윗글에 대한 설명으로 가장 적절한 것은?

① 우화(寓話)의 방식을 사용하여 부조리한 인간 세태를 풍자하고 있다.
② 구체적인 일화를 제시하여 화자의 궁핍한 생활상을 드러내고 있다.
③ 자연물과 화자의 모습을 대비해 삶의 허무함이라는 주제 의식을 드러내고 있다.
④ 계절의 변화에 따른 시상 전개를 통해 전원생활에서 느끼는 화자의 흥취를 드러내고 있다.
⑤ 화자와 다른 인물이 나눈 대화를 통해 화자가 추구하는 이상을 직접적으로 드러내고 있다.

02 (가)~(사)에 대한 설명으로 적절한 것은?

① (가)에는 청빈한 삶을 살았던 화자의 과거 모습이, (다)에는 가난으로 비참한 삶을 살고 있는 화자의 현재 모습이 드러나 있다.
② (가)에는 자신의 처지를 하늘의 뜻으로 여겨 순응하려는 화자의 태도가, (사)에는 적극적으로 자신의 처지에서 벗어나려는 화자의 태도가 드러나 있다.
③ (다)에는 화자가 농사를 지으면서 마주친 현실의 어려움이, (라)에는 그 어려움을 해결하기 위한 화자의 행동이 나타나 있다.
④ (마)에는 자신의 부탁을 거절한 소 주인에 대한 화자의 원망이, (바)에는 세상의 야박한 인심에 대한 화자의 원망이 나타나 있다.
⑤ (바)에는 세상살이에 익숙하지 않은 것에 대한 화자의 자괴감이, (사)에는 자연의 아름다움을 잊지 않고 살아 온 것에 대한 화자의 자부심이 나타나 있다.

03 ㉠~㉤에 대한 이해로 적절하지 않은 것은?

① ㉠: 궁핍한 일상을 힘겹게 견뎌 내고 있는 화자의 모습이 그려져 있다.
② ㉡: 주인인 화자와 종의 관계가 기존의 신분 질서에서 벗어나 있음을 알 수 있다.
③ ㉢: 초라한 행색과 맥없는 모습에서 화자가 느낀 실망감이 드러나고 있다.
④ ㉣: 자신이 현실을 개선하기 위해 기울였던 노력이 가치 없다는 화자의 인식이 나타나 있다.
⑤ ㉤: 자연에서 풍류를 즐기던 이들의 삶을 따르고자 하는 화자의 바람이 나타나 있다.

04 [A]~[E]에 나타난 표현상 특징으로 적절하지 않은 것은?

① [A]: 비슷한 문장 구조를 반복하여 화자의 궁핍한 처지를 강조하고 있다.
② [B]: 고사의 인용과 설의적 표현을 통해 옛사람을 따르기 어려운 자신의 처지를 드러내고 있다.
③ [C]: 음성 상징어를 활용하여 화자의 상황을 생생하게 제시하고 있다.
④ [D]: 청각적 심상을 활용하여 화자의 실망감을 나타내고 있다.
⑤ [E]: 주객전도의 표현 기법을 통해 화자의 가치관을 강조하고 있다.

05 다음 선생님의 설명에 대한 학생의 반응으로 적절하지 않은 것은?

> 선생님: '누항(陋巷)'은 『논어(論語)』에 나오는 공자의 제자 안연이 살았던 공간을 의미합니다. '누추하고 좁은 집'이라는 뜻의 '누항'은 가난한 처지에서도 학문이나 도를 갈고닦으며 정신적인 가치를 추구하는 공간으로 자주 언급됩니다. 조선 전기의 사대부가 경제적 여유 속에서 세속적 공간을 멀리하고 자연에 귀의하였던 것과 달리 윗글의 화자는 세속적 공간이기도 한 '누항'에서 정신적 가치를 추구하고 있습니다. 이러한 특성을 고려하여 윗글을 감상해 볼까요?

① (나)에서 화자는 '안연'처럼 '누항'에서도 학문이나 도를 연마하는 것을 포기하지 않았음을 알 수 있어요.
② (다)~(마)에서 생계를 걱정하는 화자의 모습을 보니 '누항'에서 살고 있는 화자의 처지가 더 생생하게 느껴져요.
③ (바)에서 화자는 정신적 가치를 담고 있는 '먼 들'로 시선을 옮김으로써 마음의 위안을 얻고 있어요.
④ (사)에서 화자는 가난에 얽매이지 않는 태도를 보임으로써 정신적 가치를 추구하고 있어요.
⑤ 윗글의 화자는 현실적인 삶의 문제와 정신적 가치를 추구하는 삶 사이에서 갈등하고 있다는 점에서 조선 전기의 사대부와 차이가 있어요.

06 발화의 주체가 다른 하나는?

① ⓐ　② ⓑ　③ ⓒ　④ ⓓ　⑤ ⓔ

고난도 기출 변형 2010학년도 4월 고3 학력평가

07 〈보기〉를 바탕으로 (라)~(사)를 이해한 것으로 적절하지 않은 것은?

> **보기**
>
> 윗글은 당시 일상생활에서 사용하던 대화 형식의 말투를 받아들여 임진왜란 이후의 변화된 사회상을 담고 있다. 특히 신분제 동요, 양반의 경제적 몰락, 실리를 추구하는 민중의 면모 등 사회적 변화가 반영되어 있다. 또한 조선 전기부터 양반들이 지향하던 자연 친화적인 삶의 모습도 여전히 드러나 있다.

① '어화 긔 뉘신고 염치업산 내옵노라'에는 실생활에서 사용한 대화 형식의 말투가 나타나 있다.
② '쇼 업산 궁가'의 화자가 이웃집 소 주인에게 소를 빌리러 간다는 사실에서, 경제적으로 몰락한 양반들이 있었음을 알 수 있다.
③ '목 불근 수기치'와 '삼해주'를 제공받고 소를 빌려주려는 소 주인의 모습에서, 실리를 중시하는 민중의 모습을 확인할 수 있다.
④ '후리쳐 던져 두쟈'에서 전쟁으로 인한 신분제의 동요와 혼란한 사회상에 대한 불만이 나타나 있다.
⑤ '명월청풍 벗이 되야'에서 조선 전기의 양반들이 추구하던 자연 친화적인 삶의 모습이 드러나 있다.

현대어 풀이를 확인해 보세요

•• ㉮ 어리석고 세상 물정에 어둡기는 나보다 더한 사람 없다. 길흉화복을 하늘에게 맡겨 두고, □□□ 거리의 깊은 곳에 초가집을 지어 두고, 바람 부는 아침과 비 오는 저녁에 썩은 짚이 땔감 되어, 세 홉 밥 다섯 홉 죽을 만드는데 연기가 많기도 많구나. 덜 데운 숭늉으로 빈 배를 속일 뿐이로다. 생활이 이렇다고 대장부의 뜻을 바꿀 것인가? 가난하지만 마음을 편히 가지며 살겠다는 생각을 적을망정 품고 있어서, 옳은 일을 좇으며 살려 하니 날이 갈수록 뜻대로 되지 않는다.

•• ㉯ 가을이 부족한데 □이라고 여유가 있겠으며, 주머니가 비었는데 병이라고 담겨 있으랴. 빈곤한 인생이 천지간에 나뿐이랴? 배고픔과 추위가 몸을 괴롭힌다고 굳은 의지를 잊을 것인가? 의에 분발하여 내 몸을 돌보지 않고 죽고야 말겠노라고 마음먹어, 전대와 망태에 한 줌 한 줌 모아 넣고, 전란 5년 동안에 용감하게 죽고 말리라는 마음을 가지고 있어 주검을 밟고 피를 건너 몇 백전을 치렀던가.

•• ㉰ 내 몸이 여유가 있어서 집안을 돌보겠는가? 긴 수염이 난 종은 종과 주인의 분수를 잊었는데, 봄이 왔다고 나에게 알려 줄 것을 어찌 기대하겠는가? 밭 가는 것은 당연히 종에게 물어야 하는데 누구에게 물어볼까? 몸소 농사짓는 것이 내 분수인 줄 알리로다. 잡초 많은 들에서 밭 가는 늙은이와 밭두렁 위에서 밭 가는 늙은이를 천하다고 할 사람 없지마는, 아무리 갈고자 한들 어느 소로 갈겠는가?

•• ㉱ □□이 몹시 심하여 농사지을 시기도 다 늦어 가는 때에, 서쪽 언덕 높은 논에 잠깐 지나가는 비에, 길 위에 흘러가는 물을 반쯤 대어 놓고, "□ 한 번 빌려주마."하고 엉성히 한 말을 믿고, 친절하다고 여겼던 집에 달이 없는 저녁에 허둥지둥 달려가서, 굳게 닫은 문밖에 우두커니 혼자 서서, 큰 기침으로 "에헴"을 오래도록 한 후에, "어, 거기 누구신가?" 묻기에 "염치없는 저옵니다."

•• ㉲ "밤이 깊었는데 그 어찌 와 계십니까?" "해마다 이렇게 하기 구차한 줄 알지마는, 소 없는 가난한 집에서 걱정이 많아 왔습니다." "공짜로나 값을 받거나 간에 빌려줌 직도 하다마는, 다만 어젯밤에 건넛집 사람이, 목이 붉은 수꿩을 구슬 같은 기름이 끓어오르게 구워 내고, 갓 익은 삼해주를 취하도록 권하였는데, 이러한 은혜를 어찌 아니 갚을 것인가. 내일 소를 빌려주마 하고 굳게 약속하였기에, 약속을 어기기가 편하지 못하니 말씀하기 어렵구려." "진실로 그렇다면 설마 어찌하겠는가." 헌 모자 숙여 쓰고 축 없는 짚신 신고 맥없이 어슬렁어슬렁 물러 나오니 풍채 작은 내 모습에 □만 짖을 뿐이로다.

•• ㉳ 누추한 집에 들어간들 잠이 와 누웠겠느냐. 북창에 기대앉아 새벽을 기다리니, 무정한 □□□는 나의 한을 돕는구나. 아침이 끝날 때까지 슬퍼하며 먼 들을 바라보니, 즐기는 농가도 흥 없이 들리는구나. 세상 물정 모르는 한숨은 그칠 줄 모른다. 아까운 저 쟁기는 볏보임(날)도 좋구나. 가시 엉킨 묵은 밭도 쉽게 갈 수 있건마는, 빈집 벽 한가운데 쓸데없이 걸렸구나. 춘경(봄갈이)도 거의 지났다. 팽개쳐 던져 버리자.

•• ㉴ □□과 더불어 살겠다는 꿈을 꾼 지도 오래더니, 먹고사는 일이 누가 되어 잊었도다. 저 물가를 보건대 푸른 대나무도 많기도 많구나! 교양 있는 선비들아, □□□ 하나 빌려다오. 갈대꽃 깊은 곳에 밝은 달과 맑은 바람이 벗이 되어, 임자 없는 자연 속에서 절로절로 늙으리라. 무심한 백구(갈매기)야, 나더러 오라고 하며 말라고 하겠느냐? 다툴 이가 없는 것은 다만 이것뿐인가 여기노라. 보잘것없는 이 몸이 무슨 소원이 있으랴마는, 두세 이랑 되는 밭과 논을 다 묵혀 던져두고, 있으면 죽이요 없으면 굶을망정, 남의 집, 남의 것은 전혀 부러워하지 않겠노라. 나의 빈천함을 싫게 여겨 손을 내젓는다고 물러가며, 남의 집 남의 부귀를 부럽게 여겨 손을 친다고 오겠는가? 인간 세상의 어느 일이 □□ 밖에 생겼겠느냐?

답 누추한, 봄, 가뭄, 소, 개, 오디새, 자연, 낚싯대, 운명

『누항사』 "강호 한 꿈을 꾸언 지도 오래러니 구복이 위루하야 어지버 이져떠다"

작품 한 줄 Pick

기출 딥러닝

2016학년도 7월 고3 학력평가

[08~09] 다음 글을 읽고 물음에 답하시오.

(가) **빈천(貧賤)**을 팔려고 ***권문(權門)**에 들어가니
덤 없는 흥정을 누가 먼저 하자고 하겠는가
강산(江山)과 **풍월(風月)**을 달라하니 그건 그리 못하리

- 조찬한

* **권문** '권문세가'의 준말. 권세가 있는 집안.

(나) 어리석고 어수룩하기로 나보다 더한 이 없다
길흉화복(吉凶禍福)을 하늘에 맡겨 두고
누항(陋巷) 깊은 곳에 초막(草幕)을 지어 두고
풍조우석(風朝雨夕)에 썩은 짚을 섶으로 삼아
서 홉 밥 닷 홉 죽(粥)에 연기(煙氣)도 자욱하다
설 데운 숭늉으로 빈 배 속일 뿐이로다
내 삶이 이러한들 장부(丈夫) 뜻을 바꿀런가
안빈(安貧) 일념(一念)을 적을망정 품고 있어
뜻한 바대로 살려 하니 갈수록 어긋난다
가을이 부족(不足)한데 봄이라 넉넉하며
주머니가 비었는데 병(甁)이라고 담겼으랴
빈곤(貧困)한 인생(人生)이 천지 간(天地間)에 나뿐이라
배고픔과 추위로 괴로워도 **일단심(一丹心)**을 잊을런가
의(義)를 위해 목숨 걸고 죽기를 각오하고
자루와 주머니에 줌줌이 모아 넣고
전쟁 오 년에 감사심(敢死心)을 가져 있어
주검 밟고 피를 건너 몇 백 전(戰)을 지냈던고
내 몸이 여유 있어 일가(一家)를 돌아보랴
수염이 긴 노비는 노주분(奴主分)을 잊었거든
봄이 왔다 알리는 걸 어느 사이 생각하리
경당문노(耕當問奴)인들 누구에게 물을런고
손수 농사짓기가 내 분(分)인 줄 알리로다

- 박인로, 「누항사(陋巷詞)」

기출

08 (가), (나)에 대한 설명으로 가장 적절한 것은?

① (가)에서는 청각적 심상을 통해 애상적인 분위기를 드러낸다.
② (가)에서는 계절감을 드러내는 소재를 활용하여 주제를 강조한다.
③ (나)에서는 의성어를 사용하여 대상을 생동감 넘치게 표현한다.
④ (가), (나)에서는 모두 감정 이입을 통해 대상과의 친밀감을 심화한다.
⑤ (가), (나)에서는 모두 설의적 표현을 통해 구절의 의미를 강조하고 있다.

고난도 기출

09 〈보기〉를 참고하여 (가), (나)를 감상한 내용으로 적절하지 않은 것은?

보기

조선 시대에 여러 내우외환을 겪으면서 나라의 사정은 어려워지고 권력과 부귀를 지니지 못한 선비들도 삶의 어려움을 겪을 수밖에 없었다. 또한 그들은 현실적인 삶의 문제와 선비로서 지조와 신념을 지키며 살아가려는 삶 사이에서 갈등했다. 조찬한의 시조와 박인로의 「누항사」에는 선비들이 현실적 고민 속에서도 선비로서의 삶의 자세를 잃지 않으려는 모습이 드러나 있다.

① (가)의 '빈천'은 선비들의 현실적인 어려움을 드러낸다고 볼 수 있군.
② (가)의 화자가 '강산과 풍월'을 지키고자 하는 모습에서 자연과 더불어 살아가며 선비로서의 삶의 자세를 잃지 않으려는 태도를 엿볼 수 있군.
③ (나)의 '누항'은 가난한 현실로 인해 선비로서의 뜻을 지키며 살아가기 어려운 상황이 드러나 있는 공간이군.
④ (나)의 화자가 '빈곤한 인생' 속에서도 '일단심'을 잊지 않겠다는 모습에는 선비로서 지조와 신념을 지키며 살겠다는 의지가 드러나 있군.
⑤ (가)의 화자가 '권문'을 찾은 모습과 (나)의 '안빈 일념'을 적게 지닌 화자의 모습을 통해 현실과 타협하며 살았던 과거의 태도를 반성하는 선비의 모습을 보여 주고 있군.

가사

Q34

기출

농가월령가(農家月令歌) | 정학유

▶해법문학 Link
고전 시가 270쪽

키워드 체크 #월령체 #계몽적 #농사일 #세시 풍속

핵심 포인트

작품의 창작 의도

- 각 달과 절기에 따른 농가의 일과 풍속을 소개함.
- 실제 농사일을 열거하고 감탄형·명령형 어미를 사용하여 농민들을 계몽하고자 함.

⬇

풍속을 통한 농민의 계몽과 교화

각 월령의 동일한 구성

절기 소개 — 정경 묘사 — 농사일 권장 — 세시 풍속

연계 작품

- **월령체 구조로 구성된 작품**: 작자 미상 「동동」, 작자 미상 「관등가」
- **노동의 현장인 농촌을 묘사한 작품**: 위백규 「농가」, 정약용 「보리타작」

(가)

사월이라 맹하(孟夏) 되니 입하(立夏) 소만(小滿) 절긔로다
비 온 끝에 빗치 나니 일긔(日氣)도 청화(淸和)ᄒᆞ다
떡갈잎 퍼질 적에 뻐꾹새 ᄌᆞ조 울고
보리 이삭 패어 나니 꾀꼬리 소리 ᄒᆞᆫ다
농사(農事)도 한창이요 •잠농(蠶農)도 방장(方壯)이라
㉠남녀노소 골몰(汨沒)ᄒᆞ여 집에 잇슬 틈이 업셔
적막(寂寞)ᄒᆞᆫ •대사립을 녹음(綠陰)에 다닷도다
면화(棉花)를 많이 갈소 방적(紡績)의 근본이라
수수 동부 녹두 춤깨 •부룩을 적게 ᄒᆞ소
갈 꺾어 거름ᄒᆞᆯ 제 플 베어 섞어 ᄒᆞ소
㉡•무논을 •써을이고 이른 모 내어 보세 〈후략〉 〈사월령〉

(나)

팔월이라 중추(中秋) 되니 백로(白露) 추분(秋分) 절긔로다
북두성 ᄌᆞ로 도라 서천(西天)을 가리치니
선선ᄒᆞᆫ 조석(朝夕) 긔운 추의(秋意)가 완연ᄒᆞ다
귀또람이 말근 소리 벽간(壁間)에 들거고나
아춤의 안개 끼고 밤이면 이슬 나려
백곡(百穀)을 •성실(成實)ᄒᆞ고 만물을 재촉ᄒᆞ니
들 구경 돌아보니 힘들인 일 •공생(功生)ᄒᆞ다
백곡의 이삭 패고 여믈 들어 고개 숙여
서풍에 익ᄂᆞᆫ 빗ᄎᆞᆫ 황운(黃雲)이 이러난다
백설(白雪) 갓흔 면화 송이 산호(珊瑚) 갓흔 고추 다래
처마에 너러시니 가을볏 명랑(明朗)ᄒᆞ다
㉢안팎 마당 닦아 노코 •발채 •망구 장만ᄒᆞ소
면화 따ᄂᆞᆫ •다락기에 수수 이삭 콩 가지요
나무꾼 도라오니 머루 다래 산과(山果)로다
뒷동산 밤 대추ᄂᆞᆫ 아이들 세상이라
㉣알밤 모아 말리여라 철 대야 쓰게 ᄒᆞ소
명주(明紬)를 끊어 내어 추양(秋陽)에 •마젼(磨湔)ᄒᆞ고
쪽 드리고 잇 드리니 청홍(靑紅)이 색색(色色)이라
㉤부모님 연만(年滿)ᄒᆞ니 슈의(壽衣)를 유의(留意)ᄒᆞ고
그 남아 •마르재야 ᄌᆞ녀(子女)의 혼슈(婚需)하세 〈후략〉 〈팔월령〉

기출 OX

Q1 윗글은 계절적 배경을 바탕으로 화자나 글쓴이의 인식을 나타내고 있다. 기출 2019. 10. 고3 (O | X)

Q2 윗글은 대화체와 독백체를 교차하며 시상을 전개하고 있다. 기출 2019. 10. 고3 (O | X)

Q3 윗글에서는 원경에서 근경으로 시선이 이동하고 있다. 기출 2016. 6. 모평 A (O | X)

- **잠농** 누에 농사. 누에를 치는 일.
- **대사립** 대로 엮어 만든 사립문.
- **부룩** 곡식이나 채소를 심은 사이사이에 다른 농작물을 심는 일.
- **무논** 물이 괴어 있는 논.
- **써을이고** 써레질하고. 모내기를 위해 논바닥을 고르거나 흙덩이를 잘게 부수고.
- **성실ᄒᆞ고** 곡식 따위가 다 자라서 열매를 맺고.
- **공생ᄒᆞ다** 공이 나타난다.
- **발채** 짐을 싣기 위해 지게 위에 얹는 기구.
- **망구** 옹구. 소의 등에 물건을 싣기 위해 얹는 기구.
- **다락기** 다래끼. 아가리가 좁고 바닥이 넓은 바구니.
- **마젼ᄒᆞ고** 생피륙을 삶거나 빨아 볕에 바래고.
- **마르재야** 마름질하여. 재단하여.

답 Q1 O Q2 X Q3 X

01 (가), (나)의 전개 방식을 다음과 같이 정리할 때, 적절하지 않은 것은?

[A]	➡	[B]	➡	[C]
절기 소개		정경 묘사		농사일의 권장

① (가)와 (나) 모두 [A]에서 감탄형 어미를 사용하여 해당 절기를 소개하고 있다.
② (가)와 (나) 모두 [B]에서 자연물을 통해 계절의 변화를 나타내고 있다.
③ (가)와 (나) 모두 [C]에서 명령형 어미를 사용하여 농가에서 해야 할 일을 제시하고 있다.
④ (가)의 [B]에서는 다양한 색채어를 활용하여 생명력 넘치는 봄의 정경을 묘사하고 있다.
⑤ (나)의 [C]에서는 가정 행사와 관련지어 농가에서 해야 할 각종 일들을 권장하고 있다.

02 (가), (나)에 대한 설명으로 적절한 것은?

① (가)와 (나) 모두 음성 상징어를 사용하여 생동감을 부여하고 있다.
② (가)와 (나) 모두 3음보의 율격을 사용하여 리듬감을 느낄 수 있다.
③ (가)는 (나)와 달리 자연물에 감정을 이입하여 화자의 정서를 표출하고 있다.
④ (가)는 (나)와 달리 후각적 이미지를 사용하여 시적 상황을 표현하고 있다.
⑤ (나)는 (가)와 달리 직유법을 사용하여 대상을 감각적으로 드러내고 있다.

기출 변형 2016학년도 6월 모의평가 A형

03 윗글에 대한 감상으로 적절하지 않은 것은?

① '비 온 끝에 빗치 나'는 화창한 날씨에도 농사일에 얽매여 있는 농민들의 애환이 나타나고 있다.
② '대사립'이 '녹음' 속에 닫혀 있는 모습을 통해 농번기에 집이 비어 있는 상황을 표현하고 있다.
③ '귀또람이'를 통해 청각적 심상과 계절감을 동시에 드러내고 있다.
④ 가을에 곡식이 익은 모습을 '황운'에 빗대어 감각적으로 표현하고 있다.
⑤ '나무꾼'이 나무를 하고 돌아올 때 '산과'도 가져오는 모습을 통해 가을의 풍성함을 나타내고 있다.

기출 변형 2019학년도 10월 고3 학력평가

04 〈보기〉를 참고하여 ㉠~㉤을 이해한 내용으로 적절하지 않은 것은?

보기

작품의 형식이 일 년 열두 달을 차례대로 맞추어 가며 구성된 시가를 '월령체'라 한다. 조선 후기의 '월령체'는 내용상 농사요와 애정요로 나눌 수 있는데 「농가월령가」는 대표적인 농사요이다. 이 글은 농촌에 거주하는 양반이 창작한 작품으로, 달의 변화에 따른 농사 일정을 고려하여 농민들에게 필요한 농사일을 장려하고 유교적 윤리를 강조한 시가이며, 의식의 충족을 위한 실용적 측면을 지녔다.

① ㉠: 농사요에 애정요의 성격을 결합한 것으로 볼 수 있다.
② ㉡: 달의 변화에 따른 농사 일정을 알려 주는 것으로 볼 수 있다.
③ ㉢: 농촌에 거주하는 양반이 농민들에게 농사일을 장려하는 것으로 볼 수 있다.
④ ㉣: 미래의 용도를 대비한 실용적 측면을 고려한 것으로 볼 수 있다.
⑤ ㉤: 부모에 대한 유교적 윤리를 농민에게 강조하는 것으로 볼 수 있다.

05 윗글의 글쓴이 '갑'과 〈보기〉의 글쓴이 '을'이 나눈 대화의 내용으로 적절하지 않은 것은?

보기

동녘 두던 밧긔 크나큰 너븐 들해
만경(萬頃) 황운(黃雲)이 흔 빗치 되야 잇다
*중양이 거의로다 내노리 ᄒᆞ쟈스라
블근 게 여믈고 눌은 닭이 살져시니
술이 이글션졍 벗이야 업슬소냐
전가(田家) 흥미ᄂᆞᆫ 날로 기퍼 가노래마
살여울 긴 모래예 밤블이 밝아시니
게 잡ᄂᆞᆫ 아해들이 그물을 훗텨 잇고
*호두포 먼 굽이에 밀물이 미러오니
돗단배 *애내성이 고기 ᄑᆞᆫ ᄂᆞᆫ 장사로다

– 신계영, 「월선헌십육경가」 중

*중양: 중양절. 세시 명절의 하나로 음력 9일 9일을 이르는 말.
*호두포: 예산현의 무한천 하류.
*애내성: 어부가 노를 저으면서 부르는 노래.

① 갑: 우리 모두 삶의 현장에서 볼 수 있는 결실을 포착하였군요.
② 을: 네. 저는 어촌의 생활상을 구체적으로 묘사하여 현장감을 드러내고자 했어요.
③ 갑: 저는 농민들에게 직접 말을 건네는 어투를 사용하여 농민들을 계몽하려 했지요.
④ 을: 저는 청유형 표현을 사용하여 세시 풍속을 함께 즐기고픈 마음을 표현하려 했어요.
⑤ 갑: 열심히 일하는 농민들의 모습을 보니 그들을 위로하고 싶은 마음이 절로 생기네요.

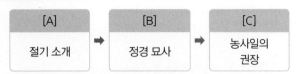

기출 2016학년도 6월 모의평가 A형

06 (가)와 〈보기〉를 비교하여 감상한 내용으로 적절하지 않은 것은?

보기

도롱이에 호미 걸고 뿔 굽은 검은 소 몰고
고동풀 뜯기면서 개울물 가 내려갈 제
어디서 *품 진 벗님 함께 가자 하는고 〈제2수〉

*둘러내자 둘러내자 우거진 고랑 둘러내자
바랭이 여뀌 풀을 고랑마다 둘러내자
쉬 짙은 긴 사래는 마주 잡아 둘러내자 〈제3수〉

땀은 듣는 대로 듣고 볕은 쬘 대로 쬔다
청풍에 옷깃 열고 긴 휘파람 흘리 불 제
어디서 길 가는 손님네 아는 듯이 머무는고 〈제4수〉

– 위백규, 「농가」 중

*품 진: 품앗이를 한.
*둘러내자: 휘감아서 걷어 내자.

① 〈보기〉에는 (가)와 달리, 특정 시기에 재배해야 하는 작물이 제시되어 있군.
② 〈보기〉에는 (가)와 달리, 농사일 중에 휴식을 즐기는 여유로움이 그려져 있군.
③ (가)에는 〈보기〉와 달리, 먹고 입는 것과 관련한 농사일이 다양하게 나타나 있군.
④ 〈보기〉와 (가)의 화자는 모두 노동의 현장을 주목하고 있군.
⑤ 〈보기〉와 (가)의 배경은 모두 농부들의 일상적인 삶을 보여 주는 공간으로 볼 수 있군.

서술형 정답과 해설 36쪽

07 〈보기 2〉는 (나)의 뒤에 이어질 내용이다. 〈보기 1〉에서 설명한 조선 후기의 실학사상과 관련지어 윗글의 글쓴이가 〈보기 2〉에서 농민들에게 권유한 내용을 50자 내외로 쓰시오.

보기 1

「농가월령가」의 작가 정학유는 실학자 정약용의 둘째 아들이다. 정약용은 토지 개혁 및 세법 개혁을 주장하며 농민들이 잘살 수 있는 방안을 연구했다. 한편, 실학의 다른 분파에서는 상공업의 발전을 모색하고 기술을 혁신하여 나라를 부강하게 하려 했다. 정학유는 아버지의 사상은 물론 다른 분파의 흐름을 모두 수용하여 농업에 대한 진흥은 물론, 농업과 상업을 연결하려는 의식을 보여 주었다.

보기 2

집 우희 굿은 박은 요긴(要緊)ᄒᆞᆫ 그릇이라
댑사리 뷔를 매야 마당질에 쓰오리라
참깨 들깨 거둔 후의 *듕(中)오려 타작ᄒᆞ고
담배 줄 녹두(綠豆) 말은 *아쇠야 *작젼(作錢)ᄒᆞ랴
장 구경도 ᄒᆞ려니와 흥정ᄒᆞᆯ 것 잇지 마소

*듕오려: 일찍 익은 벼.
*아쇠야: 아쉬운 대로.
*작젼ᄒᆞ랴: 돈을 만들어라.

현대어 풀이를 확인해 보세요

•• 가 사월이라 초여름 되니 입하 소만 [ ]로다. 비 온 끝에 볕이 나니 날씨도 화창하다. 떡갈잎 퍼질 때에 뻐꾹새 자주 울고, 보리 이삭 피어 나니 꾀꼬리 소리 난다. 농사도 한창이요 [   ] 한창이라, 남녀노소 몰두하니 집에 있을 틈이 없어, 적막한 사립문은 녹음 속에 닫았도다. 목화를 많이 가꾸소, 길쌈의 근본이라. 수수, 동부, 녹두, 참깨, 부룩을 적게 하소. 떡갈나무 꺾어 거름할 때 풀 베어 섞어 하소. 물 댄 논을 써레질하고 이른 모를 내어 보세.

•• 나 팔월이라 중추 되니 백로 추분 절기로다. 북두칠성 국자 모양의 자루가 돌아 서쪽 하늘을 가리키니 아침저녁이 선선하여 가을 기운이 완연하다. 귀뚜라미 맑은 소리가 벽 사이에서 들리는구나. 아침에 안개 끼고 밤이면 이슬 내려, 온갖 곡식을 여물게 하고 만물이 익기를 재촉하니, 들 구경 돌아보니 힘들인 공이 나타나는구나. 온갖 [ ]의 이삭이 나오고 곡식의 알이 들어 고개를 숙여, 서풍에 익는 빛은 누런 구름이 이는 듯하다. 하얀 [ ] 같은 목화송이, 산호 같은 고추 열매, 처마에 널어놓으니 가을볕이 맑고 밝다. 안팎 마당 닦아 놓고 발채 옹구 장만하소. 목화 따는 다래끼에 수수, 이삭 콩 가지를 담으오. 나무꾼 돌아올 때 머루, 다래, [   ]도 따 오리라. 뒷동산 밤, 대추에 아이들은 신이 난다. 알밤은 모아 말려서 필요한 때 쓸 수 있게 하소. 명주를 끊어 내어 가을볕에 삶아 말리고 남빛과 붉은빛으로 물들이니 청홍이 색색이로구나. 부모님 연세가 많으니 수의를 미리 준비하고, 그 나머지는 마름질하여 자녀의 혼수하세.

답 절기, 누에치기, 곡식, 눈, 산열매

잡가 Q35

기출 EBS

유산가(遊山歌) | 작자 미상

▶해법문학 Link
고전 시가 262쪽

키워드 체크 #봄 경치의 아름다움 #형식의 파격 #한시구와 우리말의 혼용

•화란 춘성(花爛春城)하고 •만화방창(萬化方暢)이라. ㉠때 좋다 벗님네야, 산천경개(山川景漑)를 구경을 가세.

•죽장망혜(竹杖芒鞋) 단표자(單瓢子)로 천 리 강산을 들어를 가니, •만산 홍록(滿山紅綠)들은 일 년 일도(一年一度) 다시 피어 춘색(春色)을 자랑노라 색색이 붉었는데, 창송취죽(蒼松翠竹)은 창창울울(蒼蒼鬱鬱)한데, •기화요초(琪花瑤草) 난만 중(爛漫中)에 꽃 속에 잠든 나비 자취 없어 날아난다.

유상앵비(柳上鶯飛)는 편편금(片片金)이요, •화간접무(花間蝶舞)는 분분설(紛紛雪)이라. 삼춘가절(三春佳節)이 좋을씨고. 도화 만발 점점홍(桃花滿發點點紅)이로구나. •어주 축수 애삼춘(漁舟逐水愛三春)이어든 무릉도원(武陵桃源)이 예 아니냐. ㉡양류 세지 사사록(楊柳細枝絲絲綠)하니 황산 곡리 당춘절(黃山谷裏當春節)에 •연명 오류(淵明五柳)가 예 아니냐.

제비는 물을 차고, 기러기 무리져서 거지중천(居之中天)에 높이 떠서 두 나래 훨씬 펴고, ㉢펄펄펄 백운간(白雲間)에 높이 떠서 천 리 강산 머나먼 길을 어이 갈꼬 슬피 운다.

원산(遠山)은 첩첩(疊疊), 태산(泰山)은 주춤하여, 기암(奇岩)은 층층(層層), 장송(長松)은 낙락(落落), 에이 구부러져 광풍(狂風)에 흥을 겨워 우줄우줄 춤을 춘다.

층암 절벽상(層岩絶壁上)의 폭포수(瀑布水)는 콸콸, 수정렴(水晶簾) 드리운 듯, ㉣이 골 물이 주루루룩, 저 골 물이 쏼쏼, 열에 열 골 물이 한데 합수(合水)하여 천방져 지방져 소쿠라지고 펑퍼져, 넌출지고 방울져, 저 건너 병풍석(屛風石)으로 으르렁 콸콸 흐르는 물결이 은옥(銀玉)같이 흩어지니, 소부 허유(巢父許由) 문답하던 •기산 영수(箕山潁水)가 예 아니냐.

주곡제금(奏穀啼禽)은 천고절(千古節)이요, 적다정조(積多鼎鳥)는 일년풍(一年豊)이라. ㉤일출 낙조(日出落照)가 눈앞에 벌여나 경개 무궁(景槪無窮) 좋을씨고.

• **화란 춘성** 봄 성(城)에 꽃이 흐드러지게 활짝 핌.
• **만화방창** 따뜻한 봄날에 온갖 생물이 나서 자라 흐드러짐.
• **죽장망혜 단표자** 대지팡이와 짚신, 한 개의 표주박이란 뜻으로, 먼 길을 떠날 때의 간편한 차림새를 이르는 말.
• **만산 홍록** 온 산에 붉은빛과 푸른빛이 가득함.
• **기화요초** 진기하고 아름다운 꽃과 풀.
• **화간접무** 나비가 꽃 사이를 춤추며 날아다님.
• **어주 축수 애삼춘** 고깃배는 물길을 따라가고 봄의 아름다움을 사랑함. 왕유의 한시 「도원행」의 첫 구절을 인용한 표현임.
• **연명 오류** 도연명이 채상산에 은거하며, 버드나무 다섯 그루를 심고 스스로를 '오류선생'이라 일컬었다는 고사.
• **기산 영수** 중국 요임금 때 소부와 허유가 명리(名利)를 피하여 은거한 곳.

핵심 포인트

시적 상황과 화자의 정서 및 태도

시적 상황		화자의 정서·태도
화자는 아름다운 봄 경치를 구경함.	➡	• 이상적 공간을 떠올리며 경치를 예찬함. • 흥겨움과 즐거움을 느낌.

한시구와 우리말의 혼용

한시구	'유상앵비는 편편금이요, 화간접무는 분분설이라.' 등
우리말	'이 골 물이 주루루룩, 저 골 물이 쏼쏼', '천방져 지방져 소쿠라지고 펑퍼져, 넌출지고 방울져' 등

⬇

향유 계층인 양반을 고려한 한자어 표현과 창작 계층인 서민의 특성이 반영된 우리말 표현이 혼용됨.

연계 작품

• **봄을 계절적 배경으로 하는 작품**: 정극인 「상춘곡」
• **자연에서 유유자적하는 삶의 태도를 드러내는 작품**: 이황유 「산민육가」, 윤선도 「만흥」

기출 OX

Q1 윗글의 화자는 자연물을 매개로 자아를 성찰하고 있다. 기출 2014. 3. 고3 (O | X)

Q2 윗글의 후반부로 갈수록 시각적 이미지와 청각적 이미지가 두드러진다. 기출 2004. 수능 (O | X)

답 Q1 X Q2 O

정답과 해설 37쪽

01 윗글의 표현상 특징으로 적절하지 않은 것은?

① 대구를 활용하여 리듬감을 형성하고 있다.
② 시선의 이동에 따라 시상을 전개하고 있다.
③ 설의적 표현을 활용하여 화자의 의지를 드러내고 있다.
④ 비유적 표현을 활용하여 대상의 이미지를 형상화하고 있다.
⑤ 의인법을 사용하여 자연물의 움직임을 실감나게 나타내고 있다.

02 윗글을 읽고 떠올릴 수 있는 장면으로 적절하지 않은 것은?

① 대나무 지팡이를 짚고 짚신을 신은 사람이 산을 구경하는 장면
② 절벽 위에서 맑고 빛나는 폭포수가 힘차게 쏟아져 내리는 장면
③ 산길을 흐르는 맑은 개울물에 꽃잎과 나뭇잎이 떠내려오는 장면
④ 산에 붉은 꽃이 만발하고 대나무와 소나무가 울창하게 우거져 있는 장면
⑤ 버드나무 위로 꾀꼬리가 날아들고 꽃 속 사이사이 나비가 날아다니는 장면

03 ㉠~㉤에 대한 설명으로 적절한 것은?

① ㉠: 아름다운 경치를 보러 갈 것을 권유하고 있다.
② ㉡: 고사 속 인물을 떠올리며 그를 본받겠다는 의지를 다지고 있다.
③ ㉢: 새에게 감정을 이입하여 화자의 지극한 즐거움을 표출하고 있다.
④ ㉣: 정적인 이미지를 통해 고요한 분위기를 그려 내고 있다.
⑤ ㉤: 저녁 풍경을 바라보며 애상적 정서를 드러내고 있다.

04 〈보기〉를 활용하여 윗글을 이해한 내용으로 적절하지 않은 것은?

보기

「유산가」는 경기와 서울 지방을 중심으로 불렸던 십이 잡가 중 하나이다. 잡가는 평민 문학의 한 영역으로 민요적 성격을 띠며, 남녀 간의 사랑, 아름다운 자연 풍광의 묘사 및 그 속에서 느끼는 유흥과 감흥, 일상적 삶의 애환 등의 내용을 담고 있다. 형식적 측면에서 잡가는 조선 후기 전대의 가사 형식의 정형성이 무너지면서 나타난 새로운 시가 형식을 띤다는 의의를 지니고 있다.

① 의성어와 의태어를 다채롭게 구사하여 자연의 아름다움을 생동감 있게 드러내고 있군.
② 자연 속에서 한껏 즐거움을 누리는 화자의 낙천적인 태도와 유흥적인 삶의 모습을 엿볼 수 있군.
③ 화창한 봄날의 경치 묘사를 통해 자연을 감각적 흥이 극대화된 이상적 공간으로 형상화하고 있군.
④ 3·4조와 같은 가사의 전형적인 음수율이 지켜지지 않는 것은 윗글의 갈래적 특성과 관련이 있겠군.
⑤ 화자의 정서가 변화하는 것은 자연 속에서도 삶의 애환에서 벗어나지 못하는 평민들의 정서를 반영한 것이군.

05 〈보기〉를 참고하여 윗글을 감상한 내용으로 적절한 것은?

보기

「유산가」에는 우리말과 한자어가 혼용되는 특이한 언어 사용이 나타난다. 이는 잡가가 주로 전문적인 소리패들이 양반 계층을 상대로 부른 노래라는 점과 관계가 있다. 즉, Ⓐ양반 계층을 고려한 한자어 중심의 표현과 Ⓑ평민층의 특성이 반영된 우리말 중심의 표현이 혼재되어 있는 것이다.

① '죽장망혜 단표자'는 양반 계층을 모방하려 한 표현이므로 Ⓑ와 관련이 있겠군.
② 대화의 형식을 활용하여 Ⓐ가 먼저 등장하고, 후에 Ⓑ가 나오는 구성을 취하였군.
③ Ⓐ는 창작 계층의 특성을 반영한 것이고, Ⓑ는 향유 계층의 특성을 고려한 것이겠군.
④ '유상앵비는 편편금이요'는 Ⓐ의 예, '이 골 물이 주루루룩, 저 골 물이 쌀쌀'은 Ⓑ의 예로 볼 수 있겠군.
⑤ '기산 영수'와 같은 고사 속 공간을 언급하면서도 중국보다 우리나라 풍경이 더 아름답다고 표현한 것은 Ⓐ와 Ⓑ의 특성이 모두 드러난 예가 되겠군.

민요

Q36 시집살이 노래 | 잠 노래

교과서 [국] 동아 기출 EBS

▶해법문학 Link
㉮ 고전 시가 274쪽
㉯ 고전 시가 276쪽

키워드 체크 ㉮ #대화 형식 #시집살이의 어려움 #언어유희 ㉯ #노동요 #옛 여인의 삶 #잠을 참는 노래

핵심 포인트

㉮ • 두 화자의 대화 형식

사촌 동생	형님
사촌 동생의 물음을 계기로 형님이 시집살이의 고충을 토로함.	해학적 표현을 통해 고된 시집살이에 대한 체념을 드러냄.

⬇

봉건적 가족 관계 속에서 겪는 서민 여성의 괴로움과 한을 나타냄.

• 다양한 표현상 특징과 효과

- 발음의 유사성을 활용한 언어유희
- 시댁 식구들과 화자를 '새'에 비유함.
- 결혼 전과 후의 모습을 대조함.

⬇

시집살이의 고통을 해학적으로 묘사함.

㉯ 시적 상황과 표현상 특징

시적 상황		표현상 특징
늦은 밤까지 일해야 하는 옛 여성들의 삶의 애환	➡	• 잠을 의인화함. • 화자와 다른 사람을 대조하여 나타냄. • 추상적인 잠을 구체적으로 표현함.

연계 작품

• **여인의 한 많은 삶을 그린 작품:** 허난설헌 「규원가」, 이옥봉 「규정」
• **노동하는 여성의 모습을 그린 작품:** 고정희 「우리 동네 구자명 씨」, 작자 미상 「베틀 노래」

㉮
형님 온다 형님 온다 분고개로 형님 온다
형님 마중 누가 갈까 형님 동생 내가 가지
형님 형님 사촌 형님 시집살이 어떱데까?
이애 이애 그 말 마라 시집살이 개집살이
앞밭에는 당추[唐椒] 심고 뒷밭에는 고추 심어
고추 당추 맵다 해도 시집살이 더 맵더라
둥글둥글 *수박 식기(食器) 밥 담기도 어렵더라
도리도리 *도리소반(小盤) 수저 놓기 더 어렵더라
오 리(五里) 물을 길어다가 십 리(十里) 방아 찧어다가
아홉 솥에 불을 때고 열두 방에 자리 걷고
㉠외나무다리 어렵대야 시아버니같이 어려우랴?
나뭇잎이 푸르대야 시어머니보다 더 푸르랴?
㉡시아버니 *호랑새요 시어머니 꾸중새요
동세 하나 *할림새요 시누 하나 *뾰죽새요
시아지비 *뾰중새요 남편 하나 미련새요
자식 하난 우는 새요 나 하나만 *썩는 샐세
㉢귀먹어서 삼 년이요 눈 어두워 삼 년이요
말 못 해서 삼 년이요 석삼년을 살고 나니
배꽃 같은 요내 얼굴 호박꽃이 다 되었네
삼단 같은 요내 머리 *비사리춤이 다 되었네
㉣백옥 같던 요내 손길 오리발이 다 되었네
열새 무명 반물치마 눈물 씻기 다 젖었네
두 폭붙이 행주치마 콧물 받기 다 젖었네
울었던가 말았던가 ㉤베갯머리 소(沼) 이겼네
그것도 소(沼)이라고 거위 한 쌍 오리 한 쌍
쌍쌍이 때 들어오네

– 작자 미상, 「시집살이 노래」

나

┌ 잠아 잠아 짙은 잠아 이내 눈에 쌓인 잠아
[A] **염치 불구 이내 잠아 •검치 두덕 이내 잠아**
└ 어제 간밤 오던 잠이 오늘 아침 다시 오네
[B]– 잠아 잠아 •무삼 잠고 가라 가라 멀리 가라
세상 사람 무수한데 구태 너는 간 데 없어
원치 않는 이내 눈에 이렇듯이 •자심하뇨
┌ 주야에 한가하여 •월명 동창 혼자 앉아
[C] 삼사 경 깊은 밤을 헛되이 보내면서
└ **잠 못 들어 한하는데** 그런 사람 있건마는
•무상 불청 원망 소리 올 때마다 듣난고니
┌ 석반을 거두치고 황혼이 될 듯 말 듯
낮에 못한 남은 일을 밤에 하려 마음먹고
[D] •언하당 황혼이라 섬섬옥수 바삐 들어
등잔 앞에 고개 숙여 •실 한 바람 불어 내어
└ 더문더문 •질긋 **바늘** 두엇 뜸 뜰 듯 말 듯
난데없는 이내 ⓐ잠이 소리 없이 달려드네
┌ **눈썹 속에 숨었는가 눈알로 솟아온가**
[E] 이 눈 저 눈 왕래하며 무삼 요술 피우는고
└ 맑고 맑은 이내 눈이 절로 절로 희미하다

– 작자 미상, 「잠 노래」

기출 OX

Q1 (가)의 화자는 자신을 '거위'와 '오리'에 빗대어 현실에 대응하지 못하고 체념하는 모습을 드러내고 있다. 기출 2019. 6. 고2 (O | X)

Q2 (가)의 화자는 물음에 대한 답변을 유보하며 사촌 동생의 결혼을 만류하고 있다. 기출 2014. 6. 모평 (O | X)

Q3 (나)는 시간적 배경을 통해 시적 상황을 구체화하고 있다. 기출 2019. 6. 고1 (O | X)

- **수박 식기** 수박처럼 둥글게 생긴 밥그릇.
- **도리소반** 둥글게 생긴 조그마한 상.
- **호랑새** 호랑이처럼 무서운 새.
- **할림새** 고자질을 잘하는 새.
- **뾰죽새** 성격이 모나고 까다로운 새.
- **뾰중새** 무뚝뚝하고 퉁명스럽게 꾸중하여 상대하기 어려운 새.
- **썩는 새** 마음속으로만 애를 태우는 새.
- **비사리춤** 비사리의 묶음. '비사리'는 싸리나무의 껍질로 노끈을 꼬거나 미투리 바닥을 삼을 때 쓰는 아주 거친 것을 뜻함.
- **검치 두덕** 욕심 언덕. 잠 욕심이 언덕처럼 쌓였다는 뜻임.
- **무삼 잠고** 무슨 잠이냐? 어떻게 된 잠이냐?
- **자심하뇨** 점점 더 심해지느냐? 매우 심하냐?
- **월명 동창** 달이 밝게 비추는 동쪽의 창.
- **무상 불청** 청(請)하지 않은, 덧없는.
- **언하당** 말이 끝나자마자 바로. 여기서는 '그런 생각을 하자마자 바로'의 뜻.
- **실 한 바람** 한 발 정도 길이의 실. 바느질 실을 말함.
- **질긋 바늘** 문맥상으로 보면 '바늘 하나 길이가 찰 때까지' 정도의 뜻으로 짐작되나, 무슨 뜻인지 정확하는 알 수 없음.

답 Q1 X Q2 X Q3 O

01 (가), (나)의 공통점으로 적절하지 않은 것은?

① 청자에게 말을 건네는 방식이 나타나고 있다.
② 대조의 방식으로 화자의 처지를 부각하고 있다.
③ 화자가 자신의 처지를 직설적으로 한탄하고 있다.
④ 4음보를 규칙적으로 반복하여 운율을 형성하고 있다.
⑤ 현실의 문제가 해결된 상황을 해학적으로 그려 내고 있다.

02 ㉠~㉤에 대한 이해로 적절하지 않은 것은?

① ㉠: 설의적 표현을 통해 시집살이의 어려움을 드러내고 있다.
② ㉡: 해학적 표현을 통해 시집 식구들에 대한 화자의 생각을 드러내고 있다.
③ ㉢: 통사 구조의 반복을 통해 부당함을 참고 견뎌야 하는 시집살이의 어려움을 제시하고 있다.
④ ㉣: 비유적 표현을 통해 시집살이에서 벗어나겠다는 의지를 나타내고 있다.
⑤ ㉤: 과장된 표현을 통해 시집살이의 한을 표현하고 있다.

03 다음은 (가)에 쓰인 언어유희에 대한 설명이다. 해당하는 구절을 찾아 차례대로 쓰시오.

(1) 발음의 유사성을 활용한 언어유희로, 대상을 얕잡아 비유함으로써 시집살이의 어려움과 힘듦을 단적으로 표현하였다.
································· (   )

(2) 각운을 활용한 언어유희로, 같은 대상을 다른 말로 표현함으로써 동어 반복을 피하고 표현의 효과를 높였다.
································· (   )

04 (가)와 〈보기〉를 비교하여 감상한 내용으로 가장 적절한 것은?

보기

鷰子初來時	제비 한 마리 처음 날아와
喃喃語不休	지지배배 그 소리 그치지 않네
語意雖未明	말하는 뜻 분명히 알 수 없지만
似訴無家愁	집 없는 서러움을 호소하는 듯
楡槐老多穴	느릅나무 홰나무 묵어 구멍 많은데
何不此淹留	어찌하여 그곳에 깃들지 않니
燕子復喃喃	제비 다시 지저귀며
似與人語酬	사람에게 말하는 듯
楡穴鸛來啄	느릅나무 구멍은 황새가 쪼고
槐穴蛇來搜	홰나무 구멍은 뱀이 와서 뒤진다오

- 정약용, 「고시 8」

① (가)와 〈보기〉 모두 우의적인 수법을 활용하여 현실을 풍자하고 있다.
② (가)와 〈보기〉 모두 새에 감정을 이입하여 화자의 정서를 드러내고 있다.
③ 〈보기〉와 달리 (가)는 열거를 통해 상황을 구체적으로 드러내고 있다.
④ 〈보기〉와 달리 (가)는 대상과의 대화를 통해 삶의 애환을 드러내고 있다.
⑤ (가)와 달리 〈보기〉는 과거와 현재의 대비를 통해 시적 대상의 처지를 부각하고 있다.

05 [A]~[E]에 대한 설명으로 적절하지 않은 것은?

① [A]: 매일같이 찾아오는 잠에 대한 원망의 심리를 드러내고 있다.
② [B]: 반복을 통해 잠을 이겨 내고 싶은 화자의 심리를 드러내고 있다.
③ [C]: 다른 사람과의 비교를 통해 세상이 불공평하다는 인식을 드러내고 있다.
④ [D]: 과도한 가사 노동으로 인해 저녁에도 일을 해야 하는 상황을 나타내고 있다.
⑤ [E]: 나이가 들어 눈마저 침침한 자신의 처지를 한탄하고 있다.

기출 변형 2012학년도 9월 고2 학력평가 A형

정답과 해설 38쪽

06 〈보기〉를 통해 (나)를 감상할 때, 적절하지 않은 것은?

보기

「잠 노래」는 농사일이나 집안일 등 바쁜 낮의 일과를 보내고 나서도 밤늦게까지 남은 집안일을 해야 했던 옛날 우리나라 여인들의 애환이 담겨 있는 노래이다. 「잠 노래」의 화자는 의인화와 해학적인 표현을 통해 '잠'에 대한 원망의 심리를 드러내고 있다. 그러나 자신의 신세를 한탄하는 것에 그치지 않고 '잠'을 쫓아내어 해야 할 일을 마치려는 의지를 나타내고 있다.

① '염치 불구 이내 잠아 검치 두덕 이내 잠아'에서 '잠'을 의인화하여 표현하고 있군.
② '잠 못 들어 한하는데'를 통해 '잠'을 원망하는 화자의 태도를 읽을 수 있군.
③ '등잔 앞에 고개 숙여 실 한 바람 불어 내어'를 통해 해야 할 일을 마치려는 화자의 의지를 엿볼 수 있군.
④ '바늘'이라는 소재를 통해 이 노래가 여인들 사이에서 불렸음을 확인할 수 있군.
⑤ '눈썹 속에 숨었는가 눈알로 솟아온가'에서 화자의 해학적 태도를 엿볼 수 있군.

기출 2019학년도 6월 고1 학력평가

07 ⓐ, ⓑ에 대한 이해로 가장 적절한 것은?

보기

귓도리 저 귓도리 어여쁘다 저 귓도리
어인 귓도리 지는 달 새는 밤의 긴 소리 쟈른 소리 절절(節節)이 슬픈 소리 제 혼자 우러 녜어 사창(紗窓) ⓑ여윈 잠을 *살뜰히도 깨우는구나
두어라 제 비록 미물(微物)이나 무인동방(無人洞房)에 내 뜻 알 이는 너뿐인가 하노라

- 작자 미상

*살뜰히도: 알뜰하게도. 여기서는 '얄밉게도'의 뜻임.

① ⓐ는 화자의 목적을 이루기 위한 보조적 수단이다.
② ⓑ는 외부적 요인으로 인해 방해받고 있다.
③ ⓐ와 ⓑ는 모두 화자가 거부하는 대상이다.
④ ⓐ는 ⓑ와 달리 화자의 고통을 해소시키고 있다.
⑤ ⓑ는 ⓐ와 달리 화자가 현실로부터 벗어나기 위한 행위이다.

민요 Q37

정선 아리랑 | 밀양 아리랑

▶해법문학 Link
㉮ 고전 시가 278쪽

[교과서] [문] 천재(정), 금성, 신사고, 지학사, 해냄
[국] 비상(박영) [기출] [EBS]

키워드 체크 ㉮ #강원도 정선 #삶의 애환 #노동요적 성격 ㉯ #경남 밀양 #서정적 #남녀 간의 사랑

핵심 포인트

지역적 특수성의 표현

실제 지역, 장소를 언급 + 관련 설화의 활용
↓
지역적 특수성, 향토성 증가의 효과

운율 형성 방법과 효과

- 후렴구의 반복
- 음보의 반복 ㉮: 4음보, ㉯: 3음보
- 대구법의 사용

→ 운율을 형성하고 가창을 용이하게 함.

연계 작품

- **이별의 정한을 노래한 작품**: 작자 미상 「가시리」, 김소월 「진달래꽃」
- **대표적인 아리랑 작품**: 작자 미상 「진도 아리랑」, 작자 미상 「원산 아리랑(신고산 타령)」

기출 OX

Q1 (가), (나)의 각 연은 내용적 긴밀성은 약하지만, 동일한 후렴구에 의해 형식적 통일성을 확보하였다. [EBS] 변형 (O | X)

Q2 (가), (나)에서는 임에 대한 사랑을 드러내기 위해 지역적 특색이 반영된 후렴구를 사용하였다. [EBS] 변형 (O | X)

(가)

㉠정선의 *구명은 무릉도원이 아니냐
㉡무릉도원은 어데 가고서 산만 충충하네
아리랑 아리랑 아라리요 / 아리랑 고개 고개로 나를 넘겨 주게

*명사십리가 아니라면은 **해당화**가 왜 피며
㉢모춘 삼월이 아니라면은 두견새는 왜 우나
아리랑 아리랑 아라리요 / 아리랑 고개 고개로 나를 넘겨 주게

㉣아우라지 **뱃사공**아 배 좀 건너 주게
싸릿골 ***올동백**이 다 떨어진다
아리랑 아리랑 아라리요 / 아리랑 고개 고개로 나를 넘겨 주게

떨어진 **동박**은 **낙엽**에나 쌓이지
㉤잠시 잠깐 **임** 그리워서 나는 못 살겠네
아리랑 아리랑 아라리요 / 아리랑 고개 고개로 나를 넘겨 주게

– 작자 미상, 「정선 아리랑」

(나)

[A] 날 좀 보소 날 좀 보소 날 좀 보소 / 동지섣달 꽃 본 듯이 날 좀 보소
아리아리랑 쓰리쓰리랑 아라리가 났네 / 아리랑 아리 얼시구 아라리가 났네

[B] 정(情)든 임 오시는데 인사를 못 해 / 행주치마 입에 물고 입만 빵긋
아리아리랑 쓰리쓰리랑 아라리가 났네 / 아리랑 아리 얼시구 아라리가 났네

[C] 세상에 핀 꽃은 울긋붉읏 / 내 마음에 핀 꽃은 울렁울렁
아리아리랑 쓰리쓰리랑 아라리가 났네 / 아리랑 아리 얼시구 아라리가 났네

[D] 저 건너 대숲은 *의의(依依)한데 / *아랑의 설은 넋이 애달프다
아리아리랑 쓰리쓰리랑 아라리가 났네 / 아리랑 아리 얼시구 아라리가 났네

[E] *영남루 비친 달빛 교교한데 / *남천강 말없이 흘러만 간다
아리아리랑 쓰리쓰리랑 아라리가 났네 / 아리랑 아리 얼시구 아라리가 났네

– 작자 미상, 「밀양 아리랑」

- **구명** 예전에 부르던 이름. 정선은 고려 충렬왕 때 '도원(桃源)'으로 불린 적이 있음.
- **명사십리** 함경남도 원산시의 동남쪽 약 4km 지점에 있는 모래사장. 모래가 곱고 부드러운 해수욕장과 해당화로 유명함.
- **올동백** 보통 동백보다 조금 일찍 피는 동백으로 여기서 동백은 생강나무를 의미함.
- **의의한데** 풀이 무성하여 싱싱하게 푸른데.
- **아랑** 밀양 지방에서 전해지는 아랑 설화의 인물로, 자신을 사모하는 통인에게 억울한 죽임을 당했다는 전설이 전해짐.
- **영남루, 남천강** 밀양 지방에 있는 누각과 강.

답 Q1 O Q2 X

01 (가), (나)의 공통점으로 적절하지 않은 것은?

① 각 연의 내용이 독립적인 병렬 구조로 이루어져 있다.
② 유사한 통사 구조를 반복하여 운율감을 형성하고 있다.
③ 명령형 종결 어미를 통해 화자의 바람을 드러내고 있다.
④ 대상을 의인화하여 지연에 대한 예찬적 태도를 드러내고 있다.
⑤ 반복되는 후렴구를 통해 작품 전체의 안정감을 형성하고 있다.

02 ㉠~㉤에 대한 이해로 적절하지 않은 것은?

① ㉠: '정선'이라는 실제 지명을 사용하여 향토색을 드러내고 있다.
② ㉡: 고사(故事) 속 이상향인 '무릉도원'과 현재 공간을 대조하고 있다.
③ ㉢: '두견새'를 통해 봄의 풍경을 드러내며 한(恨)의 정서를 환기하고 있다.
④ ㉣: 말을 건네는 방식으로 청자에 대한 화자의 원망을 표출하고 있다.
⑤ ㉤: 임의 부재로 인해 고통스러워하는 화자의 심리를 직설적으로 드러내고 있다.

03 〈보기〉는 (가)의 배경 설화이다. 이를 참고하여 (가)를 이해한 내용으로 가장 적절한 것은?

보기

아우라지 강을 사이에 두고 여량리에 사는 한 처녀와 유천리에 사는 한 총각이 서로 사랑을 하였다. 처녀는 싸릿골의 동백을 따러 간다는 핑계를 대고 유천리로 건너가 총각을 만나곤 했다. 그러던 어느 여름날 비가 너무 많이 내려 총각을 만나러 갈 수 없게 되자 처녀는 이를 원망하며 「정선 아리랑」을 불렀다고 한다.

① '해당화'는 여량리에 사는 처녀를 상징하며 화자의 시기심을 자극하고 있군.
② 화자는 임과 이별하게 된 책임을 '뱃사공'에게 돌리고 있군.
③ 화자는 '올동백'이 떨어지면 임과 만날 수 없을까 봐 초조해하고 있군.
④ '동박'은 '낙엽'과 함께하는 존재로 처녀와 총각의 사랑이 완성되었음을 상징하는군.
⑤ 화자는 '임'을 만날 수만 있다면 동백 따는 일도 포기하겠다는 적극적인 모습을 보이고 있군.

04 〈보기〉를 참고하여 (나)를 이해한 내용으로 적절하지 않은 것은?

보기

발생	경상남도 밀양에서 발생하였으며 현재는 전국적으로 분포함.
내용	임에 대한 사랑을 노래하며, 발생 지역과 관련된 설화를 활용하거나 실제 지명을 넣기도 함.
기능	가창을 통한 유희 기능이 강함.
전승	서민층의 노래에 전문 소리꾼의 가사가 더하여 불려짐.
관련 설화	정절을 지키려다 억울하게 죽은 아랑 설화와 관련이 있음.

① [A]: 자연물에 감정을 이입하여 화자의 감정을 표현하는군.
② [B]: 서민층과 관련된 사물과 반말 투가 나타나는군.
③ [C]: 유사한 통사 구조가 반복되어 가창이 용이하겠군.
④ [D]: 관련 설화를 통해 내용을 구체화할 수 있겠군.
⑤ [E]: 발생 지역의 유명 장소와 자연물이 구체적으로 드러나는군.

05 (나)와 〈보기〉를 비교한 내용으로 적절하지 않은 것은?

보기

아리아리랑 쓰리쓰리랑 아라리가 났네
아리랑 으으응 아라리가 났네
서산에 지는 해는 지고 싶어 지느냐
날 두고 가시는 임 가고 싶어 가느냐

아리아리랑 쓰리쓰리랑 아라리가 났네
아리랑 으으응 아라리가 났네
문경 새재는 웬 고갠가
구부야 구부구부가 눈물이로다

아리아리랑 쓰리쓰리랑 아라리가 났네
아리랑 으으응 아라리가 났네
청천 하늘에 잔별도 많고
우리네 가슴에는 눈물도 많다

– 작자 미상, 「진도 아리랑」

① (나)와 〈보기〉는 모두 특정 지명을 제시하여 향토색을 드러내고 있다.
② (나)와 〈보기〉는 모두 대구의 방식을 사용하여 화자의 심정을 나타내고 있다.
③ (나)는 후렴구를 후창하는 형태이고, 〈보기〉는 후렴구를 선창하는 형태이다.
④ (나)는 반어적 표현으로, 〈보기〉는 설의적 표현으로 '임'에 대한 심정을 드러내고 있다.
⑤ (나)는 자연과 인간사를 대비하여, 〈보기〉는 자연물의 시각적 이미지를 활용하여 한(恨)의 정서를 드러내고 있다.

기출 딥러닝

2016학년도 6월 모의평가 B형

[06~07] 다음 글을 읽고 물음에 답하시오.

(가) 어이 못 오던다 무스 일로 못 오던다

너 오는 길 위에 무쇠로 성(城)을 쌓고 성 안에 담 쌓고 담 안에란 집을 짓고 **집 안에란 •뒤주 놓고 뒤주 안에 궤를 놓고** 궤 안에 너를 결박ᄒᆞ여 놓고 •쌍비목 외걸새에 용거북 ᄌᆞ물쇠로 수기수기 줌갓더냐 네 어이 그리 아니 오던다

ᄒᆞᆫ 둘이 셜흔 놀이여니 날 보라 올 하루 업스랴

- 작자 미상

(나) 청천(靑天)에 떠서 울고 가는 외기러기 날지 말고 니 말 들어

한양성 내에 잠간 들러 부듸 니 말 잊지 말고 •웨웨텨 불러 이르기를 월황혼 계워 갈 제 적막 공규(空閨)에 던져진 듯 홀로 안져 님 그려 ᄎᆞ마 못 살네라 ᄒᆞ고 부듸 한 말을 **전ᄒᆞ여 쥬렴**

우리도 님 보러 밧비 ᄀᆞ옵는 길이오매 전홀동 말동 ᄒᆞ여라

- 작자 미상

(다) 아리랑 아리랑 아라리요
아리랑 고개 고개로 나를 넘겨 주게

아우라지 뱃사공아 배 좀 **건너 주게**
싸리골 올동백이 다 떨어진다

[A] 민둥산 **고비 고사리** 다 늙었지마는
이 집에 정든 임 그대는 늙지 마서요

[B] 서산에 지는 해는 지고 싶어 지나
정 들이고 가시는 임은 가고 싶어 가나

[C] **성님 성님 사촌 성님** 시집살이가 어떻던가
삼단 같은 요 내 머리 •비사리춤 다 되었네

[D] 오늘 갔다 내일 오는 건 해 달이지만
한 번 가신 우리 임은 그 언제 오나

[E] 당신이 •날만침만 생각을 한다면
가시밭길 천 리라도 신발 벗고 오리라

- 작자 미상, 「정선 아리랑」 중에서

• **뒤주** 쌀 따위의 곡식을 담아 두는 세간의 하나.
• **쌍비목** 쌍으로 된 문고리를 거는 쇠.
• **웨웨텨** 외쳐.
• **비사리춤** 벗겨 놓은 싸리 껍질의 묶음.
• **날만침만** 나만큼만.

고난도 기출 변형

06 (가)~(다)를 이해한 내용으로 적절하지 않은 것은?

① (가)에서는 '집 안에란 뒤주 놓고 뒤주 안에 궤를 놓고' 등에서 구절들이 연쇄적으로 이어진 것을 알 수 있다.
② (나)의 '한양성 내에 잠간 들러', '우리도 님 보러 밧비 ᄀᆞ옵는 길'에서 행위의 요청과 이에 대한 수락의 구조로 이루어진 것을 알 수 있다.
③ (가)의 '집', '뒤주', '궤' 등과 (다)의 '고비', '고사리' 등을 보면 생활에 밀접한 사물을 이용하여 시적 상황을 표현한 것을 알 수 있다.
④ (가)의 '어이 못 오던다 무스 일로 못 오던다'와 (다)의 '성님 성님 사촌 성님'을 보면 단어와 구절을 반복하여 리듬감을 형성하고 있음을 알 수 있다.
⑤ (나)의 '전ᄒᆞ여 쥬렴'과 (다)의 '건너 주게'를 보면 작품 내에 청자를 설정하여 말을 건네는 형식이 활용된 것을 알 수 있다.

기출

07 [A]~[E]에 대한 감상으로 적절하지 않은 것은?

① [A]: 임이 자연의 섭리에 영향을 받지 않기를 기원하는 말로 임에 대한 애정을 나타내고 있어.
② [B]: 임이 떠나가는 것을 자연 현상에 빗대어 임을 이해하려는 마음을 드러내고 있어.
③ [C]: 묻고 답하는 방식을 빌려 여성의 고단한 삶을 표현하고 있어.
④ [D]: 임이 떠나간 것은 자연의 순환적 질서에 따른 것이므로 돌아오지 않는 것도 그 질서에 따른 것으로 받아들이고 있어.
⑤ [E]: 기대만큼 자신을 충분히 사랑해 주지 않는 임에 대한 서운함을 표현하고 있어.

Q38 한시

교과서 [문] 신사고 기출 EBS

만보(晩步) | 이황

▶해법문학 Link
고전 시가 184쪽

키워드 체크 #가을 풍경 #수확의 기쁨 #자기 성찰 #회한 #선경후정

원문	번역	구분
苦忘亂抽書	잊기를 자주 하여 어지러이 뽑아 놓은 **책들**	[A]
散漫還復整	㉠흩어진 걸 다시 또 정리하자니	[A]
曜靈忽西頹	해는 문득 서쪽으로 기울고	[A]
江光搖林影	강 위에 숲 그림자 흔들린다	[A]
扶筇下中庭	막대 짚고 **마당** 가운데 내려서서	[B]
矯首望雲嶺	고개 들어 **구름** 낀 **고개** 바라보니	[B]
漠漠炊烟生	아득히 밥 짓는 연기가 피어나고	[B]
蕭蕭原野冷	쓸쓸히 들판은 서늘하구나	[B]
田家近秋穫	농삿집 **가을걷이** 가까워지니	[C]
喜色動臼井	절구질 우물가에 기쁜 빛 돌아	[C]
鴉還天機熟	**갈까마귀** 돌아오니 절기가 무르익고	[D]
鷺立風標迥	**해오라기** 서 있는 모습 우뚝하고 훤하다	[D]
我生獨何爲	내 인생은 홀로 무얼 하는 것인지	[E]
宿願久相梗	**숙원**이 오래도록 풀리질 않네	[E]
無人語此懷	이 회포를 털어놓을 사람 아무도 없어	[E]
搖琴彈夜靜	㉡거문고만 둥둥 탄다 고요한 밤에	[E]

핵심 포인트

'선경후정'의 시상 전개

선경	수확과 결실의 기쁨을 누리는 가을 정경의 묘사
↕	
후정	미진한 학문 성취로 인한 안타까움과 탄식

배경의 역할

시간적 배경	계절적 배경
저녁	가을
⬇	⬇
반성과 성찰의 시간	수확과 결실의 시간

연계 작품

- 학문 수양에 대한 의지를 나타낸 작품: 이황 「도산십이곡」
- 자연과의 대비를 통한 감회를 드러낸 작품: 두보 「귀안」
- 인생에 대한 무상감을 드러낸 작품: 신계영 「탄로가」

기출 OX

Q1 윗글의 시간적 배경은 화자로 하여금 자신의 삶을 되돌아보게 하는 계기가 된다.
기출 2012. 6. 고2 (O | X)

Q2 윗글에는 삶에 대한 성찰의 태도와 시대와 역사에 대한 의식이 담겨 있다.
기출 2007. 3. 고2 (O | X)

Q3 '해는 문득 서쪽으로 기울고'는 하루가 저물어 가는 시간이자 인생의 황혼을 암시하고 있다.
EBS 변형 (O | X)

답 Q1 O Q2 X Q3 O

01 윗글의 시상 전개의 특징과 그 효과로 가장 적절한 것은?

① 처음과 끝이 상응하는 방식으로 안정감을 부여하고 있다.
② 외부 세계와 내면을 대비하여 화자의 정서를 부각하고 있다.
③ 시어를 점층적으로 반복하여 고조되는 감정을 드러내고 있다.
④ 계절의 흐름에 따라 자연의 영원성과 인간의 유한성을 대조하고 있다.
⑤ 영탄과 회상의 어조를 교차하여 과거에 대한 화자의 후회를 부각시키고 있다.

02 윗글의 시어에 대해 이해한 내용으로 적절하지 <u>않은</u> 것은?

① '책들'은 화자에게 자신의 삶을 성찰하는 계기를 제공하는군.
② '마당'은 화자가 정경을 돌아보며 들판의 쓸쓸함을 느끼는 공간이군.
③ '구름'은 '고개'를 가리는 존재로 화자의 학문적 성취를 방해하는 대상이군.
④ '가을걷이'는 가을의 풍요로움이라는 계절적 특성을 드러내고 있군.
⑤ '해오라기'는 화자와 대비되는 자연물로 우뚝하고 훤하게 선 모습이 강조되고 있군.

03 ㉠, ㉡을 비교하여 이해한 내용으로 가장 적절한 것은?

① ㉠은 ㉡과 달리 화자의 반성적 자세를 드러내고 있다.
② ㉠과 ㉡은 모두 시간적 배경을 부각하는 소재이다.
③ ㉠과 ㉡은 모두 행동으로 화자의 현재 심정을 표출하고 있다.
④ ㉠은 학문적인 성취를, ㉡은 이에 대한 예술적 승화를 상징한다.
⑤ ㉠은 지난 삶에 대한 회상을, ㉡은 앞으로의 삶에 대한 의지를 나타낸다.

04 [A]~[E]에 대한 설명으로 적절하지 <u>않은</u> 것은?

① [A]: 흩어져 있는 책들을 통해 화자가 학문적 성취를 위해 노력했음을 짐작해 볼 수 있다.
② [B]: 저녁 무렵의 주변 풍경을 바라보는 화자의 모습을 묘사하고 있다.
③ [C]: 결실의 계절을 맞아 수확의 기쁨에 찬 정경을 묘사하고 있다.
④ [D]: 화자는 계절의 변화를 알리는 자연물을 보며 막을 수 없는 세월을 한탄하고 있다.
⑤ [E]: 의문의 형식을 빌려 학문적 성취를 이루지 못한 화자의 안타까움을 드러내고 있다.

05 윗글과 〈보기〉를 비교하여 감상한 내용으로 가장 적절한 것은?

> 보기
>
> 春來萬里客　봄에 와 있는 만 리 밖의 나그네는
> 亂定幾年歸　난이 그치거든 어느 해에 돌아갈까
> 腸斷江城鴈　강성의 기러기
> 高高正北飛　똑바로 높이 북쪽으로 날아가니 애를 끊는구나
>
> – 두보, 「귀안」

① 윗글과 〈보기〉 모두 화자가 지향하는 공간에 대한 염원이 나타나 있다.
② 윗글과 〈보기〉 모두 화자 자신의 모습에 대한 비판적 인식을 드러내고 있다.
③ 윗글과 〈보기〉 모두 화자의 처지와 대비되는 자연물을 통해 감회를 노래하고 있다.
④ 윗글에서는 자연 속 삶에 대한 동경을, 〈보기〉에서는 이상향에 대한 동경을 드러내고 있다.
⑤ 윗글에서는 계절의 변화를, 〈보기〉에서는 시간의 변화를 통해 화자의 정서를 심화하고 있다.

06 윗글과 〈보기〉의 공통점으로 가장 적절한 것은?

> 보기
>
> 청산(靑山)은 엇졔ᄒᆞ여 만고(萬古)에 프르르며
> 유수(流水)ᄂᆞᆫ 엇졔ᄒᆞ여 주야(晝夜)애 긋지 아니ᄂᆞᆫ고
> 우리도 그치지 마라 만고상청(萬古常靑)ᄒᆞ리라
>
> – 이황, 「도산십이곡」 중 〈제11수〉

① 현재의 삶에 대한 자긍심을 드러내고 있다.
② 자연과 동화되어 살아가고자 하는 의지를 드러내고 있다.
③ 지나온 삶을 반성하며 현실의 문제를 극복하고자 하고 있다.
④ 학문적 수양을 삶에서 성취해야 할 중요한 가치로 여기고 있다.
⑤ 자연의 즐거움을 모르고 살아왔던 지난 날들을 아쉬워하고 있다.

Q39 한시

기출 EBS

영립 | 곡자

▶해법문학 Link
㉯ 고전 시가 189쪽

키워드 체크 ㉮ #상징적 #방랑 생활 #자부심 ㉯ #애상적 #자식을 잃은 슬픔 #상황의 대조

핵심 포인트

㉮ 상황의 대조

나의 '삿갓': 화자의 유유자적한 삶 ↔ 대조 ↔ 속인들의 '의관': 겉치장, 사대부의 허위의식

→ 속인들의 허세 비판

㉯ 대조적 상황의 제시를 통한 슬픔 강조

죽은 자식들 ↔ 대조 ↔ 뱃속의 아기

→ 화자의 슬픔 강조

연계 작품

㉮ 세속적 욕망을 초월한 유유자적한 삶이 담긴 작품: 김병연 「무제」

㉯ 자식을 잃은 슬픔을 표현한 작품: 정지용 「유리창」

기출 OX

Q1 (가)의 '갈매기'는 화자의 흥취를 돋우어 주는 자연물이다. 기출 2008. 9. 고2 (O | X)

Q2 (가)에서는 서민들의 소박한 삶에 애정을 가졌던 화자의 인간적인 면모와, 신분 차이를 극복하려는 적극적인 태도가 잘 드러나 있다. 기출 2009.10. 고1 (O | X)

Q3 (나)에서는 가족의 부재를 활용하여, 가족 해체의 세태를 풍자하고 있다. EBS 변형 (O | X)

답 Q1 O Q2 X Q3 X

(가)

浮浮我笠等虛舟	**가뿐한 내 삿갓**이 **빈 배**와 같아
一着平生四十秋	한 번 썼다가 사십 년 평생 쓰게 되었네
牧竪輕裝隨野犢	목동은 가벼운 삿갓 차림으로 소 먹이러 나가고
漁翁本色伴沙鷗	어부는 갈매기 따라 삿갓으로 본색을 나타냈지
醉來脫掛看花樹	취하면 벗어서 구경하던 ㉠꽃나무에 걸고
興到携登翫月樓	흥겨우면 들고서 다락에 올라 **달구경**하네
俗子衣冠皆外飾	**속인들의 의관**은 모두 겉치장이지만
滿天風雨獨無愁	**하늘 가득 비바람** 쳐도 나만은 걱정이 없네

– 김병연, 「영립(詠笠)」

(나)

去年喪愛女	[A]	지난해 귀여운 딸아이 여의고
今年喪愛子		올해 사랑하는 아들을 잃었네
哀哀廣陵土	[B]	서러워라 서러워라 광릉 땅이여
雙墳相對起		두 무덤 나란히 마주하고 있구나
蕭蕭白楊風	[C]	㉡사시나무엔 쓸쓸한 바람 불고
鬼火明松楸		숲속 도깨비불 희미하게 빛나네
紙錢招汝魄		종이돈 살라 너희 넋을 부르며
玄酒奠汝丘		무덤에 술잔 따르며 제를 올리네
應知第兄魂	[D]	너희 혼이야 오누인 줄 알고
夜夜相追遊		밤마다 서로 어울려 놀겠지
縱有腹中孩		비록 아기를 다시 가졌다고 한들
安可冀長成		어찌 잘 자라길 바랄 수 있으리오
浪吟黃臺詞	[E]	부질없이 ⓐ*황대사를 읊조리다
血泣悲呑聲		애끊는 피눈물에 목이 메는구나

– 허난설헌, 「곡자(哭子)」

* 황대사 당나라 무후(武后)가 황자(皇子)를 모두 죽이는 것을 풍자한 글로, 이 시에서는 자식을 먼저 보낸 슬픔을 이름.

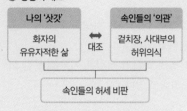

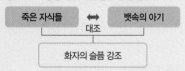

정답과 해설 40쪽

01 (가), (나)의 공통점으로 가장 적절한 것은?

① 시간의 흐름에 따른 화자의 심경 변화가 드러나 있다.
② 색채어를 활용하여 대상을 효과적으로 형상화하고 있다.
③ 고통스러운 현실을 극복하고자 하는 의지가 나타나 있다.
④ 이상과 현실의 괴리에서 오는 고뇌가 작품 창작의 바탕이 되고 있다.
⑤ 현재 처해 있는 상황에 대한 화자의 감정이 직설적으로 드러나고 있다.

02 ㉠, ㉡을 비교한 내용으로 가장 적절한 것은?

① ㉠과 ㉡은 모두 화자의 심리적 갈등을 초래한다.
② ㉠은 ㉡과 달리 화자의 처지를 비유적으로 나타낸다.
③ ㉡은 ㉠과 달리 화자에게 과거 회상의 매개체로 작용한다.
④ ㉠은 화자의 흥취를, ㉡은 화자의 비애를 부각한다.
⑤ ㉠은 과거에 대한 향수를 불러일으키는 반면, ㉡은 고독감을 불러일으킨다.

03 〈보기〉를 바탕으로 할 때, (가)에 대한 설명으로 적절하지 <u>않은</u> 것은?

> 보기
>
> 한평생 길 위에서 떠돌다가 죽음을 맞이한 김병연은 부귀영화를 추구하지 않고 자연 속에서 풍류를 즐기며 무욕의 삶을 살았던 기인(奇人)으로 알려져 있다. 「영립」에서 화자는 허위와 위선으로 가득 찬 속인들의 모습과 대비하여 자신의 삶에 대한 만족감을 표출하고 있다.

① '가뿐한 내 삿갓'을 '빈 배'에 비유하여 화자가 추구한 무욕의 삶을 나타내고 있다.
② '배'는 이동 수단이라는 점에서 정착하지 못하고 떠돌았던 화자의 삶을 나타내고 있다.
③ 화자의 '삿갓'과 속인들의 '의관'을 대비하여 걱정할 것 없는 자신의 삶에 대한 만족감을 표출하고 있다.
④ '달구경'은 화자가 누리는 풍류적인 삶의 면모를 보여 주고 있다.
⑤ '하늘 가득 비바람'은 허세를 부리는 속인들의 모습을 나타내고 있다.

04 [A]~[E]에 대한 이해로 적절하지 <u>않은</u> 것은?

① [A]: 이 작품을 창작한 동기가 드러나고 있다.
② [B]: 실제 지명을 활용하여 작품의 사실성을 높이고 있다.
③ [C]: 자식들을 위한 의식을 치르는 모습을 통해 자식과 재회하고 싶은 화자의 소망을 드러내고 있다.
④ [D]: 화자의 현재 상황과 과거의 경험을 대조하여 화자의 안타까움을 심화하고 있다.
⑤ [E]: 고사(故事)를 인용하여 자식을 먼저 보낸 화자의 슬픔을 고조하고 있다.

05 〈보기〉는 ⓐ의 내용이다. 이를 참고할 때 윗글에서 ⓐ를 언급한 이유로 가장 적절한 것은?

> 보기
>
> 황대 밑에 오이를 심었더니
> 오이가 익어 열매가 축 늘어졌네
> 하나만 따낼 땐 오이에게 좋았는데
> 두 개를 따내자 오이가 드물어지고
> 세 개를 딸 땐 아직 희망이 있었는데
> 네 개를 따내니 빈 넝쿨 뿐이로다
>
> – 장회 태자, 「황대사」

① 두 아이와의 추억을 떠올리기 위해
② 요절한 두 아이의 명복을 빌기 위해
③ 두 아이를 모두 잃은 슬픔을 강조하기 위해
④ 자신이 죽은 후 두 아이와의 만남을 기약하기 위해
⑤ 뱃속의 아기가 두 아이를 대체할 수 없음을 나타내기 위해

06 (나)와 〈보기〉를 비교하여 감상한 내용으로 적절하지 <u>않은</u> 것은?

> 보기
>
> 생사(生死) 길은 / 예 있으매 머뭇거리고
> 나는 간다는 말도 / 못다 이르고 어찌 갑니까
> 어느 가을 이른 바람에 / 이에 저에 떨어질 잎처럼
> 한 가지에 나고 / 가는 곳 모르온저
> 아아, 미타찰(彌陀刹)에서 만날 나
> 도(道) 닦아 기다리겠노라
>
> – 월명사, 「제망매가」

① (나)는 〈보기〉와 달리 시구의 반복을 통해 고조된 정서를 표출하고 있다.
② (나)는 〈보기〉와 달리 공간적 배경을 통해 화자가 처한 상황을 제시하고 있다.
③ 〈보기〉는 (나)와 달리 슬픔 극복의 의지가 구체적인 행동으로 제시되어 있다.
④ 〈보기〉는 (나)와 달리 설의적 표현을 활용하여 화자의 정서를 부각하고 있다.
⑤ (나)와 〈보기〉는 모두 부재하는 대상에 대한 정서가 작품 창작의 바탕이 된다.

『곡자』 "비록 아기를 다시 가졌다고 한들 어찌 잘 자라길 바랄 수 있으리오"
작품 한 줄 Pick

한시

Q40 보리타작 | 고시 7 | 탐진촌요

▶해법문학 Link
㉮ 고전 시가 288쪽
㉯, ㉰ 고전 시가 304쪽

교과서 [문] 천재(정), 금성 기출 EBS

키워드 체크 ㉮ #농민들의 삶 #자아 성찰 ㉯ #핍박받는 백성 #우의적 ㉰ #탐관오리의 횡포 #사실적

핵심 포인트

㉮ 시상 전개에 따른 화자의 태도

농민들의 모습 관찰
↓
몸과 마음이 합일된 농민들의 건강한 노동을 긍정적으로 평가함.
↓
세속적 욕망에 집착했던 자신의 삶에 대한 깨달음과 반성

㉯ 우의적 수법을 통한 풍자

연잎, 행채	➡	부평초
지배층	수탈	백성

㉰ 수탈당하는 농민들의 삶

농민	↔	황두
새로 짠 무명을 수탈당함.		누전 세금을 독촉하고 무명을 빼앗음.

↓
관리들의 횡포로 인한 백성들의 고통

연계 작품

㉮ 건강한 농민들의 삶을 예찬하는 작품: 이휘일 「전가팔곡」

㉯, ㉰ 탐관오리의 횡포를 비판하는 작품: 이제현 「사리화」, 작자 미상 「두터비 푸리를 물고」

기출 OX

01 (가)의 '마당'은 화자가 건강한 노동의 즐거움을 깨닫는 공간이다.
기출 2016. 3. 고1 (O | X)

02 (나)의 '부평초'는 현실의 문제에 저항적 태도로 대처하고 있다.
기출 2011. 9. 고2 (O | X)

답 01 O 02 X

㉮

新篘濁酒如湩白	새로 거른 막걸리 젖빛처럼 뿌옇고
大碗麥飯高一尺	㉠<u>큰 사발에 보리밥 높기가 한 자로세</u>
飯罷取耞登場立	밥 먹자 도리깨 잡고 마당에 나서니
雙肩漆澤飜日赤	㉡<u>검게 탄 두 어깨 햇볕 받아 번쩍이네</u>
呼邪作聲擧趾齊	옹헤야 소리 내며 발맞추어 두드리니
須臾麥穗都狼藉	삽시간에 보리 낟알 온 사방에 가득하네
雜歌互答聲轉高	㉢<u>주고받는 노랫가락 점점 높아지는데</u>
但見屋角紛飛麥	보이느니 지붕까지 날으는 보리 티끌
觀其氣色樂莫樂	그 기색 살펴보니 즐겁기 짝이 없어
了不以心爲形役	마음이 몸의 노예 되지 않았네
樂園樂郊不遠有	낙원이 먼 곳에 있는 게 아닌데
何苦去作風塵客	㉣<u>무엇하러 고향 떠나 벼슬길에 헤매리오</u>

– 정약용, 「보리타작[打麥行]」

㉯

百草皆有根	풀이면 다 뿌리가 있는데
浮萍獨無蔕	부평초만은 매달린 꼭지가 없이
汎汎水上行	물 위에 둥둥 떠다니며
常爲風所曳	언제나 바람에 끌려다닌다네
生意雖不泯	목숨은 비록 붙어 있지만
寄命良瑣細	더부살이 신세처럼 가냘프기만 해
蓮葉太凌藉	연잎은 너무 괄시를 하고
荇帶亦交蔽	행채도 이리저리 가리기만 해
同生一池中	똑같이 한 못 안에 살면서
何乃苦相戾	어쩌면 그리 서로 어그러지기만 할까

– 정약용, 「고시(古詩) 7」

㉰

棉布新治雪樣鮮	새로 짜낸 무명이 눈결같이 고왔는데
黃頭來博吏房錢	이방 줄 돈이라고 황두가 뺏어 가네
漏田督稅如星火	㉤<u>누전 세금 독촉이 성화같이 급하구나</u>
三月中旬道發船	삼월 중순 세곡선(稅穀船)이 서울로 떠난다고

– 정약용, 「탐진촌요(耽津村謠)」

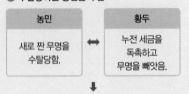

01 (가)~(다)에 대한 설명으로 적절한 것은?

① (가)와 (나)는 구체적인 청자를 설정하여 화자의 심정을 표출하고 있다.
② (가)와 (다)는 색채 이미지를 활용하여 대상을 선명하게 형상화하고 있다.
③ (나)와 (다)는 자연물에 화자의 감정을 이입하여 애상감을 심화하고 있다.
④ (가)~(다)는 계절의 변화에 따라 시상을 전개하고 있다.
⑤ (가)~(다)는 설의적 표현을 통해 시적 상황을 강조하고 있다.

02 (가)의 화자에 대한 설명으로 적절하지 않은 것은?

① 관찰 대상에게 동질감을 느끼고 있다.
② 관찰 대상에 대한 평가를 내리고 있다.
③ 관찰 대상의 심리 상태를 추측하고 있다.
④ 관찰 대상의 모습을 구체적으로 묘사하고 있다.
⑤ 관찰 대상의 모습을 통해 자신의 삶을 성찰하고 있다.

기출 변형 2016학년도 3월 고1 학력평가

03 ㉠~㉤에 대한 이해로 적절하지 않은 것은?

① ㉠: 과장된 표현을 활용하여 농민들의 생활상을 생생하게 제시하고 있다.
② ㉡: 고된 삶을 살아왔던 화자의 모습을 묘사하고 있다.
③ ㉢: 청각적 심상을 활용하여 노동의 과정이 절정에 이르렀음을 암시하고 있다.
④ ㉣: 설의적 표현을 활용하여 벼슬길에 대한 부정적인 인식을 강조하고 있다.
⑤ ㉤: 비유적 표현을 활용하여 백성들이 받았던 압박을 표현하고 있다.

04 (나)의 구조를 〈보기〉와 같이 나타낼 때, 이에 대한 설명으로 적절하지 않은 것은?

보기

[A]	[B]	[C]	[D]	[E]
1~2구	3~4구	5~6구	7~8구	9~10구

① [A]에서는 일반 '풀'과 '부평초'를 대조하여 '부평초'의 처지를 부각하고 있다.
② [B]에서는 '부평초'의 힘든 삶을 '떠다니며'와 '바람에 끌려'를 통해 집약적으로 제시하고 있다.
③ [C]의 '더부살이 신세'는 [D]의 '행채'가 연민을 느끼는 요인으로 작용하고 있다.
④ [D]에서는 '부평초'의 힘든 삶이 외부적 요인에 의한 것임을 드러내고 있다.
⑤ [E]에서는 [D]의 상황에 대한 시적 화자의 안타까움이 드러나 있다.

05 〈보기〉를 참고하여 (나), (다)를 해석한 내용으로 적절하지 않은 것은?

보기

정약용은 유배지에서 목격한 관리들의 수탈과 부패를 사실적으로 묘사한 작품을 많이 썼다. 관리들은 백성들의 어려운 처지나 형편은 고려하지 않은 채 세금을 독촉하고 물자를 수탈하곤 했다. 이중고에 시달리며 고통스러운 상황에 처한 백성들은 이를 견디다 못해 정든 고향을 떠나기도 했다. 이러한 백성들에 대한 안타까움과 관리들에 대한 분노와 고발이 그의 작품 속에 녹아들어 있다.

① (나)의 '부평초'에 '꼭지가 없'는 것은 안정된 삶의 기반을 다지지 못한 백성들의 처지를 나타내는군.
② (나)의 '연잎'과 '행채'는 '부평초'를 못살게 군다는 점에서 백성들을 괴롭히는 존재를 비유하는군.
③ (다)의 '이방'과 '황두'는 모두 농민을 수탈하는 관리에 해당하는군.
④ (다)의 하급 관리인 '황두'가 '이방'에게 돈을 상납하는 모습에서 관리들의 부패한 모습을 엿볼 수 있군.
⑤ (나)의 물 위를 떠다니는 '부평초'와 (다)의 서울로 떠나는 '세곡선'은 유랑하는 백성들의 처지를 나타내는군.

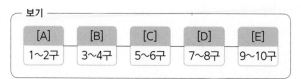

상고 시대~통일 신라 시대

신화, 전설, 민담과 같은 설화 문학이 향유된 시기이다.
이러한 이야기들은 일정한 서사 구조를 지니고 있으며,
꾸며 낸 이야기라는 점에서 서사 문학의 근원이 되었다.

신화

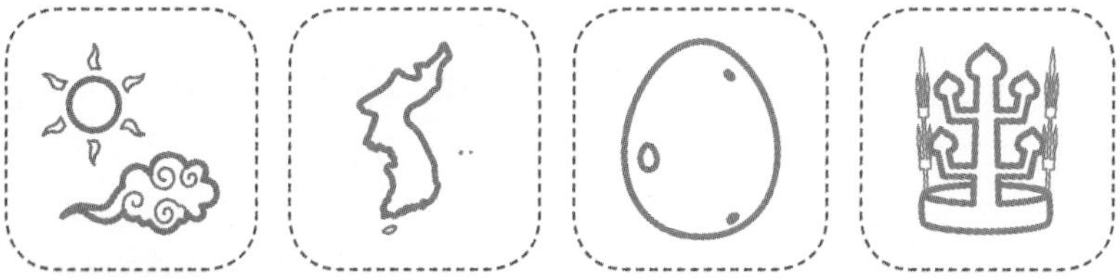

자연 현상에 대한 관심으로 천지 창조, 생명의 유래를 다룬 신화가 형성됨.
고대 국가의 성립과 함께 건국 신화가 등장함.
정복과 지배의 정당화
영웅 일대기 구조(탄생 – 고난 – 극복 – 승리)

예 「단군 신화」, 「주몽 신화」

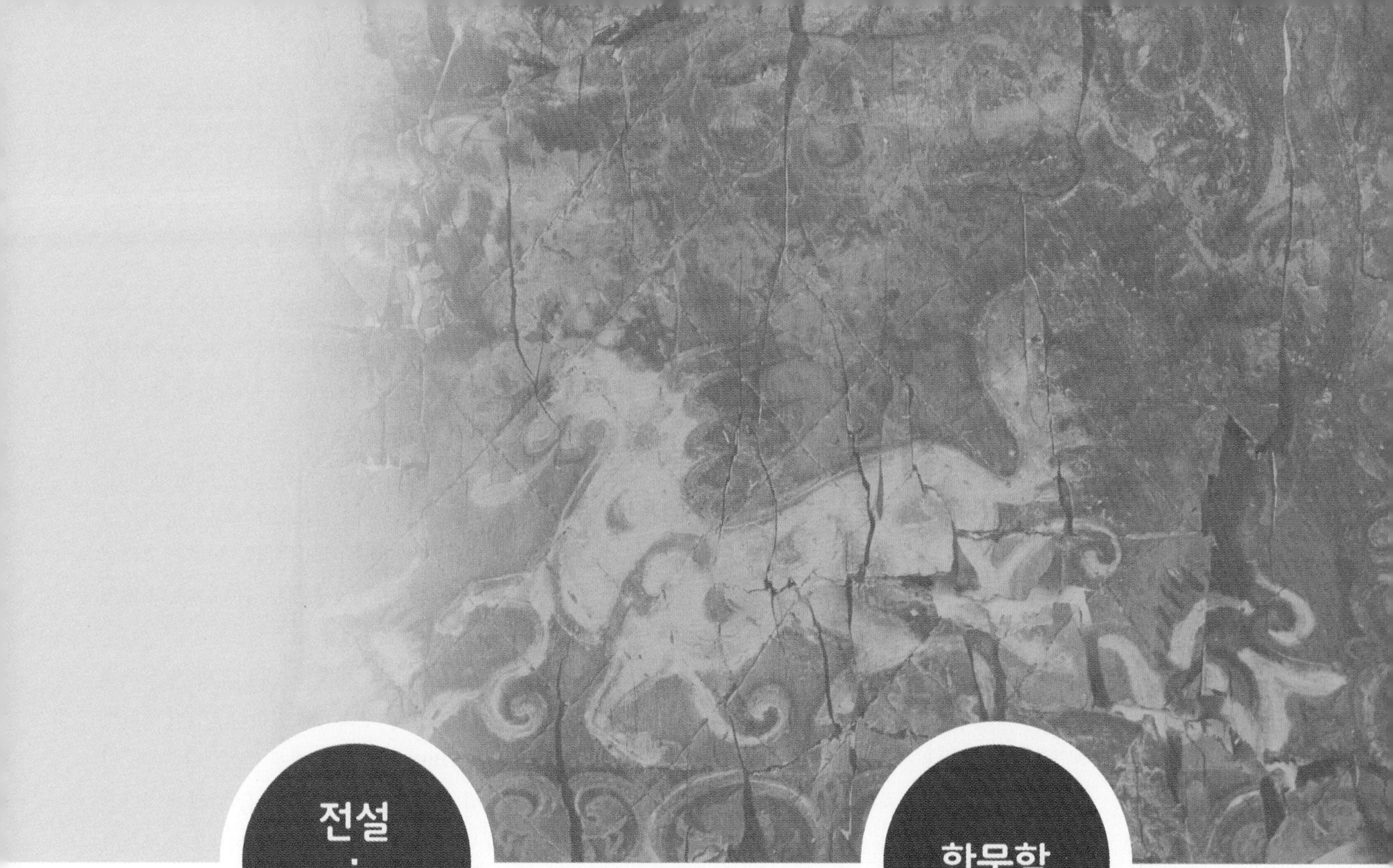

전설·민담

삼국 시대에 이르러 널리 향유됨.
고승들의 일화, 상하 관계나 남녀 관계 등이 다양한 설화로 전승되면서 서사 문학이 발전함.
구체적 사물이나 지명의 유래에 관한 이야기인 전설
뚜렷한 시간과 장소가 제시되지 않는 흥미 위주의 이야기인 민담

예 「온달 설화」, 「도미 설화」, 「지귀 설화」

한문학

상류층의 주도로 발달함.
통일 신라 시대에 중국으로 유학생을 파견하며 더욱 발전함.
한문을 활용하여 역사서를 편찬함.

예 「화왕계」(설총), 「격황소서」(최치원)

설화

001

[교과서] [문] 미래엔, 비상, 창비 [국] 금성, 해냄 [EBS]

주몽 신화(朱蒙神話) | 작자 미상

▶해법문학 Link
고전 산문 26쪽

키워드 체크 #고구려 건국 신화 #영웅의 일대기 구조 #난생 화소

핵심 포인트

「주몽 신화」에 나타난 영웅의 일대기 구조

고귀한 혈통	천제의 아들 해모수와 하백의 딸 유화 사이에서 태어남.
기이한 탄생	주몽이 태양의 정기를 받고 알의 모습으로 태어남.
기아와 구출	금와가 알을 버리나 소와 말이 피하고 새와 짐승들이 보살펴 줌. 금와가 알을 쪼개려 하나 쪼개지지 않아 유화에게 돌려줌.
비범한 능력	골격과 외양이 영특하고 기이하며, 활을 잘 쏴 주몽이라 불림.
성장 후 시련	금와의 아들들과 신하들이 주몽을 죽이려고 함.
시련 극복과 위업 달성	물고기와 자라의 도움을 받아 엄수를 건너고 졸본주에 고구려를 건국함.

연계 작품

- **건국 신화**: 작자 미상 「단군 신화」
- **주몽의 영웅적 일대기를 다룬 작품**: 이규보 「동명왕편」

기출 OX

Q1 윗글은 구체적인 인명과 지명을 제시하여 진실성을 확보하고 있다. [EBS] 변형 (O | X)

Q2 윗글은 선인을 악인으로 전환하여 갈등의 양상을 입체화하고 있다. [EBS] 변형 (O | X)

Q3 윗글의 주인공은 다른 이들을 도와줄 뿐 주위로부터 도움을 받지 않는다. [EBS] 변형 (O | X)

•시조 동명 성제의 성(姓)은 고씨(高氏)이며, 이름은 주몽(朱蒙)이다. 이에 앞서 북부여의 왕 해부루가 이미 동부여로 피해 갔으며, 부루가 세상을 떠나자 금와가 왕위를 계승했다. 이때 금와는 태백산 남쪽 우발수(優渤水)에서 한 여자를 만나 누구인가를 물으니 여자가 말하기를,

"나는 하백(河伯)의 딸로 이름은 유화(柳化)인데, 여러 아우들과 노닐고 있을 때에 한 남자가 나타나 자기는 천제의 아들 해모수라고 하면서 나를 웅신산(熊神山) 밑 압록강가에 있는 집 속으로 꾀어 남몰래 정을 통해 놓고 가서는 돌아오지 않았습니다. 그래서 우리 부모는 내가 중매도 없이 혼인한 것을 꾸짖어 마침내 이곳으로 귀양을 보낸 것입니다." / 라고 하였다.

금와는 이를 이상하게 여겨 그 여인을 방 속에 가두어 두었더니, ㉠햇빛이 방 속을 비췄다. 여인이 몸을 피하자 햇빛이 따라와 또 비췄다. 그로부터 태기가 있더니 알[卵] 하나를 낳았는데, 크기가 닷 되들이만 했다. 왕은 그것을 버려 개와 돼지에게 주었으나, 모두 먹지를 않았다. 그래서 길에 내다 버리게 하였더니, 소와 말이 모두 그 알을 피해서 지나갔다. 또 들에 내다 버리니, 새와 짐승이 오히려 덮어 주었다. 이에 왕이 알을 쪼개 보려고 했으나 깨뜨릴 수가 없어 마침내 그 어머니에게 다시 돌려주었다. 그 어머니는 알을 물건으로 싸서 따뜻한 곳에 두었더니, 한 아이가 껍질을 깨고 나왔는데, 골격과 외양이 영특하고 기이하였다.

나이 겨우 일곱 살에 기골이 준수하니 •범인(凡人)과 달랐다. 스스로 ㉡활과 화살을 만들어 쏘는데, 백 번 쏘면 백 번 다 적중하였다. 그 나라의 풍속에 활을 잘 쏘는 사람을 주몽이라 하였는데, 이런 연유로 해서 그는 주몽(朱蒙)이라 이름하였다.

금와에게는 아들이 일곱이 있었는데, 언제나 주몽과 함께 놀았으나 그 재능이 주몽을 따르지 못하였다. 이에 장자인 대소(帶素)가 왕께 아뢰었다.

"주몽은 사람이 낳은 자식이 아니니 일찍 없애지 않으면 후환이 있을까 두렵습니다."

그러나 왕은 듣지 않고 주몽을 시켜 ㉢말을 기르게 하였다. 주몽은 곧 좋은 말을 알아보았다. 그래서 좋은 말은 일부러 먹이를 적게 주어 여위게 하고, 나쁜 말은 먹이를 많이 주어 살찌게 하였다. 왕은 살찐 말은 자기가 타고 여윈 말은 주몽에게 주었다.

왕의 여러 아들과 신하들이 주몽을 죽이려고 하니, 주몽의 어머니가 이 사실을 미리 알아차리고 주몽에게 이르기를, / "이 나라 사람들이 너를 죽이려고 하는데, 너의 재주와 •지략으로 어디를 간들 살지 못하겠느냐. 그러니, 빨리 여기를 벗어나라." / 하였다.

그리하여 주몽은 오이(烏伊) 등 세 사람을 벗으로 삼아 함께 도망하였는데, ㉣엄수(淹水)에 이르러 물을 향해 고하기를,

"나는 천제의 손자이며 하백의 외손자다. 오늘 도망해 가는데, 뒤쫓는 자들이 거의 닥치게 되었으니 이를 어찌하리오." / 하였다.

이에 물고기와 자라가 솟아올라 ㉤다리를 만들어 주어 그들을 건너게 한 다음 흩어졌다. 이로써 뒤쫓아 오던 기마병은 건너지를 못하고 주몽은 무사히 **졸본주**(현도군의 지경)에 이르러 이곳에 도읍을 정하였다. 그러나 미처 •궁실을 지을 겨를이 없어서 다만 **비류수**(沸流水) 위에 집을 지어 거처하면서 국호를 **고구려**(高句麗)라고 정하였다. 인하여 고(高)로써 성을 삼았다. — •본성은 해(解)였으나, 천제의 손자로 햇빛을 받고 낳았다 하여 스스로 고(高)

- **시조** 한 겨레나 가계의 맨 처음이 되는 조상.
- **범인** 평범한 사람.
- **지략** 뛰어난 슬기와 계략.
- **궁실** 궁전 안에 있는 방.
- **본성** 성(姓)을 고치기 이전에 본디 가졌던 성.

답 Q1 O Q2 X Q3 X

로써 성을 삼았다. — 이때의 나이가 12세였는데, 한나라 효원제(孝元帝) 건소(建昭) 2년 갑신(甲申)에 즉위하여 왕이라 일컬었다.

01 윗글의 내용에 대한 이해로 가장 적절한 것은?

① 유화는 자신이 귀양 온 까닭을 숨겨 금와의 의심을 산다.
② 금와는 유화가 낳은 알을 신성한 존재로 여겨 잘 보살핀다.
③ 유화는 주몽을 죽이려는 계획을 미리 알고 그것을 막으려 한다.
④ 금와는 주몽의 재주를 총애하여 주몽이 기른 좋은 말을 주몽에게 준다.
⑤ 대소는 주몽의 재주가 자신보다 뛰어나다는 것을 근거로 금와를 설득한다.

고난도

02 〈보기〉를 참고하여 윗글을 감상한 내용으로 적절하지 않은 것은?

보기

건국 신화는 단순한 상상력의 소산이 아니라 특정 인물이 나라를 세웠다는 역사적 사실에 기반을 둔 이야기이며, 건국 시조의 신이한 탄생과 신성성, 영웅적 면모를 부각함으로써 인물을 신격화한 이야기이다. 한편 신화는 그것을 향유한 집단의 문화를 반영하기 때문에 그 내용을 통해 당대인들의 삶의 모습을 추측할 수 있다.

① 주몽이 천제와 하백의 혈통이라는 것을 통해 당시 사람들이 천신과 수신을 숭배했음을 추측할 수 있군.
② 주몽이 알의 모습으로 태어난 점은 건국 시조의 신이한 탄생을 부각하여 주몽을 신격화하는 효과가 있겠군.
③ '주몽'이라는 이름이 지어진 이유를 통해 당대에 활쏘기를 즐겨 하는 문화가 있었을 것이라고 짐작할 수 있군.
④ 금와의 여러 아들의 질투로 주몽이 시련을 겪는 것을 통해 주몽이 당대인들에게 신성한 존재로 추앙받았음을 알 수 있군.
⑤ '졸본주', '비류수' 등 주몽이 위업을 달성한 지명과 '고구려'라는 국호가 구체적으로 제시되는 것으로 보아, 윗글은 역사적 사실에 기반을 둔 이야기로 볼 수 있겠군.

03 ㉠~㉤에 대한 설명으로 적절하지 않은 것은?

① ㉠: 주몽이 태양의 정기를 받고 태어났음을 드러내는 소재로, 주몽이 천제의 자손임을 알려 준다.
② ㉡: 주몽의 비범한 재주를 드러내는 소재로, 주몽의 영웅적 면모를 보여 준다.
③ ㉢: 주몽과 금와가 갈등하는 원인으로, 후에 주몽이 겪을 더 큰 시련의 발단이 된다.
④ ㉣: 주몽이 처한 위기를 심화하는 장소이자, 주몽이 위기를 벗어나는 장소이다.
⑤ ㉤: 조력자의 도움에 의해 만들어진 것으로, 주몽이 하백의 손자임을 드러낸다.

04 윗글과 〈보기〉를 비교하여 감상한 내용으로 가장 적절한 것은?

보기

환웅이 무리 3천 명을 거느리고 태백산 꼭대기 신단수 아래로 내려왔다. 이곳을 신시라 하고, 이분을 환웅 천왕이라고 한다. 환웅 천왕은 풍백과 우사와 운사를 거느리고 곡식, 생명, 질병, 형벌, 선악 등 인간 세상의 360여 가지 일을 주관하여 세상을 다스리고 교화했다.

그 당시 곰 한 마리와 호랑이 한 마리가 같은 굴속에 살고 있었는데, 환웅에게 사람이 되게 해 달라고 항상 기원했다.

이때 환웅이 신령스러운 쑥 한 다발과 마늘 스무 개를 주면서 말했다. / '너희가 이것을 먹되, 백 일 동안 햇빛을 보지 않으면 사람의 형상을 얻으리라.' / 곰과 호랑이는 쑥과 마늘을 받아먹으면서 삼칠일 동안 금기했는데, 곰은 여자의 몸이 되었지만, 금기를 지키지 못한 호랑이는 사람의 몸이 되지 못했다.

웅녀는 혼인할 상대가 없어 매일 신단수 아래에서 아이를 갖게 해 달라고 빌었다. / 환웅이 잠시 사람으로 변해 웅녀와 혼인하여 아들을 낳았으니 단군왕검이라고 불렀다. 단군왕검은 중국 요임금이 즉위한 지 50년이 되는 경인년에 평양성에 도읍을 정하고 비로소 조선이라고 불렀다.

– 작자 미상, 「단군 신화」

① 윗글과 〈보기〉 모두 새로운 국가의 건국 과정과 건국 이념을 제시한다.
② 윗글의 유화와 〈보기〉의 웅녀는 모두 신성한 존재와의 혼인으로 인해 시련을 겪는다.
③ 윗글의 '세 사람'과 〈보기〉의 풍백·우사·운사는 모두 건국 시조의 조력자 역할을 한다.
④ 〈보기〉와 달리 윗글에는 건국 시조가 국가를 세우기까지 겪는 갈등과 위기가 나타난다.
⑤ 〈보기〉의 환웅과 달리 윗글의 해모수는 직접 인간 세계로 내려와 새로운 국가 건설을 위한 기틀을 닦는다.

기출 딥러닝

2005학년도 6월 모의평가

[05~08] 다음 글을 읽고 물음에 답하시오.

㉮ 신(臣) 부식은 아룁니다. 옛날 열국들도 각각 사관을 두어 일을 적었기에, 『맹자』에 "진의 승, 초의 도올, 노의 춘추는 한 가지이다."라고 하였습니다. 우리 해동 삼국은 역사가 오래되어 그 사실이 응당 ㉠책에 밝혀져야 되겠기에, 늙은 신에게 명하여 이를 편집토록 하셨으나, 스스로 돌아봐도 부족할 따름이라 어찌할 바를 몰랐습니다. 삼가 생각건대 성상 폐하께서는 〈중략〉 "오늘날 학사·대부들이 오경·제자의 글 및 진한·역대의 사서(史書)에 대하여는 간혹 환하게 알아 상세히 말하는 자가 있지만, 우리나라의 일에 이르러서는 도리어 아득하여 그 전말을 알지 못하니, 매우 개탄할 노릇이다."라고 여기셨습니다.

더군다나 신라, 고구려, 백제가 나라를 열어 •솥발처럼 맞서면서도 능히 예의로써 중국과 통하였기에, 『한서』와 『당서』에 모두 그 •열전이 있기는 하나, 국내는 상세히 하고 외국은 간략히 하는 ㉡바람에 그 일이 자세히 실리지 않았습니다. 또 그 고기(古記)란 것도 문자는 거칠고 불합리하며 •사적(史蹟)은 빠지고 없어져서, 임금의 선함과 악함, 신하의 충성스러움과 간사함, 나라의 평안함과 위태로움, 백성의 다스려짐과 어지러움을 모두 드러내어 이로써 ㉢후세에 권장하거나 경계할 수가 없습니다. 마땅히 뛰어난 인재를 얻어 훌륭한 사서를 이룸으로써, 이를 만세토록 남기어 해와 별처럼 빛나게 해야 할 것입니다.

신과 같은 자는 본래 뛰어난 인재도 아니고 깊은 지식도 없을 뿐더러, 황혼의 나이에 이르러 날로 혼미해져서, 글을 부지런히 읽어도 책을 덮으면 바로 잊어버리고 붓을 잡아도 힘이 없어 종이를 대하면 내려가지 않습니다. 신의 학술은 이렇게 짧고 얕은데 옛 사적은 저렇게 깊고 아득합니다. 이 때문에 온 정력을 쏟아 겨우 책을 엮었으나, 끝내 보잘 것이 없어 스스로 부끄러울 뿐입니다. 삼가 바라옵건대 성상 폐하께서는 두서 없이 간추린 솜씨를 양해하시고 되는 대로 만든 죄를 용서하옵소서. 비록 명산에 간직할 거리는 못 될지라도, 장독 덮개로 쓰이는 일은 없기를 바랍니다. 구구히 망령된 뜻은 밝은 해가 굽어 비출 것입니다.

– 김부식, 「진삼국사기•표(進三國史記表)」

• **솥발** 솥 밑에 있는 세 개의 발. 셋이 사이좋게 나란히 있는 모양을 비유할 때 씀.
• **열전** 여러 사람의 전기(傳記)를 차례로 벌여서 기록한 책.
• **사적** 역사적으로 중요한 사건이나 시설의 자취.
• **표** 표문. 마음에 품은 생각을 임금에게 올리는 글.

㉯ 세상에서 동명왕의 신이한 일을 많이 말한다. 어리석은 남녀도 흔히들 말한다. 내 일찍이 그 얘기를 듣고 웃으며,

"우리 스승 공자께서 •괴력난신(怪力亂神)을 말씀하지 않았다. 동명왕의 일은 황당하고 기괴하여 우리들이 얘기할 것이 못 된다."

라고 말하였다. ㉣나중에 『위서』와 『통전』을 보매 역시 그 일이 자세하지 못하니, 국내는 자세히 하고 외국은 소략히 하려는 뜻인지도 모르겠다.

지난번에 『구삼국사』의 「동명왕 •본기」를 보니 신이한 사적이 세상에서 얘기하는 것보다 더했다. 처음에는 믿지 못하고 귀(鬼)나 환(幻)으로만 생각하였는데, 세 번 되풀이 읽어 점점 ㉤근원에 들어가니, 환이 아니고 성(聖)이며 귀가 아니고 신(神)이었다.

하물며 국사는 사실 그대로 쓰는 글이니 어찌 허탄한 것을 전하랴. 김부식 공이 국사를 중찬하면서 그 일을 자못 생략하였으니, 국사는 세상을 바로잡는 글이므로 크게 이상한 일은 후세에 보일 것이 아니라고 생각하여 생략한 것이 아닌가? 「당현종 본기」와 「양귀비전」에는 •방사(方士)가 하늘에 오르고 땅에 들어갔다는 일이 없는데, 오직 시인 백낙천이 그 일이 인멸될까 두려워 노래로 기록하였다. 저것은 실로 황당하고 음란하고 기괴하고 허탄한 데도 읊어서 후세에 보였다. 하물며 동명왕의 일은 변화의 신이함으로 여러 사람의 눈을 현혹한 것이 아니고 나라를 창시한 신성한 사적이니, 이를 기술하지 않으면 후인들이 장차 어떻게 보겠는가. 이에 시로써 기록하여 우리나라가 본래 성인의 나라임을 천하에 알리고자 한다.

– 이규보, 「동명왕편 서(東明王篇序)」

• **괴력난신** 이성적으로 설명하기 어려운 존재나 현상.
• **본기** 기전체의 역사 서술에서, 왕의 사적(事跡)을 기록한 부분.
• **방사** 신선의 도술을 익히는 사람.

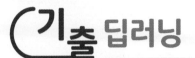

정답과 해설 42쪽

기출 변형

05 **(가)에서 알 수 있는 내용으로 적절하지 않은 것은?**

① 글쓴이는 왕명으로 사서를 편찬하였다.
② 글쓴이는 자신이 한 일에 대해 겸손한 태도를 보이고 있다.
③ 우리나라의 삼국을 다룬 고기(古記)는 길이 후세에 전할 만하다.
④ 당시의 학사·대부들은 자기 나라의 역사에 대해 잘 알지 못했다.
⑤ 중국의 역사서에는 고구려, 백제, 신라의 역사가 실려 있기는 하나 자세히 기술되어 있지는 않다.

기출

06 **〈보기〉는 (나)를 바탕으로 (가), (나) 글쓴이의 사고 과정을 정리한 것이다. 알맞지 않은 것은?**

보기

유자(儒者)는 괴력난신을 말하지 않는다.

(가)	(나)
동명왕 이야기는 괴력난신이다.	ⓐ 동명왕 이야기는 괴력난신이라고만 할 수 없다.
ⓑ 역사의 교훈으로 후세에 남길 것이 못 된다.	ⓒ 백낙천도 동명왕 이야기를 읊었다.
ⓓ 많이 생략하여 서술하였다.	ⓔ 시로 재구성하였다.

① ⓐ ② ⓑ ③ ⓒ ④ ⓓ ⑤ ⓔ

기출 변형

07 **〈보기〉를 참고하여 (가), (나)를 이해한 내용으로 적절하지 않은 것은?**

보기

(가) 「진삼국사기표」
『삼국사기』 편찬의 총 책임자였던 김부식이 책을 완성하여 임금 인종에게 바치면서 올린 표문(表文)으로, 책의 편찬 배경 등을 설명하고 있다.

(나) 「동명왕편 서」
고구려 건국 시조인 동명왕의 일대기를 시로 읊은 책 『동명왕편』의 서문으로, 동명왕의 이야기를 복원하여 기록하는 배경과 동기를 밝히고 있다.

① (가), (나)는 글을 쓰게 된 경위를 설명하고 있다.
② (가), (나)는 옛일을 끌어들여 논지를 보강하고 있다.
③ (가)는 왕을, (나)는 불특정 다수를 독자로 상정하고 있다.
④ (가), (나)는 대화를 인용하여 자신의 주장을 강화하고 있다.
⑤ (가), (나)에는 이전의 역사 기록에 한계가 있다는 인식이 나타나 있다.

기출

08 **㉠~㉤ 중, 〈보기〉의 '에서'와 쓰임이 가장 비슷한 것은?**

보기

나는 어제 도서관에서 철수를 만났다.

① ㉠ 책에
② ㉡ 바람에
③ ㉢ 후세에
④ ㉣ 나중에
⑤ ㉤ 근원에

설화 Q02

[교과서] [문] 비상, 지학사 [기출] EBS

▶해법문학 Link
고전 산문 40쪽

김현감호(金現感虎) | 작자 미상

키워드 체크 #사찰 연기 설화 #전기적(傳奇的) #변신형 모티프 #인간과 호랑이의 사랑 #살신성인

핵심 포인트

인물의 성격

호랑이 처녀	김현
• 형제의 악행에 대한 벌을 대신 받고자 함. • 자신을 희생하여 김현을 돕고자 함.	• 호랑이와의 비정상적인 사귐을 천행으로 여김. • 호랑이 처녀의 희생으로 벼슬을 얻는 것을 바라지 않음.
⬇	⬇
이타적, 자기희생적	진실함, 도덕적

전체 줄거리

발단	김현과 호랑이 처녀가 탑돌이를 하다가 만나 정을 통함.
전개	김현이 호랑이 처녀의 집에 따라갔다가 호랑이 처녀의 오빠들에게 죽을 위기에 처함.
위기	호랑이 처녀가 자신의 일족과 김현을 위해 자신을 희생하기로 결심함. ⋯› 수록 부분
절정	김현이 호랑이 처녀의 희생으로 공을 세우고 벼슬을 얻음. ⋯› 수록 부분
결말	김현이 절을 세워 호랑이 처녀의 은혜에 보답함. ⋯› 수록 부분

연계 작품

• **남녀 간의 비현실적 사랑을 다룬 작품**: 김시습 「이생규장전」
• **사찰 연기 설화**: 작자 미상 「조신의 꿈」

기출 OX

Q1 김현은 배필의 죽음을 결국 막지 못하는 나약한 모습을 보인다는 점에서 '소극성'을 지닌 인물임을 알 수 있다. [기출] 2017. 9. 모평 (O | X)

Q2 윗글의 여주인공은 남주인공에게 타인과의 관계에서 맺힌 한을 풀어 달라는 부탁을 한다. [기출] 2017. 9. 모평 (O | X)

답 Q1 O Q2 X

처녀가 들어와 낭에게 말하기를, "처음에 저는 당신이 우리 집에 오는 것이 부끄러워서 사양하고 거절했습니다. 그러나 이제는 감출 것이 없으니 감히 내심을 말하겠습니다. 또한 저는 낭군과는 비록 유가 다르지만, 하룻저녁의 즐거움을 얻어 중한 부부의 의를 맺었습니다. 세 오빠의 죄악을 하늘이 이미 미워하시니, 집안의 재앙을 제가 당하고자 합니다. 알지 못하는 사람의 손에 죽는 것이 낭군의 칼날에 죽어서 은덕을 갚는 것과 어떻게 같겠습니까? 제가 내일 시가[市]에 들어가서 사람들을 심하게 해치면 나라 사람들이 저를 어떻게 할 수 없으므로 대왕은 반드시 높은 벼슬을 걸고 나를 잡을 사람을 찾을 것입니다. 당신은 겁내지 말고 나를 좇아서 성 북쪽의 숲속까지 오면 제가 기다리고 있겠습니다."라고 하였다.

[A] 김현이 말하기를, "사람과 사람의 사귐은 인륜의 도리이지만 다른 유와 사귀는 것은 대개 정상이 아닙니다. 이미 조용히 만난 것은 진실로 천행이라고 할 것인데, 어찌 차마 배필의 죽음을 팔아서 일생의 벼슬을 요행으로 바랄 수 있겠소?"라고 하였다. 처녀가 말하기를, "낭군은 그런 말 마십시오. 지금 제가 일찍 죽는 것은 대개 천명(天命)이며, 또한 저의 소원이요, 낭군의 경사요, 우리 일족의 복이요, 나라 사람들의 기쁨입니다. 한 번 죽어서 ㉠다섯 가지 이로움이 갖춰지니 어떻게 그것을 어기겠습니까? 다만 저를 위하여 절을 짓고 불경을 강하여 좋은 과보[勝報]를 얻도록 도와주시면 낭군의 ⓐ은혜는 더없이 클 것입니다." 라고 하였다.

드디어 그들은 **서로 울면서 헤어**졌다.

다음 날 과연 사나운 범이 성 안으로 들어왔는데, 매우 사나워 감당할 수가 없었다. 원성왕이 이 소식을 듣고 명령하기를, "범을 잡는 자에게는 벼슬 2급을 주겠다."라고 하였다. 김현이 대궐로 들어가서 아뢰기를, "소신이 잡을 수 있습니다."라고 하였다. 이에 **먼저 벼슬을 주어 그를 격려**하였다. 김현이 **단도를 지니고 숲속으로 들어**갔다. 범이 처녀로 변하여 반갑게 웃으면서 말하기를, "간밤에 낭군과 함께 마음속 깊이 정을 맺던 일을 낭군은 잊지 마십시오. 오늘 내 발톱에 **상처를 입은 사람들**은 모두 흥륜사의 간장을 바르고 그 절의 나발 소리를 들으면 나을 것입니다."라고 하였다.

이에 김현이 찼던 칼을 뽑아 스스로 목을 찔러 쓰러지니 곧 범이었다. 김현이 숲에서 나와 소리쳐 말하기를, "지금 이 범을 쉽게 잡았다."라고 하였다. 그 **사정은 누설하지 않**고 다만 그의 말대로 상한 사람들을 치료하니 그 상처가 모두 나았다. 지금도 세간에서는 그 방법을 쓰고 있다.

김현은 등용된 뒤 서천(西川) 가에 절을 세워 호원사(虎願寺)라고 하고 항상 『범망경(梵網經)』을 강설하여 범의 저승길을 인도하고, 또한 범이 제 몸을 죽여서 자기를 성공하게 만든 ⓑ은혜에 보답하였다.

김현은 죽음을 앞두고 지나간 일의 기이함에 깊이 감동하여 이에 기록하여 전기를 만드니 세상에서는 처음으로 들어 알게 되었고, 이로 인하여 그 이름을 '논호림(論虎林)'이라고 하여 지금까지도 일컬어 온다.

01 윗글의 내용에 대한 설명으로 가장 적절한 것은?

① 김현과 호랑이 처녀가 '서로 울면서 헤어'진 것은 둘의 미래에 대한 불확실성 때문이다.
② 원성왕이 김현에게 '먼저 벼슬을 주어 그를 격려'한 것은 호랑이 처녀로 인한 김현의 고뇌를 이해했기 때문이다.
③ 김현이 '단도를 지니고 숲속으로 들어'간 것은 벼슬에 대한 욕망이 호랑이 처녀에 대한 사랑보다 컸음을 의미한다.
④ 호랑이 처녀가 '상처를 입은 사람들'을 치료할 방법을 알려 준 것은 범의 모습을 하고 사람을 해친 것이 진심이 아니었음을 드러낸다.
⑤ 김현이 호랑이 처녀와 있었던 '사정은 누설하지 않'은 것은 처녀의 죽음을 자신의 출세 수단으로 이용하지 않으려는 김현의 의지를 보여 준다.

02 [A]에 나타난 말하기 방식으로 가장 적절한 것은?

① 김현은 인륜의 도리를 내세워 호랑이 처녀의 행동을 비난하고 있다.
② 호랑이 처녀는 구체적인 이익을 근거로 들어 김현을 설득하고 있다.
③ 김현은 의문형 표현을 통해 호랑이 처녀에 대한 원망을 드러내고 있다.
④ 호랑이 처녀는 과거의 사실에 비추어 앞으로의 상황을 예측하고 있다.
⑤ 김현과 호랑이 처녀는 모두 비유를 활용하여 자신의 주장을 강조하고 있다.

03 다음 중 ㉠에 해당하지 않는 것은?

① 김현이 벼슬을 얻는 것
② 호랑이 처녀가 타고난 운명을 따르는 것
③ 호랑이 처녀가 불교의 깨달음을 얻는 것
④ 호랑이 처녀가 자신의 소원을 이루는 것
⑤ 호랑이가 사라져 나라 사람들이 기쁨을 누리는 것

04 ⓐ와 ⓑ에 대한 이해로 가장 적절한 것은?

① ⓐ는 ⓑ에 대한 김현의 기대감이 반영된 것이다.
② ⓐ에 해당하는 사건은 ⓑ에 해당하는 사건보다 뒤에 일어난다.
③ ⓐ는 김현의 연민으로 인한 것이고, ⓑ는 김현의 부탁으로 인한 것이다.
④ ⓐ는 김현과 현실 사이의 갈등을 유발하고, ⓑ는 호랑이 처녀와 현실 사이의 갈등을 해소한다.
⑤ ⓐ와 ⓑ는 모두 은혜를 베푸는 이의 죽음에서 비롯된 것이다.

고난도

05 〈보기〉를 참고하여 윗글을 감상한 내용으로 적절하지 않은 것은?

보기

「김현감호」는 사찰 연기 설화이자 전설이다. 사찰 연기 설화란 불교 설화의 하나로, 사찰이나 암자 등의 창시 유래나 절터를 잡게 된 유래, 절 이름의 유래에 관련된 내용을 다루면서 불교의 전파와 교화를 목적으로 한다. 사찰 연기 설화의 향유층은 설화의 내용을 과거의 역사적 사실에 결부함으로써 해당 내용을 사실화하려고 한다. 이러한 과정에서 사찰 연기 설화는 구체적 장소와 사물 등의 증거물과 연결되며 전설화의 수순을 밟게 된다.

① 윗글은 '호원사'라는 절의 유래를 보여 주므로 사찰 연기 설화로 볼 수 있겠군.
② 신라의 왕인 원성왕을 이야기에 등장시켜 그 내용을 사실처럼 느끼도록 하는군.
③ 「논호림」은 이 이야기의 등장인물에 의해 만들어진 것으로, 전설의 증거물로 볼 수 있겠군.
④ 호랑이에게 입은 상처를 치료하는 방법이 '흥륜사'라는 절과 관련된 것은 불교의 신이성을 높여 불교의 전파와 교화를 용이하게 했겠군.
⑤ 호랑이 처녀가 김현에게 전해 준 치료 방법을 지금도 세간에서 사용하고 있다는 점은 윗글의 내용을 사실화하려는 시도가 계속되고 있음을 보여 주는군.

06 〈보기〉는 윗글에 대한 평론이다. 이를 참고하여 '호랑이 처녀'를 이해한 내용으로 가장 적절한 것은?

보기

이 이야기의 처음과 끝을 자세히 살펴볼 때, 호랑이 처녀는 흥륜사의 *전탑을 돌 때 김현의 마음을 움직였고, 하늘이 호랑이의 악행을 징벌하려고 하자 이를 자신이 감당했으며, 신이한 방법을 전하여 사람을 구하고 절을 세워 불계를 가르치게 했다. 이것은 다만 짐승의 본성이 어질어서 그런 것이 아니고, 대개 부처님이 사물에 감응하는 방법이 다양해서 김현이 정성껏 *탑돌이를 하자 이에 감동하여 이로움으로 보답하고자 한 것이다.

*전탑: 전각과 탑.
*탑돌이: 초파일에 절에서 밤새도록 탑을 돌며 부처의 공덕을 기리고 제각기 소원을 비는 행사.

① 불계의 깨달음을 직접 전하는 존재이다.
② 신이한 방법을 전하여 사람들에게 존경받는 대상이다.
③ 어진 성품을 지닌 존재로, 부처님의 보답을 받는 수혜자이다.
④ 부처님이 김현의 정성에 보답하기 위해 설정한 대리인이다.
⑤ 악행을 저질렀으나 이에 대한 징벌을 감당함으로써 개과천선하는 대상이다.

『김현감호』 "항상 『범망경』을 강설하여 범의 저승 길을 인도하고, 또한 범이 제 몸을 죽여서 자기를 성공하게 만든 은혜에 보답하였다."

작품 한 줄 Pick

설화 Q03

교과서 [문] 금성 기출 EBS

조신의 꿈[調信之夢] | 작자 미상

▶해법문학 Link 고전 산문 32쪽

키워드 체크 #전설 #환몽 구조 #액자 구조 #세속적 욕망의 헛됨

옛날 신라가 서울이었을 때 세규사(世逵寺) — 지금의 흥교사(興敎寺) — 의 *장원(莊園)이 명주(溟洲) 날리군(捺李郡)에 있었는데, 본사(本寺)에서 중 조신을 보내서 장원을 맡아 관리하게 했다.

조신이 장원에 와서 태수 김흔(金昕)의 딸을 좋아해서 아주 반하게 되었다. 여러 번 낙산사(洛山寺) 관음보살 앞에 가서 남몰래 그 여인과 살게 해 달라고 빌었다. 이로부터 몇 해 동안에 그 여인에게는 이미 배필이 생겼다. 그는 또 불당 앞에 가서, 관음보살이 자기의 소원을 들어주지 않는다고 원망하며 날이 저물도록 슬피 울다가 생각하는 마음에 지쳐서 잠깐 잠이 들었다.

꿈속에 갑자기 김씨 낭자가 기쁜 낯빛을 하고 문으로 들어와 활짝 웃으면서 말했다.

"저는 일찍부터 스님을 잠깐 뵙고 알게 되어 마음속으로 사랑해서 잠시도 잊지 못했으나 부모의 명령에 못 이겨 억지로 딴 사람에게로 시집갔다가 이제 부부가 되기를 원해서 왔습니다." / 이에 조신은 매우 기뻐하며 그녀와 함께 고향으로 돌아가 사십여 년을 살면서 자녀 다섯을 두었다. 〈중략〉

이제 내외는 늙고 병들었다. 게다가 굶주려서 일어나지도 못하니, 십 세 된 계집아이가 밥을 빌어다 먹는데, 다니다가 마을 개에 물렸다. 아픈 것을 부르짖으면서 앞에 와서 누웠으니 부모도 목이 메어 눈물을 흘렸다. / 부인이 눈물을 씻더니 갑자기 말했다.

[A] "내가 처음 그대를 만났을 때는 얼굴도 아름답고 나이도 젊었으며 입은 옷도 깨끗했었습니다. 한 가지 음식도 그대와 나누어 먹었고, 옷 한 가지도 그대와 나누어 입어, 집을 나온 지 오십 년 동안에 정(情)은 맺어져 친밀해졌고 사랑도 굳어졌으니 가위(可謂) 두터운 인연이라고 하겠습니다. 그러나 근년에 와서는 쇠약한 병이 해마다 더 해지고 굶주림과 추위도 날로 더해 오는데 남의 집 곁방살이에 하찮은 음식조차도 빌어서 얻을 수가 없게 되어, 수많은 문전(門前)에 걸식하는 부끄러움이 산과도 같이 무겁습니다. 아이들이 추워하고 배고파해도 미처 돌봐 주지 못하는데 어느 겨를에 부부간의 애정을 즐길 수가 있겠습니까? 붉은 얼굴과 예쁜 웃음도 풀 위의 이슬이요, 지초(芝草)와 난초 같은 약속도 바람에 나부끼는 버들가지입니다. 이제 그대는 내가 있어서 누가 되고 나는 그대 때문에 더 근심이 됩니다. 가만히 옛날 기쁘던 일을 생각해 보니, 그것이 바로 근심의 시작이었습니다. 그대와 내가 어찌해서 이 지경에 이르렀습니까? 뭇 새가 함께 굶어 죽는 것보다는 차라리 짝 잃은 *난조(鸞鳥)가 거울을 향하여 짝을 부르는 것만 못할 것입니다. 추우면 버리고 더우면 가까이하는 것은 사람의 정으로는 차마 할 수 없는 일입니다. 하지만 나아가고 그치는 것은 인력으로 되는 것이 아니고, 헤어지고 만나는 것도 운수가 있는 것입니다. 원컨대 이 말을 따라 헤어지기로 합시다."

조신이 이 말을 듣고 크게 기뻐하여 각각 아이 둘씩 데리고 장차 떠나려 하는데 여인이 말했다.

"나는 고향으로 갈 테니 그대는 남쪽으로 가십시오."

이리하여 서로 작별하고 길을 떠나려 하다가 꿈에서 깨었다.

타다 남은 등잔불은 깜빡거리고 밤도 이제 새려고 한다. 아침이 되었다. 수염과 머리털은 모두 희어졌고 망연히 세상일에 뜻이 없다. 괴롭게 살아가는 것도 이미 싫어졌고 마치

핵심 포인트

「조신의 꿈」의 구조

현실(외화)	조신의 세속적 욕망
⬇ 입몽(入夢)	
꿈(내화)	욕망의 실현과 세속적 삶의 고통
⬇ 각몽(覺夢)	
현실(외화)	욕망의 헛됨과 인생무상에 대한 깨달음

전체 줄거리

현실	조신이 김흔의 딸을 사모하여 부부가 되기를 원함. ⋯→ 수록 부분
꿈	김흔의 딸이 찾아와 함께 살기를 청하여 오십 년 동안 부부의 연을 맺고 자식들을 낳았으나 가난 때문에 고통스럽게 살게 됨. 조신은 굶주림에 지쳐 헤어지자는 부인의 제안을 받아들여 이별함. ⋯→ 수록 부분
현실	조신은 꿈에서 깨어 세속적 욕망의 헛됨을 깨닫고 정토사를 짓고 수행함. ⋯→ 수록 부분

연계 작품

- 인물이 꿈을 통해 부귀영화의 덧없음을 깨닫는 작품: 김만중 「구운몽」
- 「조신의 꿈」을 현대 소설화한 작품: 이광수 「꿈」

기출 OX

Q1 조신은 관음보살을 원망했으나 잘못을 뉘우치고 부끄러워하고 있다. 기출 2003. 5. 고2 (O | X)

Q2 조신의 아내는 현재의 고난을 극복하고 부부의 인연을 지속하기 위해 잠시 이별했다가 훗날 재회할 것을 제안하고 있다. EBS 변형 (O | X)

답 Q1 O Q2 X

한평생의 고생을 다 겪고 난 것과 같아 재물을 탐하는 마음도 얼음 녹듯이 깨끗이 없어졌다. 아예 관음보살의 상(像)을 대하기가 부끄러워지고 잘못을 뉘우치는 마음을 참을 길이 없다. 그는 돌아와서 꿈에 아이를 묻은 해현에서 땅을 파 보니 돌미륵이 나왔다. 물로 씻어서 근처에 있는 절에 모시고 서울로 돌아가 장원을 맡은 책임을 내놓고 •사재(私財)를 내서 정토사(淨土寺)를 세워 부지런히 착한 일을 했다. 그 후에 어디서 세상을 마쳤는지 알 수가 없다.

- **장원** 궁정·귀족·관료나 사찰이 소유하고 있는 대규모의 토지.
- **난조** 중국 전설에 나오는 상상의 새.
- **사재** 개인이 소유하고 있는 재산.

01 윗글에 대한 설명으로 가장 적절한 것은?

① 치밀한 배경 묘사를 통해 작품의 분위기를 형성하고 있다.
② 인물이 깨달음을 얻는 과정을 통해 교훈을 제시하고 있다.
③ 공간의 이동에 따라 변화하는 인물의 심리를 나타내고 있다.
④ 상징적 소재를 활용하여 문제 해결의 실마리를 드러내고 있다.
⑤ 역사적 사건을 배경으로 당시의 사회상을 구체적으로 보여 주고 있다.

02 윗글에 대한 이해로 적절하지 않은 것은?

① 조신은 승려라는 신분과 어울리지 않는 욕망을 품었다.
② 꿈에 나타난 김흔의 딸은 다른 사람과 혼인한 것이 자신의 뜻이 아니었음을 밝힌다.
③ 어린 딸아이가 구걸하다가 개에게 물린 사건은 조신 부부가 이별하는 계기가 된다.
④ 조신이 꾸는 꿈은 조신이 소망하던 세속적 삶이 꿈과 같이 허망한 것임을 깨닫게 한다.
⑤ 조신의 수염과 머리털이 모두 희어진 것은 꿈에서 보낸 시간만큼 현실에서도 시간이 흘렀음을 보여 준다.

03 [A]에 나타난 표현상 특징으로 적절하지 않은 것은?

① 의문형 문장을 사용하여 이별의 당위성을 강조하고 있다.
② 궁핍한 생활로 인한 현재의 심리를 자연물에 빗대어 표현하고 있다.
③ 과거의 모습과 행동을 묘사하여 부부간의 정이 깊었음을 드러내고 있다.
④ 비슷한 문장 구조를 반복하여 과거와 달라진 현재의 상황을 나타내고 있다.
⑤ 주어와 서술어의 위치를 의도적으로 뒤바꾸어 자신의 제안을 부각하고 있다.

04 윗글의 구조를 〈보기〉와 같이 정리할 때, ㉠~㉢에 대한 설명으로 가장 적절한 것은?

보기

현실	➡	꿈	➡	현실
㉠		㉡		㉢

① ㉠~㉢ 모두 각기 다른 서술자가 주인공의 행위와 심리를 서술한다.
② ㉠, ㉢은 액자식 구성의 내부 이야기, ㉡은 외부 이야기에 해당한다.
③ ㉠과 ㉢에서 일어나는 사건은 ㉡에서 일어나는 사건의 진행을 지연시킨다.
④ ㉠에서 나타나는 주인공의 욕망은 ㉡에서 좌절되지만 ㉢에서 결국 성취된다.
⑤ ㉠에서 나타나는 주인공의 갈등은 ㉡에서 일어나는 사건으로 인해 ㉢에서 해소된다.

05 〈보기〉를 참고하여 윗글을 감상한 내용으로 적절하지 않은 것은?

보기

전설(傳說)은 현실에서 일어나기 어려운 기이한 사건을 다루지만 이야기를 뒷받침하는 기념물이나 증거물이 남아 있어서 사람들이 그 이야기가 사실일 것이라고 믿는 설화의 한 종류이다. 주로 지명이나 탑, 불상 및 사찰과 같은 건축물 등의 유래와 관련된 것이 많다. 또한 전설은 주로 신분이나 능력이 평범한 인물이 문제 상황을 이겨 내지 못하고 비극적인 결말을 맺는다는 점에서 신화와 다르다.

① 조신의 행적을 다룬 이 이야기는 '정토사'라는 절이 생긴 유래와 관련된 전설로 볼 수 있겠군.
② 승려인 조신이 특별한 능력이 없는 평범한 인물이라는 점은 전설의 특징을 보여 주고 있어.
③ 조신이 결국 김흔의 딸과 이별하게 된다는 결말은 신화와 다른 전설의 특징을 보여 주는군.
④ '명주'나 '홍교사' 등 실제 지명과 건물명을 구체적으로 제시해서 이야기의 신빙성을 높이고 있어.
⑤ 조신이 꿈속에서 김흔의 딸과 부부의 연을 맺는다는 점은 현실에서 일어나기 어려운 기이한 사건에 해당하겠군.

『조신의 꿈』 "수염과 머리털은 모두 희어졌고 망연히 세상에 뜻이 없다."
작품 한 줄 Pick

고려 시대

과거제 실시와 교육 기관 설립 등의 영향을 받아
지배층을 중심으로 한문 문학이 크게 융성하였고,
평민들은 구비 문학을 주로 향유하였다.

전(傳)

\# 사람의 일생을 요약적으로 기록한 한문 문체의 하나
\# 크게 인물전(人物傳)과 가전(假傳)으로 나뉨.
\# 글의 말미에 교훈적인 내용이나 비판을 덧붙임.

예 「절부 조씨전」(이곡)

가전

\# 사물을 역사적 인물처럼 의인화함.
\# 비판적 · 풍자적 · 교훈적 · 우회적 성격
\# '인물의 가계 – 행적 – 사신의 평가' 순으로 내용을 전개함.
\# 설화와 소설을 잇는 교량 역할을 했음.

예 「공방전」(임춘), 「국순전」(임춘)

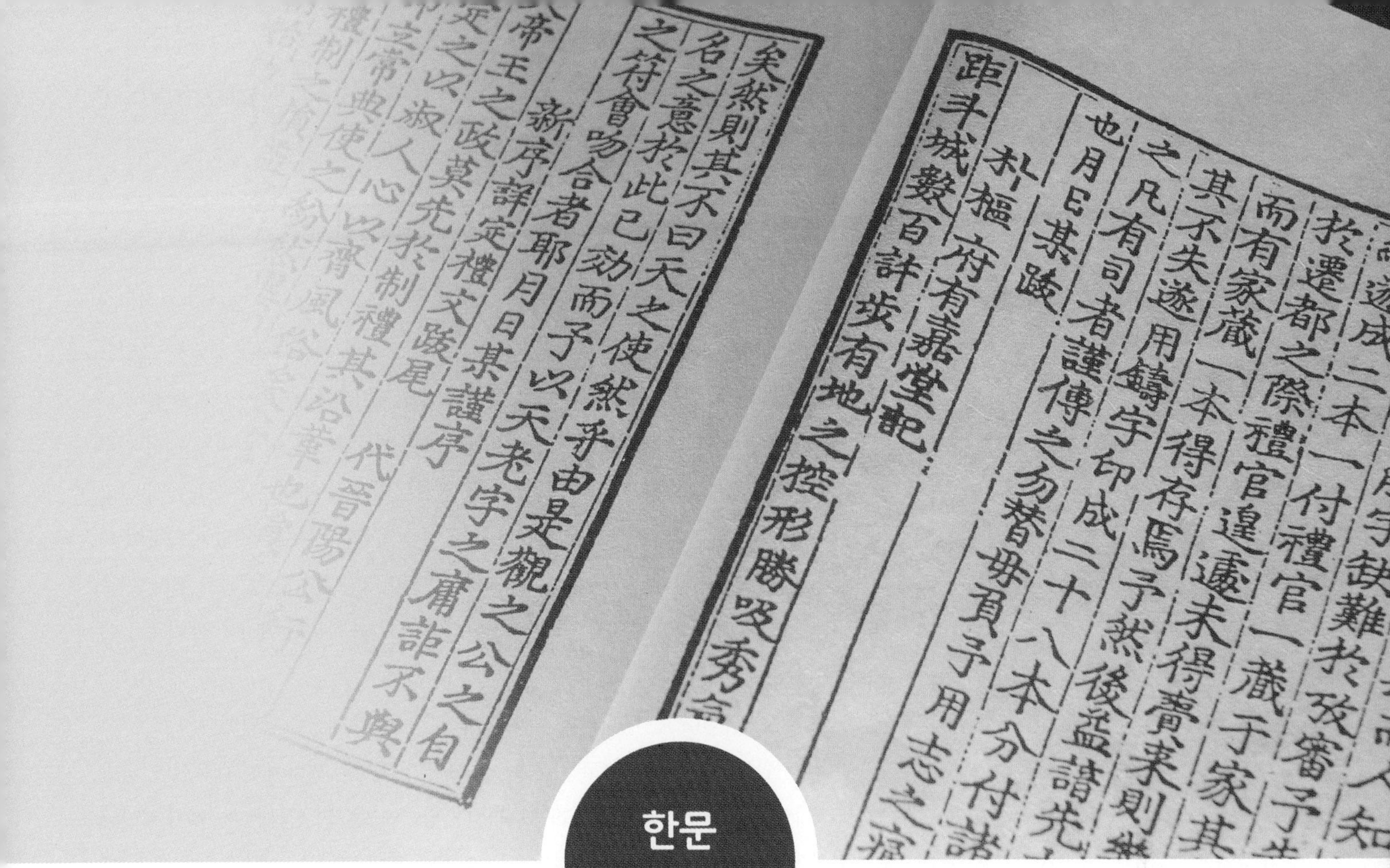

한문 수필

\# 한문학이 발달하면서 다양한 한문 수필이 창작됨.

\# 한문 수필의 대표적인 갈래로는 사실을 기록하거나 글쓴이의 경험과 감상 등을 서술한 문학 양식인 설(說)과 기(記)가 있음.

\# 교훈을 전달하는 과정에서 글쓴이의 개성이 드러남.

예 「이옥설」(이규보), 「차마설」(이곡)

가전 **Q04**

[교과서] [문] 미래엔, 비상, 신사고 [EBS]

공방전(孔方傳) | 임춘

▶해법문학 Link 고전 산문 56쪽

키워드 체크 #가전 #풍자적 #의인화 #일대기 형식 #돈을 탐하는 세태 비판

핵심 포인트

'공방'의 특징과 '사신'의 평가

공방의 특징

- 처세에 능함.
- 탐욕스럽고 염치가 없음.
- 백성들이 농사짓는 것을 방해함.
- 권세와 부귀를 섬김.
- 관직을 매매하여 사회의 질서를 해침.

⬇

사신의 평가

공방이 사회를 어지럽히므로 후환을 막으려면 공방의 무리를 모두 없애야 함.

⬇

돈의 폐해에 대한 작가의 비판적 인식이 드러남.

전체 줄거리

도입	[공방의 출현 배경과 내력] ⋯→ 수록 부분 • 공방의 가계와 공방의 등장 • 공방의 아버지 소개
전개	[공방의 외양과 행적] • 공방의 성품과 행적 ⋯→ 수록 부분 • 공방에 대한 탄핵과 공방의 죽음 • 공방 제자들의 등용, 그 폐단으로 인한 세력 약화 • 공방 아들의 죽음
비평	[공방에 대한 사신의 평가] • 돈을 없애지 않은 후환과 폐단

연계 작품

- 술을 의인화하여 간사한 벼슬아치를 풍자한 가전 작품: 임춘 「국순전」 ⋯→ 기출 딥러닝 140쪽
- 술을 의인화하여 위국충절의 교훈을 표현한 가전 작품: 이규보 「국선생전」

기출 OX

Q1 공방의 조상, 아버지를 등장시켜 동전의 내력을 서술하고 있다. [EBS] 변형 (O / X)

Q2 공방의 어린 시절, 교우 관계 등에 나타난 인물 간의 갈등을 서사적으로 드러내고 있다. [EBS] 변형 (O / X)

답 Q1 O Q2 X

공방(孔方)의 *자(字)는 *관지(貫之)다. 그의 선조는 옛날에 수양산 동굴에서 은거하였는데, 일찍 세상으로 나왔지만 쓰이지 못했다. ㉠비로소 황제(黃帝) 때에 조금씩 쓰였으나, 성질이 강경하여 세상일에 매우 단련되지 못했다. 황제가 관상을 보는 사람을 불러 그를 살피게 하니, 관상 보는 사람이 자세히 보고 천천히 말하기를, "㉡산야(山野)에서 이루어졌기 때문에 거칠어서 사용할 수 없지만, 만약 임금님의 쇠를 녹이는 용광로에서 갈고 닦으면 그 자질은 점점 드러나게 될 것입니다. 임금이란 사람을 사용할 수 있는 그릇이 되도록 만드는 자리이니, 임금님께서 완고한 구리와 함께 버리지 마십시오."라고 했다. 이로부터 세상에 나타나게 되었다. 이후 난리를 피하여, 강가의 숯 화로로 이사를 해 가족을 이루고 살았다.

공방의 아버지인 *천(泉)은 주나라의 *태재(太宰)로, 나라의 세금을 담당했다.

㉢공방의 사람됨은 겉은 둥그렇고 가운데는 네모나며, 세상의 변화에 잘 대응했다. 공방은 한나라에서 벼슬하여 *홍려경(鴻臚卿)이 되었다. 당시에 오나라 임금인 비(濞)가 교만하고 *참람하여 권력을 마음대로 행사했는데, 공방이 비를 도와 이익을 취했다. 호제(虎帝) 때에 나라가 텅 비고 창고가 텅 비게 되었는데, 호제가 이를 걱정하여 공방을 부민후(富民侯)로 임명했다. 그 무리인 *염철승(鹽鐵丞) 근(僅)과 함께 조정에 있었는데, 근이 항상 공방을 가형(家兄)이라고 부르고 이름을 부르지 않았다. ㉣공방은 성질이 탐욕스럽고 염치가 없었는데, 이미 국가의 재산을 총괄하면서 *자모(子母)의 경중을 저울질하는 것을 좋아했다. 공방은 국가를 이롭게 하는 것에는 도자기와 철을 주조하는 것만 있는 것이 아니라면서, 백성들과 함께 조그만 이익을 다투었고, 물가를 올리고 내리고, 곡식을 천대하고, 화폐를 귀중하게 여겼다. 그리하여 백성들이 근본을 버리고 끝을 좇도록 하고, 농사짓는 것을 방해했다. ㉤당시에 간관들이 자주 상소를 올려 공방을 비판했지만, 호제가 이를 받아들이지 않았다. 공방은 교묘하게 권세 있는 귀족들을 섬겨, 그 집을 드나들면서 권세를 부리고 관직을 팔아 관직을 올리고 내리는 것이 그의 손바닥 안에 있었다. 공경들이 절개를 꺾고 공방을 섬기니, 곡식을 쌓고 뇌물을 거두어 *문권과 서류가 산과 같이 쌓여 가히 셀 수가 없었다.

- **자** 본이름 외에 부르는 이름.
- **관지** '꿴다'는 뜻. 돈을 꿰미로 만들기 때문에 '꿸 관' 자를 써서 자를 '관지'라고 함.
- **천** 고대 중국 신나라 때 왕망이 발행한 엽전. 둥근 바탕에 네모난 구멍이 있고, 겉면에 '화천'이라는 두 글자가 있음.
- **태재** 중국 은나라·주나라 때에, 천자를 보좌하던 벼슬.
- **홍려경** 외국에서 방문한 사신을 접대하는 한나라 때의 관직.
- **참람하여** 분수에 넘쳐 너무 지나쳐.
- **염철승** 소금과 쇠를 가리키는 의인화된 관직 이름.
- **자모** 원금과 이자를 말함.
- **문권** 땅이나 집 따위의 소유권이나 그 밖의 권리를 증명하는 문서.

01 **윗글을 통해 알 수 있는 내용이 아닌 것은?**

① 공방의 행적
② 공방의 성품
③ 공방의 가계(家系)
④ 공방에 대한 임금의 평가
⑤ 공방이 세상에 나오게 된 배경

02 **윗글에 등장하는 인물에 대한 설명으로 가장 적절한 것은?**

① 공방의 아버지는 숨어 살며 세상에 나오지 않았다.
② 공방은 세상의 난리를 피해 여러 번 거처를 옮겼다.
③ 공방은 부민후라는 벼슬을 하며 근과 가까이 지냈다.
④ 공방은 변하지 않는 강직함을 인정받아 관직에 올랐다.
⑤ 공방은 나라를 부유하게 하려는 목적으로 주조 기술을 발전시켰다.

03 **〈보기〉를 참고하여 ㉠~㉤을 이해한 내용으로 적절하지 않은 것은?**

> 보기
> 가전(假傳)이란 사물을 의인화하여 그 일생을 전기(傳記) 형식으로 서술하는 문학 양식으로, 고려 후기의 문인은 가전의 형식을 통해 현실에 대한 문제의식을 우의적으로 표현하였다.

① ㉠: 돈의 역사와 관련된 것으로, 처음에는 돈이 세간에서 활발하게 사용되지 않았음을 의미한다.
② ㉡: 돈의 제작 과정과 관련된 것으로, 돈의 재료인 쇠의 특성과 돈이 만들어지는 과정을 보여 준다.
③ ㉢: 돈의 형태와 관련된 것으로, 당시 사용되던 돈이 둥근 테두리 가운데 네모난 구멍이 뚫린 형태였음을 보여 준다.
④ ㉣: 돈 앞에서 탐욕스러워지고 체면을 지키지 않는 세태를 우의적으로 드러낸다.
⑤ ㉤: 돈에 대한 인식과 관련된 것으로, 백성들이 적극적으로 돈을 사용했던 것과 달리 지배층은 돈의 사용에 무관심했음을 보여 준다.

04 **윗글의 내용을 통해 추측할 수 있는 당시의 모습으로 적절하지 않은 것은?**

① 농사짓는 것을 등한시하는 경향이 나타났다.
② 돈을 빌려주고 높은 이자를 받는 대금업이 성행했다.
③ 화폐가 활발하게 유통되면서 화폐의 중요성이 커졌다.
④ 물건 값이 떨어지면서 농사를 지을 필요성이 사라졌다.
⑤ 권세 있는 사람들에게 아첨하여 매관매직으로 부를 축적할 수 있었다.

05 **〈보기〉는 윗글의 마지막 부분으로, 공방에 대한 '사신'의 비평이다. 윗글을 바탕으로 〈보기〉를 이해한 내용으로 적절한 것은?**

> 보기
> 사신(史臣)은 다음과 같이 논평한다.
> "다른 사람의 신하가 된 사람이 두 마음을 품고 큰 이익을 좇는다면 이 사람은 과연 충신인가? 공방이 때를 잘 만나고 좋은 주인을 만나 정신을 모아서 정중한 약속을 맺었고, 생각지도 못한 많은 사랑을 받았다. 당연히 이로운 일을 생기게 하고 해로운 것을 제거하여 은덕을 갚아야 하지만, 비를 도와 권력을 마음대로 하고 마침내 자신의 무리들을 심었다. 공방의 이러한 행동은 충신은 경계 바깥의 사귐은 없다는 말에 위배되는 것이다. 공방이 죽고 그의 무리들이 다시 송나라에서 기용되어 권력자에게 아부하고 올바른 사람들을 모함했었다. 비록 길고 짧은 이치가 하늘에 있다고 해도 원제가 공우의 말을 받아들여 한꺼번에 공방의 무리들을 죽였다면, 뒷날의 근심을 모두 없앨 수 있었을 것이다. 다만 공방의 무리들을 억제하기만 하여 후세까지 그 폐단을 미치게 했으니, 어찌 일보다 말이 앞서는 사람은 항상 믿지 못할까를 근심하지 않겠는가?"

① 공방의 행적을 언급하면서 공방으로 인한 폐단을 경계하고 있다.
② 공방이 겪은 여러 가지 시련을 강조하면서 공방을 동정하고 있다.
③ 공방에 대한 상반된 견해를 소개하면서 중립적인 입장을 취하고 있다.
④ 공방과 결탁한 지배 계층을 비판하면서 지배 계층의 각성을 촉구하고 있다.
⑤ 공방이 미친 부정적 영향을 강조하면서 공방의 대리물을 구체적으로 제시하고 있다.

『공방전』 "공방의 사람됨은 겉은 둥그렇고 가운데는 네모나며, 세상의 변화에 잘 대응했다."

작품 한 줄 Pick

[06~09] 다음 글을 읽고 물음에 답하시오.

[A] 국순(麴醇)의 자(字)는 자후(子厚)이다. 그 조상은 농서(隴西) 출신이다. 90대(代) 선조였던 모(牟)가 후직(后稷)을 도와 백성들을 먹여 공이 있었다. 『시경』에 '내게 밀과 보리를 주다'라고 한 것이 그것이다. 모(牟)가 처음에는 숨어 벼슬하지 않고 말하기를, "나는 반드시 밭을 갈아 먹으리라." 하며 밭이랑에서 살았다. 임금이 그의 자손이 있다는 말을 듣고 수레를 보내 부르며 각 고을에 명하여 후한 예물을 보내라 하고, 신하를 시켜 친히 그 집에 찾아가도록 해 결국 절구와 절굿공이 사이에서 귀천 없는 교분을 맺고, 자신을 덮어 감추고 세상과 더불어 화합하게 되었다. 〈중략〉

[B] 순은 그릇과 도량이 크고 깊었다. ㉠출렁대고 넘실거림이 만경창파(萬頃蒼波) 같으며, 맑게 하려 해도 더는 맑아질 수 없고 뒤흔든대도 흐려지지 않았다. 그런 풍류 취향이 한 시대를 풍미하여 자못 사람의 기운을 일으켜 주었다.

일찍이 섭법사(葉法師)에게 나아가 온종일 담론하였는데, 자리에 있던 모든 이들이 탄복하여 쓰러지자, 드디어 이름이 알려지게 되었다. 호를 '국(麴) 처사'라 하매 공경대부로부터 머슴에 이르기까지 그 향기로운 이름을 접하는 이마다 모두 그를 흠모하였으며, 성대한 모임이 있을 때마다 순이 오지 아니하면 모두 슬퍼하여 말하기를, / "국 처사가 없으면 즐겁지 않다."

했다. 그가 당시 세상에서 사랑받음이 이와 같았다.

•산도(山濤)라는 이는 감식안이 있었는데, 일찍이 순을 보고는 감탄하여 말했다.

㉡"어떤 늙은 할미가 이토록 잘난 기린아를 낳았을꼬? 하지만 천하의 백성들을 그르치는 자도 필경 이 아이일 것이다."

[C] 관부(官府)에서 순을 불러 •청주종사(青州從事)를 삼았으나, 마땅한 벼슬자리가 아니라 하여 다시 •평원독우(平原督郵)를 시켰다. 얼마 후 탄식하기를,

㉢'내가 이 얼마 되지 않는 녹봉을 받고, 이 따위 시골 아이들에게 허리를 굽힐 수 없다. 내 마땅히 술잔과 술상 사이에 곧추서서 담론하리라.'

그 무렵 관상을 잘 보는 이가 있어 말했다.

"그대의 얼굴엔 불그레한 기운이 감돌고 있소. 뒤에 반드시 귀하게 되어 높은 벼슬을 얻게 될 것이니, 마땅히 좋은 자리를 기다렸다가 벼슬에 나아가시오."

진 후주(陳後主) 때에 임금이 그의 그릇을 남다르게 여겨 장차 크게 쓸 뜻이 있다 하여 광록대부 예빈경의 자리로 옮겨 주었고, 공(公)의 작위에 오르게 하였다. 그리고 무릇 군신의 회의에는 임금이 꼭 순으로 참여케 하니, 그 나아가고 물러남과 그 수작이 거슬림이 없이 뜻에 들어맞았다.

㉣순이 권세를 얻게 되자, 어진 이와 사귀고 손님을 대접하며, 종묘에 제사를 받드는 등의 일을 앞장서서 맡아 주관하였다. 임금이 밤에 잔치를 열 때도 오직 그와 궁인만이 곁에서 모실 수 있었을 뿐, 아무리 임금과 가까운 신하여도 참여할 수 없었다.

이후로 임금은 곤드레만드레 취하여 정사를 폐하게 되었다. 그러나 순은 ⓐ입을 굳게 다문 채 그 앞에서 간언할 줄 몰랐다. 그리하여 예법을 지키는 선비들은 그를 마치 원수처럼 미워하게 되었다. 그러나 임금은 매양 그를 감싸고돌았다.

순은 또 돈을 거둬들여 재산 모으기를 좋아하므로, 사람들이 그를 천하게 여겼다. 임금이 묻기를,

"경은 무슨 버릇이 있소?" / 하니, 순이 대답하기를,

"신(臣)은 돈을 좋아하는 습성이 있나이다."

했다. 임금이 크게 웃고 그에게 더 많은 관심을 기울이게 되었다.

한번은 조정에 들어가 임금 앞에 마주 대하고 아뢰었는데, 순이 본디 입에서 나는 냄새가 있었고, 이에 임금이 싫어하며 말했다.

"경이 나이 들고 기운도 없어 나의 부림을 못 견디는구료!"

그러자 순은 마침내 관을 벗고 물러나면서 아뢰었다.

㉤"신(臣)이 높은 벼슬을 받고 남에게 물려주지 아니하면 망신이 될까 두렵습니다. 부디 집으로 돌아갈 수 있도록 해 주신다면 그것으로 만족하겠습니다."

왕의 명으로 좌우의 부축을 받아 집에 돌아온 순은 갑자기 병이 나 하룻밤 사이에 죽고 말았다.

[D] 자식은 없고 먼 친척 가운데 아우뻘 되는 청(清)이, 훗날 당나라에 •출사(出仕)하여 벼슬이 내공봉에 이르렀으며, 그 자손이 다시 중국에서 번성하였다.

[E] 사신(史臣)은 이렇게 말했다.

"국씨의 조상이 백성에게 공로가 있고, 청백한 기상을 자손에게 물려주었다. 울창주(鬱鬯酒)는 주나라에서 칭송이 하늘에 닿을 듯했으니, 가히 그 조상의 기풍이 있다 하겠다. 순이 가난한 집안에서 자라나 높은 벼슬에 오르는 영광을 얻게 되어 술 단지와 술상 사이에 서서 담론하게 되었다. 그러나 옳고 그름을 변론하지 못하고, 왕실이 어지러워져도 붙들지 못하여 마침내 천하의 웃음거리가 되었으니, 산도의 말을 족히 믿을 만하다."

– 임춘, 「국순전(麴醇傳)」

• **산도** 중국 진나라의 학자이자 정치가로, 죽림칠현(竹林七賢)의 한 사람.
• **청주종사** 배꼽 밑까지 시원하게 넘어가는 좋은 술. '높은 벼슬'을 뜻함.
• **평원독우** 명치 위에 머물러 숨이 막히는 좋지 않은 술. '낮은 벼슬'을 뜻함.
• **출사** 벼슬에 나아감.

기출 변형

06 윗글에 대한 설명으로 적절하지 않은 것은?

① 사물의 특징을 우의적으로 드러내고 있다.
② 순행적 구성으로 인물의 일대기를 서술하고 있다.
③ 인물 간의 대화를 통해 시·공간적 배경을 드러내고 있다.
④ 예화를 열거하는 방식으로 인물의 성격을 나타내고 있다.
⑤ 역사상 실존했던 인물을 언급하여 주인공의 행적을 역사적 사실과 관련짓고 있다.

기출 변형

07 ㉠~㉤에 대한 이해로 적절한 것은?

① ㉠은 국순의 성품을 거울에 비유한 것으로, 맑고 정직한 국순의 마음을 의미한다.
② ㉡은 국순의 탄생에 대해 의문을 제기한 것으로, 국순이 세상에 부정적 영향을 끼칠 것임을 경고한다.
③ ㉢은 불만족스러운 처지와 이를 넘어서려는 심경을 표현한 것으로, 국순의 자존심을 보여 준다.
④ ㉣은 국순이 출세한 방법으로, 국순이 모임이나 나라의 행사에 꾸준히 참석하여 왕의 신임을 얻었음을 보여 준다.
⑤ ㉤은 국순이 퇴임하면서 한 말로, 선조의 뜻을 받들어 자신의 순수한 성품을 되찾고자 스스로 물러나려는 국순의 의지를 드러낸다.

고난도 기출

08 〈보기〉를 참고하여 [A]~[E]를 감상한 내용으로 적절하지 않은 것은?

보기

가전(假傳)은 사물을 의인화하여 그 일생을 전(傳)의 형식으로 서술한 글로서 인물의 가계와 성품, 생애, 공과(功過) 등을 '가계-행적-논평'이라는 틀 속에 담아내었다. 내용상으로는 인간 세태를 풍자하고 세상을 경계(警戒)하려는 성격이 강해 교훈성을 지닌다.

가계 ― 행적 [출사 전 - 출사 후 - 후일담] ― 논평

① [A]는 가문 내력을 소개하는 가계에 해당하는 부분으로서 주인공이 유서 깊은 가문 출신임을 알려 주고 있군.
② [B]와 [C]는 주인공의 행적을 구분하여 [B]에서는 주로 주인공의 과오를, [C]에서는 주로 훌륭한 업적을 기술하고 있군.
③ [C]에서 형상화된 주인공의 행적으로부터 작가가 전하고자 하는 교훈을 [E]에서 요약적으로 제시하고 있군.
④ [D]는 후대의 가문 내력을 기술하여 국순 가문이 세상에 널리 퍼져 나갔음을 보여 주고 있군.
⑤ [E]는 사신(史臣)이 논평하는 객관적 형식을 활용하여 인간 세태에 대한 작가 자신의 견해를 나타내고 있군.

기출

09 ⓐ를 나타낸 말로 가장 적절한 것은?

① 함구무언(緘口無言)
② 중언부언(重言復言)
③ 중구난방(衆口難防)
④ 이실직고(以實直告)
⑤ 어불성설(語不成說)

고전 수필 Q05

[교과서] [문] 신사고, 창비, 해냄 [국] 동아, 지학사
[기출]

이옥설(理屋說) | 이규보

▶해법문학 Link
고전 산문 74쪽

키워드 체크 #설(說) #행랑채를 수리한 경험 #삶의 이치 #나라를 다스리는 경험 #유추

*행랑채가 퇴락하여 지탱할 수 없게끔 된 것이 세 칸이었다. 나는 마지못하여 이를 모두 수리하였다. 그런데 그중의 두 칸은 앞서 장마에 ㉠비가 샌 지가 오래되었으나, 나는 그것을 알면서도 이럴까 저럴까 망설이다가 손을 대지 못했던 것이고, 나머지 한 칸은 비를 한 번 맞고 샜던 것이라 서둘러 기와를 갈았던 것이다. 이번에 수리하려고 본즉 비가 샌 지 오래된 것은 그 *서까래, *추녀, 기둥, *들보가 모두 썩어서 못 쓰게 되었던 까닭으로 수리비가 엄청나게 들었고, 한 번밖에 비를 맞지 않았던 한 칸의 재목들은 완전하여 다시 ⓐ쓸 수 있었던 까닭으로 그 비용이 많지 않았다.

나는 이에 느낀 것이 있었다. 사람의 몸에 있어서도 마찬가지라는 사실을. 잘못을 알고서도 바로 고치지 않으면 곧 그 자신이 나쁘게 되는 것이 마치 나무가 썩어서 못 쓰게 되는 것과 같으며, 잘못을 알고 고치기를 꺼리지 않으면 해(害)를 받지 않고 다시 착한 사람이 될 수 있으니, 저 집의 재목처럼 말끔하게 다시 쓸 수 있는 것이다.

뿐만 아니라 나라의 정치도 이와 같다. 백성을 좀먹는 무리들을 내버려 두었다가는 백성들이 *도탄에 빠지고 나라가 위태롭게 된다. 그런 연후에 급히 바로잡으려 하면 이미 썩어 버린 재목처럼 때는 늦은 것이다. 어찌 삼가지 않겠는가.

- 행랑채 대문간 곁에 있는 집채.
- 서까래 마룻대에서 도리 또는 보에 걸쳐 지른 나무.
- 추녀 네모지고 끝이 번쩍 들린, 처마의 네 귀에 있는 큰 서까래. 또는 그 부분의 처마.
- 들보 칸과 칸 사이의 두 기둥을 건너지른 나무.
- 도탄 진구렁에 빠지고 숯불에 탄다는 뜻으로, 몹시 곤궁하여 고통스러운 지경을 이르는 말.

핵심 포인트

「이옥설」의 구성

경험과 관찰
행랑채를 수리한 경험

⬇ 유추

깨달음의 적용 – 사람의 경우
• 자신의 잘못을 알고도 고치지 않으면 점점 더 나빠짐. • 잘못을 알고 빨리 고치면 다시 착한 사람이 될 수 있음.

⬇ 유추 및 확장

깨달음의 확대 적용 – 정치의 경우
• 백성을 좀먹는 무리를 내버려 두면 나라가 위태로워짐. • 늦기 전에 잘못을 바로잡아야 정치가 올바르게 됨.

연계 작품

- **유추를 통한 깨달음이 나타난 작품**: 한백겸 「나무 접붙이기」
- **바람직한 정치의 방향을 제시한 작품**: 이옥 「어부」

기출 OX

01 윗글의 화자는 작가 자신이다. [기출] 2015. 9. 고1 (O | X)

02 윗글은 허구적 세계를 바탕으로 한다. [기출] 2015. 9. 고1 (O | X)

답 01 O 02 X

01 윗글에 대한 설명으로 적절하지 않은 것은?

① 일상적인 체험을 바탕으로 교훈을 주고 있다.
② 자신의 행동에 대한 글쓴이의 성찰이 드러나 있다.
③ 대조되는 두 상황을 비교하여 깨달음을 이끌어 내고 있다.
④ 의문의 형식으로 글을 마무리하여 글쓴이의 의견을 강조하고 있다.
⑤ 과거의 경험을 바탕으로 현재의 문제를 해결하는 과정이 나타나 있다.

기출 변형 2015학년도 9월 고1 학력평가

02 ㉠에 대한 설명으로 적절한 것은?

① 자아 성찰의 도구이다.
② 글쓴이가 동경하는 대상이다.
③ 문제 상황을 유발하는 원인이다.
④ 발상의 전환을 일으키는 대상이다.
⑤ 시간의 경과를 나타내는 자연물이다.

기출 2015학년도 9월 고1 학력평가

03 〈보기〉를 참고하여 윗글을 이해할 때, 적절하지 않은 것은?

보기

설(說)은 사물의 이치를 풀이하고 자신의 의견을 덧붙여 서술하는 한문 문체이다. 설은 직관적 통찰과 깨달음의 과정을 담고 있는데, 이는 사물의 유사점에 근거해서 다른 속성도 유사할 것이라고 추론하는 유추의 과정일 수 있다.

사실	→	깨달음	→	적용
A		B		C

① A에는 행랑채를 수리한 경험이 구체적으로 드러난다.
② B에서는 A와 사람과의 유사한 속성을 근거로 하여 추론하고 있다.
③ B의 깨달음은 C에서 나라의 정치라는 영역으로 적용되고 있다.
④ A → B → C의 과정을 거치며 사회적 차원으로 인식이 확장되고 있다.
⑤ C에서 화자는 부패한 정치를 개혁해야 한다는 주장을 다시 강조하고 있다.

04 〈보기〉에서 밑줄 친 대상 간의 관계가 윗글의 백성을 좀먹는 무리들과 백성들 간의 관계와 가장 가까운 것은?

보기

물은 하나의 국가요, 용은 그 나라의 군주다. 물고기 가운데 큰 것으로 고래, 곤어, 바닷장어 같은 것은 군주를 안팎에서 모시는 여러 신하이다. 그다음으로 메기, 잉어, 다랑어, 자가사리 같은 것은 서리나 아전의 무리다. 이 밖에 크기가 한 자 못 되는 것들은 물나라의 만백성이라 할 수 있다. 상하가 서로 차례가 있고 큰 놈이 작은 놈을 통솔하니, 그것이 어찌 사람과 다르겠는가? 〈중략〉

하지만 물고기에게 인자하게 베푸는 것은 한 마리 용뿐이요, 물고기를 학대하는 것은 수많은 큰 물고기들이다. 고래와 암코래는 조류를 들이마셔서 작은 물고기를 잡아먹는 일을 자신의 시서(詩書)로 삼고, 교룡과 악어는 물결을 헤치며 삼키고 씹어 먹어 작은 물고기를 잡아먹는 것을 거친 땅의 농사일로 삼으며, 문절망둑, 쏘가리, 두렁허리, 가물치의 족속은 틈을 타서 발동을 해서 작은 물고기를 자신의 은이요 옥으로 삼는다. 강자는 약자를 삼키고, 지위가 높은 자는 아랫것을 약탈하니, 진실로 강한 자, 높은 자가 싫증 내지 않는다면 작은 물고기는 반드시 남아나지 않을 것이다.

– 이옥, 「어부(魚賦)」

	백성을 좀먹는 무리들	백성들
①	용	메기, 잉어
②	용	작은 물고기
③	메기, 잉어	용
④	메기, 잉어	가물치
⑤	큰 물고기	작은 물고기

05 다음 중 ⓐ와 문맥적 의미가 가장 유사한 것은?

① 마음의 병에는 쓸 약도 없다.
② 그렇게 함부로 말을 해서 쓰겠니?
③ 그는 영어를 모국어로 쓰는 사람이다.
④ 상대 선수에게 너무 힘을 쓰지 못했다.
⑤ 취직 기념으로 친구들에게 한턱을 썼다.

『이옥설』 "잘못을 알고 고치기를 꺼리지 않으면 해를 받지 않고 다시 착한 사람이 될 수 있으니" 작품 한 줄 Pick

고전 수필 Q06

[교과서] [문] 미래엔 [기출] [EBS]

차마설(借馬說) | 이곡

▶해법문학 Link
고전 산문 78쪽

키워드 체크 #설(說) #교훈적 #말을 빌려 탄 경험 #소유에 대한 깨달음

[A] 나는 집이 가난해서 말이 없기 때문에 간혹 남의 말을 빌려서 타곤 한다. 그런데 •노둔하고 야윈 말을 얻었을 경우에는 일이 아무리 급해도 감히 채찍질을 대지 못한 채 금방이라도 쓰러지고 넘어질 것처럼 전전긍긍하기 일쑤요, 개천이나 도랑이라도 만나면 또 말에서 내리곤 한다. 그래서 후회하는 일이 거의 없다. 반면에 발굽이 높고 귀가 쫑긋하며 잘 달리는 •준마를 얻었을 경우에는 의기양양하여 •방자하게 채찍질을 갈기기도 하고 고삐를 놓기도 하면서 언덕과 골짜기를 모두 평지로 간주한 채 매우 유쾌하게 질주하곤 한다. 그러나 간혹 위험하게 말에서 떨어지는 환란을 면하지 못한다.

[B] 아, 사람의 감정이라는 것이 어쩌면 이렇게까지 달라지고 뒤바뀔 수가 있단 말인가. 남의 물건을 빌려서 잠깐 동안 쓸 때에도 오히려 이와 같은데, 하물며 진짜로 자기가 가지고 있는 경우야 더 말해 무엇하겠는가.

그렇긴 하지만 사람이 가지고 있는 것 가운데 남에게 빌리지 않은 것이 또 뭐가 있다고 하겠는가. 임금은 백성으로부터 힘을 빌려서 존귀하고 부유하게 되는 것이요, 신하는 임금으로부터 권세를 빌려서 총애를 받고 귀한 신분이 되는 것이다. 그리고 자식은 어버이에게서, 지어미는 지아비에게서, •비복(婢僕)은 주인에게서 각각 빌리는 것이 또한 심하고도 많은데, 대부분 자기가 본래 가지고 있는 것처럼 여기기만 할 뿐 끝내 돌이켜 보려고 하지 않는다. 이 어찌 •미혹된 일이 아니겠는가.

그러다가 혹 잠깐 사이에 그동안 빌렸던 것을 돌려주는 일이 생기게 되면, 만방(萬邦)의 임금도 •독부(獨夫)가 되고 •백승(百乘)의 대부(大夫)도 •고신(孤臣)이 되는 법인데, 더군다나 미천한 자의 경우야 더 말해 무엇하겠는가. 맹자(孟子)가 말하기를 "오래도록 빌리고서 반환하지 않았으니, 그들이 자기의 소유가 아니라는 것을 어떻게 알았겠는가."라고 하였다. 내가 이 말을 접하고서 ㉠느껴지는 바가 있기에, 차마설을 지어서 그 뜻을 부연해 보았다.

• **노둔하고** 늙어서 재빠르지 못하며 둔하고.
• **준마** 빠르게 잘 달리는 말.
• **방자하게** 어려워하거나 조심스러워하는 태도가 없이 무례하고 건방지게.
• **비복** 계집종과 사내종을 아울러 이르는 말.
• **미혹된** 무엇에 홀려 정신을 차리지 못한.
• **독부** 예전에, 포악한 정치를 하여 국민에게 외면을 당한 군주를 이르는 말.
• **백승** 백 대의 수레. 많은 재산과 권력을 비유함.
• **고신** 임금의 신임이나 사랑을 받지 못하는 신하.

핵심 포인트

「차마설」의 구성

사실 (일상적 경험)	빌린 말의 상태에 따라 마음가짐과 태도가 달라짐. → 소유물에 따른 심리 변화로 항상심(恒常心)을 갖지 못하는 것을 한탄함.
⬇ 유추를 통한 일반화	
의견 (경험의 일반화)	힘, 권세 등 인간이 소유한 모든 것은 남에게서 빌린 것으로, 인간에게 진정한 자기 소유는 없음. → 소유에 대한 지나친 집착을 경계함.

연계 작품

소유에 대한 관점이 드러난 작품: 법정 「무소유」, 이강백 「결혼」

기출 OX

Q1 윗글은 삶의 태도에 대한 경계와 권고의 의도를 드러내고 있다. [기출] 2018. 6. 모평 (O | X)

Q2 윗글은 개인적 체험에서 얻은 깨달음을 사회적 차원으로 일반화하고 있다. [기출] 2018. 6. 모평 (O | X)

Q3 '나'는 '노둔하고 야윈 말'을 빌리는 경우 '전전긍긍'하다가 위험에 처하기 때문에 후회하게 된다고 여기고 있다. [기출] 2018. 6. 모평 (O | X)

답 Q1 O Q2 O Q3 X

01 다음 중 윗글의 표현상 특징으로 적절한 것끼리 바르게 묶은 것은?

> ㄱ. 고사성어를 제시하여 삶의 교훈을 전달하고 있다.
> ㄴ. 설의적인 표현을 통해 글쓴이의 생각을 강조하고 있다.
> ㄷ. 성현의 말을 인용하여 주제 의식을 집약적으로 나타내고 있다.
> ㄹ. 대화 형식을 통해 글쓴이의 경험을 생동감 있게 제시하고 있다.

① ㄱ, ㄴ ② ㄱ, ㄷ ③ ㄴ, ㄷ
④ ㄴ, ㄹ ⑤ ㄷ, ㄹ

02 윗글의 '나'에 대한 이해로 적절하지 않은 것은?

① 소유와 관련한 사람들의 인식에 대해 비판적 관점을 드러내고 있다.
② 소유에 대한 상반된 관점을 비교한 후 이의 장단점을 분석하고 있다.
③ 빌려 탄 말의 상태에 따라 태도와 심리가 달라졌던 경험을 떠올리고 있다.
④ 신분이나 지위와 상관없이 사람이 가지고 있는 것은 모두 빌린 것이라고 생각하고 있다.
⑤ 물건을 빌렸을 때보다 소유하고 있을 때 사람의 심리 변화가 더 클 것이라고 생각하고 있다.

03 ㉠의 내용으로 가장 적절한 것은?

① 임금은 백성을 위한 정치를 해야 한다.
② 사람은 자신의 분수에 맞게 처신해야 한다.
③ 남으로부터 빌린 물건을 자신의 것인 양 함부로 쓰지 말아야 한다.
④ 진정으로 원하는 것을 얻기 위해서는 많은 노력을 기울여야 한다.
⑤ 본래 자기 소유인 것은 존재하지 않으므로 소유에 맹목적으로 집착하지 않아야 한다.

04 〈보기〉를 참고하여 윗글을 읽은 학생의 반응으로 적절하지 않은 것은?

> 보기
> 한문 문체 중의 하나인 '설(說)'은 이치에 따라 사물을 해석하여 시비를 밝히면서 자기 의견을 덧붙이는 글로, 일반적으로 사실과 의견의 2단 구성으로 이루어져 있다. 이때 사실은 글쓴이가 경험한 바를 중심으로 제시되며, 의견은 경험으로부터 얻은 깨달음이 제시되는 경우가 많다. 그래서 '설'은 교훈적 성격을 나타낸다.

① [A]는 경험, [B]는 의견에 해당하는군.
② 다른 사람에게 말을 빌려 탄 경험은 사실에 해당하는군.
③ 개인적 경험을 통해 소유욕을 경계해야 한다는 깨달음을 이끌어 내고 있군.
④ 사람이 가지고 있는 것 가운데 남에게 빌리지 않은 것이 없다는 점은 이치에 해당하는군.
⑤ 남에게 빌린 물건은 자신의 소유가 아니므로 사용하는 즉시 돌려줘야 한다는 교훈을 담은 글이군.

05 윗글과 주제 의식이 가장 유사한 것은?

① 동기로 세 몸 되어 한 몸같이 지내다가
두 아운 어디 가서 돌아올 줄 모르는고
날마다 석양 문외에 한숨 겨워 하노라

\- 박인로

② 묏버들 갈히 것거 보내노라 님의손ᄃᆡ
자시ᄂᆞᆫ 창(窓)밧긔 심거 두고 보쇼셔
밤비예 새닙곳 나거든 날인가도 너기쇼서

\- 홍랑

③ 공명(功名)을 즐겨 마라 영욕(榮辱)이 반(半)이로다
부귀(富貴)ᄅᆞᆯ 탐(貪)치 마라 위기(危機)를 ᄇᆞᆲᄂᆞ니라
우리ᄂᆞᆫ 일신이 한가(閑暇)커니 두려온 일 업세라

\- 김삼현

④ 매화 옛 등걸에 봄철이 돌아오니
옛 피던 가지에 피엄직도 하다마는
춘설이 난분분(亂紛紛)하니 필 동 말 동 하여라

\- 매화

⑤ 재 너머 성권롱(成勸農) 집에 술 익닷 말 어제 듣고
누운 소 발로 박차 언치 놓아 지즐 타고
아이야 네 권롱(勸農) 계시냐 정좌수 왔다 하여라

\- 정철

고전 수필 Q07

기출

접과기(接菓記) | 이규보

▶출제 예감!

키워드 체크 #기(記) #성찰적 #개과천선 #아버지가 주신 교훈 #깨달음

핵심 포인트

접붙이기에 대한 글쓴이의 생각 변화

- 망탄 환괴하다고 생각함.
- 허탄하다고 여김.

⬇

접붙인 배나무가 가을에 풍성하게 열매를 맺음.

⬇

접붙이기에 대한 의심이 사라짐.

글쓴이가 얻은 깨달음

나쁜 배나무를 잘라 내고 좋은 배나무의 가지를 접붙이자 가을에 풍성한 열매를 맺음.

⬇

사람도 잘못된 점(행위, 태도, 생각)을 개선하여 올바른 길로 나아가야 함.

(가) 일 중에 처음에는 •망탄(妄誕) •환괴(幻怪)한 듯하다가 나중에는 진실한 것이 있으니, 그는 바로 과목(菓木)을 접(接)하는 것을 이르는 것이다. 나의 •선군(先君) 때에 키다리 전 씨라 불리는 이가 과수의 접목을 잘하였으므로 선군이 시험 삼아 시켜 하게 하였다.

(나) 동산에 나쁜 배나무 두 그루가 있었는데, 전 씨는 모두 톱으로 자르고 세상에서 유명하다고 한 배나무를 구하여 몇 개의 가지를 깎아서 자른 나무에 꽂고 기름진 진흙으로 봉하였다.

(다) 그때에 그것을 보니, •허탄한 것만 같았고, 비록 싹이 뾰족이 나오고 잎이 필 때에 이르러서도 또한 괴이한 요술만 같았다. 그러다가 여름에 지엽(枝葉)이 무성하고 가을에 열매가 주렁주렁 달리게 된 다음에야 마침내 진실이라는 것을 믿어서, 망탄 환괴하다고 여긴 의심이 비로소 마음에서 없어졌다.

(라) 선군이 별세하신 지가 무릇 아홉 해라 나무를 보고 열매를 먹으니, 그 엄하시던 얼굴을 생각하지 않은 적이 없고, 혹은 나무를 부여잡고 목이 메어서 차마 떠나지 못한 적도 있다.

또 옛사람은 ㉠소백(召伯)과 한선자(韓宣子)의 일 때문에 •감당(甘棠)을 꺾지 않고 아름다운 나무를 잘 북돋아 가꾸는 일이 있었는데, 하물며 아버지가 일찍이 보유하고 계시다가 자식에게 물려주신 이것이야 그 공경하는 마음이 어찌 꺾지 않고 북돋아 심은 그 정도일 뿐이랴? 그 열매도 또한 꿇어앉아서 먹어야 할 것이다.

(마) 아마도 생각하건대, 선군이 이것을 나에게 물려주신 까닭은, 나로 하여금 개과천선(改過遷善)을 마땅히 이 나무처럼 하도록 하신 것이리라. 이에 기록하여 경계하는 바이다.

연계 작품

- 가족 구성원으로부터 얻은 깨달음을 담은 작품: 정약용 「수오재기」
- 돌아가신 부모님에 대한 그리움을 표현한 작품: 박인로 「반중 조홍감이」

기출 OX

Q1 윗글에는 글쓴이가 지향하는 삶의 자세가 드러나 있다. 기출 2015. 11. 고1 (O | X)

Q2 윗글의 '나'에게 선친은 연민을 불러일으키는 대상이다. 기출 2015. 11. 고1 (O | X)

Q3 접을 붙인 나무에서 난 '싹'과 '잎'은 글쓴이가 '망탄 환괴하다고 여긴 의심'을 사라지게 만드는 소재로 사용되었다. 기출 2015. 11. 고1 (O | X)

답 Q1 O Q2 X Q3 X

- **망탄** 허망하고 터무니없음.
- **환괴** 덧없고 괴이함.
- **선군** 남에게 돌아가신 자기 아버지를 이르는 말.
- **허탄한** 거짓되고 미덥지 아니한.
- **감당** 팥배나무. 장미과의 낙엽 활엽 교목으로, 목재는 기구재나 땔나무로 쓰고 열매는 식용함.

01 (가)~(마)에 대한 이해로 적절하지 않은 것은?

① (가): 과수를 접붙이는 것에 대한 다른 사람의 반응을 인용의 형식으로 제시하고 있다.
② (나): 과수를 접붙이는 과정을 구체적으로 제시하고 있다.
③ (다): 시간의 경과에 따른 배나무의 변화 과정이 나타나 있다.
④ (라): 설의적 표현을 통해 돌아가신 아버지에 대한 글쓴이의 심정을 강조하고 있다.
⑤ (마): 글쓴이의 집필 의도가 직접적으로 드러나 있다.

02 윗글의 내용과 일치하지 않는 것은?

① '나'의 아버지는 전 씨에게 과수를 접붙이도록 했다.
② 전 씨가 접붙인 배나무는 가을에 풍성한 열매를 맺었다.
③ '나'는 배나무 열매를 먹으며 돌아가신 아버지를 생각했다.
④ 전 씨는 나쁜 배나무를 자른 뒤 좋은 배나무의 가지를 접붙였다.
⑤ '나'는 전 씨가 접붙인 배나무에서 싹이 나온 뒤에야 돌아가신 아버지의 의도를 알아차렸다.

고난도

03 〈보기〉를 바탕으로 윗글을 감상한 내용으로 적절하지 않은 것은?

보기

교술 갈래는 실재하는 사실을 들어 말하여 그에 대한 생각과 느낌이 자연스럽게 드러나게 하는 갈래이다. 교술 갈래의 핵심은 현상에 매몰되지 않고 대상이 지닌 의미를 알아차려 '나'를 돌아보는 것에 있다. 그래서 인식과 체험을 확장해 가며 그 과정에서 얻은 깨달음을 독자에게 전달하는 것이 교술 갈래의 특징이라고 할 수 있다.

① '과수의 접목'이라는 실재하는 사실을 들어 말한다는 점에서 교술 갈래의 성격이 나타나.
② 글쓴이는 과수를 접붙일 때 발생하는 현상에 매몰되지 않고 그 안에 담긴 의미를 알아차렸어.
③ '과목을 접하는 것'을 통해 '개과천선'이라는 교훈을 이끌어 내고 있다는 점에서 인식의 확장을 보여 주고 있어.
④ '이에 기록하여 경계하는 바이다.'에서 글쓴이가 자신이 얻은 깨달음을 전하기 위해 이 글을 썼음을 알 수 있어.
⑤ '나무를 부여잡고 목이 메어서 차마 떠나지 못한' 것은 '과수의 접목'을 통해 깨달은 바가 구체적 행동으로 실현된 것이야.

04 〈보기〉는 ㉠과 관련된 일화이다. 윗글에서 글쓴이가 ㉠을 언급한 이유로 가장 적절한 것은?

보기

주나라 때 소백이 남국에 가서 문왕의 정사를 펼 적에 간혹 팥배나무(감당) 아래에서 쉰 일이 있었는데, 뒤에 그 지방 사람이 소백의 덕을 사모하여 그 나무를 아꼈다. 춘추 시대 진나라의 한선자가 노나라에 가서 "주나라의 예법이 모두 노나라에 남아 있구려."라며 노나라를 높이 찬양하니, 계무자가 자기 집으로 한선자를 초청하여 잔치를 베풀었다. 한선자가 이때 계무자 집의 팥배나무를 칭찬하자, 계무자는 "내가 이 나무를 잘 가꾸어서 당신의 은혜를 잊지 않겠다."라고 하였다.

① 아버지가 살아 계실 때 효를 다하지 못한 것을 반성하기 위해서
② 아버지의 뜻을 받들어 학문에 정진하려는 마음을 다잡기 위해서
③ 아버지를 공경하는 마음으로 나무를 더 잘 보살피려는 뜻을 강조하기 위해서
④ 과수의 접목을 통해 의심을 거두고 진실을 깨달았음을 다른 사람에게 알리기 위해서
⑤ 소백과 한선자처럼 백성을 아끼고 보살피는 관리가 되고자 하는 뜻을 되새기기 위해서

05 윗글과 〈보기〉를 비교하여 감상한 내용으로 가장 적절한 것은?

보기

반중(盤中) 조홍(早紅)감이 고아도 보이ᄂᆞ다
*유자(柚子) 안이라도 품엄즉도 ᄒᆞ다마ᄂᆞᆫ
품어 가 반기리 없슬ᄉᆡ 글노 설워ᄒᆞᄂᆞ이다

– 박인로

*유자: 유자나무의 열매. 중국 삼국 시대 육적이라는 인물이 여섯 살 때 원술이 준 유자(귤)를 품속에 넣어 어머니께 드리려 했다는 고사가 전해짐.

① 윗글과 〈보기〉는 모두 비유를 통해 세태를 풍자하고 있군.
② 윗글과 〈보기〉는 모두 사물로부터 부재하는 대상을 떠올리고 있군.
③ 윗글과 〈보기〉는 모두 화자가 느끼는 서글픈 감정을 자연물에 이입하고 있군.
④ 〈보기〉와 달리 윗글은 과거와 대비되는 현재의 모습에 대한 성찰이 나타나는군.
⑤ 윗글과 달리 〈보기〉는 감탄사를 활용하여 화자의 정서를 직접적으로 드러내는군.

『정과기』 "선군이 이것을 나에게 물려주신 까닭은, 나로 하여금 개과천선을 마땅히 이 나무처럼 하도록 하신 것이리라."

작품 한 줄 Pick

조선 시대

조선 전기에는 유교적 이념을 반영한 귀족 문학이 주류를 이루는 가운데
훈민정음이 창제되면서 국문 문학이 출현하였다.
조선 후기에는 평민 계층이 문학 창작에 활발히 참여하면서 산문 문학이 발달하였다.

한문 소설

\# 조선 전기에 최초의 한문 소설이 등장함.
\# 전기적(傳奇的) 요소가 많이 나타남.
\# 평면적 구성, 우연성, 권선징악적 주제
\# 박지원의 풍자 소설은 조선 후기의 대표적인 한문 소설임.

예 「이생규장전」(김시습), 「호질」(박지원)

국문 소설

\# 조선 후기 평민들에 의해 널리 읽힘.
\# 소설의 구성 방식이나 주제가 다양해짐.
\# 영웅 군담 소설, 적강 소설, 가정 소설, 풍자 소설 등
\# 소설을 읽어 주고 보수를 받는 전기수가 등장함.

예 「홍길동전」(허균), 「박씨전」(작자 미상), 「사씨남정기」(김만중)

수필

초기에는 양반층을 중심으로 한 한문 수필이 많았음.
후기에는 작자층이 여성으로 확대되면서 한글 수필이 다수 등장함.
일기, 기행문, 궁정 수필 등 다양한 수필이 창작됨.

예 「주옹설」(권근), 「한중록」(혜경궁 홍씨), 「동명일기」(의유당)

적층 문학

구비 전승되어 온 문학으로, 서민층의 정서를 반영함.
판소리와 민속극 등이 있음.
판소리와 민속극에는 서민들의 언어와 삶의 모습이 생생하게 드러남.

예 「춘향가」(작자 미상), 「봉산 탈춤」(작자 미상), 「꼭두각시놀음」(작자 미상)

고전 소설 Q08

이생규장전(李生窺牆傳) | 김시습

▶해법문학 Link
고전 산문 90쪽

교과서 [문] 금성, 동아, 미래엔, 비상, 지학사, 창비
기출 EBS

키워드 체크 #한문 소설 #금오신화 #전기적(傳奇的) #환신 #홍건적의 난 #초월적 사랑

핵심 포인트

「이생규장전」의 서사 전개

전반부(현실적)	이생과 최 소저가 부모의 반대를 극복하고 사랑을 성취하나 전쟁으로 인해 최 소저가 죽음.
후반부(비현실적)	이생이 죽어서 귀신이 된 최 소저와 기꺼이 함께 살다가 죽음을 맞이함.

전체 줄거리

발단	이생이 글공부를 다니던 중 담 너머로 최씨 집안의 아름다운 처녀를 보게 됨.
전개	이생과 최 소저의 사이를 눈치챈 이생의 부모 때문에 두 사람은 이별함. 최 소저가 상사병에 걸리자, 최 소저의 부모는 이생의 부모를 설득하여 두 사람을 혼인시킴.
위기	홍건적의 난이 일어나고, 절개를 지키려던 최 소저가 홍건적에게 죽음을 당함. ⋯→ 수록 부분
절정	이생이 최 소저의 환신(幻身)과 재회하여 3년 동안 행복하게 삶. ⋯→ 수록 부분
결말	최 소저는 이생에게 영원한 이별을 고하고, 이생은 아내의 유언에 따라 장사를 지내 준 뒤 이내 병들어 죽음.

연계 작품

전란에 따른 가족의 이별을 다룬 작품: 조위한 「최척전」

기출 OX

Q1 최 씨의 '환신'이 이생에게 '남은 인연'을 맺자고 제안하는 데에서 능동적인 여인상이 나타나고 있다.
기출 2017. 9. 모평 O X

Q2 최 씨는 전쟁 중에 자신을 버린 이생을 오해하고 있다.
기출 2016. 6. 고1 O X

Q3 윗글은 비현실적이고 환상적인 상황을 설정하고 있다.
기출 2013. 6. 고2 O X

답 Q1 O Q2 X Q3 O

[앞부분 줄거리] 개성에 사는 이생이 글공부를 다니다가 어느 봄날 우연히 담 너머로 최씨 집안의 아름다운 처녀를 보게 된다. 두 사람은 시를 주고받으며 사랑하는 사이가 되고, 이를 눈치챈 이생의 아버지는 크게 노해 이생을 지방으로 쫓아낸다. 최 소저가 이생과 만나지 못해 상사병에 걸리자 최 소저의 부모는 이생의 부모를 설득하여 이생과 최 소저를 혼인시킨다.

이생은 이듬해에 과거에 급제하였는데 그 명성이 조정에 자자하였다.

•신축년에 •홍건적이 개성을 점령하자 임금은 복주로 피신하였고, 홍건적은 온 민가에 불을 지르고 사람과 짐승을 가리지 않고 죽였다. 이생의 집안 식구들과 친척들은 서로 보호해 줄 겨를도 없이 각자 살길을 찾아 도망을 쳤다. 이때 한 도적이 그들을 발견하고 칼을 들고 따라왔다. 이생은 얼른 도망쳤으나, 최 씨는 도적에게 사로잡히고 말았다. 도적이 자신을 겁탈하려 하자 최 씨는 크게 꾸짖으며 말하였다.

"호귀(虎鬼)야, 나를 죽여 삼켜 버려라. 차라리 죽어 승냥이와 이리의 배 속에 들어갈지언정 어찌 개돼지 같은 놈의 짝이 되겠느냐." / 도적은 노하여 최 씨를 죽였다.

이생은 거친 들판에 숨어서 겨우 목숨을 보전하다가 얼마 후 도적이 물러갔다는 소식을 듣고 부모님이 사시던 옛집을 찾아갔다. 그러나 집은 이미 불에 타 버렸다. 그래서 이번에는 최 씨의 집으로 가 보았더니, 황폐해진 집터에는 쥐와 새만이 살고 있을 뿐이었다. 이생은 그 광경에 망연자실해 누각에 올라가서 밤이 되도록 넋을 잃고 예전의 일들을 회상하는데, •이경(二更)쯤 되자 어디선가 발소리가 아련하게 들려왔다. 점점 소리가 가까워져 뒤를 돌아보니 최 씨가 서 있는 것이 아닌가. 이생은 그녀가 이미 죽은 것을 알고 있었지만, 너무나 사랑하는 나머지 한 치의 의심도 없이 물었다.

"당신은 어디로 피란하여 목숨을 부지하였소?"

최 씨는 이생의 손을 잡고 한바탕 통곡하더니 그간의 사정을 이야기하기 시작했다.

[A] "저는 좋은 집안에서 어버이의 가르침을 받아 바느질, 수놓기, 시 짓기와 글 읽기를 잘하였지요. 규방 안의 법도만 알았지, 집 밖의 일은 생각지 못하였어요. 그런데 당신께서 붉은 살구꽃이 핀 담장 안을 한 번 엿보신 후 제가 스스로 푸른 바다의 구슬을 바쳤지요. 장차 백년해로의 낙을 누리려 했는데 어찌 횡액(橫厄)을 만나 구렁에 넘어질 줄 알았겠습니까? 이리 같은 놈들에게 정조를 잃지는 않았으나, 육체는 진흙탕에서 찢겼사옵니다. 절개는 중하고 목숨은 가벼워 해골은 들판에 던져졌으나, 혼백을 의탁할 곳이 없었습니다. 가만히 옛일을 생각하면 원통한들 어떻겠습니까? 당신과 그날 깊은 산골짜기에서 헤어진 뒤 속절없이 짝 잃은 새가 되었던 것입니다. 이제 저의 환신은 이승에 돌아와 남은 인연을 맺어 옛날의 굳은 맹세를 결코 헛되게 하지 않으려 하는데 당신 생각은 어떠십니까?"

이생은 매우 기뻐하고 감사히 여기며, "그것이 원래 나의 소원이오."라고 대답했다. 둘은 말을 주고받았다.

이생은, "모든 가산은 어떻게 되었소?"라고 물었다.

"하나도 잃지 않고 어떤 골짜기에다 묻어두었습니다."

"그럼 양가 부모님의 유골은 어찌 되었소?"

"하는 수 없이 어떤 곳에 그냥 내버려 두었습니다."

이야기를 마치고 함께 취침하니 기쁜 정은 옛날과 조금도 다를 바 없었다. 이튿날 부부

는 가산을 묻어 둔 곳을 찾아갔다. 그곳에는 금은 몇 덩이와 약간의 재물이 있었다. 그들은 양가 부모의 유골을 거두고 금은, 재물을 팔아 각각 오관산 기슭에 합장하고는 나무를 세우고 제사를 드려 모든 예를 다 마쳤다. 그 후 이생은 벼슬을 구하지 않고 최 씨와 함께 살았고, 피란 갔던 노복들도 찾아왔다. 이생은 이제 세상사를 완전히 잊은 채 친척의 길흉사에도 가 보지 않고 집에서 늘 최 씨와 함께 시를 주고받으며 즐거이 세월을 보냈다. 그렇게 몇 년이 흘러갔다.

- **신축년** 고려 공민왕 10년(1361년).
- **홍건적** 중국 원나라 말기에 일어난 도둑의 무리. 머리에 붉은 수건을 쓴 까닭에 이렇게 이르며, 두 차례에 걸쳐 고려를 침범함.
- **이경** 하룻밤을 오경(五更)으로 나눈 둘째 부분. 밤 9시~11시.

01 윗글에 대한 설명으로 적절한 것은?

① 실제 역사적 사건을 배경으로 서사를 전개하고 있다.
② 서술자가 직접 개입하여 주관적 판단을 노출하고 있다.
③ 과거와 현재를 교차하여 사건에 입체감을 부여하고 있다.
④ 고사를 활용하여 인물의 생각을 우회적으로 전달하고 있다.
⑤ 인물의 외양 묘사를 통해 인물 간의 갈등을 형상화하고 있다.

02 윗글의 내용과 일치하지 않는 것은?

① 이생은 최 소저와 혼인한 후 과거에 급제했다.
② 이생의 가족들은 홍건적을 피해 각자 흩어져 도망쳤다.
③ 이생은 최 소저와 재회하여 여러 해 동안 행복한 시간을 보냈다.
④ 이생은 최 소저와 재회한 후에도 학문 수양을 게을리하지 않았다.
⑤ 이생의 부모와 최 소저의 부모는 모두 홍건적의 침략으로 목숨을 잃었다.

03 [A]에 대한 설명으로 적절하지 않은 것은?

① 그동안의 사건을 압축적으로 제시하고 있다.
② 인물의 성격이 변화하는 과정을 드러내고 있다.
③ 설의적 표현을 통해 자신의 심리를 부각하고 있다.
④ 비유적 표현을 통해 자신의 처지를 나타내고 있다.
⑤ 시간의 흐름에 따라 인물이 겪은 일들을 설명하고 있다.

고난도

04 〈보기〉를 참고하여 윗글을 해석한 내용으로 적절하지 않은 것은?

보기

'이생규장전(李生窺牆傳)'이라는 제목은 '이생이 담 안을 엿본 이야기'로 번역할 수 있다. 이생과 최 소저가 만나는 데 있어 장애 요인은 '담'이다. 담을 경계로 두 개의 공간이 분리되어 있는데, 이는 두 세계가 서로 이질적임을 나타낸다. 담 안의 세계가 화합과 사랑의 열린 공간이라면, 담 밖의 세계는 닫힌 공간이다. 이 닫힌 공간은 봉건적 윤리관의 예속과 관련 있다. 또 폭력적이고 파괴적인 힘의 세력에 의한 공간이라고 할 수 있다.

① 이생이 담을 넘어 최 소저를 만나는 것은 봉건적 윤리관에서 벗어난 행동이군.
② 죽은 최 소저가 집 안으로 돌아온다는 점에서 담은 현실 세계와 이상 세계를 잇는 가교 역할을 하는군.
③ 홍건적의 침입으로 인한 최 소저의 죽음은 담 밖의 폭력적인 세력에 의해 담 안의 세계가 파괴된 것으로 볼 수 있군.
④ 이생을 지방으로 쫓아낸 이생의 아버지는 봉건적 윤리관에 예속된 인물이므로, 담 밖의 세계를 대변한다고 볼 수 있군.
⑤ 최 소저와 재회한 이생이 벼슬을 하지 않고 집 안에 머물러 지내는 것은 담 밖의 세계에 대한 부정과 거부의 의미를 지니는군.

서술형

05 윗글에서 〈보기〉의 밑줄 친 부분과 관계 깊은 인물의 행동을 찾아 〈조건〉에 맞게 서술하시오.

보기

작가 김시습은 조선 전기의 유학자로, 그의 작품인 「이생규장전」에는 유교적 가치관이 녹아들어 있다.

조건

- 인물의 행동에서 알 수 있는 유교적 가치관을 밝혀 쓸 것
- 두 가지로 나누어 쓸 것

『이생규장전』 "당신께서 붉은 살구꽃이 핀 담장 안을 한 번 엿보신 후 제가 스스로 푸른 바다의 구슬을 바쳤지요."

작품 한 줄 Pick

고전 소설 **Q09**

기출 EBS

만복사저포기(萬福寺樗蒲記) | 김시습

▶해법문학 Link
고전 산문 86쪽

키워드 체크 #한문 소설 #금오신화 #저포 놀이 #생사를 초월한 사랑

핵심 포인트

「만복사저포기」에 나타난 작가의 사상과 가치관

이승의 양생과 저승의 영혼인 여인의 생사를 초월한 사랑	애정 지상주의
• 양생이 부처에게 소원을 빌어 여인과의 만남이 이루어짐. • 여인의 전생이 밝혀지는 등의 윤회 사상	불교 사상

전체 줄거리

발단	전라도 남원에서 외롭게 살던 양생이 만복사의 부처와 저포 놀이로 내기를 하여 아름다운 여인을 만남.
전개	양생은 여인의 거처에서 3일 동안 머물며 즐거운 시간을 보냄. ⋯▸ 수록 부분
위기	여인은 양생에게 이별을 고하고 은주발을 주며 절로 가는 길가에 서 있다가 자신의 부모님을 만나 인사를 드릴 것을 부탁함. ⋯▸ 수록 부분
절정	여인의 말을 따른 양생은 여인의 부모를 만나 그녀가 이미 죽은 사람임을 알게 되고, 다시 여인과 만나 잿밥을 함께 먹은 후 영원히 이별함. ⋯▸ 수록 부분
결말	양생은 지극한 정성으로 여인의 명복을 빌고, 속세를 떠남.

연계 작품

• **죽은 여인과의 만남과 사랑을 다룬 작품**: 신광한 「하생기우전」
• **『금오신화』에 실린 다른 작품**: 김시습 「취유부벽정기」 ⋯▸ 기출 딥러닝 154쪽

기출 OX

Q1 양생과 여인이 서로 만나 즐거움을 나누는 곳이라는 점에서, 만복사는 현실 세계의 존재와 환상 세계의 존재가 교류하는 공간으로 볼 수 있다. 기출 2016. 10. 고3 (O | X)

Q2 양생은 여인의 언행을 보고 그녀에 대한 의심을 풀었다. 기출 2010. 수능 (O | X)

답 Q1 O Q2 O

[앞부분 줄거리] 일찍 부모를 여의고 홀로 살던 양생은 남원의 만복사(萬福寺)라는 절에서 부처님과 •저포 놀이로 내기를 하여 이긴 후 아름다운 여인을 만나게 된다.

이때 만복사는 이미 허물어져 승려들은 구석진 방에서 살고 있었다. 법당 앞에는 행랑만이 쓸쓸히 남아 있었고, 그 끝에는 좁은 판자방 하나가 있었다.

양생이 여인을 불러 그곳으로 들어가니 여인은 별 주저함 없이 따라갔다. 서로 이야기를 나누며 즐기는 것이 보통 사람과 다름없었다.

이윽고 밤이 깊어지자 달이 동산에 떠올라 달그림자가 창살에 비쳤다. 문득 발자국 소리가 들렸다. 여인이 묻기를, / "누구냐? 시녀가 왔느냐?"

시녀가 말하기를,

"예, 접니다. 요즘 아가씨께서는 중문 밖을 나가지 않으셨고 뜰 안에서도 좀처럼 걷지 않으셨습니다. 그런데 엊저녁에는 우연히 나가시더니 어찌 이 먼 곳까지 오셨습니까?"

라고 하였다. 이에 여인이 말하기를,

"㉠<u>오늘 일은 아마도 우연이 아닌가 보다.</u> 하늘이 도우시고 부처님이 돌보셔서 한 분 고운 님을 만나 백년해로하기로 했느니라. 부모님께 알리지 않은 것은 비록 •명교의 법전에는 어긋나지만, 서로 즐거이 맞이하게 되니 이 또한 평생의 기이한 인연일 것이다. 너는 집에 가서 앉을 자리와 술, 과일을 가져오너라."

시녀는 그 분부에 따라 돌아갔다. 이윽고 뜰에는 술자리가 베풀어졌는데, 밤은 이미 •사경(四更)에 가까웠다.

시녀는 앉을 자리와 술상을 품위 있게 펼쳐 놓았는데, 기구들이 모두 말쑥하며 무늬라고는 찾아볼 수 없었다. ㉡<u>술에서는 진한 향기가 풍겨 나왔는데 정녕 인간 세상의 것은 아니었다.</u>

양생은 의심이 나고 괴이하게 생각하는 바도 있었다. 하지만 여인의 말씨와 웃음이 맑고 고우며 몸가짐과 용모가 얌전했으므로, 틀림없이 귀한 집 처녀가 몰래 나온 것이려니 생각하고는 더 의심치 않았다.

여인은 시녀에게 노래를 불러 술을 권하도록 하고는, 양생에게 말했다.

"이 아이는 옛 가곡을 그대로만 부릅니다. 제가 새로운 가사를 하나 지어서 술을 권해 드려도 될까요?"

양생은 기뻐하며 대답했다. / "예."

여인은 만강홍 곡조에 맞추어 가사를 지어 시녀에게 부르게 했다. 〈중략〉

잔치가 끝나자 작별하게 되었다. 여인이 은주발 하나를 내어 양생에게 주며 말했다.

"내일 보련사에서 부모님께서 제게 음식을 내려 주십니다. 만약 저를 버리지 않으신다면, 길가에서 기다리고 계시다가 함께 절로 가셔서 부모님께 인사를 드려 주십시오."

"좋소."

이튿날 ㉢<u>양생은 여인이 시킨 대로 주발을 쥐고 서서 보련사로 가는 길가에서 기다리고 있었다.</u> 과연 어떤 귀족 집안에서 딸의 •대상(大祥)을 치르기 위해 수레와 말을 길게 이끌고 보련사를 찾아가고 있었다. 그때 길가에서 한 서생이 주발을 들고 서 있는 것을 본 종이 주인에게 말했다.

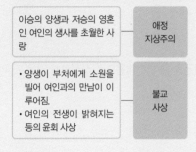

"아가씨 장례 때 함께 묻었던 물건을 어떤 사람이 훔쳐서 가지고 있습니다."

"뭐라고?" / "저 서생이 가지고 있는 주발을 보십시오."

주인은 말을 몰아 양생에게 다가가 그 연유를 물었다. 양생은 그 전날 여인과 약속한 일을 그대로 이야기했다. ㉣여인의 부모는 놀라고 의아하게 생각하더니 이윽고 입을 열었다.

"내겐 딸만 하나 있었네. 그런데 그 아이는 왜구들의 난리 때 싸움의 와중에 죽고 말았지. 정식으로 장례도 치르지 못해서 개령사 옆에다 임시로 묻어 두고, 장사를 미루어 오다가 오늘에 이르게 되었네. ㉤오늘이 벌써 대상 날이라 재(齋)를 올려 명복이나 빌어 줄까 해서 가는 길일세. 자네가 약속을 지키려거든 내 딸을 기다리고 있다가 같이 오게. 그리고 조금도 놀라지 말게."

- **저포** 주사위 같은 것을 나무로 만들어 던져서 그 끗수로 승부를 겨루는 놀이.
- **명교** 사람이 마땅히 지켜야 할 바를 가르침. 또는 그런 가르침.
- **사경** 하룻밤을 오경(五更)으로 나눈 넷째 부분. 새벽 1시에서 3시 사이.
- **대상** 사람이 죽은 지 두 돌 만에 지내는 제사.

01 윗글에 등장하는 인물에 대한 이해로 적절하지 않은 것은?

① 여인은 양생이 자신의 부모와 만나기를 바라고 있다.
② 시녀는 저승 세계의 여인을 돌보는 역할을 하고 있다.
③ 여인의 부모는 딸이 죽었다는 사실을 받아들이지 못하고 있다.
④ 종은 양생이 들고 있는 은주발이 주인의 딸의 장례 때 묻은 물건임을 알고 있었다.
⑤ 양생은 여인의 부모를 만나기 전에는 여인이 저승 세계의 사람일 것이라고 생각하지 못했다.

02 ㉠~㉤에 대한 설명으로 적절하지 않은 것은?

① ㉠: 둘의 만남을 우연이 아니라고 말하여 만남에 필연성을 부여하고 있다.
② ㉡: 여인이 대접한 술이 현실 세계의 것이 아님을 보여 주고 있다.
③ ㉢: 여인을 다시 만나겠다는 마음이 담겨 있다.
④ ㉣: 양생의 말이 사실이 아님을 증명하려는 의도가 드러나 있다.
⑤ ㉤: 여인의 부모가 보련사에 가는 이유가 제시되어 있다.

03 〈보기〉의 ⓐ~ⓔ 중, 윗글에 해당하는 설명이 아닌 것은?

보기

김시습의 『금오신화』에는 5편의 작품이 수록되어 있는데, 모두 ⓐ소재나 주제가 독창적이고 비현실적 이야기를 다룬다는 특징이 있다. ⓑ구체적으로는 이원론적 세계관을 바탕으로 하여 주인공이 소망을 성취하거나 ⓒ주인공이 초월적 존재로부터 자신의 능력을 인정받는 내용이 담겨 있다. 또한 ⓓ작품의 시공간적 배경이 중국이 아니라 우리나라로 설정되어 있고, ⓔ불교와 유교에 대한 작가의 사상이 드러난다는 것도 특징으로 들 수 있다.

① ⓐ ② ⓑ ③ ⓒ ④ ⓓ ⑤ ⓔ

04 〈보기〉를 참고하여 윗글을 감상한 내용으로 적절하지 않은 것은?

보기

김시습은 현실과 이상 사이의 갈등 속에서 일생을 살았다. 김시습은 자신의 작품을 통해 부정적 현실의 모습을 제시했으며 이를 극복할 수 있는 수단으로 낭만적 환상을 설정한 것이다. 「만복사저포기」에는 자유연애 사상과 애정 지상주의가 드러나지만 유교적 질서에서 완벽하게 벗어나지는 못했다고 평가받기도 한다.

① 여인을 죽음에 이르게 한 왜구들의 난리는 부정적 현실의 모습에 해당한다고 볼 수 있겠군.
② 죽은 사람과 산 사람 간의 생사를 초월한 사랑을 소재로 다룬 것에서 애정 지상주의가 드러나는군.
③ 자신의 뜻에 따라 사랑을 나누는 양생과 여인의 모습은 자유연애 사상이 구현된 것으로 볼 수 있겠군.
④ 부모님께 혼사를 알리지 않은 것이 명교의 법전에 어긋난다는 여인의 말을 통해 유교적 질서가 여전히 작용하고 있음을 알 수 있군.
⑤ 재를 올려 억울하게 죽은 여인의 명복을 빌어 주는 것에는 낭만적 환상을 통해 부정적 현실을 극복하려는 의지가 담겨 있다고 볼 수 있겠군.

05 은주발의 역할로 가장 적절한 것은?

① 양생과 여인 사이의 갈등을 해소해 준다.
② 양생과 여인의 부모를 연결해 주는 매개물이다.
③ 배필을 얻고자 하는 양생의 간절함을 드러낸다.
④ 양생과 여인이 내세에 다시 만나게 될 것을 암시한다.
⑤ 양생을 대리인으로 내세워 부모에 대한 여인의 원망을 전달한다.

작품 한 줄 Pick 『만복사저포기』 "하늘이 도우시고 부처님이 돌보셔서 한 분 고운 님을 만나 백년해로하기로 했느니라."

기출 딥러닝 2011학년도 7월 고3 학력평가

[06~10] 다음 글을 읽고 물음에 답하시오.

[앞부분 줄거리] 개성 부호가의 아들 홍생(洪生)은 팔월 한가위를 맞아 평양에 왔다가 친구 이생(李生)이 벌인 잔치에 와서 술이 취한 뒤, 잠이 오지 않아 부벽정(浮碧亭)에 올라 시를 읊었다.

[A]
오늘이 한가위라 저 달빛은 곱구나.
외로운 옛 성터를 바라볼수록 슬프도다.
기자묘(箕子廟) 뜰 앞에는 늙은 숲이 우거지고
단군사(檀君祠) 벽 위에도 담쟁이가 얽히었네.
영웅은 자취 없어 어디로 돌아갔느뇨.
초목만 •의희(依稀)한데 몇 해나 되었더냐.
옛날이 더욱 그립구나 둥근 달만 의구하도다.
맑은 빛이 흘러 흘러 객의 옷에 비치네.

어느덧 밤이 깊어 돌아오려 할 때에 서쪽에서 갑자기 발걸음 소리가 들려왔다.

홍생은 속으로 생각했다.

'아마 시 읊는 소리를 듣고 절에 있는 중이 찾아오는 것이겠지?'

그러고는 앉아서 기다리니 뜻밖에도 아름다운 한 여인이 나타났다. 그 여인을 두 아이가 좌우에서 모시고 따르는데, 한 아이는 •옥 파리채를 들었고 다른 아이는 비단 부채를 들고 있었다. 여인의 위의(威儀)는 정제하고 그 몸가짐이 귀족집 처녀 같았다.

그녀가 말했다.

"아까 그대가 읊은 시는 무엇을 의미한 것입니까? 의아하게 생각지 말고 나에게 다시 들려주세요."

홍생은 그 시를 빠짐없이 다시 들려주었다. 여인은 웃으면서 말했다.

"그대와는 시를 논할 만하구려."

〈중략〉

홍생이 그 음식을 먹는 동안 그 여인은 홍생의 시에 화답하는 시를 •계전(桂箋)에 써서 시녀를 시켜 홍생에게 건넸다.

홍생은 그 시를 읽고 매우 기뻐, 그녀가 빨리 돌아갈까 봐 좋은 이야기로 만류하려고 이렇게 물었다.

"미안하지만 당신의 성씨와 •보계(譜系)를 듣고자 하옵니다."

"예, 이 몸은 옛날 은왕(殷王)의 후예요 기씨(箕氏)의 딸입니다. 나의 선조 기자(箕子)님께서는 처음 이 땅에 오셔서 모든 예법과 정치를 한결같이 탕(湯)왕의 유훈을 따라 팔조(八條)의 금법(禁法)을 세웠습니다. 그리하여 오래도록 문화가 빛났는데 갑자기 국가와 민족이 비운에 빠져, 나의 선고(先考) 준왕(準王)께서는 필부의 손에 패하여 드디어 국가를 잃으시고, 위만(衛滿)이 틈을 타서 보위(寶位)를 도적하니 나 같은 약질은 이때를 당하여 스스로 절개를 지키기로 맹세하고 죽기만 기다렸습니다. 그런데 마침 ㉠거룩한 선인이 나타나셔서 나를 어루만지면서 하시는 말씀이 '내 본디 이 나라의 시조(始祖)로서 부귀를 누린 뒤에 바닷섬에 들어가 선인이 된 지 벌써 수천 년이 되었느니라. 그대는 나와 함께 상계(上界)에 올라가 즐겁게 노는 것이 어떻겠느냐?' 하시기에 곧 응낙하였더니, 그분은 나를 데리고 자기가 살고 있는 곳에 이르러 별당을 지어 나를 접대하고, 또 나에게 삼신산의 불사약을 주셨습니다. 이 약을 먹고 나니 갑자기 몸이 가벼워지고 기분이 상쾌해져서, 공중에 높이 떠서 우주를 굽어보며 세계의 명승지를 빠짐없이 유람하였는데, 어느 날 가을 하늘이 맑고 유난히 밝은지라 별안간 멀리 날 생각을 하게 되었습니다. 드디어 달나라에 올라 광한청허지전(廣寒淸虛之殿)을 구경한 후 수정궁(水晶宮) 안으로 가 ㉡항아(姮娥)를 방문하였더니, 항아는 내 절개가 곧고 글월에 능통하므로 꾀어 이르기를 '인간 세상에도 명승지가 없지 않으나 모두 풍진이 소란하니, 어찌 청천에 한 번 솟아 흰 난조를 타고 맑은 향내를 계수에 뿜으며 옥경(玉京)에 설렁이고 은하에 목욕하는 것과 같겠느냐?' 하고는 즉시 나를 향안(香案)의 시녀로 하여금 양쪽에서 모시게 하니 그 기쁨은 이루 다 말할 수 없었습니다. 그런데 오늘 저녁에 갑자기 고국 생각이 간절하여 하계의 인생을 내려다보니, 산천은 의구하나 인물은 간데없고 명월은 내를 덮고 백로는 티끌을 씻은지라, 옥경을 하직하고 슬며시 내려와 조상님 무덤을 배알한 후 부벽정에 올라 시름을 달래려 하였는데 마침 당신을 만나 한없이 기쁘기도 하고 또한 부끄럽기 짝이 없습니다. 더구나 노둔(駑鈍)한 붓을 들어 아름다운 시에 화답했으니, 시라고 하기엔 부끄럽지만 마음속에 품은 생각을 대충 말한 것입니다."

[뒷부분 줄거리] 여인이 신선 세계로 돌아간 후, 꿈속에 시녀가 나타나 여인이 홍생의 문재(文才)를 아껴 선계의 벼슬을 명령하였음을 알린다. 홍생은 잠에서 깨어 깨끗하게 목욕을 한 뒤에 향을 태우며 잠깐 누웠다가 세상을 떠난다. 시간이 지나도 시신의 얼굴빛이 변하지 않자 사람들은 홍생이 신선이 되었다고 추측했다.

– 김시습, 「취유부벽정기(醉遊浮碧亭記)」

• **의희한데** 거의 비슷한데.
• **옥 파리채** 선종(禪宗)의 중이 번뇌와 어리석음을 물리치는 표지.
• **계전** 계수나무 잎.
• **보계** 혈통 관계.

06 윗글에 대한 이해로 적절하지 않은 것은?

① 여인이 대동한 시녀는 지상 세계의 인물이 아니다.
② 여인은 홍생이 자신과 시를 논할 만하다고 생각했다.
③ 여인은 고국에 대한 그리움 때문에 하계에 내려왔다.
④ 홍생은 여인에게 자신도 여인과 함께 선계로 가고 싶다는 뜻을 표출했다.
⑤ 홍생은 자신에게 다가오는 발걸음 소리를 듣고 중이 다가오는 것이라 짐작했다.

07 [A]에 대한 설명으로 적절하지 않은 것은?

① 홍생과 여인이 만나는 매개체의 기능을 한다.
② 옛 왕조에 대한 화자의 감정을 직설적으로 표현하고 있다.
③ 공간적 배경을 구체적으로 묘사하여 화자의 심리를 부각하고 있다.
④ 변함없는 자연과 그렇지 못한 인간사를 대비하여 무상감을 강화하고 있다.
⑤ 시간의 흐름에 따라 화자의 심리가 변화하는 과정을 제시하여 내적 갈등이 심화되는 양상을 그려 내고 있다.

08 ㉠과 ㉡에 대한 설명으로 적절한 것은?

① ㉠과 ㉡은 모두 작품에 비현실성을 부여한다.
② ㉠과 ㉡은 모두 그동안의 사건을 요약적으로 제시한다.
③ ㉠과 ㉡은 모두 여인이 겪고 있는 곤경을 타개할 방법을 알려 준다.
④ ㉠은 ㉡과 달리 여인에게 앞으로 닥칠 일을 미리 보여 준다.
⑤ ㉡은 ㉠과 달리 여인이 이 세상에서 만난 적이 있는 인물이다.

기출

09 〈보기〉는 '여인'이 홍생의 시에 화답한 시의 일부분이다. ⓐ~ⓔ 중, [옛 성터]의 의미와 가장 유사한 것은?

보기

옛 성을 바라보니 ⓐ대동강이 여기로구나.
푸른 물결 맑은 모래 울어 예는 저 ⓑ기러기
ⓒ기린은 오지 않고 고운 님을 여읜 뒤에
ⓓ퉁소 소리 끊어지고 ⓔ높은 무덤뿐이로다.

① ⓐ ② ⓑ ③ ⓒ ④ ⓓ ⑤ ⓔ

고난도 기출

10 윗글을 〈보기〉와 관련지어 감상했을 때, 이에 대한 해석으로 적절하지 않은 것은?

보기

[견해 1] 작가와 홍생을 동일시하는 경우
▶ 홍생의 처지와 심리를 작가 의식으로 본다. 작품 속에서 홍생은 선계와 교류하고, 결국 선계로 들어간다. 현실에서 자신의 뜻을 펼 수 없었던 작가는 이러한 홍생의 모습을 통해 삶의 고뇌와 회의로부터 벗어나고자 했던 자신의 바람을 형상화하고 있다.

[견해 2] 작가와 여인을 동일시하는 경우
▶ 여인의 말에 나타난 역사의식을 작가 의식으로 본다. 조상에 대한 자긍심을 통해 역사에 대한 작가의 애정을 드러냈고, 나라가 패망했을 때 절개를 지키기로 맹세한 것은 세조의 왕위 찬탈을 우회적으로 비판한 것이다.

① [견해 1]로 볼 때, 홍생의 시에 드러난 무상감은 현실에 대한 작가의 회의와 관련이 있다고 볼 수 있다.
② [견해 1]로 볼 때, 홍생이 뛰어난 문재(文才)로 선계의 벼슬을 받은 것은 작가 자신의 소망을 투영한 것으로 볼 수 있다.
③ [견해 2]로 볼 때, 절개를 지키기 위해 죽기를 기다렸다는 여인의 말은 세조 정권에 항거하는 작가 의식의 표현으로 볼 수 있다.
④ [견해 2]로 볼 때, 여인의 답변 중에서 기자의 예법 정치를 강조한 부분은 작가의 문화적 자긍심을 담아낸 것으로 볼 수 있다.
⑤ [견해 2]로 볼 때, 여인이 선계(仙界)에 있다가 부벽정을 찾은 것은 현실을 초월하고 싶은 작가의 욕구를 표현한 것으로 볼 수 있다.

Q10 고전 소설

[교과서] [문] 지학사 [기출] [EBS]

최고운전(崔孤雲傳) | 작자 미상

▶해법문학 Link
고전 산문 118쪽

키워드 체크 #전기적 영웅 소설 #신라 최치원 #문재(文才) 부각 #민족적 자부심 고취

핵심 포인트

제시된 부분에 나타난 영웅 소설의 특징

영웅 소설의 특징	최치원의 행적
조력자와의 만남	나 승상 댁의 노복이 되어 말을 키움.
여인과의 결혼을 통한 신분 상승	당나라 황제가 보낸 함 속의 물건을 알아내어 시를 짓는 대가로 나 승상의 사위가 됨.
국가를 위기에서 구한 뒤 지위를 다짐.	함 속의 물건을 맞춘 시를 지어 국가의 위기를 해결함.

전체 줄거리

발단	신라 시대에 태어난 최치원은 금돼지의 자식이라며 아버지 최충에게 버려지나, 선녀의 도움으로 자라나고 뛰어난 글재주를 드러냄.
전개	최치원의 글 읽는 소리를 들은 당 황제가 학사를 보내 실력을 겨루게 하나 두 학사가 패배함. 분노한 황제는 밀봉한 함 속 물건에 관한 시를 짓지 못하면 신라를 침공하겠다고 위협함.
위기	신라 왕은 나 승상에게 시를 지으라 명하고, 최치원은 나 승상의 사위가 되는 대가로 대신 시를 지음. ⋯→ 수록 부분
절정	당 황제는 뛰어난 능력을 지닌 최치원을 죽이기 위해 중국으로 부름. 최치원은 여러 위협을 극복하고, 「토황소격문」을 지어 공을 세우지만 주변의 모함으로 유배됨.
결말	유배지에서 몇 차례의 위기를 극복한 최치원은 신라로 돌아와 가야산에 들어가 신선이 됨.

연계 작품

- 실존 인물을 영웅으로 허구화한 작품: 작자 미상 「임경업전」
- 민족적 자긍심을 고취하려는 의도가 나타난 작품: 작자 미상 「박씨전」

기출 OX

Q1 '거울'은 아이가 승상의 사위가 되려는 내적 욕망을 실현하는 데 동원된 소재이다. [기출] 2020. 3. 고1 (O | X)

Q2 '시 짓기'는 신분적 한계로 인한 울분을 직접적으로 토로하는 수단이다. [기출] 2020. 3. 고1 (O | X)

답 Q1 O Q2 X

[앞부분 줄거리] 당나라 황제는 신라 왕에게 닫힌 함 속 물건을 알아내어 시를 짓지 못하면 신라를 침략할 것이라 위협한다. 왕이 유생들에게 함 속의 물건을 알아내어 시를 짓도록 하지만 아무도 물건의 정체를 알아내지 못하던 중, 아이(최치원)가 왕의 명령을 알게 된다. 한편 아이는 승상 나업의 딸이 훌륭하다는 소문을 듣고 거울을 수리하는 행상인인 척하며 일부러 접근한다.

그러고는 승상 댁 문 앞에 이르러 '거울 수선하라'는 말을 여러 차례 외쳤다. 이에 나 승상의 딸이 그 소리를 듣고 낡은 거울을 유모에게 주어 보내고, 인해 유모를 따라 외문 밖으로 나와 사립문 틈으로 엿보았다. 그 장사 역시 몰래 눈으로 바라보고 아름다운 아가씨라 여기고는 쥐고 있던 거울을 고의로 떨어뜨려 깨뜨렸다. 유모가 발을 구르며 다급하게 화를 내자 장사 아이가 말하기를,

"이미 거울이 깨어졌으니 방법이 없는지라. 이 몸이 •노복이 되어 거울 깨뜨린 보상을 하겠으니 청을 들어주소서." / 하는지라. 유모가 돌아가 승상께 고하니 승상께서 허락하시고 묻기를, / "너의 이름은 무엇이며 어디에 살고 있느냐?"

아이가 대답하되,

"거울을 고치다 깨뜨렸으니 파경노(破鏡奴)라 불러 주시옵고, 일찍 부모를 여의고 갈 곳이 없나이다."

하는지라. 승상은 파경노에게 말 먹이는 일을 하도록 하였다. 파경노가 말을 타고 나가면 말 무리들이 열을 지어 뒤따랐으며 조금도 싸우는 일이 없었다. 이후로 말들이 살찌고 여윈 말이 없었다. 아침에 파경노가 말 무리들을 이끌고 나가 사방에 흩어 놓고 숲속에서 온종일 시를 읊으면, •청의동자 수 명이 어디서 왔는지 혹은 말을 먹이고 혹은 채찍으로 훈련시키더라.

[중간 부분 줄거리] 신라 왕은 나 승상에게 당나라 황제에게 바칠 시를 지으라 명하고, 파경노는 나 승상의 딸과 혼인하는 대가로 나 승상 대신 시를 짓기로 한다.

다음날 아침 승상이 사람을 시켜 시 짓는 모습을 엿보라 하였다. 이때 파경노가 자기 이름을 지어 치원이라 하고, 자를 고운이라 하더라. 승상의 딸이 옆에 앉아서 시 짓기를 재촉하니 치원이 말하기를,

"시는 내일 중으로 지을 것이니 너무 재촉하지 마오."

하고는 승상의 딸더러 종이를 벽 위에 붙여 놓도록 하고 스스로 붓 대롱을 잡아 발가락에 끼고 잤다. 승상의 딸이 근심하다가 고단하여 자는데 꿈속에 쌍룡이 하늘에서 내려와 함 위에서 서로 벗하며 무늬 옷을 입은 동자 십여 명이 함을 받들고 서서 소리 내어 노래하니 함이 열리는 듯하였다. 이윽고 쌍룡의 콧구멍에서 여러 빛깔의 상서로운 기운이 나와 함 속을 환히 비추니 그 안에 붉은 옷을 입고 푸른 수건을 쓴 사람이 좌우로 늘어서서 어떤 자는 시를 지어 읊고 어떤 자는 붓을 잡아 글씨를 쓰는데, 승상이 빨리 시를 지으라고 재촉하는 소리에 놀라 깨어 보니 꿈이더라. 치원 역시 깨어나 시를 지어 벽에 붙은 종이에다 써 놓으니 용과 뱀이 놀라 꿈틀거리는 듯하더라. 시의 내용인즉,

둥글고 둥근 함 속의 물건은 / 반은 희고 반은 노란데,
밤마다 때를 알아 울려 하건만 / 뜻만 머금을 뿐 토하지 못하도다.

이더라. 치원이 승상의 딸을 시켜 승상께 바치게 하니 승상이 믿지 않다가 딸의 꿈 이야기를 듣고서야 믿고 대궐로 들어가 왕께 바치었다. 왕이 보시고서 크게 놀라 물으시기를,

"경이 어떻게 알아 가지고 시를 지었느뇨?"

하시니 대답하여 아뢰되,

"신이 지은 것이 아니옵고 신의 사위가 지은 것이옵니다."

하니 왕은 사신으로 하여금 대국 황제께 바치었다. 황제가 그 시를 보시고 말씀하시기를,

"'둥글고 둥근 함 속의 물건은 반은 희고 반은 노란데'는 맞는 구절이나 '밤마다 때를 알아 울려 하건만 뜻만 머금을 뿐 토하지 못하도다'라 한 것은 잘못이로다."

하고 함을 열고 달걀을 보시니 여러 날 따뜻한 솜 속에서 병아리로 되어 있으매 황제가 탄복하면서 말하기를,

"이는 천하의 •기재로다."

- **노복** 종살이를 하는 남자.
- **청의동자** 신선의 시중을 든다는 푸른 옷을 입은 사내아이.
- **기재** 아주 뛰어난 재주. 또는 그 재주를 가진 사람.

01 윗글에 대한 설명으로 적절한 것은?

① 시를 삽입하여 등장인물의 심리를 제시하고 있다.
② 다른 공간에서 동시에 일어난 사건을 병치하고 있다.
③ 인물의 외양을 묘사하여 인물이 처한 상황을 나타내고 있다.
④ 과거 사건에 대한 회상을 통해 현재 사건의 원인을 제시하고 있다.
⑤ 초월적 존재를 조력자로 설정하여 인물의 비범함을 드러내고 있다.

02 윗글에서 알 수 있는 내용으로 적절하지 않은 것은?

① 아이는 나 승상 댁의 노복이 되고자 일부러 실수를 했다.
② 나 승상은 아이에게 당나라 황제에게 바칠 시를 짓도록 했다.
③ 아이는 나 승상 댁에 들어가기 전부터 함의 존재를 알고 있었다.
④ 치원은 나 승상의 딸과 같은 꿈을 꾼 후 잠에서 깨어나 시를 지었다.
⑤ 중국 황제는 치원의 시를 처음 들었을 때 치원이 물건의 정체를 알아내지 못했다고 생각했다.

03 다음 중 [꿈]에 대한 설명으로 적절한 것을 골라 바르게 묶은 것은?

ㄱ. 앞으로 전개될 사건을 암시한다.
ㄴ. 치원과 나승상 딸 사이의 갈등을 증폭한다.
ㄷ. 치원이 겪은 과거의 일을 요약적으로 제시한다.
ㄹ. 나 승상에게 치원의 시를 통해 문제를 해결할 수 있다는 믿음을 준다.

① ㄱ, ㄴ ② ㄱ, ㄷ ③ ㄱ, ㄹ
④ ㄴ, ㄷ ⑤ ㄷ, ㄹ

04 〈보기〉를 참고하여 윗글을 감상한 내용으로 적절하지 않은 것은?

보기

「최고운전」은 육두품이라는 출신의 한계 때문에 능력을 펼치지 못했던 실존 인물 최치원의 삶을 소설로 형상화한 작품이다. 주인공은 자신의 비범성을 실현하여 국가가 처한 위기를 극복하도록 하는데, 이 과정에서 주인공은 신분 상승의 욕망을 달성하고 사회적 지위를 획득하며 자신의 주체성을 실현한다.

① 아이가 거울을 깨뜨린 것은 신분 상승의 욕망을 실현하는 과정에서 필요한 일이었군.
② 함 속 달걀이 부화할 것을 예상하여 시를 짓는 모습에서 치원의 비범성이 드러나는군.
③ 파경노가 스스로 이름과 자를 지은 것은 그가 주체적인 삶을 살아가는 인물임을 보여 주는군.
④ 치원이 지은 시는 황제의 인정을 받아 신라를 당나라의 위협으로부터 구해 주는 역할을 하는군.
⑤ 신라 왕이 치원이 지은 시의 내용에 의심을 품는 것은 실존 인물이 겪었던 출신에 대한 편견을 반영한 것이군.

작품 한 줄 Pick 『최고운전』 "이때 파경노가 자기 이름을 지어 치원이라 하고, 자를 고운이라 하더라."

Q11

고전 소설

교과서 [국] 해냄 기출 EBS

홍길동전(洪吉童傳) | 허균

▶해법문학 Link
고전 산문 122쪽

키워드 체크 #최초의 한글 소설 #전기성(傳奇性) #적서 차별 #부패한 정치 현실

마침 공이 또한 달빛을 구경하다가, 길동이 배회하는 것을 보고 즉시 불러 물었다.

"너는 무슨 흥이 있어서 밤이 깊도록 자지 아니하느냐?"

길동이 공경하며 대답했다.

"㉠소인은 마침 달빛을 즐기는 중입니다. 그런데 만물이 생겨날 때부터 오직 사람이 귀한 존재인 줄 아옵니다만, 소인에게는 귀함이 없사오니, 어찌 사람이라 하겠습니까?"

공은 그 말의 뜻을 짐작은 했지만, 일부러 *책망하는 체하며,

"네 무슨 말이냐?" 했다. / 길동이 절하고 말씀드리기를,

[A] "소인이 평생 서러워하는 바는, 소인도 대감의 정기를 받아 당당한 남자로 태어났고, 또 낳아 길러 주신 부모님의 은혜를 입었음에도 불구하고, 아버지를 아버지라 못 하옵고, 형을 형이라 못 하오니, 어찌 사람이라 하겠습니까?"

하고, 눈물을 흘리며 적삼을 적셨다. 공이 듣고 나자 비록 불쌍하다는 생각은 들었으나, 그 마음을 위로하면 마음이 *방자해질까 염려하여 크게 꾸짖었다.

"재상 집안에 천한 종의 몸에서 태어난 자식이 너뿐이 아닌데, 네가 어찌 이다지 방자하냐? 앞으로 다시 이런 말을 하면 내 눈앞에 서지도 못하게 하겠다."

이렇게 꾸짖으니 ㉡길동은 감히 한 마디도 더 하지 못하고, 다만 마당에 엎드려 눈물을 흘릴 뿐이었다. 공이 물러가라 하자, 그제서야 길동은 침소로 돌아와 슬퍼해 마지않았다.

〈중략〉

이때 팔도에서 다 길동을 잡아 올리니, 조정과 서울 사람들이 어찌 된 영문인지 몰라 어리둥절했다. 임금이 대경하여 온 조정의 신하들을 모으고 몸소 죄인을 다스리는데, ⓐ여덟 명의 길동이 다투면서 말했다. / "네가 진짜 길동이지 나는 아니다."

서로 이렇게 말을 하니 어느 것이 진짜 길동인지 분간할 수가 없었다. 임금이 괴이하게 여기고 즉시 홍 아무개를 불러 명했다.

"자식을 알아보는 데는 아비만한 자가 없다 했으니, 저 여덟 중에서 경의 아들을 찾아내라."

홍 공이 황공하여 머리를 조아리면서 아뢰었다. / "신의 천한 자식 ㉢길동은 왼편 다리에 붉은 혈점이 있사오니, 그것을 자세히 살피시면 진짜 길동이를 알 수 있을 것입니다."

그러고는 또 여덟 길동을 보고 꾸짖었다. / "네 이놈! 지척에 임금님이 계시고 아래로 아비가 있는데, 네가 이렇듯 천고에 없는 죄를 지었으니 죽기를 겁내지 말라."

이렇게 말하고 홍 공은 피를 토하며 엎어져 기절했다. 임금이 크게 놀라 ㉣궐내의 약국에 명해 치료하게 했으나 효험이 없었다. 여덟 길동이 이를 보고 일제히 눈물을 흘리면서 주머니에서 환약을 한 개씩 꺼내 입에 넣어 드리니, 홍 공이 잠시 후 정신을 차렸다.

길동 등이 임금에게 아뢰었다.

[B] "신의 아비가 나라의 은혜를 많이 입었사온데, 신이 어찌 감히 나쁜 짓을 하오리까마는, 신은 본래 천한 종의 몸에서 났는지라, 그 아비를 아비라 못하옵고 그 형을 형이라 못하여, 평생 한이 맺혔기에 집을 버리고 도적의 무리에 참여하였사옵니다. 그러나 백성은 *추호도 범하지 않고 각 읍 수령이 백성들을 들볶아 착취한 재물만 빼앗았을 뿐입니다. 이제 십 년이 지나면 조선을 떠나 갈 곳이 있사오니, 엎드려 빌건대 성상께서는 근심하지 마시고 신을 잡으라는 공문을 거두어 주십시오."

핵심 포인트

「홍길동전」에 나타난 갈등과 그 해소

홍길동	↔	모순된 사회 제도
서자로 태어나 비범한 재주를 펼치지 못함.	↔	적자와 서자를 차별하는 신분 제도

↓

조선을 떠나 이상 사회인 율도국을 건설함.

전체 줄거리

발단	홍길동은 서자라는 이유로 천대받는 것을 서러워하다 홍 판서의 첩 초란이 자신을 해치려 하자 집을 떠남. ⋯→ 수록 부분
전개	출가한 길동은 도적들의 우두머리가 되고, 무리의 이름을 '활빈당'이라 지음.
위기	길동이 전국의 탐관오리를 벌하고 가난한 백성을 구제하자, 임금이 길동을 잡아들이라 명함.
절정	갖은 노력에도 홍길동 잡기에 실패한 임금은 그를 병조판서로 제수하고, 홍길동은 활빈당을 이끌고 조선을 떠남. ⋯→ 수록 부분
결말	조선을 떠나 율도국의 왕이 된 홍길동은 태평성대를 누림.

연계 작품

- **이상 세계 건설이 드러난 작품:** 박지원 「허생전」
- **작가의 다른 작품:** 허균 「장생전」

⋯→ 기출 딥러닝 160쪽

기출 OX

Q1 무수한 길동이 홍 공 앞에서 동일한 언행을 보이고 있다. 기출 2019. 9. 모평 (O | X)

Q2 백성이 살기 좋은 세상을 구현하려는 노력을 인정받는 모습은 길동이 병조판서에 제수되는 것에서 확인할 수 있다. 기출 2017. 9. 고1 (O | X)

답 Q1 O Q2 X

하고, 말을 마치며 ㉤여덟 명이 한꺼번에 넘어지므로, 자세히 보니 다 풀로 만든 허수아비였다. 임금이 더욱 놀라며 진짜 길동을 잡으라는 공문을 다시 팔도에 내렸다.

길동이 허수아비를 없애고 두루 다니다가 사대문에 글을 써 붙였는데, 그 글에다,

"소신 길동은 아무리 하여도 잡지 못할 것이오니, 병조판서 벼슬을 내리시면 잡히겠습니다." / 라고 하였다.

[뒷부분 줄거리] 여러 방법으로 홍길동을 잡으려 하였으나 실패하자 결국 임금은 홍길동을 병조판서로 임명한다. 홍길동은 자신을 따르는 도적의 무리를 이끌고 조선을 떠나 율도국의 왕이 되어 태평성대를 누린다.

- **책망** 잘못을 꾸짖거나 나무라며 못마땅하게 여김.
- **방자해질까** 어려워하거나 조심스러워하는 태도가 없이 무례하고 건방져질까.
- **추호** 매우 적거나 조금인 것을 비유적으로 이르는 말.

01 윗글에 대한 이해로 적절하지 않은 것은?

① 길동은 현실의 제약을 깨닫고 괴로워했다.
② 길동은 공손한 태도를 갖추어 공과 대화했다.
③ 공은 길동의 처지에 공감하며 문제를 해결하려고 노력했다.
④ 공은 유교적 사상을 바탕으로 여덟 길동의 잘못을 지적했다.
⑤ 길동은 자신을 잡을 수 있는 방법을 글로 써서 공공연하게 알렸다.

02 [A]와 [B]에 나타난 말하기 방식의 공통점으로 가장 적절한 것은?

① 고압적인 자세로 상대방의 주장을 반박하고 있다.
② 위기를 모면하기 위해 과거 행위를 변명하고 있다.
③ 의문의 형식을 빌려 자신의 생각을 완곡하게 드러내고 있다.
④ 구체적인 근거를 바탕으로 상대방에게 바라는 바를 요청하고 있다.
⑤ 상대방에게 입은 은혜를 먼저 언급한 뒤 자신의 처지를 드러내고 있다.

기출 변형 2009학년도 6월 고1 학력평가

03 ㉠~㉤ 중, 〈보기〉의 내용과 가장 관련 깊은 것은?

보기

고전 소설의 특징 중 하나는 전기적(傳奇的) 요소를 지니고 있다는 점이다. '전기적'이라는 말은 현실성이 있는 이야기가 아닌 진기한 것 — 일상적·현실적인 것과 거리가 먼 신비로운 내용 — 을 허구적으로 짜 놓은 것을 말한다.

① ㉠ ② ㉡ ③ ㉢ ④ ㉣ ⑤ ㉤

고난도 기출 변형 2014학년도 수능 A형

04 〈보기〉를 참고하여 윗글을 감상한 내용으로 적절하지 않은 것은?

보기

서자 홍길동의 일생은 신분의 한계를 극복하는 과정이다. 이 과정에서 당대 사회가 안고 있는 문제뿐만 아니라 개인의 이기적 욕망에서 비롯되는 문제도 드러난다. 즉, 길동은 부당한 사회와 충돌하기도 하고 개인적 욕망 성취를 위해 사회 부조리와 타협하거나 명분과 괴리되는 행위를 하여 스스로 모순에 빠지기도 하는 것이다.

① 길동이 병조판서 벼슬을 요구하는 것은 벼슬길에 나아가고자 하는 길동의 개인적 욕망으로 볼 수 있어.
② '종의 몸에서 태어난 자식'이라는 이유로 가족 구성원을 마음대로 호칭하지 못하는 길동을 보니, 당대에는 신분에 따른 제약이 컸음을 알 수 있어.
③ 길동이 도적의 무리에 참여하여 백성을 착취한 수령의 재물을 빼앗은 행동을 정당화하는 것을 보면, 행위와 명분 사이에 괴리가 있음을 알 수 있어.
④ 임금이 벼슬을 내려 길동의 불만을 달랠 뿐 그 근본 원인을 해소하지 않은 것을 보면, 당시 사회가 문제를 해결하는 데에 한계가 있었음을 알 수 있어.
⑤ 도적의 무리에 참여하여 백성을 돕던 길동이 병조판서 벼슬을 요구하는 것은 제도 내에서 사회 부조리를 해결하겠다는 의지를 드러낸 것으로 볼 수 있어.

05 ⓐ의 상황에 가장 어울리는 말은?

① 용호상박(龍虎相搏) ② 어불성설(語不成說)
③ 구밀복검(口蜜腹劍) ④ 중구난방(衆口難防)
⑤ 언어도단(言語道斷)

『홍길동전』 "아버지를 아버지라 못 하옵고, 형을 형이라 못 하오니, 어찌 사람이라 하겠습니까?"

작품 한 줄 Pick

기출 딥러닝

2009학년도 9월 고1 학력평가

[06~10] 다음 글을 읽고 물음에 답하시오.

장생(蔣生)이란 사람은 어떠한 내력을 지닌 사람인 줄을 알 수가 없었다. 기축년 무렵에 서울에 왕래하며 걸식하면서 살아갔다. 그의 이름을 물으면 자기 역시 알지 못한다 하였고, 그의 아버지나 할아버지가 거주했던 곳을 물으면,

"아버지는 밀양(密陽)의 좌수(座首)였는데 내가 태어난 후 세 살이 되어 어머니가 돌아가시자 아버지께서 비첩(婢妾)의 속임수에 빠져 나를 농장(農莊) 종의 집으로 쫓아냈소. 15세에 종이 상민(常民)의 딸에게 장가들게 해 주어 몇 해를 살다가 아내가 죽자 떠돌아다니며 호남(湖南)과 호서(湖西)의 수십 고을에 이르렀고 이제 서울까지 왔소." / 하였다.

그의 용모는 매우 우아하고 수려했으며 미목(眉目)도 그린 듯이 고왔다. 담소(談笑)를 잘하여 막힘이 없었고 더욱 노래를 잘 불렀으니 노랫소리가 처절하여 사람들을 감동시키곤 했었다. 기생들 집에도 다니지 않는 곳이 없어 잘 알고 지냈으며, 술만 있으면 곧바로 자기가 떠다가 잔뜩 마시고는 노래를 불러 아주 즐겁게 해 주고는 떠나가 버렸다.

어느 때는 ㉠술이 한창 취하면 맹인, 점쟁이, 술 취한 무당, 게으른 선비, 소박맞은 여인, 걸인, 노파들이 하는 짓을 흉내 냈으니, 하는 짓마다 아주 똑같이 해댔었다. 또 가면을 쓰고 열심히 십팔나한(十八羅漢)을 흉내 내면 꼭 같지 않은 경우가 없었다. 또 입을 찡그려서 피리, 거문고, 비파, 기러기, 고니, 무수리, 집오리, 갈매기, 학 등의 소리를 내는데, 진짜와 가짜임을 구별하기 어렵게 하였다. 밤에 닭 우는 소리, 개 짖는 소리를 내면 이웃 개나 닭이 모두 울고 짖어대는 지경이었다.

아침이면 밖으로 나와 거리나 저자에서 구걸을 했으니, 하루 동안에 얻는 것이 거의 서너 말[斗]이었다. 몇 되[升]쯤 끓여 먹고 나면 다른 거지들에게 나누어 주었다. 그래서 밖으로 나오면 뭇 거지 아이들이 뒤를 따랐다. 다음 날에도 또 그와 같이 해 버리니 사람들은 그가 하는 짓을 헤아릴 수 없었다.

전에 악공(樂工) 이한(李漢)이라는 사람 집에서 더부살이한 적이 있었다. 머리를 쌍갈래로 땋은 계집이 *호금(胡琴)을 배우느라 조석(朝夕)으로 만나게 되어 서로 친숙하였다. 하루는 구슬로 이어진 자줏빛 ㉡*봉미(鳳尾)를 잃어버리고 있는 곳을 모른다고 하였다. 연유를 들어 보니, ⓐ아침에 길 위에서 준수한 소년이 웃으며 농담을 붙이고 몸이 닿고 스치더니 이내 봉미가 보이지 않더라는 것이다. 그러면서 애처롭게 울기를 그치지 않더란다. 그래서 장생은,

"우습구나. 어린것들이 감히 그런 짓을 하다니. 아가씨야 울지 마라. 저녁이면 반드시 내 소매 속에 넣어 오겠다."

하고는, 훌쩍 나가 버렸다.

저녁이 되자 계집아이를 불러내어 따라오게 하고서는, 서쪽 거리 곁 경복궁 서쪽 담장을 따라 신호문(神虎門)의 모퉁이에 이르렀다. 계집의 허리를 큰 띠로 묶어 왼쪽 어깨에 들쳐 메고 풀쩍 뛰어, 몇 겹으로 겹친 문으로 날아서 들어갔다. 한창 어두울 때여서 길도 분간할 수 없었지만 급히 *경회루(慶會樓) 위로 올라가니 두 소년이 있었다. 촛불을 들고 마중 나와 서로 보며 껄껄 웃어대었다. 그러더니 상량 위의 뚫어진 구멍에서 금구슬, 비단, 명주가 무척 많이 나왔다. 계집이 잃어버린 봉미 또한 있었다.

소년들이 그것을 돌려주자 장생은,

"두 아우는 행동거지를 삼가서 세상 사람들이 우리들의 종적을 보지 못하도록 하게나." / 하였다. 그런 뒤에 끌고 다시 날아서 북쪽 성(城)으로 나와 그의 집으로 돌려보냈다.

계집은 다음 날 밝기 전에 이 씨(李氏)의 집으로 가서 감사의 말을 하려 했더니 술이 취해 누워 코를 쿨쿨 골고 있었고, 사람들 또한 밤에 외출했던 일을 알지 못하고 있었다.

임진년(선조 25년, 1592년) 4월 초하룻날 값을 뒤에 주기로 하고 술 몇 말[斗]을 사 와, 아주 취해서는 길을 가로막으며 춤을 추고 노래 부르기를 그치지 않았다가 거의 밤이 되어 수표교(水標橋) 위에서 넘어졌다. 다음 날 해 뜬 지 늦어서야 사람들이 그를 발견했는데, 죽은 지가 이미 오래되었었다. 시체가 부패하여 ㉢벌레가 되더니 모두 날개가 돋아 전부 날아가 버려 하룻밤에 다 없어지고 오직 ㉣옷과 버선만이 남아 있었다.

무인(武人) 홍세희(洪世熹)라는 사람은 연화방(蓮花坊)에서 살았으니, 장생과 친하게 지냈었다. 4월에 이일(李鎰)이라는 사람을 따라 왜적을 방어했었다. 조령(鳥嶺)에 이르렀을 때 장생을 만났다. 그는 ㉤짚신을 신고 지팡이를 끌면서 손을 붙잡고는 무척 기뻐하면서,

"나는 사실 죽지 않았소. 바다 동쪽으로 향하여 한 나라를 찾아 떠나 버렸소." / 하더란다. 그러면서,

"그대는 지금 죽을 나이가 아니오. 병화(兵禍)가 있으면 높은 곳의 숲으로 향해 가고, 물에는 들어가지 마시오. 정유년에는 삼가고 남쪽으로는 오지 마시오. 혹 공사(公事)의 주관한 일이 있더라도 산성(山城)으로 오르진 마시오."

하고는 말을 끝마치자 날아서 가 버리니 잠깐 사이에 있는 곳을 알 수 없더란다.

홍세희는 과연 탄금대(彈琴臺) 전투에서 그가 해 준 말을 기억해 내서 산 위로 달아나 죽음을 면할 수 있었다. 정유년(선조 30년, 1597년) 7월에 *금군(禁軍)으로 숙직을 할 때, *오리(梧里) 정승에게 임금의 교지(敎旨)를 전해 주느라 그가 경계해 준 것을 모

두 잊었었다. 돌아오면서 성주(星州)에 이르러 적군의 추격을 당하자, 황석성(黃石城)이 전쟁 준비가 잘 되어 있다 함을 듣고는 급히 달려갔는데, 성(城)이 함락되자 함께 죽고 말았다.

내가 젊은 시절에 협사(俠士)들과 친하게 지냈고, 그와도 해학(諧謔)을 걸 정도로 아주 친하게 지냈다. 그래서 나는 그의 잡기놀이를 모두 구경하였다. 슬프다. 그는 신(神)이었거나 아니면 옛날에 말하던 검선(劍仙)과 같은 부류가 아니랴!

– 허균, 「장생전(蔣生傳)」

- **호금** 비파.
- **봉미** 머리에 꽂는 노리개.
- **경회루** 경복궁 서쪽 연못 앞에 있는 누각.
- **금군** 궁궐을 지키며 임금을 호위하는 병사.
- **오리** 당시 우의정 이원익의 호.

기출 변형

06 윗글에 대한 설명으로 적절하지 않은 것은?

① 비현실적 요소를 통해 인물의 신비함을 부각했다.
② 인물의 행적 뒤에 논평을 덧붙이는 형식을 취했다.
③ 인물 사이의 갈등을 통해 사건의 긴장감을 조성했다.
④ 일화적 사건들을 병렬적으로 구성하여 이야기를 전개했다.
⑤ 역사적 시간을 배경으로 설정하여 작품의 사실성을 높였다.

기출

07 ㉠~㉤에 대한 설명으로 가장 적절한 것은?

① ㉠: 주인공을 세속적 욕망에서 벗어나게 하는 매개물이다.
② ㉡: 주인공의 비극적 운명을 암시한다.
③ ㉢: 주인공의 기이한 죽음을 보여 준다.
④ ㉣: 주인공이 속세에 미련이 남아 있음을 의미한다.
⑤ ㉤: 주인공이 현실의 고통에서 벗어날 수 없음을 암시한다.

기출 변형

08 ⓐ와 가장 관련이 깊은 한자 성어는?

① 인지상정(人之常情) ② 막역지우(莫逆之友)
③ 부창부수(夫唱婦隨) ④ 양상군자(梁上君子)
⑤ 견원지간(犬猿之間)

기출

09 '장생'을 찾는 광고 문안에 들어갈 내용으로 적절하지 않은 것은?

사람을 찾습니다

밀양에서 태어나 기축년 무렵에 서울을 왕래하며 살던 사람을 찾습니다.

이름: 장생(蔣生)
직업: 뚜렷하지 않음.

<특징>
- 이야기와 노래에 뛰어난 재주가 있음. ······ ①
- 사람들의 미래를 예측하는 능력이 있음. ······ ②
- 구걸한 쌀을 다른 거지들에게 나누어 줌. ······ ③
- 계집아이의 잃어버린 봉미를 찾아 준 적이 있음. ······ ④
- 피리, 거문고, 비파 등 악기 연주에 뛰어난 능력이 있음. ······ ⑤

10 〈보기〉를 참고하여 윗글에 대해 토의한 내용으로 적절하지 않은 것은?

보기

「장생전」의 주인공 장생은 뛰어난 능력을 가졌지만 관직에 등용되지 못하고 허무한 죽음을 맞는 인물로, 장생의 일생을 통해 당시 사회에 대한 허균의 비판 의식을 엿볼 수 있다. 이 작품에서 기이한 죽음 후 환생한 장생이 다른 나라를 찾아간다는 설정은 새로운 세상에 대한 희망을 갖게 한다. 또한 신분이 낮은 주인공에 대한 우호적 인식을 통해 작가가 지닌 인간성의 긍정과 인간에 대한 존중 의식 등을 짐작할 수 있다.

① 장생은 본래 양반의 자제로 태어났지만 음모로 인해 신분이 전락하고 말았어.
② 장생이 환생하여 떠난 '한 나라'는 그가 현실에서 겪은 어려움이 해소된 희망적인 세상일 거야.
③ 장생은 자신의 능력을 타인을 위해 사용하지 않았기 때문에 그를 당대의 인재상으로는 볼 수 없어.
④ 장생이 뛰어난 능력을 발휘하지 못하고 죽음을 맞은 내용에는 현실에 대한 작가의 비판적 태도가 드러나 있어.
⑤ 윗글의 '홍세희'가 신분이 낮은 장생과 친하게 지냈다는 내용을 통해 인간에 대한 작가의 존중 의식을 엿볼 수 있어.

교과서 [문] 미래엔 [국] 신사고 기출 EBS

최척전(崔陟傳) | 조위한

▶해법문학 Link
고전 산문 126쪽

키워드 체크 #한문 소설 #가족의 이산과 재회 #민중 계층의 희생 #임진왜란 #정유재란

이듬해인 기미년(1619)에 누르하치가 요양에 쳐들어가 여러 고을을 연이어 함락시키며 명나라 군사들을 대거 살상했다. 이에 명나라 황제가 진노하여 중국 전역의 병사를 일으켜 토벌하고자 했다. 소주(蘇州) 출신의 오세영(吳世英)이란 사람이 교유격의 천총(千摠)으로 있었는데, 일찍이 여유문을 통해서 최척이 재주 많고 용맹하다는 사실을 알고 있었다. 그리하여 최척을 서기(書記)로 삼아 군중에 두었다.

최척이 먼 길을 떠나게 되자 옥영은 최척의 손을 잡고 눈물을 흘리며 이별의 말을 건넸다.

"제 운명이 기박하여 일찍이 재앙을 겪었으나, 천신만고 끝에 구사일생 목숨을 건지고 하늘의 도움으로 낭군을 다시 만날 수 있었지요. ㉠끊어진 거문고 줄이 다시 이어지고 반쪽으로 나뉘었던 거울이 다시 합해진 것처럼 우리 부부의 끊어졌던 인연이 다시 이어져 다행히도 제사를 맡아 줄 아들까지 얻었어요. 함께 살며 기쁨을 나눈 지 스무 해가 넘었으니, 지난날을 생각하면 죽어도 한이 없답니다. 제가 먼저 저세상으로 가서 서방님의 은혜에 보답하고자 하는 마음을 늘 가져왔는데, 뜻밖에도 늙어 가는 나이에 또 다시 이별을 하게 되었군요. 여기서 요양까지는 수만 리 거리라 살아서 돌아오기 쉽지 않을 테니 어찌 훗날 다시 만날 것을 기약할 수 있겠어요? 보잘것없는 제 한 목숨, 서방님과 헤어지는 마당에 자결하여 ㉡한편으로는 저에게 연연하는 서방님의 마음을 끊고, 한편으로는 밤낮으로 느낄 제 고통을 없애 버리고자 합니다. 서방님, 잘 가세요! 이제 영영 이별이군요!" 〈중략〉

마침내 최척은 짐을 꾸려 떠났다. 요양에 도착하여 수백 리 오랑캐 땅을 지나, 조선의 군대와 나란히 우모채에 진을 쳤다. ㉢하지만 명나라 장수가 후금의 군대를 얕본 탓에 대패하고 말았다. 누르하치는 명나라 군사들을 남김없이 죽인 반면, 조선 군사들은 한편으로 위협하고 한편으로 어르면서 단 한 사람도 살상하지 않았다.

교유격은 패잔병 10여 명을 이끌고 조선 군영(軍營)에 들어가 조선 병사의 옷을 달라고 애걸했다. 조선의 원수(元帥) 강홍립은 옷을 주어 죽음을 면하게 하려 했으나, 종사관 이민환은 누르하치의 뜻을 거슬렀다가 훗날 문제가 될 것이 두려워 그 옷을 빼앗고 명나라 병사들을 붙잡아 적진으로 보냈다. ㉣최척은 본래 조선 사람이므로 혼란한 틈을 타 조선 군대 속에 숨어 들어가 홀로 죽음을 면할 수 있었다. 그러나 강홍립이 후금에 항복하면서 최척 역시 조선 병사들과 함께 후금 군대에 사로잡히는 신세가 되고 말았다.

이때 최척의 장남인 몽석은 남원에서 무학(武學)으로 군대에 차출되어 원수 강홍립의 휘하에 있었다. 누르하치는 항복한 조선 병사들을 나누어 가두었는데, 마침 최척과 몽석이 한 곳에 갇히게 되었다. 하지만 아버지와 아들은 마주하고도 상대가 누구인지를 알아보지 못했다.

몽석은 최척의 조선말이 어설픈 것을 보고, 본래 명나라 병사 중에 조선말을 할 줄 아는 이가 후금 군대에 죽임을 당할까 두려워 조선 사람 행세를 하는가 보다 여겼다. 몽석이 의심스러운 마음에 최척에게 사는 곳을 캐묻자, ㉤최척은 최척대로 후금의 첩자가 실상을 캐내려는 게 아닐까 의심하여 어떤 때는 전라도라고 했다가 어떤 때는 충청도라고도 하며 얼렁뚱땅 말을 둘러댔다. 몽석은 이상히 여겼으나 최척의 정체를 알지 못했다.

며칠 지내는 동안 두 사람이 차츰 친해지고 서로의 처지를 가련히 여기게 되면서 의심

핵심 포인트

「최척전」의 중심인물

역경을 극복하고 혼인하여 사랑을 이룸.

- 최척: 평범한 인물로, 전란으로 인해 고난을 겪음.
- 옥영: 강인하고 슬기롭게 운명을 개척함.

전체 줄거리

발단	[만남] 쇠락한 양반집 아들인 최척과 옥영이 사랑하여 약혼함.
전개	[이별-재회-이별] 임진왜란 때 최척이 의병으로 참전하여 두 사람이 이별함. 돌아온 최척과 옥영이 혼인하고 몽석을 출산함. 전쟁(정유재란)이 일어나 온 가족이 뿔뿔이 흩어짐.
위기	[재회] 떠돌던 최척과 옥영이 안남(베트남)에서 재회하고 중국에 정착하여 행복한 생활을 누림.
절정	[이별] 후금이 명나라 요양을 침범하자 최척이 명나라 군사로 출전했다가 후금의 포로가 되고, 포로수용소에서 맏아들 몽석과 극적으로 만남. ⋯▸ 수록 부분
결말	[재회] 부자(父子)가 함께 수용소를 탈출하여 조선으로 돌아가고, 일가가 해후함.

연계 작품

- 전란으로 인한 이별을 다룬 작품: 권필 「주생전」
- 소재와 구조가 비슷한 작품: 유몽인 「홍도전」

기출 OX

01 윗글은 선악의 대립 양상을 중심으로 권선징악의 주제를 형상화하고 있다.
기출 2013. 3. 고2 B (O / X)

02 옥영은 최척을 다시 만난 것을 천우신조(天佑神助)라고 생각하고 있다.
기출 2011. 3. 고2 (O / X)

답 01 X 02 O

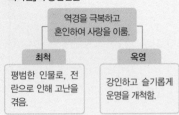

하는 마음이 사라졌다. 최척은 자신이 겪어 온 일을 사실대로 몽석에게 말해 주었다. 몽석은 최척의 말을 들으면서 안색이 바뀌고 속으로 놀라며, 반신반의하는 상태에서 최척의 죽은 아들 나이가 몇이며 신체상의 특징이 있는지 물었다. 최척이 이렇게 대답했다.

"갑오년(1594) 10월에 태어나 정유년(1597) 8월에 죽었소. 등에 아이 손바닥만 한 붉은 점이 있었다오."

몽석이 놀라 말을 잇지 못하더니 웃통을 벗고 제 등을 가리키며 말했다.

"제가 바로 그 아들이옵니다!"

최척은 그제야 비로소 눈앞에 있는 청년이 자기 아들임을 알아차렸다. 두 사람은 각각 자기 부모의 안부를 물은 뒤 서로 부둥켜안고 엉엉 울었다.

- **누르하치** 중국 후금의 초대 황제(1559~1626)로, 여진족을 통합하고 만주 문자를 제정하여 청나라 발전의 기틀을 세움.
- **기박하여** 팔자, 운수 따위가 사납고 복이 없어.
- **무학** 병법에 관한 학문.

01 윗글에 대한 설명으로 적절한 것은?

① 서술자가 등장인물의 행위를 논평하고 있다.
② 대화를 통해 인물의 성격 변화를 드러내고 있다.
③ 구체적인 지명과 시간을 제시하여 현실감을 높이고 있다.
④ 현재와 과거를 교차하여 사건에 입체감을 부여하고 있다.
⑤ 전기적 요소를 사용하여 인물의 비범한 능력을 드러내고 있다.

기출 2011학년도 3월 고2 학력평가

02 〈보기〉를 바탕으로 윗글을 감상한 내용으로 적절하지 않은 것은?

보기

「최척전」은 '기우록(奇遇錄)'이라고도 한다. '기이한 만남의 기록'이라는 말에서 알 수 있듯이 최척 일가의 상봉은 참으로 요행이며 기적 같은 일에 속한다. 당대의 일반적 현실은 작품 속에 그려진 현실보다 훨씬 암담하고 비극적이었다. 이 작품은 16세기 말에서 17세기 초의 전란을 배경으로 한 「임진록」, 「박씨전」, 「임경업전」 등이 대개 환상적인 요소를 강하게 갖거나 영웅을 주인공으로 설정하면서 민족적 자존심의 고취에 역점을 두고 있다는 공통점을 보이는 것과 달리 당대의 대다수 인간이 겪었던 전쟁의 피해, 당시의 전쟁이 이들 인간의 운명에 끼친 영향에 관심의 초점을 두고 있다.

① 최척, 옥영, 몽석은 당대 민중들의 비극적인 운명을 대변하고 있다.
② 포로로 잡힌 최척과 몽석의 삶을 통해 시대적 상황을 구체화하고 있다.
③ 옥영이 전란으로 최척과 두 번이나 헤어지게 된 것에서 당대의 현실이 암담했음을 알 수 있다.
④ 최척이 재주와 용맹을 인정받아 출전한 것은 주인공을 영웅적으로 형상화한 부분이라 할 수 있다.
⑤ 최척과 몽석이 우연히 재회하게 되는 것은 '기우록'이라는 제목의 의미를 보여 주는 일이라 할 수 있다.

기출 변형 2011학년도 3월 고2 학력평가

03 ㉠~㉤에 대한 설명으로 가장 적절한 것은?

① ㉠: 옥영이 자신의 처지를 비유적으로 표현하고 있다.
② ㉡: 옥영이 최척을 원망하는 마음을 보여 주고 있다.
③ ㉢: 최척이 다시 명나라로 돌아가게 될 것을 암시하고 있다.
④ ㉣: 최척이 위기를 벗어나려고 자신의 지위를 이용하고 있다.
⑤ ㉤: 최척이 몽석의 정체를 파악하기 위해 몽석을 시험하고 있다.

기출 변형 2005학년도 7월 고3 학력평가

04 윗글이 〈보기〉를 참고하여 창작된 작품이라고 가정할 때, 윗글에 대한 평가로 적절하지 않은 것은?

보기

북쪽에서 청나라가 일어나자 명나라에서 정벌에 나섰다. 정생은 군사로 뽑혀 유정의 군에 편입되어 적과 싸웠다. 싸움 끝에 유공이 죽자 오랑캐 군사들은 명나라 병사들을 남김없이 섬멸하였다. 위기에 처한 정생은 고함을 질렀다. / "나는 중국인이 아니라 조선 사람이오."

그래서 겨우 목숨이 풀려 죽음을 면했다. 그 길로 정생은 조선으로 도망쳐 나왔다. 실로 20여 년 만에 밟아 보는 고국 땅. 남원으로 내려오는 길에 공홍도 이산현에 이르러 다리에 종기가 나서 침을 놓는 의원을 찾게 되었다.

종기를 다스리는 사이에 침의와 이야기를 주고받던 중, 침의가 명나라 군사로서 조선으로 나와 눌러 사는 중국인임을 알게 되었다. 명나라 군사가 철수할 때 낙오되었노라고 했다. 서로 통성명을 하였을 때 정생은 크게 놀랐다. 침의는 바로 둘째 아들 몽진의 장인 되는 사람이 아닌가. 서로 연유를 묻고 이야기하면서 두 사람은 손을 잡고 통곡을 했다.

- 유몽인, 「홍도전」

① 이산과 만남이라는 모티프는 그대로 유지했다.
② 인물 간의 관계가 밝혀지는 과정에는 차이가 있다.
③ 인물이 위기를 극복하는 방법이 〈보기〉와 유사하다.
④ 특정 장면의 내용을 확장하여 인물이 겪는 고난을 구체화했다.
⑤ 가족 재회에 실마리가 되는 인물을 새롭게 추가하여 사건의 긴장감을 높였다.

『최척전』 "최척은 그제야 비로소 눈앞에 있는 청년이 자기 아들임을 알아차렸다."

고전 소설

Q13

[교과서] [문] 비상 [국] 동아, 신사고 [기출] [EBS]

박씨전(朴氏傳) | 작자 미상

▶해법문학 Link
고전 산문 130쪽

키워드 체크 #역사 군담 소설 #병자호란 #영웅적 여성 #민족의 긍지와 자부심 고취

핵심 포인트

인물 간의 대립 관계

박씨	↔	김자점
• 신이한 능력으로 호적의 계책을 읽어 냄. • 임경업을 내직으로 불러 호적의 침입에 대비할 것을 건의함.	↔	• 무능하여 호적의 계책을 파악하지 못함. • 권세를 이용해 박씨의 건의를 받아들이지 못하게 함.

↓

병자호란 발발 예고

전체 줄거리

발단	이시백은 문무를 겸비한 총명한 인물로, 이시백의 아버지 이 상공은 아들을 박 처사의 딸과 혼인시킴.
전개	이시백이 박씨의 외모에 실망하여 그녀를 홀대하자, 박씨는 후원에 피화당을 짓고 홀로 지냄.
위기	신이한 재주를 가졌음에도 남편에게 계속 천대받던 박씨는 어느 날 허물을 벗고 절세가인이 됨. 이시백은 크게 놀라 기뻐하며 이후 박씨의 뜻을 따름.
절정	청나라 용골대 형제가 조선을 침략하자 박씨는 뛰어난 능력으로 오랑캐를 물리침. ⋯→ 수록 부분
결말	박씨와 이시백은 국난을 극복하고 행복한 여생을 보냄.

연계 작품

• **여성 영웅이 등장하는 작품:** 작자 미상 「홍계월전」
• **병자호란을 배경으로 한 작품:** 작자 미상 「임경업전」

기출 OX

Q1 윗글은 실재했던 전쟁을 다루면서도 이를 있는 그대로 받아들이지 않으려는 욕망에 따라 허구화가 이루어졌다.
[기출] 2017. 수능 (O | X)

Q2 박씨와 김자점의 갈등을 통해 여성에 대한 당대 남성의 부정적 인식을 엿볼 수 있다.
[기출] 2012. 3. 고1 (O | X)

답 Q1 O Q2 O

각설. 기홍대가 부인께 하직하고 나와 생각하되,

'이미 일이 발각되었으니 의주에 가서도 쓸데없다.'

하고 바로 본국에 들어가 •복명(復命)하니, 왕이 묻기를

"네 이번 길에 성공했느냐?"

기홍대가 ⓐ전후수말(前後首末)을 다 아뢰고, 도모치 못한 말을 낱낱이 아뢰더라. 호왕이 듣고 또한 놀라서 황후를 청하여 이 일을 말하고 다른 묘책을 물으니, 황후가

"요사이 천기를 보오니, 조선에 간신(奸臣)이 많아 현인(賢人)을 시기하여 말을 듣지 아니할 터이오니, 바삐 기병(起兵)하여 북으로 가지 말고 동으로 들어가되, 장수를 가리어 북편 길을 막아 임경업의 기병을 통치 못하게 하면, 필연 성공하리이다."

호왕이 대희하여, 용골대(龍骨大)와 율대(律大) 형제로 대장을 삼아 정병 30만을 주며,

"부디 의주로 가지 말고 동으로 돌아 들어가되, 의주 길을 막아 소식을 통치 못하게 하라." / 하였다. 황후가 또 두 장수를 불러 가로되,

"이번에는 동으로 들어가 장안을 바로 •엄살(掩殺)하면 임경업도 몰라 성공할 것이니, 부디 우의정 이시백의 집 후원은 범치 말라. 만일 범하다가는 성공은커녕 목숨을 보전치 못할 것이니 부디 ⓑ명심불망(銘心不忘)하라."

두 장수가 명을 받고 군사를 거느려, 동으로 황해수를 건너 바로 장안으로 향하였더라.

각설. 이때 박씨가 피화당에서 천기를 보고, 우상을 청하여 이르기를,

"북방 호적이 금방 들어오는가 싶으니, 급히 탑전에 아뢰어 임경업을 내직(內職)으로 불러, 군사를 조발(調發)하여 막으소서."

우상이 가로되,

"북방 호적이 들어오면 북으로 올 것이니, 임경업은 북방을 지키는 의주 •부윤이라. 어찌 오는 길을 버리고 내직으로 부르리까?"

부인이 가로되,

"호적이 북방으로 오지 아니하고 동으로 황해수를 건너 들어올 것이니, 바삐 임경업을 •패초(牌招)하옵소서."

우상이 크게 놀라, 급히 들어가 부인의 말을 낱낱이 아뢰니, ㉠상이 놀라사 만조백관이 다 경황(驚惶)하여 임경업을 패초하려 의논하시니, ㉡좌의정 원두표가

"북방 오랑캐는 본디 간계(奸計)가 많사오니 분명 그러하올 듯하오니, 박 부인 말씀대로 하여 보사이다."

하니, ㉢김자점이 ⓒ발연변색(勃然變色)하고 아뢰어 가로되,

"제신(諸臣)의 말이 그르오이다. 북적이 경업에게 여러 번 패한 바 되었사오니 기병할 수 없사옵고, 설사 기병하여 온다 하여도 북으로 올 수밖에 없사오니, 만일 임경업을 패초하였다가 호적이 의주를 쳐 항성(降城)하면 그 세(勢)를 당치 못하며, 국가 흥망이 경각(頃刻)에 있을지니, 어찌 요망한 계집의 말을 듣고 북방을 비우고 동을 막으리까. 이는 나라를 망할 말이라. 어찌 지혜 있다 하오리까."

상이 가라사대,

"박 부인은 신인이라 신명지감이 있어 여러 번 신기함이 있으니, 그 말대로 하고자 하노라."

김자점이 또 아뢰되,

"시방 ⓓ<u>시화연풍(時和年豊)</u> 태평성대(太平聖代)에 무슨 병란이 있으리까. 박씨는 요망한 계집이어늘, 전하 어찌 요망한 말을 침혹(沈惑)하시며, 국가 대사를 아이 희롱같이 하시나이까."

하니, 만조백관이 김자점의 말이 그른 줄 알되, 아무 말도 못하더라. 상이 그 일로 ⓔ<u>유예미결(猶豫未決)</u>하시고 조회(朝會)를 파하시는지라.

- **복명** 명령을 받고 일을 처리한 사람이 그 결과를 보고함.
- **엄살** 별안간 습격하여 죽임.
- **부윤** 조선 시대의 지방 관아인 부(府)의 우두머리.
- **패초** 조선 시대에 임금이 승지를 시켜 신하를 부르던 일.

01 윗글의 서술상 특징으로 가장 적절한 것은?

① 인물 간의 대화를 통해 사건의 진행 과정을 보여 준다.
② 특정한 소재를 활용하여 인물의 심리 변화를 나타낸다.
③ 서술자가 작품 안의 사건에 개입하여 인물의 행위를 논평한다.
④ 초월적 공간과 현실적 공간을 나란히 배치하여 긴장감을 고조한다.
⑤ 작품의 공간적 배경을 구체적으로 묘사하여 사건의 개연성을 높인다.

02 윗글에 대한 이해로 적절하지 <u>않은</u> 것은?

① 황후는 용골대와 용율대가 박씨를 만나는 것을 경계하고 있군.
② 조정의 신하들은 김자점의 말이 틀린 것을 알면서도 반박하지 못하고 있군.
③ 황후가 예측한 대로 우상은 박씨의 의견을 의아하게 여겨 받아들이지 않고 있군.
④ 황후와 박씨의 계책은 모두 임경업이 호적을 막아 낼 수 있다는 것을 전제로 하고 있군.
⑤ 황후와 박씨 모두 자신이 지닌 신이한 능력을 자신이 속한 공동체의 이익을 위해 사용하고 있군.

03 ㉠~㉢에 대한 이해로 가장 적절한 것은?

① ㉠은 중립적 태도를 지키며 ㉡와 ㉢의 의견을 듣고 있다.
② ㉠은 ㉢의 주장에서 논리적 오류를 찾아 수정을 요구하고 있다.
③ ㉡은 신뢰할 수 있는 인물의 말을 근거로 하여 ㉢을 설득하고 있다.
④ ㉡은 인물에 대한 ㉢의 평가 근거가 타당하지 않음을 지적하고 있다.
⑤ ㉢은 예상되는 결과를 언급하며 ㉡과는 반대되는 주장을 펼치고 있다.

04 〈보기〉를 참고하여 윗글을 감상한 내용으로 적절하지 <u>않은</u> 것은?

보기

「박씨전」은 허구적 인물인 박씨가 영웅적 기상과 재주로 청나라 왕과 적장을 농락하고 민족의 자긍심을 고취한다는 내용으로, 역사적 사건인 병자호란으로 인한 민중의 패배감을 정신적으로나마 보상해 주었다. 이 작품의 이면에는 지배 계층의 무능함과 전란에 패배한 남성 중심의 권력 구조에 대한 신랄한 비판 및 국가를 위기에서 구할 영웅이 나타나기를 바라는 백성의 바람이 담겨 있다.

① 임경업과 김자점은 실존 인물로, 윗글에서 호적이 조선을 침략하는 사건이 역사적 사실임을 짐작하게 하는군.
② 전란을 예상하고 대비책을 세우는 박씨는 국가를 위기에서 구할 영웅을 기다리는 백성의 바람이 투영된 인물이군.
③ 영웅적 기상과 재주를 지닌 여성인 박씨를 주인공으로 내세워 전란에 패배한 남성 중심의 권력 구조를 비판하고자 했군.
④ 김자점이 박씨의 말을 믿지 않는 모습을 보여 준 것은 전쟁의 원인을 특정하여 민중의 아픔을 정신적으로나마 보상하기 위해서이군.
⑤ 청나라의 침입에 적절하게 대응하지 못하고 위기를 자초하는 조선의 '상'과 만조백관의 무능력한 모습에는 지배 계층에 대한 비판 의식이 담겨 있군.

05 ⓐ~ⓔ의 뜻풀이로 적절하지 <u>않은</u> 것은?

① ⓐ: 처음부터 끝까지의 과정
② ⓑ: 옳고 그름을 따지며 다툼.
③ ⓒ: 왈칵 성을 내어 얼굴빛이 달라짐.
④ ⓓ: 나라가 태평하고 풍년이 듦.
⑤ ⓔ: 망설여 결정을 짓지 못함.

『박씨전』 "박 부인은 신인이라 신명지감이 있어 여러 번 신기함이 있으니, 그 말대로 하고자 하노라."

작품 한 줄 Pick

고전 소설

Q14

[교과서] [문] 천재(김) [국] 미래엔, 비상(박영) [기출] [EBS]

홍계월전(洪桂月傳) | 작자 미상

▶해법문학 Link
고전 산문 150쪽

키워드 체크 #여성 영웅 소설 #군담 소설 #남장 화소 #여성으로서의 자아 실현

핵심 포인트

인물과 사회의 갈등

가부장적 사회 ⟷(갈등) 홍계월(여성)

여성 영웅의 뛰어난 능력으로 사회적 제약을 극복함.

전체 줄거리

발단	홍무와 양 부인 사이의 외동딸인 홍계월은 도적의 난으로 가족과 헤어지게 됨.
전개	홍계월은 여공에게 구원받아 '평국'이란 이름으로 자람. 평국과 보국은 과거를 치르고 각각 장원, 부장원으로 급제함. 홍계월은 전쟁에서 공을 세우고 부모와 도 재회함.
위기	홍계월이 여자임이 밝혀지나 천자가 용서하고 보국과 혼인할 것을 명함. ⋯ 수록 부분
절정	홍계월은 보국과 혼인하지만 그의 애첩을 죽인 일로 불화를 겪음.
결말	홍계월은 두 차례에 걸쳐 국가를 위기에서 구하고, 대사마 대장군의 작위를 받아 보국과 함께 나라에 충성하며 오랫동안 낙을 누림.

연계 작품

- **지혜로운 여성의 활약이 나타난 작품**: 작자 미상 「이춘풍전」 ⋯ 기출 딥러닝 198쪽
- **남장 여주인공의 영웅적 활약이 나타난 작품**: 작자 미상 「정수정전」

기출 OX

Q1 윗글은 요약적 서술을 통해 인물의 내력을 제시하고 있다. [기출] 2018. 6. 고1 (O X)

Q2 홍계월이 정체가 탄로 나면 나랏일을 할 수 없다고 판단한 것에서 여성의 사회적 참여에 제약이 따랐음을 짐작할 수 있다. [기출] 2016. 6. 모평 (O X)

Q3 황제는 신하들과 의논하여 계월의 문제를 처리하고 있다. [기출] 2009. 10. 고3 (O X)

답 Q1 O Q2 O Q3 X

이때 평국이 전쟁터에 다녀온 후 몸이 피곤해 병이 드니, 집안사람들이 놀라 밤낮으로 약을 대며 치료했다. 천자가 이 말을 듣고 깜짝 놀라 명의를 급히 보냈다.

"병세를 자세히 보고 오라. 만일 병이 중하면, 짐이 친히 가 볼 것이다."

천자가 어의(御醫)를 보내시니, 어의가 황명을 받고 평국의 침소에 와서 병세를 진맥했으나 병세가 깊지 않았다. 그리하여 어의는 속히 쓸 약을 가르쳐 주고 돌아와 천자에게 아뢰었다.

"병세를 보니 깊지 않아서 속히 쓸 약을 가르쳐 주고 왔습니다. 그런데 괴이한 일이 있어서 수상쩍습니다."

천자가 놀라서 물었다. / "무슨 연고가 있느냐?"

어의가 엎드려 말했다. / "평국의 맥을 보니, 남자의 맥이 아니라 이상합니다."

천자가 그 말을 듣고 말했다.

㉠"평국이 여자라면 어떻게 전쟁터에 나아가 적진 십만 군을 싹 쓸어 없애고 왔겠는가? 평국의 얼굴이 복숭앗빛이고 몸이 •잔약하니, 혹 미심쩍긴 하나 아직 누설하지는 마라."

천자가 내시를 시켜 자주 문병했다. / 병세가 차차 좋아지자 평국은 생각했다.

'어의가 내 맥을 보았으니, 본색이 드러났을 것이다. 이제는 할 수 없이 여자 옷차림을 하고 규중에 몸을 감추어 세월을 보내는 것이 옳다.'

그러고는 즉시 **남자 옷을 벗고 여자 옷으로 갈아입은** 뒤 부모를 뵙고 흐느끼니, 두 뺨에 두 줄기 눈물이 펑펑 쏟아져 내렸다. 부모도 눈물을 흘리며 위로했다. ㉡계월이 슬퍼하며 우는 모습이 가을철 구월 연꽃이 가랑비를 머금은 듯하고, 초승달이 비단 같은 구름에 잠긴 듯하며, 젊고 아름다우면서도 침착한 태도는 당대 제일이었다.

이때 계월이 천자에게 상소를 올렸는데, 다음과 같았다.

[A] 한림학사 겸 대원수 좌승상 청주후 평국은 손을 머리 위로 조아리며 백 번 절하고 아룁니다. 제가 다섯 살이 채 되지 않아 장 사랑의 난 때 부모를 잃고, 도적 맹길의 환란을 만나 물속에 빠져 외로운 넋이 될 뻔했으나 여공의 덕으로 살아났습니다. 오로지 한 가지만 생각하되, 여자의 행색을 하고서는 집 안에서 늙어 부모의 해골을 찾지 못할 것 같아, 여자의 행실을 버리고 남자의 복색을 하여 폐하를 속이고 조정에 들어왔습니다. 제 죄가 만 번 죽어도 애석하지 않기에 처벌을 기다리고 **•유지(諭旨)와 •인수(印綬)를 올립**니다. 폐하를 속인 죄를 저질렀으니 속히 처벌해 주십시오.

천자가 이 글을 보고 용상(龍床)을 치며 말했다.

"누가 평국을 여자로 보았겠는가? 고금에 없는 일이로다. 비록 천하가 드넓다 하나, 문재와 무재를 겸비하고 충성을 다해 나라의 은혜를 갚은 충효가 빼어난 상등급 장수의 재주는 남자라도 지니지 못할 것이로다. 비록 여자일지라도 어찌 **벼슬을 거두**겠는가?"

천자는 내시에게 명하여 유지와 인수를 돌려보내고 답서를 내렸다. 이에 계월이 황공히 감사해하며 받아 보았다.

[B] 그대의 상소를 보니, 한편으로 놀랍고 한편으로 장하기도 하다. 충효를 겸비해 반역의 무리를 소탕하고 나라와 조정을 안전하게 지킨 것은 다 그대의 바다와 같이 넓은 덕이라. 짐이

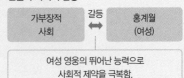

어찌 여자라고 탓하겠는가? 유지와 인수를 도로 보내니 털끝만큼도 염려하지 말고 그대는 충성을 다해 짐을 도와 나라의 은혜를 갚으라.

계월이 사양하지 못하고 **여자 옷차림을 한 위에 °조복(朝服)을 입**고 부리던 **장수 백여 명과 군사 천여 명**에게 갑주를 갖추어 입게 하고 승상부 문밖에 진을 치고 있게 하니, 그 위의가 엄숙했다.

- **잔약하니** 가냘프고 약하니.
- **유지** 임금이 신하에게 내리던 글.
- **인수** 인(印)과 인끈. 벼슬아치로 임명되어 임금으로부터 받는 표장.
- **조복** 관원이 조정에 나아가 하례할 때에 입던 예복.

01 윗글의 인물에 대한 이해로 적절하지 않은 것은?

① 평국은 병을 핑계로 자신의 본색을 숨기려 했다.
② 계월의 부모는 계월의 심정에 공감하며 딸을 위로하고 있다.
③ 계월은 어의의 진맥 후 자신의 본색이 발각되었을 것이라고 예측하고 있다.
④ 어의는 평국을 진맥한 후 평국에 대해 새롭게 안 사실을 천자에게 알리고 있다.
⑤ 천자는 평국을 소중히 여겨 평국이 병에 걸렸다는 말을 듣고 깊이 염려하고 있다.

02 ㉠, ㉡에 대한 설명으로 적절하지 않은 것은?

① ㉠에는 인물의 과거 행적이 제시되어 있다.
② ㉠에는 인물에 대한 발화자의 심리가 직접적으로 드러나 있다.
③ ㉡에서는 비유를 통해 인물의 외양을 구체화하고 있다.
④ ㉡에서는 새로운 인물이 등장하여 인물 간의 갈등이 전환되고 있다.
⑤ ㉡에서는 서술자가 작품에 개입하여 작중 인물에 대해 논평하고 있다.

03 [A], [B]에 대한 이해로 가장 적절한 것은?

① [A]와 [B]의 글쓴이 모두 과거에 일어난 사건을 근거로 상대를 회유하고 있다.
② [A]와 [B]의 글쓴이는 같은 목적으로 글을 썼으나 신분의 차이로 인해 서술 방식에 차이를 보이고 있다.
③ [A]의 글쓴이는 자신의 억울함을 상대에게 호소하고 있고, [B]의 글쓴이는 상대에 대한 연민을 드러내고 있다.
④ [A]의 글쓴이는 자신이 처벌받아야 하는 이유를 밝히고 있고, [B]의 글쓴이는 상대를 처벌하지 않는 이유를 밝히고 있다.
⑤ [A]의 글쓴이는 자신이 상대에게 바라는 바를 구체적으로 제시하고 있고, [B]의 글쓴이는 상대방이 바라는 바를 적극적으로 수용하고 있다.

04 〈보기〉의 ⓐ~ⓔ 중, 윗글에서 확인할 수 없는 것은?

보기

「홍계월전」에는 영웅의 일대기 구조가 나타난다. ⓐ고귀한 혈통을 타고난 홍계월은 비정상적으로 출생하며 비범한 능력을 보인다. 그녀는 ⓑ유년기에 위기를 겪게 되는데, ⓒ조력자의 도움으로 위기에서 구출되고 조력자에 의해 양육된다. ⓓ성장 후에도 위기를 겪으나 ⓔ고난을 극복하고 행복한 결말을 맺는다.

① ⓐ ② ⓑ ③ ⓒ ④ ⓓ ⑤ ⓔ

05 〈보기〉를 바탕으로 윗글을 감상한 내용으로 적절하지 않은 것은?

보기

「홍계월전」은 조선 시대에 창작되었음에도 남성의 전유물로 여겨지던 권위를 여성에게 부여하여 새로운 여성상을 제시하고 여성들에게 통쾌한 해방감과 신분 상승에 대한 희망을 심어 주었다. 작품에 등장하는 홍계월은 사회적 지위와 능력이 남성을 능가하며, 남성의 권위에 복종하거나 현모양처의 길을 택하는 것이 아니라 오히려 가장의 면모를 보이며 여성으로서의 자아를 실현한다.

① 계월의 정체를 알았음에도 '벼슬을 거두'지 않은 천자의 결정은 여성 독자들로 하여금 신분 상승의 희망을 갖게 했겠군.
② 계월이 '여자 옷차림을 한 위에 조복을 입'은 모습은 사회적 지위를 지닌 새로운 여성의 모습을 상징적으로 드러내는군.
③ 계월이 여자임이 발각된 뒤 천자에게 '유지와 인수를 올'리는 모습을 통해 오랜 시간 동안 남성이 사회적 권위를 전유해 왔음을 추측할 수 있군.
④ 계월이 '남자 옷을 벗고 여자 옷으로 갈아입은' 것은 남성의 권위에 도전하고 여성으로서의 자아를 실현하겠다는 강한 의지를 드러낸 행동이군.
⑤ 계월이 '장수 백여 명과 군사 천여 명'을 부리는 것은 계월이 남성보다 뛰어난 역량을 지니고 있음을 보여 주어 여성 독자들에게 통쾌함을 느끼게 했겠군.

『홍계월전』 "문재와 무재를 겸비하고 충성을 다해 나라의 은혜를 갚은 충효가 빼어난 상등급 장수의 재주는 남자라도 지니지 못할 것이로다."
작품 한 줄 Pick

고전 소설

Q15

기출 EBS

숙향전(淑香傳) | 작자 미상

▶해법문학 Link
고전 산문 146쪽

핵심 포인트

적강 화소를 통한 사건 전개

천상계의 인물이 지상계로 내려옴.(적강 화소)

숙향	이선
월궁의 으뜸 선녀	천상의 태을진군

↓

- 지상계와 천상계의 이원적 구도로 사건이 전개됨.
- 인물이 지상계에서 겪는 고난과 극복 과정이 천상계에서 예정된 것임.

전체 줄거리

발단	김전과 장씨 사이에 숙향이 태어남.
전개	숙향은 전쟁으로 부모와 헤어진 뒤, 후토 부인과 만남. 이후 숙향은 장 승상 댁 양녀가 되나, 종 사향의 흉계로 쫓겨남. ··· 수록 부분
위기	마고할미가 떠돌아다니던 숙향을 구해 함께 살게 됨. 숙향은 선녀로 놀던 꿈의 내용을 수놓았다가 이선을 만나게 됨.
절정	이선과 숙향이 가연을 맺자 이선의 아버지 이 상서가 분노하여 김전에게 숙향을 죽이게 하나 김전은 숙향이 자신의 딸임을 알게 됨. ··· 수록 부분
결말	마고할미가 죽자 목숨을 끊으려 하던 숙향이 이선의 부모를 만나 오해를 풀고, 이선과 혼인하여 부귀를 누리다 선계로 돌아감.

연계 작품

애정 성취를 소재로 한 작품: 작자 미상 「채봉감별곡」, 작자 미상 「숙영낭자전」

기출 OX

Q1 윗글은 서사의 진행 과정에 비현실적 요소가 개입되어 있다.
기출 2018. 3. 고2 (O | X)

Q2 숙부인은 상서의 부탁을 받아서 이선의 혼인을 주관하였다.
기출 2014. 9. 고2 A (O | X)

답 Q1 O Q2 X

키워드 체크 #적강 소설 #염정 소설 #비현실적 사건 전개 #영웅의 일대기 구조

ⓐ산은 첩첩하고 물은 중중한데, 잠자려는 새들은 숲으로 들어가 *객회(客懷)를 자아내니 숙향이 갈 데 없어서 앉아서 울고 있었다. 문득 파랑새가 꽃봉오리를 물고 손등에 앉거늘 숙향이 배고픔을 견디지 못해 꽃봉오리를 먹으니 눈이 맑아지고 배가 불러 정신이 상쾌하며 몸에 향내 진동하더라.

일어나서 파랑새가 가는 대로 따라 두어 고개를 넘어가니 산골짜기에 한 궁궐이 있는데, 그 새가 큰 문으로 들어가거늘 숙향이 따라 들어갔다. 한 계집이 마중 나와 숙향을 안고 들어가 큰 전각(殿閣) 앞에 놓으니 한 부인이 머리에 화관(花冠)을 쓰고 황금 의자에 앉아 있다가 숙향을 맞아 팔을 밀어 동편 백옥 의자에 앉기를 청하거늘 숙향이 어찌할 줄 모르고 다만 울 뿐이었다.

부인 왈, / ㉠"선녀께서 인간 세상에 내려와 더러운 물을 많이 먹었으니 정신이 바뀌어 전생 일을 모르나이다."

선녀에게 명해 *경액(瓊液)을 드리라 한대 선녀가 만호잔에 호박대를 받쳐 이슬 같은 것을 부어 드리거늘 숙향이 받아먹으니 맛은 젖 맛 같고 매우 향기롭더라. 먹은 후에 천상의 일과 인간 세상에 내려와 부모 잃고 헤매며 고생한 일을 일일이 알게 되니 몸은 비록 아이이나 마음은 어른이라. 즉시 일어나 부인께 예를 표해 왈,

[A] "첩은 천상에 득죄(得罪)하여 인간 세상에 내려와 고초가 심하거늘 이다지도 불쌍히 여겨 대접하시니 지극히 감격하나이다."

"선녀께서는 저를 알아보시겠나이까?"

㉡"인간 세상에 내려와 정신이 바뀌었사오니 자세히 아옵지 못하나이다."

"이 땅은 명사계(冥司界)요, 저는 후토 부인이니이다. 선녀께서 인간 세상에 내려와 고생을 겪었으매 접때 잔나비와 황새를 보내 도와 드렸고 이번에는 파랑새를 보내었삽더니 보셨나이까?"

㉢"다 보았사오나 부인의 하늘 같은 은혜를 갚을 길이 없사오니 부인의 시비나 되어 만분지일이나 갚사올까 바라나이다." / 부인이 정색하고 왈,

[B] "저는 한낱 조그마한 신령이요, 그대는 월궁의 으뜸 선녀라. 비록 천상에서 지은 죄로 인간 세상에 내려와 일시 고생을 겪었으나 그런 말씀을 어찌 하시나이까? 선녀 가실 곳이 또한 머오니 그 사이에 고생을 많이 겪을 것이오매 쉬어 내일 가소서."

하고, 잔치를 *배설하여 환대하니 음식과 보배 등이 극히 화려하더라.

숙향이 부인께 왈,

"첩이 전일 듣사오니 명사계는 *시왕(十王)이 계신 데라 하더니 그러하오이까?

"그러하여이다." / "그러하오면 시왕전이 어디오이까?

"멀지 아니하오이다." / ㉣"인간 세상의 부모가 난중에 죽었으면 시왕전에 왔사올 것이니 반가이 만나 볼 수 있겠나이까?"

[C] "그대 부모는 인간 세상에 반석같이 계시고 그들도 원래 인간 세상 사람이 아니요, 봉래산 선관 선녀로서 인간 세상에 귀양 왔사오니 기한이 차면 봉래로 돌아갈 것이요, 이곳은 오지 아니하리이다." 〈중략〉

이선이 숙향이 보내 온 혈서를 보고 크게 놀라 통곡하고 그 편지를 숙모께 드리고 낙양 옥중에 가서 숙향과 함께 죽으려 하더니 숙부인 왈,

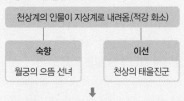

"아직 자세히 알지도 못하는데 성급히 굴지 마라." / 하며 하인을 불러 할미 집에 가 보고 오라 하고, 그 고을의 이방 원통을 불러서 그 연고를 물으니 원통이 고하기를,

ⓜ"상서께서 명을 내리시어 숙향을 잡아다가 죽이라 하신 고로 원님이 상서 명을 거역하지 못하여 어젯밤에 숙향을 잡아다 죽이려고 큰 매로 치라 하되 집장 사령이 매를 들지 못하여 죽이지 못하였사오나 원님이 오늘 죽이려 하옵고 큰 칼을 씌워 옥에 가두었나이다."

숙부인이 듣고 크게 놀라 왈, / "선이 비록 상서의 아들이나 내가 양자로 들였으매 선과 숙향이 혼사를 치르도록 했거늘, 내게 묻지 아니하고 나를 과부라 업신여겨 이러하니 내 황성에 들어가 상서에게 일러 듣지 아니하면 황후께 아뢰어 황제께서 아시게 하리라."

하고 즉시 행장을 차려 장안으로 가니라.

- **객회** 객지에서 느끼게 되는 울적하고 쓸쓸한 느낌.
- **경액** 신선이 마신다는 신비로운 약물.
- **배설** 연회나 의식에 쓰는 물건을 차려 놓음.
- **시왕** 저승에서 죽은 사람을 재판하는 열 명의 대왕.

01 윗글에 대한 설명으로 적절한 것은?

① 등장인물의 외양 묘사를 통해 인물의 심리를 드러내고 있다.
② 등장인물 간의 대화를 통해 사건의 내막을 드러내고 있다.
③ 요약적 서술을 통해 시대적 배경을 구체적으로 제시하고 있다.
④ 여러 개의 이야기를 나열하여 다양한 관점에서 사건을 재구성하고 있다.
⑤ 작품 속 등장인물이 중심인물의 행동과 모습을 구체적으로 묘사하고 있다.

02 윗글의 인물에 대한 이해로 적절한 것은?

① 숙향은 자신의 부모가 죽었을 것이라고 짐작하고 있다.
② 숙부인은 숙향에 대해 상서와 같은 태도를 보이고 있다.
③ 숙향의 상황을 알게 된 이선은 숙향의 원수를 갚겠다고 다짐하고 있다.
④ 후토 부인은 숙향이 자신의 전생을 기억해 내지 못하도록 방해하고 있다.
⑤ 숙향은 비범한 능력과 영웅적 면모를 발휘하여 자신에게 닥친 고난을 극복하고 있다.

기출 변형 2010학년도 11월 고2 학력평가

03 ㉠~ⓜ 중, 〈보기〉의 밑줄 친 부분과 가장 관련 깊은 것은?

> 보기
>
> 사람들에게 이야기책을 읽어 주는 일을 전문적으로 하는 사람을 '강독사'라고 한다. 「숙향전」은 실제 강독사에 의해 연행되었던 작품으로, 이야기 상황에 따라 숙향이 살아온 삶의 행로가 인물의 발화를 통해 요약·제시된다는 특징이 있다. 이것은 강독사가 많은 청중을 대상으로 강독을 할 때, 중간에 듣거나 줄거리를 놓친 사람들에게 이전의 서사 과정을 요약해서 전달할 필요가 있었기 때문에 나타난 특징이다.

① ㉠ ② ㉡ ③ ㉢ ④ ㉣ ⑤ ⓜ

고난도 기출 2015학년도 수능 B형

04 〈보기〉를 참고하여 [A]~[C]를 감상한 내용으로 적절하지 않은 것은?

> 보기
>
> 고전 소설 중에는 '천상'과 '선계'를 포함하는 '천상계'와 인간 세상인 '지상계'가 인과응보의 원리에 의해 연결되어 서사가 진행되는 작품이 많다. 이 원리는 '천상계 – 지상계 – 천상계'의 순환 구조를 기반으로 하여 천상계에서 죄를 지으면 지상계에서 벌을 받는 것으로 구현된다. 이 원리를 토대로 하여 인물에게 주어지는 처벌과 보상, 인물이 겪는 고난의 정도와 기한이 결정된다.

① [A]에는 지상계에서 고초를 겪게 되는 원인이 천상계에서 지은 죄에 있다는 생각이 드러나 있군.
② [B]에는 천상계에서 지은 죄의 대가를 지상계에서 모두 치르면 천상계의 신분이 변할 수 있다는 생각이 드러나 있군.
③ [B]에는 천상계에서 높은 신분인 인물이라도 죄를 지으면 지상계에 내려와 고난을 겪어야 한다는 생각이 드러나 있군.
④ [C]에는 지상계가 천상계에서 죄를 지은 자들의 귀양지라는 생각이 드러나 있군.
⑤ [C]에는 천상계에서 지은 죄의 대가를 지상계에서 치르는 인물은 이미 정해진 고난의 기한이 차야만 천상계로 돌아갈 수 있다는 생각이 드러나 있군.

05 ⓐ에 나타난 숙향의 처지를 표현한 말로 가장 적절한 것은?

① 각골통한(刻骨痛恨) ② 고립무원(孤立無援)
③ 기호지세(騎虎之勢) ④ 절치부심(切齒腐心)
⑤ 풍수지탄(風樹之嘆)

고전 소설 Q16

교과서 [문] 천재(정), 금성, 지학사 기출 EBS

구운몽(九雲夢) | 김만중

▶해법문학 Link
고전 산문 134쪽

키워드 체크 #몽자류 소설 #염정 소설 #환몽 구조 #불교적 #일장춘몽

핵심 포인트

제목 '구운몽'의 의미

구(九)	인물	성진과 팔선녀
운(雲)	주제	인생무상의 깨달음
몽(夢)	환몽 구조	성진이 꿈을 통해 깨달음을 얻음.

「구운몽」의 환몽 구조

현실 (천상계)	성진이 세속적 욕망으로 번뇌함.
⬇	
꿈 (지상계)	성진이 양소유로 환생하여 세속적 욕망을 성취함.
⬇	
현실 (천상계)	성진이 꿈을 통해 인생무상의 깨달음을 얻어 불도에 정진함.

전체 줄거리

발단	육관 대사의 제자 성진은 심부름으로 용궁에 갔다 돌아오는 길에 팔선녀를 만나 희롱함.
전개	성진은 팔선녀와 부귀영화에 대한 미련으로 번뇌하고, 이후 팔선녀와 함께 속세로 추방되어 '양소유'로 환생함. 양소유는 팔선녀와 차례로 만나 부부의 인연을 맺음.
위기	두 부인과 여섯 첩을 거느린 양소유는 입신양명하여 벼슬이 승상에 이르는 등 부귀영화를 누림.
절정	벼슬에서 물러나 여생을 즐기던 양소유는 문득 인생의 허무함을 느끼고, 그때 한 도승이 나타나 그의 꿈을 깨움. ⋯ 수록 부분
결말	꿈에서 깬 성진은 잘못을 뉘우치며 다시 불교에 귀의하고, 팔선녀도 불도에 정진하여 모두 극락세계로 들어감.

연계 작품

「구운몽」과 주제 및 줄거리가 유사한 작품: 남영로, 「옥루몽」 ⋯ 기출 딥러닝 172쪽

기출 OX

Q1 윗글은 전기적(傳奇的) 요소를 활용하여 서사를 진행하고 있다. 기출 2016. 4. 고3 (O | X)

Q2 성진은 꿈속의 노승이 육관 대사임을 알게 된다. 기출 2014. 6. 모평 A (O | X)

답 Q1 O Q2 O

[앞부분 줄거리] 연화봉에서 육관 대사의 제자로 불도를 닦던 성진은 용왕의 잔치에 참석한 후 돌아오는 길에 팔선녀를 만난다. 그후 세속적 욕망으로 번뇌하던 성진은 인간계로 추방되어 양소유로 환생한다. 양소유는 입신양명하여 부귀영화를 마음껏 누리다 문득 인생의 허망함을 느낀다.

잔을 씻어 다시 부으려 하는데, 홀연 ㉠막대 던지는 소리가 났다. 모든 사람들이 의아히 여기며 생각하기를, '어떤 사람이 올라오는가?' 하였다. 한 •호승(胡僧)이 눈썹이 길고 눈이 맑고 얼굴이 괴이하였다.

엄연히 좌상에 이르러 승상에게 예를 하며 말하기를,

"산야(山野) 사람이 대승상을 뵈옵니다."

태사가 이인(異人)인 줄 알고 황망히 답례하기를,

"사부는 어느 곳으로부터 오셨나이까?"

호승이 웃으며 대답하기를

"평생 •고인을 몰라보시니 일찍이, '귀인은 잊기를 잘한다.'라는 말이 옳소이다."

승상이 자세히 보니 과연 얼굴이 낯이 익은 듯하였다. 문득 깨달아 능파 낭자를 돌아보며 말하기를,

"내가 지난날 토번을 정벌할 때 ⓐ꿈에 동정 용궁의 잔치에 참석하고 돌아오는 길에, 한 •화상이 법좌(法座)에 앉아서 경을 강론하는 것을 보았는데 노부가 바로 그 노화상이냐?"

호승이 박장대소하고 가로되,

"옳도다, 옳도다. 비록 그 말이 옳으나 꿈속에서 잠깐 만나 본 일은 기억하고 십 년을 같이 살았던 것은 기억하지 못하니 누가 양 장원을 총명하다 하였는가?"

승상이 망연자실하여 말하기를

"소유는 십오륙 세 이전에는 부모의 슬하를 떠난 적이 없고, 십육 세에 급제하여 곧바로 직명을 받아 관직에 있었으니, 동으로 연나라에 사신으로 가고 토번을 정벌하러 떠난 것 외에는 일찍 경사를 떠나지 아니하였거늘, 언제 사부와 함께 십 년을 상종하였으리오?"

노승이 웃으며 말하기를, / "상공이 아직도 ⓑ춘몽을 깨지 못하였도이다."

승상이 말하기를,

"사부는 어찌하면 소유로 하여금 춘몽을 깨게 하실 수 있나이까?"

노승이 이르기를, / "이는 어렵지 않도다."

하고, 손에 잡고 있던 석장(錫杖)을 들어 ㉡돌난간을 두어 번 두드렸다. 갑자기 네 골짜기에서 구름이 일어나 누대(樓臺) 위를 뒤덮어 지척을 분변하지 못하였다. 승상이 정신이 아득하여 마치 취몽 가운데에 있는 듯하여 한참 만에 소리를 질러 말하기를,

"사부는 어찌하여 정도(正道)로 소유를 인도하지 아니하고 환술(幻術)로써 희롱하시나이까?"

승상이 말을 마치지 못하여 구름이 걷히는데 노승은 간 곳이 없고 좌우를 돌아보니 팔 낭자도 간 곳이 없었다. 승상이 매우 놀라 어찌할 바를 모르는 중에 ㉢높은 대와 많은 집들이 한순간에 없어지고 자기의 몸은 작은 암자의 포단 위에 앉았는데, ㉣향로에 불은 이미 사라지고 지는 달이 창가에 비치고 있었다.

자신의 몸을 보니 백팔 ㉤염주가 걸려 있고 머리를 손으로 만져 보니 갓 깎은 머리털이 가칠가칠하였으니 완연히 소화상의 몸이요 전혀 대승상의 위의가 아니니, 정신이 황홀하

여 오랜 후에야 비로소 제 몸이 연화 도량 성진 행자(性眞行者)임을 깨달았다.

그리고 생각하기를, '처음에 스승에게 책망을 듣고 풍도옥으로 가서 인간 세상에 환도하여 양가의 아들이 되었다. 그리고 장원 급제를 하여 한림학사를 한 후 *출장입상(出將入相), *공명신퇴(功名身退)하여 두 공주와 여섯 낭자로 더불어 즐기던 것이 다 하룻밤 꿈이로다. 이는 필연 사부가 나의 생각이 그릇됨을 알고 나로 하여금 이 꿈을 꾸게 하시어 인간 부귀와 남녀 정욕이 다 허무한 일임을 알게 한 것이로다.'

- **호승** 인도나 서역의 승려.
- **고인** 오래전부터 사귀어 온 친구.
- **화상** 승려를 높여 이르는 말.
- **출장입상** 나가서는 장수가 되고 들어와서는 재상이 된다는 뜻으로, 문무를 다 갖추어 장상(將相)의 벼슬을 모두 지냄을 이르는 말.
- **공명신퇴** 공명을 이루고 관직에서 물러남.

01 윗글의 서술상 특징으로 가장 적절한 것은?

① 묘사의 방식을 활용하여 장면이 전환되었음을 나타내고 있다.
② 작품 밖 서술자가 사건을 객관적으로 관찰하여 내용의 사실성을 높이고 있다.
③ 작품 속 등장인물이 자신의 시각에서 중심인물과 사건에 대해 서술하고 있다.
④ 과거와 현재의 교차를 통해 중심 사건이 발생한 원인을 암시적으로 보여 주고 있다.
⑤ 하나의 사건을 바라보는 여러 인물의 시선을 제시하여 사건에 입체감을 부여하고 있다.

02 〈보기〉는 윗글의 사건을 정리한 것이다. 이를 시간 순서에 따라 바르게 배열한 것은?

보기
㉮ 양소유가 토번을 정벌함.
㉯ 호승이 양소유를 찾아와 대화함.
㉰ 호승이 석장으로 난간을 두드리자 구름이 일어남.
㉱ 양소유가 공을 세워 이름을 떨친 후 관직에서 물러남.
㉲ 성진이 스승에게 책망을 듣고 하룻밤 꿈을 꾸기 시작함.

① ㉮-㉰-㉯-㉲-㉱
② ㉯-㉮-㉰-㉱-㉲
③ ㉱-㉯-㉰-㉲-㉮
④ ㉲-㉮-㉱-㉯-㉰
⑤ ㉲-㉱-㉮-㉯-㉰

03 ⓐ, ⓑ에 대한 이해로 적절한 것은?

① ⓐ는 꿈속의 인물이 꾸는 꿈이고, ⓑ는 현실 세계의 인물이 꾸는 꿈이다.
② ⓐ는 과거의 일을 보여 주는 꿈이고, ⓑ는 미래의 일을 보여 주는 꿈이다.
③ ⓐ는 깨달음을 얻기 위해 꾸는 꿈이고, ⓑ는 욕망을 실현하기 위해 꾸는 꿈이다.
④ ⓐ는 다른 사람이 꾸게 한 꿈이고, ⓑ는 인물이 자신의 의지에 따라 꾸는 꿈이다.
⑤ ⓐ는 세속적 욕망이 원인이 되어 꾸는 꿈이고, ⓑ는 무상감이 원인이 되어 꾸는 꿈이다.

04 〈보기〉를 바탕으로 윗글의 제목을 이해한 내용으로 적절하지 않은 것은?

보기
「구운몽」은 김만중이 유배지에서 모친 윤씨를 위로하기 위해 지은 소설로, 하룻밤 꿈에서 인간사를 경험한 '성진'이 다시 불법에 귀의한다는 내용을 담고 있다. 특히 아홉 구(九), 구름 운(雲), 꿈 몽(夢) 자로 이루어진 제목은 이 작품의 중심 내용과 서사적 특징을 단적으로 보여 주고 있다는 점에서 상징적 의미가 있다.

① '구(九)'는 작품의 중심인물인 양소유와 팔 낭자를 가리키는 것이군.
② '운(雲)'은 인생의 부귀영화는 흩어지기 쉬운 구름과 같이 덧없다는 깨달음을 보여 주고 있군.
③ '몽(夢)'은 성진이 꿈에서 양소유가 되었다가 다시 성진으로 돌아오는 작품의 구성을 보여 주고 있어.
④ '몽(夢)'은 성진이 양소유로서 경험했던 인생사가 하룻밤 꿈과 같은 것임을 드러내는 역할을 하는구나.
⑤ '몽(夢)'은 세속적 욕망이 실현된 공간으로, 꿈에서나마 행복한 모습으로 어머니를 위로하려 했던 작가의 효심과 관련 있어.

기출 변형 2016학년도 4월 고3 학력평가

05 ㉠~㉤에 대한 설명으로 가장 적절한 것은?

① ㉠은 소리를 일으켜 꿈꾸기 이전보다 더욱 불도에 정진할 수 있도록 주인공을 자극한다.
② ㉡은 주인공의 입몽과 각몽이 이루어지는 공간을 나타낸다.
③ ㉢은 꿈에서 깨어난 주인공이 높은 정신적 경지에 도달할 것임을 암시한다.
④ ㉣은 주인공이 입몽에서 각몽에 이르기까지의 시간 경과를 드러낸다.
⑤ ㉤은 주인공이 꿈에서 유교적 가치를 추구한 결과 얻게 된 징표로, 꿈과 현실을 연결한다.

『구운몽』 "나로 하여금 이 꿈을 꾸게 하시어 인간 부귀와 남녀 정욕이 다 허무한 일임을 알게 한 것이로다."

2014학년도 수능 B형

[06~09] 다음 글을 읽고 물음에 답하시오.

[앞부분 줄거리] 천상에서 벌을 받은 문창성은 꿈을 꾸어 인간 세상에 양창곡으로 다시 태어난다. 천상에 함께 있었던 제방옥녀, 천요성, 홍란성, 제천선녀, 도화성도 인간 세상에서 윤 소저, 황 소저, 강남홍, 벽성선, 일지련으로 다시 태어나 양창곡과 결연을 맺는다. 양창곡은 벼슬하고 공을 세워 연왕에 오른다. 그 뒤 부친 양현, 모친 허 부인, 다섯 아내, 자식들과 영화로운 삶을 살게 된다.

이날 밤에 강남홍이 취하여 취봉루에 가 의상을 풀지 아니 하고 책상에 의지하여 잠이 들었더니 홀연 정신이 황홀하고 몸이 정처 없이 떠돌아 일처에 이르매 한 명산이라. 봉우리가 높고 험준하거늘 강남홍이 가운데 봉우리에 이르니 한 보살이 눈썹이 푸르며 얼굴이 백옥 같은데 비단 가사를 걸치고 석장(錫杖)을 짚고 있다가 웃으며 강남홍을 맞아 왈,

"강남홍은 인간지락(人間之樂)이 어떠한가?"

강남홍이 망연히 깨닫지 못하여 왈,

"도사는 누구시며 인간지락은 무엇을 이르시는 것입니까?"

보살이 웃고 석장을 공중에 던지니 한 줄기 무지개 되어 하늘에 닿았거늘 보살이 강남홍을 인도하여 무지개를 밟아 공중에 올라가더니 앞에 큰 문이 있고 오색구름이 어리었는지라. 강남홍이 문왈, / "이는 무슨 문입니까?"

보살 왈, / "남천문이니 그대는 문 위에 올라가 보라."

강남홍이 보살을 따라 올라 한 곳을 바라보니 일월(日月) 광채 휘황한데 누각 하나가 허공에 솟았거늘 백옥 난간이며 유리 기둥이 영롱하여 눈이 부시고 누각 아래 푸른 난새와 붉은 봉황이 쌍쌍이 배회하며 몇몇 선동(仙童)과 서너 명의 시녀가 신선 차림으로 난간머리에 섰으며 누각 위를 바라보니 한 선관과 다섯 선녀가 난간에 의지하여 취하여 자는지라. 보살께 문 왈,

"이곳은 어느 곳이며 저 선관, 선녀는 어떠한 사람입니까?"

보살이 미소 지으며 왈,

"이곳은 백옥루요 제일 위에 누운 선관은 문창성(文昌星)이요 차례로 누운 선녀는 제방옥녀(諸方玉女)와 천요성(天妖星)과 홍란성(紅鸞星)과 제천선녀(諸天仙女)와 도화성(桃花星)이니, 홍란성은 즉 그대의 전신(前身)이니라."

강남홍이 속으로 놀라 왈,

"저 다섯 선녀는 다 천상에서 입도(入道)한 선관이라. 어찌 저다지 취하여 잠을 잡니까?"

보살이 홀연 서쪽을 보며 합장하더니 시 한 구를 외워 왈,

정이 있으면 인연이 생기고 / 인연이 있으면 정이 생기도다.
정이 다하고 인연이 끊어지면
만 가지 생각이 함께 텅 비는구나.

강남홍이 듣고 정신이 상쾌하여 문득 깨달아 왈,

"나는 본디 천상의 별인데 인연을 맺어 잠깐 하계(下界)에 내려온 것이로다." 〈중략〉

강남홍 왈,

"그러하면 저도 또한 천상의 별이라, 이미 여기 왔으니 다시 인간 세상에 돌아갈 마음이 없나이다."

보살이 웃으며 왈,

"하늘이 정한 인연을 인력으로 할 바 아니다. 그대 인간 인연을 마치지 못하였으니 빨리 돌아가라. 사십 년 후에 다시 와 옥황상제께 조회하고 천상지락(天上之樂)을 누릴지어다."

강남홍이 문 왈, / "보살은 뉘십니까?"

보살이 웃으며 왈,

"*빈도(貧道)는 남해 수월암 관세음보살이라. 부처의 명을 받아 그대를 지도하러 왔노라."

보살이 말을 마치고 석장을 공중에 던지니 오색 무지개 일어나며 홀연 우렛소리 울리거늘 강남홍이 놀라 깨어 보니 몸이 취봉루 책상 앞에 누웠는지라.

강남홍은 꿈속 일이 의아하여 연왕과 윤 부인, 황 부인, 벽성선, 일지련에게 낱낱이 말하니 그들 또한 같은 꿈을 꾸었는지라. 서로 탄식하며 의아해하더니 허 부인이 듣고 강남홍더러 왈,

"내 고향에 있을 적 늦도록 무자(無子)하여 옥련봉 돌부처에게 기도하고 연왕을 낳았으니 그 돌부처가 곧 관세음보살이라. 그 한량없는 공덕을 갚지 못하였더니 이제 너의 꿈에 나타나 불사(佛事)를 권하는 것이 아니겠느냐? 듣자 하니 벽성선의 부친 보조국사께서 자개봉 대승사에 계신데 불법(佛法)에 정통하다 하니 청하여 옥련봉 돌부처를 위하여 일 개 암자를 짓고 한편으로 대승사에 백일 동안 재(齋)를 올려 관세음보살의 자비로운 공덕을 갚고자 하노라."

벽성선이 크게 기뻐하며 즉시 보조국사를 청하여 재 올리기를 시작하고 재물을 후히 보내어 옥련봉에 암자를 창건하였더니, 과연 그 후 사십 년을 부귀를 누리다가 양현과 허 부인은 수(壽)를 팔십여 세 하고, 연왕은 다시 출장입상하여 또한 수를 팔십을 하고, 윤 부인 삼자 이녀(三子二女)에 수 칠십이요, 황 부인은 이자 일녀에 수 육십을 넘기고, 강남홍은 오자 삼녀에 수 칠십이요, 벽성선, 일지련은 각각 삼자 이녀에 수를 또한 칠십 세를 하니, 연왕의 자녀 합 이십육에 아들 십육 인은 각각 입신양명하여 부귀영화를 누리고 딸 십 인은 왕공 부인이 되어 다자 다복(多子多福)하더라.

– 남영로, 「옥루몽(玉樓夢)」

* **빈도** 덕(德)이 적다는 뜻으로, 승려나 도사가 자기를 낮추어 이르는 일인칭 대명사.

기출

06 윗글의 서술상 특징으로 가장 적절한 것은?

① 서술자가 개입하여 앞으로 일어날 사건을 예고하고 있다.
② 대립적인 두 인물을 배치하여 인물 간 갈등을 구체화하고 있다.
③ 순간적으로 장면을 전환하여 사건의 환상적 면모를 부각하고 있다.
④ 내적 독백을 활용하여 난관을 극복하고자 하는 의지를 표현하고 있다.
⑤ 인물의 외양을 묘사하여 인물의 혼란스러운 심리 상태를 드러내고 있다.

고난도 기출

07 〈보기〉를 참고하여 윗글을 감상한 내용으로 적절하지 않은 것은?

보기

「옥루몽」의 환몽(幻夢) 구조는 독특하다. 천상계에서 꿈을 통해 속세로 진입한 남녀 주인공들은 속세에서 다시 꿈을 꾸어 천상계를 경험하는데, 이때 신이한 존재에 의해 자신의 정체를 깨달으며 꿈에서 깨어나게 된다. 꿈에서 깨어난 남녀 주인공들은 속세로 돌아와 천수를 누린 뒤에야 천상계에 복귀한다.

천상계 —(입몽)→ [속세 —(입몽)→ 천상계 —(각몽)→ 속세] —(죽음)→ 천상계

① '강남홍'이 '취봉루'에서 꿈에 드는 것으로 보아, '취봉루'는 천상계에서 속세로 입몽하는 공간이군.
② '강남홍'이 '백옥루'를 보며 자신의 정체를 깨닫는 것으로 보아, '백옥루'는 속세에서의 입몽을 통해 자신의 정체를 깨닫게 되는 천상계의 공간이군.
③ '보살'이 '강남홍'에게 인간 세상의 인연이 끝나지 않았다고 하는 것으로 보아, '보살'은 천상계에서 속세로의 각몽을 유도하는 신이한 존재이군.
④ '허 부인'이 '보살'을 '옥련봉 돌부처'와 연관 짓는 것으로 보아, '암자'를 창건한 것은 신이한 존재에 대한 속세에서의 보답이군.
⑤ '양창곡' 일가가 속세에서 천수를 누리고 일생을 마무리하는 것으로 보아, 이 작품은 주인공이 속세에서 연을 다한 후 천상계로 복귀하는 구조로 이루어졌군.

기출 변형

08 윗글에 대한 이해로 적절하지 않은 것은?

① 강남홍은 명산에서 보살과 처음 만났다.
② 강남홍은 보살을 따라 남천문 위에 도달했다.
③ 허 부인은 옥련봉 돌부처에게 기도하여 양창곡을 낳았다.
④ 백옥루에 있던 선관과 선녀들은 강남홍을 반갑게 맞이해 주었다.
⑤ 강남홍은 보살과 대화를 나눈 뒤 천상계에 계속 머물고 싶어 했다.

09 윗글과 〈보기〉를 비교하여 감상한 내용으로 적절하지 않은 것은?

보기

승상이 말하기를,
"사부는 어찌하면 소유로 하여금 춘몽을 깨게 하실 수 있나이까?"
노승이 이르기를,
"이는 어렵지 않도다."
하고 손에 잡고 있던 석장(錫杖)을 들어 돌난간을 두어 번 두드렸다. 〈중략〉

승상이 매우 놀라 어찌할 바를 모르는 중에 높은 대와 많은 집들이 한순간에 없어지고 자기의 몸은 작은 암자의 포단 위에 앉았는데, 향로에 불은 이미 사라지고 지는 달이 창가에 비치고 있었다.

자기의 몸을 보니 백팔 염주가 걸려 있고 손으로 머리를 만져 보니 갓 깎은 머리털이 가칠가칠하였으니 완연히 소화상의 몸이요 전혀 대승상의 위의가 아니니, 정신이 황홀하여 오랜 후에야 비로소 제 몸이 연화도량의 성진 행자(性眞行者)임을 깨달았다.

- 김만중, 「구운몽」 중

① 윗글과 〈보기〉 모두 '꿈'이 중요한 서사적 기능을 하고 있다.
② 윗글의 '강남홍'과 〈보기〉의 '성진'은 꿈을 꾸는 주체이다.
③ 윗글의 '보살'과 〈보기〉의 '노승'은 인물이 꿈에서 깨어나도록 하는 존재이다.
④ 윗글과 〈보기〉에서 '꿈'은 모두 꿈을 꾸는 인물이 결국 돌아가야 하는 공간을 보여 준다.
⑤ 윗글의 강남홍은 꿈속에서 자신의 존재를 자각하게 되고, 〈보기〉의 성진은 꿈에서 깬 후 자신의 존재를 자각하게 된다.

고전 소설 Q 17

교과서 [문] 천재(김), 신사고 [국] 천재(박), 비상(박영)
기출 EBS

사씨남정기(謝氏南征記) | 김만중

▶해법문학 Link
고전 산문 138쪽

키워드 체크 #가정 소설 #가부장적 사회 #처첩 갈등 #권선징악

부인은 매우 기뻤다. 허나 소저와 상의하고자 매파를 머물게 하고는 몸소 소저의 처소로 갔다. 매파 주씨가 말한 대로 소저에게 이르고는 물었다.

"우리 아이는 어떻게 생각하느냐? 숨기지 말고 네 뜻을 말해 보아라."

소저 대답하여 아뢰었다.

"소녀가 듣자오니 유 소사께서는 오늘날의 어진 재상이라고 합니다. 결혼이 불가할 까닭이 없습니다. 그러나 오직 매파 주씨의 말로만 본다면 의심스러운 점이 없지 않습니다. 소녀가 듣자오니 군자는 덕(德)을 귀하게 여기고 색(色)은 천하게 여기며, 숙녀는 덕으로써 시집을 가고 색으로써 사람을 섬기지 않는다고 합니다. 이제 매파 주씨가 먼저 색을 일컬으니 소녀는 그윽히 부끄럽게 여깁니다. 더욱이 유씨 집안의 부귀를 극히 자랑하면서도 우리 •선 급사(先給事)의 성대한 덕은 일컫지 않았습니다. 혹시 매파 주씨가 사람됨이 미천하여 유 소사의 뜻을 잘 전하지 못한 것은 아닌지요. 그렇지 않다면 유 소사께서 어질다고 하는 말은 거의 헛소문일 것입니다. 소녀는 그 집에 들어가기를 원하지 않사옵니다."

부인은 평소 딸을 기특히 여기고 사랑하는지라 어찌 그 뜻을 어길 리가 있겠는가? 밖에 나와 매파 주씨에게 답변했다.

이튿날 소사는 친히 신성(新城)으로 가 •지현(知縣)을 보고는 사씨 집안과의 통혼할 일을 말했다.

"일찍이 매파를 보내어 혼인의 뜻을 전했습니다만 그 집안에서 답하기를 여차여차하니 이는 필시 매파가 실언한 때문입니다. 이제 수고스럽지만 선생께서 한번 사 급사 댁을 다녀와 주시기를 바랍니다."

이튿날 아침 지현이 도착하자, 소저의 유모가 소공자(小公子) 희랑(喜郞)을 안고 나아가 지현을 맞이했다. 당상(堂上)에 지현을 모시고는 유모가 여쭈었다.

"주인(主人)께서는 세상을 떠나시고 소주인(小主人)께서는 나이 어려 손님 대접하는 예를 모르십니다. 노야(老爺)께서는 어인 일로 누지(陋地)에 •욕림(辱臨)하셨습니까?"

지현이 말했다.

"다른 일이 아니라네. 어제 유 소사께서 관아에 오셔서 나에게 이렇게 말씀하셨다네. '아이의 혼사로 처자(處子)의 집을 방문한 것이 적지 않으나 뜻에 맞는 집이 하나도 없었습니다. 가만히 듣건대 사 급사 댁의 처자는 유한 요조(幽閑窈窕)하여 여사(女士)의 풍모가 있다고 하니 이는 참으로 제가 구하는 사람입니다. 하물며 선 급사의 맑은 이름과 곧은 절개는 평소 흠앙하던 바입니다. 그리하여 일찍이 매파를 보내었으나 좋은 대답을 듣지 못했습니다. 아무래도 매파가 실언을 하여 그리되었을 것입니다.'라고. 이에 나로 하여금 중매하게 하시어 •진진지호(秦晉之好)를 맺으려 하시니 이는 아름다운 일이라. 바라건대 이로써 노부인께 아뢰어 일언(一言)에 승낙하심을 얻고자 하네."

유모가 들어가더니 곧 나와서는 부인의 말씀을 아뢰었다.

"노야께서 소녀의 혼사를 위하여 누추한 집에까지 욕림하시니 실로 황공하기 그지없습니다. 말씀하신 유 소사 댁과의 혼사는 다만 감당하지 못할까 두려울 뿐입니다. 어찌 감히 명을 어기겠습니까?"

핵심 포인트

제목 '사씨남정기'의 의미

사씨	중심인물. 덕성을 지닌 현모양처로 유교적 여성의 전형
남정기	사악한 후처 교씨의 모략으로 정실 자리에서 쫓겨난 뒤 남쪽으로 간 기록

↓

축첩 제도의 문제점을 비판함.

전체 줄거리

발단	중국 명나라 때 태어난 유연수는 15세에 장원 급제하여 한림학사에 등용됨.
전개	유연수는 덕성과 재색을 겸비한 사씨와 결혼하나, 늦도록 자식이 없어 교씨를 첩으로 들임. 간악한 교씨는 아들을 낳자 정실이 되기 위해 사씨를 참소하여 폐출시킴. ⋯ 수록 부분
위기	교씨는 문객 동청과 간통하면서 유연수를 참소하여 유배시킴.
절정	조정에서 유연수에 대한 혐의를 풀어 소환하고, 충신을 참소한 동청을 처형함.
결말	유연수는 사씨와 해후하여 잘못을 뉘우치고, 고향으로 돌아와 교씨를 처형하고 사씨를 다시 정실로 맞아들임.

연계 작품

- 일부다처제로 인한 가족 간의 갈등을 다룬 작품: 작자 미상 「창선감의록」 ⋯ 기출 딥러닝 176쪽
- 전처의 자식과 계모 사이의 갈등을 다룬 작품: 작자 미상 「장화홍련전」

기출 OX

01 '지현'은 자신의 목적을 달성하기 위해 좋은 분위기를 유도하는 발언을 하고 있다. 기출 2009. 5. 고1 (O | X)

02 '유모'는 자신의 감정을 드러내기 위해 전해 들은 내용에 의견을 덧붙여 말하고 있다. 기출 2009. 5. 고1 (O | X)

- 선 급사 사 소저가 별세한 자기 부친을 이르는 말.
- 지현 중국 송나라·청나라 때에 둔 현(縣)의 으뜸 벼슬아치.
- 욕림 남이 자기 있는 곳으로 찾아옴을 높여 이르는 말.
- 진진지호 혼인을 맺은 두 집 사이의 가까운 정의(情誼)를 이르는 말.

답 01 O 02 X

정답과 해설 55쪽

01 윗글의 서술상 특징으로 가장 적절한 것은?

① 요약적 진술을 통해 사건의 전모를 드러내고 있다.
② 구체적인 배경 묘사를 통해 인물의 심리를 암시하고 있다.
③ 인물 간의 첨예한 갈등을 제시하여 긴장감을 고조하고 있다.
④ 서술자가 작중 사건에 개입하여 자신의 견해를 직접 드러내고 있다.
⑤ 같은 시간에 각기 다른 장소에서 동시에 일어나는 사건을 병렬적으로 제시하고 있다.

02 윗글의 내용과 일치하지 않는 것은?

① 매파의 말을 들은 부인과 사 소저는 서로 다른 반응을 보였다.
② 유 소사는 자신의 아들을 사 소저와 결혼시키기 위해 노력했다.
③ 사 소저는 유 소사 집안과의 혼사에 대한 자신의 뜻을 분명하게 밝혔다.
④ 지현은 유 소사의 부탁을 받고 중매를 하기 위해 사 소저의 집에 직접 방문했다.
⑤ 지현의 말을 들은 부인은 유 소사의 뜻을 알고 지현에게 직접 혼인 승낙 의사를 밝혔다.

03 윗글의 내용을 바탕으로 매파 주씨의 말을 추론한 내용으로 적절하지 않은 것은?

① 사 소저와 결혼할 유 소사 아들의 풍채가 뛰어나다는 것을 강조했겠군.
② 사 소저가 유 소사 아들에게 어울리는 미인이라는 점을 칭찬했을 수도 있겠어.
③ 사 소저의 총명함과 덕성이 유 소사 아들에 미치지 않음을 들며 무시했을 거야.
④ 사 소저가 유 소사 아들과 혼인하게 되면 부귀영화를 누리게 될 것임을 내세웠을 거야.
⑤ 사 소저의 부친이 지녔던 덕성과 인품에 대해서는 언급하지 않고 유 소사 집안에 대한 이야기만 한 것 같군.

04 윗글을 참고할 때, 〈보기〉의 ㉠과 ㉡에 대한 이해로 적절하지 않은 것은?

보기

1차 청혼	➡	2차 청혼
㉠		㉡

① ㉠과 ㉡에서는 서로 다른 인물을 통해 청혼의 뜻을 전달하고 있다.
② ㉠과 ㉡에서는 모두 혼인을 할 당사자들 간의 만남이 나타나 있지 않다.
③ ㉡에서는 ㉠에 등장하지 않았던 인물이 청혼에 대한 답변을 전달하고 있다.
④ ㉡에서는 ㉠과 달리 혼인을 할 당사자의 수락을 거쳐 혼사가 성립하게 된다.
⑤ ㉡에서는 ㉠에서 혼인이 성사되지 못한 까닭이 전달자 때문이라는 생각을 밝히고 있다.

고난도

05 〈보기〉를 참고하여 윗글을 이해한 내용으로 적절하지 않은 것은?

보기

「사씨남정기」는 조선 후기에 한글로 창작된 소설이면서 많은 가정에서 실제로 벌어졌을 법한 내용을 다루고 있어 상하 계층을 막론하고 널리 읽혔다. 이 작품은 당시의 사회·문화적 상황을 현실적으로 그려 내면서도 유교적 가치관에 따르는 인물을 등장시켜 여성들은 물론 사대부들에게까지도 긍정적인 평가를 받았다.

① 유모가 예를 갖추어 손님을 맞이하는 모습을 통해 당시 사대부 집안에서는 손님을 정중하게 대접했음을 짐작할 수 있다.
② 자신의 의사보다 딸의 뜻에 따르고자 하는 부인의 모습을 통해 가정 내에서 자녀의 의사를 존중하던 당시의 보편적 분위기를 짐작할 수 있다.
③ 유모가 사 소저의 어린 남동생을 안고 나와 손님을 맞는 모습을 통해 남자만을 가장으로 인정하는 당시의 가부장적 분위기를 짐작할 수 있다.
④ 집안 간의 혼사를 주선하는 '매파'라는 직업과 당시 통용되던 유교적 가치관을 고려할 때, 대부분의 혼사가 자유연애가 아닌 중매를 통해 이루어졌음을 짐작할 수 있다.
⑤ '숙녀는 덕으로써 시집을 가고 색으로써 사람을 섬기지 않는다'는 사 소저의 말을 통해 당시 유교적 사회에서 외양보다는 인품을 중시하는 것을 미덕으로 여겼음을 짐작할 수 있다.

『사씨남정기』 "숙녀는 덕으로써 시집을 가고 색으로써 사람을 섬기지 않는다고 합니다."
작품 한 줄 Pick

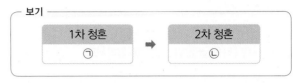

[06~09] 다음 글을 읽고 물음에 답하시오.

그 이전에 진 공이 병부에서 벼슬을 살던 때였다. 엄숭의 가자(假子) 조문화는 진 소저가 아름답다는 말을 듣고 제 자식을 위해 진 공에게 혼인을 청한 적이 있었다. 그때 진 공이 엄한 말로 거절하자, 조문화는 매우 노하여 엄숭에게 사주해 공을 노안부 제독으로 내쫓게 했다. 그 무렵에 다시 양석을 시켜 '진 공이 사사로이 태원의 돈 삼십만 냥을 훔쳤다.'고 무고하게 했다. 그리고 금위옥에 가둔 뒤 온갖 방법으로 죄를 조작하게 했다. 조문화는 오 부인과 진 소저가 옛집으로 올라왔다는 말을 듣고는 부인의 종형 오 낭중이라는 자를 불러 놓고 말했다.

[A] "진형수는 죽어 마땅한 죄를 지었지. 그렇지만 내가 진실로 한번 입을 연다면 족히 목숨은 구할 수 있을 것이니라. 지난날에 형수가 나를 지나치게 무시하여 혼인을 박절하게 거절한 적이 있었다. 이제 와서 내가 그 원한을 묻어 둔 채로 덕을 베풀어 주지는 못하겠다. 들으니 그대는 형수와 인척이 된다 하더군. 만일 형수가 살아서 옥문을 나서게 하고 싶다면 시험 삼아 나를 위해 형수의 딸에게 내가 한 말을 전해 주어 보거라. 그녀가 만일 효녀라면 스스로 거취할 방도를 필시 깨우치게 될 것이니라."

오 낭중은 본시 권세를 두려워하여 예예 하고 대답만 할 줄 아는 위인이었다. 그는 공손하게 손을 모은 채 명을 받은 뒤 오 부인을 찾아가 조문화가 한 말을 그대로 전했다.

㉠오 부인은 크게 노했다.

"조가 도적놈이 감히 우리 딸에게 욕을 보이려 한다고?"

그러자 진 소저가 분연히 고했다.

"옛날 효녀 중에는 스스로 관비가 되기를 청하여 제 아비의 죽음을 면하게 한 자가 있었으며, 또한 자신을 팔아 제 부모의 장사를 치르게 한 자도 있었습니다. 소녀의 신체발부는 모두 부모님께서 주신 것입니다. 이제 부친께서 중죄를 받을 형편에 놓이신 마당에 자식 된 자로서 ㉡어느 겨를에 일신의 욕과 불욕을 논할 수 있겠습니까?"

오 부인은 평소 소저의 빙옥 상설 같은 지조를 잘 알고 있었다. 따라서 그 말을 듣고는 깜짝 놀라 말도 하지 못한 채 한동안 눈물만 흘리다가 마침내 탄성을 발했다.

[B] "슬프다! 총계정에서 학을 읊은 시가 족히 너의 성안(成案)이 되고 말겠구나. 내가 어찌 네 마음을 의심할 리 있겠느냐? 그러나 딸을 죽여서 그 아비를 구한다면, 산 사람의 마음이 오죽이나 하겠느냐? 옛 사람이 이르기를, '황금을 걸어 놓고 도박을 벌이면 그 지혜가 더욱 어두워진다.'고 했지. 지금 내 마음은 황금을 건 것에 비할 바가 아니로구나. 네 스스로 잘 생각해서 현명하게 처신하거라."

진 소저는 ㉢추호도 망설이는 기색이 없이 친히 오 낭중을 향해 혼인을 허락했다. 오 낭중은 몹시 기뻐하며 조문화에게 돌아가 그녀의 말을 전했다. 조문화는 미칠 듯이 기뻐하더니 그 이튿날 다시 엄숭을 사주해 진 공의 옥사를 천자에게 아뢰게 했다. 이윽고 천자는 진 공의 사형을 감하는 대신 운남으로 귀양을 보내게 했다.

〈중략〉

마침내 진 공은 오 부인과 함께 길을 떠났다. 그 뒤 진 소저는 침실로 돌아가 자리에 누운 채 밤낮없이 엉엉 울고 있었다. 그때 조문화의 가인(家人)들이 속속 찾아와 진 소저에게 혼인을 재촉했다. 진 소저는 유모로 하여금 말을 전하게 했다.

"방금 부모님을 작별했으므로 정회가 망극하기 그지없습니다. 앞으로 수십 일 정도를 보내면서 마음을 조금 진정시킨 연후에 성례하면 좋을 듯합니다."

조문화의 가인이 돌아가 진 소저의 말을 전했다. 그러나 조문화의 아들은 다급하게 서둘러 마지않았다. 조문화가 말했다.

"인정상 본디 그럴 것이니 그 말대로 따르도록 하거라. 또한 저 아이는 이미 주머니 속에 든 물건이나 다름이 없게 되었다. 서두르지 않는다고 달아날 곳이 있겠느냐?"

사오일 뒤 조문화는 시비로 하여금 진 소저를 찾아가 살펴보게 했다. 진 소저는 머리를 풀어 얼굴을 가린 채 이불을 덮고 신음하고 있다가 희미한 목소리로 유모를 불러 놓고 일렀다.

"슬픔으로 심란하던 차에 다시 감기에 걸리고 말았네. ㉣이제는 마음도 추스르고 병도 조섭하여 속히 쾌차한 후에 부모님을 살려 주신 큰 은혜를 보답하려 하네. 그런데 지금 바깥 사람들이 자주 왔다 갔다 하니 내 마음이 편하질 않구려."

그 사람이 돌아가 진 소저의 말을 조문화에게 그대로 전했다. 그러자 조문화는 몹시 기뻐했다.

"진실로 뛰어난 효녀로서 은혜를 갚을 줄 아는 사람이로구나. 이제 그 뜻에 순종하여 화를 돋우게 하지 마라. ㉤앞으로도 모름지기 매일 문밖에서 동정을 살피되 집 안에는 다시 함부로 들어가지 말거라."

다시 10여 일이 지난 뒤 진 소저는 공의 행차가 이미 멀리까지 갔으리라 짐작하고 유모 및 시녀 운섬 등과 함께 야밤에 간단하게 행장을 꾸렸다. 그리고 모두 남장을 한 뒤 나귀 한 필을 끌고 회남을 향해 떠나갔다.

그 이튿날에도 조문화의 가인이 소저를 찾아갔더니 빈집만 황량할 뿐 다시는 인적을 찾아볼 수 없었다. 그 사람은 몹시 놀랍고도 의아하여 마을 사람에게 물어보았다.

"저 집 소저가 어디로 갔습니까?"

마을 사람은 쌀쌀하게 대답했다.
"소저고 대저고 나는 모릅니다."
그 사람은 무안만 당하고 돌아가 조문화에게 고했다.

– 작자 미상, 「창선감의록(彰善感義錄)」

기출 변형

06 윗글의 내용으로 적절하지 않은 것은?

① 조문화는 진 소저와의 혼인을 서두르려는 아들을 제지했다.
② 운섬은 진 소저와 함께 남장을 하고 밤중에 행장을 꾸려 길을 떠났다.
③ 조문화는 아들과 진 소저의 혼인이 무산될 것이라고 예상하지 못했다.
④ 마을 사람은 조문화의 가인들이 진 소저를 감시하지 못하도록 방해했다.
⑤ 진 소저는 부모님과 이별한 뒤 집 안에 머물며 조문화의 눈을 피할 계획을 준비했다.

기출

07 [A]와 [B]에 대한 이해로 가장 적절한 것은?

① [A]는 청자와의 동등한 관계를 전제로, [B]는 청자와의 상하 관계를 이용하여 자신의 목적을 이루고자 한다.
② [A]는 지난 일을 들어 청자에 대한 원한을 드러내고, [B]는 이전에 쓰인 글을 떠올려 청자에 대한 원망을 표출한다.
③ [A]는 청자에게 선택 가능한 여러 방안을 제시하여, [B]는 선택 가능성을 제한하여 청자의 문제를 해결해 주고자 한다.
④ [A]는 가정할 수 있는 상황을 들어 자신의 의중을 청자에게 전하고, [B]는 비교할 만한 상황을 들어 자신의 의중을 청자에게 드러낸다.
⑤ [A], [B] 모두 이상적 가치를 내세워 자신의 결정을 청자가 따르도록 유도하고 있다.

고난도 기출

08 〈보기〉를 바탕으로 윗글을 감상할 때 적절하지 않은 것은?

보기

조선 후기에 들어 가문을 둘러싼 갈등과 정치적 대립이 서사화되는 양상이 두드러진다. 임금과 신하의 권력 관계가 역전된 정치적 구조에서 권세 있는 신하가 정치를 좌우하는 현실이 소설에 반영된다. 이러한 정치적 문제는 가문의 문제에 연결되면서 가족 구성원이 고난을 겪는 서사 구성으로 드러난다. 이때 자신의 판단과 지략으로 해결책을 모색하는 적극적 인물들이 나타난다. 이들은 사리 판별을 돕는 인물이나 주변 인물의 도움을 받기도 한다.

① 오 낭중이 가문 사이를 매개하는 것을 보니, 사리 판별을 하여 가족 구성원이 위기 상황을 극복하게 하는 모습을 알 수 있군.
② 진 공이 옥에 갇히고 귀양을 가게 되는 과정을 보니, 권력을 가진 신하가 정치를 좌우하는 현실의 문제를 추측할 수 있군.
③ 진 소저가 길을 떠나기까지의 과정을 보니, 자신의 판단에 따라 지혜롭게 문제 상황을 해결해 가는 적극적 인물의 면모를 알 수 있군.
④ 조문화가 성사시키려 한 혼인 문제로 진 공의 가족이 고난을 겪게 되는 과정을 보니, 정치적 문제와 가문의 문제가 연결될 수 있음을 알 수 있군.
⑤ 유모가 조문화의 가인과 시비에게 말을 전하고 진 소저와 함께 남장을 하는 정황을 보니, 주변 인물이 적극적 인물에게 도움이 되고 있음을 알 수 있군.

09 윗글의 ㉠~㉤에 대한 이해로 가장 적절한 것은?

① ㉠: 진 소저마저도 진 공처럼 험한 일을 당할 수 있다고 협박하는 조문화에게 분노하고 있다.
② ㉡: 조문화 아들과의 혼인을 받아들일 수 없음을 강조하고 있다.
③ ㉢: 자신의 효심을 의심하는 주변 사람의 시선을 의식하고 있다.
④ ㉣: 조문화에게 믿음을 주어 그를 안심시키고자 하는 의도가 담겨 있다.
⑤ ㉤: 진 소저의 상황에 연민을 느껴 그녀를 배려하는 모습이 나타나 있다.

고전 소설 Q18

[교과서] [문] 금성, 해냄 [기출] [EBS]

운영전(雲英傳) | 작자 미상

▶해법문학 Link
고전 산문 142쪽

키워드 체크 #염정 소설 #액자 소설 #몽유 소설 #비극적 결말 #신분을 초월한 사랑

[앞부분 줄거리] 선비 유영이 꿈속에서 죽은 운영과 김 진사를 만나 그들의 이야기를 듣는다. 안평 대군은 궁녀 열 명을 뽑아 시 짓기를 가르치면서 외부와의 교류를 금했으나, 궁녀 운영은 김 진사와 사랑에 빠지게 된다.

하루는 대군이 서궁의 수헌에 앉아 계시다가 왜철쭉이 활짝 핀 것을 보고, 시녀들에게 각기 오언 절구(五言絕句)를 지어서 바치라고 명령했습니다. 시녀들이 지어서 올리자, 대군이 크게 칭찬하여 말했습니다.

"너희들의 글이 날마다 점점 나아지고 있어서 매우 기쁘다. 다만 ㉠운영의 시에는 님을 그리워하는 마음이 나타나 있다. 지난번 부연시(賦煙詩)에서도 그러한 마음이 희미하게 엿보였는데 지금 또 이러하니, 네가 따르고자 하는 사람이 어떤 사람이냐? 김생의 •상량문에도 말이 의심스러운 데가 있었는데, 네가 생각하는 사람이 김생 아니냐?"

저는 즉시 뜰로 내려가 머리를 조아리고 울면서 말했습니다.

"지난번 주군께 처음 의심을 사게 되자마자 저는 스스로 목숨을 끊으려고 했었습니다. 그러나 제 나이가 아직 20도 되지 않은 데다가 다시 부모님도 뵙지 못하고 죽는 것이 매우 원통한지라, 목숨을 아껴 여기까지 이르렀습니다. 그런데 또 의심을 받게 되었으니, 한 번 죽는 것이 무엇이 아깝겠습니까? 천지의 귀신들이 죽 늘어서 밝게 비추고 시녀 다섯 사람이 한순간도 떨어지지 않고 함께 있었는데, 더러운 이름이 유독 저에게만 돌아오니 사는 것이 죽는 것보다 못합니다. 제가 이제야 죽을 곳을 얻었습니다."

저는 즉시 비단 수건을 난간에 매어 놓고 스스로 목을 매었습니다. 이때 자란이 말했습니다.

"주군께서 이처럼 •영명(英明)하시면서 죄 없는 시녀로 하여금 스스로 사지(死地)로 나가게 하시니, 지금부터 저희들은 맹세코 붓을 들어 글을 쓰지 않겠습니다."

대군은 비록 화가 많이 났지만, 마음속으로는 진실로 제가 죽는 것은 바라지 않았습니다. 그래서 자란으로 하여금 저를 구하여 죽지 못하게 했습니다. 그런 뒤 대군은 흰 비단 다섯 단(端)을 내어서 다섯 사람에게 나누어 주면서 말했습니다.

"너희가 지은 시들이 가장 아름답기에 이것을 상으로 주노라."

이때부터 진사는 다시는 궁궐을 출입하지 못하고 집에 틀어박힌 채 병들어 눕게 되었습니다. 눈물이 이불과 베개에 흩뿌려졌으며, 목숨은 한 가닥 실낱같았습니다. 특이 와서 보고는 말했습니다.

"대장부가 죽으면 죽는 것이지, 어떻게 차마 임을 그리워하다 원한이 맺혀 좀스런 여자들처럼 상심하고, 또 천금 같은 귀중한 몸을 스스로 던져 버리려 하십니까? 이제 마땅히 꾀를 쓰시면 그 여자를 얻는 것은 어렵지 않을 것입니다. 한적하고 깊은 밤에 담을 넘어 들어가서 솜으로 입을 막고 업어서 나오면 누가 감히 우리를 쫓아올 수 있겠습니까?"

진사가 말했습니다. / "그 계획 역시 위험하여 성심으로 호소하는 것만 못할 것이다."

그날 밤 진사가 들어왔는데, 저는 병으로 일어날 수가 없어서 자란에게 진사를 맞아들이게 했습니다. 술이 세 잔 정도 돌아간 후에 제가 봉한 편지를 드리면서 말했습니다.

"이후부터는 다시 뵐 수 없으니, 삼생(三生)의 인연과 백 년의 약속이 오늘 저녁에 모두 끝났습니다. 만약 하늘이 정해 준 인연이 아직 끊어지지 않았다면 마땅히 저승에서나 서로 만나 볼 수 있을 것입니다."

핵심 포인트

「운영전」의 액자식 구성

- 외화: 유영의 이야기
  - 내화 1: 유영과 운영·김 진사의 대화
    - 내화 2: 운영과 김 진사의 과거 회상

전체 줄거리

발단	선비 유영이 안평 대군의 집터에서 홀로 술을 마시다 잠이 들고, 운영과 김 진사를 만나 그들의 사랑 이야기를 듣게 됨.
전개	안평 대군의 궁녀인 운영과 시객이었던 김 진사는 사랑하는 사이가 되어 편지로 연정을 나누며 밤마다 궁에서 만남.
위기	안평 대군이 운영과 김 진사 사이를 의심하여 더 이상 궁에서 만날 수 없게 된 두 사람은 함께 도망치려 함. ⋯▸ 수록 부분
절정	안평 대군이 둘 사이를 알게 되어 궁녀들을 문책하자, 운영은 자결하고 김 진사도 뒤따라 죽음.
결말	유영이 졸다가 깨어 보니 운영과 김 진사의 일을 기록한 책만 남아 있었음.

연계 작품

- 남녀 주인공이 사랑을 이루지 못하고 비극적 결말을 맺는 작품: 김시습 「이생규장전」
- 액자식 구성의 몽유 소설: 임제 「원생몽유록」

기출 OX

Q1 운영은 대군에게 자신의 진심을 우회적으로 드러내고 있다. [기출] 2017. 3. 고1 (O | X)

Q2 궁궐의 담을 넘는 것은 대군의 권위에 도전하는 것이다. [기출] 2011. 수능 (O | X)

- 상량문 상량식을 할 때에 상량(기둥에 보를 얹고 그 위에 처마 도리와 중도리를 걸고 마지막으로 마룻대를 올리는 일)을 축복하는 글.
- 영명하시면서 뛰어나게 지혜롭고 총명하시면서.

답 Q1 X Q2 O

01 윗글에 대한 설명으로 가장 적절한 것은?

① 인물 간의 대립 구도가 극적으로 해소되고 있다.
② 비현실적 공간을 배경으로 사건이 진행되고 있다.
③ 소극적인 인물이 적극적인 인물로 변화해 가는 과정이 드러나 있다.
④ 전기적 소재를 활용하여 인물이 초월적 능력을 갖게 된 계기를 제시하고 있다.
⑤ 인물의 내적 갈등과 인물 간의 외적 갈등의 원인을 외부 상황에서 찾을 수 있다.

02 윗글의 내용에 대한 이해로 적절하지 <u>않은</u> 것은?

① 자란은 운영이 목숨을 끊지 못하도록 도왔다.
② 특은 김 진사에게 비윤리적인 해결책을 제안했다.
③ 안평 대군은 이전부터 운영과 김 진사의 사이를 의심하고 있었다.
④ 김 진사는 이전에 운영에 대한 마음을 자신의 글에 드러낸 적이 있다.
⑤ 운영은 안평 대군에 대한 충성심을 근거로 들어 자신의 억울함을 절절하게 호소했다.

기출 변형 2008학년도 3월 고1 학력평가

03 〈보기〉의 질문에 대한 학생의 답변으로 가장 적절한 것은?

> 보기
> 조선 시대에 궁녀는 궁의 주인과 결혼한 여성으로 간주되어 평생 궁의 주인만을 바라보며 살아야 했습니다. 궁녀는 궁문을 함부로 나가지 못했고 궁의 주인이 아닌 다른 이성(異性)과 사랑을 할 경우에는 남녀 모두 참형을 당했습니다. 따라서 궁녀는 이성과의 사랑 등 인간의 자연스러운 본성마저 포기하고 제한된 삶을 살 수밖에 없었습니다. 이를 고려할 때 작가가 이 작품을 통해 말하고자 하는 바는 무엇이었을까요?

① 모순된 현실을 외면하고 살아가는 인물의 내적 고뇌를 제시하려고 한 것 같습니다.
② 비극적 운명에 순응할 수밖에 없는 나약한 인물의 삶을 보여 주려고 한 것 같습니다.
③ 불합리한 현실 속에서 신분 상승을 꾀하는 인물의 의지를 드러내려 한 것으로 보입니다.
④ 제한된 삶에서 벗어나 이상향을 찾아가려는 인물의 노력을 드러내려 한 것으로 보입니다.
⑤ 현실의 억압적 상황에도 불구하고 인간의 본성을 추구하고자 하는 인물의 행동을 보여 주려고 한 것 같습니다.

04 ㉠과 가장 유사한 정서가 드러난 것은?

① 선인교(仙人橋) 나린 물이 자하동(紫霞洞)에 흘너 드러
반천 년(半千 年) 왕업(王業)이 물소ᄅᆡ뿐이로다
아희야, 고국 흥망(故國興亡)을 무러 무엇ᄒᆞ리오
\- 정도전

② 대쵸 볼 불근 골에 밤은 어이 ᄠᅳᆺ드르며
벼 ᄇᆡᆫ 그르헤 게ᄂᆞᆫ 어이 ᄂᆞ리ᄂᆞᆫ고
술 닉쟈 체 쟝ᄉᆞ 도라가니 아니 먹고 어이리
\- 황희

③ 고인(古人)도 날 몯 보고 나도 고인 몯 뵈
고인을 몯 봐도 녀ᄃᆞᆫ 길 알ᄑᆡ 잇ᄂᆡ
녀ᄃᆞᆫ 길 알ᄑᆡ 잇거든 아니 녀고 엇뎔고
\- 이황

④ 이화우(梨花雨) 흣ᄲᅮ릴 제 울며 잡고 이별ᄒᆞᆫ 님
추풍낙엽(秋風落葉)에 저도 날 ᄉᆡᆼ각ᄂᆞᆫ가
천 리에 외로온 ᄭᅮᆷ만 오락가락ᄒᆞ노매
\- 계랑

⑤ 십 년을 경영(經營)ᄒᆞ여 초려삼간(草廬三間) 지여 내니
나 ᄒᆞᆫ 간 ᄃᆞᆯ ᄒᆞᆫ 간에 청풍(淸風) ᄒᆞᆫ 간 맛져 두고
강산(江山)은 들일 ᄃᆡ 업스니 둘러 두고 보리라
\- 송순

05 〈보기〉는 윗글의 뒷부분에 수록된 내용이다. 이를 바탕으로 윗글을 이해한 내용으로 적절하지 <u>않은</u> 것은?

> 보기
> "우리 두 사람은 본래 천상의 선인(仙人)으로서 오래도록 옥황상제를 모시고 있었더니, 하루는 상제께서 태청궁(太淸宮)에 앉아 저에게 옥동산의 과실을 따 오라 하시기로, 제가 반도(蟠桃)를 많이 따 가지고 와서 운영과 같이 먹다가 발각되어 진세에 적하(謫下)되어 인간의 괴로움을 골고루 겪다가, 이제 옥황상제께서 허물을 용서하자 삼청궁(三淸宮)으로 올라가서 다시 옥황상제의 향안(香案) 앞에서 상제를 모시게 하였삽기로, 틈을 타서 바람의 수레를 타고 다시 진세의 옛날 놀던 곳을 찾아와 보았을 뿐입니다."

① 김 진사와 운영은 원래 천상계의 존재로, 이들의 인연은 지상계에서도 이어진다.
② 김 진사와 운영의 고난은 천상계에서 저지른 잘못으로 인해 이미 예정되어 있었던 것이다.
③ 윗글에는 천상계와 지상계의 이원론적 세계관을 바탕으로 한 적강(謫降) 화소가 드러나 있다.
④ 김 진사와 운영이 사랑에 빠져 겪게 되는 시련이 〈보기〉에 나타난 '인간의 괴로움'에 해당한다.
⑤ 안평 대군은 김 진사와 운영이 다시 천상계로 돌아가는 계기를 제공해 준다는 점에서 긍정적인 인물이다.

『운영전』 "만약 하늘이 정해 준 인연이 아직 끊어지지 않았다면 마땅히 저승에서나 서로 만나 볼 수 있을 것입니다." 작품 한 줄 Pick

고전 소설 Q19

교과서 [문] 해냄 기출 EBS

채봉감별곡(彩鳳感別曲) | 작자 미상

▶해법문학 Link 고전 산문 222쪽

키워드 체크 #염정 소설 #근대적 가치관 #적극적 여성 #매관매직

핵심 포인트

등장인물의 근대적 가치관

채봉	필성
• 부모에게 순종하지 않고 자신의 사랑을 쟁취함. • 부모를 구하기 위해 적극적으로 행동함.	기생이 된 채봉과 결합하기 위해 이방에 자원하는 등 신분의 하락까지도 감수함.

전체 줄거리

발단	평양에 사는 김 진사의 딸 채봉은 장필성과 시를 주고받으며 혼인을 약속함.
전개	김 진사는 허 판서에게 만 냥을 주고 벼슬을 사며 딸 채봉을 허 판서의 첩으로 주기로 약속함. 채봉은 허 판서와의 혼인에 불복하나 김 진사 부부는 서울로 가기 위해 재산을 모두 처분함. ⋯▸ 수록 부분 가
위기	서울로 가는 길에 몰래 빠져나온 채봉은 평양으로 돌아오고 김 진사 부부는 도적을 만나 재산을 모두 빼앗김. 허 판서가 대노하여 김 진사를 가두자 채봉은 기생 송이가 되어 아버지를 구하려 함.
절정	이 감사가 채봉의 글재주를 보고 서신과 문서를 처리하는 일을 맡김. 장필성은 채봉을 만나기 위해 이방으로 자원하고 이를 알게 된 이 감사가 둘을 만나게 해 줌. ⋯▸ 수록 부분 나~마
결말	허 판서가 역모죄로 파멸하고 채봉과 장필성은 혼인함.

연계 작품

- **진취적인 여성 주인공이 등장하는 작품**: 작자 미상 「홍계월전」
- **혼사 장애담을 다룬 작품**: 작자 미상 「매화전」 ⋯▸ 기출 딥러닝 182쪽

기출 OX

Q1 스스로 선택한 사랑을 이루려는 채봉을 통해 주체적 인물상을 제시하고 있다. 기출 2012. 6. 고2 (O | X)

Q2 허 판서의 매관매직과 횡포로 채봉의 집안이 고통을 겪고 있다는 점에서 조선 후기의 부정적 현실이 드러나 있다. 기출 2016. 7. 고3 (O | X)

답 Q1 O Q2 O

가 "아가, 너는 재상의 첩이 좋으냐, *여염집의 부인이 좋으냐? 아비, 어미가 있는데 부끄러울 게 뭐냐. 네 생각을 말해 보아라."

㉠채봉이 예사 여염집 처녀 같았으면 부모의 말이라 뭐라고 대꾸하지 않았을 터이지만, 원래 학식도 있을 뿐 아니라 장필성과의 일을 잠시도 잊지 않고 있는지라. 게다가 부모가 하는 얘기를 다 들은 터라 조금도 서슴지 않고 얼굴을 바로 하고 대답한다.

"차라리 닭의 입이 될지언정 소의 뒤 되기는 바라는 바가 아닙니다."

"허허, 그 녀석. 네가 첩 구경을 못해서 그런 소리를 하는구나! 재상의 첩이야 세상에 그 같은 호강이 또 없느니라."

부인이 말을 가로막고 김 진사를 쳐다보며, / "영감은 자식에게 별말씀을 다 하시는구려. 계집애 자식이란 것은 으레 부모가 하는 대로 좇아가는 법이랍니다."

[중간 부분 줄거리] 억지로 채봉을 데리고 서울로 가던 김 진사 부부는 도적을 만나 재산을 모두 빼앗긴다. 대노한 허 판서에게 잡힌 아버지를 구하기 위해 채봉은 '송이'라는 기생이 되고, 평양 감사 이보국의 곁에서 서신과 문서를 처리하는 일을 돕는다.

나 종이를 집어 보니 '추풍감별곡(秋風感別曲)' 다섯 자가 눈에 들어온다. 대강 보고 손으로 송이를 흔들어 깨우니, 송이가 깜짝 놀라 눈을 뜬다. 송이는 눈앞에 서 있는 감사를 보고 어찌할 줄 몰라 급히 일어서는데, 이 감사가 종이를 말아 들고,

"송이야, 놀라지 마라. 비록 위아래가 있으나 내가 너를 친딸이나 다름없이 아끼니, 무슨 사정이 있거든 나에게 말을 해라. 마음속에 맺힌 것이 있으면 다 말하여라. 나는 너를 딸같이 사랑하는데 너는 나를 아비같이 생각지 않고, 무슨 괴로움이 있어 말 아니하고 이러고 있단 말이냐."

㉡송이는 당황하여 어쩔 줄을 모르다가 겨우 입을 열어, / "소녀의 죄가 큽니다."

이 감사가 허허 웃고, / "너의 사정을 듣고자 하는 것이니, 마음에 있는 대로 다 말하여라."

다 ㉢송이는 어쩔 줄을 몰라 식은땀이 나고 몸이 떨려 말을 못하고 섰는데, 이 감사가 또 말을 재촉한다. / "이처럼 물어보시니 어찌 거짓을 말하겠습니까?"

눈물을 닦고 몸을 추슬러 단정히 한 다음, 처음 후원에서 장필성과 글을 주고받았던 일에서부터 모친이 장필성을 불러 혼약한 일을 말한 뒤, 김 진사가 서울로 올라가서 벼슬을 구하려고 허 판서와 관계한 일이며, 허 판서의 첩 자리를 마다하고 장필성과의 약속을 지키기 위해 만리교에서 도망하였다가 몸을 팔아 부친을 구한 일, 기생이 된 후에도 장필성을 잊지 아니하고 있다가 글을 통해 장필성을 만난 이야기를 한다.

라 이튿날 이른 아침에 감사가 장필성을 부르니 필성이 속으로,

'사또께서 일찍이 부르시는 일이 없더니 무슨 일로 이같이 부르시나?'

이상하게 생각하며 감사께 문안을 올린다. 감사가 빙그레 웃으며 *별당으로 들어오라 하기에, 필성이 더욱 이상히 여기고 따라 들어간다. 감사는 필성을 방으로 불러들여 앉히더니 송이를 부른다. 송이는 별당으로 들어오다가 필성과 눈이 마주치자 깜짝 놀라 꿀 먹은 벙어리처럼 앉았는데, 그 두 남녀의 마음을 누가 알겠는가. ㉣감사의 앞이라 감히 반가운 기색을 못하니 그 곤경이 어떠할까.

마 "필성아, 네가 송이를 보기 위해 이방이라는 천한 일을 자원하고 들어온 지 예닐곱 달이 되었구나. 여태 못 만나 보다가 오늘에야 서로 만나니 기분이 어떠하냐?"
장필성이 더욱 놀라 어쩔 줄을 모르다가 일어서서 절하며 말한다. / "황공하오이다."
"내가 이제 네 사정을 알았으니 안심해라. 너희 둘을 앉히고 보니 과연 천생배필이로구나. 네가 송이의 수건에 써 준 글처럼, 신랑 각시가 되어 신방에 든다는 언약이 깊었으니 혼인을 아니 시킬 수 없구나. 송이의 부모를 내려오게 한 뒤, 내가 중매하여 혼인을 꾸밀 것이니 그리 알아라. 오랫동안 서로 그리던 마음이 깊을 터이니, 송이를 데리고 건넌방으로 가거라." / 두 사람은 서로 반가운 생각이 가슴에 사무쳐 그리워하던 마음은 오히려 없어지고, ⓜ<u>감사의 은덕에 감동하여 놀랍고 반가운 이야기만 한다.</u>

• **여염집** 일반 백성의 살림집.
• **별당** 몸채의 곁이나 뒤에 따로 떨어져 있는 집이나 방.

01 윗글에 대한 설명으로 가장 적절한 것은?

① 비현실적인 존재의 도움을 통해 갈등을 해소하고 있다.
② 시간의 흐름을 역전시켜 사건 간의 인과성을 높이고 있다.
③ 인물의 체험을 요약적으로 제시하여 독자의 이해를 돕고 있다.
④ 빈번한 장면 전환을 통해 인물의 혼란스러운 심리를 드러내고 있다.
⑤ 다른 장소에서 동시에 벌어진 사건을 병치하여 서사의 진행을 지연하고 있다.

02 윗글의 내용과 일치하는 것은?

① 장필성이 이방 일에 자원한 것은 채봉을 보기 위해서이다.
② 채봉과 장필성은 다시 만나기 전까지 서로의 생사를 알지 못했다.
③ 채봉과 장필성은 김 진사가 허 판서를 만난 뒤에 혼인을 약속했다.
④ 김 진사의 부인은 채봉이 허 판서의 첩이 되는 것을 끝까지 반대했다.
⑤ 채봉은 부모 앞에서 혼인에 대한 자신의 신념을 밝히는 것을 망설였다.

03 윗글에 반영된 당시의 시대상을 추측한 내용으로 적절하지 <u>않은</u> 것은?

① 매관매직이 성행하고 있었다.
② 신분 제도의 혼란으로 신분의 변화가 가능했다.
③ 정실부인 외에도 첩을 들이는 일이 비일비재했다.
④ 혼인이 성사되는 데 있어 부모의 의사가 중요했다.
⑤ 일자리가 드물어 신분과 관계없이 이방에 자원하는 사람이 늘어났다.

고난도 기출 변형 2016학년도 7월 고3 학력평가

04 〈보기〉를 바탕으로 윗글을 감상한 내용으로 적절하지 <u>않은</u> 것은?

보기
「채봉감별곡」은 주인공이 장애를 극복하고 사랑을 이루어 가는 과정을 보여 준다. 조선 후기의 유교적 사회를 배경으로 한 이 소설에서는 인물들의 행위가 현실적인 욕망에서 기인하며, 주인공이 장애를 극복하는 과정에 전기적(傳奇的)인 요소나 우연적인 요소가 적다는 특징이 있다. 또한 사랑을 이루기 위해 자신의 뜻에 따라 행동하며 자신에게 닥친 문제에 대한 해결책을 스스로 모색하고자 하는 능동적인 인물을 제시한 점이 이 소설의 특징이다.

① 채봉은 천한 신분이 되는 것을 감수하고서라도 스스로 문제를 해결하고자 하는 능동적인 인물로 볼 수 있겠군.
② 채봉과 장필성이 다시 만나 인연을 맺는 데 전기적인 요소가 개입하지 않는다는 점에서 윗글의 특징이 드러나는군.
③ 김 진사는 딸을 첩으로 보내면서까지 출세하려고 했다는 점에서 세속적인 욕망을 추구하는 인물이라고 할 수 있겠군.
④ 김 진사의 부인은 자식이 부모의 뜻을 따르는 것을 당연하게 여긴다는 점에서 유교적 가치관을 따르는 인물이라고 할 수 있겠군.
⑤ 부모의 뜻에 따르지 않기로 결심한 후 부모와 인연을 끊고 이 감사를 새 부모로 모신다는 점에서 채봉은 효라는 유교적 가치관에서 자유로운 인물이군.

05 ㉠~ⓜ 중, 〈보기〉에 언급된 고전 소설의 특징과 관련 깊은 것은?

보기
고전 소설에서 서술자는 종종 작중에 개입한다. 이러한 유형 중 하나인 편집자적 논평은 서술자가 소설 속 등장인물의 행동이나 정서적인 변화를 분석하여 덧붙이는 개인적 감상으로, 서술자는 사건에 대해 나름의 가치 판단을 내리거나 인물의 정서를 예측하여 자신만의 해석을 덧붙인다.

① ㉠, ㉡ ② ㉠, ㉢ ③ ㉠, ㉣
④ ㉡, ㉢, ㉣ ⑤ ㉡, ㉣, ⓜ

기출 딥러닝

2014학년도 10월 고3 학력평가 A형

[06 ~ 10] 다음 글을 읽고 물음에 답하시오.

[앞부분 줄거리] 도술이 뛰어난 장단골 김 주부는 조정 간신들에게 쫓기다 딸 매화와 헤어져 아내와 구월산에 들어간다. 매화는 조 병사에게 구원되고 그 아들 양유와 사랑에 빠진다. 양유의 계모 최 씨는 자신의 동생과 혼인시키고자 매화를 탐낸다.

하루는 병사 내당에 들어와 부인 최 씨를 대하여 가로되,

"전일 관상쟁이가 이러이러하니 앞으로 닥칠 길흉을 어찌하리요. 매화는 내 집에 있을 뿐 아니라 양유와 동갑이요, 인물이 비범하니 혼사함이 어떠하리이까?"

부인이 변색하여 가로되,

"병사 어찌 그런 말씀을 하시나이까? 양유는 사부(士夫) 후계요, 매화는 유리걸식(流離乞食)하는 아이라. 근본도 아지 못하고 어찌 인물만 탐하리까?"

병사 옳이 여겨 가로되,

"부인 말씀이 옳도다. 일후에 장단골 가서 매화의 근본을 알리라." / 하고 나아가거늘,

부인이 그 말을 듣고 제 동생을 불러 이르되,

"병사께서 장단골 가서 매화의 근본을 알고자 하니 네 먼저 가서 재물을 많이 그 근처 사람에게 주어라. 그러면 매화 너의 짝이 될지라. 저런 인물을 어찌 그저 두리요."

한대 최 씨 동생이 이 말을 듣고 재물을 많이 가지고 장단골 연화동을 찾아가더라.

이때에 병사 길을 떠나 여러 날 만에 장단골을 찾아가니 어떤 사람 길가에 앉았거늘 병사 말을 머무르고 물어 가로되,

"이곳이 연화동이냐?" / "연화동이로소이다."

병사 물어 가로되,

"연화동이라면 김 주부라 하는 양반 있느뇨?"

그 사람이 웃고 대답하여 가로되,

"주부라 하는 놈이 있더니 남의 재물을 많이 쓰고 도망하였나이다."

하거늘 병사 이 말을 들으매 정신이 아득하여 어찌할 줄을 모르다가 다시 생각하여 가로되,

"날이 저물은지라 유하고 갈 터이니 주점을 이르라."

한대 그 사람이 한 집을 인도하거늘 병사 들어가니 또 한 사람이 물어 가로되, / "말 타고 온 손님은 어떠한 양반인고?"

주모가 가로되,

"저러한 양반이 김 주부 같은 놈을 찾아 왔다."

하고 냉소하여 가로되,

"주부라 하는 놈은 이미 도망하였거니와 저희 딸 매화 비록 천인(賤人)의 자식이나 인물이 절색이라. 아무 데로 가더라도 남을 속이리라."

하거늘 병사 주모더러 물어 가로되,

"이곳에 김 주부라 하는 재인이 있느냐?"

주모가 가로되,

"수년 전에 어디론가 도망하였삽더니 듣사오니 제 딸 매화는 남복을 입고 황해도 연안 지경에 있단 말을 들었나이다."

병사 이 말을 들으니 다시는 의혹이 없는지라. 그날 밤을 겨우 지내어 말을 몰아 집에 돌아와 부인께 답하여 가로되,

"만일 부인의 말씀을 듣지 아니하고 혼사를 하였던들 사대부 집안에 대단 비웃음을 살 뻔하였도다. 매화는 천인 자식이라 내쫓으라." / 한대 부인이 가로되,

"매화 아무리 천인의 자식이라도 혼사 아니 하면 무슨 허물 있으리까?"

병사 또 학당에 가 양유를 불러 가로되,

"매화로 더불어 공부하던 일이 분하도다. 앞으로는 매화를 대면치 말라." / 하시거늘 양유 이 말을 듣고 정신이 아득하여 엎어지더라.

[중간 부분 줄거리] 조 병사 집을 나온 매화는 부모를 만나 구월산으로 간다. 김 주부는 매화 모르게 동자를 호랑이로 변신시켜 양유를 잡아와 방에 가두고, 양유는 동자에게 살려 달라고 한다.

문고리 떨렁 방문이 와당탕, 양유 깜짝 놀래어 금침을 무릅쓰고 동정을 살펴보니 어떠한 낭자 녹의홍상을 입고 들어와 벽을 안고 슬피 울거늘 양유 정신이 아득하여 실로 꿈만 같은지라. 귀신이냐, 호랑이냐, 어찌할 줄을 모르더니 과연 낭자 일어나 사배(四拜)하거늘 양유 내념(內念)에 행여 살려 줄까 일어나 극진히 절하고 거동을 살펴보니 문득 광풍이 일어나며 방문이 열치며 한 ㉠봉서가 내려지거늘 그 글 보니 하였으되,

'만산초목이 다 피었으되 양유·매화는 봄소식을 모르는도다.'

하였거늘 양유 그 글을 보고 여자를 살펴보니,

"연연한 거동은 매화와 방불하다마는 이러한 산중에 어찌 매화가 왔으리요."

낭자도 •추파를 번듯 들어 •수재를 살펴보며 가로되,

"산중이라고 어찌 매화 없으리요마는 양유 없는 게 한이로다."

하거늘 양유 이 말을 듣고 크게 놀라고 매우 기뻐하여 자세히 살펴보니 매화가 분명하거늘 양유가 가로되,

"네가 죽은 혼이냐. 명천이 감동하사 매화 얼굴 다시 보니 죽어도 무슨 한이 있으리요."

하고 기절하거늘 매화는 흉중이 막히어 아무 말도 못 하고 다만 눈물만 흘리는지라.

- 작자 미상, 「매화전(梅花傳)」

• **추파** 미인의 맑고 아름다운 눈길. • **수재** 예전에, 미혼 남자를 높여 이르던 말.

기출 변형 2019학년도 6월 고1 학력평가

06 윗글의 서술상 특징으로 가장 적절한 것은?

① 과거와 현재를 교차하여 사건을 진행하고 있다.
② 장면이 전환될 때마다 사건의 서술자가 바뀌고 있다.
③ 우의적 소재를 활용하여 사건의 단서를 제시하고 있다.
④ 공간적 배경을 활용하여 주제를 암시적으로 드러내고 있다.
⑤ 인물의 심리를 서술자가 직접 제시하여 독자의 이해를 돕고 있다.

기출 변형 2014학년도 10월 고3 학력평가 A형

07 윗글에 대한 이해로 적절하지 않은 것은?

① 최 씨의 동생은 조 병사보다 먼저 장단골에 다녀갔다.
② 주모는 조 병사에게 매화가 천인의 자식이라고 말했다.
③ 조 병사는 장단골에 다녀온 이후 매화에 대한 인식이 달라졌다.
④ 최 씨는 매화가 천인의 자식이라는 이유로 매화를 낮잡아 평가하고 있다.
⑤ 최 씨와 최 씨의 동생은 양유와 매화의 혼사가 성사되지 않기를 바라고 있다.

기출 2014학년도 10월 고3 학력평가 A형

08 ㉠의 기능으로 가장 적절한 것은?

① 인물들의 성격 변화를 야기하는 매개가 된다.
② 인물들 사이에 쌓였던 갈등을 촉발되는 계기가 된다.
③ 인물들이 당시의 잘못된 세태를 비판하는 수단이 된다.
④ 인물들이 상대의 정체를 파악하게 되는 실마리가 된다.
⑤ 불합리한 상황에 대한 인물의 분노를 표출하는 방법이 된다.

09 윗글의 인물에 대한 설명으로 적절하지 않은 것은?

① 양유는 자신의 혼사를 반대하는 부모에게 적극적으로 맞서지 않는 순종적인 인물이다.
② 김 주부는 매화와 양유의 만남을 성사시키기 위해 초월적인 능력을 발휘하는 인물이다.
③ 매화는 자신에게 닥친 문제를 해결하기 위한 방법을 스스로 모색하는 능동적인 인물이다.
④ 최 씨는 자신이 원하는 바를 얻기 위해 타인에게 해가 되는 일도 서슴지 않는 비윤리적인 인물이다.
⑤ 조 병사는 혼사에 있어 당사자의 의견보다 가문의 권위를 더 중시하는 봉건적 가치관을 지닌 인물이다.

기출 변형 2014학년도 10월 고3 학력평가 A형

10 〈보기〉를 활용하여 윗글을 감상할 때, 적절하지 않은 것은?

보기

고전 소설에서 혼사 장애담은 남녀 주인공의 혼사가 어떤 장애 요인으로 보류되지만 다시 장애를 극복하고 혼사에 성공하는 이야기를 말한다. 이러한 혼사 장애담은 일반적으로 아래의 과정에 따라 사건이 전개된다.

남녀의 만남 ➡ (A) 혼사의 진행 ➡ (B) 혼사의 장애 ➡ (C) 남녀의 이별 ➡ (D) 남녀의 재결합

① 조 병사는 A를 위해 매화의 신분을 확인하고자 한 것이었군.
② 조 병사와 최 씨는 A에 있어 양유의 의견을 가장 먼저 고려했군.
③ 최 씨와 최 씨의 동생 때문에 B가 발생했군.
④ 매화는 C의 상태임에도 양유를 그리워하고 있었군.
⑤ D가 일어나는 과정에서 비현실적 요소가 개입되었군.

고전 소설

Q20 유충렬전(劉忠烈傳) | 작자 미상

▶해법문학 Link
고전 산문 158쪽

[교과서] [문] 동아, 신사고 [국] 지학사, 해냄 [기출]

키워드 체크 #영웅 소설 #군담 소설 #적강 소설 #조선 후기 영웅 군담 소설의 대표작

핵심 포인트

「유충렬전」의 이원적 구조

	선인		악인
천상계	자미원대장성	⟷	익성
	⬇ 적강(謫降) 화소 ⬇		
지상계	유충렬	⟷	정한담

전체 줄거리

발단	명나라 고관인 유심이 늦도록 자식이 없어 산천에 기도하여 신이한 태몽을 꾸고 유충렬을 낳음.
전개	간신 정한담이 유심에게 누명을 씌워 귀양 보내고 유충렬 모자를 죽이려 함. 유충렬은 간신히 위기를 넘기고 강희주의 사위가 됨.
위기	정한담의 모함으로 강희주도 귀양을 감. 아내와 헤어진 유충렬은 광덕산의 도승을 만나 도술을 익힘.
절정	정한담이 남적, 북적과 함께 반란을 일으켜 나라가 위기에 처하자 유충렬이 등장해 천자를 구함. ···› 수록 부분
결말	유충렬은 반란군을 진압하고 황후·태후·태자를 구출함. 유배지에서 고생하던 아버지와 장인을 구한 유충렬은 아내와 함께 부귀영화를 누림.

연계 작품

영웅적 인물이 등장하는 작품: 작자 미상 「소대성전」 ···› 기출 딥러닝 186쪽

기출 OX

Q1 정한담은 원수가 자신보다 능력이 뛰어나다고 인정하고 있다.
[기출] 2012. 6. 고1 (O | X)

Q2 정한담은 원수가 천자가 될 수 있는 재목이라고 생각하고 있다.
[기출] 2012. 6. 고1 (O | X)

이때 정한담이 호왕(胡王)을 만나 한 꾀를 드려 왈,

"소장이 옥관 도사에게 십 년을 공부해 변화무궁하고 ⓐ구척장검 칼머리에 강산이 무너지고 하해도 뒤집혔나이다. 그런데 명진 도원수 유충렬은 사람이 아니라 천신입니다. 이제 비록 대왕이 억만 병사를 거느리고 왔으나 충렬 잡기는커녕 접전할 장수도 없사오니, 만일 무작정 싸운다면 우리 군사 씨가 없고 대왕의 중한 목숨마저도 응당 보존하기 어려울 것이옵니다. 그러니 오늘 밤 삼경에 군사들을 둘로 나누어 일군이 먼저 금산성을 치게 되면 충렬이 응당 구하러 올 것이옵니다. 그때를 틈타 소장이 도성에 들어가 천자에게 항복받고 옥새를 앗아 버리면 ㉠충렬이 비록 천신이라고 한들 제 인군이 죽었는데 무슨 면목으로 싸우리까. 소장의 꾀가 마땅할 듯하온데, 대왕의 생각은 어떠하시나이까?" 〈중략〉

㉡한담의 고함 소리에 명제도 넋을 잃고 용상에서 떨어졌으나, 다급히 옥새를 품에 품고 말 한 필을 잡아타고 엎어지며 자빠지며 북문으로 빠져나와 변수 가로 도망했다. 한담이 궐내에 달려들어 천자를 찾았으나 천자는 간데없고, 태자가 황후와 태후를 모시고 도망하기 위해 나오는지라. 한담이 호령하며 달려들어 태자 일행을 잡아 호왕에게 맡긴 후, 북문으로 나와 보니 천자가 변수 가로 달아나고 있었다. 한담이 대희해 천둥 같은 소리를 지르고 순식간에 달려들어 구척장검을 휘두르니 천자가 탄 말이 백사장에 거꾸러지거늘, 천자를 잡아내어 마하(馬下)에 엎어뜨리고 서리 같은 칼로 통천관(通天冠)을 깨어 던지며 호통하기를,

"이봐, 명제야! 내 말을 들어 보아라. ㉢하늘이 나 같은 영웅을 내실 때는 남경의 천자가 되게 하심이라. 네 어찌 계속 천자이기를 바랄쏘냐. 내가 네 한 놈을 잡으려고 십 년을 공부해 변화무궁한데, 네 어찌 순종하지 않고 조그마한 충렬을 얻어 내 군사를 침노하느냐. 네 죄를 논죄컨대 이제 바삐 죽일 것이로되, 나에게 옥새를 바치고 항서를 써서 올리면 죽이지 아니하리라. 그러나 만약 그렇지 아니하면 네놈은 물론 네놈의 노모와 처자를 한칼에 죽이리라."

이때 원수 금산성에서 적군 십만 명을 한칼에 무찌른 후, 곧바로 호산대에 진을 치고 있는 적의 *청병을 씨 없이 함몰하려고 달려갔다. ㉣그런데 뜻밖에 월색이 희미해지더니 난데없는 빗방울이 원수 면상에 떨어졌다. 원수 괴이해 말을 잠깐 멈추고 천기를 살펴보니, 도성에 살기 가득하고 천자의 *자미성이 떨어져 변수 가에 비쳐 있었다. 원수 대경해 발을 구르며 왈, / "이게 웬 변이냐."

하고 산호편을 높이 들어 채찍질을 하면서 천사마에게 정색을 하고 이르기를,

"천사마야, 네 용맹 두었다가 이런 때에 아니 쓰고 어디 쓰리오. 지금 천자께서 도적에게 잡혀 *명재경각이라. 순식간에 득달해 천자를 구원하라." 〈중략〉

원수가 이때를 당해 평생의 기력을 다해 호통을 지르니, 천사마도 평생의 용맹을 다 부리고 변화 좋은 장성검도 *삼십삼천(三十三天)에 어린 조화를 다 부리었다. 원수 닿는 곳에 ⓑ강산도 무너지고 하해도 뒤엎어지는 듯하니, 귀신인들 아니 울며 혼백인들 아니 울리오. 원수의 혼신이 불빛 되어 벽력같은 소리를 지르며 왈,

"이놈 정한담아, 우리 천자 해치지 말고 나의 칼을 받아라!"

하는 소리에 ㉤나는 짐승도 떨어지고 강신 하백도 넋을 잃어버릴 지경이거든 정한담의

- **청병** 군대의 지원을 청하거나 출병하기를 청함. 또는 청하여 온 군대.
- **자미성** 큰곰자리 부근에 있는 자미원의 별 이름. 북두칠성의 동북쪽에 있는 열다섯 개의 별 가운데 하나로, 중국 천자의 운명과 관련된다고 함.
- **명재경각** 거의 죽게 되어 곧 숨이 끊어질 지경에 이름.
- **삼십삼천** 불교에서 육욕천, 십팔천, 무색계 사천과 일월성수천, 상교천, 지만천, 견수천, 제석천을 통틀어 이르는 말.

답 Q1 O Q2 X

혼백과 간담인들 성할쏘냐. 원수의 호통 소리에 한담의 두 눈이 캄캄하고 두 귀가 멍멍해 탔던 말을 돌려 타고 도망가려다가 형산마가 거꾸러지면서 한담도 백사장에 떨어졌다.

01 윗글의 서술상 특징을 〈보기〉에서 골라 바르게 묶은 것은?

보기

ㄱ. 인물과 상황에 대한 서술자의 주관적인 판단이 나타나 있다.
ㄴ. 공간적 배경을 상세히 묘사하여 인물의 내면 심리를 암시하고 있다.
ㄷ. 갈등 장면을 구체적으로 묘사하여 사건의 긴박함을 고조하고 있다.
ㄹ. 현재와 과거의 사건을 교차하여 사건들 간의 인과 관계를 밝히고 있다.

① ㄱ, ㄴ ② ㄱ, ㄷ ③ ㄴ, ㄷ
④ ㄴ, ㄹ ⑤ ㄷ, ㄹ

02 〈보기〉를 참고하여 윗글을 감상한 내용으로 적절하지 않은 것은?

보기

「유충렬전」에서 유충렬과 정한담은 천상의 잔치에서 싸운 죄로 지상에 유배된 신선이다. 천상계 선인(善人) 자미원대장성은 충신 유충렬이 되고, 악인(惡人) 익성은 간신 정한담이 되어 지상계에서 대립한다. 유충렬은 비범한 능력을 발휘하여 간신 때문에 위기에 처한 가문과 국가를 구출하는데, 충신 유충렬이 간신 정한담과의 대결에서 승리하는 모습에서 조선 시대의 유교적인 충신상을, 호국(胡國)을 정벌하는 모습에서 병자호란 이후 청나라에 대한 당대의 적개심을 확인할 수 있다.

① 유충렬과 정한담의 대립은 천상계의 갈등이 지상계까지 이어지고 있음을 보여 주는군.
② 정한담을 돕는 인물로 호왕이 등장하는 것은 청나라에 대한 당대의 적개심이 반영된 것이군.
③ 금산성에서 적군 십만 명을 한칼에 무찌르는 것에서 유충렬의 비범한 능력을 알 수 있군.
④ 유충렬이 정한담에게 맞서 승리한다는 점에서 충절이라는 유교적 윤리관을 확인할 수 있군.
⑤ 유충렬을 천신이라고 한 정한담의 말에서 유충렬은 정한담과 달리 지상에서의 활동을 통해 천상에서 지은 죄를 씻었음을 알 수 있군.

기출 변형 2012학년도 6월 고1 학력평가

03 윗글에 나타난 공간을 〈보기〉와 같이 제시했을 때, 이에 대한 반응으로 적절하지 않은 것은?

보기

㉮ 금산성 — ㉰ 호산대
㉯ 도성 — ㉱ 변수 가

① 정한담은 군사를 둘로 나누어 ㉮와 ㉯를 동시에 공격했다.
② 정한담이 ㉯로 들어간 것은 천자를 ㉱로 유인하기 위해서이다.
③ 유충렬은 적군을 물리치기 위해 ㉮에서 ㉰로 이동하려고 했다.
④ 유충렬이 ㉯에서 ㉮로 이동한 것은 정한담의 의도대로 행동한 것이다.
⑤ 유충렬은 ㉰로 이동하던 중 천자의 위험을 감지하고 ㉱로 진로를 바꿨다.

04 ㉠~㉤에 대한 설명으로 적절하지 않은 것은?

① ㉠: 정한담은 유충렬과 싸우지 않고 자신의 목적을 달성하기 위해 계략을 꾸미고 있다.
② ㉡: 천자는 정한담에게 두려움을 느끼며 유약한 모습을 보이고 있다.
③ ㉢: 황제가 되고자 하는 정한담의 야망이 나타나 있다.
④ ㉣: 천자가 자연물을 통해 자신의 위급한 상황을 유충렬에게 전하고 있다.
⑤ ㉤: 유충렬의 용맹한 모습을 과장하여 표현하고 있다.

05 ⓐ와 ⓑ를 비교한 내용으로 가장 적절한 것은?

① ⓐ는 옥관 도사의 능력을, ⓑ는 유충렬의 능력을 과장하여 표현한 것이다.
② ⓐ는 옥관 도사의 능력을, ⓑ는 유충렬이 처한 위기를 비유적으로 표현한 것이다.
③ ⓐ는 정한담이 자신의 능력을, ⓑ는 천자가 처한 위기를 비유적으로 표현한 것이다.
④ ⓐ는 정한담이 자신의 능력을, ⓑ는 유충렬이 자신의 활약상을 과장하여 표현한 것이다.
⑤ ⓐ는 정한담이 자신의 능력을, ⓑ는 서술자가 유충렬의 활약상을 과장하여 표현한 것이다.

작품 한 줄 Pick 『유충렬전』 "명진 도원수 유충렬은 사람이 아니라 천신입니다."

[06~09] 다음 글을 읽고 물음에 답하시오.

일일은 승상이 술에 취하시어 ㉠책상에 의지하여 잠깐 졸더니 문득 봄바람에 이끌려 한 곳에 다다르니 이곳은 승상이 평소에 고기도 낚으며 풍경을 구경하던 *조대(釣臺)라. 그 위에 상서로운 기운이 어렸거늘 나아가 보니 청룡이 ㉡조대에 누웠다가 승상을 보고 고개를 들어 소리를 지르고 반중에 솟거늘, 깨달으니 일장춘몽이라.

[A] 심신이 황홀하여 죽장을 짚고 월령산 ㉢조대로 나아가니 나무 베는 아이가 나무를 베어 시냇가에 놓고 버들 그늘을 의지하여 잠이 깊이 들었거늘, 보니 의상이 남루하고 머리털이 흩어져 귀밑을 덮었으며 검은 때 줄줄이 흘러 두 뺨에 가득하니 그 추레함을 측량치 못하나 그중에도 은은한 기품이 때 속에 비치거늘 승상이 깨우지 않으시고, 옷에 무수한 이를 잡아 죽이며 잠 깨기를 기다리더니, 그 아이가 돌아누우며 탄식 왈,

"형산백옥이 돌 속에 섞였으니 누가 보배인 줄 알아보랴. 여상의 자취 조대에 있건마는 그를 알아본 문왕의 그림자 없고 와룡은 남양에 누웠으되 삼고초려한 유황숙의 자취는 없으니 어느 날에 날 알아줄 이 있으리오."

하니 그 소리 웅장하여 산천이 울리는지라.

탈속한 기운이 소리에 나타나니, 승상이 생각하되, '영웅을 구하더니 이제야 만났도다.' 하시고, 깨우며 물어 왈,

"봄날이 심히 곤한들 무슨 잠을 이리 오래 자느냐? 일어앉으면 물을 말이 있노라."

"어떤 사람이관데 남의 단잠을 깨워 무슨 말을 묻고자 하는가? 나는 배고파 심란하여 말하기 싫도다."

아이 머리를 비비며 군말하고 도로 잠이 들거늘, 승상이 왈,

"네 비록 잠이 달지만 어른을 공경치 아니하느냐. 눈을 들어 날 보면 자연 알리라."

그 아이 눈을 뜨고 이윽히 보다가 일어앉으며 고개를 숙이고 잠잠하거늘, 승상이 자세히 보니 두 눈썹 사이에 천지조화를 갈무리하고 가슴속에 만고 흥망을 품었으니 진실로 영웅이라. 승상의 *명감(明鑑)이 아니면 그 누가 알리오.

[중간 부분 줄거리] 승상은 아이(소대성)를 자기 집에 묵게 하고 딸과 부부의 연을 맺도록 하지만 승상이 죽자 그 아들들이 대성을 제거하려고 한다. 이에 대성은 영보산으로 옮겨 공부하다가 호왕이 난을 일으킨 소식에 산을 나가게 된다.

한 동자 마중 나와 물어 왈,

"상공이 해동 소 상공 아니십니까?"

"동자, 어찌 나를 아는가?"

소생이 놀라 묻자, 동자 답 왈,

"우리 노야의 분부를 받들어 기다린 지 오랩니다."

"노야라 하시는 이는 뉘신고?"

"아이 어찌 어른의 존호를 알리이까? 들어가 보시면 자연 알리이다."

[B] 생이 동자를 따라 들어가니 청산에 불이 명랑하고 한 노인이 자줏빛 도포를 입고 금관을 쓰고 책상을 의지하여 앉았거늘 생이 보니 학발 노인은 청주 이 승상일러라. 생이 생각하되, '승상이 별세하신 지 오래이거늘 어찌 ㉣이곳에 계신가?' 하는데, 승상이 반겨 손을 잡고 왈,

"내 그대를 잊지 못하여 줄 것이 있어 그대를 청하였나니 기쁘고도 슬프도다."

하고 동자를 명하여 저녁을 재촉하며 왈,

"내 자식이 무도하여 그대를 알아보지 못하고 망령된 의사를 두었으니 어찌 부끄럽지 아니하리오. 하나 그대는 대인군자로 허물치 아니할 줄 알았거니와 모두 하늘의 뜻이라. 오래지 아니하여 공명을 이루고 용문에 오르면 딸과의 신의를 잊지 말라."

하고 갑주 한 벌을 내어 주며 왈,

"이 갑주는 보통 물건이 아니라 입으면 내게 유익하고 남에게 해로우며 창과 검이 뚫지 못하니 천하의 얻기 어려운 보배라. 그대를 잊지 못하여 정을 표하나니 전장에 나가 대공을 이루라."

생이 자세히 보니 쇠도 아니요, 편갑도 아니로되 용의 비늘같이 광채 찬란하며 백화 홍금포로 안을 대었으니 사람의 정신이 황홀한지라. 생이 매우 기뻐 물어 왈,

"이 옷이 범상치 아니하니 근본을 알고자 하나이다."

"이는 천공의 조화요, 귀신의 공역이라. 이름은 '보신갑'이니 그 조화를 헤아리지 못하리라. 다시 알아 무엇하리오?"

승상이 답하시고, 차를 내어 서너 잔 마신 후에 승상 왈,

"이제 칠성검과 보신갑을 얻었으니 만 리 청총마를 얻으면 그대 재주를 펼칠 것이나, 그렇지 아니하면 당당한 기운을 걷잡지 못하리라. 하나 적을 가벼이 여기지 말라. 지금 적장은 천상 나타의 제자 익성이니 북방 호국 왕이 되어 중원을 침노하니 지혜와 용맹이 범인과 다른지라. 삼가 조심하라."

"만 리 청총마를 얻을 길이 없으니 어찌 공명을 이루리까?"

생이 묻자, 승상이 답 왈,

"동해 용왕이 그대를 위하여 이리 왔으니 내일 오시에 얻을 것이니 급히 공을 이루라. 지금 싸움이 오래되었으나 중국은 익성을 대적할 자 없으며 황제 지금 위태한지라. 머물지 말고 바삐 가라. 할 말이 끝없으나 밤이 깊었으니 자고 가라."

하시고 책상을 의지하여 누우시니 생도 잠깐 졸더니, 홀연 찬바람, 기러기 소리에 깨달으니 승상은 간데없고 누웠던 자리에 갑옷과 투구 놓였거늘 좌우를 둘러보니 ⓜ소나무 밑이라.

– 작자 미상, 「소대성전(蘇大成傳)」

• **조대** 낚시터.
• **명감** 사람을 알아보는 뛰어난 능력.

06 윗글에 대한 설명으로 적절한 것은?

① 비현실적 요소를 활용하여 사건을 전개하고 있다.
② 장면 전환을 통해 긴박한 분위기를 조성하고 있다.
③ 인물의 죽음을 통해 비극적인 결말을 암시하고 있다.
④ 과거와 현재의 장면을 교차하여 사건에 입체감을 부여하고 있다.
⑤ 천상계와 지상계의 이원적 구조를 설정하여 이상향에 대한 동경을 드러내고 있다.

기출 변형

07 윗글의 인물에 대한 감상으로 적절하지 않은 것은?

① 곤히 잠든 '아이'를 깨우지 않고 이를 잡아 주며 기다리는 '승상'의 모습에서 '승상'이 따뜻한 인정을 지녔음을 알 수 있군.
② 배고파서 말하기도 싫다는 '아이'의 모습에서 '아이'가 끼니를 제대로 챙기지 못할 정도로 궁색한 형편에 처해 있음을 알 수 있군.
③ 겉모습은 누추하지만 은은한 기품이 드러나는 '아이'의 모습에서 '아이'가 겉모습과 달리 비범한 능력을 지녔을 것임을 알 수 있군.
④ 추레한 행색의 '아이'에게서 영웅의 면모를 확인하는 '승상'의 모습에서 '승상'이 인물의 진가를 알아보는 능력을 지녔음을 알 수 있군.
⑤ 살아서는 '소생'을 도왔지만 죽은 몸으로 '소생'을 도울 수 없어 안타까워하는 '승상'의 모습에서 '승상'이 남을 도우려는 한결같은 성품을 지녔음을 알 수 있군.

고난도 기출

08 〈보기〉를 참고할 때, ㉠~ⓜ을 이해한 내용으로 적절하지 않은 것은?

보기

고전 소설에서 공간은 산속이나 동굴 등 특정 현실 공간에 초현실 공간이 겹쳐진 것으로 설정되기도 한다. 이 경우, 초현실 공간이 특정 현실 공간에 겹쳐지거나 특정 현실 공간에서 사라지는 것은 보통 초월적 존재의 등·퇴장과 관련된다. 한편 어떤 인물이 꿈을 꿀 때, 그는 현실의 어떤 공간에서 잠을 자고 있지만, 그의 정신은 꿈속 공간을 경험한다. 이 경우, 특정 현실 공간이 꿈에 나타나면 이 꿈속 공간은 특정 현실 공간에 근거하면서도 초현실 공간의 성격을 지니기도 한다.

① '승상'은 ㉠에 몸을 의지하고 있지만 정신은 봄바람에 이끌려 ㉡으로 나아갔으니, 그는 현실의 한 공간에서 잠들어 꿈속 공간을 경험하고 있는 것이군.
② ㉡은 ㉢에 근거를 둔 꿈속 공간으로, ㉡에서 본 '청룡'은 ㉢에서 자고 있는 '아이'를 상징하는군.
③ ㉡과 ㉣은 모두 초현실 공간으로, ㉡은 '승상'을 '아이'에게로 이끌기 위해, ㉣은 '소생'과 초월적 존재인 '승상'의 만남을 위해 설정된 곳이군.
④ ㉢은 '승상'의 정신이 경험하는 꿈속 공간이고, ⓜ은 '소생'이 자기 경험이 꿈이었음을 확인하는 공간이군.
⑤ '승상'이 '누웠던 자리'에 '갑옷과 투구'가 놓여 있는 것으로 보아, ⓜ에 ㉣이 겹쳐져 있었지만 '승상'이 사라지면서 ㉣도 함께 사라졌군.

기출

09 [A]와 [B]에 나타난 서술상 특징으로 가장 적절한 것은?

① [A]는 묘사를 통해 인물의 외양을, [B]는 발화를 통해 인물의 감회를 드러내고 있다.
② [A]와 달리, [B]는 대구적 표현을 통해 인물에 대한 부정적 인식을 드러내고 있다.
③ [B]와 달리, [A]는 요약적 서술을 통해 시대적 배경을 제시하고 있다.
④ [A]와 [B]는 모두 인물들 간의 대화를 통해 인물들 사이의 갈등을 제시하고 있다.
⑤ [A]와 [B]는 모두 과거 사건에 대한 회상을 통해 현재 사건의 원인을 제시하고 있다.

Q21 고전 소설

교과서 [문] 비상 기출 EBS

임경업전(林慶業傳) | 작자 미상

▶해법문학 Link
고전 산문 166쪽

키워드 체크 #군담 소설 #병자호란 #정신적 극복 #임경업과 호왕의 갈등 #임경업과 김자점의 갈등

핵심 포인트

「임경업전」에 나타난 두 가지 갈등 구조

	임경업 ↔ 호왕
갈등 내용	호왕이 임경업의 용맹함을 알고 죽이려고 함.
갈등 해소 과정	호왕이 임경업의 충절에 감복하여 세자와 대군, 임경업의 귀국을 허락함.
의의	임경업의 용맹과 충절을 강조함.

	임경업 ↔ 김자점
갈등 내용	김자점이 역모에 방해가 되는 임경업을 죽이고자 함.
갈등 해소 과정	암살당한 임경업이 임금의 꿈속에 나타나 결백을 밝힌 뒤, 김자점이 처형되고 민중에 의해 능지처참됨.
의의	억울하게 죽은 민중의 영웅 임경업의 한이 민중에 의해 해소됨.

전체 줄거리

발단	임경업이 사신 이시백의 무관으로 명나라에 감. 가달국의 침략을 받은 호국이 명에 구원을 요청하자 임경업이 명군을 이끌고 호국을 도와 승리를 거두고 귀국함.
전개	임경업이 조선을 침략하여 세자 일행을 인질로 끌고 가던 호국병을 격파함. 진노한 호왕의 요구로 호국으로 가 명군과 싸우던 임경업은 명과 연락하여 거짓 항복을 받고 귀국함.
위기	임경업이 명과 함께 호국을 치려 하나 승려 독보의 배반으로 호국군에게 생포됨.
절정	호왕은 임경업의 충절에 감복하여 그와 세자 일행을 조선으로 돌려보내나 간신 김자점에 의해 임경업이 암살당함. ⋯→ 수록 부분
결말	꿈속에서 임경업의 현신을 본 왕은 김자점을 처형하고 임경업에게 포상을 내림.

연계 작품

• 병자호란을 배경으로 한 작품: 작자 미상 「박씨전」
• 전쟁 상황 및 간신과 충신 간의 대립이 나타난 작품: 작자 미상 「조웅전」

기출 OX

01 김자점은 세자와 대군을 귀국시키려는 임경업의 소원을 방해하였다.
기출 2015. 6. 모평 B (O | X)

답 01 X

호왕이 경업의 강직함을 보고 탄복(歎服)하여, 묶은 것을 풀고 손으로 이끌어 올려 앉히고 말하기를,

"㉠장군이 나에게는 역신(逆臣)이나 조선에는 충신(忠臣)이라. 내 어찌 충절을 해하리요. 장군의 원대로 하리라." / 하며,

"세자와 대군을 놓아 보내라." / 하더라. 〈중략〉

경업이 온다는 소문이 나라에 전하여지니, 상이 기뻐하사 승지로 하여금 위로하여 말하기를,

"경이 무사히 돌아오매 기쁘고 다행하여 즉시 보고 싶으나, ㉡먼 길을 왔으니 잘 쉬고 명일 *입시(入侍)하라."

하시니 승지가 자점이 두려워서 하교를 전하지 못한지라. 경업이 생각하되 나라에 친임하시면 죽어도 한이 없을 것이요, 세자와 대군이 내 일을 알고 계신지 모르고 계신지 하여 주야로 번민하여 목이 말라 물을 구하나 옥졸이 물을 주지 아니하니 이는 자점의 흉계로 옥졸들에게 분부한 때문이리라.

이때 마침 전옥(典獄) 관원이 경업의 애매함을 불쌍히 여겨 경업에게 일러 가로되,

"장군을 역적으로 잡아 전옥에 가둔 것은 모두 자점의 모계(謀計)이니, ㉢그대는 잘 주선하여 누명을 벗게 하시오."

하니 경업이 그제야 자점의 흉계인 줄 알고, 불승 통한(不勝痛恨)하여 바로 몸을 날려 입궐하여 주상께 뵈옵고 관을 벗고 *청죄(請罪)하오되, 상이 경업을 보시고 반가와 친히 붙들려고 하시와 문득 청죄함을 보고 깜짝 놀라시어 가로되,

[A] "경이 만리타국에 갔다가 이제 돌아옴에 반가운 마음 금하지 못하나 원로에 고생이 많아서 이제야 보게 되니 안타까웁거늘, 하물며 청죄라니 그게 무슨 말이냐? 자세히 말하라."

하시므로 경업이 돈수(頓首) 사죄(謝罪)하여 말씀 여쭙기를,

"소신이 무인년에 북경에 잡혀가옵다가 중로에서 도망하였는 바 그 죄는 *만사무석(萬死無惜)이오나, 대명과 합심하여 호국을 쳐서 호왕의 머리를 베어 병자년 원수를 갚고, 세자와 대군을 모셔 오고자 하였더니 간악 무리에게 속아 북경에 잡혀갔삽다가, 천행으로 돌아오더니 의주서부터 잡아 올리라 하고 목에 칼을 씌어 끌려 올라오니 아무 까닭을 몰라 망극하옴을 이기지 못하고 전옥에 갇혀 있다가 ㉣이제 다시 천안(天顏)을 뵈오니, 비록 죽사와도 한이 없습니다."

하는지라. 상이 들으시고 매우 놀라시어 조신(朝臣)에게 알아 올리도록 명하니, 자점이 하릴없이 도망치지 못하고 들어와 상께 아뢰기를,

"경업이 역신이옵기로 잡아 가두고 *품달(稟達)하고자 하였나이다."

하거늘, 경업이 큰 소리로 대척하여 이르기를,

"이 몹쓸 역적 놈아, 네 벼슬이 높고 국록(國祿)이 족하거늘 ㉤무엇이 더 부족하여 *찬역(簒逆)할 마음을 두어 나를 죽이려 하느뇨?"

자점이 묵묵무언이어늘, 상이 진노하여 꾸짖기를,

[B] "경업은 삼국에 유명한 장수요 또한 천고 충신이라 너희 놈이 무슨 뜻으로 죽이려 하느냐? 이에 반드시 *부동(符同)을 꾀함이라."

하시고, 자점과 그의 하수인들을 모조리 금부에 가두도록 하고 경업은 나가라고 하시어 자점이 경업과 함께 나오다가, 무사에게 분부하여 경업을 치라 하니 무사들이 달려들어 경업을 무수히 난타질하니 거의 죽게 되며 전옥에 가두고 자점은 금부로 가더라.

[뒷부분 줄거리] 임경업은 죽음을 맞게 되고, 그 후 꿈속에서 임경업의 현신을 본 왕은 김자점을 처형한 뒤 임경업의 충의를 포상한다.

- **입시** 대궐에 들어가서 임금을 뵙던 일.
- **청죄하오되** 저지른 죄에 대하여 벌을 줄 것을 청하오되.
- **만사무석** 만 번 죽어도 아까울 것이 없음.
- **품달** 웃어른이나 상사에게 여쭘.
- **찬역** 임금의 자리를 빼앗으려고 반역함.
- **부동** 그른 일에 어울려 한통속이 됨.

기출 변형 2019학년도 수능

01 윗글에 대한 설명으로 적절하지 않은 것은?

① 인물들의 대립 구도를 통해 서사적인 흥미를 높이고 있다.
② 주인공의 죽음을 제시하여 작품을 비극성을 고조하고 있다.
③ 대화의 내용을 통해 이전에 일어난 사건의 정황을 나타내고 있다.
④ 악인의 횡포를 징벌함으로써 권선징악의 세계관을 드러내고 있다.
⑤ 적대자와의 지략 대결을 통해 주인공의 초월적 능력을 보여 주고 있다.

02 윗글에 대한 이해로 가장 적절한 것은?

① 자점의 부탁을 받은 옥졸은 경업의 죄를 임금에게 밀고했다.
② 호왕은 조선에 돌아가면 고난을 당할 것이라며 임경업을 회유했다.
③ 김자점은 임경업을 전옥에서 나가도록 한 임금의 명령을 존중했다.
④ 옥졸은 김자점의 권세를 두려워하여 임금의 하교를 임경업에게 전하지 않았다.
⑤ 임경업은 전옥을 빠져나올 비범한 능력이 있으나 김자점의 흉계를 알기 전에는 이를 발휘하지 않았다.

03 ㉠~㉤에 대한 이해로 적절하지 않은 것은?

① ㉠: 호왕은 임경업의 강직함을 높이 평가하고 있다.
② ㉡: 임경업을 배려하는 임금의 모습이 나타나 있다.
③ ㉢: 관원은 임경업에게 김자점의 모계를 알려 준 대가로 자신의 부탁을 들어줄 것을 요구하고 있다.
④ ㉣: 임금에 대한 임경업의 변함없는 충절이 드러나 있다.
⑤ ㉤: 임경업은 자신을 전옥에 가둔 김자점이 역모를 꾀하고 있다고 판단하고 있다.

04 [A]와 [B]에 나타난 인물의 말하기에 대한 설명으로 가장 적절한 것은?

① [A]는 [B]와 달리 자신의 속마음을 감춘 채 질문을 통해 상대방을 시험하고 있다.
② [B]는 [A]와 달리 불리한 상황을 지적하며 상대방을 회유하고 있다.
③ [A]는 상대방에게 정보를 요구하고 있고, [B]는 상대방의 의도를 간파하고 있다.
④ [A]와 [B]는 모두 수용하기 어려운 일을 요구하며 상대방을 설득하고 있다.
⑤ [A]와 [B]는 모두 자신의 생각을 직설적으로 드러내어 상대방의 태도 변화를 촉구하고 있다.

고난도 기출 변형 2019학년도 수능

05 윗글을 바탕으로 〈보기〉를 해석한 내용으로 적절하지 않은 것은?

보기

「임경업전」을 읽은 당시 독자층은 책의 여백과 말미에 특정 대목에 대한 자신의 생각을 적은 다양한 필사기를 남겼다. '식자층'은 ⓐ"대역 김자점의 소행이 혐오스러워 붓을 멈춘다."라는 시각을 나타내거나 ⓑ"잡혔으니 가히 아프고 괴로우며 애석하네."라며 경업에 대한 안타까움을 드러냈다. 한편 '평민층'은 ⓒ"슬프다, 임 장군이여. 남의 손에 죽으니 어찌 천운이 아니랴."라며 숙명론적인 반응을 보이거나, ⓓ"조회하고 나오는 것을 문외의 무사로 박살하니 그 아니 가엾지 아니리오."라는 안타까운 반응을 남기거나, ⓔ"사람마다 알게 하기는 동국충신의 말임에 혹 만민이라도 깨달아 본받게 함이라."라는 필사기를 남겼다. ⓐ, ⓒ, ⓔ는 경업이 죽는 대목에, ⓑ와 ⓓ는 경업이 자점에게 피습되는 대목에 남아 있는 필사기이다.

① ⓐ는 김자점의 행위에 대한 식자층의 부정적인 평가를 보여 주고 있군.
② ⓑ는 임경업의 시련에 대한 식자층의 안타까움을 나타내고 있군.
③ ⓒ는 임경업을 죽음으로 이끈 운명에 대한 평민층의 저항 의식을 드러내고 있군.
④ ⓓ는 무사들에게 난타질을 당해 죽을 지경에 이른 임경업에 대한 평민층의 연민을 나타내고 있군.
⑤ ⓔ는 많은 사람이 충신의 모습을 본받기를 바라는 평민층의 염원을 표현한 것이군.

『임경업전』 "경업은 상국에 유명한 장수요 또한 천고 충신이라 너희 놈이 무슨 뜻으로 죽이려 하느냐?"

작품 한 줄 Pick

고전 소설

Q22

교과서 [문] 동아 기출 EBS

조웅전(趙雄傳) | 작자 미상

▶해법문학 Link
고전 산문 170쪽

키워드 체크 #영웅 소설 #군담 소설 #무용담과 결연담의 결합 #진충보국

핵심 포인트

다른 작품과 구별되는 「조웅전」의 특징

적강 화소 모티프	주인공의 탄생에서 고귀한 혈통이나 천상인의 하강과 같은 적강 화소가 나타나지 않음.
위기 극복 방법	주인공이 자신의 힘보다는 초인의 도움으로 운명을 개척함.
자유연애 사상	전통적인 유교 윤리에서 벗어나 부모의 허락 없는 혼전 성사를 다룸.

전체 줄거리

발단	중국 송나라 문제 때 조웅의 아버지인 조 승상이 이두병의 참소로 자결하고, 조웅 모자는 이두병을 피해 도망침.
전개	황제가 죽자, 이두병은 태자를 유배 보내고 스스로 황제가 됨. 어머니와 함께 온갖 고생을 하며 유랑하던 조웅은 초월적 능력을 지닌 도사들에게 술법과 병법을 배움. ···▸ 수록 부분
위기	조웅은 어머니를 만나러 가던 중 장 소저를 만나 혼약함. 이때 서번이 위국을 침공하자 조웅은 위왕을 도와 서번군을 격파한 후 태자를 구출하고, 중국으로 와서 이두병 일파를 처단함.
절정	조웅은 위왕과 연합하여 이두병의 목을 베고, 태자를 천자 자리에 등극시킴.
결말	황실이 안정되고 조웅은 서번의 왕이 됨.

연계 작품

유사한 구조를 지닌 군담 소설: 작자 미상 「최현전」

기출 OX

Q1 이두병은 송 태자를 대신하여 자신의 큰아들을 동궁으로 봉했다. 기출 2015. 7. 고3 B (O | X)

Q2 원수 갚을 묘책을 생각하는 조웅의 모습에는 악에 맞서려는 선의 욕망이 나타나 있다. 기출 2015. 7. 고3 B (O | X)

이때 이두병이 스스로 황제라 일컫고 국법을 새로이 하여 각국 열읍에 공문을 보내 벼슬도 올려 주는지라. 여러 신하들이 모여 *동궁을 폐하여 *외객관으로 내치니, 후궁과 벼슬아치들과 내외궁의 노비 등이 하늘을 부르짖고 땅을 치며 끝없이 슬프고 마음 아파하니 ㉠푸른 하늘이 부르짖는 듯하고 태양도 빛을 잃은 듯하더라. 이때 왕 부인이 이러한 변을 보고 크게 놀라 실색하여,

"마땅히 죽으리로다." / 하며, 주야로 하늘을 향해 빌며 말하기를,

"웅의 나이 팔 세에 불과하니 죄 없는 것을 살려 주소서." / 하며 애걸하니, ㉡그 모습을 차마 보지 못하겠더라. 웅이 모친을 붙들고 만 가지로 위로하며 말하기를,

"모친은 불효자식을 생각하지 마시고, 천금같이 귀하신 몸을 보존하소서. 꿈같은 세상에 유한한 간장을 상하게 하지 마소서. 인생에서 죽는 일 하나만은 제왕도 마음대로 못하옵거늘, 어찌 한 번 죽음을 면하오리까? 짐작하옵건대 ㉢이두병은 우리의 원수요, 우리는 그의 원수가 아니오니, 어찌 조웅이 이두병의 칼에 죽겠사오리까? 조금도 염려치 마옵소서." / 하며, 분기를 참지 못하더라.

이때 이두병이 큰아들 관으로 동궁을 봉하고 국호를 고쳐 평순황제(平順皇帝)라 하고 연호를 새로 고쳐 건무(建武) 원년(元年)으로 삼았다.

이즈음에 송 태자를 외객관에 두었더니, 여러 신하들이 다시 간하여 태산 계량도에 유배하여 주거를 제한하고 소식을 끊게 하였다. 이날 왕 부인 모자가 태자께서 유배되었다는 말을 듣고 망극하여,

"우리 도망하여 태자를 따라 사생(死生)을 한 가지로 하고 싶으나 종적이 탄로 나면 이에 앞서 죽을 것이니 어찌 하리오?"

하며 모자가 주야로 통곡하더라. 하루는 웅이 황혼의 명월을 보며 원수 갚을 묘책을 생각하더니, 마음이 아득하고 *분기탱천(憤氣撑天)한지라. 울적한 기운을 참지 못하여 부인 모르게 중문에 내달아 장안 큰길 위를 두루 걸어 한 곳에 다다르니 여러 사람들이 모두 모여 시절 노래를 부르거늘, 들으니 그 노래는 이러하더라.

[A]
국파군망(國破君亡)하니 무부지자(無父之子) 나시도다.
문제(文帝)가 순제(順帝) 되고 태평(太平)이 난세로다.
천지가 불변하니 산천을 고칠소냐. / 삼강이 불퇴하니 오륜을 고칠소냐.
맑고 밝은 하늘에서 소슬히 내리는 비는
충신원루(忠信冤淚) 아니면 소란스럽게 구는 사람의 하소연이로다.
슬프구나 백성들아, 오호에 한 조각배를 타고 / 사해에 노니다가 시절을 기다려라.

웅이 듣기를 다함에 분을 이기지 못하고 두루 걸어 경화문에 다다라 대궐을 바라보니, ㉣인적은 고요하고 월색은 뜰에 가득한데 오리와 기러기 몇 쌍이 못에 떠 있고, 십 리나 되는 화원에 전 왕조의 경치와 풍물 아닌 것이 없더라. ㉤전 왕조의 일을 생각하니 일편단심에 굽이굽이 쌓인 근심이 갑자기 생각나는지라. 조웅이 담장을 넘어 들어가 이두병을 만나서 사생을 결단하고 싶으나 힘이 모자랄 뿐더러, 문안에 군사가 많고 문이 굳게 닫혀 있는지라 할 수 없어 그저 돌아서며 분을 참지 못하여 붓을 내어 경화문에 글자가 잘 보이도록 글자를 크게 써서 이두병을 욕하는 글 몇 구를 지어 쓰고는 자취를 감추어 돌아오더라.

- 동궁 '황태자'나 '왕세자'를 달리 이르던 말.
- 외객관 외국 사신을 접대하던 관사.
- 분기탱천 분한 마음이 하늘을 찌를 듯 격렬하게 북받쳐 오름.

답 Q1 O Q2 O

기출 변형 2015학년도 7월 고3 학력평가 B형

01 윗글을 통해 알 수 있는 내용으로 적절한 것은?

① 조웅은 왕 부인의 만류로 이두병과 대적하기를 포기했다.
② 왕 부인은 이두병이 황위에 오르자 조웅의 안위를 걱정했다.
③ 조웅 모자는 송 태자와 사생을 같이하겠다는 계획을 실행했다.
④ 조웅은 새로운 황제가 자신의 능력을 알아주지 않자 매우 분개했다.
⑤ 이두병은 송 태자를 유배 보내자는 신하들의 의견을 받아들이지 않았다.

기출 변형 2015학년도 7월 고3 학력평가 B형

02 ㉠~㉤에 대한 이해로 적절하지 않은 것은?

① ㉠: 새로운 황제의 등극에 대한 여러 사람의 슬픔을 비유적으로 표현하고 있다.
② ㉡: 조웅을 걱정하는 왕 부인의 간절한 마음을 편집자적 논평으로 드러내고 있다.
③ ㉢: 이두병과의 싸움의 결과를 긍정적으로 전망하는 조웅의 생각이 나타나 있다.
④ ㉣: 정적인 이미지로 정경을 묘사하여 낭만적인 분위기를 고조하고 있다.
⑤ ㉤: 이전 왕조에 대한 조웅의 충정과 현재 상황에 대한 근심이 직접적으로 제시되어 있다.

03 〈보기〉에서 [A]에 대한 설명으로 적절한 것을 골라 바르게 묶은 것은?

보기

ㄱ. 주인공의 고민을 해소하는 계기가 된다.
ㄴ. 주인공의 위기를 예고하는 복선이 된다.
ㄷ. 주인공의 정서를 심화하는 역할을 한다.
ㄹ. 주인공으로 대변되는 선의 회복을 추구하는 작가의 욕구가 드러나 있다.

① ㄱ, ㄴ ② ㄱ, ㄷ ③ ㄴ, ㄷ
④ ㄴ, ㄹ ⑤ ㄷ, ㄹ

04 〈보기〉를 이두병을 욕하는 글 몇 구라고 할 때, 조웅이 〈보기〉를 쓰면서 했을 생각으로 적절하지 않은 것은?

보기

송나라 황실이 쇠약하고 미미하니 간신이 조정에 가득하도다! 만민이 불행하여 황제의 상이 나셨도다! 동궁이 장성하지 못했으니 소인이 득세하는 때로다! 만고 소인 이두병은 벼슬이 일품이라. 무엇이 부족하여 역적이 되었단 말인가? 천명이 온전하거늘 네 어이 장수하리오. 동궁을 어찌하고 네가 옥새를 전수하느냐? *진시황의 날랜 사슴 임자 없이 다닐 때에 초패왕의 세상 덮는 기운과 범증의 신기한 능력으로도 임의로 못 잡아서 임자를 주었거늘, 어이할까 저 반적아! 부귀도 좋거니와, 신명을 돌아보아 송업을 끊지 말라. 광대한 천지간에 용납 없는 네 죄목을 조목조목 생각하니 한 줄의 글로도 기록하기 어렵도다.

이 글은 전조 충신 조웅이 삼가 쓰노라.

*진시황의 ~ 주었거늘: 진시황이 죽고 초패왕 항우가 용맹함과 비범한 능력을 가진 책사 범증이 있음에도 황제가 되지 못하고 결국 유방이 황제가 된 일을 말함.

① 이두병에 대한 분노를 우회적으로 표현해야겠어.
② 이두병에게 동조하는 신하들을 함께 비판해야겠어.
③ 고사를 인용하여 황위 찬탈의 부당함을 부각해야겠어.
④ 설의적 표현을 활용하여 글을 쓴 의도를 강조해야겠어.
⑤ 이두병을 낮잡아 이름으로써 새로운 황제의 권위를 인정하지 않음을 드러내야겠어.

05 〈보기〉를 참고하여 윗글을 이해한 내용으로 적절하지 않은 것은?

보기

영웅 소설에서 영웅의 일대기는 일반적으로 '천상계의 인물이 지상계에 하강하여 고귀한 혈통을 지니고 비정상적으로 잉태되거나 출생함. → 비범한 능력을 지닌 인물이 어려서 위기와 고난을 겪고 부모와 헤어져 죽을 고비에 이름. → 구출자나 양육자를 만나 위기에서 벗어남. → 자라서 다시 위기에 부딪힘. → 위기를 극복하고 승리자가 됨.'이라는 구조를 지닌다. 그런데 「조웅전」에서는 주인공의 탄생에서 고귀한 혈통이나 천상인의 하강과 같은 적강 화소가 나타나지 않는다.

① 윗글은 주인공이 어려서 위기를 겪는 부분에 해당하겠군.
② 윗글에서 이두병은 주인공이 겪는 고난의 원인을 제공하는 인물이군.
③ 조웅이 황혼의 명월을 보며 원수 갚을 묘책을 떠올리는 모습에서 그의 비범한 능력이 나타나는군.
④ 윗글이 영웅의 일대기 구조를 따른다면 결국에는 조웅이 황위를 찬탈한 이두병을 물리치고 승리하겠군.
⑤ 윗글에는 주인공의 비정상적 잉태나 출생이 나타나지 않는데, 이는 영웅의 일대기 구조를 변형한 것으로 볼 수 있겠군.

Q23 고전 소설

기출 EBS

정을선전(鄭乙善傳) | 작자 미상

▶출제 예감!

키워드 체크 #가정 소설 #계모와 전처 소생 간의 갈등 #처첩 갈등 #전기적 요소

핵심 포인트

「정을선전」에 나타난 갈등

추연 ⟷ 노 씨	충렬부인(추연) ⟷ 정렬부인
추연의 계모인 노 씨가 추연이 을선과 혼인하는 것을 시기하여 추연을 모해하여 죽게 만듦.	을선이 되살아난 추연을 충렬부인으로 봉하고 원비로 삼자, 정렬부인이 이를 시기하여 추연을 죽이려 함.

전체 줄거리

발단	좌승상을 지낸 정진의 아들 을선은 우승상을 지낸 유한경의 딸 추연과 혼인을 약속함.
전개	계모 노 씨의 음해로 첫날밤 을선에게 버림받은 추연은 자결하여 원혼이 됨. 훗날 자초지종을 들은 을선이 잘못을 깨닫고 금성산에서 신기한 구슬을 얻어 와 죽은 추연을 살림. ⋯ 수록 부분
위기	을선이 추연을 충렬부인으로 봉하여 원비로 삼자 을선과 먼저 혼인한 정렬부인이 추연을 시기해 을선이 출정한 사이 추연을 음해하고 옥에 가둠.
절정	추연은 시비들의 도움으로 탈옥하고, 추연의 소식을 듣고 돌아온 을선이 아들을 낳고 숨어 지내던 추연을 구함.
결말	정렬부인은 죽임을 당하고, 을선과 추연은 행복하게 살다가 한날한시에 죽음.

연계 작품

- 계모와 전처 소생 사이의 갈등이 나타난 작품: 작자 미상 「장화홍련전」
- 신랑의 오해로 버림받은 신부의 한이 나타난 작품: 서정주 「신부」

기출 OX

Q1 '유 승상'은 정공 부자가 떠날 당시 그들이 떠나는 이유를 알지 못했다. 기출 2014. 4. 고3 B (O | X)

Q2 '정 시랑'은 유 소저의 안색을 보고 노 씨와의 갈등이 있다는 것을 알아차렸다. 기출 2014. 4. 고3 B (O | X)

답 Q1 O Q2 X

[앞부분 줄거리] 좌승상을 지낸 정진희의 아들 을선과 우승상을 지낸 유한경의 딸 추연은 서로 혼인을 약속한 사이다. 추연의 생모는 추연이 태어난 지 3일 만에 죽고, 유한경은 후실로 노 씨를 들이게 되는데 노 씨는 추연을 박대한다. 한편 을선은 장원 급제하여 이부시랑이 되고 초왕으로 봉해진 아버지와 함께, 추연과 혼인하고자 유 소저의 집으로 간다.

각설, 이때 노 씨 매양 소저를 죽이고자 하더니, 일일은 독한 약을 음식에 넣어 소저를 주되 소저 마침 속이 불편한지라 이를 받아 유모에게 들게 하고 침소에 돌아와 먹으려 할새, 하늘의 살피심이 있어, 홀연 난데없는 바람이 일어나 티끌이 죽에 날려 들거늘 소저 티끌을 건져 문밖에 버리니 푸른 불이 일어나더라. 이에 크게 놀라 유모를 불러 연유를 말하니 유모도 함께 놀라 이에 개를 불러 죽을 먹이니, 그 개 즉시 죽거늘 소저와 유모 더욱 놀라 차후는 주는 음식을 먹지 아니하고 유모의 집에서 밥을 지어 수건에 싸다가 겨우 연명만 하더라. 〈중략〉

신부 수심이 가득하고 유모 눈물 흔적이 있거늘 심중에 이상하나 누구를 향하여 물으리오. 이에 맞절하고 침소로 나아가니 좌우에 향촉과 운무 병풍이 황홀한지라. 홀로 소저를 기다리더니 이윽고 유모 촉을 밝히고 들어오거늘 시랑이 팔을 들어 맞아 신부에게 자리를 청한 후에 촉을 물리고 원앙 이불을 펼치니 문득 창밖에 수상한 인적이 있거늘 마음에 놀라 급히 일어나 앉으니 어떤 놈이 말하되, / "네 비록 지금 벼슬을 하였으나 남의 계집을 품고 누웠으니 죽기를 아끼지 아니하는구나."

하거늘 창틈으로 엿보니 ㉠신장이 아홉 척이요, *삼척장검(三尺長劍)을 비껴 차고 섰거늘 이를 보니 전신이 떨리어 칼을 빼어 그놈을 죽이고자 하여 문을 열고 보았더라. 문득 간데없거늘 분을 참지 못하여 탄식하고 생각함에 '오늘 교배석에서 보니 수심이 가득하여 이상히 여겼더니 원래 이런 일이 있도다.' 하고 ㉡분을 이기지 못하여 칼을 들고 소저를 죽여 분을 풀고자 하다가 또 생각하되, '내 옥 같은 마음으로 어찌 저 더러운 계집을 침노하리요.' 하고 옷을 입고 급히 일어나니 소저 경황 중 가로되,

"군자는 잠깐 앉아 첩의 말을 들으소서."

하거늘 ㉢시랑이 들은 체 아니하고 나와 부친께 그 말을 고하고 바삐 가기를 청한대 초왕이 크게 놀라 바삐 승상을 청하여 지금 출발하여 상경함을 이르고 하인을 불러 행장을 차리라 하니 유 승상이 계단에 내려 물어 가로되,

"어찌된 연고로 이 밤에 상경코자 하십니까." / ㉣정공 부자 아무 대답 없이 출발하니라.

[A] 원래 이 간부(姦夫)로 칭하는 자는 노녀의 사촌 오라비 노태니 노 씨 지난날 독약을 시험하되 소저 무사함을 시기하여 밤낮으로 죽이기를 꾀하더니, 문득 길일이 다다르매 일계를 생각하고 이에 심복으로 노태를 불러 가만히 차사(此事)를 이르고 금은을 많이 주어 실행하라 함에 노태 금은을 욕심내어 삼척장검을 집고 달 밝은 밤에 소저 침소에 이르러 동정을 살피고 입에 담지 못할 말로 유 소저를 *갱참(坑塹)에 넣으니 가련하다.

유 소저 백옥 같은 몸에 누명을 얻으니 원정을 누구에게 말하리오. 분을 이기지 못하여 칼을 빼어 죽으려 하다가 다시 생각하니 '이렇듯 죽으면 내 일신이 옥 같음을 누가 알리오' 하고 이에 적삼을 벗어 손가락을 깨물어 피를 내어 혈서를 쓰니 눈물이 변하여 피가 되더라. 유 승상이 초왕을 보내고 급히 안으로 들어와 실상을 알고자 하나 ㉤노 씨는 모르는 체하고 먼저 물어 가로되, / "신랑이 무슨 연고로 심야에 급히 가나이까."

정답과 해설 62쪽

승상이 말하되, / "내 곡절을 모르매 제 노기 충천하여 일언을 부답하더니 어찌 연유를 알리요. 자세히 알고자 하노라."
노 씨 승상 귀에 대고 가로되, / "첩이 잠결에 듣사오니 신랑이 방문 밖에서 어떤 남자와 소리를 지르며 여차여차하니 아무거나 추연에게 물으소서."

- **삼척장검** 길고 큰 칼.
- **갱참** 깊고 길게 파 놓은 구덩이.

01 윗글의 인물에 대한 이해로 적절한 것은?

① 유 소저는 정 시랑과의 혼인을 부당하게 여기고 있다.
② 노태는 정 시랑이 유 소저를 오해하도록 만들고 있다.
③ 노 씨는 유 승상을 부추겨 유 소저의 혼사를 방해하고 있다.
④ 유 소저는 노 씨와 노태의 관계를 신중하게 탐색하고 있다.
⑤ 유 승상은 정공 부자에게 딸의 억울함을 적극적으로 항변하고 있다.

02 ㉠~㉤에 대한 설명으로 적절하지 않은 것은?

① ㉠: 수상한 인물의 외양을 묘사하여 긴장감을 조성하고 있다.
② ㉡: 유 소저에 대한 정 시랑의 심리를 직접적으로 드러내고 있다.
③ ㉢: 인물의 행동을 통해 사려 깊지 못한 성격을 보여 주고 있다.
④ ㉣: 침묵을 통해 유 소저를 향한 정공 부자의 분노를 드러내고 있다.
⑤ ㉤: 정 시랑이 떠난 이유를 알아내려는 노 씨의 치밀한 면모를 드러내고 있다.

기출 변형 2014학년도 4월 고3 학력평가 B형

03 [A]의 기능을 〈보기〉에서 골라 바르게 묶은 것은?

보기
ㄱ. 비유를 통해 인물의 능력을 부각하고 있다.
ㄴ. 사건의 내막을 설명하고 독자의 이해를 돕고 있다.
ㄷ. 대화를 통해 인물 간의 대립이 심화되는 과정을 보여 주고 있다.
ㄹ. 서술자가 직접 개입하여 인물의 상황에 대한 생각을 드러내고 있다.

① ㄱ, ㄴ ② ㄱ, ㄷ ③ ㄴ, ㄷ
④ ㄴ, ㄹ ⑤ ㄷ, ㄹ

고난도 기출 2014학년도 4월 고3 학력평가 B형

04 윗글의 서사 구조를 〈보기〉와 같이 나타냈을 때, 이에 대한 설명으로 적절하지 않은 것은?

보기

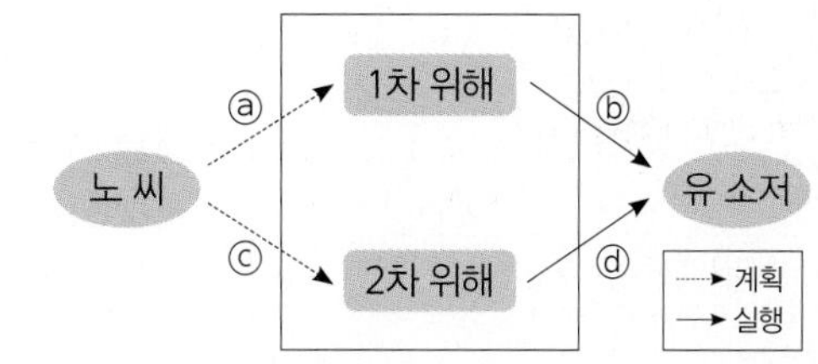

① ⓐ에서 노 씨는 자신을 ⓑ의 주체로 설정하고 있다.
② ⓑ에서 유모는 유 소저가 위기에서 벗어나도록 하는 조력자의 기능을 하고 있다.
③ ⓓ에서 노태는 노 씨의 사주를 받은 대로 ⓒ를 실행에 옮기고 있다.
④ ⓑ의 결과는 노 씨가 ⓒ를 하게 하는 내적 동기를 유발하고 있다.
⑤ ⓑ, ⓓ에서는 비현실적 요소가 개입되어 유 소저가 문제를 해결할 수 있는 단서가 되고 있다.

05 윗글과 〈보기〉를 비교하여 감상한 내용으로 적절하지 않은 것은?

보기
신부는 초록 저고리 다홍치마로 겨우 귀밑머리만 풀리운 채 신랑하고 첫날밤을 아직 앉아 있었는데, 신랑이 그만 오줌이 급해져서 냉큼 일어나 달려가는 바람에 옷자락이 문돌쩌귀에 걸렸습니다. 그것을 신랑은 생각이 또 급해서 제 신부가 음탕해서 그새를 못 참아서 뒤에서 손으로 잡아당기는 거라고, 그렇게만 알고 뒤도 안 돌아보고 나가 버렸습니다.
– 서정주, 「신부」 중

① 윗글과 〈보기〉 모두 신랑이 신부를 오해한 상황이 나타나 있군.
② 윗글의 '정 시랑'과 〈보기〉의 '신랑' 모두 경솔한 태도를 보이고 있군.
③ 윗글의 '정 시랑'과 〈보기〉의 '신랑' 모두 신부의 부정을 의심하고 있군.
④ 윗글의 '유 소저'는 〈보기〉의 '신부'와 달리 '정 시랑'에게 자신의 결백함을 해명하려고 시도했군.
⑤ 윗글의 '유 소저'는 〈보기〉의 '신부'와 달리 타인의 계략에 의해 혼인 파탄의 위기에 빠진 것이군.

『정을선전』 "유 소저 백옥 같은 몸에 누명을 얻으니 원정을 누구에게 말하리오."
작품 한 줄 Pick

고전 소설

Q24

기출 EBS

적성의전(翟成義傳) | 작자 미상

▶출제 예감!

키워드 체크 #권선징악 #부모에 대한 효 #형제 갈등 #구약(救藥) 모티프

공주 시녀를 명하여 갖은 갖가지 요리를 내어 오고, 성의에게 음식을 권하며 담화하더니, 문득 월색이 명랑하며 동남쪽에서 외기러기 슬피 우는 소리가 들리거늘, 성의 자연 심사가 울적해져서 귀를 기울여 들으니, 그 소리 점점 가까워 중천에서 금각당으로 돌아다니며 울거늘, 공주와 좌우 시녀 나와 하늘을 우러러 살피며 매우 이상히 여기더라. 성의 생각하되,

'이 짐승이 내가 기르던 기러긴가 보다!' / 하고 어린 듯 취한 듯 앉았더니 기러기 두 날개를 펴고 점점 내려와 성의 앞에 앉으며 몸을 늘이어 슬피 울거늘, 성의 그제야 분명히 본국 기러기 온 줄 알고 급히 두 손으로 기러기를 쥐고 그 등을 어루만지며 울어 왈,

"이제 기러기가 날아온 것은 왕후 마마가 승하하신 연고로다!"

하고 기절하거늘, 좌우 시녀 놀라 급히 다가가 일으키더라. 공주가 자세히 살펴보니 기러기 좌편 다리에 편지가 매여 있거늘, 끌러 본즉 봉투에 '안평국 국모는 아들 성의에게 부치노라.' 하였거늘, 공주 기이히 여겨 이르되,

"기러기 발에 봉서 달렸으니 그대는 정신을 수습하여 사연을 들으라!"

하고 ㉠편지를 떼어 보니 하였으되, [A] 하였더라.

성의 편지 듣기를 다하매 가슴이 미어지고 간장이 끊기는 듯하는 중에 한편으로 반가워 정신이 맑아져 바삐 일어나 절할 때에 문득 두 눈이 번개같이 뜨이니 구년 홍수에 햇빛을 본 듯, 깜깜한 밤에 달을 만난 듯, 황천에서 살아온 듯, 취한 듯 정신이 황홀한지라. 〈중략〉

왕비가 기러기만 보아도 성의를 본 듯하여 손으로 기러기를 덥석 안고 어루만지며 살펴보니 기러기가 발에 한 통의 편지를 매고 왔는지라. 일희일비하여 급히 풀어 뜯어 보니 그 사연에 이르기를,

"불효자 성의는 삼가 백배(百拜)하옵고 부왕 전하와 모비 마마께 올리나이다. 이별이 오래되었사온데 양 전하의 기후 강녕하심을 기러기 편으로 듣자오니 반갑고 설운 마음 헤아릴 길이 없사옵니다. 연전에 모비의 병환을 위하여 슬하를 떠나 서역을 갈 때에 천신만고 끝에 *십생구사(十生九死)로 수만 리 서천에 이르러 일영주를 얻었습니다. 돌아오던 도중 바다 가운데에서 포악한 변을 만나 뱃사람 일행을 모두 죽이고 장차 소자를 죽이려 할 때 거느린 군사 중에 태연이라 하는 사람의 힘을 입어 목숨은 보전하였으나 두 눈을 잃고 한 조각 나무판에 태워져 푸른 파도 속으로 밀쳤으니 십이 세 어린 것이 어찌 살기를 바라리오? 파도에 밀려서 지향 없이 가옵더니 여러 날 만에 겨우 한 섬에 다달았습니다." 〈중략〉

"모후는 무슨 까닭으로 이렇듯이 *비창(悲愴)하십니까?" / 왕비가 항의를 보고 잠잠하시거늘 항의가 일어나 사면을 살펴보니 서안에 일봉 ㉡서찰이 놓였고 또 기러기를 어루만지시거늘 자세히 보니 이는 곧 성의의 필적이었다. 항의가 말하기를,

"서간을 보오니 성의가 중국에 들어가 입신양명하여 부마가 되었다 하니 이는 부왕의 성덕이거늘 어찌 그리 슬퍼하십니까? 빨리 예단을 갖추어 마중 나가시옵소서."

하더라. 왕비가 그날로 예단을 갖추어 중로에 사신을 보내었다. 이때 상이 항의에게 *칙교(勅敎)하기를, '중전을 모시고 떠나지 말라' 하셨다.

차설, 항의가 마음속으로 헤아리되, ⓐ'성의가 틀림없이 죽은 줄로 알았는데 어찌하여 살았으며 이다지 영귀하게 되었는고. 만일 성의가 오면 나의 전후 행적이 발각되겠구나.'

핵심 포인트

인물 간의 갈등

적성의		적항의
• 안평국의 둘째 왕자 • 효를 실천하는 선한 인물	⟷	• 안평국의 첫째 왕자 • 동생을 시기하고 해하는 악한 인물

전체 줄거리

발단	안평국의 왕비가 병이 들자 둘째 아들 성의가 병을 치유할 일영주를 구하러 서역으로 떠남.
전개	성의가 선관의 도움으로 서역에서 일영주를 구함.
위기	첫째 아들 항의는 성의가 구한 일영주를 빼앗고 성의의 눈을 멀게 하여 바다에 던짐. 눈먼 성의는 중국 사신에게 구출되어 천자의 후원에 머물게 됨.
절정	공주와 사랑하게 된 성의는 어머니의 편지를 받고 감격하여 눈을 뜨고 공주와 결혼함. 항의가 천자의 사위가 되어 돌아오는 성의를 죽이려다 오히려 죽임을 당함. ⋯▸ 수록 부분
결말	성의는 안평국의 왕이 되어 선정을 베풂.

연계 작품

- **형제간의 갈등을 그린 작품**: 작자 미상 「선우태자전」
- **유사한 서사 구조를 지닌 작품**: 작자 미상 「바리데기 신화」

기출 OX

Q1 성의는 항의의 계략에 의해 서천으로 떠났다. 기출 2013. 4. 고3 B (O | X)

Q2 성의가 어머니를 위한 지극한 효성으로 수만 리 서천까지 일영주를 얻기 위해 갔다는 것으로 보아 유교적 덕목을 드러내고 있음을 알 수 있다. 기출 2018. 6. 모평 (O | X)

- **십생구사** 열 번 살고 아홉 번 죽는다는 뜻으로, 위태로운 지경에서 겨우 벗어남을 이르는 말.
- **비창** 마음이 몹시 상하고 슬픔.
- **칙교** 임금이 몸소 이름. 또는 그런 말씀이나 그것을 적은 포고문.

답 Q1 X Q2 O

하고 매우 근심하다가 한 계교를 생각하고 노복에게 분부하여 적부리를 부르니, 이 사람은 지혜와 용기가 매우 많았다. 이날 항의가 적부리를 청하여 후히 대접하고 말하기를,

"그대가 나를 위하여 오백 군사를 거느리고 중로에 나가 매복하였다가 성의 일행을 쳐서 함몰시키고 돌아오면 천금의 상을 아끼지 않겠다. 그리고 내 장차 왕이 되는 날 무거운 소임을 맡길 것이니 그대는 힘을 다하여 성사케 하라."

01 윗글에 대한 설명으로 적절하지 않은 것은?

① 사건을 요약적으로 제시하고 있다.
② 인물의 심리를 직접적으로 제시하고 있다.
③ 전기적 요소를 활용하여 흥미를 높이고 있다.
④ 주인공의 영웅적 활약상 위주로 서술되고 있다.
⑤ 선인과 악인의 대립 구도가 선명하게 드러나 있다.

02 ㉠과 ㉡에 대한 설명으로 가장 적절한 것은?

① ㉠은 주인공의 도약을 예고하는 복선이고, ㉡은 주인공의 위기를 예고하는 복선이다.
② ㉠은 주인공을 유혹하는 함정이고, ㉡은 주인공을 유혹에서 벗어나도록 돕는 대상이다.
③ ㉠은 주인공이 비범한 능력을 얻는 계기가 되고, ㉡은 주인공이 어려움에 직면하는 계기가 된다.
④ ㉠은 주인공의 내적 갈등을 해소해 주고, ㉡은 주인공과 주변 인물 간의 외적 갈등을 해소해 준다.
⑤ ㉠은 주인공이 신체적 장애에서 벗어나는 계기가 되고, ㉡은 주인공의 위기를 불러오는 계기가 된다.

기출 변형 2008학년도 7월 고3 학력평가

03 〈보기〉를 [A]의 내용이라고 할 때, 윗글과 〈보기〉를 연관 지어 추리한 내용으로 적절하지 않은 것은?

보기

슬프다! 어미를 위해 황당한 도사의 말만 듣고 좋은 궁궐을 떠나, 넓은 바다와 끝없는 파도를 헤치며 작은 배에 몸을 싣고 서천에 가 약을 얻었으니 너의 효성에 하늘이 감동하셨구나. 하지만 너의 소식이 없으니 슬프도다. 내 아들이여! 설마 물고기의 밥이 되었느냐? 어느 지방에 의탁하였느냐? 네 형이 너의 소식을 알아 오겠다고 가더니 무슨 이유인지 너는 오지 않고 다만 일영주만 가져왔으되 형의 말을 들어 보니 네가 간 서천은 불국이라, 네가 머리를 깎고 스님이 되어 불도를 위해 출가를 했다고 하는구나. 천만 번 생각해 보아도 네 형의 불측한 행실은 천하에 더 이상 없을지니, 너를 시기하여 행선 도중 불행한 화를 당하여 돌아오지 못하는 것은 아니냐? 네 거처에 나아가 보니 네가 기르던 외기러기가 슬피 울고 있어 사람의 마음을 요동케 하는구나.

① 왕비는 항의를 불신하고 있다.
② 성의는 공주의 도움으로 일영주를 구했다.
③ [A]를 쓸 당시 왕비는 성의의 소식을 알지 못했다.
④ 항의는 성의를 해하고 성의가 구한 일영주를 빼앗았다.
⑤ 성의는 어머니의 병을 고칠 약을 구하러 서천으로 떠났다.

기출 변형 2003학년도 10월 고3 학력평가

04 〈보기〉는 「바리데기 신화」의 줄거리이다. 윗글과 〈보기〉의 이야기 요소를 비교한 내용으로 가장 적절한 것은?

보기

옛날에 어떤 왕이 계속 딸만 낳았는데 그 일곱 번째 딸이 바리데기였다. 일곱째도 또 딸이라는 소리에 화가 난 왕은 딸을 갖다 버리도록 시켰다. 십여 년 후 왕과 왕후가 죽을병에 걸려 점을 쳐 보니 저승에 있는 약수를 먹어야 산다고 했다. 왕은 여섯 딸들에게 그 약을 가져올 것을 부탁했지만 여섯 딸들은 모두 거절했다. 이 소식을 들은 바리데기는 약수를 구하러 저승으로 떠난다. 공주는 수많은 역경을 겪지만 불보살의 도움으로 무사히 저승에 도착한다. 그러나 저승의 수문장이, 같이 살면서 아들 일곱을 낳아 주고 온갖 시중을 다 들어주어야 한다고 하였다. 그의 요구를 들어준 바리데기는 약수를 얻고 돌아와서 왕과 왕후를 살려 낸다. 바리데기는 만신의 왕인 무당이 되고 남편과 아들들도 각각 신이 되었다.

① 윗글의 주인공은 〈보기〉의 주인공과 달리 고귀한 혈통을 지니고 태어났다.
② 〈보기〉의 주인공은 윗글의 주인공과 달리 과업을 달성하도록 부모의 부탁을 받았다.
③ 윗글과 〈보기〉 모두 주인공의 과업 성취를 방해하는 존재가 있다.
④ 윗글과 〈보기〉 모두 주인공이 겪는 고난이 운명적으로 결정된 것이다.
⑤ 윗글과 〈보기〉 모두 주인공이 영예로운 지위를 획득하려는 목적으로 위험을 무릅쓴다.

05 ⓐ에 나타난 '항의'의 심정을 표현한 말로 가장 적절한 것은?

① 고립무원(孤立無援)
② 수구초심(首丘初心)
③ 전전긍긍(戰戰兢兢)
④ 풍수지탄(風樹之嘆)
⑤ 학수고대(鶴首苦待)

『적성의전』 "연전에 모비의 병환을 위하여 슬하를 떠나 서역을 갈 때에 천신만고 끝에 십생구사로 수만 리 서천에 이르러 일영주를 얻었습니다."

작품 한 줄 Pick

고전 소설 Q25

춘향전(春香傳) | 작자 미상

▶해법문학 Link
고전 산문 174쪽

교과서 [문] 천재(김), 비상 [국] 천재(박), 금성, 동아, 신사고, 지학사, 창비, 해냄 기출 EBS

키워드 체크 #판소리계 소설 #염정 소설 #해학적 #풍자적 #골계미

"사또께옵서 동부승지가 되셨단다."

춘향이 좋아하여, / "댁의 경사요. 그러면 왜 운단 말이오?"

"너를 버리고 갈 터이니 내 아니 답답하냐."

"언제는 남원 땅에서 평생 사실 줄로 알았겠소. ㉠나와 어찌 함께 가기를 바라리오. 도련님 먼저 올라가시면 나는 여기서 팔 것 팔고 추후에 올라갈 것이니 아무 걱정 마시오. 내 말대로 하면 궁색하지 않고 좋을 것이요. 내가 올라가더라도 도련님 큰댁으로 가서 살 수 없을 것이니 큰댁 가까이 방이나 두엇 되는 조그마한 집이면 족하오니 염탐하여 사 두소서. 우리 식구가 가더라도 공밥 먹지는 아니할 터이니 그렁저렁 지내다가, 도련님 나만 믿고 장가 아니 갈 수 있소. 부귀공명 재상가 요조숙녀를 가리어서 혼인할지라도 아주 잊지는 마옵소서. ㉡도련님 과거 급제하여 벼슬 높아 •임지로 떠나가서 신임 관리로 행차할 때 첩으로 내세우면 무슨 말이 되오리까? 그리 알아 조처하오."

"그게 이를 말이냐. 사정이 그렇기로 네 얘기를 아버님께는 못 여쭈고 어머님께 여쭈오니 꾸중이 대단하시더라. ㉢양반 자식이 부형 따라 지방에 왔다가 기생집에서 첩을 만나 데려가면 앞날에도 좋지 않고 조정에 들어 벼슬도 못 한다더구나. 불가불 이별이 될 밖에 별 수 없다."

춘향이 이 말을 듣더니 별안간 얼굴색을 바꾸며 안절부절이라. 붉으락푸르락 눈을 가늘게 뜨고 눈썹이 꼿꼿하여지면서 코가 벌렁벌렁하며 이를 뽀드득 뽀드득 갈며, 온몸을 수수잎 틀 듯하고 매가 꿩을 꿰 차는 듯하고 앉더니,

"허허. 이게 웬 말이오."

㉣왈칵 뛰어 달려들며 치맛자락도 와드득 좌르륵 찢어 버리고 머리도 와드득 쥐어뜯어 싹싹 비벼 도련님 앞에다 던지면서,

"무엇이 어쩌고 어째요. 이것도 쓸데없다."

거울이며 빗이며 두루 쳐 방문 밖에 탕탕 부딪치며, 발도 동동 굴러 손뼉치고 돌아앉아 •자탄가(自嘆歌)로 우는 말이,

"서방 없는 춘향이가 세간살이 무엇하며 단장하여 뉘 눈에 사랑받을꼬? 몹쓸 년의 팔자로다. 이팔청춘 젊은 것이 이별될 줄 어찌 알랴. 부질없는 이내 몸을 허망하신 말씀 때문에 신세 버렸구나. 애고 애고 내 신세야."

천연히 돌아앉아, 〈중략〉

"원수로다 원수로다 •존비귀천(尊卑貴賤) 원수로다. 천하에 다정한 게 부부간 정이건만 이렇듯 독한 양반 이 세상에 또 있을까. 애고 애고 내 일이야. ㉤여보 도련님 춘향 몸이 천하다고 함부로 버려도 되는 줄로 알지 마오. 박명한 신세 춘향이가 입맛 없어 밥 못 먹고 잠이 안 와 잠 못 자면 며칠이나 살 듯하오. 사랑에 병이 들어 애통해하다가 죽게 되면 가련한 내 영혼은 억울하게 죽은 귀신이 될 것이니, 존귀하신 도련님께 그것은 어찌 재앙 아니리오? 사람 대접을 그리 마오. 사람을 대하는 법이 그런 법이 왜 있을꼬. 죽고지고 죽고지고. 애고 애고 설운지고."

한참 이리 진이 빠지도록 서럽게 울 때 춘향 어미는 전후 사정도 모르고,

"애고 저것들 또 사랑싸움이 났구나. 어 참 아니꼽다. 눈구석에 •쌍가래톳 설 일 많이 보네."

핵심 포인트

「춘향전」의 갈등 양상과 사회상

춘향
↕ 사회 / ↕ 변학도

사회	변학도
신분적 제약과 신분 상승에 대한 욕구	수청 요구와 수절을 지키려는 의지
신분 차이가 있는 남녀의 사랑이 공인받기 어려운 사회	권력자가 백성을 핍박하는 현실

전체 줄거리

발단	춘향에게 반한 이몽룡은 춘향과 백년가약을 맺지만 이내 사또인 아버지를 따라 한양으로 떠남. ⋯ 수록 부분
전개	새로 부임한 사또 변학도는 춘향에게 수청을 강요하고, 이를 거절한 춘향은 옥에 갇힘.
위기	어사가 되어 남원에 돌아온 이몽룡은 신분을 감춘 채 걸인 행색을 하고 춘향을 만남.
절정	변학도의 생일잔치에 찾아간 이몽룡은 암행어사로 출두하고, 변학도는 봉고파직을 당함.
결말	옥에서 풀려난 춘향은 이몽룡과 함께 서울로 올라가고, 이몽룡과 백년해로함.

연계 작품

- 권력에 맞서 정절을 지킨 인물이 나타난 작품: 작자 미상 「도미 설화」
- 적극적인 여성이 등장하는 판소리계 소설: 작자 미상 「이춘풍전」 ⋯ 기출 딥러닝 198쪽

기출 OX

Q1 서술자가 직접적으로 개입하여 등장인물의 행위를 비판하고 있다.
기출 2010. 7. 고3 (O | X)

Q2 이 도령은 이별의 상황이 자신의 입장에서는 불가피한 것임을 드러내고 있다.
기출 2018. 9. 모평 (O | X)

- 임지 임무를 받아 근무하는 곳.
- 자탄가 자기의 신세나 처지를 탄식하여 부르는 노래.
- 존비귀천 사회적 지위나 신분의 높음과 낮음 또는 귀함과 천함.
- 쌍가래톳 양쪽 허벅다리에 생긴 멍울.

답 Q1 X Q2 O

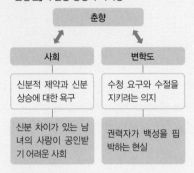

01 윗글의 표현상 특징으로 적절하지 않은 것은?

① 대화를 통해 사건의 진행 과정을 드러내고 있다.
② 치밀한 배경 묘사를 통해 현장감을 표현하고 있다.
③ 비속어를 사용하여 등장인물의 감정을 나타내고 있다.
④ 비유적인 표현을 통해 등장인물의 심리를 표현하고 있다.
⑤ 음성 상징어를 활용하여 등장인물의 행위를 구체적으로 나타내고 있다.

02 윗글의 인물에 대한 이해로 적절한 것은?

① 춘향의 어머니는 춘향에게 닥친 시련을 알고 있다.
② 이 도령은 춘향과의 만남을 아버지에게 말하지 않았다.
③ 춘향은 이 도령의 첩이 될 수밖에 없는 상황에 분노하고 있다.
④ 이 도령의 어머니는 아들의 출세보다 자신의 체면을 중시하고 있다.
⑤ 이 도령의 아버지는 아들의 감정보다 자신의 입신양명을 우선시하고 있다.

기출 변형 2018학년도 9월 모의평가

03 〈보기〉를 바탕으로 하여 '춘향'을 이해한 내용으로 가장 적절한 것은?

보기

여러 작품에서 '춘향'은 다양한 면모를 지닌 인물로 형상화되었다. '춘향'은 원치 않는 상황을 받아들이는 수용적 면모를 보이기도, 목표를 이루려 단호하게 행동하는 적극적 면모를 보이기도 한다. 신세를 한탄하며 절규하는 격정적 면모를 드러내는가 하면, 문제를 숙고하여 대응책을 모색하는 치밀한 면모를 표출하기도 한다. 한편 '춘향'은 당대 민중의 시각을 대변하는 면모를 지니기도 한다.

① 이 도령 앞에서 자탄가로 우는 모습에서 치밀한 면모를 확인할 수 있다.
② 이 도령에게 이별을 통보받은 뒤 보인 반응에서 격정적 면모를 확인할 수 있다.
③ 이 도령을 먼저 보내고 자신도 뒤따를 것이라고 말하는 모습에서 수용적 면모를 확인할 수 있다.
④ 이 도령에게 재상가의 요조숙녀와 혼인하라고 말하는 모습에서 적극적 면모를 확인할 수 있다.
⑤ 이 도령 아버지의 승진을 축하하는 모습에서 당대 민중의 시각을 대변하는 면모를 확인할 수 있다.

기출 변형 2014학년도 6월 고1 학력평가

04 ㉠~㉤에 대한 설명으로 적절하지 않은 것은?

① ㉠: 춘향은 당대의 사회 현실 및 이 도령과 자신의 신분 차이를 인지하고 있다.
② ㉡: 춘향은 이 도령을 통해 자신의 욕망을 달성하고자 한다.
③ ㉢: 이 도령의 효심으로 인해 춘향의 욕망이 실현되기 어려움을 알 수 있다.
④ ㉣: 욕망이 좌절된 것에 대한 춘향의 감정이 드러난다.
⑤ ㉤: 춘향은 자신의 욕망이 좌절된 원인이 신분 제도와 관련 있다고 생각한다.

05 윗글과 〈보기〉를 비교한 내용으로 적절하지 않은 것은?

보기

이 도령 말하기를,

"사또께서 호조 판서를 아니하고 이 고을 사또나 하시더면 이 이별이 없을 것을. 내게는 이런 원수가 없다마는 울지 마라. 우리 연분은 청송녹죽(青松綠竹) 같아서 무너지고 끊어질 줄 없을지니, 설마 후일 상봉하여 그리던 회포를 못 펴 볼까?"

슬픈 마음 달래 보며 마지못해 이별할 새, 눈물을 금치 못하는지라. 이 도령이 주머니를 열고 면경(面鏡)을 주며 말하기를,

"장부의 떳떳한 마음이 면경과 같아 변치 아니리라."

춘향이 답 말하기를,

"도련님이 이제 가면 언제나 오려시오? 절로 죽은 고목에 꽃 피거든 오려시오? 벽에 그린 황계 짧은 목 길게 늘여 두 날개 땅땅 치고 꼬끼오 울거든 오려시오? 금강산 상상봉에 물 밀어 배 둥둥 뜨거든 오려시오?"

하며 옥지환 벗어 내어 도련님 주며 말하기를,

"계집의 높은 절개는 이 옥지환과 같을지라. 천만년이 지나간들 옥빛이야 변하리까."

– 작자 미상, 「춘향전(경판본)」

① 윗글에서는 〈보기〉와 달리 춘향이 자신의 신세를 한탄하고 있다.
② 윗글에서는 〈보기〉와 달리 이 도령과 춘향의 생각이 대립하고 있다.
③ 〈보기〉에서는 윗글과 달리 이 도령이 춘향과의 재회를 확신하고 있다.
④ 〈보기〉에서는 윗글과 달리 춘향과 이 도령이 애정이 담긴 정표를 주고받고 있다.
⑤ 〈보기〉에서는 윗글과 달리 춘향과 이 도령이 이별의 상황을 거부하고자 하는 의지를 드러내고 있다.

『춘향전』 "여보 도련님 춘향 몸이 천하다고 함부로 버려도 되는 줄로 알지 마오."

작품 한 줄 Pick

기출 딥러닝

2011학년도 6월 고1 학력평가

[06 ~ 09] 다음 글을 읽고 물음에 답하시오.

[앞부분 줄거리] 평양으로 장사를 떠난 이춘풍은 기생 추월의 유혹에 넘어가 돈을 다 털리고 추월의 집 하인이 된다. 이 소식을 들은 춘풍의 처는 남장을 하고 신임 평양 감사의 회계 비장이 되어 평양으로 간다. 평양에서 춘풍의 처는 추월을 문초하여 춘풍의 돈을 돌려주도록 한 뒤 먼저 집으로 돌아와 남편의 귀가를 기다린다.

춘풍이 비장 덕에 돈 받아 실어 놓고 갓, 망건, 의복 치레하여 은안 준마(銀鞍駿馬) 높이 타고 경성을 올라와서 제 집을 찾아가니, ㉠이때 춘풍의 처 문밖에 썩 나서서 춘풍의 소매 잡고 깜짝 놀라며 하는 말이,

"어이 그리 더디던고. 장사에 소망 얻어 평안히 오시니까."

춘풍이 반기면서, / "그새 잘 있던가."

춘풍이 이십 아리 돈을 여기저기 벌여 놓고 장사에 남긴 듯이 의기양양하니, 춘풍 아내 거동 보소. 주찬을 소담히 차려 놓고,

"자시오." / 하니, 저 잡놈 거동 보소. 없던 교만한 태도 지어 내어 제 아내 꾸짖으되,

"㉡안주도 좋지 않고 술맛도 무미하다. 평양서는 좋은 안주로 매일 장취하여 입맛이 높았으니 평양으로 다시 가고 싶다. 아무래도 못 있겠다."

젓가락도 그릇 박고 고기도 씹어 버리며 하는 말이,

"평양 일색 추월이와 좋은 안주 호강으로 지내더니, 집에 오니 온갖 것이 다 어설프다. 호조 돈이나 다 셈하고 약간 전량 소쇄하여 전 주인에게 환전 부치고 평양으로 내려가서 작은집과 한가지로 음식을 먹으리라."

그 거동은 차마 못 볼러라. 춘풍 아내 거동 보소. ㉢춘풍을 속이려고 상을 물려 놓고 황혼시에 밖에 나가 비장 복색 다시하고 담뱃대를 한 발이나 빼쳐 물고 대문 안에 들어서서 기침하고,

"춘풍 왔느냐."

춘풍 자세히 보니 평양서 돈 받아 주던 회계 비장이라. 춘풍이 황겁하여 버선발로 뛰어 내달아 복지하여 여쭈오되,

"소인이 오늘 와서 날이 저물어 명일에 댁 문하에 문안코자 하옵더니, 나으리 먼저 행차하옵시니 황공만만하여이다." 〈중략〉

춘풍이 어쩌지 못하여 들어오니 비장이 가로되,

"그때 추월에게 돈을 진작 받았느냐."

춘풍이 왈, / "나으리 덕택에 즉시 받았나이다. 못 받을 돈 오천 냥을 일조에 다 받았사오니, 그 덕택이 태산 같사이다."

"그때 맞던 매가 아프더냐."

"소인에게 그런 매는 상이로소이다. 어찌 아프다 하리이까."

비장이 왈, / "네 집에 술이 있느냐."

춘풍이 일어서서 주안을 드리거늘, 비장이 꾸짖어 왈,

"네 계집은 어디 가고 내게 내외시키느냐. 네 계집 빨리 불러 술 준비 못 시킬소냐."

춘풍이 황겁하여 아무리 찾은들 있을쏘냐. 들며 나며 찾아도 없어 제 손수 거행하니, 한두 잔 먹은 후에 취담으로 하는 말이,

"네 평양에서 추월의 집 •사환할 제 형용도 참혹하고 거지 중 상거지라. 추월의 하인 되어 •봉두난발 헌 누더기 감발 버선 어떻더냐."

춘풍이 부끄러워 제 계집이 문 밖에서 엿듣는가 민망하건마는 비장이 하는 말을 제가 막을손가. 좌불안석하는 꼴은 혼자 보기 아깝더라.

비장 왈, / "남산 밑 박 승지 댁에 가 술이 대취하여 네 집에 왔더니, 시장도 하거니와 해갈(解渴)이나 하게 갈분(葛粉)이나 한 그릇 하여 오라."

춘풍이 황공하여 밖으로 내달아서 아무리 제 계집을 찾은들 어디 간 줄 알리오. 주적주적하더라. 비장이 꾸짖어 왈,

"네 계집을 어디 숨기고 나를 아니 뵈는고."

이 핑계 저 핑계를 대니, / "몹쓸 놈이로다. 평양 일을 생각하여 보라. 네가 집에 왔다고 그리 체중한 체하느냐."

춘풍이 갈분을 가지고 부엌에 나가서 죽 쑤는 꼴은 차마 우습더라. 한참 항적여서 쑤어 드리거늘, 비장이 조금 먹은 체하고 춘풍을 주며, / "먹으라. 추월의 집에서 깨어진 한 사발에 누룽밥 토장덩이에 이지러진 숟가락도 없이 먹던 생각하고 먹으라."

㉣춘풍이 받아 먹으며 제 아내가 밖에서 다 듣는가 속으로 민망히 여기더라. / 비장이 왈, / "밤이 깊었으니 네 집에서 자고 가리라." 하고 의복과 갓 망건을 벗으니, 춘풍이 감히 가란 말은 못 하고 속마음으로 해포 만에 그리던 아내 만나서 잘 잘까 하였더니, 비장이 잔다 하니 속으로 민망히 여기더라.

관망 탕건 벗어 웃옷을 훨훨 벗은 후 일어서니 완연한 계집이라. ㉤춘풍이 깜짝 놀라며 자세히 보니 제 계집이라. 춘풍이 어이없어 묵묵무언 앉았으니, 춘풍의 처 달려들으며,

"이 사람, 인제도 나를 모르시오."

춘풍이 그제야 아주 깨닫고 깜짝 놀라며 두 손을 마주 잡고,

"이것이 웬일인가, 평양 회계 비장으로서 지금 내 아내 될 줄 어이 알리. 이것이 생시인가 꿈인가 태중인가, 귀신이 내 눈을 어리어 이러한가."

하며 •파경(破鏡)이 부합(附合)하여 원앙금침에 옛정을 다시 이뤄 은근한 정이 비할 데 없더라.

– 작자 미상, 「이춘풍전(李春風傳)」

• **사환할** 심부름을 할.
• **봉두난발** 머리털이 쑥대강이같이 헙수룩하게 마구 흐트러짐. 또는 그런 머리털.
• **파경이 부합하여** 깨어진 거울이 서로 맞대어 붙어.

기출 변형 2015학년도 7월 고3 학력평가 A형

06 윗글의 인물에 대한 이해로 적절하지 않은 것은?

① 춘풍은 집안을 제대로 돌보지 않는 무능한 가장의 모습을 보여 준다.
② 춘풍은 기생 추월의 유혹에 넘어가 돈을 탕진한다는 점에서 부도덕한 남성의 모습을 보여 준다.
③ 춘풍이 집에 돌아와 하는 행동은 가장으로서의 권위의식을 버리지 못하는 남성의 모습을 보여 준다.
④ 춘풍의 처는 춘풍이 겪는 어려움을 해결한다는 점에서 적극적으로 문제를 해결하는 여성의 모습을 보여 준다.
⑤ 춘풍의 처는 남장을 하고 비장으로 일했다는 점에서 남성과 동등한 사회적 지위에 오른 여성의 모습을 보여 준다.

07 ㉠~㉤에 대한 설명으로 적절한 것은?

① ㉠: 춘풍의 사정을 모르는 아내의 감정이 드러난다.
② ㉡: 자신의 과오가 탄로 날까 봐 전전긍긍하는 춘풍의 심리가 드러난다.
③ ㉢: 춘풍에게 자신의 잘못을 깨닫게 하려는 아내의 의도가 담겨 있다.
④ ㉣: 갑자기 사라진 아내의 안위를 염려하는 춘풍의 모습이 나타난다.
⑤ ㉤: 자신의 기대가 충족된 것에 대한 춘풍의 만족감이 나타난다.

기출 2011학년도 6월 고1 학력평가

08 〈보기〉를 바탕으로 윗글을 감상할 때, 적절하지 않은 것은?

보기

사건	내용
사건 Ⅰ	춘풍이 귀가하여 춘풍의 처에게 호기를 부림.
⬇	
사건 Ⅱ	비장이 춘풍을 찾아와 대화를 나눔.
⬇	
사건 Ⅲ	춘풍과 춘풍의 처가 대화를 나눔.

① '사건 Ⅰ'에서 보인 춘풍의 태도가 '사건 Ⅱ'를 야기하고 있군.
② '사건 Ⅱ'에서 비장은 춘풍의 과거 행적을 춘풍의 처에게 폭로하는 역할을 하고 있군.
③ '사건 Ⅲ'에서는 춘풍의 처가 꾸민 일이 종결되고 있군.
④ '사건 Ⅲ'에서 춘풍은 춘풍의 처에게 '사건 Ⅰ'에서와는 다른 태도를 보이는군.
⑤ '사건 Ⅰ → 사건 Ⅱ', '사건 Ⅱ → 사건 Ⅲ'으로 바뀔 때 '복색'이 중요한 역할을 하고 있군.

09 윗글과 〈보기〉를 비교하여 감상한 내용으로 적절하지 않은 것은?

보기

"암행어사 출도야."
외치는 소리에 강산이 무너지고 천지가 뒤집히는 듯 초목금수(草木禽獸)인들 아니 떨랴. 남문에서,
"출도야."
북문에서,
"출도야."
동서문 출도 소리 청천(靑天)에 진동하고,
"모든 아전들 들라."
외치는 소리에 육방(六房)이 넋을 잃어,
"공형이오."
등채로 휘닥딱.
"애고 죽겠다."
"공방, 공방."
공방이 자리 들고 들어오며,
"안 하겠다던 공방을 하라더니 저 불속에 어찌 들랴."
등채로 휘닥딱.
"애고 박 터졌네."
좌수(座首), 별감(別監) 넋을 잃고 이방, 호방 혼을 잃고 나졸들이 분주하네. 모든 수령 도망갈 제 거동 보소. 인궤 잃고 강정 들고, 병부(兵符) 잃고 송편 들고, 탕건 잃고 용수 쓰고, 갓 잃고 소반 쓰고. 칼집 쥐고 오줌 누기, 부서지는 것은 거문고요, 깨지는 것은 북과 장고라. 본관 사또가 똥을 싸고 멍석 구멍 새앙쥐 눈 뜨듯 하고, 안으로 들어가서,
"어 추워라. 문 들어온다 바람 닫아라. 물 마르다 목 들여라."
관청색은 상을 잃고 문짝을 이고 내달으니, 서리, 역졸 달려들어 후닥딱.
"애고 나 죽네."

– 작자 미상, 「춘향전」

① 윗글은 〈보기〉와 달리 현재형 종결 어미가 빈번하게 사용되고 있군.
② 〈보기〉는 윗글과 달리 장면을 극대화하여 여러 인물이 분주하게 움직이는 모습을 묘사하고 있군.
③ 윗글과 〈보기〉는 모두 인물의 행동을 해학적으로 표현하고 있군.
④ 윗글과 〈보기〉는 모두 서술자가 작중에 개입하여 인물이나 상황에 대해 직접 논평하고 있군.
⑤ 윗글과 〈보기〉는 모두 양반이 사용하는 한문 투의 언어와 평민이 사용하는 일상어가 섞여서 나타나고 있군.

고전 소설 Q26

[교과서] [국] 미래엔 [기출] [EBS]

심청전(沈清傳) | 작자 미상

▶해법문학 Link 고전 산문 178쪽

키워드 체크 #판소리계 소설 #설화 소설 #교훈적 #효

핵심 포인트

「심청전」의 전체 구성

전반부
심청이 가난한 집에서 태어나 아버지를 봉양하며 고되게 살아감.

↓

전환점
심청이 인당수에 투신함.(죽음 – 통과 의례적 성격)

↓

후반부
심청이 용왕에게 구출되어 환생한 후 황후가 되어 살아감.

전체 줄거리

발단	심학규라는 봉사가 딸 심청을 홀로 어렵게 키움. 심청은 자라서 아버지를 극진히 봉양함.
전개	심 봉사는 공양미 삼백 석을 시주하면 눈을 뜰 수 있다는 중의 말에 시주를 약속함. 심청은 자신을 인당수 제물로 팔아 공양미를 마련하여 보내고 심 봉사와 이별함. ⋯→ 수록 부분 (가)
위기	인당수에 몸을 던진 심청은 용왕에게 구출되어 어머니와 재회하고, 연꽃 속에 들어가 다시 세상으로 환생함. ⋯→ 수록 부분 (나)
절정	뱃사람들이 연꽃을 천자에게 바치고 천자는 그 속에서 나온 심청을 아내로 맞이함. 심청은 맹인 잔치를 벌임.
결말	맹인 잔치에 참석한 심 봉사는 심청과 재회하여 눈을 뜸.

연계 작품

「심청전」의 내용에 영향을 준 설화: 작자 미상 「효녀 지은 설화」, 작자 미상 「관음사 연기 설화」

기출 OX

01 윗글에는 운명을 개척하는 심청의 모습이 두드러지게 나타나 있다. [기출] 2008. 3. 고2 (O | X)

02 윗글은 사람을 제물로 바치는 모티프를 활용하고 있다. [기출] 2008. 3. 고2 (O | X)

• **사궁지수** 사궁의 첫째. 늙어서 아내가 없는 홀아비를 뜻하는데, 여기서는 문맥상 '자식 없는 늙은이'를 가리킴.

답 01 X 02 O

(가) "아가 아가, 이상한 일도 있더구나. 간밤에 꿈을 꾸니, 네가 큰 수레를 타고 한없이 가 보이더구나. 수레라 하는 것이 귀한 사람이 타는 것인데 우리 집에 무슨 좋은 일이 있을란가보다. 그렇지 않으면 장 승상 댁에서 가마 태워 갈란가 보다."

심청이는 저 죽을 꿈인 줄 알고 짐작하고 둘러대기를, / "그 꿈 참 좋습니다."

하고 진지상을 물려 내고 담배 태워 드린 뒤에 밥상을 앞에 놓고 먹으려 하니 간장이 썩는 눈물은 눈에서 솟아나고, 아버지 신세 생각하며 저 죽을 일 생각하니 정신이 아득하고 몸이 떨려 밥을 먹지 못하고 물렸다. 그런 뒤에 심청이 사당에 하직하려고 들어갈 제, 다시 세수하고 사당 문을 가만히 열고 하직 인사를 올리기를,

"못난 여손(女孫) 심청이는 아비 눈 뜨기를 위하여 인당수 제물로 몸을 팔려 가오매, 조상 제사를 끊게 되오니 추모하는 마음을 이기지 못하겠습니다."

울며 하직하고 사당문 닫은 뒤에 아버지 앞에 나와 두 손을 부여잡고 기절하니, 심 봉사가 깜짝 놀라, / "아가 아가, 이게 웬일이냐? 정신 차려 말하거라." / 심청이 여쭙기를,

"제가 못난 딸자식으로 아버지를 속였어요. 공양미 3백 석을 누가 저에게 주겠어요. 남경 뱃사람들에게 인당수 제물로 몸을 팔아 오늘이 떠나는 날이니 저를 마지막 보셔요."

심 봉사가 이 말을 듣고,

[A] "참말이냐, 참말이냐? 애고 애고, 이게 웬 말인고? 못 가리라, 못 가리라. 너의 어머니 늦게야 너를 낳고 초이레 안에 죽은 뒤에, 눈 어두운 늙은 것이 품안에 너를 안고 이 집 저 집 다니면서 구차한 말 해 가면서 동냥젖 얻어 먹여 이만치 자랐는데, 내 아무리 눈 어두우나 너를 눈으로 알고, 너의 어머니 죽은 뒤에 걱정 없이 살았더니 이 말이 무슨 말이냐? 너하고 나하고 함께 죽자. 눈을 팔아 너를 살 터에 너를 팔아 눈을 뜬들 무엇을 보려고 눈을 뜨리? 어떤 놈의 팔자길래 •사궁지수(四窮之首) 된단 말이냐? 네 이놈 상놈들아! 장사도 좋지마는 사람 사다 제사하는 데 어디서 보았느냐? 하느님의 어지심과 귀신의 밝은 마음 앙화가 없겠느냐? 눈먼 놈의 무남독녀 철모르는 어린아이 나 모르게 유인하여 값을 주고 산단 말이냐? 옛글을 모르느냐? 칠년대한(七年大旱) 가물 적에 사람으로 빌라 하니 탕 임금 어지신 말씀, '내가 지금 비는 바는 사람을 위함인데 사람 죽여 빌 양이면 내 몸으로 대신하리라.' 몸을 정히 하여 상임 뜰에 빌었더니 수천 리 너른 땅에 큰 비가 내렸느니라. 이런 일도 있었으니 내 몸으로 대신 감이 어떠하냐? 돈도 싫고 쌀도 싫다, 네 이놈 상놈들아. 여보시오 동네 사람, 저런 놈들을 그저 두고 보오?"

(나) **[중간 부분 줄거리]** 심청은 제물이 되어 인당수에 빠지지만 옥황상제가 인당수 용왕과 사해용왕에게 심청을 삼 년 동안 받들고 단장하여 세상으로 돌려보내라는 명을 내려 목숨을 구하게 된다.

하루는 옥황상제께서 사해용왕에게 말씀을 전하시기를,

"심 소저 혼약할 기한이 가까우니, 인당수로 돌려보내어 좋은 때를 잃지 말게 하라."

분부가 지엄하시니 사해용왕이 명을 듣고 심 소저를 보내실 제, 큰 꽃송이에 넣고 두 시녀를 곁에서 모시게 하여 아침저녁 먹을 것과 비단 보배를 많이 넣고 옥 화분에 고이 담아 인당수로 보내었다. 이때 사해용왕이 친히 나와 전송하고 각궁 시녀와 여덟 선녀가 여쭙기를,

"소저는 인간 세상에 나아가서 부귀와 영광으로 만만세를 즐기소서."

01 윗글에 대한 설명으로 가장 적절한 것은?

① 비극적인 상황을 해학적으로 묘사하고 있다.
② 외양 묘사를 통해 인물의 성격을 나타내고 있다.
③ 대립적인 두 공간을 병치하여 사건을 전개하고 있다.
④ 특정 인물의 시각을 중심으로 사건을 서술하고 있다.
⑤ 인물 간의 대화를 통해 사건의 흐름을 드러내고 있다.

02 [A]에 나타난 '심 봉사'의 말하기 방식에 대한 설명으로 적절하지 않은 것은?

① 동일한 말을 반복하여 자신의 심정을 강조하고 있다.
② 과거의 일을 요약적으로 제시하며 상대방을 만류하고 있다.
③ 고사를 인용하여 상대방이 하려는 행위의 부당함을 부각하고 있다.
④ 의문문의 형식을 활용하여 상대방을 회유하려는 의도를 드러내고 있다.
⑤ 초월적 존재를 언급하며 상대방이 하려는 행위의 결과를 경고하고 있다.

고난도 기출 변형 2014학년도 3월 고3 학력평가 A형

03 〈보기〉를 통해 윗글을 이해한 내용으로 적절하지 않은 것은?

> 보기
>
> 희생과 보상의 관계를 통해 서사 구조가 형성되고 있는 이야기에서는 희생 자체가 갈등의 산물인 경우가 많으며, 이 희생이 갈등을 유발하면서 이야기가 전개된다. 따라서 보상은 희생 자체에 대한 보상임과 동시에 희생으로 인해 유발된 갈등의 해소를 의미하기도 한다.

① 뱃사람들이 심 봉사에게 내준 공양미 삼백 석은 심청의 희생에 대한 보상으로 볼 수 있다.
② 심청의 희생은 심 봉사가 눈뜨기를 바라는 심청의 욕구와 현실 간의 갈등이 빚어낸 결과로 볼 수 있다.
③ 심청이 사해용왕이 주는 비단과 보배를 받는 것은 자신의 희생으로 유발된 갈등을 스스로 해소하는 것으로 볼 수 있다.
④ 자신을 희생하여 효를 실천하고자 하는 심청과 이에 반대하는 심 봉사 간의 대립은 심청의 희생 결정이 불러일으킨 갈등으로 볼 수 있다.
⑤ 사당에 하직을 고하는 심청의 언행은 자신의 희생이 조상에 대한 불효로 이어지는 것에 대한 심리적 갈등을 드러낸 것으로 볼 수 있다.

기출 변형 2008학년도 3월 고2 학력평가

04 〈보기〉는 윗글 전체의 서사 구조를 정리한 것이다. 윗글과 〈보기〉를 관련지어 이해한 내용으로 적절하지 않은 것은?

> 보기
>
> | | |
> |---|---|
> | 1단계 (현실계) | 가난한 맹인의 집에서 출생한 심청이 고생하며 살다가 부친을 위해 인당수에 투신함. |
> | ⬇ | |
> | 2단계 (환상계) | 용왕들의 도움으로 심청은 수정궁으로 가고 선녀가 된 어머니를 만남. |
> | ⬇ | |
> | 3단계 (현실계) | 심청이 황후가 되어 맹인 잔치를 열어 심 봉사와 재회하고 심 봉사는 눈을 뜸. |
>
> 「심청전」에서는 환상계의 질서에 귀속되는 비현실성이 현실계에 영향력을 미쳐 사건 전개에 중요한 장치로 작용하고는 한다.

① 윗글의 뱃사람들은 〈보기〉의 1단계에 등장하는 인물이겠군.
② 윗글은 환상계를 속 이야기로 하는 액자식 구성을 취하고 있군.
③ 〈보기〉의 3단계로 미루어 볼 때, 윗글은 행복한 결말을 맺겠군.
④ 옥황상제는 심청이 환상계에서 현실계로 복귀할 수 있도록 돕는 역할을 하는군.
⑤ 환상계에 머물며 귀한 대접을 받던 심청이 현실계에서 황후가 되는 것은 환상계의 질서가 현실계까지 영향을 미치고 있음을 보여 준 것이군.

05 〈보기〉는 「숙영낭자전」의 줄거리이다. 윗글과 〈보기〉에 나타난 '죽음'의 공통적인 의미로 적절한 것은?

> 보기
>
> 숙영은 천상에서 죄를 짓고 인간 세상에 내려온 선녀로, 백상군의 외아들 선군은 꿈을 통해 숙영이 자신의 연분임을 알게 된다. 숙영과 선군은 하늘이 정한 기간인 3년을 기다리지 못하고 혼인을 한다. 선군이 과거를 보러 떠난 사이 시비 매월의 농간으로 누명을 쓴 숙영은 분함을 못 이겨 자결한다. 과거에 급제하여 돌아온 선군은 사건의 진상을 알게 되어 매월을 죽이고, 그의 꿈에 숙영이 나타나 자신이 3년 기한을 어긴 탓에 죽게 된 것임을 밝힌다. 숙영은 옥황상제의 은덕으로 회생하여 선군과 연분을 잇고 부귀영화를 누리다가 같은 날 함께 하늘로 올라간다.

① 재회와 도약을 위한 통과 의례이다.
② 깨달음을 얻기 위한 필연적인 과정이다.
③ 과거의 잘못을 속죄하고 용서받는 절차이다.
④ 악인을 처단하여 원한을 갚기 위한 장치이다.
⑤ 사회적 통념과 규제에 대해 저항하는 방법이다.

고전 소설 Q27

[기출]

토끼전 | 작자 미상

▶해법문학 Link
고전 산문 186쪽

키워드 체크 #우화 소설 #판소리계 소설 #인간 사회 풍자 #토끼의 간

핵심 포인트

배경의 상징적 의미와 배경에 따른 사건 양상

배경	용궁	육지
상징적 의미	지배 관료층의 세계	피지배층의 세계
사건의 양상	토끼가 살아남기 위해 꾀를 내어 용왕을 설득함.	위기를 벗어난 토끼가 자라를 조롱함.

「토끼전」의 주제 의식

표면적 주제	• 자라의 충성심 • 토끼의 지혜 • 허욕에 대한 경계
이면적 주제	• 서로 속이는 인간 세태 풍자 • 분수 넘치는 행위에 대한 경계 • 무능한 지배층에 대한 고발 및 풍자

전체 줄거리

발단	병이 든 동해 용왕은 토끼의 생간이 약이 된다는 말에 토끼를 잡아 오도록 자라를 육지로 보냄.
전개	자라는 토끼를 만나 감언이설로 유혹하고, 자라의 말에 속은 토끼는 자라를 따라 용궁으로 감.
절정	용왕은 간을 육지에 두고 왔다는 토끼의 거짓말을 믿고 자라를 시켜 토끼를 육지에 데려다줌. ⋯→ 수록 부분
결말	육지에 도착한 토끼는 숲속으로 달아나고 자라는 토끼에게 속았음을 탄식함. 용왕은 자신의 어리석음을 깨닫고 세상을 떠남. (※ 이본에 따라 결말이 다양함.)

연계 작품

우화적 기법을 사용하여 유교 이념을 풍자한 작품: 작자 미상 「장끼전」 ⋯→ 기출 딥러닝 204쪽

기출 OX

Q1 토끼가 수궁으로 간 이유는 봉건 체제의 수탈에서 벗어나 자신이 추구하는 이상 사회를 건설하기 위해서이다. [기출] 2013. 3. 고1 (O | X)

Q2 수궁에 도착한 다음 자라에게 속은 토끼는 용왕을 속이기 위해 애를 쓴다. [기출] 2013. 3. 고1 (O | X)

답 Q1 X Q2 O

"내가 뱃속에 깊은 병이 들어 백약이 효과가 없었는데 뜻밖에 도사의 말을 들으니 너의 간을 먹으면 효험을 보리라 하여 너를 잡아 왔으니, 너는 조그만 짐승이요, 나는 수궁 대왕이라 ㉠너의 뱃속에 든 간을 내어 나의 골수에 든 병을 낫게 함이 어떻겠는가?"

하고 토끼를 동여매라 명령한다. 이에 좌우 나졸들이 달려들어 결박하니 토끼가 몹시 놀라 어쩔 줄 모르다가 가만히 생각하기를,

'내 별주부에 속아 사지(死地)에 들어올 줄 어찌 알았는가?' / 하고 애통하여,

'이런 일을 당할 줄 알았으면 아무리 용궁이 좋다한들 어찌 들어왔으며, 내 몸이 편하고 인삼 두루마기에 천도 감투와 수정 지팡이를 하여 준들 용궁을 엿볼 개아들놈이 있겠는가? 고향을 이별하고 수로(水路) 천만리를 들어와 죽을 몸이 되었으니 애달프고 통분하다. 내 집에서는 이런 줄을 전혀 모르고 있겠지.'

하고, 한참 앉아 있다가 문득 한 꾀를 생각하고 *앙천대소(仰天大笑)하니 용왕이 묻기를,

"네 무슨 경황에 웃느냐?" / 토끼 얼굴빛을 고치지 않은 채 여쭙기를,

"소생(小生)이 웃음은 다름이 아니라 다만 별주부가 한 일에 대하여 웃습니다."

용왕이 말하기를, / "무슨 일인가?" / 토끼 또 웃고 말하기를,

"별주부 국록(國祿)을 먹고 임금을 섬긴다면 마땅히 온 힘을 다해 충성해야 할 것을 벽계수(碧溪水) 가에서 소생을 만났을 때 왕의 병환 말씀을 하였으면 조그만 간을 아끼지 않았을 것인데 그런 말을 조금도 하지 않고 오직 용궁 자랑만 하기에 소생이 생전에 용궁 구경할 뜻이 있었을 뿐 아니라 또한 세상인심이 극악하기에 이를 피하고자 들어왔더니 일이 이렇게 될 줄 어찌 알았겠습니까? 이 일은 비유컨대 급한 *곽란에 청심환(淸心丸) 사러 보냄과 같습니다."

용왕이 크게 노하여 말하기를, / "너의 말이 극히 간사하구나. 지금 간을 내라 하는데 무슨 딴말을 하는가?" / 하고 호령이 추상(秋霜)같으니,

㉡토끼 망극하여 방귀를 잘잘 뀌며 반쯤 웃으며 아뢰기를,

"세상 사람이 소생을 만나면 약에 쓰려고 간을 달라 하기에 소생이 이루 입막음을 할 길이 없어 간을 내어 깊숙한 곳에 감추어 두고 다녔던 바 마침 별주부를 만나 이렇게 될 줄 모르고 그저 들어왔습니다." / 하고 별주부를 돌아보며 꾸짖기를,

㉢"이 미련한 것아. 이제 용왕의 기색을 보건대 병세가 매우 위중하거늘 어찌 그 말을 하지 않았는가?" / 하니 용왕 더욱 노하여 말하기를,

"간이라 하는 것이 오장(五臟)에 달려 있거늘 어찌 임의로 넣었다 꺼냈다 하겠는가? 끝내 나를 업신여기려 하는구나." / 하고 좌우에 명하여,

"저놈을 바삐 배를 따고 간을 꺼내라."

[A]
하니, 토끼 망극하여 아뢰기를,

"지금 배를 가르고 보아 만일 간이 없으면 누구더러 달라 하며 죽은 자는 다시 살 수 없어 후회막급(後悔莫及)이니 소생의 명을 살려 주시면 간을 갖다가 바치겠습니다."

왕이 더욱 분노하여 좌우를 재촉하자 무사가 칼을 들고 달려들어 배를 가르려 하니, 토끼가 얼굴을 끝내 변하지 않고 급하게 아뢰되,

"소생이 간을 내어 두고 다니는 표적이 분명하오니 감하여 보십시오."

하니 용왕이 말하기를, / "무슨 표적이 있느냐?"

토끼 말하기를, / "소생의 다리 사이에 구멍이 셋이 있어 한 구멍으로는 대변을 보고 한 구멍으로는 소변을 통하고 한 구멍으로는 간을 출입하오니 살펴보십시오."

하니, 왕이 이상하게 여겨 좌우에게 명하여 토끼를 자빠뜨리고 사타구니를 살펴보니 과연 틀림이 없었다. 〈중략〉

"산중의 조그만 몸이라 대왕의 후대(厚待)를 입어 벼슬까지 봉하오시니 •불승 황감(不勝惶感)하는지라 청컨대 별주부와 함께 세상에 나가 간을 가져오겠습니다."

하니, 왕이 크게 기뻐하여 대연(大宴)을 배설하여 토끼를 대접할 새 •대사간(大司諫) 벼슬하는 자가사리가 아뢰기를, / "토끼의 말을 믿을 길 없사오니 토끼를 용궁에 머무르게 하고 별주부만 보내어 간을 가져오게 함이 마땅하다고 생각되옵니다."

하니, 토끼 내심(內心)에 자가사리를 ㉣소리 없는 조총(鳥銃)으로 쏘고 싶던 중 용왕이 크게 노하여 말하기를,

㉤"이미 정한 일에 네 무슨 잡말을 하는가?" / 하고 금부(禁府)에 내리라 했다.

- **앙천대소** 터져 나오는 웃음을 참을 수 없거나 어이가 없어서 하늘을 쳐다보고 크게 웃음.
- **곽란** 음식이 체하여 토하고 설사하는 급성 위장병.
- **불승 황감하는지라** 황송하고 감격스러운 감정을 억눌러 참아 내지 못하는지라.
- **대사간** 조선 시대에 둔, 사간원의 으뜸 벼슬. 품계는 정삼품으로, 임금에게 정사의 잘못을 간(諫)하는 일을 맡음.

01 윗글에 대한 설명으로 가장 적절한 것은?

① 인물 간의 대화를 통해 중심 사건을 전개하고 있다.
② 공간의 이동을 통해 장면이 전환되었음을 드러내고 있다.
③ 우의적 소재를 통해 사건 해결의 실마리를 제공하고 있다.
④ 과장된 표현을 활용하여 긴박한 상황을 역동적으로 보여 주고 있다.
⑤ 독백과 대화의 반복적 교차로 인물의 입체적인 성격을 보여 주고 있다.

02 [A]와 〈보기〉를 비교한 내용으로 적절하지 않은 것은?

보기

토끼가 당돌히 여짜오되

"대왕이 지기일(知其一)이요, 미지기이(未知其二)로소이다. 복희씨는 어이하야 사신인수(蛇身人首)가 되었으며 신농씨 어쩐 일로 인신우두(人身牛頭)가 되었으며, 대왕은 어찌하야 꼬리가 저리 지드란허옵고 소퇴는 무슨 일로 꼬리가 요리 묘뚝허옵고, 대왕의 옥체에는 비늘이 번쩍번쩍 소퇴의 몸에 난 털이 요리 송살송살. 까마귀로 일러도 오전 까마귀 쓸 게 있고 오후 까마귀 쓸 게 없으니 인생 만물 비금주수가 한가지라 뻑뻑 우기니 답답지 아니허오리까?"

용왕이 듣고 돌리느라고 / "그리허면 네 간을 내고 드리고 임의로 출입허는 표가 있느냐?" / "예! 있지요."

– 작자 미상, 「수궁가」

① [A]와 〈보기〉 모두 부정적 상황을 가정하고 있다.
② [A]와 〈보기〉 모두 상대방의 궁금증을 유발하고 있다.
③ [A]와 달리 〈보기〉는 고사를 이용하여 상대방을 설득하고 있다.
④ [A]와 달리 〈보기〉는 대구의 방식으로 대상의 특징을 나열하고 있다.
⑤ [A]와 달리 〈보기〉는 대비되는 대상들을 통해 말하고자 하는 바를 강조하고 있다.

03 ㉠~㉤에 대한 설명으로 적절하지 않은 것은?

① ㉠: 별주부가 토끼를 용궁으로 데려온 이유가 나타나 있다.
② ㉡: 용왕의 위세에 주눅이 든 토끼의 모습이 나타나 있다.
③ ㉢: 위기를 모면하기 위해 별주부에게 책임을 돌리는 토끼의 모습이 나타나 있다.
④ ㉣: 계획이 이루어지지 않을까 봐 초조해하는 토끼의 심리가 드러나 있다.
⑤ ㉤: 아랫사람의 조언을 무시하는 용왕의 권위적인 태도가 드러나 있다.

기출 변형 2009학년도 3월 고2 학력평가

04 윗글의 서사 구조를 〈보기〉와 같이 도식화했을 때, ⓐ~ⓔ에 대한 설명으로 적절하지 않은 것은?

보기

중심 공간	중심 소재	사건 전개 양상
ⓐ	ⓑ	ⓒ 토끼가 위기에 처함.
		ⓓ ⬇
		ⓔ 위기에서 벗어남.

① ⓐ는 '용궁'으로, 부당한 권력이 행사되는 세계를 상징한다.
② ⓑ는 사건의 발단이 되는 '토끼의 간'이다.
③ ⓒ는 '별주부'의 충성심에서 비롯된 것이다.
④ ⓓ는 '자가사리'의 도움으로 이루어졌다.
⑤ ⓔ는 강자에 대한 약자의 승리로 볼 수 있다.

기출 딥러닝

2013학년도 9월 고1 학력평가

[05~09] 다음 글을 읽고 물음에 답하시오.

[앞부분 줄거리] 아홉 아들과 열두 딸을 거느린 장끼와 까투리가 엄동설한에 먹을 것을 찾다가 붉은 콩 하나를 발견한다. 굶주린 장끼가 크게 기뻐하며 먹으려 하자 까투리는 지난밤의 불길한 꿈 이야기를 들려주며 콩을 먹지 말라고 만류한다.

장끼 고집 끝끝내 굽히지 아니하니 까투리 할 수 없이 물러났다. 그러자 ㉠장끼란 놈 얼룩 꽁지깃 펼쳐 들고 꾸벅꾸벅 고개짓하며 조츰조츰 콩을 먹으러 들어가는구나. 반달 같은 혓부리로 콩을 꽉 찍으니 두 •고패 둥그러지며 머리 위에 치는 소리 •박랑사 중에 저격시황하다가 버금 수레 맞히는 듯 와지끈 뚝딱 푸드드득 푸드드득 어찌할 수 없이 치었구나.

이 꼴을 본 까투리 기가 막히고 앞이 아득하여,

"저런 광경 당할 줄 몰랐던가. 남자라고 여자 말 잘 들어도 패가(敗家)하고 계집 말 안 들어도 망신하네."

하면서, 위아래 넓은 자갈밭에 자락 머리 풀어 헤치고 당글당글 뒹굴면서 가슴 치고 일어나 앉아 잔디 풀을 쥐어뜯어 가며 애통해하고 두 발을 땅땅 구르면서 성을 무너뜨릴 듯이 대단히 절통해한다. ㉡아홉 아들 열두 딸과 친구 벗님네들이 불쌍하다 탄식하며 조문 애곡하니 이 어찌 가련치 아니하리오. 까투리는 그 슬픈 가운데에서도,

[A] "공산 야월 두견새 소리 슬픈 회포 더욱 섧구나. 『자치통감(資治通鑑)』에 이르기를 좋은 약이 입에 쓰나 병에는 이롭고, 옳은 말은 귀에 거슬리나 행실에는 이롭다 하였으니, 당신도 내 말 들었더라면 이런 변 당할 리 없지. 애고 답답하고 불쌍하다. 우리 부부 좋은 금실 누구에게 말할 손가? 슬피 서서 통곡하니 눈물은 못이 되고 한숨은 비바람이 되는구나. 애고, 가슴에 불이 붙네. 이내 평생 어찌할꼬?"

아직 숨이 끊어지지 않은 장끼는 그래도 덫 밑에 엎디어서 하는 말이,

"에라 이년 요란하다! 호환(虎患)을 미리 알면 산에 갈 사람 어디 있겠나? 미련은 먼저 오고 지혜는 누구나 그 뒤의 일이니라. 죽는 놈이 탈 없이 죽을까? 그것은 그렇다 치고 사람도 죽고 삶을 맥으로 안다 하니 나도 죽지는 않겠나 어디 한 번 맥이나 짚어 보소."

까투리는 장끼의 말을 듣고 그러려니 여겨 장끼의 맥을 짚어 보다가,

"ⓐ비위맥은 끊어지고, 간맥은 서늘하고, 태충맥은 굳어져 가고 명맥은 떨어지오. 아이고 이게 웬일이오? 웬수로다."

장끼란 놈 몸을 한 번 푸드득 떨고 나서 또 하는 말이,

"맥은 그러하나 눈청을 살펴보게. •동자부처 온전한가?"

까투리는 장끼의 눈청을 살펴보고 나서는 한숨을 쉬면서,

"이제는 속절없네. 저편 눈의 동자부처 첫 새벽에 떠나가고, 이편 눈의 동자부처는 지금 막 떠나려고 파랑보에 봇짐 싸고 곰방대 붙여 물고 길목버선 •감발하네. 애고애고, 이내 팔자 이다지도 기박한가. 상부(喪夫)도 자주 하네, 첫째 낭군 얻었다가 보라매에 채여 가고, 둘째 낭군 얻었다가 사냥개에 물려 가고, 셋째 낭군 얻었다가 살림도 채 못 하고 포수에게 맞아 죽고, 이번 낭군 얻어서는 금실도 좋거니와 아홉 아들 열두 딸을 남겨 놓고 아들딸 혼사도 채 못 해서 구복(口腹)이 원수로 콩 하나 먹으려다 덫에 덜컥 치었으니 속절없이 영 이별하겠구나. 도화살을 가졌는가 상부살을 가졌는가, 이내 팔자 험악하네. 불쌍하다 우리 낭군, 나이 많아 죽었는가, 병이 들어 죽었는가. 망신살을 가졌는가, 고집살을 가졌는가. 어찌하면 살려 낼꼬. 앞뒤에 서 있는 자녀 누구와 혼인하며 뱃속에 든 유복자 해산구완 누가 할꼬. 운림초당(雲林草堂) 넓은 들에 백년초를 심어 두고 백년해로 하잤더니 단 삼 년이 못 지나서 •영결종천 이별초가 되었구나. 저렇게도 좋은 풍신 언제 다시 만나 볼꼬. ㉢명사십리 해당화야 꽃 진다고 한탄 마라. 너는 명년 봄이 되면 또다시 피려니와 우리 낭군 이번 가면 다시 오기 어려워라. 미망일세, 미망일세, 이내 몸이 미망일세."

한참 동안 통곡을 하니 장끼는 눈을 반쯤 뜨고,

"자네 너무 서러워 말게. 상부(喪夫) 잦은 자네 가문에 장가간 게 내 실수라. 이 말 저 말 잔말 말게. 죽은 자는 •불가부생(不可復生)이라, 다시 보기 어려울 테니 나를 굳이 보겠으면 내일 아침 일찍 먹고 덫 임자 따라가면 김천장에 걸렸거나 전주장에 걸렸거나 청주장에 걸렸거나, 그렇지 아니하면, ㉣감령도나 병영도나 수령도의 관청고에 걸렸든지, 봉물짐에 얹혔든지, 사또 밥상에 오르든지, 그렇지도 아니하면 혼인 •폐백건치 되리로다. 내 얼굴 못 보아 서러워 말고 자네 몸 수절하여 정렬부인 되어 주게. ㉤불쌍하다 불쌍하다, 이내 신세 불쌍하다. 우지 마라, 우지 마라, 내 까투리 우지 마라. 장부 간장 다 녹는구나. 자네가 아무리 슬퍼해도 죽는 나만 불쌍하네."

그러면서 장끼는 기를 벅벅 쓴다. 아래 고패 누르고 윗 고패 당기면서 버럭버럭 기를 쓰나 살길은 전혀 없고 털만 쑥쑥 다 빠진다.

– 작자 미상, 「장끼전」

- **고패** 꿩 잡는 덫에 목을 조르게 되어 있는 쇠.
- **박랑사 중에 ~ 맞히는 듯** 창해역사(滄海力士) 여홍성이 한나라 사람 장량과 함께 진시황을 박랑사에서 저격하였으나, 빗나가서 부관의 수레만 명중시킨 일을 말함.
- **동자부처** 눈동자에 비치어 나타난 사람의 형상.
- **감발** 과거에 먼 길 떠나는 사람들이 버선 대신 발에 감는 좁고 긴 무명.
- **영결종천** 죽어서 영원히 이별함.
- **불가부생** 다시 살 수 없음.
- **폐백건치** 신부가 시부모를 처음 뵐 때 폐백으로 쓰는 말린 꿩고기.

기출 2013학년도 9월 고1 학력평가

05 ㉠~㉤에 대한 설명으로 적절하지 않은 것은?

① ㉠: 의태어를 사용하여 인물의 행동을 생생하게 묘사하고 있다.
② ㉡: 서술자가 개입하여 인물이 처한 상황에 대해 논평하고 있다.
③ ㉢: 대상에 인격을 부여하여 인물의 정서를 드러내고 있다.
④ ㉣: 가정되는 상황의 나열을 통해 비극적 상황을 해학적으로 드러내고 있다.
⑤ ㉤: 통사 구조의 반복을 통해 죽음을 담담히 받아들이는 인물의 태도를 강조하고 있다.

기출 변형 2013학년도 9월 고1 학력평가

06 [A]에 나타난 말하기 방식으로 가장 적절한 것은?

① 감정에 호소하며 상대를 설득하고 있다.
② 차분한 어조로 자신의 내면을 성찰하고 있다.
③ 상황을 가정하여 상대의 행동을 지적하고 있다.
④ 요약적 진술을 통해 행동의 이유를 밝히고 있다.
⑤ 고서의 구절을 인용하여 자신의 실수를 정당화하고 있다.

고난도 기출 변형 2013학년도 9월 고1 학력평가

07 〈보기〉를 참고하여 윗글을 감상한 내용으로 적절하지 않은 것은?

보기

우화 소설은 인격화된 동식물을 주인공으로 설정하여 우회적으로 표현함으로써 당대의 사회 제도나 사상을 비판하거나 풍자하고, 교훈을 주기도 한다. 또한 서민들의 고통스러운 삶을 현실의 문제로 제기하거나 새로운 가치와 윤리 의식을 제시하기도 한다.

① 한겨울에 먹이를 찾아 헤매는 '장끼'의 모습을 통해 당시 서민들의 고단한 삶을 느낄 수 있었어.
② 등장인물을 사람 대신 '장끼'와 '까투리'로 설정한 것은 당대의 사회상을 우회적으로 비판하기 위함이겠군.
③ 꿈 이야기를 근거로 '장끼'를 만류하는 '까투리'를 통해 미신에 사로잡힌 당시 서민들의 모습을 풍자하고 있군.
④ 죽어 가면서도 '까투리'에게 수절을 요구하는 '장끼'의 말을 통해 개가를 금지하던 당대의 사회 제도를 비판하고 있군.
⑤ '장끼'가 '까투리'의 만류를 여자의 말이라고 무시하다가 죽는 것을 통해 남존여비 사상을 풍자하고자 했음을 알 수 있어.

기출 변형 2020학년도 9월 모의평가

08 〈보기〉는 윗글의 다른 대목이다. 〈보기〉에 나타난 '장끼'에 대한 설명으로 적절하지 않은 것은?

보기

'콩알 하나 없으니 주린 처자를 어이할꼬? 어떻든 협사촌의 서대주가 도적들과 아래위 낭청을 다니며 함께 도적하여 부유하다 하니 찾아가 얻어 보리라.'

하고 협사촌을 찾아간다. 허위허위 이 산 저 산 어정어정 걸어가며 생각하되,

'이놈이 본디 큰 쥐로 도적질하는 놈이니 무엇이라 부를꼬? 쥐라 해도 좋지 않고, 서대주라 해도 좋지 않으니, 이놈 부르기 어렵구나. 어떻든 대접함이 으뜸이라.'

길을 재촉해 협사촌을 찾아 서대주 집 문 앞에서 장끼 큰기침 두 번 하고,

"서동지 계시오?" 〈중략〉

서대주 웃으며 온갖 음식으로 대접하고 고금사를 문답하며 장끼를 조롱하며 벗하더니, 장끼 콧소리를 내며 말하기를,

"서동지께 청할 말이 있노라. 내 본시 넉넉지 못해 오늘까지 먹지 못하다가 처음 청하온데 양미 이천 석만 빌려주시면 내년 가을에 갚으리니 동지님 생각에 어떠시오?"

① '장끼'와 그의 가족은 양식이 떨어져 굶주리고 있었다.
② '장끼'는 겉과 속이 다른 태도로 '서대주'를 대하고 있다.
③ '장끼'는 곡식을 빌리면서도 당당한 태도를 잃지 않았다.
④ '장끼'는 가장으로서의 책무를 다하기 위해 노력하고 있다.
⑤ '장끼'는 '서대주'가 불의한 방법으로 부를 축적했음을 알고 있었다.

기출 변형 2013학년도 9월 고1 학력평가

09 ⓐ를 나타내기에 가장 적절한 것은?

① 감탄고토(甘呑苦吐)
② 내우외환(內憂外患)
③ 명재경각(命在頃刻)
④ 식자우환(識字憂患)
⑤ 호사다마(好事多魔)

고전 소설 Q28

허생전(許生傳) | 박지원

▶해법문학 Link 고전 산문 206쪽

교과서 [문] 지학사 [국] 천재(박), 비상(박안), 지학사
기출 EBS

키워드 체크 #매점매석 #사대부의 무능과 허례허식 #사회 개혁 촉구

“도둑질을 하면서 어찌 돈을 걱정할까? 내가 능히 당신들을 위해서 마련할 수 있소. 내일 바다에 나와 보오. 붉은 깃발을 단 것이 모두 돈을 실은 배이니, 마음대로 가져가구려.”

허생이 *군도와 언약하고 내려가자, 군도들은 모두 그를 미친놈이라고 비웃었다.

이튿날, 군도들이 바닷가에 나가 보았더니, 과연 허생이 삼십만 냥의 돈을 싣고 온 것이었다. 모두들 *대경(大驚)해서 허생 앞에 줄지어 절했다.

㉠“오직 장군의 명령을 따르겠소이다.” / “너희들, 힘껏 짊어지고 가거라.”

이에, 군도들이 다투어 돈을 짊어졌으나, 한 사람이 백 냥 이상을 지지 못했다.

“너희들, 힘이 한껏 백 냥도 못 지면서 무슨 도둑질을 하겠느냐? 인제 너희들이 양민(良民)이 되려고 해도, 이름이 도둑의 장부에 올랐으니, 갈 곳이 없다. 내가 여기서 너희들을 기다릴 것이니, 한 사람이 백 냥씩 가지고 가서 ㉡여자 하나, 소 한 필을 거느리고 오너라.”

허생의 말에 군도들은 모두 좋다고 흩어져 갔다.

허생은 몸소 이천 명이 1년 먹을 양식을 준비하고 기다렸다. 군도들이 빠짐없이 모두 돌아왔다. 드디어 다들 배에 싣고 그 빈 섬으로 들어갔다. 허생이 도둑을 몽땅 쓸어 가서 나라 안에 시끄러운 일이 없었다.

그들은 나무를 베어 집을 짓고, 대[竹]를 엮어 울을 만들었다. 땅기운이 온전하기 때문에 백곡이 잘 자라서, 한 해나 세 해만큼 걸러 짓지 않아도 한 줄기에 아홉 이삭이 달렸다. 3년 동안의 양식을 비축해 두고, 나머지를 모두 배에 싣고 장기도(長崎島)로 가져가서 팔았다. 장기라는 곳은 삼십만여 호나 되는 일본(日本)의 속주(屬州)이다. 그 지방이 한참 흉년이 들어서 *구휼하고 은 백만 냥을 얻게 되었다.

허생이 탄식하면서, / “이제 나의 조그만 시험이 끝났구나.”

하고, 이에 남녀 이천 명을 모아 놓고 말했다.

“내가 처음에 너희들과 이 섬에 들어올 때엔 먼저 부(富)하게 한 연후에 따로 문자를 만들고 의관(衣冠)을 새로 제정하려 하였더니라. 그런데 땅이 좁고 덕이 엷으니, 나는 이제 여기를 떠나련다. 다만, ㉢아이들을 낳거들랑 오른손에 숟가락을 쥐고, 하루라도 먼저 난 사람이 먼저 먹도록 양보케 하여라.”

다른 배들을 모조리 불사르면서, / “가지 않으면 오는 이도 없으렷다.”

하고 돈 오십만 냥을 바다 가운데 던지며,

“바다가 마르면 주워 갈 사람이 있겠지. 백만 냥은 우리나라에도 용납할 곳이 없거늘, 하물며 이런 작은 섬에서랴!”

했다. 그리고 글을 아는 자들을 골라 모조리 함께 배에 태우면서,

㉣“이 섬에 화근을 없애야 되지.” / 했다.

허생은 나라 안을 두루 돌아다니며 가난하고 의지 없는 사람들을 구제했다. 그러고도 은이 십만 냥이 남았다.

“이건 변 씨에게 갚을 것이다.”

허생이 가서 변 씨를 보고 / “나를 알아보시겠소?” / 하고 묻자, 변 씨는 놀라 말했다.

“㉤그대의 안색이 조금도 나아지지 않았으니, 혹시 만 냥을 실패 보지 않았소?”

허생이 웃으며,

핵심 포인트

허생의 행위에 담긴 작가의 현실 인식

허생의 행위	작가의 현실 인식
변 씨에게 빌린 돈으로 매점매석하여 돈을 벎.	• 조선의 취약한 경제 구조 지적 • 양반의 허례허식 비판
군도를 데리고 빈 섬에 들어감.	• 지배층의 무능 비판 • 이용후생의 실천 강조
이완 대장과 만나 북벌을 위한 계책을 제시함.	명분만 중시하는 집권층 비판

전체 줄거리

발단	가난하고 무능한 선비 허생이 처의 질책에 독서를 중단하고 집을 나섬.
전개	허생이 변 씨에게 빌린 돈으로 매점매석하여 큰돈을 벌고, 빈 섬에서 이상 사회 건설을 시도함. 집으로 돌아온 허생은 변 씨와 친분을 맺고, 조선의 취약한 경제 구조와 인재 등용의 불합리성을 비판함. ⋯› 수록 부분
위기	허생이 이완에게 세 가지 계책을 제안하나, 이완이 거절함.
절정	허생이 명분만 중시하는 집권층의 행태에 격분하여 이완을 크게 꾸짖음.
결말	허생이 종적을 감춤.

연계 작품

• **이상 세계의 건설이 나타난 작품:** 허균 「홍길동전」
• **「허생전」을 재해석한 현대 소설:** 최시한 「허생전을 배우는 시간」, 이남희 「허생의 처」

기출 OX

01 윗글에는 당시 사대부 계층에 대한 작가의 긍정적 태도가 드러나 있다. 기출 2005. 10. 고1 (O | X)

02 섬의 개간과 농사, 인근 지역과의 교역 등에서 이용후생(利用厚生)의 가치관이 드러나고 있다. 기출 2005. 10. 고1 (O | X)

답 01 X 02 O

"재물에 의해서 얼굴에 기름이 도는 것은 당신들 일이오. 만 냥이 어찌 도(道)를 살찌게 하겠소?" / 하고, 십만 냥을 변 씨에게 내놓았다.
"내가 하루아침의 주림을 견디지 못하고 글 읽기를 중도에 폐하고 말았으니, 당신에게 만 냥을 빌렸던 것이 부끄럽소."
변 씨는 대경해서 일어나 절하여 사양하고, 십 분의 일로 이자를 쳐서 받겠노라 했다. 허생이 잔뜩 역정을 내어,
"당신은 나를 장사치로 보는가?" / 하고는 소매를 뿌리치고 가 버렸다.

- **군도** 떼를 지어 도둑질을 하는 무리.
- **대경해서** 크게 놀라서.
- **구휼** 사회적 또는 국가적 차원에서 재난을 당한 사람이나 빈민에게 금품을 주어 구제함.

01 윗글에 대한 설명으로 적절하지 않은 것은?

① 말과 행동을 통해 인물의 가치관을 드러내고 있다.
② 과거와 현재의 시점을 오가며 사건을 진술하고 있다.
③ 일정 기간 동안의 사건을 요약적으로 제시하고 있다.
④ 특정 인물의 행적을 중심으로 이야기를 전개하고 있다.
⑤ 실제 지명을 활용하여 이야기의 사실감을 높이고 있다.

02 ㉠~㉤에 대한 설명으로 적절하지 않은 것은?

① ㉠: 허생에 대한 군도의 태도 변화가 나타나 있다.
② ㉡: 군도를 빈 섬에 정착하여 살게 하려는 허생의 의도가 나타나 있다.
③ ㉢: 사회를 이루고 살아가는 데 필요한 기본적인 규범을 제시하고 있다.
④ ㉣: 글을 배우는 일에 대한 허생의 회의적 인식이 드러나 있다.
⑤ ㉤: 물질에 연연하지 않는 허생의 면모를 엿볼 수 있다.

03 조그만 시험에 대한 이해로 적절하지 않은 것은?

① 빈곤에 따른 사회적 문제를 해결하려는 목적이 담겨 있다.
② 군도를 교화하여 양민으로 살도록 할 수 있는지 시험한 것이다.
③ 경제적 문제를 가장 먼저 해결해야 한다는 생각이 반영되어 있다.
④ 잉여 생산물을 활용하여 다른 나라와 교역할 수 있는지 시험한 것이다.
⑤ 농토를 개간하고 품종을 개량하여 생산량을 증대할 수 있는지 시험한 것이다.

고난도 기출 변형 2005학년도 10월 고1 학업성취도평가

04 〈보기〉를 바탕으로 윗글을 감상한 내용으로 가장 적절한 것은?

보기

소설은 허구적 상상력을 통해 현실을 바꾸고자 하는 작가의 욕망을 드러낸다. 「허생전」이 쓰일 무렵의 현실은 강력한 중앙 집권제에 의한 봉건 사회로, 왕권에 도전하는 어떠한 행위도 용납하지 않았다. 이러한 현실이 「허생전」에서는, 군도를 모아 주인공이 이상향을 건설하는 것으로 나타났다.

① 당대의 상황을 고려해 보면, 허생은 왕권에 도전하기 위해 군도를 이끈 것이겠군.
② 군도를 섬에 데리고 들어간 허생의 궁극적인 목적은 자신의 능력을 인정받기 위해서였을 거야.
③ 허생이 시도했던 이상향 건설은 '땅이 좁고 덕이 엷'다는 현실적 제약으로 인해 실패로 돌아갔군.
④ 허생이 군도를 모아 이상향을 건설하는 것으로 보아 작가는 반란을 통한 사회 변화를 시도했을 거야.
⑤ 작가가 「허생전」에 이러한 상황을 설정했다는 점에서 그만큼 당시 현실이 고통스러웠음을 알 수 있어.

05 '허생'을 〈보기〉와 같이 평가할 때, 밑줄 친 부분에 들어갈 내용으로 가장 적절한 것은?

보기

긍정적 평가	군도를 이끌고 빈 섬에 들어가 안정된 삶의 터전을 마련해 줌. ▶ 어려운 처지의 백성을 구제함. ▶ 자신의 이상을 실천하여 성과를 얻음.
부정적 평가	변 씨에게 자신을 장사치로 보느냐고 역정을 냄. ▶ ______________

① 타인의 감정에 공감하는 능력이 부족함.
② 돈의 가치를 잘 모르며 경제관념이 부족함.
③ 안분지족을 추구하는 사대부의 삶을 포기하지 못함.
④ 상황에 따라 처세를 바꾸는 표리부동한 면모를 지님.
⑤ 사농공상을 구별하는 계급적 사고에서 벗어나지 못함.

고전 소설 **29**

[교과서] [문] 미래엔, 해냄 [기출] [EBS]

호질(虎叱) | 박지원

▶해법문학 Link
고전 산문 210쪽

키워드 체크 #한문 소설 #우의적 #대화 형식 #양반의 위선적인 태도 #실학사상

정(鄭)나라 어느 고을에 벼슬을 좋아하지 않는 척하는 선비가 하나 있었으니, '북곽 선생(北郭先生)'이라 불리는 이였다. 나이는 마흔에 손수 •교감(校勘)한 책이 1만 권이요, 또 •구경(九經)의 뜻을 풀이해서 책으로 엮은 것이 1만 5천 권이었다. 천자(天子)가 그 뜻을 가상히 여기시고, 제후(諸侯)들은 그 이름을 흠모하였다.

같은 고을 동쪽에는 젊은 나이에 남편을 잃은 아리따운 과부 한 명이 살고 있었는데, 그 이름을 '동리자(東里子)'라 하였다. 천자는 동리자의 절개를 가륵히 여기시고 제후들은 어진 덕을 칭송하여 그 고을 사방 몇 리의 땅을 봉(封)하고는 '동리과부지려(東里寡婦之閭)'라고 이름 붙였다.

이렇듯 동리자는 수절하는 과부였음에도 불구하고 그의 아들 다섯은 모두 성이 달랐다. 하루는 그 다섯 아들들이 한밤에 모여 "강 북쪽엔 닭이 울고 강 남쪽엔 별이 반짝이는 ㉠이 깊은 밤에 ㉡방 안에서 들리는 소리가 어찌 이리 북곽 선생과 비슷한가." 하고는 서로 번갈아 가며 문틈으로 엿보았다. 동리자가 북곽 선생에게 부탁하였다.

"오랫동안 선생님의 덕을 흠모하여 왔습니다. 원컨대 ㉢오늘 밤 선생님의 글 읽는 소리를 듣고자 합니다."

북곽 선생은 옷깃을 여미고 꿇어앉아서 시 한 장(章)을 읊는다.

"병풍에는 원앙새요, 반딧불은 반짝반짝, 가마솥과 세발솥, 무얼 본떠 만들었나. •흥(興)이라."

다섯 아들이 서로 말했다.

[A]
"『예기(禮記)』에 '과부댁 문에는 함부로 들어서지 않는다.'고 했는데 북곽 선생은 현자이시니, 저 사람은 북곽 선생은 아닐 테고."
"내 듣기로, 정나라 성문이 헐어 여우 구멍이 생겼다던데."
"여우가 천 년을 묵으면 요술을 부려 사람 모양으로 변할 수 있다고 들었단 말이지. 저놈은 필시 여우가 북곽 선생으로 둔갑한 것일 게야."

"여우의 갓을 얻는 이는 천만금을 지닌 부자가 되고, 여우의 신을 얻는 이는 대낮에도 그림자를 감출 수 있다지. 그리고 여우 꼬리를 얻는 자는 남을 잘 꼬드겨 자신을 좋아하게 만든다고 하던데. 우리 저 여우 놈을 잡아 죽여서 나눠 갖는 게 어떨까?"

이에 다섯 아들이 함께 어미의 방을 에워싸고는 안으로 들이닥쳤다. 북곽 선생은 깜짝 놀라 부리나케 내빼면서 그 와중에도 행여 남들이 자신을 알아볼까 겁이 나 한 다리를 들어 목에다 얹고는 귀신마냥 춤추고 웃으며 문을 빠져나왔다. 그러고는 그렇게 달아나다가 ㉣벌판에 파 놓은 ㉤똥구덩이에 빠지고 말았다. 똥이 가득 찬 구덩이 속에서 버둥거리며 무언가를 붙잡고 간신히 올라와 목을 내밀어 살펴보니, 범 한 마리가 길을 막고 있었다. 범이 이맛살을 찌푸리고 구역질을 하며 코를 막은 채 얼굴을 외면하고 말한다.

"아이구! 그 선비, 냄새가 참 구리기도 하구나."

핵심 포인트

등장인물의 상징성

북곽 선생	[표면] 명망 높은 유학자 [실제] 동리자와 밀회함.
동리자	[표면] 절개 높은 열녀 [실제] 성이 다른 다섯 아들을 둠.

↑ 꾸짖음.(호질)

범	• 의인화된 비판자 • 작가의 의식을 대변하는 존재

전체 줄거리

발단	어느 고을에 학자로 존경받는 북곽 선생이라는 선비와 성이 다른 아들 다섯을 둔 과부 동리자가 있었음. ⋯➝ 수록 부분
전개	북곽 선생이 동리자의 방에서 밀회를 즐기고 있는데, 과부의 아들들이 북곽 선생을 천 년 묵은 여우로 의심하여 방으로 쳐들어옴. ⋯➝ 수록 부분
위기	북곽 선생은 도망치다 똥구덩이에 빠지고 간신히 빠져나왔을 때 먹이를 찾아 내려온 범과 마주침. ⋯➝ 수록 부분
절정	범은 북곽 선생의 위선과 인간들의 파렴치한 행동 등을 신랄하게 꾸짖고 사라짐.
결말	북곽 선생은 범이 사라진 줄도 모르고 머리를 조아린 채 비굴하게 목숨을 애걸하다가 일하러 나온 농부를 만나자 궁색한 자기변명을 함.

연계 작품

우화 형식으로 인간 세상을 풍자한 작품: 작자 미상 「토끼전」, 안국선 「금수회의록」

기출 OX

Q1 윗글은 위선적인 인물형을 내세워 당대 양반 계층의 이중적인 태도를 풍자하고 있다. [기출] 2006. 9. 고1 (O | X)

Q2 여우가 '사람 모양으로 변할 수 있다'는 말은 북곽 선생이 진정한 선비가 아님을 암시한다. [기출] 2012. 수능 (O | X)

• **교감** 같은 종류의 여러 책을 비교하여 차이 나는 것들을 바로잡음.
• **구경** 중국 춘추 시대의 아홉 가지 경서.
• **흥** 비유적인 다른 사물의 표현으로 분위기를 일으킨 후에 말하려고 하는 본뜻을 나타내면서 시를 짓는 방법.

답 Q1 O Q2 O

01 윗글에 대한 설명으로 적절하지 않은 것은?

① 인물을 희화화하여 해학성을 드러내고 있다.
② 인물에 대한 정보를 요약적으로 제시하고 있다.
③ 우화적 기법을 활용하여 주제를 표현하고 있다.
④ 구체적인 지명과 인명을 제시하여 사실성을 확보하고 있다.
⑤ 인물의 상황과 그에 따른 행동을 묘사하여 인물의 면모를 보여 주고 있다.

기출 변형 2006학년도 9월 고1 학력평가

02 [A]의 '다섯 아들'에 대한 독자의 반응으로 가장 적절한 것은?

① 고전을 근거로 들어 북곽 선생의 행동을 정당화하고 있군.
② 사람으로 둔갑한 여우의 변신술에 호기심을 느끼고 있군.
③ 북곽 선생의 명성 때문에 상황을 제대로 파악하지 못하고 있군.
④ 둔갑한 여우의 정체를 모르는 어머니에게 안타까움을 느끼고 있군.
⑤ 북곽 선생을 방에 몰래 들어오도록 허락한 어머니에게 실망하고 있군.

03 <보기>를 바탕으로 '범'의 역할에 대해 이해한 내용으로 가장 적절한 것은?

> 보기
>
> 「호질」이 창작되었을 당시의 유교 사회에서는 지배층에 대한 직접적인 비판이 용납되지 않았다. 작가는 「호질」에서 자신의 의식을 대변하는 대상인 '범'을 의인화하여 자신의 생각을 우회적으로 드러내고 풍자의 효과를 높이고자 했다.

① '얼굴을 외면하고 말'하는 모습을 통해 사회의 부조리를 모른 체하는 지배층을 풍자하고 있다.
② 북곽 선생을 '선비'라고 지칭하는 모습을 통해 신분제 사회에 대한 문제의식을 제기하고 있다.
③ '냄새가 참 구리'다고 말하는 모습을 통해 지배층의 위선과 비도덕적인 모습을 폭로하고 있다.
④ '길을 막고 있'는 모습을 통해 부패한 지배층을 단죄하고자 하는 작가의 의도를 드러내고 있다.
⑤ '구덩이 속에서 버둥거리'는 북곽 선생을 구해 주는 모습을 통해 지배층의 무능함을 비판하고 있다.

기출 변형 2012학년도 수능

04 ㉠~㉤에 대한 이해로 적절하지 않은 것은?

① ㉠: 북곽 선생의 본색이 드러나는 시간이다.
② ㉡: 북곽 선생의 욕망이 표출되는 공간이다.
③ ㉢: 북곽 선생의 위선이 부각되는 시간이다.
④ ㉣: 북곽 선생이 자신을 성찰하는 공간이다.
⑤ ㉤: 북곽 선생의 타락을 상징하는 공간이다.

05 윗글의 등장인물에 대한 평가로 가장 적절한 것은?

① 깊은 밤 시를 읊는 북곽 선생의 모습은 선비의 호연지기(浩然之氣)를 느끼게 하는군.
② 둔갑한 여우를 잡으려 하는 다섯 아들의 모습에서 기호지세(騎虎之勢)를 느낄 수 있어.
③ 오랫동안 사모해 온 북곽 선생에게 시를 청해 듣는 동리자는 일편단심(一片丹心)을 품은 사람이라 할 수 있어.
④ 다섯 아들에게 쫓겨 방에서 나온 후에 북곽 선생이 보여 준 모습은 명불허전(名不虛傳)이라는 말을 의심하게 하는군.
⑤ 천자가 가상히 여기고 제후가 흠모하는 북곽 선생과 동리자는 명실상부(名實相符)라는 말이 꼭 들어맞는 인물들이야.

기출 변형 2002학년도 7월 고2 학력진단평가

06 '북곽 선생'을 비판할 때 인용할 수 있는 시조로 가장 적절한 것은?

① 가마귀 빠호ᄂᆞᆫ 골에 백로(白鷺)야 가지 마라
셩낸 가마귀 흰빗ᄎᆞᆯ 새오나니
청강(淸江)에 좋이 시슨 몸을 더러일까 ᄒᆞ노라
- 정몽주의 어머니

② 가마귀 검다 ᄒᆞ고 백로(白鷺)야 웃지 마라
것치 거믄들 속조차 거믈소냐
아마도 것 희고 속 검을손 너뿐인가 ᄒᆞ노라
- 이직

③ 청산(靑山)은 내 뜻이오 녹수(綠水)ᄂᆞᆫ 님의 정(情)이
녹수(綠水) 흘러간들 청산(靑山)이야 변(變)ᄒᆞᆯ손가
녹수(綠水)도 청산(靑山)을 못 니져 우러 예어 가ᄂᆞᆫ고
- 황진이

④ 나모도 아닌 거시 플도 아닌 거시
곳기ᄂᆞᆫ 뉘 시기며 속은 어이 뷔연ᄂᆞᆫ다
뎌러코 ᄉᆞ시(四時)예 프르니 그를 됴하ᄒᆞ노라
- 윤선도

⑤ ᄆᆡ암이 ᄆᆡᆸ다 울고 쓰르람이 쓰다 우니
산채(山菜)를 ᄆᆡᆸ다는가 박주(薄酒)를 쓰다는가
우리는 초야(草野)에 뭇쳐시니 ᄆᆡᆸ고 쓴 줄 몰ᄂᆡ라
- 이정신

고전 수필 Q30

기출 EBS

주옹설(舟翁說) | 권근

▶해법문학 Link
고전 산문 102쪽

키워드 체크 #설(說) #교훈적 #우의적 #위험한 배 #역설적 발상

손[客]이 주옹(舟翁)에게 묻기를,

"그대가 배에서 사는데, 고기를 잡는다 하자니 낚시가 없고, 장사를 한다 하자니 돈이 없고, *진리(津吏) 노릇을 한다 하자니 물 가운데만 있어 왕래(往來)가 없구려.

㉠변화불측(變化不測)한 물에 조각배 하나를 띄워 가없는 만경(萬頃)을 헤매다가, 바람 미치고 물결 놀라 돛대는 기울고 노까지 부러지면, 정신과 혼백(魂魄)이 흩어지고 두려움에 싸여 명(命)이 지척(咫尺)에 있게 될 것이로다. 이는 지극히 ㉡험한 데서 위태로움을 무릅쓰는 일이거늘, 그대는 도리어 이를 즐겨 오래오래 물에 떠가기만 하고 돌아오지 않으니 무슨 재미인가?"

하니,

주옹이 말하기를,

"아아, 손은 생각하지 못하는가? 대개 사람의 마음이란 다잡기와 느슨해짐이 *무상(無常)하니, 평탄한 땅을 디디면 태연하여 느긋해지고, ㉢험한 지경에 처하면 두려워 서두르는 법이다. 두려워 서두르면 조심하여 든든하게 살지만, 태연하여 느긋하면 반드시 흐트러져 위태로이 죽나니, 내 차라리 위험을 딛고서 항상 조심할지언정, 편안한 데 살아 스스로 쓸모없게 되지 않으려 한다.

하물며 내 배는 정해진 꼴이 없이 떠도는 것이니, 혹시 무게가 한쪽으로 치우치면 그 모습이 반드시 기울어지게 된다. 왼쪽으로도 오른쪽으로도 기울지 않고, 무겁지도 가볍지도 않게 내가 배 한가운데서 평형을 잡아야만 기울어지지도 뒤집히지도 않아 내 배의 평온을 지키게 되나니, 비록 ㉣풍랑이 거세게 인다 한들 편안한 내 마음을 어찌 흔들 수 있겠는가?

또, 무릇 인간 세상이란 한 거대한 물결이요, 인심이란 한바탕 큰 바람이니, 하잘것없는 내 한 몸이 아득한 그 가운데 떴다 잠겼다 하는 것보다는, 오히려 ㉤한 잎 조각배로 만 리의 부슬비 속에 떠 있는 것이 낫지 않은가? 내가 배에서 사는 것으로 사람 한 세상 사는 것을 보건대, 안전할 때는 *후환(後患)을 생각지 못하고, 욕심을 부리느라 나중을 돌보지 못하다가, 마침내는 빠지고 뒤집혀 죽는 자가 많다. 손은 어찌 이로써 두려움을 삼지 않고 도리어 나를 위태하다 하는가?"

하고,

주옹은 뱃전을 두들기며 노래하기를,

아득한 강 바다여, *유유(悠悠)하여라.
빈 배를 띄웠네, 물 한가운데.
밝은 달 실어라, 홀로 떠가리.
한가로이 지내다 세월 마치리. [A]

하고는 손과 작별하고 간 뒤, 더는 말이 없었다.

핵심 포인트

손과 주옹의 관점 차이

손	항상 위태로운 지경에 놓인 배 위에서의 삶을 위험하다고 여김.	일반적인 상식과 통념을 지님.
↕		
주옹	위태로운 지경에서 더욱 조심하고 경계하므로 오히려 안전하다고 생각함.	새로운 관점으로 삶의 이치를 통달함.

연계 작품

질문과 대답의 형식으로 삶의 교훈을 전하는 작품: 이규보 「경설」, 이규보 「용풍」

기출 OX

Q1 윗글에는 현실을 초탈한 삶의 여유가 담겨 있다. 기출 2004. 5. 고3 (O | X)

Q2 윗글은 경험과 사색을 통해 얻은 진리를 밝히고 있다. 기출 2002. 7. 고3 (O | X)

- **진리** 나루터를 관리하는 벼슬아치.
- **무상하니** 일정하지 않고 늘 변하는 것이니.
- **후환** 어떤 일로 말미암아 뒷날 생기는 걱정과 근심.
- **유유하여라** 움직임이 한가하고 여유가 있구나.

답 Q1 X Q2 O

01 윗글에 대한 설명으로 적절하지 않은 것은?

① 질문과 이에 대한 대답으로 구성되어 있다.
② 역설적 발상을 통해 독자에게 교훈을 주고 있다.
③ 추상적인 대상을 사물에 비유하여 구체화하고 있다.
④ 운명론적 시각으로 현실의 문제에 대한 해결 방안을 제시하고 있다.
⑤ 대조적인 공간에서 나타나는 삶의 태도를 통해 주제를 이끌어 내고 있다.

02 윗글에 나타난 '주옹'의 말을 〈보기〉와 같이 요약할 때, 괄호 안에 들어갈 말로 가장 적절한 것은?

보기

배 위의 삶	• 위험을 딛고 조심하며 사는 삶 • 치우침 없이 중심을 지키는 삶
인간 세상	• 풍랑이 있는 위험한 곳 • ( )

① 욕심을 좇다가 잘못된 결과를 맞을 수 있는 곳
② 유혹이 많아 편안한 마음을 유지할 수 없는 곳
③ 정해진 기준에 맞춰 수동적으로 살아야 하는 곳
④ 거대한 물결에 맞서 두려움을 이겨 내야 하는 곳
⑤ 망망대해와 같아 나아가야 할 방향을 알 수 없는 곳

기출 변형 2002년 7월 고3 학력진단평가

03 ㉠~㉤ 중, 의미하는 바가 다른 하나는?

① ㉠ ② ㉡ ③ ㉢
④ ㉣ ⑤ ㉤

04 〈보기〉를 참고하여 [A]를 이해한 내용으로 적절하지 않은 것은?

보기

'주옹'은 작가가 전달하고자 하는 핵심 의도를 우의적으로 나타내는 인물로 작가의 변형된 모습이라 할 수 있다. 글을 마무리하는 노래는 '주옹'의 삶의 태도를 집약적으로 드러내어 주제를 강조하고 여운을 남기는 역할을 한다.

① '아득한 강 바다'는 인간의 한평생을 빗댄 표현이군.
② '빈 배'는 주옹 자신을 의미하는 표현이군.
③ '물 한가운데'는 늘 위험을 경계해야 하는 공간이군.
④ '밝은 달 실어라'는 욕심 없는 삶의 태도를 드러내는군.
⑤ '한가로이 지내다'는 후환 없는 안전한 삶을 추구하는 태도를 나타내는군.

05 윗글의 '주옹'이 〈보기〉의 '거사'에게 할 수 있는 말로 가장 적절한 것은?

보기

거사(居士)는 게으름 병이 있었는데, 찾아온 손님에게 다음과 같이 말하였다.

"세월이 빨리 흘러가는데도 오히려 게으름을 붙여 두고, 몸은 왜소한데도 여전히 게으름을 지니고 있소. 집 한 채가 있는데 풀이 우거져도 게을러 깎지 않고, 천 권의 책이 있는데 좀이 먹어도 게을러 펼쳐 보지 않고, 머리가 헝클어져도 게을러 빗지 않고, 몸에 옴이 있어도 게을러 치료하지 않소. 남들과 노는 것도 게으르며, 남들과 왕래하는 것도 게으르오. 입은 말하는 데 게으르고, 발은 걷는 데 게으르며, 눈은 보는 데 게으르오. 땅을 밟거나 일을 하거나 게으르지 않는 것이 없소. 이와 같은 병은 어떤 방법으로 고칠 수 있겠소?"

- 이규보, 「용풍」 중

① 이미 달관의 경지에 이르렀으니 급하게 서두를 필요가 없습니다.
② 세월은 흐르는 물결과 같아서 손으로 잡으려 해도 계속 흘러갈 것입니다.
③ 인생은 물 위에 뜬 조각배와 같아 기다리다 보면 다른 방향으로 나아갈 것입니다.
④ 타고난 성품을 억지로 바꾸려 하기보다는 게으른 성품에 그대로 순응하며 사는 것이 좋습니다.
⑤ 편안한 상태에 머무르지 말고 위태로운 상황을 염두에 두면 두려움을 느껴 서두르게 될 것입니다.

『주옹설』 "내 차라리 위험을 딛고서 항상 조심할지언정, 편안한 데 살아 스스로 쓸모없게 되지 않으려 한다."

작품 한 줄 Pick

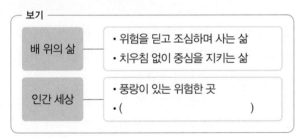

Q31

고전 수필

교과서 [문] 비상 [국] 천재(박) EBS

▶해법문학 Link
고전 산문 266쪽

수오재기(守吾齋記) | 정약용

키워드 체크 #기(記) #'수오재'라는 이름의 의미 #현상적 자아와 본질적 자아 #반성과 성찰

핵심 포인트

글쓴이의 경험과 깨달음

귀양을 가기 전	➡	귀양살이 후
'수오(守吾)'의 의미를 알지 못함.		'수오(守吾)'의 의미를 깨달음.
'수오재'라는 이름에 의문을 품음.		「수오재기」를 지어 큰형님께 보여 드림.

「수오재기」의 구성 및 깨달음의 과정

기	[의문 제기] '수오재'라는 이름에 대한 의문
승	[의문 해소] '나'를 지켜야 하는 이유 – 환경과 여건에 따른 현상적 자아의 변화
전	[삶에의 적용] 본질적 자아를 소홀히 한 지난 삶에 대한 반성
결	[집필 의도] 「수오재기」를 쓰게 된 이유

연계 작품

• 같은 작가의 다른 작품: 정약용 「파리를 조문한다」 ···› 기출 딥러닝 214쪽
• 집에 붙인 이름을 소재로 한 작품: 박지원 「염재기」

기출 OX

Q1 윗글은 구체적 사례를 제시하여 글쓴이의 생각을 뒷받침하고 있다.
EBS 변형 ○ X

Q2 글쓴이는 자신의 과거 모습을 떠올리며 지난 삶을 반성하고 있다.
EBS 변형 ○ X

• 수오재 나를 지키는 집.
• 장기 경상북도 포항 지역의 옛 지명.
• 사모관대 예전에 벼슬아치가 입던 옷과 모자.

답 01 ○ 02 ○

'수오재(守吾齋)'라는 이름은 큰형님이 자기 집에 붙인 이름이다. 나는 처음에 이 이름을 듣고 이상하게 생각했다.

"나와 굳게 맺어져 있어 서로 떨어질 수 없는 사물 가운데 나[吾]보다 더 절실한 것은 없다. 그러니 굳이 지키지 않아도 어디로 가겠는가. 이상한 이름이다."

내가 ⓐ장기로 귀양 온 뒤에 혼자 지내면서 곰곰이 생각해 보다가, 하루는 갑자기 이 의문점에 대해 해답을 얻게 되었다. 나는 벌떡 일어나서 말했다.

"천하 만물 가운데 지킬 것은 하나도 없지만, 오직 나[吾]만은 지켜야 한다. 내 밭을 지고 달아날 자가 있는가. 밭은 지킬 필요가 없다. 내 집을 지고 달아날 자가 있는가. 집도 지킬 필요가 없다. 내 정원의 여러 가지 꽃나무나 과일나무들을 뽑아 갈 자가 있는가. 그 뿌리는 땅속에 깊이 박혔다. 내 책을 훔쳐 없앨 자가 있는가. 성현의 경전이 세상에 퍼져 물이나 불처럼 흔한데, 누가 감히 없앨 수가 있겠는가. 〈중략〉 그러니 천하 만물은 모두 지킬 필요가 없다.

㉠그런데 오직 나[吾]라는 것만은 잘 달아나서, 드나드는 데 일정한 법칙이 없다. 아주 친밀하게 붙어 있어서 서로 배반하지 못할 것 같다가도, 잠시 살피지 않으면 어디든지 못 가는 곳이 없다. 이익으로 꾀면 떠나가고, 위험과 재앙이 겁을 주어도 떠나간다. 마음을 울리는 아름다운 음악 소리만 들어도 떠나가며, 눈썹이 새까맣고 이가 하얀 미인의 요염한 모습만 보아도 떠나간다. 한 번 가면 돌아올 줄을 몰라서, 붙잡아 만류할 수가 없다. 그러니 천하에 나[吾]보다 더 잃어버리기 쉬운 것은 없다. ㉡어찌 실과 끈으로 묶고 빗장과 자물쇠로 잠가서 나를 굳게 지키지 않겠는가."

나는 나를 잘못 간직했다가 잃어버렸던 자다. 어렸을 때 과거가 좋게 보여서, 10년 동안이나 과거 공부에 빠져들었다. 그러다가 결국 처지가 바뀌어 조정에 나아가 검은 사모관대에 비단 도포를 입고, ㉢12년 동안이나 대낮에 미친 듯이 큰 길을 뛰어다녔다. 그러다가 또 처지가 바뀌어 한강을 건너고 문경 새재를 넘게 되었다. 친척과 조상의 무덤을 버리고 곧바로 아득한 바닷가의 대나무 숲에 달려와서야 멈추게 되었다. 이때에는 나[吾]에게 물었다.

"너는 무엇 때문에 여기까지 왔느냐? 여우나 도깨비에 홀려서 끌려왔느냐? 아니면 바다 귀신이 불러서 왔는가? 네 가정과 고향이 모두 초천에 있는데, 왜 그 본바닥으로 돌아가지 않느냐?"

그러나 나[吾]는 끝내 멍하니 움직이지 않으며 돌아갈 줄을 몰랐다. 얼굴빛을 보니 마치 얽매인 곳에 있어서 돌아가고 싶어도 돌아가지 못하는 것 같았다. 그래서 결국 붙잡아 이곳에 함께 머물렀다. 이때 둘째 형님도 나[吾]를 잃고 나를 쫓아 남해 지방으로 왔는데, 역시 나[吾]를 붙잡아서 그곳에 함께 머물렀다.

오직 내 큰형님만이 나[吾]를 잃지 않고 편안히 단정하게 수오재에 앉아 계시니, ㉣본디부터 지키는 것이 있어서 나[吾]를 잃지 않았기 때문이 아니겠는가. 이게 바로 큰형님이 그 거실에 '수오재'라고 이름 붙인 까닭일 것이다. 〈중략〉

㉤맹자가 말씀하시기를 "무엇을 지키는 것이 큰가? 몸을 지키는 것이 크다."라고 했으니, 이 말씀이 진실이다. 내가 스스로 말한 내용을 써서 큰형님께 보이고, 수오재의 기로 삼는다.

01 윗글에 대한 설명으로 가장 적절한 것은?

① 고사를 활용하여 문제 상황을 강조하고 있다.
② 사물을 다양한 관점으로 해석해야 함을 주장하고 있다.
③ 자문자답의 형식으로 깨달음을 구체적으로 제시하고 있다.
④ 과거와 현재의 삶을 비교하며 과거의 삶에 대한 향수를 드러내고 있다.
⑤ 역설적 표현을 통해 글쓴이의 생각에 대한 독자의 공감을 유도하고 있다.

02 ㉠~㉤에 대한 이해로 적절하지 않은 것은?

① ㉠: 상황이나 환경에 따라 사람의 마음이 수시로 변할 수 있음을 드러내고 있다.
② ㉡: 물리적인 방법을 통해서는 '나'를 지키기 어려움을 암시하고 있다.
③ ㉢: 벼슬을 하며 분주하게 지내던 글쓴이의 모습을 나타내고 있다.
④ ㉣: 큰형님이 '나'를 잃지 않은 이유를 설명하고 있다.
⑤ ㉤: 성현의 말을 인용하여 자신의 주장에 대한 설득력을 높이고 있다.

03 윗글의 내용을 〈보기〉와 같이 구조화할 때, 이에 대한 설명으로 적절하지 않은 것은?

보기

ㄱ 큰형님이 집에 붙인 이름인 '수오재'에 대한 의문을 가짐.
↓
ㄴ 귀양을 온 뒤 '나'를 지킨다는 말의 의미를 깨달음.
↓
ㄷ 깨달음을 자신의 삶에 적용함.
↓
ㄹ 「수오재기」의 집필 의도를 밝힘.

(ㄱ, ㄴ: 글쓴이의 체험)

① ㄱ에서 글쓴이는 의문을 제기하여 독자의 관심을 이끌어 내고 있군.
② ㄱ과 ㄴ에 나타난 글쓴이의 체험은 ㄷ과 ㄹ에 나타난 반전을 암시하고 있군.
③ ㄷ에서 글쓴이는 ㄴ에 나타난 깨달음을 자신의 삶에 확대하여 적용하고 있군.
④ ㄴ에 나타난 깨달음으로 인해 글쓴이가 ㄷ에서 자신의 지난 삶을 돌아보게 되는군.
⑤ ㄹ에서 글쓴이는 집필 의도를 밝히며 독자에게 자신의 깨달음을 전하고자 하고 있군.

04 윗글의 ⓐ와 〈보기〉의 ⓑ를 비교한 내용으로 가장 적절한 것은?

보기

나의 지식이 독한 회의(懷疑)를 구하지 못하고
내 또한 삶의 애증을 다 짐 지지 못하여
병든 나무처럼 생명이 부대낄 때
저 머나먼 ⓑ아라비아의 사막으로 나는 가자.

거기는 한 번 뜬 백일이 불사신같이 작열하고
일체가 모래 속에 사멸한 영겁(永劫)의 *허적(虛寂)에
오직 알라의 신(神)만이
밤마다 고민하고 방황하는 열사(熱沙)의 끝.

그 열렬한 고독(孤獨) 가운데
옷자락을 나부끼고 호올로 서면
운명처럼 반드시 '나'와 대면(對面)케 될지니
하여 '나'란 나의 생명이란
그 원시의 본연한 자태를 다시 배우지 못하거든
차라리 나는 어느 사구(砂丘)에 회한 없는 백골을 쪼이리라.

– 유치환, 「생명의 서」

*허적: 아무것도 없이 적막함.

① ⓐ는 '나'를 잃은 공간이고, ⓑ는 '나'를 알아 가는 공간이다.
② ⓐ는 '나'가 해답을 얻고자 하는 공간이고, ⓑ는 '나'가 이미 해답을 얻은 공간이다.
③ ⓐ와 ⓑ는 모두 '나'가 직접 다녀온 공간이다.
④ ⓐ와 ⓑ는 모두 자아 성찰이 이루어지는 공간이다.
⑤ ⓐ와 ⓑ는 모두 '나'가 도달하고자 하는 이상적 공간이다.

05 윗글의 글쓴이가 깨달은 '나를 지키는 것'의 사례로 가장 적절한 것은?

① 특정 종교를 강요하는 나라로 유학을 떠난 A는 자신의 안전을 지키기 위해 종교를 바꾸었다.
② 오랜 기간의 감옥살이를 끝낸 B는 더는 감옥살이를 하지 않기 위해 범죄를 저지르지 않기로 결심했다.
③ 곤경에 처한 사람을 돕자는 신념을 지닌 C는 망설임 끝에 급류에 뛰어들어 물에 빠진 학생을 구조했다.
④ 평소 환경 보호를 중요시하는 D는 개인용 컵을 들고 다니기 번거로워 주로 일회용 플라스틱 컵을 사용한 후 버린다.
⑤ 사회적 약자를 위해 일하던 국회의원 E는 재선을 앞두고 자신이 일하는 지역에 고아원을 유치하는 문제에 대해 반대 입장을 표명했다.

『수오재기』 "천하 만물 가운데 지킬 것은 하나도 없지만, 오직 나만은 지켜야 한다."
작품 한 줄 Pick

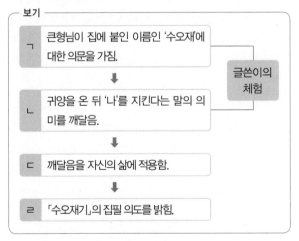

기출 딥러닝

2015학년도 7월 고3 학력평가 B형

[06~09] 다음 글을 읽고 물음에 답하시오.

(가) 늙고 병든 몸을 *주사(舟師)로 보내시어
을사(乙巳)년 여름에 **진동영(鎭東營)**에 내려오니 [A]
국경의 요새에 병이 깊다고 앉아 있으랴
일장검(一長劍) 비스듬히 차고 병선(兵船)에 감히 올라
두 눈을 부릅뜨고 대마도(對馬島)를 굽어보니
바람을 쫓아가는 황운(黃雲)은 원근(遠近)에 쌓여 있고
아득한 창파(滄波)는 긴 하늘과 한 빛일세
선상(船上)에 거닐면서 예와 오늘을 생각하고
어리석고 미친 생각에 ***헌원씨(軒轅氏)**를 애달파 하노라 [B]
대양(大洋)이 넓고 아득하여 천지(天地)를 둘러 있으니
진실로 배 아니면 풍파 만 리 밖의 어느 오랑캐가 엿볼런가
무슨 일 하려고 배 만들기를 비롯하였는가
만세천추(萬世千秋)에 끝없는 큰 폐(弊) 되어
넓고 넓은 이 세상에 만백성의 원한 사네
어즈버 깨달으니 **진시황(秦始皇)**의 탓이로다
배 비록 있다 하나 **왜적**이 아니 생겼던들 [C]
일본의 대마도(對馬島)에서 빈 배 절로 나올 것인가
누구 말을 믿어 듣고, 동남동녀(童男童女)를 들여다가
해중(海中) 모든 섬에 도적들을 남겨 두었나
통분(痛憤)한 수치가 중국 땅에 미치도다
장생(長生) 불사약(不死藥)을 얼마나 얻어 내어
만리장성(萬里長城) 높이 쌓고 몇 만 년을 살았던고
남과 같이 죽어 가니 유익한 줄을 모르겠네 〈중략〉
때때로 머리 들어 북쪽을 바라보며
어지러운 세상에 늙은이 눈물짓네
우리나라 **문물(文物)**이 **한당송(漢唐宋)**에 지랴마는
국운(國運)이 불행하여 **왜적**의 흉한 침략
만고의 그 원한을 못 씻어 버렸거든 [D]
백분(百分)에 한 가지도 못 씻어 버렸거든
이 몸이 무상(無狀)한들 **신하** 되어 있다가
궁달(窮達)의 길이 달라 못 모시고 늙어 간들 [E]
우국 단심(憂國丹心)이야 어느 땐들 잊겠는가

- 박인로, 「선상탄(船上嘆)」

* **주사** 수군. * **헌원씨** 처음으로 배를 만들었다고 전하는 전설의 인물.

(나) 경오년(1810) 여름에 엄청난 파리 떼가 생겨나 온 집 안에 가득하더니 점점 번식하여 산과 골을 뒤덮었다. 으리으리한 저택에도 엉겨 붙고, 술집과 떡집에도 구름처럼 몰려들어 우레 같은 소리를 내었다. 노인들은 괴변이라 탄식하고, 소년들은 분을 내어 파리와 한바탕 전쟁을 벌이려고 했다. 혹은 파리통을 설치해 잡아 죽이고, 혹은 파리약을 놓아 섬멸하려 했다.

나는 이를 보고 말했다.

"아아, 이 파리들을 죽여서는 안 된다. 굶어 죽은 사람들이 변해서 이 파리들이 되었다. 아아, 이들은 기구하게 살아난 생명들이다. ㉠슬프게도 작년에 큰 기근을 겪었고, 겨울에는 혹독한 추위를 겪었다. 그로 인해 전염병이 유행하였고, 가혹하게 착취까지 당하여 수많은 사람이 죽었다. 시신이 쌓여 길에 즐비했으며, 시신을 싸서 버린 거적이 언덕을 뒤덮었다. 수의도 관도 없는 시신 위로 따뜻한 바람이 불고, 기온이 높아지자 살이 썩어 문드러졌다. 시신에서 물이 나오고 또 나오고, 고이고 엉기더니 변하여 구더기가 되었다. 구더기 떼는 강가의 모래알보다 만 배나 많았다. 구더기는 점차 날개가 돋아 파리로 변하더니 인가로 날아들었다. ㉡아아, 이 파리들이 어찌 우리 사람들과 마찬가지 존재가 아니랴. 너의 생명을 생각하면 눈물이 줄줄 흐른다. 이에 음식을 마련해 파리들을 널리 불러 모으나니 너희들은 서로 기별하여 함께 와서 이 음식들을 먹어라."

이에 다음과 같이 파리를 조문(弔問)한다.

파리야, 날아와 이 음식 소반에 앉아라. 수북한 흰 쌀밥에 맛있는 국이 있단다. 술과 단술이 향기롭고, 국수와 만두도 마련하였다. ㉢그대의 마른 목을 적시고 그대의 타는 속을 축여라. 〈중략〉

파리야, 날아오너라. 살아 돌아오지는 마라. 그대 지각 없어 아무것도 모르는 걸 축하하노니 그대 죽었어도 재앙은 형제에게까지 미친다. 6월이면 조세를 독촉하며 아전이 문을 두드리는데, 그 소리 사자의 포효처럼 산천을 흔든다. 가마솥도 빼앗아 가고 송아지와 돼지도 끌고 간다. 그러고도 부족하여 관가에 끌고 가 곤장을 치는데, 맞고 돌아오면 기진하여 병에 걸려 죽어 간다. 백성들은 온통 눌리고 짓밟혀 괴로움과 원망이 너무도 많지만 천지 사방 어디라 호소할 데 없구나. 백성들 모두 다 죽어 가도 슬퍼할 수도 없구나. ㉣어진 이는 움츠려 있고 소인배는 비방이나 일삼는다. 봉황은 입 다물고 까마귀만 우짖누나.

파리야, 날아서 북쪽으로 가거라. 북으로 천 리를 날아 궁궐로 가거라. 임금님께 그대의 충정을 하소연하고 깊은 슬픔 펼쳐 아뢰어라. 어려운 궁궐이라고 시비(是非)를 말 못하진 마라. 해와 달처럼 환히 백성의 사정 비추어서 어진 정치 펴 주십사 간곡히 아뢰어라. ㉤번개처럼 우레처럼 임금님 위엄이 떨쳐지게 해 달라고 하여라. 그러면 곡식은 풍년이 들고 백성은 굶주리지 않으리라. 파리야, 그런 다음 남쪽으로 돌아오려무나.

- 정약용, 「파리를 조문한다」

기출

06 (가)의 [A]~[E]에 대한 설명으로 적절하지 않은 것은?

① [A]는 '주사'로 임명되어 '진동영'에 내려온 화자의 상황을 나타내고 있다.
② [B]에는 배를 만든 '헌원씨'를 추모하는 화자의 모습이 나타나 있다.
③ [C]에는 왜적을 생기게 한 '진시황'에 대한 화자의 원망이 드러나 있다.
④ [D]에는 '한당송'에 뒤지지 않는 '문물'을 가졌음에도 '왜적'의 침략을 받아 원통해하는 화자의 마음이 드러나 있다.
⑤ [E]에는 '신하'로서 '우국 단심'을 다짐하는 화자의 모습이 나타나 있다.

기출 변형

07 (나)의 ㉠~㉤에 대한 이해로 적절하지 않은 것은?

① ㉠: 열거를 통해 백성들이 겪었던 고통의 상황을 나타내고 있다.
② ㉡: 설의적 표현을 활용하여 파리를 죽은 백성들로 인식하는 필자의 태도를 드러내고 있다.
③ ㉢: 대조를 통해 굶주린 백성들의 삶이 개선되기를 바라는 마음을 드러내고 있다.
④ ㉣: 대비를 통해 도움을 청할 곳이 없는 백성들의 상황을 드러내고 있다.
⑤ ㉤: 비유를 통해 글쓴이가 바라는 임금의 모습을 나타내고 있다.

기출

08 다음은 수업 시간 중 학습한 내용이다. (가), (나)를 감상 요소에 따라 감상한 내용으로 적절하지 않은 것은?

감상 요소	감상한 내용
현실 인식	• (가)의 화자는 주사(舟師)로서의 충성심을, (나)의 화자는 백성에 대한 애정을 바탕으로 현실을 바라보고 있군. ······ ①
원인 분석	• (가)의 화자는 전쟁이 일어나게 된 원인을 과거의 인물과 관련지어 생각하고 있군. ······ ② • (나)의 화자는 기근, 전염병, 가혹한 착취 등으로 백성들이 죽음에 이르렀다고 생각하고 있군. ······ ③
화자의 태도	• (가)의 화자는 왜적을 이기기 위한 구체적인 방안을 마련하고 이를 실행할 것을 다짐하고 있군. ······ ④ • (나)의 화자는 어진 정치가 펼쳐져 백성이 굶주리지 않기를 바라고 있군. ······ ⑤

09 〈보기〉는 (나)의 글쓴이가 창작한 작품이다. (나)와 〈보기〉를 비교하여 감상한 내용으로 적절하지 않은 것은?

보기

百草皆有根 풀이면 다 뿌리가 있는데
浮萍獨無滯 **부평초**만은 매달린 꼭지가 없이
汎汎水上行 물 위에 둥둥 떠다니며
常爲風所曳 언제나 바람에 끌려다닌다네
生意雖不泯 목숨은 비록 붙어 있지만
寄命良瑣細 더부살이 신세처럼 가냘프기만 해
蓮葉太凌藉 **연잎**은 너무 괄시를 하고
荇帶亦交蔽 **행채**도 이리저리 가리기만 해
同生一池中 똑같이 한 못 안에 살면서
何乃苦相戾 어쩌면 그리 서로 어그러지기만 할까

– 정약용, 「고시 7」

① 〈보기〉의 '부평초'는 고통스럽게 살아간다는 점에서 (나)의 '백성들'과 같은 존재라고 볼 수 있겠군.
② 〈보기〉의 '연잎'은 '부평초'를 괄시한다는 점에서 (나)의 '아전'에 해당하는 존재라고 볼 수 있겠군.
③ 〈보기〉의 '행채'는 권력을 가지고 있다는 점에서 (나)의 '임금님'과 같은 역할을 한다고 볼 수 있겠군.
④ 〈보기〉와 달리 (나)에는 작가가 바라는 정치적 이상이 드러나 있군.
⑤ 〈보기〉와 달리 (나)에는 백성들의 비참한 삶의 모습이 적나라하게 묘사되어 있군.

고전 수필

Q32

교과서 [문] 천재(정) [국] 미래엔 기출 EBS

▶해법문학 Link
고전 산문 260쪽

일야구도하기(一夜九渡河記) | 박지원

키워드 체크 #기행 수필 #강을 건넌 경험 #마음가짐 #본질적인 것 추구

강물은 두 산 사이에서 나와 바윗돌과 부딪치며 거세게 다툰다. 그 화들짝 놀란 듯한 파도, 분노를 일으킨 듯한 물결, 슬피 원망하는 듯한 여울물은 내달아 부딪치고 휘말려 곤두박질치며 울부짖고 고함치는 듯하여, 항상 만리장성을 쳐부술 듯한 기세를 지니고 있다. •전거(戰車) 만 채, •전기(戰騎) 만 대(萬隊)나 전포(戰砲) 만 문(萬門), 전고(戰鼓) 만 개로도, 무너져 내려앉고 터져 나오며 짓누르는 저 강물의 소리를 비유하기에 부족하다.

백사장에는 거대한 바윗돌이 우뚝하게 늘어서 있고, 강둑에는 버드나무들이 어두컴컴하여 형체를 분간하기 힘들다. 흡사 물귀신들이 다투어 나와 잘난 체 뽐내는 듯하고, 좌우에서 이무기들이 사람을 낚아채려고 애쓰는 듯하다.

어떤 이가 "㉠이곳은 옛 전쟁터이기 때문에 강물 소리가 그런 것이다."라고 한다. 하지만 그 때문에 그런 건 아니라고 생각한다. 강물 소리란 어떻게 듣느냐에 ⓐ달려 있을 뿐이다. 〈중략〉

지금 나는 밤중에 한 줄기의 강을 아홉 번이나 건넜다. 이 강은 북쪽 국경 너머에서 흘러나와 만리장성을 돌파하고는, 유하(楡河)와 조하(潮河), 황화진천(黃花鎭川) 등 여러 강들과 합류하여, 밀운성(密雲城) 아래를 지나면 백하(白河)가 된다. 나는 어제 배로 백하를 건넜는데, 백하가 바로 이 강의 하류였다.

내가 처음 요동에 들어섰을 때 바야흐로 한여름이라 뙤약볕 속을 가는데, 갑자기 큰 강이 앞을 가로막으면서 시뻘건 물결이 산더미같이 일어나 끝이 보이지 않았다. 이는 아마 천 리 너머 먼 지역에 폭우가 내린 때문일 터다. / 강물을 건널 적에 사람들이 모두 고개를 쳐들고 하늘을 보기에, ㉡나는 그 사람들이 고개를 쳐들고 하늘을 향해 속으로 기도를 드리나 보다 하였다. 그런데 한참 있다가 안 사실이지만, 강을 건너는 사람이 물을 살펴보면 물이 소용돌이치고 용솟음치니, 몸은 물살을 거슬러 올라가는 듯하고 눈길은 물살을 따라 흘러가는 듯하여, 곧 어지럼증이 나서 물에 빠지게 된다. 그러니 저 사람들이 고개를 쳐든 것은 하늘에 기도를 드리는 것이 아니요, 물을 외면하고 보지 않으려는 짓일 뿐이었다. 또한 잠깐 새에 목숨이 왔다 갔다 하는 판인데 어느 겨를에 속으로 목숨을 빌었겠는가.

이와 같이 위태로운데도, 강물 소리를 듣지 못하였다. "요동 벌판이 평평하고 드넓기 때문에 강물이 거세게 소리를 내지 않는 것이다."라고 모두들 말하였다. 그러나 이는 강에 대해 잘 모르고 한 말이다. •요하(遼河)가 소리를 내지 않은 적이 없건만, 단지 밤중에 건너지 않아서 그랬을 뿐이다. 낮에는 물을 살펴볼 수 있는 까닭에 눈이 오로지 위태로운 데로 쏠리어, ㉢한창 벌벌 떨면서 두 눈이 있음을 도리어 우환으로 여기는 터에, 또 어디서 소리가 들렸겠는가? 그런데 지금 나는 밤중에 강을 건너기에 눈으로 위태로움을 살펴보지 못하니, 위태로움이 오로지 듣는 데로 쏠리어 귀로 인해 한창 벌벌 떨면서 걱정을 금할 수 없었다.

나는 마침내 이제 도(道)를 깨달았도다! ㉮마음을 차분히 다스린 사람에게는 귀와 눈이 누를 끼치지 못하지만, ㉯제 귀와 눈만 믿는 사람에게는 보고 듣는 것이 자세하면 할수록 병폐가 되는 법이다.

방금 내 마부가 말에게 발을 밟혔으므로, 뒤따라오는 수레에 그를 태웠다. 그러고 나서 말의 굴레를 풀어 주고 말을 강물에 둥둥 뜨게 한 채로, 두 무릎을 바짝 오그리고 발을 모두어 말 안장 위에 앉았다. 한번 추락했다 하면 바로 강이다. 나는 강을 대지처럼 여기고, 강을 내 옷처럼 여기고, 강을 내 성정(性情)처럼 여기었다. 그리하여 마음속으로 한번 추

핵심 포인트

「일야구도하기」의 구성

기	듣는 이의 마음가짐에 따라 강물 소리가 달라짐.
승	외물(外物)에 현혹되기 쉬운 인간들
전	글쓴이가 깨달은 진리
결	인생을 살아가는 바른 태도와 세인(世人)들에 대한 경계

낮과 밤의 강물에 대한 인식

낮의 강물	밤의 강물
강물을 보고 두려워하느라 강물 소리가 들리지 않음.	앞이 보이지 않아 듣는 것에 신경이 쓰여 강물 소리에 두려움을 느낌.

↓

낮의 강물과 밤의 강물은 같은 것인데, 눈과 귀에 의존한다면 보고 듣는 것에 현혹되어 사물을 제대로 인식할 수 없음.

글쓴이의 깨달음과 집필 의도

글쓴이의 깨달음
인생을 살아가는 것은 강물을 건널 때보다 험하고 위태로우므로 외물에 현혹되지 않도록 마음을 다스려야 함.

↓

집필 의도
처신에 능란하여 제 귀와 눈의 총명함만을 믿는 사람들에게 경고하기 위함.

연계 작품

청나라를 여행하며 보고 느낀 바를 기록한 작품: 홍대용 「을병연행록」

기출 OX

Q1 윗글은 실천하지 않는 삶의 자세를 비판하고 있다. 기출 2004. 6. 모평 (O / X)

Q2 윗글은 체험한 사실을 토대로 깨달음을 이끌어 내고 있다. 기출 2004. 6. 모평 (O / X)

답 Q1 X Q2 O

락할 것을 각오하자, 나의 귓속에서 마침내 강물 소리가 없어지고 말았다. 그리고 무려 아홉 번이나 강을 건너는데도 아무런 걱정이 없어, ㉣마치 •안석 위에 앉거나 누워서 지내는 듯하였다.

옛적에 •우(禹)임금이 강을 건너는데, 황룡이 배를 등에 업는 바람에 몹시 위험하였다. 그러나 죽고 사는 문제에 대한 판단이 먼저 마음속에 분명해지자, 용이든 도마뱀붙이든 그의 앞에서는 대소(大小)를 논할 것이 못 되었다. / 소리와 빛깔은 외부에 있는 사물이다. 이러한 외부의 사물이 항상 귀와 눈에 누를 끼쳐서, 사람이 올바르게 보고 듣는 것을 이와 같이 그르치게 하는 것이다. 하물며 사람이 이 세상을 살아간다는 것은 강을 건너는 것보다 훨씬 더 위험할 뿐 아니라, ㉤보고 듣는 것이 수시로 병폐가 됨에랴! 나는 장차 나의 산중으로 돌아가 대문 앞 계곡의 물소리를 들으며 이와 같은 깨달음을 검증하고 아울러 처신에 능란하여 제 귀와 눈의 총명함만 믿는 사람들에게도 경고하련다.

- **전거** 전쟁할 때 쓰는 수레.
- **전기** 전쟁에 참가하는 기병(騎兵).
- **요하** 랴오허강. 청나라의 북쪽 국경 너머에서 발원하여 봉천과 금주 사이를 흐르는 큰 강.
- **안석** 벽에 세워 놓고 앉을 때 몸을 기대는 방석.
- **우** 중국 고대 전설상의 임금.

01 윗글에 대한 설명으로 적절한 것은?

① 자연물의 변화를 통해 대상의 본질을 드러내고 있다.
② 모순된 사회 현실에 대해 비판 의식을 드러내고 있다.
③ 글쓴이의 체험을 바탕으로 깨달음을 이끌어 내고 있다.
④ 대상이 지닌 의미의 변천 과정을 역사적으로 설명하고 있다.
⑤ 각 대상이 지향하는 바를 대조하여 대상 간의 차이를 부각하고 있다.

02 ㉠~㉤에 대한 이해로 적절하지 않은 것은?

① ㉠: 강물 소리에 대한 사람들의 인식을 보여 주고 있다.
② ㉡: 사람들이 고개를 쳐든 이유에 대한 글쓴이의 잘못된 추측을 보여 주고 있다.
③ ㉢: 눈에 보이는 위험에만 신경 쓰는 사람들의 심리를 나타내고 있다.
④ ㉣: 여러 차례의 경험을 통해 강을 안전하게 건너는 방법을 익힌 글쓴이의 모습을 제시하고 있다.
⑤ ㉤: 보고 듣는 것에 의존하면 대상의 본질을 파악하기 어렵다는 글쓴이의 인식을 강조하고 있다.

03 윗글을 읽은 학생의 반응으로 적절하지 않은 것은?

① 겉모습만 보고 사람을 판단하지 않고 사람의 됨됨이를 살펴봐야겠어.
② 같은 상황이라도 어떻게 마음먹는지에 따라 다르게 받아들일 수 있겠어.
③ 어떠한 어려움이 닥치더라도 긍정적이고 낙천적인 자세로 어려움을 극복해야겠어.
④ 할 일이 쌓여 있어 걱정이 앞섰는데, 마음을 가라앉히고 차근차근 일을 해 나가야겠어.
⑤ 인터넷 신문 기사를 읽을 때 기사에 달린 댓글에 휩쓸리지 말고 기사에서 다루는 사건과 기사의 내용을 정확하게 파악해야겠어.

기출 변형 2004학년도 6월 모의평가

04 윗글의 내용을 〈보기〉와 같이 정리하였다. 글의 흐름으로 보아 적절하지 않은 것은?

보기

Ⅰ. 편견: 지형 때문에 강물이 거세게 소리를 내지 않는다.
Ⅱ. 체험
 • 낮: 강물 소리가 들리지 않는다. → 요동 벌판이 평평하고 드넓기 때문임.
 • 밤: 강물 소리가 무섭게 들린다. → 청각(귀)에 의존하기 때문임.
Ⅲ. 깨달음: 감각(귀와 눈)에 의존하지 않으면 두려움이 없어진다.
Ⅳ-1. 태도 변화: 외물(外物)에 영향을 받지 않고 살아가는 자세를 갖게 되었다.
Ⅳ-2. 심정 변화 : 소리에 대한 두려움이 없어지고 평정한 마음 상태를 유지했다.

① Ⅰ ② Ⅱ ③ Ⅲ ④ Ⅳ-1 ⑤ Ⅳ-2

05 ㉮와 ㉯에 대한 설명으로 적절하지 않은 것은?

① ㉮는 도(道)를 깨달은 사람과 관련 있다.
② ㉯는 낮에는 강물 소리를 듣지 못한 사람과 관련 있다.
③ ㉯와 달리 ㉮는 외물에 감정이 휩쓸리지 않는 사람이다.
④ ㉮와 달리 ㉯는 현실을 왜곡해서 받아들이는 사람이다.
⑤ ㉮와 달리 ㉯는 '제 귀와 눈의 총명함만 믿는 사람들'과 관련 있다.

06 ⓐ와 문맥적 의미가 가장 유사한 것은?

① 기관차에 객차들이 달려 있다.
② 그에게는 식솔이 넷이나 달려 있다.
③ 우리 회사의 사활은 이번 일에 달려 있다.
④ 이 책에는 어울리지 않는 제목이 달려 있다.
⑤ 그의 게시물에는 유독 댓글이 많이 달려 있다.

『일야구도하기』 "처신에 능란하여 제 귀와 눈의 총명함만 믿는 사람들에게도 경고하련다."

작품 한 줄 Pick

고전 수필 Q33

통곡할 만한 자리[好哭場論] | 박지원

▶해법문학 Link
고전 산문 256쪽

교과서 [국] 금성, 미래엔 기출

키워드 체크 #기행 수필 #요동 벌판 #문답 구성 #창의적 발상

칠월 초팔일 갑신일

맑다.

정사와 한 가마를 타고 삼류하(三流河)를 건너 냉정(冷井)에서 조반을 먹었다. 십여 리를 가다가 산기슭 하나를 돌아 나가니 태복(泰卜)이란 놈이 갑자기 국궁(鞠躬)을 하고는 말 머리로 쫓아와서 땅에 엎드리고 큰 소리로,

㉠"백탑(白塔)이 현신(現身)하였기에, 이에 아뢰나이다."

한다. 태복은 정 진사의 마두이다.

산기슭이 가로막고 있어 백탑이 보이지 않기에 말을 급히 몰아 수십 보를 채 못 가서 겨우 산기슭을 벗어났는데, 안광이 어질어질하더니 홀연히 검고 동그란 물체가 오르락내리락한다. 이제야 깨달았다. 사람이란 본래 의지하고 붙일 곳 없이 단지 하늘을 이고 땅을 밟고 이리저리 나다니는 존재라는 것을.

말을 세우고 사방을 둘러보다가 나도 모르게 손을 이마에 얹고 말했다.

ⓐ"한바탕 통곡하기 좋은 곳이로구나!"

정 진사가,

㉡"천지간에 이렇게 시야가 툭 터진 곳을 만나서는 별안간 통곡할 것을 생각하시니, 무슨 까닭입니까?"

하고 묻기에 나는,

"그렇긴 하나, 글쎄. 천고의 영웅들이 잘 울고, 미인들이 눈물을 많이 흘렸다고 하나, 기껏 소리 없는 눈물이 두어 줄기 옷깃에 굴러떨어진 정도에 불과하였지, 그 울음소리가 천지 사이에 울려 퍼지고 가득 차서 마치 악기에서 나오는 소리와 같다는 얘기는 들어 보지 못했네.

사람들은 단지 인간의 칠정(七情) 중에서 오로지 슬픔만이 울음을 유발한다고 알고 있지, 칠정이 모두 울음을 자아내는 줄은 모르고 있네. 기쁨이 극에 달하면 울음이 날 만하고, 분노가 극에 치밀면 울음이 날 만하며, 즐거움이 극에 이르면 울음이 날 만하고, 사랑이 극에 달하면 울음이 날 만하며, 미움이 극에 달하면 울음이 날 만하고, 욕심이 극에 달해도 울음이 날 만한 걸세. 막히고 억눌린 마음을 시원하게 풀어 버리는 데에는 소리를 지르는 것보다 더 빠른 방법이 없네.

통곡 소리는 천지간에 우레와 같이 지극한 감정에서 터져 나오고, ㉢터져 나온 소리는 사리에 절실할 것이니 웃음소리와 뭐가 다르겠는가? 사람들이 태어나서 사정이나 형편이 이런 지극한 경우를 겪어 보지 못하고 칠정을 교묘하게 배치하여 슬픔에서 울음이 나온다고 짝을 맞추어 놓았다네. 그리하여 ㉣초상이 나서야 비로소 억지로 '아이고' 하는 등의 소리를 질러 대지.

그러나 정말 칠정에서 느껴서 나오는 지극하고 진실한 통곡 소리는 천지 사이에 억누르고 참고 억제하여 감히 아무 장소에서나 터져 나오지 못하는 법이네. 한나라 때 가의(賈誼)는 적당한 통곡의 자리를 얻지 못해 울음을 참다가 견뎌 내지 못하고 갑자기 한나라 궁실인 선실(宣室)을 향해 한바탕 길게 울부짖었으니, 어찌 사람들이 놀라고 괴이하게 여기지 않을 수 있겠는가?"

하니 정 진사는,

핵심 포인트

「통곡할 만한 자리」의 구성

기		글쓴이가 요동 벌판을 보고 '한바탕 통곡하기 좋은 곳'이라고 말함.
승	문	정 진사가 글쓴이에게 통곡할 것을 생각하는 까닭을 물음.
	답	사람은 칠정(七情)이 극에 달하면 울게 된다고 답함.
전	문	정 진사가 칠정 가운데 어느 정에 감동받아 울어야 하느냐고 물음.
	답	갓난아이의 울음과 같이 넓은 곳으로 나온 기쁨과 즐거움에 감동하여 울면 된다고 답함.
결		요동의 광활한 풍경을 묘사하고, 통곡할 만한 자리임을 다시 한번 확인함.

글쓴이의 독특한 발상

- 요동 벌판을 보고 한바탕 통곡하기 좋은 곳이라고 말함.
- 갓난아이가 우는 이유를 넓은 세상에 나온 기쁨과 즐거움 때문이라고 말함.

↓

일반적인 통념을 깨뜨리고 울음에 대해 새롭게 해석한 발상의 전환이 드러남.

연계 작품

- **청나라에 다녀온 견문과 감상이 담긴 작품**: 홍순학 「연행가」
- **일본에 다녀온 견문과 감상이 담긴 작품**: 김인겸 「일동장유가」

기출 OX

Q1 1~2행을 통해 일기의 형식으로 쓴 글임을 알 수 있다. 기출 2007. 3. 고3 (O X)

답 Q1 O

"지금 여기 울기 좋은 장소가 저토록 넓으니, 나 또한 그대를 좇아 한바탕 울어야 마땅하겠는데, 칠정 가운데 어느 정에 감동받아 울어야 하겠습니까?"

하기에 나는,

"그건 갓난아이에게 물어보시게. 갓난아이가 처음 태어나 칠정 중 어느 정에 감동하여 우는지? 갓난아이는 태어나 처음으로 해와 달을 보고, 그다음에 부모와 앞에 꽉 찬 친척들을 보고 즐거워하고 기뻐하지 않을 수 없을 것이네. ㉤이런 기쁨과 즐거움은 늙을 때까지 두 번 다시 없을 터이니, 슬퍼하거나 화를 낼 이치가 없을 것이고 응당 즐거워하고 웃어야 할 것이 아닌가. 그런데도 도리어 한없이 울어 대고 분노와 한이 가슴에 꽉 찬 듯이 행동을 한단 말이야. 이를 두고, 신성하게 태어나거나 어리석고 평범하게 태어나거나 간에 사람은 모두 죽게 되어 있고, 살아서는 허물과 걱정 근심을 백방으로 겪게 되므로, 갓난아이는 자신이 태어난 것을 후회하여 먼저 울어서 자신을 위로하는 것이라고 한다면, 이는 갓난아이의 본마음을 참으로 이해하지 못해서 하는 말이네.

갓난아이가 어머니 태중에 있을 때 캄캄하고 막히고 좁은 곳에서 웅크리고 부대끼다가 갑자기 넓은 곳으로 빠져나와 손과 발을 펴서 기지개를 켜고 마음과 생각이 확 트이게 되니, 어찌 참소리를 질러 억눌렸던 정을 다 크게 씻어 내지 않을 수 있겠는가!"

- **정사** 사신 가운데 우두머리가 되는 사람. 또는 그런 지위.
- **국궁** 윗사람이나 위패 앞에서 존경하는 뜻으로 몸을 굽힘.
- **백탑** 중국 요나라와 금나라의 전탑(塼塔)을 이르는 말.
- **마두** 역마(驛馬)에 관한 일을 맡아보던 사람.
- **안광** 눈의 정기.
- **가의** 중국 전한(前漢) 문제 때의 문인 겸 정치가. 당시의 정치적 폐단에 대한 상소문을 올린 것으로 유명함.

01 윗글에 나타난 글쓴이의 말하기 방식으로 적절하지 않은 것은?

① 고사를 인용하여 상대방의 이해를 돕고 있다.
② 보편적인 인식을 제시한 후 이를 반박하고 있다.
③ 역설적 상황을 가정하여 상대방을 설득하고 있다.
④ 설의적 표현을 통해 전달하려는 의미를 강조하고 있다.
⑤ 유사한 통사 구조를 반복하여 자신의 생각을 강화하고 있다.

02 윗글의 정 진사에 대한 설명으로 적절한 것은?

① 의견의 차이로 글쓴이와 갈등을 빚고 있다.
② 글쓴이와의 대화를 통해 깨달음을 얻고 있다.
③ 글쓴이가 발상을 전환할 수 있도록 이끌어 주고 있다.
④ 인간의 모든 감정이 울음을 자아낸다고 생각하고 있다.
⑤ 넓은 벌판을 마주하고 인간의 나약함을 실감하고 있다.

03 ㉠~㉤에 대한 이해로 적절하지 않은 것은?

① ㉠: '백탑'을 의인화하여 백탑에 가까이 이르렀음을 드러내고 있다.
② ㉡: '울음'에 대한 일반적인 통념을 전제하고 있다.
③ ㉢: 감정이 극에 달하여 나온다는 점에서 웃음과 울음이 유사함을 말하고 있다.
④ ㉣: 슬픈 감정이 극에 달했을 때 울음이 나오는 사례를 제시하고 있다.
⑤ ㉤: 갓난아이가 우는 이유를 새로운 시각으로 해석하고 있다.

04 ⓐ에 대한 이해로 가장 적절한 것은?

① 글쓴이의 생각을 반어적으로 드러내고 있다.
② 글쓴이가 다른 사람과 언쟁을 벌이는 계기가 된다.
③ 글쓴이가 과거의 깨달음에 대해 확신하는 계기가 된다.
④ 글쓴이의 감정이 오래 억눌려 있었음을 보여 주는 역할을 한다.
⑤ 상대방의 의문을 불러일으켜 대상에 대한 글쓴이의 생각을 펼치는 계기가 된다.

고난도 기출 변형 2007학년도 3월 고3 학력평가

05 윗글에 나타난 '나'의 체험과 인식 과정을 〈보기 2〉의 도표로 정리하였다. 윗글과 〈보기 1〉을 참조하여 〈보기 2〉의 도표를 분석할 때 적절하지 않은 것은?

보기 1

『열하일기』는 박지원이 1780년 진하별사(進賀別使) 박명원을 따라 약 5개월간 북경을 거쳐 열하까지 다녀와 쓴 기행문이다. 그 당시 조선의 많은 유학자는 스스로를 소중화(小中華)라 칭하면서 청나라를 오랑캐라고 멸시하고 있었다. 박지원은 평소 이러한 유학자들이 현실 감각이 결여되었다고 보고, 조선의 정황에 불만을 지니고 있었다. 그래서 그는 『열하일기』에서 청나라의 선진 문화를 기존의 한족의 문화인 화(華)의 문물을 계승하여 발전시킨 것으로 보고, 배척할 대상이 아니라고 주장함으로써 청나라에 대한 새로운 관점을 보여 주고자 했다.

보기 2

윗글은 『열하일기』 중 「도강록」의 한 부분이다. 윗글에서 박지원은 여행 도중에 울고 싶다는 반응을 보이는데, 그는 이것을 갓난아이가 세상에 태어나서 울음을 우는 것과 같은 이치라고 인식하고 있다.

	'나'의 체험 과정	갓난아이에 비유한 '나'의 인식 과정
1단계	삼류하를 건너고 산기슭을 돌아 나가는 중	ⓑ
2단계	ⓐ	ⓒ넓은 곳으로 빠져나옴.
3단계	한바탕 통곡하고 싶음.	ⓓ울음

① ⓐ에 들어갈 내용은 '나'가 드넓은 벌판을 보는 것이다.
② ⓑ는 갓난아이가 어머니의 태중에서 벗어나는 출산의 과정으로, 여기서의 '태중'은 당시 조선의 정황을 빗댄 것으로 이해할 수 있다.
③ ⓒ에서 '넓은 곳'은 당시의 상황에 비추어 볼 때 '나'가 보고 들은 청나라의 선진 문화를 의미한다고 볼 수 있다.
④ ⓓ의 '울음'은 세상에서 겪게 될 갈등에 대한 한탄에서 복받쳐 나오는 것이다.
⑤ 체험 과정 3단계는 기존의 통념과 다른 새로운 관점으로 볼 수 있다.

기출 변형 2007학년도 3월 고3 학력평가 정답과 해설 71쪽

06 윗글과 〈보기〉를 비교하여 감상한 내용으로 적절하지 않은 것은?

보기

션듕(船中)을 도라보니 저마다 *슈질(水疾)ᄒᆞ야
ᄯᅩᆼ물을 다 토ᄒᆞ고 혼졀(昏絶)ᄒᆞ야 죽게 알ᄂᆡ.
다ᄒᆡᆼᄒᆞᆯ샤 죵ᄉᆞ샹(從使上)은 태연이 안ᄌᆞ시구나
ᄇᆡ방의 도로 드러 눈 곰고 누엇더니
ᄃᆡ마도 갓갑다고 샤공이 니ᄅᆞ거ᄂᆞᆯ
고텨 니러 나와 보니 십 니ᄂᆞᆫ 남앗고나
왜션 십여 쳑이 *예선ᄎᆞ로 모다 왓ᄂᆡ
그제야 돗출 치고 ᄇᆡ머리의 줄을 ᄆᆡ야
왜션을 더지으니 왜놈이 줄을 바다
제 ᄇᆡ예 ᄆᆡ여 노코 일시의 ᄂᆞ리으니
션ᄒᆡᆼ(船行)이 안온ᄒᆞ야 좌슈포(佐須浦)로 드러가니
*신시(辛時)ᄂᆞᆫ ᄒᆞ여 잇고 *복션(卜船)은 몬져 왓다
포구(浦口)로 드러가며 좌우ᄅᆞᆯ 둘러보니
*봉만(峰巒)이 *삭닙(削立)ᄒᆞ야 경치가 긔졀(奇絶)ᄒᆞ다
– 김인겸, 「일동장유가」 중

*슈질: 뱃멀미.
*예선: 예인선. 다른 배를 끌고 가는 배.
*신시: 오후 6시 반~7시 반.
*복선: 짐을 실어 나르는 배.
*봉만: 끝이 뾰족뾰족하게 솟은 산봉우리.
*삭닙ᄒᆞ야: 깎아지른 듯 서 있어.

① 윗글과 〈보기〉에는 화자가 이동한 경로가 드러나 있군.
② 윗글은 〈보기〉와 달리 문답의 형식을 통해 내용을 전개하고 있군.
③ 윗글은 〈보기〉와 달리 구체적인 예시를 활용하여 설득력을 높이고 있군.
④ 〈보기〉는 윗글과 달리 견문에 대한 감상이 나타나 있지 않군.
⑤ 〈보기〉는 윗글과 달리 이동 과정에서 겪는 어려움을 묘사하고 있군.

고전 수필
Q 34

기출 EBS

규중칠우쟁론기(閨中七友爭論記) | 작자 미상

▶해법문학 Link
고전 산문 232쪽

키워드 체크 #내간체 수필 #규방 문학 #의인화 #우화 #비판과 풍자 #여성의 인식 변화

핵심 포인트

바느질 도구인 규중 칠우의 별명

규중 칠우	별명
바늘	세요 각시
자	척 부인
가위	교두 각시
인두	인화 부인
다리미	울 낭자
실	청홍 흑백 각시
골무	감토 할미

「규중칠우쟁론기」의 구성

전반부 ⋯→ 수록 부분 가~나
- 규중 칠우가 각자의 공을 내세우며 다툼.
- 서로를 헐뜯고 비난하며 경쟁함.

⬇ 잠에서 깬 규중 부인

중반부 ⋯→ 수록 부분 다
- 규중 칠우가 인간을 원망하고 불평함.
- 서로 동정하고 탄식함.

⬇ 다시 잠들었다 깬 규중 부인

후반부 ⋯→ 수록 부분 라
- 부인이 규중 칠우를 꾸짖고, 감토 할미가 사죄함.

연계 작품
- 부러진 바늘을 의인화하여 바늘에 대한 애통한 심정을 표현한 내간체 수필: 유씨 부인 「조침문」
- 손과 발을 의인화하여 세태를 풍자하는 작품: 정진권 「손과 발의 일기」 ⋯→ 기출 딥러닝 223쪽

기출 OX

Q1 윗글은 사물을 의인화하여 인간 세태를 우회적으로 드러내고 있다. 기출 2004. 9. 고2 (O | X)

Q2 인물의 이름을 겉모습에 착안하여 익살스럽게 표현하였다. 기출 2003. 6. 고1 (O | X)

가 이른바 규중 칠우(閨中七友)는 부인네 방 가온데 일곱 벗이니 글하는 선비는 필묵(筆墨)과 조희 벼루로 문방사우(文房四友)를 삼았나니 규중 녀잰들 홀로 어찌 벗이 없으리오.

이러므로 침선(針線)의 돕는 유를 각각 명호를 정하여 벗을 삼을새, 바늘을 세요 각시(細腰閣氏)라 하고, 자[尺]를 척 부인(尺夫人)이라 하고, 가위를 교두 각시(交頭閣氏)라 하고, 인두로 인화 부인(引火夫人)이라 하고, 다리미를 울 낭자(熨娘子)라 하고, 실을 청홍 흑백 각시(靑紅黑白閣氏)라 하며, 골무로 감토 할미라 하여, 칠우를 삼아 규중 부인네 아침 *소세를 마치매 칠위 일제히 모혀 종시하기를 함께 의논하여 각각 소임을 일워 내는지라.

나 일일(一日)은 칠위 모혀 침선의 공을 의논하더니 척 부인이 긴 허리를 자히며 이르되,

[A] "제우(諸友)는 들으라. 나는 세명지 굵은 명지 백저포(白紵布) 세승포(細升布)와, 청홍 녹라(靑紅綠羅) 자라(紫羅) 홍단(紅緞)을 다 내어 펼쳐 놓고 남녀의(男女衣)를 마련할 새, 장단 광협(長短廣狹)이며 수품 제도(手品制度)를 나 곧 아니면 어찌 일우리오. 이러므로 *작의지공(作衣之功)이 내 으뜸 되리라."

교두 각시 양각(兩脚)을 빨리 놀려 내달아 이르되,

"척 부인아, 그대 아모리 마련을 잘한들 버혀 내지 아니하면 모양 제되 되겠느냐. 내 공과 내 덕이니 네 공만 자랑 마라."

다 규중 부인이 이르되, / "칠우의 공으로 의복을 다스리나 그 공이 사람의 쓰기에 있나니 어찌 칠우의 공이라 하리오."

하고 언필에 칠우를 밀치고 베개를 돋오고 잠을 깊이 드니 척 부인이 탄식고 이르되,

"매정할사 사람이오 공 모르는 것은 녀재로다. 의복 마를 제는 몬저 찾고 일워 내면 자기 공이라 하고, 게으른 종 잠 깨오는 막대는 나 곧 아니면 못 칠 줄로 알고 내 허리 브러짐도 모르니 어찌 야속하고 노흡지 아니리오."

교두 각시 이어 가로대,

"그대 말이 옳도다. 옷 말라 버힐 때는 나 아니면 못 하려마는 드나니 아니 드나니 하고 내어 던지며 양각을 각각 잡아 흔들 제는 토심적고 노흡기 어찌 측량하리오. 세요 각시 잠깐이나 쉬랴 하고 다라나면 매양 내 탓만 너겨 내게 *집탈하니 마치 내가 감촌 듯이 문고리에 거꾸로 달아 놓고 좌우로 고면하며 전후로 수험하야 얻어 내기 몇 번인 동 알리오. 그 공을 모르니 어찌 애원하지 아니리오."

라 칠우 이렇듯 담론하며 회포를 이르더니 자던 여재 믄득 깨쳐 칠우다려 왈,

"칠우는 내 허믈을 그대도록 하느냐."

감토 할미 *고두 사왈(叩頭謝曰),

"젊은 것들이 망녕도이 헴이 없는지라 족하지 못하리로다. 저희 등이 재죄 있으나 공이 많음을 자랑하야 원언(怨言)을 지으니 마땅 *결곤(決棍)하암 직하되, 평일 깊은 정과 저희 조고만 공을 생각하야 용서하심이 옳을가 하나이다."

여재 답왈,

"할미 말을 좇아 *물시(勿施)하리니, 내 손부리 성하미 할미 공이라. 꿰어 차고 다니며 은혜를 잊지 아니하리니 금낭(錦囊)을 지어 그 가온데 넣어 몸에 진혀 서로 떠나지 아니하리라."

하니 할미는 *고두 배사(叩頭拜謝)하고 제붕(諸朋)은 *참안(慙顏)하야 물러나니라.

- **소세** 머리를 빗고 낯을 씻음.
- **작의지공** 옷을 짓는 공.
- **집탈하니** 남의 잘못을 집어내어 트집을 잡으니.
- **고두 사왈** 머리를 조아리며 사죄하여 말하기를.
- **결곤** 곤장으로 죄인을 치는 형벌을 집행하던 일.
- **물시하리니** 하려던 일을 그만두리니.
- **고두 배사** 머리를 조아려 사례함.
- **참안하야** 부끄러워하여.

답 Q1 O Q2 O

01 윗글에 대한 설명으로 적절하지 않은 것은?

① 우화적 기법을 통해 주제를 전달하고 있다.
② 인물들의 대화를 통해 내용을 전개하고 있다.
③ 공간적 배경의 변화에 따라 사건이 진행되고 있다.
④ 바느질 도구의 속성에 근거하여 대상의 이름을 붙이고 있다.
⑤ 작품 밖 서술자가 인물들의 말과 행동을 객관적으로 관찰하여 서술하고 있다.

기출 변형 2004학년도 9월 고2 학력평가

02 윗글의 글쓴이가 풍자하는 대상으로 가장 적절한 것은?

① 타인의 가치를 인정하고 존중하지 않는 세태
② 맡은 일에 대한 책임을 타인에게 미루는 세태
③ 인간성보다 이해관계를 우선하는 몰인정한 세태
④ 사회적 가치보다 사사로운 이익을 우선하는 세태
⑤ 뚜렷한 주관 없이 시류에 영합하는 수동적인 세태

03 (나)와 (다) 사이에 〈보기〉의 내용이 포함되어 있다고 할 때, '감토 할미'에 대한 반응으로 적절하지 않은 것은?

보기

감토 할미 웃고 이르되,
"각시님네, 웬만히 자랑 마소. 이 늙은이 수말 적기로 아가씨네 손부리 아프지 아니하게 바느질 도와 드리나니 옛말에 이르기를, 닭의 입이 될지언정 소 뒤는 되지 말라 하였으니, 청홍 흑백 각시는 세요의 뒤를 따라다니며 무슨 말 하시느뇨. 실로 얼굴이 아깝구나. 나는 매양 세요의 귀에 찔리었으되 낯가죽이 두꺼워 견딜 만하고 아무 말도 아니 하노라."

① 자기 역할이 중요하다는 걸 은근히 뽐내고 있어.
② 자기 공로를 높이기 위해 남을 깎아내리고 있어.
③ 웃으면서 인물 간의 다툼을 만류하는 것으로 보아 화합과 공존을 추구하는 인물 같아.
④ 다른 인물들과 같은 잘못을 했지만 빠르게 반성하고 용서를 구했던 건 바람직한 태도가 아닐까?
⑤ 한편으로는 아첨을 통해 자기만 곤경에서 빠져나간 것처럼 보여서 비판할 점도 있다고 생각해.

04 [A]에 나타난 말하기 방식에 대한 설명으로 가장 적절한 것은?

① 자신과 다른 대상을 비교하여 자신의 장점을 부각하고 있다.
② 자신의 의도를 우회적으로 드러내어 상대방의 관심을 이끌어 내고 있다.
③ 상대방에게 자신을 소개하며 서로 간의 심리적 거리를 좁히고자 하고 있다.
④ 찬성과 반대의 의견을 모두 언급한 뒤 중립적인 의견을 내세워 갈등을 중재하고 있다.
⑤ 다수의 청중 앞에서 자신의 역할이 중요하다는 점을 강조하며 스스로 위상을 높이고자 하고 있다.

05 〈보기〉를 참고하여 윗글을 감상한 내용으로 가장 적절한 것은?

보기

내간체(內簡體)는 조선 시대 여성들이 사용했던 산문 문체로, 이런 문체가 쓰인 작품을 내간 문학이라 한다. 부녀자들이 주체가 된 내간 문학에서는 순우리말의 아름다움을 살린 문체를 통해 여성 특유의 섬세한 정서를 표현하였고, 남성 위주의 사회에서 여성들이 겪는 삶의 애환과 여성의 인식 변화 등을 드러내고 있다.

① 규중 칠우가 자신의 역할을 글하는 선비의 문방사우에 빗댄 모습에서 남성 위주의 사회를 모방하려는 여성 의식을 엿볼 수 있다.
② 규중 칠우의 공을 인정하지 않는 규중 부인의 모습을 통해 여성의 공을 인정하지 않는 남성 위주의 사회를 그려 냈다고 볼 수 있다.
③ 여성의 물건인 규중 칠우가 각각 명호를 얻는 모습을 통해 조선 후기에 여성들이 사회에 적극적으로 참여하게 되었음을 알 수 있다.
④ 규중 부인이 감토 할미를 높이 평가하며 귀하게 대접하겠다고 말한 것에서 당시 여성들이 나이가 많은 사람을 공경하는 유교적 가치관을 중시했음을 알 수 있다.
⑤ 규중 칠우가 각자의 역할에 자부심을 가지고 부인에게 불만을 토로하는 모습에서 자기 생각을 적극적으로 표현하고자 하는 당대 여성의 인식 변화를 엿볼 수 있다.

기출 딥러닝

2004학년도 9월 고2 학력평가

[06~08] 다음 글을 읽고 물음에 답하시오.

어느 날, 나는 좀 심심해서 나의 ㉠손과 발이 쓴 일기를 들추어 보았다. 다음은 같은 날에 쓴 두 녀석의 일기를 몇 곳 대조해 본 것이다.

a월 a일

손: 오늘도 하루 종일 쉬지 않고 움직였다. 만년필 하나만을 움직인 것만 해도 다섯 시간이 넘는다. 나는 하필 사람의 손으로 태어났을까? 발이란 놈은 여전히 편하다. 도대체 이 녀석이 하는 일은 무엇일까? 이따금 걸어다니는 일 이외에는 그저 가죽옷이나 입고 거드럭거리기나 하면 그만 아닌가?

발: 오늘도 하루 종일 쉬지 않고 버티었다. 주인의 체중은 무려 63kg. 나는 하필 사람의 발이 되었을까? 손이란 놈은 여전히 편하다. 도대체 이 녀석이 하는 일은 무엇일까? 제깟 놈이 뭔데 내가 온종일 떠받치고 살아야 하는가?

a월 b일

손: 웬 날씨가 이리도 무더울까? 온종일 발가벗은 몸으로 햇볕에 탔다. 여인네들은 더러 시원한 장갑으로 햇볕을 막아 주기도 하지만 우리 주인은 그럴 줄도 모른다. 발이란 놈이 부럽다. 온종일 시원한 양말로 몸을 가리고 그늘 속에서만 지낸다.

발: 웬 날씨가 이리도 무더울까? 하루 종일 한증막 같은 구두 속에서 숨이 막혔다. 그 흐르는 땀, 그 고린내, 이제는 정말이지 참을 수가 없다. 헌데 손이란 놈은 무슨 팔자인가. 대낮에도 벌거벗고 시원스레 나돌아 다녔다.

이 두 녀석의 일기를 대조해 읽으면서 나는 퍽 한심스러운 생각이 들었다. 세상 살기가 여간 힘든 게 아닌 줄을 알겠다.

- 정진권, 「손과 발의 일기」

06 윗글에 대한 설명으로 가장 적절한 것은?

① 인격을 부여한 사물의 일기를 병치하여 주제를 전달하고 있다.
② 사물에서 관찰한 긍정적인 속성을 우화적 기법으로 드러내고 있다.
③ 의문형 문장을 반복적으로 사용하여 글쓴이의 탐구 정신을 강조하고 있다.
④ 시간의 흐름에 따라 변화하는 인물의 생각을 다양한 관점으로 서술하고 있다.
⑤ 일기 형식을 빌려 신체 부위의 변화 과정에 대한 기록을 사실적으로 전달하고 있다.

07 '나'가 ㉠에게 할 말로 가장 적절한 것은?

① 현재의 불합리한 상황에 순응해서는 안 돼.
② 대화를 통해 서로 간의 갈등을 해결해야 해.
③ 자기 공로를 내세우지 않는 겸손한 자세를 배워야겠군.
④ 불만을 토로하기 전에 상대방의 입장에서 생각해 보렴.
⑤ 서로를 원망하기보다 함께 어려움을 극복해 나갈 방법을 찾아보렴.

고난도 기출

08 윗글과 그 주제가 유사하면서 다음 밑줄 친 부분의 표현 방식이 나타나 있는 것은?

> 수필에서는 윗글과 같이 사물의 입장에서 그들의 입을 통해 주제를 드러내는 경우도 있지만, <u>인간의 입장에서 사물의 장점 또는 단점을 거론하여 교훈적 의미를 제시하는 경우</u>도 있다.

① 비로봉 동쪽은 아낙네의 살결보다도 흰 자작나무의 수해(樹海)였다. 설 자리를 삼가, 구중심처(九重深處)가 아니면 살지 않는 자작나무는 무슨 수중 공주(樹中公主)이던가!
- 정비석

② 온 겨울의 어둠과 추위를 다 이겨 내고, 봄의 아지랑이와 따뜻한 햇볕과 무르익은 그윽한 향기를 온몸에 지니면서, 너, 보리는 이제 모든 고초와 사명을 다 마친 듯이 고요히 머리를 숙이고, 성자(聖者)인 양 기도를 드린다.
- 한흑구

③ 나무는 물과 흙과 태양의 아들로, 물과 흙과 태양이 주는 대로 받고, 후박(厚薄)과 불만족(不滿足)을 말하지 아니한다. 나무는 이웃 친구의 처지에 눈떠 보는 일도 없다. 소나무는 소나무대로 스스로 족하고, 진달래는 진달래대로 스스로 족하다.
- 이양하

④ 나무들에게는 한때의 요염(妖艶)을 자랑하는 꽃이 바랄 수 없는 높고 깊은 품위가 있고, 우리 사람에는 도저히 찾아볼 수 없는 점잖고 너그럽고 거룩하기까지 한, 범할 수 없는 위의(威儀)가 있다.
- 이양하

⑤ 물의 본성은 높은 데서 낮은 데로 흐르는 것이다. 하늘에서 빗방울이 대지를 향해 떨어지는 것과 같다. 폭포수도 마찬가지이다. 아무리 거센 폭포라 해도 높은 데에서 낮은 곳으로 흐르고 떨어지는 중력에의 순응이다.
- 이어령

고전 수필 Q 35

동명일기(東溟日記) | 의유당

▶해법문학 Link
고전 산문 248쪽

[교과서] [문] 천재(김), 지학사 [기출] [EBS]

키워드 체크 #기행 수필 #동해의 월출과 일출 #섬세한 표현 #사실적 묘사 #우리말의 아름다움

핵심 포인트

「동명일기」의 내용과 구성

의유당이 관찰한 동해의 월출과 일출

↓

기	월출 장관을 보게 된 감회와 일출에 대한 기다림 ···› 수록 부분 ㉮
승	일출 전 바다에서 동트는 모습과 일출 여부를 둘러싼 논쟁 ···› 수록 부분 ㉯
전	천하 장관인 일출의 모습 ···› 수록 부분 ㉰
결	일출의 환상적인 아름다움

연계 작품

- 여정 중에 본 일출과 월출의 광경을 묘사한 작품: 정철 「관동별곡」
- 섬세한 필치로 자연의 풍경을 묘사한 작품: 정비석 「산정무한」

기출 OX

Q1 윗글의 글쓴이는 시간의 흐름에 따른 대상의 변화를 섬세하게 관찰하고 있다. [기출] 2003. 3. 고2 (O | X)

Q2 구름이 이따금씩 이동하여 일출의 장관을 한층 멋지게 하고 있다. [기출] 2003. 3. 고2 (O | X)

㉮ 달 돋을 때 미치지 못하고 어둡기 심하니, 좌우로 초롱을 켜고 매화가 춘매로 하여금 대상에서 관동별곡을 시키니, 소리 높고 맑아 집에 앉아 듣는 것보다 더욱 신기롭더라.

물 치는 소리 장하매, 청풍이 슬슬이 일어나며, 다행히 •사면 연운(四面煙雲)이 잠깐 걷고, 물 밑이 일시에 •통랑(通朗)하며, 게 드린 도홍(桃紅)빛 같은 것이, 얼레빗 잔등 같은 것이 약간 비치더니 차차 내미는데, 둥근 빛 붉은 •폐백반(幣帛盤)만 한 것이 길게 흥쳐 올라 붙으며, 차차 붉은 기운이 없고 온 바다가 일시에 희어지니, 바다 푸른빛이 희고 희어 은 같고 맑고 좋아 옥 같으니, 창파 만 리에 달 비치는 장관을 어찌 능히 볼지리요마는, 사군이 •세록지신(世祿之臣)으로 천은(天恩)이 망극하여 연하여 외방에 작재(作宰)하여 나랏것을 마음껏 먹고, 나는 또한 사군의 덕으로 이런 장관을 하니, 도무지 어느 것이 성주(聖主)의 은혜 아닌 것이 있으리오.

밤이 들어오니 바람이 차고 물 치는 소리 요란한데 한랭하니, 성이로 더욱 민망하여 숙소로 돌아오니, ㉠기생들이 월출 관광이 쾌치 아닌 줄 애달파하더니, 나는 그도 장관으로 아는데 그리들 하니 심히 서운하더라.

㉯ ㉡붉은 기운이 퍼져 하늘과 물이 다 •조요하되 해 아니 나니, 기생들이 손을 두드려 소리하여 애달파 가로되,

㉢"이제는 해 다 돋아 저 속에 들었으니, 저 붉은 기운이 다 푸르러 구름이 되리라."

혼공하니, •낙막(落寞)하여 그저 돌아가려 하니, 사군과 숙씨가,

"그렇지 않아, 이제 보리라."

하시되, 이랑이 차섬이 냉소하여 이르되,

㉣"소인 등이 이번뿐 아니라 자주 보았사오니, 어찌 모르리이까? 마누라님 큰 병환 나실 것이니 어서 가압사이다."

하거늘, 가마 속에 들어앉으니, 봉의 어미 악써 가로되,

"하인들이 다 말하되, 이제 해 나오리라 하는데, 어찌 가시려 하시오. 기생 아이들은 철모르고 지레 이렇게 구는 것이외다."

이랑이 박장하여 가로되,

"그것들은 전혀 모르고 한 말이니 곧이 듣지 말라." / 하거늘,

"돌아 사공더러 물으라." / 하니 사공이,

"오늘 일출이 유명하리란다."

하거늘 내 도로 나서니, 차섬이 보배는 내 가마에 드는 상(相) 보고 먼저 가고 계집종 셋이 먼저 갔더라.

㉰ 홍색이 거룩하여 붉은 기운이 하늘을 뛰놀더니, 이랑이 소리를 높이 하여 나를 불러,

"저기 물 밑을 보라."

외치거늘, 급히 눈을 들어 보니, 물 밑 홍운(紅雲)을 헤치고 큰 실오라기 같은 줄이 붉기가 더욱 기이하며, 기운이 진홍 같은 것이 차차 나와 손바닥 넓이 같은 것이 그믐밤에 보는 숯불 빛 같더라. 차차 나오더니, 그 위로 작은 •회오리밤 같은 것이 붉기가 •호박(琥珀) 구슬 같고, 맑고 통랑하기는 호박도곤 더 곱더라.

그 붉은 위로 흘흘 움직여 도는데, 처음 났던 붉은 기운이 백지 반 장 넓이만치 반듯이 비치며, 밤 같던 기운이 해 되어 차차 커 가며, 큰 쟁반만 하여 불긋불긋 번듯번듯 뛰놀며,

- 사면연운 사방의 안개와 구름.
- 통랑하며 속까지 비치어 환하며.
- 폐백반 폐백을 담는 예반.
- 세록지신 대대로 나라에서 녹봉을 받는 신하.
- 조요하되 밝게 비쳐서 빛나되.
- 낙막하여 마음이 쓸쓸하여.
- 회오리밤 밤송이 속에 외톨로 들어앉아 있는, 동그랗게 생긴 밤.
- 호박 주로 장신구로 쓰이는 누런색 광물.
- 항독 항아리와 독을 아울러 이르는 말.
- 대두할 맞서 겨룰.

답 Q1 O Q2 X

적색이 온 바다에 끼치며, 먼저 붉은 기운이 차차 가시며, 해 흔들며 뛰놀기 더욱 자주 하며, 항 같고 독 같은 것이 좌우로 뛰놀며, 황홀히 번득여 양목(兩目)이 어지러우며, 붉은 기운이 명랑하여 첫 홍색을 헤치고, 천중(天中)에 쟁반 같은 것이 수레바퀴 같아 물속으로부터 치밀어 받치듯이 올라붙으며, *항독 같은 기운이 스러지고, 처음 붉어 겉을 비추던 것은 모여 소의 혀처럼 드리워져 물속에 풍덩 빠지는 듯싶더라. ㉤일색(日色)이 조요하며 물결의 붉은 기운이 차차 가시며 일광이 청랑(淸郞)하니, 만고 천하에 그런 장관은 *대두(對頭)할 데 없을 듯하더라.

01 윗글에 대한 설명으로 적절하지 않은 것은?

① 글쓴이가 관찰한 내용을 상세하게 묘사하고 있다.
② 글쓴이의 감상에 대화를 삽입하여 현장감을 살리고 있다.
③ 순우리말을 사용하여 우리말의 아름다움을 살리고 있다.
④ 개성 있는 표현으로 자연 경관을 생동감 있게 그려 내고 있다.
⑤ 자연물이 지닌 덕성을 부각하여 글쓴이의 다짐을 강조하고 있다.

02 (가), (다)를 비교하여 감상한 내용으로 적절한 것은?

① (가)는 (다)와 달리 글쓴이의 유교적 가치관이 드러나 있다.
② (가)는 (다)와 달리 시간적 순서에 따른 대상의 변화 과정을 묘사하고 있다.
③ (다)는 (가)와 달리 대상을 비유적으로 표현하고 있다.
④ (다)는 (가)와 달리 대상의 색채 변화를 뚜렷하게 드러내고 있다.
⑤ (가)와 (다)는 모두 청각적 심상을 활용하여 글쓴이의 흥취를 부각하고 있다.

03 ㉠~㉤을 이해한 내용으로 적절하지 않은 것은?

① ㉠: 기생들의 짐작과 달리 글쓴이는 자신이 본 광경에 만족하고 있다.
② ㉡: 해의 붉은 기운이 하늘과 물에 퍼져 있으나, 구름에 가려 해돋이를 보지 못하고 있다.
③ ㉢: 기생들은 이미 해가 다 돋았다고 생각하고 있다.
④ ㉣: 기생들은 자신의 경험을 앞세워 글쓴이를 무시하고 있다.
⑤ ㉤: 일출의 장관에 대한 글쓴이의 주관적 감상이 나타나 있다.

04 (다)에서 떠오르는 해를 비유한 표현을 순서대로 배열한 것은?

① 숯불 빛 → 작은 회오리밤 → 큰 쟁반
② 작은 회오리밤 → 큰 쟁반 → 수레바퀴
③ 숯불 빛 → 항 같고 독 같은 것 → 수레바퀴
④ 홍운 → 큰 실오라기 같은 줄 → 작은 회오리밤
⑤ 작은 회오리밤 → 항 같고 독 같은 것 → 소의 혀

05 〈보기〉는 윗글의 앞부분이다. 이를 참고하여 글쓴이에 대해 이해한 내용으로 적절하지 않은 것은?

보기

임진 *상척(喪戚)을 당하여 종이를 서울 보내어 이미 달이 넘고, 고향을 떠나 4년이 되니, 죽은 이는 이의(已矣)거니와 생면이 그립고, 종이조차 보내어 *심우(心憂)를 도우니, 회포가 자못 괴로운지라. 원님께 다시 동명(東溟) 보기를 청하니 허락지 아니하시거늘 내 하되,

"인생이 *기하(幾何)오? 사람이 한 번 돌아가매 다시 오는 일이 없고, 심우와 *지통(至痛)을 쌓아 매양 울울하니, 한 번 놀아 심울(心鬱)을 푸는 것이 만금에 비겨 바꾸지 못하리니, 덕분에 가지라."

하고 비니, 원님이 역시 일출을 못 보신 고로 허락, 동행하자 하시니, 9월 17일로 가기를 정하니 〈중략〉 미세한 규중 여자로 *거년(去年)에 비록 낭패하였으나 거년 호사를 금년 차일에 다시 하니, 어느 것이 사군의 은혜 아니리요.

*상척: 친척의 상.
*심우: 마음으로 근심함. 또는 그런 근심.
*기하: 얼마.
*지통: 고통이 매우 심함. 또는 그런 고통.
*거년: 지난해.

① 당시 규중의 여인이 먼 여행을 가려면 남편의 허락이 필요했군.
② 글쓴이는 과거에도 남편에게 동해에 가 보고 싶다고 이야기한 적이 있었군.
③ 글쓴이는 자신의 우울한 심정을 해소하는 데 여행이 도움이 된다고 생각했군.
④ 글쓴이는 여행에서 돌아오면 죽은 이를 완전히 잊을 수 있을 것이라고 기대하고 있군.
⑤ 남편은 처음에는 글쓴이의 부탁에 부정적인 반응을 보였지만 결국 글쓴이와 동행하기로 결정했군.

『동명일기』 "만고 천하에 그런 장관은 대두할 데 없을 듯하더라."
작품 한 줄 Pick

고전 수필 Q36

교과서 [문] 신사고

한중록(閑中錄) | 혜경궁 홍씨

▶해법문학 Link
고전 산문 270쪽

키워드 체크 #궁정 수필 #자전적 회고록 #사도 세자의 참변 #임오옥 #우아한 문체

선희궁께서 13일 내게 편지하시되

"어젯밤 소문은 더욱 무서우니, 일이 이왕 이리된 바에는 내가 죽어 모르거나, 살면 •종사를 붙들어야 옳고, 세손을 구하는 일이 옳으니, 내 살아 •빈궁을 다시 볼 줄 모르겠노라."

라고만 하시니, 내 그 편지를 붙들고 눈물을 흘리니라. 하지만 그날 큰 변이 날 줄 어이 알았으리오.

[A] 그날 아침에 영조께서 무슨 일로 자리에 좌정하려 하시며 경희궁에 있는 경현당 •관광청(觀光廳)에 계시니, 선희궁께서 가서 울며 고하시되

"동궁의 병이 점점 깊어 바랄 것이 없으니, 소인이 차마 이 말씀을 드리는 것이 정리에 못 할 일이나, ㉠옥체를 보호하고 세손을 건져 종사를 평안히 하는 일이 옳사오니, 대처분을 하소서."

하시니라. 또 / "설사 그리하신다 해도 부자의 정이 있고 병으로 그리된 것이니 병을 어찌 꾸짖으리이까. 처분은 하시나 은혜를 끼치시고 세손 모자를 평안하게 하소서."

하시니, 내 차마 그 아내로 이 일을 옳다고는 못 하나 어쩔 수 없는 일이라. 그저 나도 경모궁을 따라 죽어 모르는 것이 옳되, 세손 때문에 차마 결단치 못하니라. 내 겪은 일이 기구하고 흉독함을 서러워할 뿐이라.

영조께서 선희궁의 말을 들으시고, ㉡조금도 주저하며 지체하심이 없이 창덕궁 •거둥령을 급히 내신지라. 선희궁께서는 모자의 인정을 어려이 끊고 대의를 잡아 말씀을 아뢰시고 바로 가슴을 치며 혼절하시니라. 그리고 당신 계신 양덕당에 오셔서 식음을 끊고 눈물 흘리며 누워 계시니, 만고에 이런 일이 어디 있으리오. 〈중략〉

경모궁께서 나가신 후 즉시 영조의 엄노하신 음성이 들리니라. 휘령전이 덕성합과 멀지 않으니, 담 밑으로 사람을 보내니라. 경모궁께서는 벌써 곤룡포를 벗고 엎드려 계시더라 하니라. 대처분이신 줄 알고, 천지 망극하고 가슴이 찢어지니라.

거기 있어 부질없으니 세손 계신 데로 와서, 서로 붙들고 어찌할 줄을 모르더라. 오후 세시 즈음에 내관이 들어와 •밧소주방의 쌀 담는 뒤주를 내라 하신다 하니, 이 어찌 된 말인고. •황황하여 •궤를 내지는 못하고, 세손이 망극한 일이 벌어질 줄 알고 휘령전으로 들어가

"아비를 살려 주소서." / 하니, 영조께서 / "나가라."

명하시니라. 세손께서 나와서 휘령전에 딸린 왕자의 재실(齋室)에 앉아 계시니, 그 정경이야 고금 천지간에 다시 없더라. 세손을 내보낸 후 하늘이 무너지고 해와 달이 빛을 잃으니, ㉢내 어찌 한때나마 세상에 머물 마음이 있으리오.

칼을 들어 목숨을 끊으려 하나, 곁에 있는 사람이 앗음으로써 뜻을 이루지 못하고, 다시 죽고자 하되 한 토막 쇳조각이 없으니 하지 못하니라. 숭문당에서 휘령전으로 나가는 건복문 밑으로 가니, 아무것도 보이지 않고, 다만 영조께서 칼 두드리시는 소리와 경모궁께서

"아버님, 아버님, 잘못하였으니, 이제는 하라 하시는 대로 하고, 글도 읽고 말씀도 들을 것이니, 이리 마소서."

애원하시는 소리가 들리더라. 그 소리를 들으니 간장이 마디마디 끊어지고 눈앞이 막막하니, 가슴을 두드려 아무리 한들 어찌하리오.

㉣당신 •용력(勇力)과 장한 기운으로 뒤주에 들라 하신들 아무쪼록 아니 드시지, 어찌 마침내 들어가시던고. 처음은 뛰어나가려 하시다가 이기지 못하여 그 지경이 되시니, ㉤하늘

핵심 포인트

「한중록」의 역사적 배경

임오옥(壬午獄)
조선 영조가 임오년(1762)에 아들인 사도 세자를 뒤주 속에 가두어 굶어 죽게 한 사건

「한중록」의 서술자와 집필 의도

혜경궁 홍씨	사도 세자의 아내

↓

남편인 사도 세자의 일을 중심으로 자신의 일생을 돌아보며, 사도 세자의 죽음에 얽힌 진상을 알리고 친정 식구들의 억울함을 풀고자 함.

전체 구성

1편	혜경궁 홍씨의 어린 시절과 세자빈이 된 이후 50년간 궁궐에서 지낸 이야기
2편	친정의 몰락에 대한 자탄(自嘆)과 억울함
3편	사도 세자의 죽음과 관련하여 친정이 쓴 누명이 무고(誣告)에 의한 것임을 주장함.
4편	사도 세자 참변의 진상을 알리고 친정의 억울함을 밝힘. ⋯→ 수록 부분

연계 작품

역사적 사실을 다룬 궁정 수필: 작자 미상(궁녀) 「계축일기」, 작자 미상 「인현왕후전」

- **종사** 종묘와 사직이라는 뜻으로, 나라를 이르는 말.
- **빈궁** 왕세자의 아내.
- **관광청** 공연이나 행사를 지켜볼 수 있도록 만든 집.
- **거둥령** 임금의 나들이를 알리는 명령.
- **밧소주방** 조선 시대에, 대전 밖에 있던 소주방으로 대궐 안의 음식을 만들던 곳.
- **황황하여** 갈팡질팡 어쩔 줄 모르게 급하여.
- **궤** 물건을 넣도록 나무로 네모나게 만든 그릇. 여기서는 '뒤주'를 가리킴.
- **용력** 씩씩한 힘. 또는 뛰어난 역량.

이 어찌 이토록 하신고. 만고에 없는 설움뿐이라. 내 문 밑에서 울부짖되 경모궁께서는 응하심이 없더라.

세자가 벌써 폐위되었으니 그 처자가 편안히 대궐에 있지 못할 것이요, 세손을 그냥 밖에 두었으니 어찌 될까 두렵고 조마조마하여, 그 문에 앉아 영조께 글을 올리니라.

01 윗글의 서술상 특징으로 적절한 것은?

① 품위 있고 격식을 갖춘 문장을 구사하고 있다.
② 작품 속에 예상 독자를 명시적으로 드러내고 있다.
③ 비유적 표현을 통해 감정의 추이를 보여 주고 있다.
④ 중립적 태도를 유지하며 사건을 객관적으로 묘사하고 있다.
⑤ 각 인물의 관점에서 작품 속 사건의 의미를 다각적으로 보여 주고 있다.

02 윗글의 '나'에 대한 이해로 가장 적절한 것은?

① 선희궁의 편지를 받고, 그날 일어날 비극을 예감했다.
② 선희궁이 영조에게 아뢴 말씀이 옳다고 생각하여 깊이 동조했다.
③ 경모궁이 겪는 일을 지켜볼 수밖에 없는 처지에서 절망감을 느꼈다.
④ 영조 앞에 나가 경모궁을 살려 달라고 간청하도록 세손을 종용했다.
⑤ 영조와 경모궁 모두에게 연민을 느끼며 두 사람이 서로에 대한 신의를 회복하기를 바랐다.

03 〈보기〉를 바탕으로 하여 윗글을 감상한 반응으로 적절하지 않은 것은?

보기

「한중록」은 정조의 어머니이며 사도 세자의 빈(嬪)이었던 혜경궁 홍씨가, 남편이 뒤주에 갇혀 죽임을 당했던 임오옥이라는 역사적 사실과 자신의 파란만장한 운명을 자서전 형식으로 기록한 궁정 수필이다.

① 궁에서 생활한 상류층 여성의 자전적 기록이라는 점에서 중요한 의미가 있겠어.
② 전문 사료에는 드러나지 않는 역사적 사건의 이면을 보여 주는 자료로 가치가 있겠어.
③ '서러워할 뿐이라.', '가슴이 찢어지니라.', '울부짖되' 등에서 글쓴이의 격정적인 심정이 잘 느껴져.
④ 세자의 빈(嬪)이라는 높은 신분에 올랐지만 남편의 끔찍한 죽음을 목격해야 했던 글쓴이의 삶은 기박하다고 말할 수 있겠어.
⑤ 영조에게 글을 올려 세자의 폐위가 부당함을 호소하는 모습에서 궁중 여인의 한계를 뛰어넘는 글쓴이의 대담함을 엿볼 수 있어.

04 ㉠~㉤에 대한 이해로 적절하지 않은 것은?

① ㉠: 국가의 일을 우선시하는 판단이 담겨 있다.
② ㉡: 영조의 단호한 의지와 결단력이 드러나 있다.
③ ㉢: 경모궁을 지키지 못한 자신을 책망하고 있다.
④ ㉣: 뒤주에 들어간 경모궁의 행동을 원망하고 있다.
⑤ ㉤: 경모궁의 상황을 하늘의 뜻으로 받아들이고 있다.

05 [A]와 〈보기〉를 비교하여 감상한 내용으로 적절하지 않은 것은?

보기

S# 2. 경희궁 침전 _ 낮

자막: 첫째 날
침전 밖. 도열해 있는 별감들.
침전 안. 융복으로 갈아입은 영조(69세) 뒤에 엎드려 흐느끼는 영빈(76세)

영빈 어젯밤 세자가 저지른 일을 세자의 어미인 제가 아뢰는 것은…… 오로지 전하의 목숨을 지키기 위함이옵니다.
영조 영빈, 자네가 충신일세. 이 넓은 궁궐 안에 내 편은 자네뿐이야.

미동도 없이 앉아 있는 정순 왕후(19세)

영빈 하오나 세자가 그리한 것은 마음의 병 때문이니, 처분은 하시되 은혜를 베푸시고, 세손만은 보존하게 하소서.

– 조철현·이송원·오승현 각본, 「사도」

① 〈보기〉는 [A]와 달리 사건을 현재화하여 표현하고 있다.
② 〈보기〉는 [A]와 달리 역사적 사건을 재구성하여 보여 주고 있다.
③ 〈보기〉는 [A]와 달리 인물의 대화와 행동을 통해 사건을 진행하고 있다.
④ [A]는 〈보기〉와 달리 사건에 대한 글쓴이의 주관적인 의견을 제시하고 있다.
⑤ [A]와 〈보기〉 모두 인물 간의 첨예한 갈등을 제시하여 긴장감을 고조하고 있다.

『한중록』 "당신 용력과 장한 기운으로 뒤주에 들라 하신들 아무쪼록 아니 드시지, 어찌 마침내 들어가시던고."

판소리 Q37

[교과서] [문] 동아, 창비 [기출]

춘향가(春香歌) | 작자 미상

▶해법문학 Link
고전 산문 290쪽

키워드 체크 #판소리 사설 #표면적 주제와 이면적 주제 #지조와 절개 #신분의 제약 극복 #언어유희

[아니리] 이렇듯 말을 하니, 기특다 칭찬하고 그만 내보냈으면 관청과 동네에 아무 일이 없어 좋을 것을, 사또 속으로 괘씸하여 ⓐ얼러 보면 될 줄 알고 '절' 자로 한 번 어르는데,

"허, 이런 시절 보소! 기생의 자식이 수절이라니 뉘 아니 요절할꼬? 대부인께서 들으시면 아주 기절을 하겠구나. 너만 한 년이 자칭 정절이라, 분부 거절키는 생서방 생각 간절하여, 별 수절을 다하니, 네 죄가 애절하고 절절하구나. ㉠형장 아래 기절하면, 네 청춘이 속절없지. 기생에게 충효가 무엇이며, 정절이 다 무엇이냐?"

춘향도 그 말에 분이 받쳐 죽기를 ⓑ무릅쓰고 대답한다.

[중모리] "여보 사또님, 들으시오, 여보 사또님, 들으시오. ㉡충신은 *불사이군(不事二君)이요, *열녀불경이부절(烈女不更二夫節)을 사또는 어이 모르시오? 기생에게 충절이 없다 하니 낱낱이 ⓒ아뢰리다. 청주 기생 매월이는 삼충사에 올라 있고, 안동 기생 일지홍이는 살아 열녀문 세워 있고, 선천 기생은 아이로되 사서삼경 알았으니, 기생에게 충이 없소 열녀가 없소? ㉢대부인 수절이나 소녀 춘향 수절이나 수절은 일반인데, 수절에도 위아래가 있소? 사또도 국운이 불행하여 도적이 강성하면, 적 아래 무릎을 꿇어 두 임금을 섬기려오? 마오, 그리 마오. 기생 자식이라고 그리 마오."

[아니리] 사또님이 이 말을 들어 놓으니, 오장이 벌컥 뒤집혀서, 미처 통인(通引)을 못 부르고, / "사령아, 이년 잡아 내려라." 〈중략〉

[진양조] 집장사령(執杖使令) 거동을 보아라. 형장 한 아름을 안아다, 형틀 밑에 좌르르르르 펼쳐 놓고 형장을 앉아서 ⓓ고른다. 이놈 골라 이리 놓고, 저놈 골라 저리 놓더니마는 그중의 등심 좋고 손잡이 좋은 놈 골라 쥐더니마는,

"삼가 아뢰오." / "각별히 매우 쳐라."

"예이." / 사또 보시는 데는 번연히 치듯하고 춘향을 ⓔ보면서 속말로 말을 한다.

"여봐라, 춘향아, 말 듣거라. 어쩔 수가 바이없다. 한두 대만 견디어라. 셋째 번부터는 사정을 두마. 꿈쩍꿈쩍 마라. 뼈 부러질라."

"매우 치라." / "예이." / 딱. 찌끈 피르르르 부러진 형장 가지는 산등으로 덩긋 달아나서 상방(上房) 대뜰 앞에 가 떨어지고, 춘향이는 정신이 아찔, 온몸에 소름이 쫙, 끼쳐서 아픈 매를 억지로 참느라고 고개만 빙빙 돌리면서,

[A]

"음, 소녀가 무슨 죄요? 곡식 도둑질하였소? 부모 불효하였소? 음란한 죄, 지은 죄 없이 이 매질이 웬일이오? ㉣일개 형장 치옵시니 '일' 자로 아뢰리다. 일편단심(一片丹心) 먹은 마음 일시 일각(一時一刻)에 변하리까? 가망 없고 무가내(無可奈)요."

둘째 낱을 붙여 놓으니,

"'이' 자로 아뢰리다. 이부불경(二夫不更) 이내 마음 이 도령만 생각하니 이제 때려 죽이셔도 가망 없고 안 되지요."

셋째 낱을 딱, 때려 놓으니,

"삼치형문(三治刑問) 치옵신다 삼생가약(三生佳約) 변하리까."

넷째 낱을 붙여 놓으니, / "사대부 사또님은 사필귀정(事必歸正) 모르시오. 사지를 찢어서 사대문에 걸더라도 가망 없고 안 되지요."

다섯째를 딱 치니, / "오장 썩어 피가 된들 오륜(五倫)으로 생긴 인생, 오상(五常)을 생각하면 오매불망 우리 낭군 잊을 가망이 전혀 없소." 〈중략〉

핵심 포인트

주제의 이원화

표면적 주제	이면적 주제
여성의 굳은 정절	신분의 제약을 탈피한 인간 해방

「춘향가」에 나타난 언어유희

허, 이런 시절 보소! ~ 정절이 다 무엇이냐?	➡	'절' 자로 끝나는 2음절의 단어를 반복함.
일개 형장 치옵시니 ~ 가망이 전혀 없소.	➡	매 맞는 횟수(일, 이, 삼, 사, 오)로 시작하는 단어를 반복함.

전체 줄거리

발단	남원 부사의 아들 이몽룡이 광한루에 나왔다가 그네를 타는 춘향을 만남. 이몽룡과 춘향은 서로 사랑에 빠져 백년가약을 맺음.
전개	이몽룡의 아버지가 서울로 가게 되면서 두 사람은 이별함.
위기	후임 사또인 변학도가 춘향에게 수청을 강요하고 이를 거절한 춘향은 옥에 갇혀 고초를 겪음. ···› 수록 부분
절정	장원 급제한 이몽룡이 암행어사가 되어 남원으로 내려오고, 어사출두하여 변학도를 처벌하고, 춘향이 극적으로 회생함.
결말	춘향은 열녀 표창을 받고, 이몽룡과 함께 백년해로함.

연계 작품

지배층에 대한 비판 의식이 나타난 판소리 사설: 작자 미상 「적벽가」 ···› 기출 딥러닝 230쪽

기출 OX

Q1 윗글은 소리꾼이 고수의 북장단에 맞추어 감정을 극적으로 표현하는 종류의 작품이다. [기출] 2003. 9. 고2 (O | X)

Q2 춘향은 임을 생각하며 고통을 참아 내고 있다. [기출] 2006. 5. 고3 (O | X)

답 Q1 O Q2 O

[중모리] 스물 치고 짐작할까. 삼십 대를 매우 치니, ⓜ백옥 같은 두 다리에 검은 피만 주루루루루. 엎드린 형리도 눈물짓고, 이방, 호방도, 눈물짓고, 계단 위의 청령(廳令) •급창도 발 툭툭 혀를 찰 때, 매질하던 집장사령도 매를 놓고 돌아서며,

"못 보겠네. 못 보겠네. 사람 눈으로는 볼 수가 없네. 이제라도 나가서 밥을 빌어서 먹더라도 집장사령 노릇을 못 하겠네."

- **불사이군** 두 임금을 섬기지 않음.
- **열녀불경이부절** 열녀는 절개를 지켜 두 남편을 맞이하지 않음.
- **급창** 조선 시대에, 군아에 속하여 원의 명령을 간접으로 받아 큰 소리로 전달하는 일을 맡아 보던 사내종.

01 윗글의 서술상 특징으로 적절한 것은?

① 내적 독백을 활용하여 인물의 현실 극복 의지를 강조하고 있다.
② 세상 물정에 어두운 인물을 주인공으로 내세워 독자의 동정심을 유발하고 있다.
③ 서술자의 개입을 통해 인물에 대한 색다른 견해를 내놓으며 독자의 자유로운 상상을 돕고 있다.
④ 객관적 시점에서 인물을 묘사하며 독자가 인물의 외양과 행동을 통해 성격을 파악하도록 하고 있다.
⑤ 신속하게 사건을 전개할 때에는 아니리를, 인물의 내면 심리를 전달할 때에는 창을 활용하여 표현 효과를 높이고 있다.

02 ㉠~ⓜ에 대한 이해로 적절하지 않은 것은?

① ㉠: 상대방을 위하는 마음에서 신념보다 실리를 중시할 것을 충고하고 있다.
② ㉡: 유교적 가치관을 근거로 부당한 처사에 저항하려는 의지를 밝히고 있다.
③ ㉢: 수절하는 것에는 신분의 차이가 없다는 뜻으로 평등의식을 나타내고 있다.
④ ㉣: 매 맞는 숫자와 소리가 같은 음절을 반복하는 언어유희를 통해 해학적인 효과를 살리고 있다.
⑤ ⓜ: 인물의 비참한 모습을 묘사하여 독자의 동정심을 유발하고 있다.

03 〈보기〉를 바탕으로 윗글의 갈등 양상을 파악한다고 할 때, 적절하지 않은 것은?

보기

㉮ 신분제 사회

㉯ 춘향 ⟷ ㉰ 사또

① ㉯는 ㉮의 질서가 합당하다고 여기지 않는다.
② ㉰는 ㉮에서 정해진 신분 때문에 고난을 겪는다.
③ ㉯와 ㉰는 ㉮에 대한 순응의 정도가 각각 다르다.
④ ㉯와 ㉰는 서로 다른 가치관으로 인해 대립하고 있다.
⑤ ㉰는 ㉮에서 통용되는 신분적 특권을 이용하여 ㉯를 억압하고 있다.

04 [A]에 드러난 인물의 말하기 방식으로 가장 적절한 것은?

① 자신에게 닥친 고난을 자연 현상에 비유하고 있다.
② 유사한 단어의 나열로 관조적인 분위기를 형성하고 있다.
③ 사자성어를 활용하여 부패한 지배층 전체를 꾸짖고 있다.
④ 설의적 표현을 통해 자신의 억울함을 하소연하며 단호한 입장을 표명하고 있다.
⑤ 자신을 악의적으로 대하는 인물의 마음을 누그러뜨리기 위해 흥미로운 표현을 제시하고 있다.

05 〈보기〉는 윗글이 향유된 조선 후기 사회에 대한 자료이다. 이를 참고하여 윗글을 감상한 내용으로 적절하지 않은 것은?

보기

조선은 신분에 따라 정치·경제적 지위가 정해지는 사회였다. 그러나 17세기 이후 산업이 발달하면서 경제적 변화와 함께 신분 질서에도 큰 변동이 일어났다. 신분 간의 상하 이동이 활발해져 양반의 수가 크게 늘고, 상민과 노비의 수는 줄어들었는데, 이와 같은 양반의 수적 증가는 오히려 그들의 사회적 권위를 하락시키는 데 큰 영향을 미쳤다.

① '사또'는 당시 기득권을 지닌 양반으로 탐관오리의 전형을 보여 주어 비판의 대상이 되고 있다.
② 당시 독자들은 '춘향'이 신분적 한계를 벗어나 '이도령'과의 사랑을 성취하기를 간절히 바랐을 것이다.
③ '춘향'을 기생의 딸로 설정한 것은 사유 재산을 축적하여 신분적 차별을 뛰어넘은 입지전적 인물을 보여 주기 위함이다.
④ 「춘향가」는 표면적으로 '지조와 절개'를 강조하고 있으나 그 이면에는 신분의 제약을 벗어나고자 하는 바람을 담고 있다.
⑤ '춘향'이 '사또'의 수청을 거부하며 여성의 정절을 내세우는 것은 당시 사회가 여전히 유교적 가치를 중요하게 여겼음을 보여 준다.

06 문맥상 ⓐ~ⓔ와 바꿔 쓰기에 적절하지 않은 것은?

① ⓐ: 설득하면
② ⓑ: 불구하고
③ ⓒ: 알리리다
④ ⓓ: 선택한다
⑤ ⓔ: 보살피면서

『춘향가』, "대부인 수절이나 소녀 춘향 수절이나 수절은 일반인데, 수절에도 위아래가 있소?"

작품 한 줄 Pick

[07 ~ 11] 다음 글을 읽고 물음에 답하시오.

가 [아니리] 조조(曹操) 가다 목을 움쑥움쑥하니 정욱(程昱)이 여짜오되,

"승상님 무게 많은 중에, 말 허리에 목을 어찌 그리 움치시나이까?"

"야야, 화살이 귀에서 앵앵하며 칼날이 눈에서 번뜻번뜻하는구나."

"이제는 아무것도 없사오니 목을 늘여 사면을 살펴보옵소서."

"야야. 진정으로 조용하냐?"

조조가 목을 막 늘여 좌우 산천을 살펴보려 할 제, 의외에 말 굽통 머리에서 메추리 표루루루 하고 날아 나니 조조 깜짝 놀라,

"아이고 정욱아, 내 목 떨어졌다. 목 있나 봐라."

"눈치 밝소, 조그만한 메추리를 보고 놀랄진대 ㉠큰 장끼를 보았으면 기절할 뻔하였소그려." / 조조 속없이,

"야 그게 메추리냐? 그놈 비록 자그마한 놈이지만 냄비에다 물 붓고 갖은 양념하여 보글보글 볶아 놓으면 술안주 몇 점 참 맛있느니라만."

"입맛은 이 통에라도 안 변하였소그려."

나 [중모리] 산천은 험준하고 수목은 총잡한데, 골짜기 눈 쌓이고 봉우리 바람 칠 제, 화초 목실 없었으니 앵무 원앙이 그쳤는데 새가 어이 울랴마는, 적벽 싸움에 죽은 군사 원조(怨鳥)라는 새가 되어 조 승상을 원망하여 지지거려 우더니라. 나무 나무 끝끝트리 앉아 우는 각 새소리. 도탄에 싸인 군사, 고향 이별이 몇 해런고. 귀촉도 귀촉도 불여귀라, 슬피 우는 저 초혼조. 여산 군량이 소진하여 촌비 노략 한때로구나, 소텡 소텡 저 흉년새. 백만 군사를 자랑터니 금일 패전이 어인 일고, 입삐쭉 입삐쭉 저 삐쭉새. 자칭 영웅 간곳없고 도망할 길을 꾀로만 낸다, 꾀꼬리 수리루리루 저 꾀꼬리. 들판 대로를 마다하고 심산 숲속에 고리각 까옥 저 까마귀. 가련타 주린 장졸 냉병인들 아니 들랴, 병에 좋다고 쑥국 쑥쑥국. 〈중략〉

㉡처량하구나 각 새소리, 조조가 듣더니 탄식한다.

"울지를 말아라, 너희가 모두 다 내 제장 죽은 원귀가 나를 원망하여서 우는구나."

다 [아니리] ㉢탄식하던 끝에 '히히히, 해해해' 대소하니 정욱이 기가 막혀,

"여보시오 승상님, 근근도생 창황 중에 슬픈 신세 생각지 않고 무슨 일로 웃나이까?"

조조 대답하되,

"내 웃는 게 다름 아니라 *주유는 꾀가 없고 *공명은 슬기 없음을 생각하여 웃노라."

라 [엇모리] 이 말이 지듯 마듯 오림산곡 양편에서 고성 화광이 충천, 한 장수가 나온다. ㉣얼굴은 형산백옥 같고 눈은 소상강 물결이라, 이리 허리 곰의 팔, 녹포엄신 갑옷, 팔척 장창 비껴들고 당당위풍 일 포성, 큰 소리로 호령하되

"네 이놈 조조야, 상산 명장 조자룡을 아는다 모르는다? 조조는 닫지 말고 창 받으라!" 〈중략〉

예 와서 번뜻하면 저 가 뎅기령 베고, 저 와서 번뜻하면 예 와 뎅기령 베고, 백송골이 꿩 차듯, 두꺼비 파리 차듯, 은장도 칼 베듯, 여름날 번개 치듯 횽행행 쳐들어갈 제, 피 흘러 강물 되고 주검이 여산이라.

마 [아니리] 관공이 웃으시며 조조의 지기(志氣)를 떠보려고 청룡도를 높이 들어 조조 목을 베어 낼 듯,

"검여두이혼인(劍與頭而婚姻)허면 생기자유혈(生其子流血)이라. 네 목에 피를 내어 내 칼을 한 번 씻으랴 함이로다."

목을 넘겨 땅을 컥 찌르니 조조 정신 아찔하야 군사들을 돌아보며,

"야들아 청룡도가 잘 든다더니 과연 그 말이 맞구나. 아프잖게 잘 도려 가신다. 내 목 있나 좀 봐라."

관공이 웃으시며,

"목 없으면 죽었거늘 죽은 조조도 말을 하느냐."

"예. 그는 정신이 좋삽기로 말은 겨우 하거니와 혼은 벌써 피난 간 지 오래로소이다."

바 [중모리] 조조 듣고 말 아래 뚝 떨어지니 ⓐ장졸들이 황겁하야 장군 말 아래 가 두 손 합장 비는디 사람의 인륜에 못 볼래라.

"비나이다 비나이다 장군님전 비나이다. 살려 주오 살려 주오 우리 승상 살려 주오. 우리 승상 살려 주면 높고 높은 장군 은혜 본국 천리 돌아가서 호호 만세 하오리다."

조조 듣고 기가 막혀,

㉤"우지 마라 우지 마라. 나 죽기는 설잖으나 가냘픈 너희 모습 눈뜨고 볼 수가 없구나. 풍파에 곤한 신세 고향 가는 길에 장군님을 만났으니 가냘픈 우리 모습 설마 살려 주시제 죽일소냐."

관공이 꾸짖어 왈,

"이놈 조조 들어 보아라. 내 너를 잡으러 올 때, 군령장에 다짐을 두었으니 그대 놓고 나 죽기는 그 아니 원통할까."

조조가 비는 말이,

"현덕과 공명 선생이 장군님 아시기를 오른팔로 믿사오니 초수(草獸) 같은 이 몸 조조 아니 잡아 가드래도 죽이지는 않으리다. 장군님 타신 말과 청룡도에 나 죽기는 그 아니 원통하오."

관공이 감심하여 조조를 놓아주고 말을 돌려 돌아가니 세인이 노래를 허되, '슬겁구나, 슬겁구나. 화용도 좁은 길에 조조가 살아가니 천고에 늠름한 대장부는 관공인가 하노라.'

– 작자 미상, 「적벽가(赤壁歌)」

* **주유** 조조의 위나라와 적대 관계에 있던 오나라의 대장군.
* **공명** 제갈량. 위나라와 적대 관계에 있던 촉나라의 군사(軍師).

기출 변형 2013학년도 7월 고3 학력평가 B형

07 다음은 윗글을 읽은 학생이 쓴 '작품 속 인물 탐구'에 대한 보고서이다. 탐구 내용으로 적절하지 않은 것은?

조조	• 전쟁에 패하여 도망치면서 술안주를 떠올리는 모습에서 경망스러운 면모가 드러난다. ············ ① • 목숨을 구하기 위하여 상대 적장에게 애걸하는 모습에서 비굴한 패장의 면모가 드러난다. ············ ② • 궁지에 몰려서도 자신의 장졸들에게 권위를 내세우는 모습에서 위선적인 면모가 드러난다. ············ ③
관공	• 적장과 대면할 때도 여유를 잃지 않으며, 조조를 꾸짖는 모습에서는 위엄 있는 면모가 드러난다. ······ ④ • 조조에게 도움 받은 과거를 잊지 않고 조조를 놓아주는 모습에서 인간적인 면모가 드러난다. ············ ⑤

기출 2007학년도 수능

08 〈보기〉에 비추어서 (나)의 '새타령'을 해석한 의견으로 적절하지 않은 것은?

보기

'새타령'은 적벽가에서도 절창으로 꼽힌다. 새 모습 묘사와 새소리 표현에 생동감이 넘쳐, 이름난 광대가 이 대목을 부르면 새가 날아들 정도였다고 한다. 흥미로운 것은 새의 울음을 표현한 말소리들이 서사적 상황과 절묘하게 연결되며 전쟁 상황에 얽힌 의미를 표출한다는 사실이다. 예컨대 '도탄에 싸인 군사, 고향 이별이 몇 해런고'에 이어지는 '귀촉도 귀촉도'라는 울음소리는 '귀촉'의 뜻인 '고국으로 돌아감'과 연결되어 고향에 돌아가기를 원하는 군사들의 심경을 드러내고 있다.

① 흉년새가 '소텡 소텡' 하고 우는 것은 '소댕(솥뚜껑)'이나 '솥이 텅 빈 것'과 연결되어, 식량 문제로 고생하는 군대의 모습을 나타낸 것으로 볼 수 있겠어.
② 삐쭉새가 '입삐쭉 입삐쭉' 하고 우는 것은 '삐쭉대다'와 연결되어, 대군을 잃고 한심한 처지가 된 조조를 비웃는 의미를 담아냈다고 할 수 있겠네.
③ '꾀꼬리 수리루리루'라는 울음소리는 '꾀'라는 말과 연결되어, 도망갈 궁리를 짜내기에 분주한 조조를 희화화한 것이라고 볼 수 있겠군.
④ 까마귀가 '고리각 까옥' 하고 우는 것은 까마귀가 '효조(孝鳥)'라는 사실과 연결되어, 군사들이 부모를 그리는 상황을 나타낸 것이라고 할 수 있겠어.
⑤ '쑥국 쑥쑥국'이라는 울음소리는 '쑥'의 약효와 연결되어, 병에 시달리는 군사들의 고통이 치유되기를 바라는 마음을 표현했다고 할 수 있겠군.

기출 2007학년도 수능

09 (가)와 (라)를 비교하여 설명한 내용으로 적절하지 않은 것은?

① (가)에서는 (라)에 비해 상황이 희극적으로 연출되어 골계미가 살아나고 있다.
② (라)는 (가)에 비해 작중 상황이 급박하여 정서적 긴장감이 높아지고 있다.
③ (가)에서 인물 간의 갈등이 해소되는 데 비하여, (라)에서는 인물 간의 갈등이 고조된다.
④ (가)는 주로 인물 간의 대화에 의해, (라)는 주로 서술자의 서술에 의해 사건이 진행된다.
⑤ (가)가 산문적 표현에 가까운 데 비하여, (라)는 노래로 부르기에 적합한 요소를 가지고 있다.

기출 변형 2007학년도 수능

10 ㉠~㉤에 대한 설명으로 적절하지 않은 것은?

① ㉠: 주변 인물을 통해 중심인물의 부정적 면모를 드러낸다.
② ㉡: 대상과의 심리적 거리를 좁혀 수용자의 공감을 유도한다.
③ ㉢: 반어적 표현을 통해 상황의 반전을 암시한다.
④ ㉣: 관습적인 표현을 활용하여 인물의 특성을 묘사한다.
⑤ ㉤: 주변 인물에게 하는 말을 통해 간접적으로 자신의 속내를 드러낸다.

기출 변형 2013학년도 7월 고3 학력평가 B형

11 ⓐ에 어울리는 한자 성어로 가장 적절한 것은?

① 입신양명(立身揚名)
② 애걸복걸(哀乞伏乞)
③ 전전긍긍(戰戰兢兢)
④ 만시지탄(晩時之歎)
⑤ 학수고대(鶴首苦待)

판소리 Q38

흥보가(興甫歌) | 작자 미상

▶해법문학 Link
고전 산문 282쪽

교과서 [문] 천재(김), 천재(정), 금성, 동아, 지학사, 창비, 해냄
기출 EBS

키워드 체크 #판소리 사설 #형제간의 갈등과 우애 #인과응보 #권선징악 #조선 후기 사회상 반영

핵심 포인트

인물에 반영된 당대의 사회상

흥보	놀보
윤리적 인간형 (도덕과 윤리 중시)	경제적 인간형 (이윤과 축재 중시)
유교적 가치관을 지닌 몰락한 양반	물질적 가치를 중시하는 신흥 부자

↓

조선 후기 사회 변화와 신분 변동 현상의 반영

전체 줄거리

발단	놀보가 부모의 유산을 독차지하고 흥보를 내쫓음.
전개	흥보가 놀보의 집에 쌀을 구하러 갔다가 매만 맞고 돌아옴. 흥보는 가족의 생계를 위해 품팔이와 매품팔이를 함. ⋯ 수록 부분
위기	흥보가 다리가 부러진 제비를 치료해 주자 제비가 박씨를 물어다 줌. ⋯ 수록 부분
절정	박 속에서 금은보화가 나와 흥보는 부자가 되고, 이를 따라 한 놀보는 패가망신함. ⋯ 수록 부분
결말	흥보가 놀보에게 재물을 나누어 주고, 형제가 화목하게 삶.

연계 작품

- **조선 후기 사회상이 드러난 작품**: 박지원 「허생전」
- **해학과 풍자가 드러난 작품**: 작자 미상 「춘향가」, 채만식 「태평천하」

기출 OX

Q1 윗글에는 황금만능 풍조에 대한 사회적 반감이 퍼진 당대의 사회상이 반영되어 있다.
기출 2009. 9. 모평 (O | X)

Q2 놀보는 모든 재산을 잃지만 흥보의 도움을 받아 화목하게 살아가는 결말을 통해 인간의 선한 본성을 강조한다.
기출 2010. 3. 고1 (O | X)

답 Q1 X Q2 O

[자진모리] 놀보 놈의 거동 봐라. 지리산 몽둥이를 눈 위에 번듯 들고, 네 이놈 흥보 놈아 잘살기 내 복이요 못살기도 니 팔자. 굶고 먹고 내 모른다. 볏섬 주자헌들 마당에 뒤주 안에 다물다물 들었으니 너 주자고 뒤주 헐며, 전곡(錢穀)간 주자헌들 *천록방(天祿房) 금궤 안에 가득가득 환을 지어 떼돈이 들었으니 너 주자고 궤돈 헐며, ㉠찌깅이 주자헌들 구진방(舊陳房) 우리 안에 떼 돼야지가 들었으니 너 주자고 돝 굶기며, 싸래기 주자헌들 황계(黃鷄) 백계(白鷄) 수백 마리가 턱턱 하고 꼬꾜 우니 너 주자고 닭 굶기랴. 몽둥이를 들어 메고 네 이놈 강도 놈. 좁은 골 벼락치듯 강짜 싸움에 기집 치듯 담에 걸친 구렁이 치듯 후다닥 철퍽. 아이구 박 터졌소. 이놈. 후닥닥 아이구 다리 부러졌소, 형님. 흥보가 기가 맥혀 몽둥이를 피하느라고 올라갔다가 내려왔다가, 대문을 걸어 놓니 날도 뛰도 못하고 그저 퍽퍽 맞는데, 안으로 쫓겨 들어가며 아이구 형수씨 날 좀 살려 주오. 아이구 형수씨 사람 좀 살려 주오.

[아니리] 이러고 들어가거든 놀보 기집이라도 후해서 전곡간에 주었으면 좋으련마는, 놀보 기집은 놀보보다 심술보 하나가 더 있것다. 밥 푸던 주걱 자루를 들고 중문에 딱 붙어 섰다가,

"㉡여보. 아주벰이고 도마뱀이고 세상이 다 귀찮허요. 언제 전곡을 갖다 맽겼던가. 아나 밥, 아나 돈, 아나 쌀." 하고 뺨을 때려 놓니 형님한테 맞던 것은 *여반장(如反掌)이오. 형수한테 뺨을 맞어 놓니 하늘이 빙빙 돌고 땅이 툭 꺼지난 듯,

[진양조] 여보 형수씨! 여보, 여보, 아주머니. 형수가 시아재 뺨 치는 법은 고금천지 어디가 보았소. 나를 이리 치지 말고 살지(殺之) *중치(重治) *능지(陵遲)하여 아주 *박살(撲殺) 죽여 주오. 아이구 하느님, 박흥보를 벼락을 때려 주면 염라국을 들어가서 부모님을 뵈옵는 날은 세세원정(細細冤情)을 아뢰련마는 어이허여 못 죽는거나. ㉢매운 것 먹은 사람처럼 후후 불며 저의 집으로 건너간다.

[아니리] 흥보 마누라가 막내둥이를 받어 안고 흥보 오는 곳을 바라보니 건너산 비탈길에서 작지를 짚고 절뚝절뚝 하고 오는 모양이 돈과 쌀을 많이 가지고 오는 듯하거늘 흥보가 당도하니,

"여보 영감 얼마나 가져왔소 어디 좀 봅시다."

"날 건드리지 마오."

"아니 또 맞었구료."

"그런 것이 아니라. 내 말을 들어 보오. 형님 댁을 건너갔더니 형님 양주분이 어찌 후하던지 전곡을 많이 주시기에 짊어지고 오다가 요 너머 강정 모퉁이에서 도적놈에게 다 빼앗기고 매만 실컷 맞고 왔네." 〈중략〉

[아니리] 흥보, 좋아라고 박씨를 딱 주어들더니마는,

"여보소, 마누라. 아, 제비가 박씨를 물어 왔네요."

흥보 마누라가 보더니,

"여보, 영감. 그것 박씨가 아니고 *연실인갑소, 연실."

"어소, 이 사람아. 연실이라는 말이 당치 않네. 강남 미인들이 초야반병 날 밝을 적에 죄다 따 버렸는데 제까짓 놈이 어찌 연실을 물어 와? 뉘 박 심은 데서 놀다가 물고 온 놈이제. 옛날 수란이가 배암 한 마리를 살려, 그 은혜 갚느라고 구실을 물어 왔다더니마는,

그 물고 오는 게 고마운께 우리 이놈 심세." 〈중략〉

[A] [진양조] "가난이야, 가난이야, 원수년으 가난이야. 잘살고 못살기는 묘 쓰기으 매였는가? 북두칠성님이 집자리으 떨어칠 적에 명과 수복을 점지허는 거나? 어떤 사람 팔자 좋아 •고대광실 높은 집에 •호가사(好家舍)로 잘 사는듸, 이년의 신세는 어찌허여 밤낮으로 벌었어도 삼순구식(三旬九食)을 헐 수가 없고, 가장은 •부황이 나고, 자식들은 •아사지경(餓死之境)이 되니, 이것이 모두 다 웬일이냐? ㉣차라리 내가 죽을라네."

이렇닷이 울음을 우니 자식들도 모두 따라서 우는구나.

[자진모리] 흥보가 들오온다. 박흥보가 들어와.

"여보소, 마누라. 여보소, 이 사람아. 자네 이게 웬일인가? 마누라가 이리 설리 울면 집안으 무슨 재주가 있으며, 동네 사람으 남이 부끄럽다. 우지 말고 이리 오소. 이리 오라면 이리 와. 배가 정 고프거든 지붕에 올라가서 박을 한 통 내려다가, 박속은 끓여 먹고, 바가지는 팔어다 양식 팔고 나무를 사서 어린 자식을 구완을 허세." 〈중략〉

[아니리] 흥보가 궤 자물쇠를 가만히 보니, '박흥보 씨 개탁(開坼)'이라 딱 새겼지. 흥보가 자문자답으로 궤를 열것다.

㉤"날 보고 열어 보랬지? 암은, 그렇지. 열어 봐도 관계찮다지? 암은, 그렇고 말고."

궤를 찰칵 찰칵, 번쩍 떠들러 놓고 보니 어백미(御白米) 쌀이 한 궤가 수북. 또 한 궤를 찰칵 찰칵, 번쩍 떠들러 놓고 보니 돈이 한 궤가 수북. 탁 비워 놓고 본께 도로 하나 수북. 돈과 쌀을 비워 놓고 보니까 도로 수북. 흥보 마누래 쌀을 들고 흥보는 돈을 한 번 떨어 붓어 보는듸, 휘모리로 바짝 몰아 놓고 떨어 붓것다.

[B] [자진모리] "얼씨고나 좋을씨고, 얼씨고나 좋을씨고, 얼씨고 절씨고 지화자 좋구나, 얼씨고나 좋을씨고. 돈 봐라, 돈 봐라, 얼씨고나 돈 봐라, 잘난 사람은 더 잘난 돈, 못난 사람도 잘난 돈. •생살지권(生殺之權)을 가진 돈, 부귀공명이 붙은 돈. 이놈의 돈아, 아나 돈아, 어디를 갔다가 이제 오느냐? 얼씨고나 돈 봐라. 야, 이 자식들아, 춤춰라. 어따, 이놈들, 춤을 추어라. 이런 경사가 어디 가 있느냐? 얼씨고나 좋을씨고. 둘째놈아 말 듣거라. 건넌말 건너가서 너그 백부(伯父)님을 오시래라. 경사를 보아도 형제 볼란다. 얼씨고나 좋을씨고. 지화자 좋을시고. 불쌍허고 가련한 사람들, 박흥보를 찾어오오. 나도 내일부터 •기민을 줄란다. 얼씨고나 좋을씨고. 여보시오 부자들, 부자라고 좌세 말고 가난타고 한을 마소."

[뒷부분 줄거리] 놀보는 흥보를 따라 하기 위해 일부러 제비 다리를 부러뜨리고 고쳐 준다. 제비가 물어다 준 박씨 때문에 놀보는 패가망신하지만, 흥보가 놀보에게 재물을 나누어 줌으로써 형제는 화목하게 살아간다.

- **천록방** 하늘이 준 복록이 담긴 방이란 뜻으로, 곳간에 붙인 이름.
- **여반장** 손바닥을 뒤집는 것 같다는 뜻으로, 일이 매우 쉬움을 이르는 말.
- **중치** 엄중히 다스림.
- **능지** '능지처참'의 준말. 대역죄를 범한 자에게 과하던 극형.
- **박살** 때려서 죽임.
- **연실** 연꽃의 열매.
- **고대광실** 매우 크고 좋은 집.
- **호가사** 화려하게 잘 지은 집.
- **부황** 오래 굶주려서 살가죽이 들떠서 붓고 누렇게 되는 병.
- **아사지경** 굶어 죽게 된 지경.
- **생살지권** 살리고 죽일 수 있는 권리.
- **기민** 굶주린 백성.

01 윗글에 대한 설명으로 적절하지 않은 것은?

① 형과 동생의 선악 구도가 이야기의 중심을 이루고 있다.
② 음성 상징어를 활용하여 상황을 생동감 있게 드러내고 있다.
③ 주인공이 부자가 되는 설정에는 비현실적인 요소가 개입되어 있다.
④ 서술자가 사건을 서술할 뿐만 아니라 주관적인 생각을 덧붙이기도 한다.
⑤ 느린 박자의 장단을 사용하여 전반적으로 우울한 분위기를 드러내고 있다.

02 ㉠~㉤에 대한 설명으로 적절하지 않은 것은?

① ㉠: 흥보를 가축보다도 하찮게 여기는 놀보의 태도가 드러나 있다.
② ㉡: 발음의 유사성을 활용한 언어유희가 나타나 있다.
③ ㉢: 흥보의 행동을 묘사하여 인물에 대한 동정심을 유발하고 있다.
④ ㉣: 가난의 원인을 자신의 탓으로 돌리며 자책하는 모습이 나타나 있다.
⑤ ㉤: 자문자답하며 거듭 확인하는 모습을 통해 조심성 많은 흥보의 성격을 드러내고 있다.

03 〈보기〉를 참고하여 윗글을 감상한 내용으로 적절하지 않은 것은?

보기

「흥보가」는 물질적인 가치관이 팽배해지고 화폐 경제가 자리 잡아 감에 따라 가난한 양반이 몰락하고 부를 축적한 서민 계층이 등장한 조선 후기 사회를 배경으로 하고 있다. 윗글은 이러한 배경을 바탕으로 형제간의 갈등과 우애, 권선징악이라는 주제를 그려 내고 있다.

① 흥보는 몰락한 양반 계층을, 놀보는 부를 축적한 서민 계층을 대표하는 인물이군.
② '생살지권을 가진 돈'에는 물질적 가치를 좇는 세태를 경계하는 흥보의 비판 의식이 담겨 있어.
③ 탐욕에 차서 동생인 흥보를 박대하던 놀보가 패가망신한다는 내용에서 권선징악적 주제가 나타나 있군.
④ 흥보가 놀보에게 재물을 나누어 주어 서로 화목하게 살아간다는 결말에서 형제간의 우애를 강조하고 있어.
⑤ 흥보와 놀보의 갈등은 신분제의 동요 속에서 생긴 양반과 부를 축적한 서민 계층 간의 갈등을 보여 주는 것으로도 볼 수 있어.

04 윗글을 읽고 보인 반응으로 적절하지 않은 것은?

① 흥보와 그 아내가 밤낮없이 일하는 모습에서 부정적 현실에 맞서 싸우려는 저항감을 느꼈어.
② 흥보는 놀보를 찾아갔다가 아무 도움도 받지 못한 채 뺨까지 맞고 돌아오지만 아내 앞에서는 오히려 놀보 내외를 옹호하는구나.
③ 흥보가 빈곤해도 선한 심성을 잃지 않는 윤리적 인간형이라면, 놀보는 경제적 가치를 우선시하는 이해타산적 인간형이라 할 수 있어.
④ '형님한테 맞던 것은 여반장'이라는 구절을 보니 흥보 입장에서는 형님인 놀보에게 받은 취급보다 형수에게 받은 수모가 더 충격적이었던 모양이야.
⑤ 우연히 얻은 부(富)를 혼자 독점하지 않고 다른 사람들과 나누려 하는 흥보의 모습이 인상적이야. 경제력의 변화가 흥보의 성격에는 영향을 미치지 않았네.

05 [A]와 [B]의 공통점으로 적절하지 않은 것은?

① 4·4조를 반복하여 리듬감을 형성하고 있다.
② 창을 활용하여 인물의 내면을 드러내고 있다.
③ 상황을 과장되게 묘사하여 해학성을 높이고 있다.
④ 의문형 어구를 사용하여 인물의 정서를 강조하고 있다.
⑤ 일상적인 구어와 비속어를 사용하여 인물의 상황을 사실적으로 보여 주고 있다.

06 윗글의 궤에 대한 이해로 적절하지 않은 것은?

① 흥보의 행위에 대한 보은의 뜻이 담겨 있다.
② 흥보와 놀보가 갈등하는 발단으로 작용한다.
③ 놀보의 탐욕을 자극하여 악행을 저지르게 한다.
④ 흥보 가족이 겪는 현실적 어려움을 해결해 준다.
⑤ 흥보와 놀보의 상황이 역전되는 계기로 작용한다.

기출 변형 2014학년도 9월 고1 학력평가

07 〈보기 2〉는 윗글을 토대로 한 소설의 일부이다. 〈보기 1〉을 참고하여 〈보기 2〉를 이해한 반응으로 적절하지 않은 것은?

보기 1

'판소리'는 창자(소리꾼)가 고수와 함께 장단에 맞추어 이야기를 창(노래)과 아니리로 엮은 공연 예술이다. 조선 후기 서민들의 생활을 주로 그려 냈으며, 풍자와 해학이 풍부하다. 서민에서 양반까지 관객층이 폭넓어 이들의 언어가 혼재하며, 공연 상황에 따라 특정 장면을 축소·확장하기도 한다. '판소리'가 소설화된 판소리계 소설에도 이와 같은 판소리의 특징이 남아 있다.

보기 2

"여보 마누라, 슬퍼 마소. 가난 구제는 나라에서도 못한다 하니 형님인들 어찌하시나. 우리 양주 품이나 팔아 살아가세."

흥부 아내 응하고 서로 나서 품을 판다.

용정(舂精)하여 방아 찧기, 술집에 가 술 거르기, 초상난 집 제복 짓기, 사고 있는 집 그릇 닦기, 굿하는 집 떡 만들기, 시궁발치 오줌 치기, 해빙하면 나물 캐기, 춘모 갈아 보리 놓기, 온 가지로 품을 팔고, 흥부는 이월동풍 가래질하기, 삼사월에 부침질하기, 일등 전답 무논 갈기, 이 집 저 집 이엉 엮기, 날 궂은 날 멍석 맺기, 시장 갓에 나무 베기, 무곡 주인 역인 서기, 각 읍 주인 삯길 가기, 술밥 먹고 말짐 싣기, 오 푼 받고 마철 박기, 두 푼 받고 똥재 치기, 한 푼 받고 비 매기, 식전이면 마당 쓸기, 이웃집 물 긷기, 진주 감영 돈짐 지기, 대구 감영 태전 지기, 온 가지로 다 하여도 굶기를 밥 먹는 듯하여 살길이 없는지라.

– 작자 미상, 「흥부전」

① 〈보기 2〉에서 흥부 내외가 겪은 다양한 품 팔기 내용은 당시 서민들의 삶을 소재로 한 것이겠군.
② 〈보기 2〉에서 나타나는 일정한 음보의 반복은 소리 공연인 판소리의 특징이 반영된 것으로 볼 수 있겠군.
③ 서민에서 양반까지 다양한 관객층을 만족시키기 위해 〈보기 2〉는 한자어를 빼고 고유어만 사용한 것이군.
④ 문장의 호흡이 빠른 것으로 보아, 〈보기 2〉는 판소리 공연에서 창자가 빠른 장단에 맞춰 노래를 불렀을 거야.
⑤ 〈보기 2〉에서 열거의 방식으로 서술된 내용은 판소리 공연 상황에 따라 내용이 줄거나 추가될 수 있었겠군.

민속극 39

봉산 탈춤 | 작자 미상

▶해법문학 Link 고전 산문 296쪽

[교과서] [문] 천재(정), 미래엔, 비상, 신사고, 지학사, 창비 [국] 천재(박), 천재(이) [기출] [EBS]

핵심 포인트

「봉산 탈춤」의 양반춤 과장 속 인물의 특징

말뚝이		양반 삼 형제
양반 계층에 대한 서민들의 비판 의식을 대변하는 인물. 재치 있는 언행으로 양반을 조롱하고 비판함.	↔	양반 계층의 어리석음과 무능함을 상징하는 인물. 우스꽝스러운 외모와 언행으로 어리석음을 스스로 폭로함.

전체 구성

제1과장 사상좌춤	상좌 네 명이 사방신(四方神)에게 배례하는 의식무를 춤.
제2과장 팔목중춤	팔목중이 자신을 소개하며 파계하는 춤을 춤.
제3과장 사당춤	사당과 거사들이 춤과 노래를 주고받으며 흥겹게 놂.
제4과장 노장춤	노장이 소무의 유혹에 넘어가 파계했다가 취발이에게 욕을 봄.
제5과장 사자춤	사자가 파계승들을 혼내고 화해의 춤을 춤.
제6과장 양반춤	양반집 하인 말뚝이가 양반을 조롱하고 비판함. ⋯→ 수록 부분
제7과장 미얄춤	영감, 미얄, 첩이 삼각관계를 이루고 다투다 미얄이 죽게 됨.

연계 작품

양반을 풍자하는 가면극: 작자 미상 「하회 별신굿 탈놀이」, 작자 미상 「양주 별산대놀이」

기출 OX

Q1 말뚝이는 양반을 얕잡아 보는 말을 사용하여 양반을 비하하고 있다. [기출] 2017. 9. 고2 (O X)

Q2 양반들은 자신들의 가문이 훌륭하다고 직접 밝힘으로써 양반으로서의 권위를 내세우고 있다. [EBS] 변형 (O X)

답 Q1 O Q2 X

키워드 체크 #가면극 #풍자적 #해학적 #양반을 향한 조롱 #양반의 무지와 허세 비판

(가) 말뚝이 (가운데쯤에 나와서) 쉬이. (음악과 춤 멈춘다.) 양반 나오신다아! 양반이라고 하니까 노론(老論), 소론(少論), 호조(戶曹), 병조(兵曹), 옥당(玉堂)을 다 지내고 삼정승(三政丞), 육판서(六判書)를 다 지낸 퇴로 재상(退老宰相)으로 계신 양반인 줄 아지 마시오. *개잘량이라는 '양' 자에 *개다리소반이라는 '반' 자 쓰는 양반이 나오신단 말이오.

양반들 야아, 이놈, 뭐야아!

말뚝이 아, 이 양반들 어찌 듣는지 모르갔소. 노론, 소론, 호조, 병조, 옥당을 다 지내고 삼정승, 육판서 다 지내고 퇴로 재상으로 계신 이 생원네 삼 형제분이 나오신다고 그리하였소.

양반들 (합창) 이 생원이라네. (굿거리장단으로 모두 춤을 춘다. 도령은 때때로 형들의 면상을 치며 논다. 끝까지 그런 행동을 한다.)

말뚝이 쉬이. (반주 그친다.) 여보, 구경하시는 양반들, 말씀 좀 들어 보시오. 짤따란 곰방대로 잡숫지 말고 저 *연죽전(煙竹廛)으로 가서 돈이 없으면 내게 기별이래도 해서 양칠간죽(洋漆竿竹), 자문죽(自紋竹)을 한 *발가웃씩 되는 것을 사다가 육모깍지 희자죽(喜子竹), 오동수복(烏銅壽福) 연변죽을 사다가 이리저리 맞추어 가지고 저 재령(載寧) *나무리 *거이 낚시 걸듯 죽 걸어 놓고 잡수시오.

양반들 뭐야아!

말뚝이 아, 이 양반들, 어찌 듣소. 양반 나오시는데 담배와 *훤화(喧譁)를 금하라 그리하였소.

양반들 (합창) 훤화를 금하였다네. (굿거리장단으로 모두 춤을 춘다.)

말뚝이 쉬이. (춤과 반주 그친다.) 여보, 악공들 말씀 들으시오. *오음 육률(五音六律) 다 버리고 저 버드나무 *홀뚜기 뽑아다 불고 바가지장단 좀 쳐 주오.

양반들 야아, 이놈, 뭐야!

말뚝이 아, 이 양반들, 어찌 듣소. 용두 해금(奚琴), 북, 장고, 피리, *젓대 한 가락도 뽑지 말고 건건드러지게 치라고 그리하였소.

양반들 (합창) 건건드러지게 치라네. (굿거리장단으로 춤을 춘다.)

생 원 쉬이. (춤과 장단 그친다.) 말뚝아.

말뚝이 예에.

생 원 이놈, 너도 양반을 모시지 않고 어디로 그리 다니느냐?

말뚝이 예에. 양반을 찾으려고 찬밥 국 말어 *일조식(日早食)하고, 마구간에 들어가 ⓐ노새 원님을 끌어다가 등에 솔질을 솰솰 하여 말뚝이님 내가 타고 서양(西洋) 영미(英美), *법덕(法德), 동양 삼국 무른 메주 밟듯 하고, 동은 여울이요, 서는 구월이라, 동여울 서구월 남드리 북향산 방방곡곡(坊坊曲曲) 면면촌촌(面面村村)이, 바위 틈틈이, 모래 짬짬이, 참나무 결결이 ㉠다 찾아다녀도 샌님 비뚝한 놈도 없습디다.

(나) 생 원 이놈, 말뚝아.

말뚝이 예에.

생 원 나랏돈 노랑돈 칠 푼 잘라먹은 놈, •상통이 무르익은 대초빛 같고, 울룩줄룩 배미 잔등 같은 놈을 잡아들여라.

말뚝이 ㉡그놈이 심(힘)이 무량 대각(無量大角)이요, 날랩이 비호(飛虎) 같은데, 샌님의 전령(傳令)이나 있으면 잡아 올는지 거저는 잡아 올 수 없습니다.

생 원 오오, 그리하여라. 옜다. 여기 전령 가지고 가거라. (종이에 무엇을 써서 준다.)

말뚝이 (종이를 받아 들고 취발이한테로 가서) 당신 잡히었소.

취발이 어데, 전령 보자.

말뚝이 (종이를 취발이에게 보인다.)

취발이 (종이를 보더니 말뚝이에게 끌려 양반의 앞에 온다.)

말뚝이 (㉢취발이 엉덩이를 양반 코앞에 내밀게 하며) 그놈 잡아들였소.

생 원 아, 이놈 말뚝아. 이게 무슨 냄새냐?

말뚝이 예, 이놈이 피신(避身)을 하여 다니기 때문에, 양치를 못 하여서 그렇게 냄새가 나는 모양이외다.

생 원 ㉣그러면 이놈의 모가지를 뽑아서 밑구녕에다 갖다 박아라.

〈중략〉

말뚝이 샌님, 말씀 들으시오. 시대가 금전이면 그만인데, 하필 이놈을 잡아다 죽이면 뭣 하오? ㉤돈이나 몇백 냥 내라고 하야 우리끼리 노나 쓰도록 하면, 샌님도 좋고 나도 돈 냥이나 벌어 쓰지 않겠소. 그러니 샌님은 못 본 체하고 가만히 계시면 내 다 잘 처리하고 갈 것이니, 그리 알고 계시오. (굿거리장단에 맞추어 일제히 어울려서 한바탕 춤추다가 전원 퇴장한다.)

- **개잘량** 털이 붙어 있는 채로 무두질하여 다룬 개의 가죽. 흔히 방석처럼 깔고 앉는 데에 씀.
- **개다리소반** 상다리 모양이 개의 다리처럼 휜 막치 소반.
- **연죽전** 담뱃대를 파는 가게.
- **발가웃** 한 발 반 정도의 길이. 한 발은 두 팔을 양옆으로 펴서 벌렸을 때 한쪽 손끝에서 다른 쪽 손끝까지의 거리.
- **나무리** 재령에 있는 평야 이름.
- **거이** 게.
- **훤화** 시끄럽게 지껄이며 떠듦.
- **오음 육률** 예전에, 중국 음악의 다섯 가지 소리와 여섯 가지 율(律).
- **홀뚜기** '호드기'의 방언. 호드기는 버드나무 껍질로 만든 피리를 의미함.
- **젓대** 대금.
- **일조식하고** 아침 일찍 식사하고.
- **법덕** 예전에 프랑스와 독일을 아울러 이르던 말.
- **상통** 얼굴을 속되게 이르는 말.

01 〈보기〉를 참고하여 윗글을 이해한 내용으로 적절하지 않은 것은?

보기

「봉산 탈춤」은 황해도 봉산(鳳山) 지방에 전승되어 오던 가면극으로 춤이 주가 되고 몸짓과 동작, 재담, 노래 등이 따른다. 크게 7과장으로 나누어지며 각 과장은 서민들의 생활상과 양반에 대한 풍자, 파계승에 대한 풍자, 그리고 일부다처제의 모순과 남성의 횡포 등 독립적인 내용으로 이루어져 있다.

이러한 탈춤은 서민들을 억압하는 사회를 풍자하고, 양반을 비하하는 욕설과 행동 등을 거침없이 표현하여 서민들의 욕망을 드러낸다. 또한 익살스러운 말과 행동을 통해 대상을 조롱하고 희화화하여 서민들이 겪었던 갈등과 고통을 웃음으로 해소하도록 했다.

① 춤, 몸짓, 재담, 노래 등으로 이루어진 공연 예술이다.
② 익살, 과장, 언어유희 등을 사용하여 대상을 풍자하고 비판한다.
③ 서민들이 억압적 현실로 인한 갈등과 고통을 해소하는 수단이 되었다.
④ 전체 일곱 과장으로 이루어져 있으며, 각 과장은 독립적인 주제를 지닌다.
⑤ 제시된 부분은 쉴 틈 없이 양반의 시중을 드는 말뚝이의 모습을 통해 억압받는 서민의 생활상을 보여 준다.

02 〈보기〉를 참고로 (가)의 내용을 파악할 때 적절하지 않은 것은?

보기

「봉산 탈춤」의 제6과장 양반춤은 다섯 개의 재담으로 구성되어 있는데, 각 재담별로 '양반의 위엄 → 말뚝이의 조롱 → 양반의 호통 → 말뚝이의 변명 → 양반의 안심'이라는 유사한 구조를 반복하고 있다.

① 말뚝이는 양반의 권위를 추락시키는 방식으로 양반을 조롱하고 있군.
② 굿거리장단에 맞춰 춤을 추는 것으로 양반이 안심하는 모습을 표현하고 있군.
③ '쉬이'라는 말은 하나의 재담이 끝나고 새로운 재담이 시작된다는 표지의 역할을 하는군.
④ 말뚝이는 양반이 호통을 칠 때마다 자신이 앞에서 한 말을 적당히 둘러대며 양반들에게 변명하고 있군.
⑤ 말뚝이의 변명에 쉽게 태도를 바꾸는 양반들의 모습에서 서민들과 화합하려는 양반들의 의지가 드러나는군.

정답과 해설 77쪽

03 (가)를 공연하기 위해 고려할 사항을 토의한 내용으로 적절하지 않은 것은?

① 말뚝이와 양반은 신분 차이가 잘 드러나도록 복장을 준비해야겠어.
② 공연자가 관객에게 말을 건네도록 해서 관객의 참여를 유도해야겠어.
③ 말뚝이는 비판의 대상이 되는 인물이므로 비정상적이고 우스꽝스러운 모습의 가면을 씌워야겠어.
④ 양반들이 말뚝이의 말을 듣고 합창하며 다 같이 춤추는 부분에서는 음악을 신나게 연주하도록 해야겠어.
⑤ 공연자가 악공들에게 건네는 말이 사건 전개에 영향을 미치므로 악공들의 위치가 잘 보이도록 배치해야겠어.

기출 변형 2017학년도 9월 고2 학력평가

04 ㉠~㉤을 이해한 내용으로 적절하지 않은 것은?

① ㉠: 자신의 노고를 강조하며 양반에게 생색을 내고 있다.
② ㉡: 비유적인 표현을 활용하여 '취발이'가 힘이 있는 인물임을 표현하고 있다.
③ ㉢: 양반을 조롱하는 행위를 통해 관객의 웃음을 유발하고 있다.
④ ㉣: 체면에 맞지 않는 언행을 하는 모습을 보여 줌으로써 양반을 풍자하고 있다.
⑤ ㉤: 돈을 받고 죄를 눈감아 주던 당시의 모습을 드러내어 부패한 사회를 풍자하고 있다.

05 ⓐ와 표현 방식 및 발상이 가장 유사한 것은?

① 매아미 맵다 울고 쓰르라미 쓰다 우네.
② 어 추워라. 문 들어온다 바람 닫아라. 물 마르다 목 들여라.
③ 이 양반이 허리 꺾어 절반인지 개다리소반인지 꾸레미 전에 백반인지
④ 상을 발길로 탁 차 던지며 운봉 영장의 갈비를 가리키며 "갈비 한 대 먹고 지고."
⑤ 이만큼 보이다가 저만큼 보이다가, 달만큼 별만큼 나비만큼 불티만큼 망중 고개 아주 깜빡 넘어가니

기출 변형 2017학년도 9월 고2 학력평가

06 전령에 대한 설명으로 가장 적절한 것은?

① 말뚝이가 미래를 예측하게 하는 소재이다.
② 말뚝이의 부정적 현실을 나타내는 소재이다.
③ 말뚝이가 반성적 성찰을 하게 하는 소재이다.
④ 말뚝이가 상대에게 선처를 베풀게 하는 소재이다.
⑤ 말뚝이가 위임받은 양반의 권위를 상징하는 소재이다.

기출 1996학년도 수능

07 〈보기〉의 '양반'이 윗글의 '양반들'의 행동을 비판한다면, 그 내용으로 가장 적절한 것은?

보기

남산골 샌님들은 그다지 출입하는 일이 없다. 사람이 있든지 없든지 방 하나를 따로 차지하고 들어앉아서, *폐포파립(敝袍破笠)이나마 의관을 정제하고, 대개는 꿇어앉아서, 사서오경을 비롯한 수많은 유교 전적(典籍)을 얼음에 박 밀듯이 백 번이고 천 번이고 내리외는 것이 날마다 그의 과업이다. 이런 친구들은 집안 살림살이와는 아랑곳없다. 〈중략〉 이런 샌님의 생각으로는 *청렴 개결(淸廉介潔)을 생명으로 삼는 선비로서, 재물을 알아서는 안 된다. 어찌 감히 이해를 따지고 가릴 것이냐?

겨울이 오니 땔나무가 있을 리 만무하다. 동지 설상(雪上) 삼척 냉돌에다 변변치도 못한 이부자리를 깔고 누웠으니, 사뭇 뼈가 저려 올라오고 다리팔 마디에서 오도독 소리가 나도록 온몸이 곧아 오는 판에, 사지를 웅크릴 대로 웅크리고 꽁꽁 안간힘을 쓰면서 이를 악물다 못해 박박 갈면서 하는 말이 "요놈, 요 괘씸한 추위란 놈 같으니, 네가 지금은 이렇게 기승을 부리지마는, 어디 내년 봄에 두고 보자." 하고 벼르더라는 이야기가 전하여 오지마는, 이것이 옛날 남산골 '딸깍발이'의 성격을 단적으로 가장 잘 표현한 이야기다. 사실로는 졌지마는 마음으로는 안 졌다는 앙큼한 자존심, 꼬장꼬장한 고지식, 양반은 얼어 죽어도 겻불은 안 쬔다는 지조(志操), 이 몇 가지가 그들의 생활신조였다.

– 이희승, 「딸깍발이」

*폐포파립: 해어진 옷과 부서진 갓이란 뜻으로, 초라한 차림새를 비유적으로 이르는 말.
*청렴 개결: 탐욕이 없이 성품이 깨끗하고 굳음.

① 호사한 사치를 탐하고 있다는 점
② 신분을 망각하여 체통을 잃고 있다는 점
③ 현실에 대한 비판 의식을 잃고 있다는 점
④ 풍류가 지나쳐 미풍양속을 해치고 있다는 점
⑤ 아랫사람에게 부당한 요구를 하고 있다는 점

『봉산탈춤』 "여보, 악공들 말씀 들으시오. 오음 육률 다 버리고 저 버드나무 홀뚜기 뽑아다 불고 바가지장단 좀 쳐 주오."

작품 한 줄 Pick

민속극 40

교과서 [문] 금성, 해냄 EBS

▶해법문학 Link
고전 산문 306쪽

하회 별신굿 탈놀이 | 작자 미상

키워드 체크 #가면극 #풍자적 #해학적 #지배 계층에 대한 비판 의식 #서민들의 삶의 애환

핵심 포인트

양반과 선비의 대립에서 드러나는 이중성

대립 1	부네를 차지하기 위한 다툼
	겉으로는 도덕군자인 체하나 사실은 여색을 탐하는 지배층의 위선을 드러냄.
대립 2	가문과 학식의 우열에 대한 다툼
	이치에 맞지 않는 언어유희로 지배층의 무지와 허위를 드러냄. • 문하시중(門下侍中) → 문상시대(門上侍大) • 사서삼경(四書三經) → 팔서육경(八書六經)

전체 구성

강신(降神)	음력 정월 초이튿날 아침 성황당에 올라가 성황신이 내린 서낭대를 가지고 마을로 내려옴.
무동 마당	성황신의 대역인 각시광대는 무동을 타고 구경꾼들 앞을 돌면서 걸립(乞粒)하여 돈을 거둠.
제1과장 주지 마당	주지(사자탈)는 의식 무용을 통해 잡귀와 사악한 것을 물리치고 탈판을 정화함.
제2과장 백정 마당	백정이 춤을 추다가 소를 죽여 우랑을 꺼내 구경꾼들을 희롱하고 이를 구경꾼들에게 팖.
제3과장 할미 마당	15세에 청상과부가 되어 한평생 궁핍한 생활을 한 할미가 「베틀가」로 신세타령을 하고는 걸립함.
제4과장 파계승 마당	부네가 치마를 들고 소변을 보는 모습을 본 중이 욕정을 참지 못하고 부네를 옆구리에 끼고 도망감.
제5과장 양반 선비 마당	양반과 선비가 부네를 차지하려고 다투고, 양기에 좋다는 우랑을 서로 사려고 다툼. ⋯ 수록 부분
혼례 마당	성황당에서 내려와 마을 입구 밭에서 혼례식을 올린 다음, 신방의 초야 과정을 보여 줌.
신방 마당	총각과 각시의 초야 장면으로, 신방의 분위기를 살리기 위해 삼경(밤 11시~새벽 1시)에 행함.

연계 작품

양반에 대한 비판과 조롱이 나타난 민속극: 작자 미상 「고성 오광대」

[A] (굿거리) 상쇠의 가락에 맞춰 양반, 선비, 부네, 초랭이가 어울려 '노는 춤'을 추며 마당은 곧 흥에 넘친다. 그러나 양반과 선비는 부네를 사이에 두고 서로 차지하려고 하여 춤은 두 사람이 부네와 같이 춤추려는 내용으로 이어져 간다. 부네는 요염한 춤을 추며 양반과 선비 사이를 왔다 갔다 하며 두 사람의 심경을 고조한다. 이것을 간파한 초랭이는 양반과 선비를 싸움 붙이려는 계략을 꾸민다. 우선 양반에게로 가 무언가를 얘기한다. 이에 양반은 초랭이가 시키는 대로 선비에게로 가 그를 데리고 그 무언가를 얘기하면 선비는 관객석에서 누군가를 찾기 시작한다. 이를 기회로 양반은 부네와 춤을 계속 추게 된다. 관객 속에서 열심히 무언가를 찾던 선비는 부네와 어울려 춤추는 양반을 보고는 '속았다.'라는 생각에 노발대발하여 양반을 부른다.

선 비 여보게 양반, (이를 신호로 상쇠는 가락을 멈춘다.) 자네가 감히 내 앞에서 이럴 수가 있는가? 〈중략〉

양 반 뭐가 어째, 어흠, 우리 할뱀은 *문하시중(門下侍中)을 지내셨거든.

선 비 ㉠아, 문하시중. 그까짓 거⋯⋯. 우리 할뱀은 바로 문상시대(門上侍大)인걸.

양 반 아니 뭐, 문상시대? 그건 또 머로?

선 비 에헴, 문하(門下)보다는 문상(門上)이 높고 시중(侍中)보다는 시대(侍大)가 더 크다 이 말일세.

양 반 ㉡허허, 그것참 빌 꼬라지 다 보겠네. 그래, 지체만 높으면 제일인가?

선 비 에헴, 그라만 또 머가 있단 말인가?

양 반 학식이 있어야지, 학식이. 나는 *사서삼경(四書三經)을 다 읽었다네.

선 비 뭐 그까짓 사서삼경 가지고. ⓐ어흠, 나는 팔서육경(八書六經)을 다 읽었네.

양 반 ㉢아니, 뭐? 팔서육경? 도대체 팔서는 어디에 있으며 그래 대관절 육경은 또 뭔가?

초랭이는 여태까지 두 사람의 얘기를 귀담아듣다가 잽싸게 끼어든다.

초랭이 헤헤헤, 난도 아는 육경 그것도 모르니껴. ㉣팔만대장경, 중의 바라경, 봉사의 앤경, 약국의 길경, 처녀의 월경, 머슴의 *새경 말이시더⋯⋯.

고수는 육경을 한 소절마다 장단을 쳐 준다. 초랭이는 '머슴의 새경'을 더욱 강조하여 자신의 새경에 못마땅함을 보인다.

선 비 ㉤그래, 이것도 아는 육경을 양반이라카는 자네가 모른단 말인가?

양 반 보게 선비, 우리 싸워 봤자 피장파장이꺼네 저짜 있는 부네나 불러 춤이나 추고 노시더.

선 비 (잠시 생각하다가) 암, 좋지 좋아.

• **문하시중** 조선 전기에, 문하부의 정일품 으뜸 벼슬. 좌우 두 사람을 둠.
• **사서삼경** 사서와 삼경을 아울러 이르는 말. 곧 「논어」, 「맹자」, 「중용」, 「대학」의 네 경전과 「시경」, 「서경」, 「주역」의 세 경서를 이름.
• **새경** 머슴이 주인에게서 한 해 동안 일한 대가로 받는 돈이나 물건.

01 윗글에 대한 설명으로 적절하지 않은 것은?

① 춤을 통해 인물들이 서로 어우러지고 있다.
② 언어유희를 활용하여 웃음을 유발하고 있다.
③ 양반층의 언어와 서민층의 언어가 함께 나타나 있다.
④ 음악적 요소를 활용하여 극의 분위기를 형성하고 있다.
⑤ 갈등을 중재하는 인물의 말을 통해 주제 의식을 드러내고 있다.

02 ㉠~㉤에 대한 이해로 가장 적절한 것은?

① ㉠: 상대방의 지위가 자신보다 높다는 점을 인정하며 위압감을 느끼고 있다.
② ㉡: 상대방의 재치 있는 생각에 감탄하면서도 이를 반어적으로 드러내고 있다.
③ ㉢: 자신과 의견이 다른 상대방에게 반발심을 느끼고 있다.
④ ㉣: 자신의 학식이 상대방보다 우월함을 표현하려는 의도가 나타나 있다.
⑤ ㉤: 이치에 맞지 않는 말을 근거로 삼는 선비의 무식함이 나타나 있다.

03 ⓐ와 발상 및 표현이 가장 유사한 것은?

① 정신없다 보니 말이 빠져서 이가 헛나왔네.
② 거 신 것을 많이 먹어, 그놈이 참 시건방지네.
③ 아닌 게 아니라 우리 빵파가 열녀도 더 되고 백녀다 백녀.
④ 이부(二夫)가 아니라 오얏 리 자 쓰는 이부(李夫)를 말씀이오.
⑤ 아이고, 저 빌어도 못 먹을 년. 저렇게 헐게 생긴 것 보더니마는 단박에 그냥 환장하네그려.

04 〈보기〉를 참고하여 윗글을 이해한 내용으로 적절하지 않은 것은?

> 보기
> 풍자는 불합리한 권력의 가치관이나 체제를 공격하기 위한 문학적 표현이다. 대상의 약점을 폭로하고 비판하는 데 있어 직접적인 공격을 피하고 모욕, 경멸, 조소를 통해 간접적으로 빈정거리거나 대상을 희화화하는 등 유머의 수단을 이용한다. 그런 점에서 풍자는 대상에 대한 공격의 과정에서 독자에게 웃음을 유발하기도 한다.

① 풍자의 대상이 되는 '선비'와 '양반'은 불합리한 권력을 상징하는 인물이겠군.
② '고수'가 육경의 한 소절마다 장단을 치는 것은 '초랭이'를 희화화하여 풍자하기 위한 것이겠군.
③ '초랭이'가 '머슴의 새경'을 더욱 강조하는 대목에는 불합리한 체제에 대한 공격의 의도가 담겨 있군.
④ '선비'와 '양반'이 조상의 지체와 자신의 학식을 두고 싸우는 장면은 '선비'와 '양반'의 무지를 드러내어 웃음을 유발하는군.
⑤ '부네'를 두고 싸우는 '선비'와 '양반'의 모습을 통해 겉으로는 체면을 차리나 사실은 여색을 탐하는 지배 계층의 위선을 간접적으로 폭로하고 있군.

05 〈보기〉를 참고하여 [A]를 감상한 내용으로 적절하지 않은 것은?

> 보기
> 탈놀이는 연기자가 등장인물을 형상화한 가면을 쓰고 등장하여 극적인 장면을 연출하는 연극이다. 극이 펼쳐지는 무대를 '탈판'이라 하는데, 관객들은 '탈판'보다 얕은 곳이나 산비탈에 둘러앉아 탈놀이를 구경한다. 탈놀이의 연희 형태는 음악과 춤이 주가 되는 가무적 부분과 연기 및 대사를 통해 극적 갈등을 보여 주고 서사를 진행하는 연극적 부분으로 구성되어 있다. 탈놀이에서 탈춤은 극의 내용을 살리는 역할을 하기도 하고 대사와는 관계없이 예술적이고 흥겨운 춤으로 극의 분위기를 돋우는 역할을 하기도 한다.

① 사건의 자연스러운 전개를 위해 탈판 밖의 관객석도 적극적으로 활용하고 있군.
② 연기자 모두 등장인물의 특징을 잘 나타내는 가면을 쓰고 탈놀이를 연행하겠군.
③ 양반과 선비를 유혹하는 부네의 춤은 등장인물 간의 갈등을 유발하는 기능을 하는군.
④ 음악과 춤이 주를 이루는 것을 보니 [A]는 연극적 성격보다는 가무적 성격이 두드러지는 장면이군.
⑤ 부네와 양반이 어울려 추는 춤은 극의 내용과 무관하게 흥겨운 분위기를 극대화하는 역할을 하는군.

민속극 Q41

EBS

꼭두각시놀음 | 작자 미상

▶해법문학 Link 고전 산문 310쪽

키워드 체크 #인형극 #탐관오리에 대한 풍자 #서민들의 삶의 애환 #비판 의식

핵심 포인트

'평안 감사 마당'의 등장인물

박첨지	작품의 주인공으로, 1막에서부터 등장하여 상황을 알려 줌.
홍동지	박첨지의 조카로, 힘이 센 천하장사임.
평안 감사	부당한 권력을 상징하는 탐관오리로, 박첨지와 홍동지에게 횡포를 부림.
산받이	모든 인형과 대화를 나누는 존재로, 극 전체에 대한 연출자 혹은 해설자의 역할을 함.

전체 구성

박첨지 마당	[제1막 곡예장 거리] 박첨지의 유랑 이야기와 자기소개
	[제2막 뒷절 거리] 박첨지의 두 조카딸이 상좌중과 놀아나다 쫓겨남.
	[제3막 최영로의 집 거리] 홍동지가 이무기를 잡아 박첨지를 구해 줌.
	[제4막 동방 노인 거리] 눈을 감고 등장한 동방 노인의 세상 풍자
	[제5막 표 생원 거리] 표 생원의 처(꼭두각시)와 첩(덜머리집)의 다툼
평안 감사 마당	[제6막 매사냥 거리] 새로 부임한 평안 감사의 매사냥 ⋯→ 수록 부분
	[제7막 평안 감사 상여 거리] 평안 감사가 사고로 죽고, 박첨지가 평안 감사의 상여를 멤. ⋯→ 수록 부분
	[제8막 건사(建寺) 거리] 첨지가 좋은 터에 절을 지으려 하는데, 상좌 둘이 절을 짓고 바로 허물어 버림.

연계 작품

양반 사회의 비리와 허위를 풍자한 민속극: 작자 미상 「통영 오광대」

기출 OX

Q1 평안 감사의 사적인 명령을 따르는 박첨지의 모습에서 지배층에 복종해야 했던 피지배층의 모습이 나타난다. EBS 변형 (O | X)

답 Q1 O

평안 *감사 마당 / 첫째 매사냥 거리

평안 감사 네가 박가냐. / 박첨지 네, ㉠박간지 망간지 됩니다.

평안 감사 너 박가거든 들어라. 길 *치도를 어느 놈이 했는가? 썩 잡아들여라.

박첨지 예이. 여보게, 큰일 났네.

산받이 왜 그려? / 박첨지 길 치도한 놈 잡아들이라니 큰일 났네.

산받이 아, 잡아들여야지. 거 내게 맡기게. / 박첨지 그러게. / 산받이 야, 진둥아.

홍동지 (안에서) 밥 먹는다.

산받이 밥이고 뭐고 홍제 났다. 빨리 오너라.

홍동지 (㉡뒤통수부터 나온다.) 왜 그려. / 산받이 이놈아, 거꾸로 나왔다.

홍동지 ㉢(돌아서며) 어쩐지 앞이 캄캄하더라. 그래, 왜 불렀나?

산받이 너 길 치도 잘했다고 평안 감사께서 상금을 준단다. 빨리 가 봐라.

홍동지 그래, 가 봐야지. (가까이 가서) 네, 대령했습니다.

평안 감사 네가 길 닦은 놈이냐? / 홍동지 예이. / 평안 감사 사령. / 사령 네이.

평안 감사 너 저놈 엎어 놓고 볼기를 때려라. 너 이놈 길 치도를 어떻게 했길래 말 다리가 죄다 부러졌느냐? (사령이 볼기를 때리려 대든다.)

홍동지 네 네 잘못했습니다. 그저 그저 하라는 대로 하겠습니다.

평안 감사 이번만은 그럼 용서하겠다. 썩 물러가거라. (홍동지 방귀를 뀌며 들어가고 평안 감사 퇴장하는 듯했다가 다시 돌아온다.) 〈중략〉

[A]

평안 감사 네가 박가냐? 박가면 말 들어라, 내가 산채가 좋아 꿩이 많을 듯해서 꿩 사냥을 나왔으니 몰이꾼 하나 빨리 사들여라.

박첨지가 평안 감사의 명에 어리둥절하자, 산받이는 다시 홍동지를 부른다. 그는 홍동지에게 평안 감사 꿩 몰이꾼을 하면 만 냥을 준다면서 품팔이를 하라고 한다. 홍동지는 그가 말한 대로 평안 감사 꿩 사냥 하는 데에서 꿩을 튕기는 시늉을 하게 된다.

평안 감사 박가야. / 박첨지 누가 또 찾나.

산받이 평안 감사께서 몰이꾼을 잘 사서 상금 준다니 빨리 가 봐라.

박첨지 예 박간지 망간지 갑니다.

평안 감사 박가면 말 들어라. 네가 몰이꾼을 사 주어서 꿩은 잘 잡았다만 내려갈 노비가 없으니 빨리 꿩 한 마리를 팔아 들여라.

박첨지 네 벌써 환전 백쉰 냥 푸기기전으로 부쳤으니 어린 동생 앞세우고 살짝 넘어가시오. 〈중략〉

평안 감사 마당 / 둘째 평안 감사 상여 거리

박첨지 쉬이, 여보게 큰일 났네. / 산받이 뭐가 큰일 나.

박첨지 평안 감사께서 꿩을 잡아 내려가시다가 저 황주 동설령 고개에서 낮잠을 주무시다가 ㉣개미란 놈에게 불알 땡금줄을 물려 직사하고 말았다네.

산받이 그럼 상여가 나오겠군. / 박첨지 그려.

(상여 소리) 어허 어허이야 어허 어허이야 어이나 어허 어허이야. (상여가 나오자 박첨지도 따라 나와)

박첨지 아이고, 아이고, 아이고. / 산받이 여보 영감. / 박첨지 엉.

산받이 그게 누구 상연데 그렇게 우는 거여. / 박첨지 아니 이거 우리 상여 아닌가.

산받이 망할 영감, 그게 평안 감사댁 상여여.

박첨지 아 난 우리 상연 줄 알았지, ⓜ그러기에 암만 울어도 눈물도 안 나오고 어쩐지 싱겁더라.

• **감사** 조선 시대에 둔, 각 도의 으뜸 벼슬. 그 지방의 경찰권·사법권·징세권 따위의 행정상 절대적인 권한을 가진 종이품 벼슬.
• **치도** 길을 고쳐 닦는 일.

01 윗글의 내용과 일치하지 않는 것은?

① 평안 감사는 잘못을 비는 홍동지를 용서해 주었다.
② 산받이는 상여가 나온 후에야 평양 감사의 죽음을 알게 되었다.
③ 홍동지는 산받이의 말을 믿고 평안 감사에게 상금을 받으러 갔다.
④ 박첨지는 상여의 주인이 누구인지 모른 채 상여를 따라 나와 울었다.
⑤ 평안 감사는 박첨지에게 길을 잘못 닦은 사람을 잡아들일 것을 명령했다.

02 〈보기〉를 바탕으로 하여 윗글을 감상한 내용으로 적절한 것은?

보기
「꼭두각시놀음」은 현전하는 민속극 중 유일한 인형극으로, 남사당패가 서민층을 대상으로 관람료를 받고 공연하였다. 4~5명의 인형 조종사는 포장으로 둘러친 공중 무대에서 몸을 감추고 인형을 조종하며 목소리를 내어 극을 진행하였고, 무대 앞에서는 악사들이 악기를 연주했다. 또한 관객들은 그 앞쪽에 자리를 잡고 등장인물과 수시로 대화를 나눌 수 있었다. 「꼭두각시놀음」은 인형들의 대사와 행동을 통해 현실에서는 직접적으로 비판할 수 없는 지배 계층의 횡포를 풍자함으로써 서민들의 억눌린 감정을 해소해 주었다.

① 악사들이 연주하는 음악은 장면을 전환할 때 중요한 역할을 했겠군.
② 관객들은 인형 조종사의 대사와 몸짓을 통해 극의 내용을 파악했겠군.
③ 인형이 등장인물이 되어 극을 진행했으므로 관객이 극에 적극적으로 참여하기 어려웠겠군.
④ 박첨지가 몰이꾼을 잘 사서 평양 감사에게 보상을 받는 장면에서 관객들의 억눌린 감정이 해소되었겠군.
⑤ 어려운 한자어 대신 쉬운 일상어나 비속어를 주로 사용한 것은 윗글이 서민층을 대상으로 공연되었다는 점과 관련 있겠군.

03 〈보기〉를 참고할 때, ㉠~ⓜ에 대한 반응으로 적절하지 않은 것은?

보기
해학은 한국의 유머라 할 수 있다. 이것은 언어뿐 아니라 태도, 동작, 표정, 말씨 등에 광범위하게 나타난다는 점에서 언어적 표현에 의해 웃음을 유발하는 위트(wit)와는 구별된다. 또한 풍자나 조롱과는 달리 선의의 웃음을 유발하는 것으로 인간에 대한 동정과 이해, 긍정적 시선을 전제로 한다. 유머는 유희 본능과 관계하는 것으로 현실적인 위험이나 손해 없이 청중의 습관적 기대를 깨 버릴 때 성립된다.

① ㉠은 언어적 표현으로 웃음을 유발하고 있으므로 위트로도 볼 수 있겠어.
② ㉡은 상식에 반하는 등장인물의 동작을 통해 웃음을 유발하는군.
③ ㉢은 등장인물의 동작과 언어적 표현이 어우러져 웃음을 유발하는군.
④ ㉣은 우스꽝스러운 죽음을 당한 등장인물의 상황을 해학적으로 제시하여 인물에 대한 연민을 불러일으키는군.
⑤ ⓜ은 상여의 주인을 착각한 채 우는 등장인물의 행동이 청중의 습관적 기대를 깨 버린다는 점에서 해학적 표현으로 볼 수 있겠군.

04 윗글의 '산받이'의 역할로 가장 적절한 것은?

① 등장인물 간의 갈등을 조율한다.
② 작품의 배경을 관객에게 설명해 준다.
③ 사건의 시작과 끝을 관객에게 알린다.
④ 작품 속의 핵심적인 문제 상황을 해결한다.
⑤ 여러 등장인물과 대화를 나누며 극을 이끌어 간다.

05 [A]의 상황을 표현하기에 가장 적절한 것은?

① 토사구팽(兎死狗烹) ② 사필귀정(事必歸正)
③ 가렴주구(苛斂誅求) ④ 호가호위(狐假虎威)
⑤ 호사유피(虎死留皮)

『꼭두각시놀음』 "아 난 우리 상연 줄 알았지, 그러기에 암만 울어도 눈물도 안 나오고 어쩐지 싱겁더라."

작품 한 줄 Pick

Q42 서사 무가

[교과서] [문] 금성 [EBS]

바리데기 신화 | 작자 미상

▶해법문학 Link
고전 산문 322쪽

키워드 체크 #서사 무가 #신화적 #영웅 서사 구조 #지극한 효심 #남성 우월 의식 비판

핵심 포인트

바리공주의 수난과 극복

수난	• 일곱 번째 딸이라는 이유로 부당하게 버림받음. • 부모를 위해 자신을 희생하며 시련을 감내함.
극복	• 비극적인 운명을 극복하고 죽은 부모를 회생시킴. • 저승에 안착하지 못하는 영혼을 천도하는 무조신이 됨.

전체 줄거리

발단	불라국의 오구대왕과 길대 부인은 일곱 번째 딸을 낳자 '바리데기'라고 이름 짓고 산에 버림.
전개	세월이 흐른 뒤 부모가 병에 걸리자 바리공주는 부모를 낫게 할 약을 찾기 위해 서역으로 떠남. ⟶ 수록 부분
위기	서역국에 당도한 공주는 무상 신선을 위해 9년 동안 일하고 자식도 낳아 준 끝에 부모를 낫게 할 약려수를 얻음.
절정	공주가 돌아왔을 때 부모가 이미 죽었으나 그 입에 약려수를 흘려 넣자 되살아남.
결말	바리공주는 그 공적으로 죽은 사람을 저승으로 인도하는 무조신이 되고 남편인 무상 신선과 아들들도 신이 됨.

연계 작품

• **바리데기 신화를 소재로 한 작품:** 강은교 「바리데기의 여행 노래」
• **신의 내력을 밝힌 서사 무가:** 작자 미상 「제석본풀이」

기출 OX

01 윗글에는 여성의 수난과 극복 모티프가 나타나 있다. [EBS] 변형 (O | X)

칠 공주 불러내어, 부모 소양 가려느냐?
㉠국가에 은혜와 신세는 안 졌지만은
㉡어마마마 배 안에 열 달 들어 있던 공으로 / 소녀 가오리다.
*거동 시위로 하여 주랴, *구수덩 *싸덩을 주랴?
*필마단기(匹馬單騎)로 가겠나이다.
[A] 사승포(四升布) 고의적삼, 오승포(五升布) 두루마기 짓고
*쌍상토 짜고, 세 패래이 닷축 무쇠 주랑 짚으시고
은지게에 금줄 걸어 메이시고 / 양전마마 수결(手決) 받아, 바지 끈에 매이시고,
여섯 형님이여, 삼천 궁녀들아 / ㉢대왕 양 마마님께서 한날한시에 승하하실지라도 나 돌아올 때까지 기다려서 *인산거동(因山擧動) 내지 마라.
양전마마께 하직하고, 여섯 형님께 하직하고
궐문 밖을 내달으니, 갈 바를 알지 못할러라.
[B] 우여! 슬프다, 선후망의 아모 망재
칠 공주 뒤를 좇으면은
서방 정토 극락세계 후세발원(後世發願)
남자 되어 연화대(蓮花臺)로 가시는 날이로성이다.
[C] 아기가 주랑을 / 한 번 휘둘러 짚으시니, 한 천 리를 가나이다.
두 번을 휘둘러 짚으시니, 두 천 리를 가나이다.
세 번을 휘둘러 짚으시니, 세 천 리를 가나이다.
[D] 이때가 어느 때냐, 춘삼월(春三月) 호시절(好時節)이라.
이화 도화(梨花桃花) 만발하고 향화 방초(香花芳草) 흩날리고
누런 꾀꼬리는 양류 간에 날아들고 / 앵무 공작 깃 다듬는다, 뻐꾹새는 벗 부르며
서산에 해는 지고 월출동령(月出東嶺) 달이 솟네.
앉아서 멀리 바라보니, 어렁성 금바위에
반송(盤松)이 덮였는데.
석가세존(釋迦世尊)님이 지장보살(地藏菩薩)님과
아미타불님과 설법(說法)을 하시는구나.
[E] 아기가 가까이 가서 / 삼배나삼배[三拜又三拜] 삼삼구배(三三九拜)를 드리니,
네가 사람이냐 귀신이냐? ㉣날짐승 길버러지도 못 들어오는 곳이거든, 어찌하여 들어왔느냐?
아기 하는 말이 / ㉤국왕의 세자이옵더니, 부모 소양 나왔다가
길을 잃었사오니, 부처님 은덕(恩德)으로 / 길을 인도하옵소서.
석가세존님 하시는 말씀이,
국왕에 칠 공주 있다는 말은 들었어도 / 세자 대군 있다는 말은 금시초문이다.
너를 대양 서촌(大洋西村)에 버렸을 때에 / 너의 잔명(殘命)을 구해 주었거든
그도 그러하려니와 / 평지 삼천 리는 왔지마는 / 험로(險路) 삼천 리를 어찌 가려느냐?
가다가 죽사와도 가겠나이다. / *나화(羅花)를 줄 것이니, 이것을 가지고 가다가
큰 바다가 있을 테니, 이것을 흔들면은 / 대해(大海)가 육지가 되나니라.

• **거동 시위** 임금의 거동을 곁에서 모시고 호위함.
• **구수덩** 구슬덩. 오색(五色) 주렴(珠簾)으로 화려하게 꾸민 가마. 공주나 옹주가 타고 다녔음.
• **싸덩** 사덩. 비단으로 장식한 가마.
• **필마단기** 혼자 한 필의 말을 탐. 또는 그렇게 하는 사람.
• **쌍상토** 쌍상투. 예전에, 주로 관례(冠禮) 때에 머리를 둘로 갈라 틀어 올린 상투.
• **인산거동** 왕과 왕비 등의 장례를 일컫는 말.
• **나화** 비단으로 만든 가짜 꽃.

답 01 O

01 윗글의 인물에 대한 설명으로 적절하지 않은 것은?

① 바리공주는 남자로 변장하고 약을 구하러 나섰다.
② 석가세존은 바리공주가 겪게 될 일을 걱정하고 있다.
③ 석가세존은 대화를 통해 바리공주의 본모습을 파악하고 있다.
④ 바리공주는 약을 구하기 위해 어디로 가야 할지 몰라 막막해했다.
⑤ 바리공주는 석가세존이 설법하는 장소에 우연히 찾아가게 되었다.

02 〈보기〉를 참고할 때, ㉠~㉤에 대한 이해로 적절하지 않은 것은?

보기

불라국의 오구대왕은 길대 부인이 계속 딸만 낳자 일곱 번째 자식을 산에 버린다. 바리공덕 할아비와 할미에게 구출되어 무사히 지내던 바리공주는 큰 병에 걸린 오구대왕과 길대 부인을 위해 병을 고칠 수 있는 약인 약려수를 구하러 떠난다.

바리공주가 우여곡절 끝에 약려수를 구해 돌아오는 길에 오구대왕과 길대 부인의 상여를 만나 부모의 입에 약려수를 흘려 넣자 부모가 살아난다. 이 공적으로 바리공주는 죽은 영혼을 저승으로 인도하는 무조신의 자리에 오른다.

① ㉠: 바리공주가 어린 시절 버림받은 일과 관련이 있다.
② ㉡: 바리공주가 약려수를 구하러 가는 이유가 나타난다.
③ ㉢: 약을 구해 오겠다는 바리공주의 다짐과 대왕부부의 죽음이 암시되어 있다.
④ ㉣: 석가세존이 바리공주에게 자신을 찾아온 이유를 묻고 있다.
⑤ ㉤: 바리공주가 석가세존 앞에서 자신의 정체를 숨기고 있다.

03 [A]~[E]에 나타난 서술상 특징으로 적절하지 않은 것은?

① [A]에서는 열거의 방법으로 떠날 준비를 하는 인물의 복장을 묘사하고 있다.
② [B]에서는 서술자가 작품에 직접 개입하여 자신의 정서를 드러내고 있다.
③ [C]에서는 인물의 행위를 반복적으로 언급하며 신이한 능력을 강조하고 있다.
④ [D]에서는 감각적 표현을 통해 봄날의 풍광을 묘사하고 있다.
⑤ [E]에서는 질문과 답변이 이어지면서 인물 간의 갈등이 고조되고 있다.

04 〈보기〉는 윗글을 바탕으로 창작한 현대 시이다. 윗글과 〈보기〉를 연관 지어 이해한 내용으로 적절하지 않은 것은?

보기

저 혼자 부는 바람이 / 찬 머리맡에서 운다.
어디서 가던 길이 끊어졌는지
사람의 손은 / 빈 거문고 줄로 가득하고
창밖에는 / 구슬픈 승냥이 울음소리가
또다시 / 만 리 길을 달려갈 채비를 한다.

시냇가에서 대답하려무나
워이가이너 워이가이너
다음날 더 큰 바다로 가면
청천에 빛나는 저 이슬은
누구의 옷 속에서
다시 자랄 것인가.

사라지는 별들이 / 찬바람 위에서 운다.

만 리 길 밖은 / 베옷 구기는 소리로 어지럽고
그러나 나는 / 시냇가에
끝까지 살과 뼈로 살아 있다.

– 강은교, 「바리데기의 여행 노래 – 3곡 · 사랑」

① 윗글에는 〈보기〉와 달리 바리공주의 여정이 구체적으로 제시되어 있어.
② 〈보기〉에서는 윗글과 달리 바리공주가 화자가 되어 독백조로 자신의 이야기를 들려주고 있어.
③ 〈보기〉와 윗글 모두 소명을 성취하려는 바리공주의 결연한 의지를 엿볼 수 있어.
④ 〈보기〉와 윗글 모두 평범한 여성이 고단한 여정을 겪으면서 비범한 능력을 얻게 된다는 점이 흥미로워.
⑤ 윗글과 관련지어 볼 때 〈보기〉의 '가던 길'은 바리공주가 부모를 살리기 위해 떠난 길을 의미하는 것 같아.

서술형

05 〈보기〉의 밑줄 친 부분에 대한 근거 두 가지를 윗글의 내용을 바탕으로 서술하시오.

보기

서사 무가는 무속신의 유래를 설명하는 이야기로 소설이나 설화와 같이 고유한 등장인물이 있고 그 인물의 활동을 중심으로 한 줄거리를 갖추고 있다. 인물은 영웅적인 면모를 지니고 있으나 수많은 위기를 만나게 되고 이때 조력자의 도움을 통해 위기를 극복한다. 「바리데기 신화」에서는 석가세존이 바리공주의 조력자 역할을 한다고 볼 수 있다.

실전 복합 문제

1회

고려 가요 + 가사

상저가 | 작자 미상

상저가 | 이황

고전 소설 + 시조

다모전 | 송지양

시절도 저러ᄒᆞ니 | 이항복

비평 + 사설시조

졋 건너 흰옷 닙은 사ᄅᆞᆷ | 작자 미상

천지간 만물지중에 | 작자 미상

나모도 바히돌도 업슨 | 작자 미상

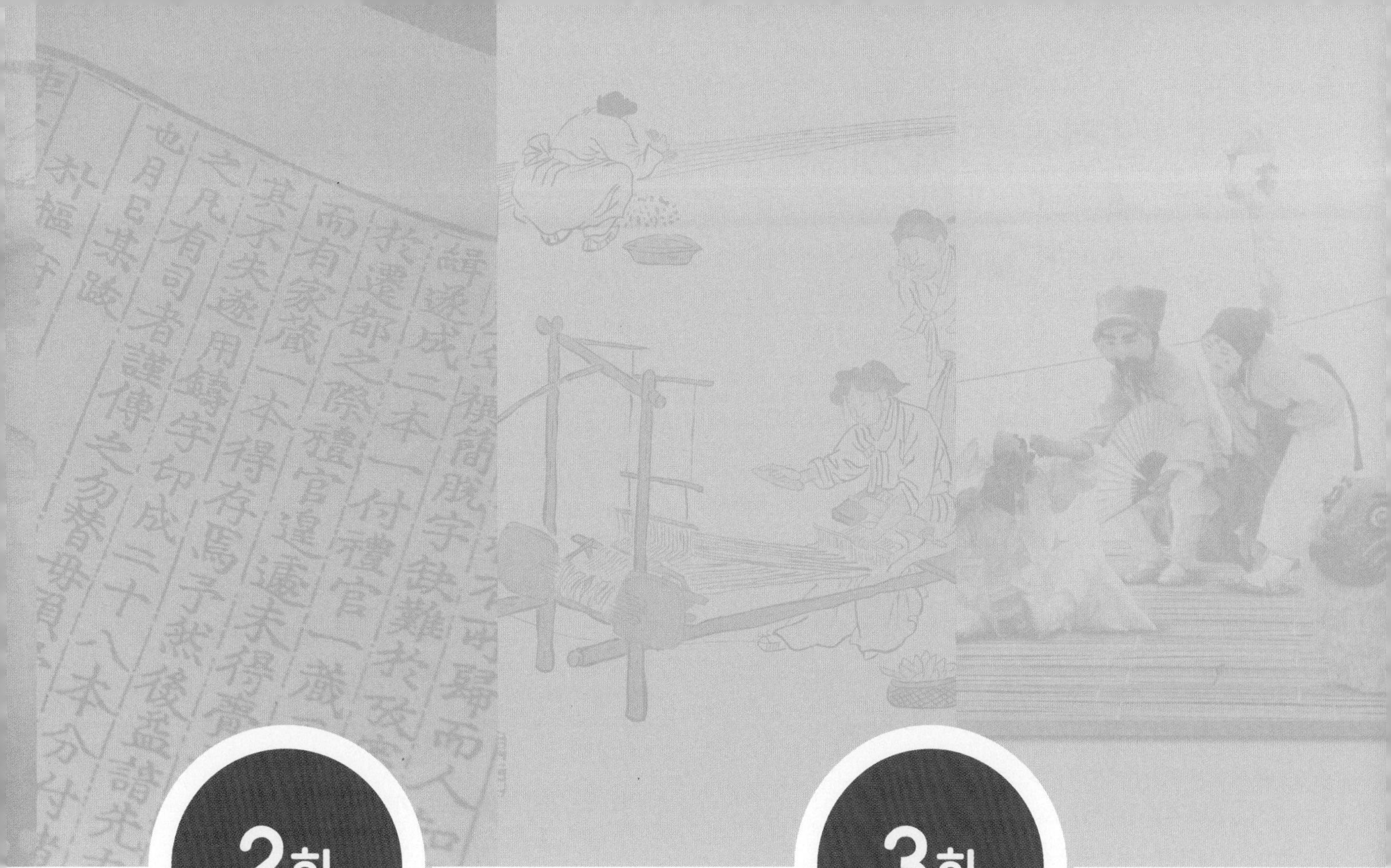

2회

연시조 + 고전 수필

강호연군가 | 장경세

통곡헌기 | 허균

고전 소설 + 설화

민옹전 | 박지원

이야기꾼 | 작자 미상

한시 + 시조 + 민요

몽혼 | 이옥봉

설월이 만창훈듸 | 작자 미상

베틀 노래 | 작자 미상

3회

연시조 + 현대 시 + 비평

도산십이곡 | 이황

수의 비밀 | 한용운

비평 + 고전 수필 + 현대 수필

이상자대 | 이규보

여백을 위한 잡담 | 박태원

연시조 + 현대 희곡

어부사시사 | 윤선도

북어 대가리 | 이강백

⏲ 목표 풀이 시간 : 21분

[01 ~ 04] 다음 글을 읽고 물음에 답하시오.

(가) 듥긔동 •방해나 •디허 히얘
•게우즌 ㉠바비나 지ᅀᅥ 히얘
아바님 어마님ᄭᅴ 받ᄌᆞᆸ고 히야해
남거시든 내 머고리 히야해 히야해

– 작자 미상, 「상저가(相杵歌)」

• **방해** 방아.
• **디히** 찧어.
• **게우즌** 거친.

(나) 어와 계장님ᄂᆡ 이 방하 ᄡᅵ허스라
이 방하 ᄡᅵ흘 젹의 방하 노래 내 부르마
[A]
태고 적 혼돈ᄒᆞ야 곡식이 업돗더니
•신농씨(神農氏) 시험ᄒᆞ야 •장기 ᄡᅵ부 ᄆᆡᆼ근 후에
•후직씨(后稷氏) ᄯᅡ흘 보아 논밧츨 분별ᄒᆞ니
논밧치 삼겻거니 곡식인들 업슬소냐
[B]
곡식이 비록 난들 •ᄡᅵ허 아니 먹을소냐
심산(深山)의 •도든 남글 •돗치로 버혀 내야
•확 안치고 •고 맛초아 거러 내니 방하로다

〈중략〉

[C]
㉡이 밥 지어 내니 먹으 리도 하고만타
구중궁궐(九重宮闕)의 우리 님군 •혜신 후에
일국 신민이 뉘 아니 먹을소니
먹고 노닐소냐 ᄒᆞᆯ 일은 다 잇ᄂᆞ니
[D]
치국안민(治國安民)은 성상의 ᄒᆞᆯ 일이오
•섭리 음양(燮理陰陽)은 재상의 ᄒᆞᆯ 일이오
•승류 선화(承流宣化)ᄂᆞᆫ •방백의 ᄒᆞᆯ 일이오
•면절정쟁(面折廷爭)은 대간의 ᄒᆞᆯ 일이오
•절충어모(折衝禦侮)ᄂᆞᆫ 장수의 ᄒᆞᆯ 일이오
권농 흥학(勸農興學)은 수령의 ᄒᆞᆯ 일이오
•입효 출제(立孝出悌)ᄂᆞᆫ 션ᄇᆡ의 ᄒᆞᆯ 일이오
[E]
•무본 역색(務本力穡)은 백성의 ᄒᆞᆯ 일이오
방적 주식(紡績住食)은 부녀의 ᄒᆞᆯ 일이오
•친상 사장(親上死長)은 군사의 ᄒᆞᆯ 일이라
우리도 이 방하 ᄡᅵ허 내야 부모 공양ᄒᆞ리라

– 이황, 「상저가(相杵歌)」

• **신농씨** 중국 고대 전설상의 제왕. 삼황(三皇)의 한 사람으로, 농업 · 의료 · 악사(樂師)의 신, 주조(鑄造)와 양조(釀造)의 신이며, 또 역(易)의 신, 상업의 신이라고도 함.
• **장기 ᄡᅵ부** 쟁기와 따비. 농기구의 일종.
• **후직씨** 중국 주나라의 시조. 순임금을 섬겨 사람들에게 농사를 가르쳐 그 공으로 후직(后稷)이라는 벼슬에 올랐음.
• **ᄡᅵ허 아니 먹을소냐** 찧어 아니 먹겠느냐.
• **도든 남글** 돋은 나무를.
• **돗치로** 도끼로.
• **확** 방아확. 방앗공이로 찧을 수 있게 돌절구 모양으로 우묵하게 판 돌.
• **고** 방앗공이. 방아확 속에 든 물건을 찧는 데 쓰도록 만든 길쭉한 몽둥이.
• **혜신 후에** 생각한 후에.
• **섭리 음양** 천지의 음양을 잘 다스림. 즉, 나라를 잘 다스린다는 뜻.
• **승류 선화** 왕명을 받아 교화를 폄.
• **방백** 조선 시대에 둔, 각 도의 으뜸 벼슬.
• **면절정쟁** 임금의 면전에서 허물을 기탄없이 직간하고 쟁론함.
• **절충어모** 나를 얕보는 상대편을 담판으로 꺾어 두려워하게 만듦.
• **입효 출제** 집에서는 부모에게 효도하고, 밖에서는 어른을 공경함.
• **무본 역색** 사람의 본분을 다하고, 농사에 힘씀.
• **친상 사장** 임금을 가까이 모시고, 상관을 위해 죽음.

01 (가), (나)의 공통점으로 가장 적절한 것은?

① 시구를 반복하여 리듬감을 형성하고 있다.
② 두 대상을 비교하여 시적 의미를 강화하고 있다.
③ 설의법을 사용하여 화자의 정서를 부각하고 있다.
④ 청자에게 말을 건네는 방식으로 깨우침을 주고 있다.
⑤ 음성 상징어를 사용하여 시적 상황을 생동감 있게 드러내고 있다.

02 [A]~[E]에 대한 설명으로 적절하지 않은 것은?

① [A]: '신농씨'와 '후직씨'를 언급하며 농사를 짓게 된 유래를 설명하고 있다.
② [B]: '심산의 도든' 나무로 방아를 제작한 이유와 과정이 나타나 있다.
③ [C]: '일국 신민'이 할 일을 마친 후 풍류를 즐기는 모습을 묘사하고 있다.
④ [D]: '성상'부터 '션비'에 이르기까지 각자 실천해야 할 바를 훈계하고 있다.
⑤ [E]: '백성', '부녀', '군사'가 해야 할 일을 나열한 후 '부모 공양'을 권유하는 말로 노래를 마무리하고 있다.

03 〈보기〉를 참고하여 (가), (나)를 감상한 내용으로 적절하지 않은 것은?

보기

「상저가」에서 상저(相杵)란 부녀자들이 절구통에 둘러서서 노래를 하며 절구질을 하는 것을 말한다. (가)는 현전하는 고려 가요 중 유일한 노동요로, 두 사람 이상이 각기 절굿공이를 들고 동작에 맞춰 선후창으로 불렸을 것으로 보인다. (가)는 조선 시대에 궁중악으로 채용되었는데, 이는 풍속을 교화하려는 지배층의 의도에서 비롯되었다. (나)는 조선 시대의 사대부인 퇴계 이황이 지은 교훈 가사로, 방아 찧기라는 소재를 활용하여 다양한 유교적 도리를 부연하고 있다.

① (가)에서 한 사람이 앞부분을 선창하면, 다른 사람은 '히얘', '히야해'를 후창했겠군.
② (가)에서 '히얘'와 같은 감탄사가 여음구로 사용된 것은 일하는 이의 기운을 북돋워 노동의 능률을 높이는 기능과 관련 있겠군.
③ (나)에서 화자는 방아 노래를 부르며 다양한 유교적 도리를 전달하고 있군.
④ (가)는 '아바님 어마님의 받줍고'에서, (나)는 '부모 공양 ᄒᆞ리라'에서 '효(孝)'의 가치를 노래하고 있군.
⑤ (가)의 '게우즌 바비나'와 (나)의 '장기 ᄊᆡ부'에는 백성에게 농사를 장려하여 풍속을 교화하려는 지배층의 의도가 반영되어 있겠군.

04 ㉠의 '밥'과 ㉡의 '밥'에 대한 이해로 가장 적절한 것은?

① ㉠과 ㉡은 모두 물질적으로 풍요로운 삶을 상징하고 있다.
② ㉠과 ㉡은 모두 사회적 갈등을 불러일으키는 원인으로 작용하고 있다.
③ ㉠은 가족 간의 애정을, ㉡은 군신 간의 신의를 나타내고 있다.
④ ㉠은 농사짓기의 어려움을, ㉡은 농사짓기의 보람을 보여 주고 있다.
⑤ ㉠에는 부모를 향한 자식의 마음이, ㉡에는 백성을 위한 임금의 마음이 담겨 있다.

[05~09] 다음 글을 읽고 물음에 답하시오.

(가) **[앞부분 줄거리]** 임진년(1832)에 나라에 큰 기근이 들어 나라에서 술을 금지하자, 고을의 아전들은 백성들에게 밀주 빚은 자를 고발하게 한 후 벌금의 10분의 2를 포상금으로 주었다. 그 까닭에 서로 신고하는 백성이 아주 많았다.

어느 날 *한성부의 아전 하나가 남산 아래 어느 거리의 외진 곳에 몸을 숨기고 있었다. 아전은 *다모를 가까이 부르더니 시내 위로 놓인 다리 끝에서 몇 번째 집을 손가락으로 가리켰다.

"저긴 양반집이라 내가 마음대로 들어가 볼 수가 없거든. 그러니 여자인 네가 먼저 안채로 들어가 쓰레기를 뒤져 보고 술지게미가 있거든 고함을 치거라. 그러면 내가 당장 들어가마."

다모는 그 말대로 하였다. 살금살금 들어가 깊숙한 곳까지 수색하였다. 그랬더니 과연 석 되들이쯤 되는 단지에 새로 빚은 막걸리가 들어 있었다.

다모가 술 단지를 안고 나오려는데 주인 할미가 그 모습을 보고는 놀라고 겁에 질려 땅에 엎어졌다. 눈자위는 빛을 잃고 입가에는 침이 흘렀으며 사지는 뻣뻣해지고 얼굴은 푸르죽죽하니 기절한 것이었다. 다모는 술 단지를 버리고 할미를 부여안았다. 그러고는 급히 더운 물을 가져다 입안에 흘려 넣어 주었다. 잠시 후 할미가 깨어나자 다모가 질책했다.

"조정의 영(令)이 저와 같은데, 양반의 신분으로 금령을 어기다니 어찌 된 일입니까?"

주인 할미는 사죄하여 말했다.

"우리 집 양반이 원래 숙환이 있는데, 술을 못 마시게 된 이후로 음식을 삼키지 못해 병이 더욱 심해지셨어. 가을부터 겨울까지 끼니를 잇지 못한 게 여러 날이었는데, 어제는 쌀 몇 되를 어디서 얻어 왔어. 노인의 병구완이나마 하려고 감히 금령을 어기게 되었네만 어찌 들킬 거라고 생각이나 했겠나. 선한 마음을 가진 보살께서 우리 사정을 측은히 봐주게. 은혜는 결코 잊지 않겠네."

다모는 불쌍한 마음이 들었다. 단지 속의 술을 두엄의 잿더미에다 쏟아 버리고는 사기 주발 하나를 들고 문밖으로 나왔다. 아전이 밀주를 찾아냈는지 묻자 다모는 웃으며 이렇게 말했다.

"술은커녕, 장차 초상을 치를 판이오."

다모는 곧장 콩죽 파는 가게로 가서 죽 한 그릇을 산 뒤 다시 양반 댁으로 가서 할머니에게 죽을 건네주고는 이렇게 말했다.

"마님이 댁에서 밥을 못 해 드신다니 제가 안타까워 드리는 겁니다."

그러고는 물었다.

"밀주 담근 걸 누가 아는가요?"

할미는

"쌀도 내가 찧었고, 누룩도 내가 섞었어. 늙은 할미 혼자 지키는 집에 알 사람이 또 누가 있겠나?"

"그럼 다른 사람에게 술을 팔진 않으셨나요?"

"나는 늙은 남편 병을 구완할 생각으로 술을 담근 것뿐일세. 항아리도 겨우 몇 사발쯤밖에 안 되는 크기인데, 남에게 팔고 나면 무슨 남은 게 있어서 우리 집 양반을 드리겠나. 하늘에서 환한 해가 보고 있는데 내가 어찌 속이겠나."

"정말 그렇다면 누구 맛을 본 사람도 없나요?"

할미는 대답했다.

"젊은 생원님인 우리 시숙이 어제 아침에 성묘하러 나가는데, 양식이 없어 아침밥도 못 지어 드리고 빈속에 떠나게 할 수 없어 내 손으로 한 잔 따라 권했네만, 이것 말고 다른 사람에게는 준 적이 없네."

다모는 젊은 생원의 나이가 어느 정도이고 얼굴은 어떻게 생겼으며 몸은 살쪘는지 말랐는지, 키는 몇 척이고 수염은 얼마나 났는지 물었다. 할미는 묻는 대로 일일이 대답해 주었다. 다모는 말했다.

"잘 알겠어요."

마침내 다모는 밖으로 나와서는 아전에게 말했다.

"양반 집이라 정말 밀주 같은 건 없었소. 주인마님이 나를 보고 놀라 기절했는데, 마님을 겁주어 죽게 한 건 아닌가 걱정이 되어 깨어날 때까지 기다리다 나오느라 늦었네요."

다모가 아전을 따라 한성부로 향했다. 젊은 생원 하나가 뒷짐을 지고 네거리에서 어슬렁거리며 아전이 돌아오기를 기다리고 있는 게 보였다. 그 용모는 하나같이 주인 할미가 가르쳐 준 시숙의 생김새와 똑같았다. 다모는 손을 들어 그의 따귀를 갈기고 침을 뱉으며 꾸짖었다.

"네가 양반이냐? 양반이라는 자가 형수가 밀주 담근 걸 고해 바쳐 포상금이나 받아먹으려 했단 말이냐?"

길거리에 있던 사람들이 모두 깜짝 놀라 이들 주변을 빙 둘러싸고 구경했다. 아전이 성이 나서 이렇게 말했다.

"너는 어째서 주인 할미의 사주를 받아 나를 속이고 밀주 빚은 걸 감추어 주고는 도리어 고발한 사람을 꾸짖는 거냐?"

그러고는 다모를 끌고 •주부 앞으로 데리고 가 죄를 아뢰었다. 주부가 심문하자 다모는 사실대로 모두 자백했다. 주부는 짐짓 성난 체하며 말했다.

"너는 밀주 빚은 자를 숨겨 주었으니 그 죄를 용서하기 어렵다. 곤장 20대에 처한다."

그러나 오후 6시 무렵 관청 일이 끝나자 주부는 조용히 다모를 불러 엽전 열 꿰미를 주며 말했다. / "네가 밀주 빚은 자를 숨겨 준 일을 내가 용서한다면 국법이 서지 않겠기에 곤장을 친 것이다. 그러나 너는 의로운 사람이다. 내가 참 갸륵하다 여겨 상을 준다."

다모는 밤중에 돈을 가지고 남산 아래 그 양반 댁으로 가 주인 할미에게 주고는 이렇게 말했다.

"제가 관청에 거짓 보고를 했으니 곤장을 맞는 거야 당연한 일입니다만, 마님이 술을 담그지 않으셨더라면 이 상이 어디서 났겠어요? 그러니까 이 상은 마님께 돌려드리는 겁니다. 제가 보니 마님은 겨우내 춥게 지내시는 모양인데, 이 1천 전(錢) 돈으로 반은 장작을 사고, 반은 쌀을 사시면 추위와 굶주림 없이 겨울을 나시기에 충분할 거예요. 다만 다시는 술을 빚지 않으셔야 합니다."

- 송지양, 「다모전(茶母傳)」

- **한성부** 조선 시대에, 서울의 행정·사법을 맡아보던 관아.
- **다모** 조선 시대에, 일반 관아에서 차와 술대접 등의 잡일을 맡아 하던 관비. 한성부나 포도청에 소속되었을 경우 아전이나 포졸의 업무를 보좌하는 역할까지 맡았음.
- **주부** 조선 시대에 한성부 등에 두었던 종육품 벼슬. 관서의 문서와 부적(符籍)을 주관함.

(나) 시절도 저러ᄒᆞ니 •인사(人事)도 이러ᄒᆞ다
이러ᄒᆞ거니 어이 저러 아닐소냐
이런 쟈 저런 쟈 ᄒᆞ니 한숨 겨워 ᄒᆞ노라

- 이항복

- **인사** 사람의 일. 또는 사람으로서 해야 할 일.

05 (가)에 대한 설명으로 가장 적절한 것은?

① 전기적 요소를 통해 주인공의 영웅성을 드러낸다.
② 이야기 내부의 서술자가 인물의 행동을 관찰하여 그 의미를 직접 설명한다.
③ 주변 인물과의 관계에서 나타나는 주인공의 말과 행동을 통해 인물의 성격을 보여 준다.
④ 동일한 사건을 다양한 인물의 관점에서 서술함으로써 사건의 의미를 다각적으로 조명한다.
⑤ 주인공이 일련의 사건을 경험하면서 피동적인 인물에서 주체적이고 능동적인 인물로 성장하는 과정을 보여 준다.

06 (가)의 내용에 대한 이해로 적절한 것은?

① 주인 할미는 병든 남편을 위하여 술을 빚었다.
② 다모는 곤장을 맞은 것을 억울하게 생각했다.
③ 젊은 생원은 다모가 거짓말을 했다고 비난했다.
④ 주부는 다모가 주인 할미를 두둔한 것에 분노했다.
⑤ 길거리에 있던 사람들은 형수를 고발한 젊은 생원을 꾸짖었다.

07 〈보기〉를 참고하여 (가)를 감상한 내용으로 적절하지 않은 것은?

보기

「다모전」은 조선 후기에 흉년이 들어 많은 사람이 극심한 기근에 시달렸던 상황을 배경으로 당대 삶의 모습을 형상화하였다. 「다모전」에는 몰락한 양반의 궁핍상, 금주령을 두고 벌어지는 실정법과 인정 사이의 갈등, 공과 사의 대립, 인간애를 중시하는 인물과 파렴치한 인물 간의 대비 등이 나타난다. 작가는 주인공 다모의 정의로운 품성과 주부의 위민 의식을 바탕으로 혼란스러운 시대를 살아가기 위해 갖춰야 할 바람직한 삶의 자세가 무엇인지 질문하고 있다. 더불어 「다모전」은 조선 후기의 부조리한 세태를 비판적인 시각에서 그려 낸 작품으로도 평가받는다.

① '주인 할미'의 처지를 통해 극심한 기근에 시달렸던 조선 후기의 상황과 이에 따른 몰락 양반의 궁핍상을 짐작할 수 있어.
② '주인 할미'를 돕는 '다모'와 이를 꾸짖는 '아전'의 모습에서 금주령을 두고 벌어졌던 실정법과 인정 사이의 갈등을 확인할 수 있어.
③ 금주령을 어긴 '주인 할미'가 '다모'로부터 돈을 받는 모습에서 조선 후기의 부조리한 세태를 비판하려는 작가의 의도가 엿보여.
④ 가족을 밀고한 '젊은 생원'과 그를 꾸짖는 '다모'의 모습에서 인간애를 중시하는 인물과 파렴치한 인물 간의 대비를 확인할 수 있어.
⑤ 법질서를 바로 세우면서도 인정을 버리지 않는 '주부'의 모습에서 위민 의식을 바탕으로 하여 공과 사의 대립을 조화롭게 해소하는 바람직한 삶의 자세를 발견할 수 있어.

08 〈보기〉를 바탕으로 (나)를 감상한 내용으로 적절하지 않은 것은?

보기

(나)는 조선 선조 때의 문신 이항복이 지은 시조로, 이항복은 조정에 있는 40년 동안 당쟁으로 인한 사람들의 다툼과 어지러운 정세를 몸소 겪어야 했다. 정인홍이 성혼을 무고할 때 성혼의 무죄를 변호하다가 영의정의 벼슬을 내놓아야 했으며, 광해군이 영창 대군을 죽이고 인목 대비를 폐위하려 할 때 이에 반대하다가 유배를 겪기도 했다. (나)에는 자신이 겪은 당파 싸움에 대한 작가의 심리가 함축적으로 반영되어 있다.

① 초장의 '시절'은 당쟁으로 인한 어지러운 정세를 의미한다고 볼 수도 있겠군.
② 초장의 '인사도 이러ᄒᆞ다'에서 작가는 현재의 상황에 대한 책임을 자기에게로 돌리고 있어.
③ 중장의 '저러'에는 당파를 이루어 서로 싸우는 모습을 바라보는 작가의 부정적 인식이 담겨 있겠군.
④ 중장에서 '아닐소냐'라는 설의적 표현을 사용하여 당쟁에 대한 화자의 비판적인 시각을 드러내고 있어.
⑤ 종장에서 현실에 대한 화자의 안타까운 심정을 '한숨'으로 집약하여 표현하고 있어.

09 (나)의 화자가 (가)를 읽은 뒤 보인 반응으로 가장 적절한 것은?

① 나라의 법질서를 바로잡아야 다모처럼 인정을 저버리는 사람이 줄어들 거야.
② 자신의 지위를 이용하여 법의 굴레를 피해 가려 한 주인 할미의 행동이 개탄스럽군.
③ 곤장을 쳐서 국법을 세우려고 한 주부의 행동은 폭력을 이용했다는 점에서 용납될 수 없어.
④ 포상금으로 백성의 욕심을 자극하여 젊은 생원과 같은 사람을 생기게 한 아전은 비판받아 마땅해.
⑤ 기근으로 세태가 각박해진 탓에 젊은 생원처럼 자신의 이익을 위해 인간적인 도리를 저버리는 사람이 생긴 것 같아.

[10~12] 다음 글을 읽고 물음에 답하시오.

(가) 사설시조는 양반 사대부들이 향유한 평시조와는 달리 직설적이면서도 활기에 찬 삶의 역동성을 담고 있는 서민들의 노래다. 사설시조에는 해학적, 풍자적, 외설적, 저항적 성격 등 여러 가지 특성이 두루 나타난다. 특히 사설시조에 나타난 서민적 미의식은 일상적이고 세속적인 사랑을 제재로 한 희극미의 표출에 집중되어 있다. 그래서 사설시조의 주제로는 남녀 간의 그리움과 시름을 담은 이른바 '남녀상사지사(男女相思之詞)'가 많다.

대체로 그리움의 정서란 임과 나와의 관계에서 임과의 이별 또는 임의 부재라는 현실 인식에서 비롯한다. 시조에서의 임은 늘 떠나 있거나 오지 않는 대상으로 존재하며 주체인 나에게 상실감을 안겨 주는 역할을 한다. 임에 대한 상실감은 심리적 갈등을 일으키고 그리움의 정서를 증폭한다. 작품마다 임의 부재 양상은 다르지만 나와 임과의 대응이 긍정적으로 이루어지는 경우라 하더라도 그것은 대체로 상상력을 통한 미래 인식 상황이라고 할 수 있으며, 일반적으로는 임의 부재로 외로움이 가중되고 현실적인 절박감이 비애의 정서를 유발한다.

(나) •져 건너 흰옷 닙은 사ᄅᆞᆷ •ᄌᆞᆫ믭고도 •양믜왜라

㉠쟈근 돌ᄃᆞ리 건너 큰 돌ᄃᆞ리 너머 밥뛰여간다 ᄀᆞᄅᆞ 뛰여가ᄂᆞᆫ고 어허 내 서방(書房) 삼고라쟈

진실(眞實)로 내 서방 못 될진대 ㉡벗의 님이나 되고라쟈

- 작자 미상

- •져 저.
- •ᄌᆞᆫ믭고도 잔밉고도. 몹시 얄밉고도.
- •양믜왜라 얄미워라.

(다) 천지간 만물지중에 그 무엇이 무서운고

㉢•백액호(白額虎) •시랑(豺狼)이며 •대망 독사(毒蛇) •오공(蜈蚣) •지주 •야차 두억신과 •이매망량 요괴(妖怪) 사기며 호정령 몽달귀신 염라사자와 시왕 차사를 온갖 다 몰속 겪어 보았으나

아마도 님을 못 보면 간장에 불이 나서 사라져 죽게 되고 볼지라도 놀라고 끔찍하여 사지가 절로 녹아 어린 듯 취한 듯이 말도 아니 나기는 님이신가 하노라

- 작자 미상

- •백액호 이마와 눈썹의 털이 허옇게 센 늙은 호랑이.
- •시랑 승냥이와 이리.
- •대망 이무기.
- •오공 지네.
- •지주 거미.
- •야차 모질고 사나운 귀신의 하나.
- •이매망량 온갖 도깨비.

(라) 나모도 바히돌도 업슨 뫼헤 매게 ᄶᅩ친 가토릐 안과

㉣대천(大川) 바다 한가온대 일천 석(一千石) 시른 ᄇᆡ에 노도 일코 닷도 일코 •뇽총도 근코 돗대도 것고 •치도 ᄲᅡ지고 ᄇᆞ람 부러 물결치고 안개 뒤섯계 ᄌᆞ자진 날에 갈 길은 천리만리(千里萬里) 나믄듸 사면(四面)이 거머 어득 져뭇 천지적막(天地寂寞) •가치노을 ᄯᅥᆺᄂᆞᆫ듸 수적(水賊) 만난 •도사공(都沙工)의 안과

엇그제 님 여흰 내 안히야 ㉤엇다가 •ᄀᆞ을ᄒᆞ리오

- 작자 미상

- •뇽총 용총줄. 돛대에 매어 놓은 줄.
- •치 키. 배의 방향을 조종하는 장치.
- •가치노을 ᄯᅥᆺᄂᆞᆫ듸 사나운 물결이 일어나는데.
- •도사공 뱃사공의 우두머리.
- •ᄀᆞ을ᄒᆞ리오 견주리오. 비교하겠는가.

10 (가)를 참고하여 (나)~(라)를 이해한 내용으로 적절하지 <u>않은</u> 것은?

① (나)~(라) 모두 일상적이고 세속적인 사랑을 제재로 하고 있다.
② (다)와 (라)의 임은 화자에게 상실감을 안겨 주는 존재이다.
③ (나)의 화자는 이성에 대한 심정을 솔직하고 직설적으로 표현하고 있다.
④ (다)의 화자는 오지 않는 임 때문에 느끼는 외로운 감정을 여러 가지 자연물에 이입하고 있다.
⑤ (라)의 화자는 임의 부재로 인해 현실적 절박감과 비애의 정서를 느끼고 있다.

11 ㉠~㉤에 대한 이해로 적절하지 <u>않은</u> 것은?

① ㉠: 다리를 건너는 모습을 생생하게 묘사하여 '흰옷 닙은 사ᄅᆞᆷ'이 발산하는 생기와 매력을 보여 주고 있다.
② ㉡: 매력적인 남성이 '내 서방'이 되기보다 '벗의 님'이 되었으면 하는 화자의 바람을 통해 벗과 화자 사이의 우정을 보여 주고 있다.
③ ㉢: 세상 사람들이 두려워하는 온갖 것을 나열함으로써, 임을 만나지 못하는 화자의 슬픔을 부각하고 있다.
④ ㉣: 점층법을 통해 도사공이 느끼는 심리적 압박을 효과적으로 드러내고 있다.
⑤ ㉤: 의문형 표현을 사용하여 자신의 상황에 대한 화자의 비극적 인식을 강조하고 있다.

12 (라)의 화자와 〈보기〉의 화자가 동일한 처지에 있다고 가정할 때, 〈보기〉에서 '노래'의 기능으로 가장 적절한 것은?

보기

노래 삼긴 사름 시름도 하도 할샤
닐러 다 못 닐러 불러나 *푸돗든가
진실로 플릴 거시면 나도 불러 보리라

- 신흠

*푸돗든가: 풀었던가.

① 임과 헤어진 슬픔을 해소하려는 노래이겠군.
② 비정한 인간 세태를 풍자하려는 노래이겠군.
③ 화자에 대한 임의 오해를 풀기 위한 노래이겠군.
④ 운명의 횡포로 인한 삶의 비애를 해소하려는 노래이겠군.
⑤ 자연재해를 당한 현재의 문제 상황을 해결하기 위한 노래이겠군.

실전 복합 문제 2회

목표 풀이 시간 : 22분

[01~05] 다음 글을 읽고 물음에 답하시오.

(가) 홍진(紅塵)의 꿈 ᄭᆡ연 디 이십 년(二十年)이 어제로다
녹양방초(綠楊芳草)애 절로 **노힌 ᄆᆞ리** 되어
시시(時時)히 고개롤 드러 남자 그려 우노라 〈제2수〉

시절이 하 수상하니 **ᄆᆞᄋᆞᆷ을 둘 듸 업다**
*교목(喬木)도 녜 ᄀᆞᆺ고 신하도 그득하되
의론(議論)이 여긔저긔 하니 그롤 몰라 ᄒᆞ노라 〈제3수〉

***송옥(宋玉)**이 ᄀᆞ을홀 만나 므스 이리 슬프던고
차가운 **서리** 흰 이슬은 하늘히 긔운이라
㉠이내의 남은 져 근심은 봄ᄀᆞ을이 업서라 〈제6수〉

㉡장부(丈夫)의 몸이 되어 기한(飢寒) 두려울까
일산(一山) 풍월(風月)애 즐거옴이 ᄀᆞ이 업다
내 *마다 *부운부귀(浮雲富貴)를 따를 줄 이시랴 〈제11수〉

*득군 행도(得君行道)는 군자(君子)의 쓰이로듸
때를 못 만나며는 *고반(考槃)을 즐겨 ᄒᆞ니
넉넉ᄒᆞᆫ 솔바람에 달 보기야 **나**쁜인가 ᄒᆞ노라 〈제12수〉

– 장경세, 「강호연군가(江湖戀君歌)」

- **교목** 줄기가 곧고 굵으며 높이가 8미터를 넘는 나무.
- **송옥** 중국 춘추 전국 시대 초나라의 문인으로, 굴원의 제자임.
- **마다** 싫다.
- **부운부귀** 뜬구름같이 덧없는 부귀라는 뜻으로, 옳지 못한 방법으로 얻은 부귀를 이르는 말.
- **득군 행도** 어진 임금을 만나 도를 세상에 펼침.
- **고반** 벼슬에 나가지 않고 자연에 묻혀 풍류를 즐김.

(나) 조카인 [허친]은 이렇게 말했다.

"저는 이 시대가 즐기는 것을 등지고, 세상이 좋아하는 것은 거부합니다. 이 시대가 환락을 즐기므로 저는 비애를 좋아하며, 이 세상이 우쭐대고 기분 내기를 좋아하므로 저는 울적하게 지내렵니다. 세상에서 좋아하는 부귀나 영예를 저는 더러운 물건인 양 버립니다. 오직 비천함과 가난, 곤궁과 궁핍이 존재하는 곳을 찾아가 살고 싶고, 하는 일마다 반드시 이 세상과 배치되고자 합니다. 세상에서 제일 미워하는 것은 언제나 곡하는 행위입니다. 이것을 능가하는 일은 없습니다. 그래서 저는 곡이란 이름을 내세워 제 집의 이름을 '통곡헌(慟哭軒)'이라고 했습니다."

그 사연을 듣고서 ㉢나는 조카를 비웃은 많은 사람들을 준엄하게 꾸짖었다.

"곡하는 것에도 도(道)가 있다. 인간의 일곱 가지 정[七情] 가운데 슬픔보다 감동을 일으키기 쉬운 것은 없다. 슬픔에 이르면 반드시 곡을 하기 마련인데, 그 슬픔을 자아내는 사연도 복잡다단하다. 그렇기 때문에 시사(時事)가 어떻게 해 볼 도리가 없이 진행되는 것을 가슴 아프게 생각하여 통곡한 *가의(賈誼)가 있었고, 하얀 비단실이 본바탕을 잃고 다른 색깔로 변하는 것을 슬퍼하여 통곡한 *묵적(墨翟)이 있었으며, 갈림길이 동쪽, 서쪽으로 나 있는 것을 싫어하여 통곡한 *양주(楊朱)가 있었다. 또 막다른 길에 봉착하게 되어 통곡한 *완적(阮籍)이 있었으며, 좋은 시대와 좋은 운명을 만나지 못해 스스로 인간 세상 밖에 버려진 신세가 되어 통곡하는 행위로써 자신을 드러내 보인 *당구(唐衢)가 있었다. 저 여러 군자들은 모두가 깊은 생각이 있어서 ⓐ통곡했을 뿐, 이별에 마음이 상해서 남에게 굴욕을 느껴 가슴을 부여안은 채 ⓑ통곡하는 아녀자를 흉내 내지 않았다.

㉣그분들이 처한 시대와 비교할 때, 오늘날은 훨씬 말세에 가깝다. 국가의 일은 날이 갈수록 그릇되어 가고, 선비의 행실은 날이 갈수록 허위에 젖어 들어 가며, 친구끼리 반목하여 제 이익만을 추구하는 배신행위는 길이 갈라져 분리됨보다 훨씬 심하다. 또 현명한 선비들이 *곤액(困厄)을 당하는 상황이 막다른 길에 봉착한 처지보다 심하다. 그러므로 모두들 인간 세상 밖으로 숨어 버리려는 계획을 도모한다. 만약 저 여러 군자들이 이 시대를 직접 본다면 어떠한 생각을 품을지 모르겠다. ㉤아무래도 통곡할 겨를도 없이, 모두들 *팽함(彭咸)이나 *굴원(屈原)이 그랬듯이 바위를 가슴에 안고 물에 몸을 던지려 하지나 않을까?

허친이, 통곡한다는 이름의 *편액을 내건 까닭이 여기에 있을 것이다. 그러니 너희들은 ⓒ통곡이란 편액을 비웃지 않는 게 좋을 것이다."

– 허균, 「통곡헌기(慟哭軒記)」

- **가의** 중국 전한 문제 때의 학자이자 정치가. 유학과 오행설에 기초한 새로운 제도의 시행을 주장했음.
- **묵적** 묵자. 중국 춘추 전국 시대 노나라의 사상가이자 철학자. 묵가(墨家)의 시조로, 유가(儒家)에게 배웠으나 무차별적 박애의 겸애(兼愛)를 설파하고 평화론을 주장했음.
- **양주** 중국 전국 시대의 학자. 노자 사상의 일단을 이은 염세적 인생관으로 자기중심적인 쾌락주의를 주장했음.
- **완적** 중국 삼국 시대 위(魏)나라의 사상가·문학자·시인. 죽림칠현의 한 사람으로, 노장(老莊)의 학문을 연구하였으나 정계에서 물러난 후, 술과 청담(淸談)으로 세월을 보냈음.
- **당구** 당나라의 시인.
- **곤액** 몹시 딱하고 어려운 사정과 재앙이 겹친 불운.
- **팽함** 중국 은나라 때의 충신으로 임금에게 간언하였으나 받아들여지지 않자 자결함.
- **굴원** 중국 전국 시대 초나라의 정치가·시인. 모함을 입어 자신의 뜻을 펴지 못하다가 마침내 물에 빠져 죽었음.
- **편액** 종이, 비단, 널빤지 따위에 그림을 그리거나 글씨를 써서 방 안이나 문 위에 걸어 놓는 액자.

01 **(가), (나)의 공통점으로 가장 적절한 것은?**

① 고사를 활용하여 화자의 생각을 드러내고 있다.
② 역설적 표현으로 발상의 전환을 보여 주고 있다.
③ 음성 상징어를 사용하여 장면을 구체화하고 있다.
④ 감각적 이미지를 활용하여 자연의 아름다움을 묘사하고 있다.
⑤ 상반된 관점을 제시하여 대상에 대한 판단을 유보하고 있다.

02 **㉠~㉤에 대한 이해로 적절하지 않은 것은?**

① ㉠: 계절감을 나타내는 어휘를 활용하여 화자의 심리를 드러내고 있다.
② ㉡: 의문형 문장을 사용하여 화자가 지향하는 삶의 모습을 드러내고 있다.
③ ㉢: 고정 관념에 사로잡힌 사람들을 깨우치고자 하는 의도가 드러나 있다.
④ ㉣: 당대 현실에 대한 글쓴이의 부정적인 인식이 드러나 있다.
⑤ ㉤: 부조리한 현실에 무기력하게 순응하는 태도를 비판하고 있다.

03 **(가)의 내용과 관련지어 (나)의 허친에 대해 설명한 내용으로 가장 적절한 것은?**

① 임을 향한 그리움을 보여 준다는 점에서 '허친'은 (가)의 '노힌 몰'과 유사하다.
② 시대의 현실을 근심한다는 점에서 '허친'의 마음은 (가)의 '둘 듸 업'는 'ᄆᆞᄋᆞᆷ'과 유사하다.
③ 계절의 변화에 민감하게 반응한다는 점에서 '허친'은 (가)의 '송옥'과 유사하다.
④ 높은 지조를 보여 준다는 점에서 '허친'은 (가)의 '서리'와 닮은 점이 있다.
⑤ 자연 친화적 태도를 보여 준다는 점에서 '허친'은 (가)의 '나'와 닮은 점이 있다.

04 **〈보기〉를 참고하여 (가)를 감상한 내용으로 적절하지 않은 것은?**

> 보기
>
> 「강호연군가」는 이황의 「도산십이곡」을 본받아 지은 작품으로, 「도산십이곡」과 같이 전 6곡, 후 6곡으로 이루어져 있다. 「강호연군가」의 전 6곡에서 화자는 애군(愛君)과 우국(憂國)의 정서를 드러내며 임금을 잊지 못하고 나라를 근심하는 모습을 보여 준다.
>
> 후 6곡에서는 성현의 가르침과 덕행을 본받아 개인의 마음을 바르게 하는 학문의 길과 자연 속에서 안분지족하는 삶의 자세를 강조하고 있다. 이처럼 전 6곡, 후 6곡을 통해 작가는 조선조 사대부의 올바른 행동 방식을 표현하였다.

① 〈제2수〉: 자연에 묻혀 살면서도 임금을 잊지 못하는 작가의 모습을 엿볼 수 있군.
② 〈제3수〉: 신하들 사이에 의론이 분분한 상황에 대한 비판 의식을 엿볼 수 있군.
③ 〈제6수〉: 자연 현상과 인간의 삶을 대조하며 나라의 상황을 근심하는 작가의 고뇌를 엿볼 수 있군.
④ 〈제11수〉: 세속적 가치를 멀리하고 자연을 즐기면서 살고자 하는 작가의 다짐을 엿볼 수 있군.
⑤ 〈제12수〉: 도를 행할 만한 시절을 만나지 못해 자연 속에 은거하며 바른 마음을 지키려 하는 작가의 모습을 엿볼 수 있군.

05 **ⓐ~ⓒ에 대한 이해로 적절하지 않은 것은?**

① ⓐ~ⓒ 모두 일곱 가지 정 가운데 슬픔에서 비롯한 것이다.
② ⓐ는 ⓑ와 달리 삶과 세상에 대한 깊은 생각에서 비롯한 것이다.
③ ⓑ는 ⓐ와 달리 감정에 대한 즉각적 반응에 가깝다.
④ ⓒ는 ⓐ와 달리 개인적 상실이나 굴욕의 체험에서 비롯한 것이다.
⑤ ⓒ는 ⓑ와 달리 통념에서 벗어난 새로운 인식이 반영되어 있다.

[06~10] 다음 글을 읽고 물음에 답하시오.

㉮ 지난 계유, 갑술년 사이에 내 나이는 열일고여덟이었다. 병으로 오랫동안 시달리면서 노래, 글씨, 그림, 칼, 거문고, 골동품 등의 여러 잡물들을 제법 좋아하였다. 게다가 지나는 손님들을 모아 놓고 익살스럽거나 우스운 옛날이야기를 들으며 마음을 달래었지만, 깊숙이 스며든 우울증을 어쩔 수가 없었다. 그러자 어떤 사람이 이렇게 말하였다.

"민 영감은 기이한 사람이지요. 노래도 잘 부르지만, 말도 잘한답니다. 그의 이야기는 신나고도 괴이하고, 능청스럽고도 걸찍하지요. 그의 이야기를 듣는 사람치고 마음이 상쾌하게 열리지 않는 이가 없답니다."

나는 그 말을 듣고 몹시 기뻐서 그에게 '함께 놀러 오라'고 부탁했다.

〈중략〉

"옹께서는 세상에서 제일 맛있는 것도 보셨겠지요?"

"보았지. 달이 하현이 되어 바닷물이 빠지고 갯벌이 드러나면 그 땅을 갈아 염전을 만들어 염분이 많은 흙을 굽는데, 알갱이가 굵은 것은 수정염(水晶鹽)이 되고, 가는 것은 소금이 된다네. 온갖 음식의 맛을 내는 데에 소금 없이 되겠는가?"

좌중의 손님들이 모두 말하기를,

"㉠참으로 좋은 말입니다. 그러나 불사약만은 옹께서도 틀림없이 못 보셨을 겁니다."

하니, 옹이 ㉡빙그레 웃으며 이렇게 말했다.

"그거야 내가 아침저녁으로 늘 먹는 것인데, 어찌 모를 리가 있겠는가? 깊은 골짜기의 반송(盤松)에 맺힌 단 이슬이 떨어져 땅에 스며들어가 천 년이 지나면 복령(茯苓)으로 변하지. 또한 인삼은 경주에서 나는 나삼(羅蔘)이 최상품인데, 모양이 단아하고 붉은빛을 띠며 사지를 다 갖추고 어린애처럼 쌍상투를 틀고 있지. 그리고 구기자는 천 년이 되면 사람을 보고 개처럼 짖는다네. 내가 이것들을 먹은 적이 있지.

그런 뒤 아무것도 먹지 않은 채 백 일가량을 지냈더니, 숨이 가쁘면서 곧 죽을 것만 같았네. 이웃집 할미가 와서 살펴보고 한숨을 지으면서 '그대는 영양실조에 걸렸구려. 무릇 병을 낫게 하는 것은 약이 되고, 영양실조를 고치는 것은 밥이 되니, 그대의 병은 오곡이 아니면 낫지 못하우.' 하고는, 마침내 밥을 지어 먹이는 바람에 죽지 않을 수 있었지. 그러니 불사약으로는 밥만 한 것이 없네. 나는 아침에 밥 한 사발, 저녁에 밥 한 사발로 지금껏 칠십여 년이나 살았다네."

옹은 말을 할 때면 장황하게 하면서, 이리저리 둘러대었다. 하지만 어느 것 하나 꼭 들어맞지 않는 것이 없었고 그 속에 풍자를 담고 있었으니, 달변가라 하겠다. 손님이 물을 말이 다하여 더 이상 따질 수 없게 되자 마침내 분이 올라,

㉢"옹께서도 두려운 것을 보셨겠지요?"

하니, 옹이 말없이 한참 있다가 버럭 소리를 질렀다.

[A] "두려워할 것은 나 자신만 한 것이 없다네. 내 오른쪽 눈은 용이 되고 왼쪽 눈은 범이 되며, 혀 밑에는 도끼를 감추고 있고 팔을 구부리면 당겨진 활과 같아지지. 차분히 잘 생각하면 갓난아이처럼 순수한 마음을 잃지 않으나, 생각이 조금만 어긋나도 짐승 같은 야만인이 되고 만다네. 스스로 경계하지 않으면, 장차 제 자신을 잡아먹거나 물어뜯고 쳐 죽이거나 베어 버릴 것이야. 이런 까닭에 성인(聖人)께서도 이기심을 누르고 예의를 따르며, 사악함을 막고 진실된 마음을 보존하면서 스스로 두려워하지 않으신 적이 없었다네."

이처럼 수십 가지 어려운 문제를 물어보아도 모두 메아리처럼 재빨리 대답해 내니, 끝내 아무도 그를 궁지에 몰 수 없었다. 옹은 자신에 대해서는 추어올리고 칭찬하는 반면, 곁에 있는 사람에 대해서는 조롱하고 업신여기곤 하였다. 사람들이 옹의 말을 듣고 배꼽을 잡고 웃어도, 옹은 안색 하나 변하지 않았다.

누군가가 말하기를,

"황해도는 *황충이 들끓어 관에서 백성을 독려하여 잡느라 야단들입니다."

하니, 옹이 묻기를,

"황충은 뭐 하려고 잡느냐?"

고 하였다. 그러자 그 사람이 답하기를,

"이 벌레는 크기가 첫잠 잔 누에보다도 작고, 색깔은 알록달록하고 털이 나 있지요. 날아다니는 놈을 '명'이라 하고 볏줄기에 기어오른 놈을 '모'라 하는데, 우리의 벼농사에 피해를 주므로 '멸곡'이라고도 부릅니다. 그래서 잡아다가 땅에 파묻을 작정이랍니다."

하니, 옹은 이렇게 말했다.

"이런 작은 벌레들은 근심거리도 못 되네. 내가 보기에 *종루 앞길을 가득 메우고 있는 것들이 있는데, 이것들이 모두 황충이라오. 길이는 모두 일곱 자가 넘고, 대가리는 새까맣고 눈알은 반짝거리며 아가리는 커서 주먹이 들락날락할 정도인데, 웅얼웅얼 소리를 내고 꾸부정한 모습으로 줄줄이 몰려다니지. 곡식이란 곡식은 죄다 해치우는 것이 이것들만 한 것이 없더군. 그래서 내가 잡으려고 했지만, 그렇게 큰 바가지가 없어 아쉽게도 잡지를 못했다네."

그랬더니 주위 사람들은 정말로 그런 벌레가 있기나 한 듯이 모두 크게 무서워하였다.

– 박지원, 「민옹전(閔翁傳)」

* **황충** 메뚜깃과의 곤충으로, 잡초를 먹고 살며 때로는 농작물에 큰 해를 끼치기도 함.
* **종루** 서울 종로의 종각.

㉯ 서울에 오씨(吳氏) 성을 가진 사람이 있었다. 그는 옛이야기를 잘하기로 유명하여 두루 재상가의 집에 드나들었다.

그는 식성이 오이와 나물을 즐겼다. ㉣때문에 사람들이 그를 오물음

이라 불렀다. 대개 '물음'이란 익힌 나물을 이름이요, 오씨와 오이가 음이 비슷한 때문이었다.

한 종실(宗室)이 연로하고, 네 아들이 있었다. 물건을 사고팔기로 큰 부자가 되었지만 천성이 인색하여 추호도 남 주기를 싫어할 뿐 아니라 여러 아들에게조차 재산을 나누어 주지 않고 있었다. 더러 친한 벗이 권하면,

ⓜ"내게도 생각이 있노라."

하고 대답할 뿐 세월이 흘러도 차마 재산을 나누어 주지 못하였다. 하루는 그가 오물음을 불러 이야기를 시켰다. 오물음이 마음속에 한 꾀를 내어 옛이야기를 지어서 했다.

장안 갑부에 이동지란 이가 있었습니다. 이분이 부귀 장수하고 아들을 많이 낳아서 사람들이 늘 '상팔자'라고 불렀습니다. 그런데 이동지가 가난하다가 자수성가하여 부가옹(富家翁)이란 말을 듣게 되었기 때문에, 성질이 인색하였으며 비록 자식 형제에게도 닳아진 부채 한 개 주는 법이 없었습니다. 죽음에 임박해서 곰곰이 돌이켜 보니, 세상만사가 모두 허사이고, 자기는 오직 재물 재(財) 자 한 자에 일평생 종이 되어서 얽매인 셈이었습니다. 병석에서 생각해 보고 생각해 볼수록 이제는 어쩔 도리가 없는 일이었습니다. 그래서 여러 자식들을 불러 유언하기를,

"내 평생, 고생 고생하여 재물을 모아 이제 부자가 되었구나. 그런데 지금 황천길을 떠나는 마당에 백 가지로 생각해 본들 한 개 물건도 가져갈 도리가 없구나. 지난날 재물에 인색했던 일이 후회스럽다. 영정이 앞을 서니 상엿소리가 구슬프고, 공산에 낙엽 지고 밤비 내리는 쓸쓸한 무덤 속에서 비록 한 푼 돈인들 쓸 수가 있겠느냐. 내 죽어 염습(殮襲)하여 입관할 제 두 손에 악수(幄手)를 끼우지 말고, 관 양편에 구멍을 뚫어 내 좌우 손을 그 구멍 밖으로 내놓아 길거리 행인들로 하여금 내가 재물을 산같이 두고 빈손으로 돌아감을 보도록 하여라."

하고 이내 운명했답니다.

이동지가 죽은 후에 자식들이 감히 유언을 어기지 못하고 그대로 시행했답니다. 소인이 아까 노상에서 우연히 상행(喪行)을 만나 두 손이 관 밖으로 나왔음을 괴이하게 여겨 물어보았더니, 곧 이동지의 유언이었습니다. •인지장사(人之將死)에 기언야선(其言也善)이라더니 과연 옳은 말입니다.

그 종실 노인이 듣고 보니 은연중 자기를 두고 한 이야기였다. 그리고 그의 말에 조롱하는 뜻이 들었지만, 그 말은 이치에 타당하였다. 이에 즉석에서 깨닫는 바가 있어 오물음에게 상을 후하게 주어 보냈다. 그 이튿날 아침에 드디어 여러 자식 앞으로 재산을 나누고 일가 친구에게도 보화를 흩어 주었다.

– 작자 미상, 「이야기꾼」

• **인지장사에 기언야선** '사람이 장차 죽으려 할 때에는 그 말이 선해진다.'라는 뜻으로 『논어』에 나오는 말임.

06 (가), (나)에 대한 이해로 적절하지 않은 것은?

① (나)와 달리 (가)는 다양한 일화를 열거하여 중심인물의 성격을 드러내고 있다.
② (가)와 달리 (나)는 하나의 이야기 속에 또 다른 이야기가 들어 있는 구성을 취하고 있다.
③ (가)와 (나)는 모두 대화를 통해 장면을 생생하게 드러내고 있다.
④ (가)와 (나)는 모두 언변이 좋은 인물이 주동 인물로 등장하고 있다.
⑤ (가)와 (나)는 모두 시점의 이동을 통해 한 사건의 의미를 입체적으로 제시하고 있다.

07 ㉠~ⓜ에 대한 이해로 가장 적절한 것은?

① ㉠: '옹'의 답변에 대한 생각을 반어적으로 표현하고 있다.
② ㉡: 답변하기 어려운 질문을 웃음으로 무마하려는 의도가 담겨 있다.
③ ㉢: '손님'은 감정이 고조된 상태에서 민옹에게 질문하고 있다.
④ ㉣: 언어유희를 통해 '오물음'의 재치를 드러내고 있다.
⑤ ⓜ: '친한 벗'의 권유로 인해 인물의 태도가 달라졌음을 나타내고 있다.

08 **〈보기〉를 참고하여 (가)를 감상한 내용으로 적절하지 않은 것은?**

보기

「민옹전」은 실존 인물인 민유신을 대상으로 한 전기(傳記) 소설로, 박지원은 성품이 곧고 능력이 뛰어남에도 불우하게 살다가 세상을 떠난 무관 민유신을 기리고, 그의 삶을 통해 조선 후기의 부조리한 현실을 풍자하기 위해 이 작품을 창작하였다. 작가는 이 작품이 실려 있는 『방경각외전』의 서문에서 '민옹이 골계에 의탁하여 풍자한 것이 세상을 비웃는 공손하지 못함이 있으나 경구(警句)를 써서 분발한 것은 세상 사람들을 경계할 수 있을 것이므로 이에 「민옹전」을 썼다.'라고 밝히고 있다. 또한 서술자는 작품의 말미에서 '나'는 그와 더불어 나누었던 은어, 해학, 풍자 등을 모아서 「민옹전」을 지었다.'라고 밝히고 있다.

① '옹'은 실존 인물인 민유신을 바탕으로 설정한 인물이겠군.
② 윗글에서 서술자 '나'는 '옹'과 함께 겪은 일화를 전달하는 역할을 하는군.
③ 인간을 '황충'에 비유하여 실제 황충보다 더 큰 피해를 끼치는 부정적인 인간의 모습을 풍자하고 있군.
④ 자신은 추어올리는 반면 다른 사람은 업신여기는 '옹'을 풍자하여 공손하지 못한 태도를 경계하고자 한 것이군.
⑤ 작가는 자신의 능력을 펼 수 없었던 무관 민유신의 삶을 소설화하여 조선 후기의 부조리한 사회상을 풍자하고자 한 것이군.

09 **(나)의 옛이야기에 대한 설명으로 적절한 것은?**

① 청자의 상황을 고려하여 지어낸 이야기이다.
② 재미만을 목적으로 한 해학적인 이야기이다.
③ 청자가 직접 겪은 일을 바탕으로 구성한 이야기이다.
④ 당대의 사회 현실을 풍자하기 위해 만든 이야기이다.
⑤ 전기적인 요소를 활용하여 현실 도피를 목적으로 만든 이야기이다.

10 **[A]의 '나'와 〈보기〉의 밑줄 친 '나'에 대한 설명으로 적절하지 않은 것은?**

보기

"천하 만물은 모두 지킬 필요가 없다.

그런데 오직 나라는 것만은 잘 달아나서, 드나드는 데 일정한 법칙이 없다. 아주 친밀하게 붙어 있어서 서로 배반하지 못할 것 같다가도, 잠시 살피지 않으면 어디든지 못 가는 곳이 없다. 이익으로 꾀면 떠나가고, 위험과 재앙이 겁을 주면 떠나간다. 마음을 울리는 아름다운 음악 소리만 들어도 떠나가며, 눈썹이 새까맣고 이가 하얀 미인의 요염한 모습만 보아도 떠나간다. 한 번 가면 돌아올 줄을 몰라서, 붙잡아 만류할 수가 없다. 그러니 천하에 나보다 더 잃어버리기 쉬운 것은 없다. 어찌 실과 끈으로 묶고 빗장과 자물쇠로 잠가서 나를 굳게 지키지 않겠는가.

나는 나를 잘못 간직했다가 잃어버렸던 자다. 어렸을 때 과거가 좋게 보여서, 10년 동안이나 과거 공부에 빠져들었다."

– 정약용, 「수오재기」

① [A]의 '나'와 〈보기〉의 '나'는 모두 다스리기 어려운 존재이다.
② [A]의 '나'는 〈보기〉의 '나'와 달리 선악의 양면성을 지니고 있다.
③ 〈보기〉의 '나'는 [A]의 '나'와 달리 수양을 통해 지켜 낼 수 있다.
④ 〈보기〉는 [A]와 달리 '나'에게 영향을 미치는 외부적 상황을 다양하게 나열하고 있다.
⑤ [A]와 〈보기〉에 나타난 '나'에 대한 생각에는 모두 삶에 대한 성찰적 자세가 담겨 있다.

[11 ~ 13] 다음 글을 읽고 물음에 답하시오.

(가) 近來安否問如何　　요사이 안부를 묻노니 어떠하신가요?
月到紗窓妾恨多　　달 비친 사창에 저의 한이 많습니다.
若使夢魂行有跡　　꿈속의 넋에게 자취를 남기게 한다면
門前石路半成沙　　그대 문 앞의 돌길은 모래가 되었을 테지요.

– 이옥봉, 「몽혼(夢魂)」

(나) •설월(雪月)이 •만창(滿窓)ᄒᆞᆫ듸 ᄇᆞ람아 부지 마라
•예리성(曳履聲) 아닌 줄을 판연(判然)히 알건마ᄂᆞᆫ
그립고 아쉬온 적이면 행(幸)여 귄가 ᄒᆞ노라

– 작자 미상

- **설월** 눈 위에 비치는 달.
- **만창ᄒᆞᆫ듸** 창에 가득한데.
- **예리성** 신발 끄는 소리.

(다)
[A] •기심매러 갈 적에는 갈뽕을 따 가지고
기심매고 올 적에는 올뽕을 따 가지고
[B] 삼간방에 •누어 놓고 청실홍실 뽑아내서
강릉 가서 •날아다가 서울 가서 매어다가
하늘에다 베틀 놓고 구름 속에 •이매 걸어
[C] 함경나무 •바디집에 오리나무 •북게다가
짜궁짜궁 짜아 내어 가지잎과 뭅거워라
배꽃같이 바래워서 참외같이 올 짓고
[D] 외씨 같은 보선 지어 오빠님께 드리고
겹옷 짓고 솜옷 지어 우리 부모 드리겠네

– 작자 미상, 「베틀 노래」

- **기심** 김. 논밭에 난 잡풀.
- **누어** 누에.
- **날아다가** (베나 돗자리 등을 짜려고) 베틀에 날실을 걸어.
- **이매** 잉아. 베틀의 날실을 한 칸씩 걸러서 끌어 올리도록 맨 굵은 실.
- **바디집** 베틀, 가마니틀 따위에 딸린 기구의 하나.
- **북** 베틀에서, 날실의 틈으로 왔다 갔다 하면서 씨실을 푸는 기구.

11 (가)~(다)를 감상한 내용으로 적절하지 않은 것은?

① (가)는 비현실적인 상황을 가정하여 화자의 정서를 부각하고 있군.
② (나)는 자연물을 의인화하여 화자의 정서를 드러내고 있군.
③ (다)는 힘든 노동을 소재로 하여 삶에 대한 비관적 인식을 드러내고 있군.
④ (가)와 (나)는 대상의 부재로 인한 상실감을 드러내고 있군.
⑤ (가), (나), (다)는 모두 감각적 이미지를 활용하여 표현의 효과를 높이고 있군.

12 (가)의 화자 '갑'과 (나)의 화자 '을'이 다음과 같이 대화를 나눈다고 할 때, 작품의 내용에 비추어 적절하지 않은 것은?

갑: 임을 그리워하며 외롭게 지내는 처지는 당신이나 저나 마찬가지군요. ······ ①
을: 그래서 달 밝은 밤, 바람이 불면 그것이 바람 소리인 것을 알면서도 혹시 임의 발자국 소리가 아닐까 기대해 봅니다. ······ ②
갑: 저도 달 밝은 밤이면 임을 향한 그리움이 더욱 깊어집니다. ······ ③
을: 그래도 당신은 꿈에서라도 임을 찾아가잖아요. 저는 그저 애꿎은 바람 소리만 한탄할 따름입니다. ······ ④
갑: 이제는 꿈속에서 임을 찾아가는 일도 점차 줄어들어 임의 얼굴조차 흐릿흐릿해질 지경입니다. ······ ⑤

13 [A]~[D]에 대한 설명으로 적절하지 않은 것은?

① [A]: 대구를 사용하여 운율감을 형성하고 있다.
② [A]: 언어유희를 활용하여 표현의 묘미를 살리고 있다.
③ [B]: '실뽑기'와 '실 걸기'라는 베 짜기의 과정을 사실적으로 묘사하고 있다.
④ [C]: 비유적 표현과 음성 상징어를 활용하여 노동의 장면을 생동감 있게 묘사하고 있다.
⑤ [D]: 가족을 향한 정성과 애정을 드러내고 있다.

고전 문학 실전 복합 문제 3회

목표 풀이 시간 : 22분

[01 ~ 04] 다음 글을 읽고 물음에 답하시오.

(가) 연하(煙霞)로 집을 삼고 풍월(風月)로 벗을 사마
태평성대(太平聖代)에 병(病)으로 늘거 가네
이 즁에 ᄇᆞ라ᄂᆞᆫ 일은 허믈이나 업고쟈 〈제2곡〉

유란(幽蘭)이 재곡(在谷)ᄒᆞ니 자연(自然)이 듯디 죠해
백운(白雲)이 재산(在山)ᄒᆞ니 자연(自然)이 보디 죠해
이 즁에 •피미일인(彼美一人)을 더옥 닛디 못ᄒᆞ얘 〈제4곡〉

고인(古人)도 날 못 보고 나도 고인 못 뵈
고인을 못 봐도 •녀던 길 •알픠 잇ᄂᆡ
녀던 길 알픠 잇거든 아니 녀고 엇결고 〈제9곡〉

당시(當時)에 녀든 길흘 몃 ᄒᆡ를 ᄇᆞ려 두고
어듸 가 ᄃᆞᆫ니다가 이제야 도라온고
이제야 도라오나니 년 듸 ᄆᆞᄋᆞᆷ 마로리 〈제10곡〉

청산(靑山)은 엇제ᄒᆞ여 만고(萬古)애 프르르며
유수(流水)ᄂᆞᆫ 엇제ᄒᆞ여 주야(晝夜)애 긋지 아니ᄂᆞᆫ고
우리도 그치지 마라 •만고상청(萬古常靑)ᄒᆞ리라. 〈제11곡〉

– 이황, 「도산십이곡(陶山十二曲)」

• **피미일인** 저 아름다운 한 사람. 곧 임금을 가리킴.
• **녀던 길** 가던 길. 학문을 실천하던 길.
• **알픠** 앞에.
• **만고상청** 아주 오랜 세월 동안 변함없이 언제나 푸름.

(나) 나는 당신의 옷을 다 지어 놓았습니다.
•심의(深衣)도 짓고, 도포도 짓고 •자리옷도 지었습니다.
짓지 아니한 것은 작은 주머니에 수놓는 것뿐입니다.

그 주머니는 나의 손때가 많이 묻었습니다.
짓다가 놓아두고 짓다가 놓아두고 한 까닭입니다.
다른 사람들은 나의 바느질 솜씨가 없는 줄로 알지마는 그러한 비밀은 나밖에는 아는 사람이 없습니다.
나는 마음이 아프고 쓰린 때에 주머니에 수를 놓으려면 나의 마음은 수놓는 금실을 따라서 바늘구멍으로 들어가고 주머니 속에서 맑은 노래가 나와서 나의 마음이 됩니다.
그러고 아직 이 세상에는 그 주머니에 넣을 만한 무슨 보물이 없습니다.

이 작은 주머니는 짓기 싫어서 짓지 못하는 것이 아니라 짓고 싶어서 다 짓지 않는 것입니다.

– 한용운, 「수의 비밀」

• **심의** 예전에, 신분이 높은 선비들이 입던 웃옷.
• **자리옷** 잠잘 때 입는 옷.

(다) 문학 작품이 의사소통의 양식이라고 할 때 발언자인 화자가 작품의 전달 대상인 청자를 어떻게 설정하느냐에 따라 표현의 어조와 기법, 표현하는 의미가 달라진다고 할 수 있다. 화자는 청자에 대한 태도와 어조 등으로 청자를 반응시켜 메시지를 전달하는 방법을 모색하게 된다.

시적 화자가 청자에게 작품 속의 이야기를 들려줄 때 작품 속의 이야기를 수용하는 것은 시적 청자라 할 수 있다. 시적 화자와 청자는 작품의 밖에서만 존재하는 것이 아니라 작품의 안에서도 존재한다. 작품의 내부에 존재하는 청자는 화자가 작품의 행간에 '엄마야', '아이야', '임이여' 등의 청자를 설정하는 것으로 드러난다.

시에 등장하는 화자와 청자는 함축적 화자와 현상적 화자, 그리고 함축적 청자와 현상적 청자로 나눌 수 있다. 함축적 화자와 청자란 작품의 이면에 숨어 있는 화자와 청자를 말하며, 현상적 화자와 청자란 작품의 표면에 나타난 화자와 청자를 의미한다.

현상적 화자는 작품 속에 주로 일인칭 대명사 '나'로 등장하며, 청자의 유형에 따라 작가의 의도는 다양하게 전달할 수 있다. 함축적 청자를 설정한 작품의 경우 작품의 진술이 시적 화자나 작가를 지향하는 경우가 많다고 할 수 있다. 이러한 유형에 나타난 작품의 어조는 감탄이나 정조 등을 앞세우기도 하고 자신의 경험이나 내면 의식 등을 독백체로 표현하기도 한다. 독자들은 자연스럽게 화자와 자신을 동일시하고, 화자의 독백을 자신의 것으로 받아들이고 깊이 공감하게 된다. 이러한 공감은 독자의 마음을 움직여 독자로 하여금 깨우침에 이르도록 할 수 있다.

한편, 현상적 청자는 대상의 이름이나 이인칭 대명사로 등장하는데 화자의 생각이나 바람, 대상에 대한 권유 등의 내용을 전달하는 장치로 활용되기도 한다. 청자가 화자와 같은 부류의 사람이라면 화자의 생각을 청자에게 권유하거나 당부하는 경우가 흔하고, 청자가 손아래 사람이면 화자의 생각을 청자에게 명령하거나 훈계하는 경우가 흔하다. 하지만 현상적 화자와 현상적 청자가 등장하는 많은 작품에서 대화의 상대방으로 설정한 현상적 청자는 화자의 정서나 상황, 의도를 투사하기 위해 설정된 존재로 볼 수 있다. 여기서 투사란 자신의 내부에서 생기는 욕망, 감정, 결정, 이상 등을 대상으로 옮겨 드러낸다는 의미이다.

01 (가), (나)에 대한 설명으로 가장 적절한 것은?

① (가)는 (나)와 달리 탈속적 공간을 설정하여 현실 도피적 태도를 드러내고 있다.
② (가)는 (나)와 달리 연쇄적 표현을 사용하여 화자가 겪는 갈등 상황을 부각하고 있다.
③ (나)는 (가)와 달리 역설적 표현을 사용하여 대상에 대한 화자의 정서를 강화하고 있다.
④ (나)는 (가)와 달리 시간에 따른 대상의 변화를 통해 화자가 처한 시대적 상황을 드러내고 있다.
⑤ (가)와 (나)는 모두 동일한 종결 어미를 반복하는 방식을 사용하여 화자의 의지를 강조하고 있다.

02 〈보기〉를 바탕으로 (가)를 감상한 내용으로 적절하지 않은 것은?

보기

「도산십이곡」은 작가가 벼슬을 내려놓은 뒤 도산 서원에서 학문에 열중하면서 사물을 대할 때 일어나는 감흥과 수양의 경지를 읊은 연시조이다. 이 작품은 모두 12곡으로 이루어졌는데, 작가는 이를 전 육곡(前六曲)과 후 육곡(後六曲)으로 나누고, 전 육곡을 '언지(言志)', 후 육곡을 '언학(言學)'이라 이름 붙였다. '언지'에서는 *천석고황(泉石膏肓)의 강호 은거를 읊었고, '언학'에서는 학문 수양을 향한 다짐을 읊었다. 속세를 떠나 자연에 흠뻑 취해 사는 자연귀의 생활과 후진 양성을 위한 강학, 사색에 침잠하는 학문 생활을 솔직 담백하게 표현해 놓은 점이 특징이다.

*천석고황: 자연의 아름다운 경치를 몹시 사랑하고 즐기는 성벽.

① 〈제2곡〉의 '병'은 '천석고황'의 의미로 쓰여 자연을 사랑하는 화자의 마음을 드러낸 것이겠군.
② 〈제4곡〉의 자연 속에서도 '피미일인'을 잊지 못하는 모습을 통해 속세에 대한 화자의 강한 미련을 엿볼 수 있군.
③ 〈제9곡〉의 '녀든 길'은 학문을 수양하던 '고인'의 삶을 가리키며, 화자가 따르고자 하는 삶으로 볼 수 있겠군.
④ 〈제10곡〉의 '녀 듸 ᄆᆞ음 마로리'에서 학문 수양과 후학 양성에 힘쓰겠다는 화자의 다짐을 표현하고 있군.
⑤ 〈제11곡〉의 '청산'과 '유수'는 불변성과 영원성을 지닌 자연물로, 화자가 본받고자 하는 덕성을 지닌 대상으로 볼 수 있겠군.

03 〈보기〉를 참고하여 (나)를 감상한 내용으로 적절하지 않은 것은?

보기

「수의 비밀」에서 '옷 짓기'와 '수놓기'는 화자가 '당신'을 기다리는 한 방법이며 동시에 '당신'에 대한 정성과 사랑의 표현이다. 특히 옷 주머니에 수를 놓는 행위는 화자가 '당신'을 찾아가는 행위로, 곧 구도적 상상력의 활동이자 사랑을 완성해 가는 과정이라고 말할 수 있다. 따라서 화자가 수놓기를 완결 짓는다는 것은 죽음, 곧 임을 기다리는 행위의 종결을 뜻하는 것이기에 수놓기는 멈추지 않고 지속되어야만 하는 것이다.

① '심의'와 '도포', '자리옷'을 지었다는 것을 통해 '당신'에 대한 화자의 정성과 사랑을 짐작할 수 있다.
② 주머니에 '손때가 많이 묻었'다는 것을 통해 화자의 소망이 현실적으로 이루어지기 어려움을 짐작할 수 있다.
③ '나의 마음'이 '수놓는 금실을 따라'간다는 점으로 보아 '금실'은 '당신'을 찾아가는 화자 자신의 분신으로 볼 수 있다.
④ '맑은 노래'는 수놓기를 통해 얻을 수 있는 마음의 위안과 내면의 정화를 의미한다.
⑤ '작은 주머니'를 다 '짓지 않는' 화자의 행위에는 '당신'을 향한 사랑이 지속되기를 바라는 마음이 담겨 있다.

04 (다)를 바탕으로 (가)와 (나)를 설명한 내용으로 적절하지 않은 것은?

① (가)의 '나'와 (나)의 '나'는 모두 현상적 화자로, 자신의 생각을 진솔하게 표출하고 있다.
② (가)의 화자인 '나'는 자신의 내면 의식을 독백체로 표현하여 독자로 하여금 깨우침에 이르도록 하고 있다.
③ (가)의 '우리'는 현상적 화자와 함축적 청자를 포함한 것으로 화자의 의지를 강화하기 위한 방편으로 활용되었다.
④ (나)의 '당신'은 현상적 청자로, 화자가 자신의 생각을 전달하려는 대상이다.
⑤ (나)의 화자는 '당신'을 대화의 상대방으로 설정하여 '당신'에게 '나'가 바라는 바를 이루어 줄 것을 당부하고 있다.

[05~08] 다음 글을 읽고 물음에 답하시오.

(가) 교술 갈래의 가장 중요한 특성은 실제 경험한 사실이나 객관적 사물 등을 바깥으로 드러내어 표현하는 것이라 할 수 있다. 즉, 경험을 보여 주면서 자신의 생각을 드러냄으로써 깨달음을 알려 준다는 특성을 갖고 있다.

교술 갈래는 근본적으로 삶에 대한 인식과 성찰을 바탕으로 한다. 교술 갈래에 해당하는 문학 작품들은 삶의 체험을 드러내어 표현한 것이라는 점에서 삶에 대한 인식과 함께 성찰적 성격을 필연적으로 갖게 된다. 교술 갈래는 글쓴이의 성찰을 보여 준다는 점에서 반성적이고, 깨달음을 전한다는 점에서 교훈적이며, 인생과 사회에 대한 인식과 판단을 드러낸다는 점에서 비판적인 특성을 갖는다. 이때 작가의 발상과 통찰은 제재에서 새로운 의미를 이끌어 내고, 작가의 문체는 내용을 효과적으로 표현하는 데 활용된다.

교술 갈래는 작가의 직접적 체험을 바탕으로 하는 고백의 글이다. 소설처럼 특별한 서술자를 설정하지 않고 작가 자신이 서술의 주체가 되어 자기의 체험이나 느낌, 사상을 이야기하는 일인칭 화법의 글이다. 따라서 교술 갈래에 해당하는 작품들 속의 '나'는 때로는 관찰자가 되기도 하지만, 대개의 경우 사건의 주인공과 동일시되는 것이 일반적이다. 교술 갈래가 소재와 주제, 형식에서는 거의 무한하게 자유롭지만, 이처럼 시점에 있어서는 일인칭 시점으로 제한된다. 시점이란 본래 소설에서 논의되는 개념으로, 말 그대로 대상을 바라보는 태도나 관점을 뜻한다. 교술 갈래는 작가의 경험이나 특정 대상을 통해 단지 경험 전달이나 대상의 의미를 발견하는 데 그치지 않고 삶의 문제로 인식하여 우리 삶에 대한 성찰을 진솔하게 드러낸다.

(나) 어디에서 왔는지 알 수 없는 관상가가 있었다. 그는 관상에 관련된 책을 읽지 않고 관상 보는 규칙을 따르지 않은 채 이상한 기술로 관상을 보았기 때문에 사람들은 그를 '이상한 관상가'라 불렀다. 그래서 고위 관리부터 남녀노소까지 모두 다투어 초빙하고 분주하게 달려가 관상을 보지 않는 사람이 없었다. 〈중략〉

장님을 보고서는 다음과 같이 말하였다.

㉠"눈이 밝겠소."

민첩하여 잘 달리는 자를 보고서는 다음과 같이 말하였다.

㉡"절뚝거리며 제대로 걸을 수도 없겠소."

아름다운 여인을 보고서는 다음과 같이 말하였다.

㉢"아름답기도 하고 추하기도 할 것이오."

세상 사람들이 너그럽고 인자하다고 하는 사람을 보고서는 다음과 같이 말하였다.

㉣"많은 사람을 아프게 할 사람이군요."

당시 사람들이 잔혹하기 이를 데 없다고 하는 사람을 보고서는 다음과 같이 말하였다.

㉤"많은 사람의 마음을 기쁘게 할 사람이군요."

그가 관상을 보는 것이 모두 이와 같았다. 재앙이나 복이 생겨나는 까닭을 말할 수 없을 뿐만 아니라 상대방의 얼굴과 행동거지를 살피는 것이 모두 반대였다. 그래서 대중들은 사기꾼이라 시끄럽게 떠들며 그를 잡아다 심문하여 그의 거짓말을 취조하려 하였다. 〈중략〉

"요염한 자태와 아름다운 얼굴을 엿보아 만지게 하고, 진기하고 좋은 물건을 보고서 그것을 탐하게 하며, 사람을 의혹되게 하고 사람을 왜곡되게 하는 것은 눈입니다. 이 때문에 뜻밖의 치욕을 당하게 된다면 눈이 밝지 않은 사람이 아니겠습니까? 오직 장님만이 *담박하여 탐내지도 않고 만지지 않아 온몸에서 치욕을 멀리하는 것이 현각자(賢覺者)보다 뛰어나기에 '눈이 밝다.'라고 하였습니다. 민첩하면 용기를 숭상하고 용기가 있으면 대중을 능멸하여 끝내 자객이 되거나 간악한 우두머리가 됩니다. 이렇게 되면 *정위(廷尉)가 체포하고 옥졸이 가두어서 발에는 족쇄를 차고 목에는 칼을 쓰게 되니, 비록 달아나려 한들 가능하겠습니까? 그래서 '절뚝거리며 제대로 걸을 수 없겠다.'라고 하였습니다.

무릇 색이라는 것은 음탕하고 사치한 사람이 보면 보석처럼 아름답게 여기고, 단정하고 순박한 사람이 보면 진흙처럼 추하게 여기기 때문에 '아름답기도 하고 추하기도 하다.'라고 하였습니다. 이른바 인자한 사람이 죽었을 때에는 수많은 백성들이 그를 사모하여 어머니를 잃은 아이처럼 슬프게 울기 때문에 '많은 사람을 아프게 할 사람이다.'라고 하였습니다. 잔혹한 사람이 죽으면 거리마다 노래를 부르고 양고기와 술을 먹으며 축하하면서 연신 웃느라 입을 닫지 못하는 사람도 있고, 손이 아프도록 손뼉을 치는 사람도 있기에 '많은 사람을 기쁘게 할 사람이다.'라고 하였습니다."

내가 깜짝 놀라 일어나면서 말하였다.

"과연 내 말이 맞았군. 이 사람은 참으로 ⓐ기이한 관상가로다. 그의 말은 좌우명으로 삼고, 법으로 삼을 만하다. 어찌 얼굴과 형상에 따라 귀한 상을 말할 때는 '몸에 거북이의 무늬가 있으니 높은 벼슬을 하겠고, 이마가 무소의 뿔처럼 튀어나왔으니 임금의 아내가 될 상'이라 하고, 나쁜 상을 말할 때는 '벌의 눈과 승냥이의 목소리를 가졌으니 흉악한 상'이라 하여, 잘못을 고치지 않고 틀에 박힌 것만을 따르면서 스스로 거룩한 체, 신령스러운 체하는 관상가이겠는가."

물러 나와 그의 대답을 적는다.

– 이규보, 「이상자대(異相者對)」

• **담박하여** 욕심이 없고 마음이 깨끗하여.
• **정위** 형벌을 맡아보던 벼슬.

(다) 혹 나의 사진이라도 보신 일이 있으신 분은 아시려니와 나는 나의 머리를 다른 이들과는 좀 다른 방식으로 다스리고 있다.

뒤로 넘긴다거나 가운데로 모로나 가르마를 타서 옆으로 가른다거나 그러지 않고, 이마 위에다 가지런히 추려 가지고 **한일자로 자른 머리**, 조선에는 소위 이름 있는 이로 이러한 머리를 가진 분이 없으므로, 그래 사람들은 예를 일본에서 구하여 후지타 화백에게 비한 이도 있고, 농조를 좋아하는 이는 만담가 오츠지 시로에 견주기도 했으며, 『주부지우(主婦之友)』라는 가정 잡지의 애독자인 모 •여급은 성별을 전연 무시하고 여류 작가 요시다 노부코와 흡사하다고도 했으나 그 누구나 모두가 나의 머리에 호감을 가져 주지 못하는 것은 사실이다.

호감을? 호감은 말도 말고 지극한 악의조차 가지고서 나의 머리를 비난하고, 한 걸음 나아가서는 나의 사람됨에까지 논란을 캔 이조차 있었다.

단순히 괴팍스러운 풍속이라 말하는 이에게 나는 사실 그것이 악취미임을 수긍했다. 그러나 ⓑ어떤 이는 내가 남다른 머리 모양을 하고 다니는 것을 무슨 일종의 •자가선전을 위한 행동같이 오해하고, 신문 잡지와 같은 기관을 이용하여 대부분이 익명을 가지고 나를 욕했다. 〈중략〉

이제 내가 내 머리에 관하여 몇 마디 잡담을 하더라도 아무도 그것을 나의 '자가선전'인 듯이 •곡해를 하지 않을 것이다. 그래, 이 기회에 나의 작품은 사랑하면서도 나의 머리를 함께 사랑할 도리가 없어 나의 악취미를 슬프게 생각하고 있는 이들에게, 나는 나의 머리에 대해 한마디 •석명을 시험해 보고자 한다.

머리에 대한 나의 악취미는 물론 단순한 악취미에서 출발된 것이 결코 아니다. 참말 까닭을 찾자면 나의 머리터럭이 인력으로는 어찌할 도리가 없게 억세다는 것과 내 천성이 스스로는 구제할 도리가 없게 게으르다는 것에 있다.

내가 중학을 나와 이제는 누구 꺼리지 않고 머리를 기를 수 있었을 때 마음속으로 은근히 원하기는, 빗질도 않고 기름도 안 바른 제멋대로 슬쩍 뒤로 넘긴 머리 모양이었다.

그러나 정작 기르고 보니, 나의 머리는 그렇게 고분고분하게 나의 생각대로 슬쩍 뒤로 넘어가거나 그래 주지를 않았다. •홍문연의 번쾌 장군인 양 내 머리터럭은 **그저 제멋대로 위로 뻗**쳤다.

〈중략〉

그의 성미나 한가지로 나의 머리가 그처럼 고집 센 것은 슬픈 일이다. 그러나 또한 어찌할 도리가 없다. 나이 삼십이 넘었으니 그만 머리를 고치라고 말하는 이도 있으나, 그것이 나의 악취미에서 나온 일이 아니니 이제 달리 묘방이라도 생기기 전에는 얼마 동안 이대로 지내는 수밖에 별수가 없는 것이다.

– 박태원, 「여백을 위한 잡담」

- **여급** 여자 사환. 사환은 관청이나 회사, 가게 따위에서 잔심부름을 시키기 위하여 고용한 사람을 일컫는 말.
- **자가선전** 자기가 한 일이나 자기의 장점을 드러내고 스스로 자랑함. 또는 그런 일.
- **곡해** 사실을 옳지 아니하게 해석함. 또는 그런 해석.
- **석명** 사실을 설명하여 내용을 밝힘.
- **홍문연의 번쾌 장군** 홍문의 회합에서 항우의 참모에 의해 유방이 살해당할 처지에 놓이자 번쾌가 분노하여 항우를 노려보았는데, 그 노려보는 모습이 머리카락이 위로 뻗어 올라가고 눈자위가 다 찢어질 것 같았다고 함.

05 (가)를 바탕으로 (나)와 (다)를 감상한 내용으로 적절하지 않은 것은?

① (나)의 서술자인 '나'는 관상가의 말과 행동을 관찰하여 전달해 주는 역할을 하고 있군.
② (나)의 작가가 관상가를 통해 얻은 깨달음을 독자들과 공유하려고 한다는 점에서 (나)는 교훈적 성격을 지니고 있다고 볼 수 있군.
③ (다)의 작가는 '머리에 대한 나의 악취미'의 까닭을 밝히면서 자신의 생각을 진솔하게 드러내고 있군.
④ (다)의 서술자인 '나'는 일인칭 화법으로 '한일자로 자른 머리'와 관련된 자신의 체험을 서술하고 있군.
⑤ (다)의 작가는 '그저 제멋대로 위로 뻗'친 자신의 머리터럭을 상징적으로 내세워 타인과 조화를 이루지 못하는 자신을 비판하고 있군.

06 (나)와 (다)에 대한 설명으로 가장 적절한 것은?

① (나)는 (다)와 달리 자문자답의 방식을 통해 대상에 대한 새로운 관점을 제시하고 있다.
② (나)는 (다)와 달리 주관을 배제하고 체험을 객관적으로 제시하여 사건의 사실성을 부각하고 있다.
③ (다)는 (나)와 달리 과거의 내력을 언급하며 현재 상황의 원인을 밝히고 있다.
④ (다)는 (나)와 달리 특정 인물의 외양을 구체적으로 묘사하여 인물의 성격을 간접적으로 전달하고 있다.
⑤ (나)와 (다)는 모두 대비되는 일화를 제시하여 대상의 독특한 속성을 강조하고 있다.

07 (나)의 '관상가'가 ㉠~㉤과 같이 말한 이유로 적절하지 않은 것은?

① ㉠: 외물에 현혹되지 않고 욕망을 멀리할 수 있기 때문이다.
② ㉡: 자신의 재주를 너무 믿다가 실수를 하여 망신을 당할 수 있기 때문이다.
③ ㉢: 외적 아름다움은 보는 사람에 따라 상반되게 평가될 수 있기 때문이다.
④ ㉣: 너그럽고 인자한 사람이 죽으면 많은 사람이 그를 애도하며 마음 아파하기 때문이다.
⑤ ㉤: 잔혹한 사람이 죽으면 그로 인해 고난을 겪은 많은 사람이 즐거워하기 때문이다.

08 (나)의 ⓐ가 (다)의 ⓑ에게 조언할 말로 가장 적절한 것은?

① 다른 사람을 비판할 때에는 타당하고 구체적인 근거를 제시해야 합니다.
② 어떤 대상이든 긍정적인 면과 부정적인 면을 모두 지니고 있음을 인식해야 합니다.
③ 어떤 대상을 평가하기에 앞서 자기 자신을 냉철하게 성찰하는 태도가 필요합니다.
④ 다른 사람에 대한 가혹한 평가가 언젠가는 자신에게 돌아올 수 있음을 알아야 합니다.
⑤ 겉모습에 대한 고정 관념과 편견에 갇혀 대상을 바라보면 그릇된 판단을 할 수 있습니다.

[09~12] 다음 글을 읽고 물음에 답하시오.

(가) 우는 거시 벅구기가 프른 거시 버들숩가
이어라 이어라
어촌(漁村) 두어 집이 •닛 속의 나락들락
지국총(至匊悤) 지국총(至匊悤) 어ᄉᆞ와(於思臥)
말가ᄒᆞᆫ 기픈 소희 온갖 고기 뛰노ᄂᆞ다 〈춘사(春詞) 4〉

•와실(蝸室)을 ᄇᆞ라보니 ᄇᆡᆨ운(白雲)이 둘러 잇다
ᄇᆡ 븟텨라 ᄇᆡ 븟텨라
•부들부치 ᄀᆞᄅᆞ쥐고 셕경(石逕)으로 올라가쟈
지국총(至匊悤) 지국총(至匊悤) 어ᄉᆞ와(於思臥)
어옹(漁翁)이 한가(閑暇)터냐 이거시 구실이라 〈하사(夏詞) 10〉

슈국(水國)에 ᄀᆞ올히 드니 ㉠고기마다 ᄉᆞᆯ져 읻다
닫 드러라 닫 드러라
만경딩파(萬頃澄波)의 슬ᄏᆞ지 용여(容與)ᄒᆞ쟈
지국총(至匊悤) 지국총(至匊悤) 어ᄉᆞ와(於思臥)
인간(人間)을 도라보니 머도록 더욱 됴타 〈추사(秋詞) 2〉

믉ᄀᆞ의 외로운 솔 혼자 어이 싁싁ᄒᆞᆫ고
ᄇᆡ ᄆᆡ여라 ᄇᆡ ᄆᆡ여라
•머흔 구룸 ᄒᆞᆫ(恨)티 마라 셰상(世上)을 ᄀᆞ리온다
지국총(至匊悤) 지국총(至匊悤) 어ᄉᆞ와(於思臥)
파랑셩(波浪聲)을 •염(厭)티 마라 •딘훤(塵喧)을 막ᄂᆞᆫ도다
〈동사(冬詞) 8〉

– 윤선도, 「어부사시사(漁父四時詞)」

• **닛 속** 안개 속.
• **와실** 달팽이의 집이라는 뜻으로, 작고 초라한 집을 비유적으로 이르는 말.
• **부들부치** 부들부채. 부들의 줄기를 결어 만든 부채.
• **머흔 구룸** 험한 구름.
• **염티** 싫어하지.
• **딘훤** 속세의 시끄러움.

(나) **[앞부분 줄거리]** 자앙과 기임은 트럭에 상자를 싣고 내리며 창고를 관리하는 일을 한다. 꼼꼼하고 성실하게 일하는 자앙에게 일을 대충 해도 아무 문제가 없다는 걸 보여 주고 싶어진 기임은 한 상자를 다른 상자와 바꿔치기하여 트럭에 실어 보내고, 이 사실을 알게 된 자앙은 상자 주인에게 편지를 써서 잘못을 바로잡으려고 하지만 오히려 기임은 자앙에게 창고를 떠날 것이라고 말한다. 트럭 운전수는 자신의 딸 다링의 임신 사실을 알고, 기임과의 결혼을 서두르면서 기임에게 자신의 딸과 함께 떠날 것을 권한다. 기임은 트럭 운전수, 다링과 함께 창고를 떠나려 한다.

다링 마침내 결정한 거예요?
기임 그래, 함께 가서 살기로 했어.
다링 (살림 도구들이 있는 곳에서 접시, 그릇, 찻잔들을 가져와 낡은 짐 가방에 담으며) 무조건 다 가져가요.
기임 (다링이 담은 것들을 다시 꺼내 놓으며) 아냐, 반절만 내 것인걸!
다링 둘이서 함께 쓰던 물건은 어쩌려구요? 반절로 나눌 수도 없잖아요.

자앙과 운전수, 손수레에 상자를 싣고 창고 안으로 들어온다.

운전수 우린 트럭에 상자들을 다 옮겼어. 그런데 너희는 짐도 안 싸고 뭘 했지?
자앙 짐이라니……?
기임 으음, 그렇게 됐어. 오늘 나는 이 창고 속을 떠난다구!
자앙 정말 가는 거야? 이렇게 갑자기……?
기임 미안해! 그런데 막상 떠나려니까 조금은 서운하군. (창고 안을 둘러보며) 너하고 여기서 얼마나 살았더라……? 몇 십 년은 훨씬 더 될 거야, 아마…….
자앙 그래…… 우린 철부지 시절부터 이 창고지기였어.
기임 언제나 너는 나를 고맙게도 보살펴 줬지.
자앙 날 의붓어미라고 미워했으면서 뭘…….
기임 진짜로 미워한 건 아니잖아?
자앙 나도 알아. (기임을 껴안는다.) 제발 가지 말아! 이 창고도, 나도, 전

혀 달라진 게 없잖아?

기임 그건 안 돼. 이 창고는 더 이상 내가 살 곳이 아냐.

운전수 남자들끼리 헤어지면서 무슨 말이 그렇게 많아? (창고 밖으로 나가며) 시간 없어! 나 먼저 트럭에 가서 있을 테니까 너희는 어서 짐 싸 들고 나와!

다링 ⓐ(놋쇠 국자로 소리 나게 두드리며) 그만하고, 서로 자기 물건들이나 골라 봐요.

기임 (자앙의 포옹을 풀며) 난 내 물건을 잘 모르겠어. 굼벵아, 네가 골라 줘.

자앙 아냐, 쓸 만한 게 있거든 모두 네가 가져.

기임 너는 이 창고 속에서 혼자 살 텐데…….

자앙 내 걱정은 말고 어서 먼저 골라 봐. 그리고 내가 너한테 줄 게 있어. ⓑ(침대 밑의 상자들 중에서 화려한 색깔의 스웨터를 찾아낸다.) 너의 생일날 주려고 두었던 건데, 헤어지는 날 선물이 됐군.

기임 (자앙에게 스웨터를 받아 몸에 대본다.) 근사한데!

다링 (자앙의 침대 밑을 바라보며) 좋은 건 이 속에 다 있잖아요! 이걸 가져가도 돼요?

기임 안 돼, 그건 손대지 마.

자앙 가져가요.

다링 (자앙의 침대 밑에서 상자 하나를 꺼낸다.) 이건 뭐죠?

자앙 북어 대가리죠. 그건 가져가세요. 꼭 필요할 겁니다.

다링 북어 대가리……?

기임 이게 왜 필요한지는 두고 보면 알게 될 거야. (상자를 열어서 북어 대가리를 하나 꺼내 자앙에게 준다.) 난 너한테 이것밖에 줄 게 없군. 내 생각이 날 거야, 항상 곁에 두고 보라구.

자앙 (북어 대가리를 받으며) 그래, 언제나 내 곁에 두고 볼게.

창고 밖에서 트럭의 재촉하는 경음기가 울린다. 다링은 서둘러서 물건들을 담요에 담는다.

다링 아버지가 재촉해요. (상자와 담요를 들며) 어서 들고 나가요.

기임 (짐 가방을 들고, 자앙에게) 그럼 잘 있어.

자앙 (마지못해 대답한다.) 잘 가……. 가서 행복해.

기임과 다링, 창고 밖으로 나간다. 자앙은 북어 대가리를 식탁 위에 놓고, 떠나는 기임을 바라본다. 창고 문 앞에서 기임의 외치는 소리가 들린다.

기임 (소리) 이 창고 앞의 상자들은 어쩔 거야? 내가 좀 창고 안에 옮겨 주고 갈까?

자앙 괜찮아! 나 혼자서도 할 수 있어!

창고 밖으로 떠나는 것이 즐겁다는 기임의 환호성이 들린다. 트럭 운전수와 다링의 웃음소리도 들린다. 잠시 후, 트럭이 경음기를 울리며 떠나는 소리가 들린다. 창고는 조용해진다. 자앙, 식탁 앞에 힘없이 주저앉는다. 늙고 허약해진 모습이다. 그는 식탁 위에 놓여 있는 북어 대가리를 물끄러미 바라본다.

자앙 ⓒ그래, 나도 너처럼 머리만 남았군. 그저 쓸쓸하고…… 허무한 생으로 가득 찬…… 머리만…… 덜렁…… 남은 거야. (두 손으로 ⓛ북어 대가리를 집어서 얼굴 가까이 마주 바라보며) 말해 보렴, 네 눈엔 내가 어떻게 보이는지? 그토록 오랜 나날…… 나는 이 어둡고 조그만 창고 속에서…… 행복했었다. 상자들을 옮겨 오고…… 내보내며…… 내가 맡고 있는 일을 성실하게 잘하고 있다는 뿌듯함…… 그게 내 삶을 지탱해 왔었는데…… 그러나 만약에…… 세상이 엉뚱하게 잘못되고 있는 것이라면…… 이 창고 속에서의 성실함이…… 무슨 소용 있는 거지? ⓓ(사이) 북어 대가리야, 왜 말이 없냐? 멀뚱멀뚱 바라만 볼 뿐 왜 대답이 없어? (북어 대가리를 식탁 위에 내려놓는다.) 아냐, 내 의심은 틀린 거야. 덜렁 남은 머릿속의 생각만으로 세상을 잘못됐다구 판단해선 안 돼. ⓔ(손수레에 실린 상자를 서류와 대조하며 혼자서 쌓기 시작한다.) 제자리에 상자들을 옮겨 놓아라! 정확하게 쌓아! 틀리면 안 돼! 단 하나의 착오도 없게, 절대로 틀려서는 안 된다!

자앙, 느릿느릿 정성을 다해 상자들을 쌓는다. 무대 조명, 서서히 자앙에게 압축되면서 암전한다.

– 막 –

– 이강백, 「북어 대가리」

09 〈보기〉를 바탕으로 (가)와 (나)를 감상한 내용으로 적절하지 않은 것은?

> **보기**
>
> (가)에 나타난 공간이 화자가 추구하는 삶을 상징하는 공간이라면, (나)에 나타난 공간은 제한된 시간과 공간 내에 인생을 압축해서 보여 줘야 하는 극의 특성상 극 중 인물의 현실과 그를 둘러싼 사회가 상징화된 공간이라고 할 수 있다. (가)와 (나)에서, 공간들은 때로 대비되면서 여러 가지 상징적인 의미를 지닌다.

① (가)에서 〈춘사 4〉의 '어촌'은 화자가 추구하는 삶을 상징하는 공간이군.

② (가)에서 〈하사 10〉의 '와실'은 세속적 욕망과 대비되는 곳으로, 안빈낙도의 삶을 단적으로 보여 주는 공간이군.

③ (가)에서 〈동사 8〉의 '셰상'은 '머흔 구름'으로 인해 '딘훤'이 그치지 않는 부정적인 공간이군.

④ (나)에서 '창고 밖'을 트럭의 경음기 소리와 기임의 환호성 등으로 나타낸 것은 제한된 공간만 구현할 수 있는 극의 특성과 관련 있군.

⑤ (나)의 '창고 안'은 '창고 밖'과 대비되는 곳으로, 기계적인 일상을 반복해야 하는 획일화된 현대 사회를 상징하는 공간이군.

10 ㉠과 ㉡에 대한 설명으로 가장 적절한 것은?

① ㉠은 고독하게 살아가는 화자의 처지와 대비되며, ㉡은 혼자 남겨진 화자의 처지를 반영한다.
② ㉠은 화자의 내적 갈등을 해소하는 계기로 작용하고, ㉡은 인물의 내적 갈등을 유발하는 계기로 작용한다.
③ ㉠은 자신의 삶을 적극적으로 개척해 나가려는 의지를, ㉡은 현실적인 상황에 좌절하는 무기력함을 나타낸다.
④ ㉠은 자연에서 누리는 흥겨움을, ㉡은 산업화로 인한 자연의 파괴에서 오는 씁쓸함을 나타낸다.
⑤ ㉠은 풍요롭고 생동감 넘치는 자연에서 느끼는 만족감을, ㉡은 가치관의 혼란으로 인한 불안감을 나타낸다.

11 〈보기〉를 바탕으로 (가)를 이해한 내용으로 적절하지 않은 것은?

보기

「어부사시사」는 윤선도가 65세 때 전남 보길도에 은거하며 지은 연시조로, 계절마다 펼쳐지는 어촌의 아름다운 경치와 어부 생활의 흥취를 담아 한 계절당 10수씩 읊고 있다. 각 계절별로 1수부터 10수까지 출항에서 귀항에 이르는 어부의 하루 일과를 시간 순서로 읊어, 세속을 벗어나 자연과의 합일을 추구하는 삶의 경지를 격조 높고 아름답게 표현했다. 이 작품 속의 '어부'는 고기잡이를 생업으로 삼는 진짜 어부가 아니라, 현실 정치의 혼탁함에서 벗어나 자연에서 풍류를 즐기며 유유자적(悠悠自適)하는 '가어옹(假漁翁)'이다. 따라서 이 작품에 어부 생활을 통한 생계 유지 혹은 생명의 위협 같은 내용은 나타나지 않는다.

① 〈춘사 4〉에서 초장의 '벅구기'와 '버들숩'은 화자가 친근하게 여기는 대상으로, 자연 속에서 느끼는 화자의 흥취를 북돋워 준다.
② 〈하사 10〉에서 종장의 '어옹'은 어부의 삶에 의탁하여 어촌에서 한가롭게 살아가는 화자의 모습을 나타낸다.
③ 〈추사 2〉에서 중장의 '만경딩파'는 자연과의 합일을 이루기 위해 화자가 극복해야 하는 현실적 장애물을 의미한다.
④ 〈동사 8〉에서 초장의 '외로운 솔'은 자연을 벗하며 한가롭게 살아가는 화자가 일체감을 느끼는 대상이다.
⑤ 〈동사 8〉에서 종장의 '파랑셩'은 현실 정치의 혼탁함을 막아 준다는 점에서 화자가 긍정적으로 여기는 대상이다.

12 희곡의 특성을 고려할 때, ⓐ~ⓔ를 설명한 내용으로 적절하지 않은 것은?

① ⓐ: 갑작스러운 소리로 인물들의 행동을 멈추게 하고, 관객의 주의를 집중한다.
② ⓑ: 소품을 이용하여 두 인물 사이에 새로운 갈등이 시작될 것임을 암시한다.
③ ⓒ: 대사를 통해 인물의 상황과 심리를 현재화하여 드러낸다.
④ ⓓ: 동일한 인물의 대사 사이에 시간적 격차를 두어 인물의 내적 갈등이 심화되고 있음을 보여 준다.
⑤ ⓔ: 인물의 행동을 통해 인물이 다시 이전의 반복적인 일상으로 되돌아갔음을 보여 준다.

Q

고등 10종
문학 공통서

해법 문학Q

고전 문학 문제편

정답과 해설

천재교육

Q

해법문학Q

고전 문학 문제편

정답과 해설

고전 시가

상고 시대 ~ 통일 신라 시대	02
고려 시대	05
조선 시대	12

고전 산문

상고 시대 ~ 통일 신라 시대	42
고려 시대	45
조선 시대	48

실전 복합 문제

1회	80
2회	83
3회	86

상고 시대~통일 신라 시대

01 ㉮ 공무도하가 ㉯ 정읍사 14~16쪽

01 ④ 02 ① 03 ④ 04 ⑤ 05 ③ 06 ① 07 ① 08 ③

㉮ 작품 해제 집단 가요에서 개인적 서정시로 넘어가는 과도기적 작품으로, 사랑하는 임을 여읜 화자의 슬픔과 한(恨)이 잘 나타나 있다.

㉯ 작품 해제 행상을 나가 돌아오지 않는 남편을 기다리는 아내의 마음을 표현한 작품으로, 현전하는 유일한 백제 시대의 노래이다.

현대어 풀이 달님이시여, 높이높이 돋으시어 / 아! 멀리멀리 비치시라.
시장에 가 계신가요? / 아! 진 곳을 디딜까 두려워라.
어느 것이나(곳에나) 다 놓으십시오. / 아! 내(임) 가는 그 길 저물까 두려워라.

01 (가)는 '임'에게 말을 건네는 어투를 사용하여 임이 물을 건너지 않기를 바라는 화자의 간절한 마음을 드러내고 있다. (나)는 '달'과 '남편'에게 말을 건네는 어투를 사용하여 남편이 무사히 집에 돌아오기를 바라는 화자의 간절한 마음을 드러내고 있다.

왜 오답일까 ① (나)에서는 '어긔야 어강됴리 / 아으 다롱디리'라는 여음구를 반복하여 운율을 형성하고 있지만, (가)에서는 여음구가 쓰이고 있지 않다.

② (나)에서는 '드듸욜셰라', '졈그롤셰라'에서 '~할까 두렵다'는 의미를 지닌 종결 어미 '-ㄹ셰라'를 사용하여 임에 대한 염려를 드러내고 있다. 그러나 (가)에서는 동일한 어미를 반복하고 있지 않다.

③ (가), (나) 모두 자연물에 감정을 이입하고 있지 않다.

⑤ (가)에서는 '가신 임을 어찌할꼬'라는 설의적 표현으로 시상을 마무리하여 임을 잃은 화자의 슬픔과 체념을 집약적으로 보여 주고 있지만, (나)에는 설의적 표현이 쓰이고 있지 않다.

02 [A]에는 물에 들어가려는 임과 임을 만류하는 화자 사이의 외적 갈등이 드러나 있지만 [B]에서는 화자가 물에 빠져 죽은 임 때문에 슬퍼하고 있으므로 갈등이 해소되었다고 보기 어렵다.

왜 오답일까 ③ [A]에서 임은 화자의 만류에도 불구하고 물을 건너가고 있다. 따라서 [A]의 '물'은 화자와 임 사이의 거리감을 유발한다고 볼 수 있다. [B]에서 임은 물에 빠져 죽음을 맞이한다. 따라서 [B]의 '물'은 임의 죽음, 화자와 임 사이의 완전한 단절을 유발한다고 볼 수 있다.

03 〈보기〉의 배경 설화에 따르면, (가)는 백수 광부의 아내가 남편의 죽음을 슬퍼하며 부른 노래이므로, 이를 전해 들은 여옥이 백수 광부의 관점에서 (가)를 전승했다는 설명은 적절하지 않다.

04 ㉤(졈그롤셰라)은 '저물까 두렵습니다.'라는 의미로, 해가 저물어 임이 무사히 돌아오지 못할까 봐 걱정하는 화자의 마음을 드러내는 표현이다.

왜 오답일까 ① '-곰'은 의미를 강조해 주는 접미사로, ㉠(노피곰)에는 달이 높이 떠서 임을 비추어 주기 바라는 화자의 간절한 소망이 나타나 있다.

② ㉡(비취오시라)의 주체는 소망과 기원의 대상인 '돌'로, 주체 높임의 선어말 어미인 '-시-'를 사용하여 '돌'을 신성하게 여기는 화자의 태도를 드러내고 있다.

③ ㉢(져재 녀러신고요)은 '시장에 가 계신가요?'라는 의미로, ㉢을 통해 임의 직업이 행상인이며 시장에 나간 임이 돌아오지 않고 있는 시적 상황을 추측할 수 있다.

④ ㉣(어느이다 노코시라)은 '어느 것이나(곳에나) 놓으십시오.'라는 의미로, 임이 짐을 두고 쉬면서 안전하게 다니길 바라는 화자의 마음이 나타나 있다.

05 (가)의 화자는 '가신 임을 어찌할꼬'에서 임의 죽음에 대한 체념적 태도를 보이고 있는 반면, 〈보기〉의 화자는 임과 이별할 것이라면 차라리 길쌈하던 베를 버리고서라도 임을 따라가겠다며 이별을 거부하고 있다.

왜 오답일까 ① 〈보기〉의 화자는 어느 곳이든 임을 따라가겠다며 임에 대한 사랑을 맹세하고 있으나, (가)의 화자는 임의 죽음으로 인해 임과 이별한 슬픔을 표현하고 있다.

② (나)의 화자는 시장에 나가 돌아오지 않는 임에 대한 걱정을 드러낼 뿐 이별의 아픔을 표현하고 있지 않다.

④ (가)의 화자는 임의 죽음 때문에 임과 이별하게 되었으며, (나)의 화자는 시장에 나가 돌아오지 않는 임을 걱정하고 있으며, 〈보기〉의 화자는 생활 터전을 버리고서라도 임을 따르겠다는 연모의 정을 표현하고 있다. 따라서 (가), (나)와 〈보기〉에서 임의 변심은 확인할 수 없다.

⑤ (가), (나)와 〈보기〉의 화자 모두 이별의 책임을 다른 대상에게 떠넘기고 있지 않다.

엮인 작품 더 알기

작자 미상, 「서경별곡」 ▶해법문학 Link 고전 시가 76쪽

작품 해제 애절한 사랑과 이별의 정한을 노래한 고려 가요이다. 화자가 불안과 질투의 감정을 숨기지 않고 솔직하게 드러내고 있으며 사랑을 쟁취하려는 적극적인 태도를 취하고 있다는 점에서 이별의 정한을 노래한 다른 고전 시가와 차이를 보인다.

현대어 풀이 서경(평양)이 서울이지마는
새로 닦은 곳인 소성경(평양)을 사랑합니다마는
임과 이별할 것이라면 차라리 길쌈하던 베를 버리고서라도
사랑만 해 주신다면 울면서 따라가겠습니다

기출 작품 딥러닝

㉯ 정철, 「사미인곡」 ▶해법문학 Link 고전 시가 172쪽

작품 해제 정철이 관직에서 물러나 고향에 은거할 때, 임금을 향한 자신의 충성심을 임을 생각하는 여인의 마음에 견주어 표현한 가사이다.

핵심 포인트 제시된 부분에 나타난 계절별 주요 소재의 의미

계절	소재	상징적 의미
여름	옷	임(임금)에 대한 화자의 지극한 정성
가을	청광(달빛)	임금의 선정에 대한 소망
겨울	양춘, 해	임(임금)에 대한 화자의 염려

06 (가)의 화자는 달에게 시장에 나가 돌아오지 않는 임의 안전을 기원하고 있고, (나)의 화자는 임과 떨어진 곳에서 임을 염려하며 그리워하고 있으므로 (가), (나)에는 모두 화자와 임 사이의 거리감이 드러나 있다고 볼 수 있다.

07 '져재(시장)'는 임(남편)의 직업이나 신분을 짐작할 수 있는 시어일 뿐 남편의 안전을 위협하는 소재가 아니므로, 화자가 '져재' 자체를 부정적으로 인식하고 있다고 보기 어렵다.

왜 오답일까 ② '즌 디(진 곳)'는 행상 나간 남편이 처할 수 있는 위험을 의미하므로, 화자의 부정적 인식이 반영되어 있다.

③ '구름'은 임과 화자 사이를 가로막는 장애물을 의미한다.

④ '추위'는 임의 안녕과 건강을 위협하는 것이므로, 화자의 부정적인 인식이 반영되어 있다.

⑤ '긴 밤'은 임을 그리워하며 홀로 보내야 하는 시간으로, 화자의 부정적인 인식이 반영되어 있다.

08 〈보기〉의 설화를 바탕으로 할 때, ㉠에서 아내는 남편을 걱정하는 마음에 달이 높이 돋아 남편에게 달빛이 닿기를 기원하고 있다. (나)의 화자 역시 '양춘을 부쳐 내어 임 계신 데 쏘이고져'에서 임을 염려하고 있으며, 임에게 따뜻한 봄기운을 보내어 임이 추위에서 벗어나기를 바라고 있다.

02 ㉮ 찬기파랑가 ㉯ 제망매가 17~19쪽

01 ⑤ 02 ④ 03 ④ 04 ② 05 ③ 06 ④ 07 ⑤ 08 ①

㉮ 작품 해제 10구체 향가의 대표작 중 하나로, '기파랑'이라는 화랑의 모습을 자연물에 비유하여 그의 높은 기상을 예찬하고 있다.

㉯ 작품 해제 삶과 죽음의 문제를 뛰어난 비유로 그려 낸 10구체 향가로, 누이의 죽음으로 인한 슬픔을 종교적으로 승화하고 있다.

01 (가)에는 기파랑의 부재에 대한 화자의 안타까움이, (나)에는 죽은 누이에 대한 화자의 안타까움이 나타나 있다.

왜 오답일까 ① (가)에 계절의 흐름은 나타나 있지 않다.

② (가)에서는 '달', '물가', '잣나무 가지' 등의 자연물에 빗대어 기파랑의 인품과 기상을 드러내고 있을 뿐, 자연물의 변화를 통해 대상의 속성을 드러내고 있지 않다.

③, ④ (나)의 화자는 자신의 심정과 다짐을 독백적으로 표현하고 있다. (나)에 명령적 어조나 대화의 인용은 나타나 있지 않다.

02 ㉣(자갈 벌)은 화자가 현재 있는 공간으로, 화자는 ㉣에서 기파랑의 숭고한 정신과 인품을 따르겠다고 다짐하고 있다. (가)와 〈보기〉에 ㉣이 부정적인 현실에 대한 화자의 반감을 드러낸다고 해석할 만한 근거는 나타나 있지 않다.

03 (가)는 시적 대상(기파랑)에 대한 예찬적 태도가 나타나 있다. ④의 화자 역시 시적 대상인 '논개'의 꽃다운 혼을 예찬하고 있다.

왜 오답일까 ① 삶을 아름다운 소풍으로 인식하는 화자의 모습에서 삶에 대한 달관을 엿볼 수 있다.

② 부모님의 도움을 받아 의미 없는 수업을 들으면서 무기력하게 살아가는 자신의 삶에 대한 화자의 회의적 태도가 드러나고 있다.

③ 자신을 '당신'이 타고 가는 '나룻배'로 표현한 구절에서 '당신'을 위해 희생하고자 하는 화자의 태도가 드러나고 있다.

⑤ 고된 노동을 하며 힘겹게 살아가는 자신의 삶에 비애를 느끼는 화자의 모습에서 절망과 체념의 태도를 엿볼 수 있다.

04 '나는 간다는 말도 / 못다 이르고 어찌 갑니까'에서 '나'는 죽은 누이를 가리킨다. 화자는 여기서 '나는 간다'는 말도 하지 못한 채 갑작스럽게 죽은 누이의 상황에 안타까움과 비통함을 느끼고 있다. 그러나 (나)에서 화자가 누이의 임종을 지키지 못한 자신을 책망하는 모습은 나타나 있지 않다.

05 (가)의 낙구는 감탄사 '아아'로 시작해 기파랑에 대한 예찬이라는 작품의 주제가 드러나 있다. (나)의 낙구 역시 감탄사 '아아'로 시작해 슬픔을 종교적으로 승화하는 화자의 정서가 담겨 있다. 〈보기 2〉의 종장도 감탄사 '어즈버'로 시작해 망국의 한이라는 화자의 정서를 제시하고 있다.

엮인 작품 더 알기

길재, 「오백 년 도읍지를」 ▶해법문학 Link 고전 시가 126쪽

작품 해제 고려의 옛 도읍지를 돌아보면서 느낀 감회를 노래한 회고가(懷古歌)의 대표적 작품으로, 망국의 한과 안타까움이 잘 드러나 있는 평시조이다. 영탄적 어조로 고려 왕조의 왕업이 한바탕 꿈에 지나지 않는다는 허무함을 드러내고 있다.

기출 작품 딥러닝

㉮ 윤동주, 「길」

작품 해제 '길'이라는 상징적 소재를 활용하여 본질적인 자아의 모습을 회복하고자 하는 의지를 드러낸 작품이다. 이 시에서 '길'은 자기 탐색과 성찰을 통해 잃어버린 참된 자아를 회복하는 과정이라는 의미를 지니고 있다.

핵심 포인트 「길」에 나타난 자아의 분열

담의 바깥쪽		담의 안쪽
상실한 자아를 찾는 화자가 존재함.	돌담, 쇠문 (장애물)	참된 자아가 존재함.

⬇

고되고 힘든 과정이지만 참된 자아를 찾는 과정을 계속 이어 가고자 함.

06 (가)의 '하늘'은 화자에게 부끄러움을 일깨우는 자아 성찰의 매개체로, 화자에게 자신의 삶을 반성하도록 하는 역할을 한다. (나)의 '미타찰'은 화자가 죽은 누이와 재회할 수 있는 극락세계로, 화자의 지향을 함축하는 공간이다.

07 ㉤은 한 부모에게서 나고 자란 혈육이 죽어서 더 이상 어디에 있는지 알 수 없다는 안타까움과 허무함이 나타나 있다.

08 A의 화자는 '바람'에 떨어진 '도화'를 보고 흥취와 낭만을 느끼고 있다. 따라서 '바람'은 '도화'를 떨어지게 하는 자연물일 뿐, 화자의 시련을 상징한다고 볼 수 없다.

왜 오답일까 ② ⓐ(바람)는 나뭇가지의 잎을 떨어지게 만들고, B의 '바람'은 나무를 쓰러지게 만드는 원인으로 작용하고 있다.

③ ⓑ(잎)는 화자의 죽은 누이를 가리키는 것으로, 화자에게 슬픔과 무상감을 느끼게 하는 대상이다. 이와 달리 A의 '도화'는 꽃을 바라보는 화자의 감회와 흥취를 부각하는 대상이다.

④ B의 바람에 쓰러져 싹이 돋지 않는 '나무'는 임과 헤어져 마음의 병에 시달리는 화자를 가리킨다.

⑤ ⓑ(잎), A의 '도화', B의 '나무'는 모두 '바람'이라는 외부의 원인에 의해 떨어지거나 쓰러진다는 점에서 수동적인 속성을 함축하고 있다.

엮인 작품 더 알기

A. 선우협, 「간밤에 부던 바람」

작품 해제 간밤에 불던 바람으로 뜰에 떨어진 복숭아꽃을 보고 느낀 낭만과 흥취를 읊은 시조이다. 종장에서 자연의 모습을 있는 그대로 즐기려는 화자의 모습이 나타나 있다. (시의 작자를 선우협이 아닌 정인교로 보기도 함.)

B. 작자 미상, 「바람 불어 쓰러진 나무」

작품 해제 사랑하는 임과 이별하여 상사병에 걸린 화자의 상황을 바람에 쓰러져 싹이 돋지 않는 나무로 표현한 시조이다. 설의법과 영탄법을 활용하여 화자의 정서를 효과적으로 드러내고 있다.

03 ㉮ 제가야산독서당 ㉯ 추야우중

20~21쪽

01 ③ 02 ③ 03 ② 04 ④ 05 ②

㉮ 작품 해제 최치원이 가야산에 은거하면서 지은 칠언 절구의 한시로, 세상의 시비하는 소리와 물소리를 대조하여 속세에서 멀어지고 싶은 화자의 의지를 표현하고 있다.

㉯ 작품 해제 최치원이 쓴 오언 절구의 한시로, 가을바람, 등불, 비와 같은 다양한 소재를 활용하여 세상으로부터 느끼는 거리감을 형상화하고 있다.

01 (가)의 화자는 시비하는 소리로 시끄럽고 혼탁한 현실 상황을 부정적으로 인식하여 세상과 단절하고자 하고 있고, (나)의 화자는 자신의 능력을 알아주지 않는 현실 상황을 부정적으로 여기며 한탄하고 있다. 따라서 (가), (나) 모두 현실 상황에 대한 화자의 부정적인 인식을 바탕으로 하고 있다고 볼 수 있다.

왜 오답일까 ① (가)는 '물소리'와 '시비하는 소리'라는 대조적인 대상을 통해 세상과 단절하고 산속에 은거하고 싶은 마음을 부각하고 있다. 그러나 (나)에는 대조적인 대상이 나타나 있지 않다.

② (가)의 화자는 시비하는 소리로 시끄러운 세상과 격리되어 자연에 은둔하고자 하는 것일 뿐 자연과 동화된 삶을 살고자 하는 것은 아니다. (나)에서도 자연과 동화되어 살고 싶어 하는 태도는 드러나 있지 않다.

④ (가), (나) 모두 과거와 현재를 대비하고 있지 않다.

⑤ (가)에서는 시각적·청각적 이미지를 활용하여 돌 사이로 쏟아져 나오는 물을 역동적으로 형상화하고 있다. 그러나 (나)에서는 절제된 어조로 차분한 분위기를 조성하고 있어 역동적인 이미지가 나타나 있지 않다.

02 (가)의 화자는 거센 물소리 때문에 가까운 곳의 말소리도 들리지 않는 깊은 산속에 머물고 있는데, 세상의 시비하는 소리가 들릴까 두려워 일부러 물로 산을 둘렀다고 표현함으로써 자신의 의지에 따라 ⓐ(화자가 머물러 있는 공간)에 머물고 있음을 밝히고 있다. 이와 달리 (나)의 화자는 자신을 알아주지 않는 세상으로부터 단절된 채 방 안에서 외로움을 느끼고 있다.

왜 오답일까 ① (가)의 화자는 ⓑ로부터 단절되어 ⓐ에 머무는 삶을 추구하고 있다. (나)의 화자는 세상과의 단절감과 심리적 거리감을 느끼며 괴로워하고 있을 뿐, ⓐ와 ⓑ의 합일을 추구하고 있다고 보기는 어렵다.

② (나)의 화자가 자신을 알아주지 않는 세상에 한탄하고 있지만, ⓐ를 멀리하고 ⓑ를 지향한다고 보기는 어렵다.

④ (가)의 화자가 현재 머물고 있는 ⓐ는 부나 명예와 같은 현실적인 이익을 추구하는 마음으로부터 벗어난 탈속적인 공간, ⓑ는 세상의 일반적인 풍속을 따르는 세속적인 공간이라고 말할 수 있다. (나)에서 ⓐ와 ⓑ는 모두 세속적인 공간에 해당한다.

⑤ (가)의 화자가 ⓐ에 머물기를 바라고 있을 뿐, (가)의 내용만으로는 ⓐ가 화자의 뜻을 펼치는 공간이라고 보기는 어렵다. (나)의 ⓐ 역시 화자가 자신의 처지를 한탄하는 공간으로, 화자의 뜻을 펼치는 공간으로 볼 수 없다.

03 (가)의 '물'은 화자에게 내적 갈등을 유발하는 '시비하는 소리'를 차단해 주므로, 화자의 내적 갈등을 막아 준다고 볼 수 있다. 이에 비해 (나)의 '비'는 세상과 단절된 화자의 고독과 괴로움을 고조하므로, 화자의 내적 갈등을 심화한다고 볼 수 있다.

왜 오답일까 ③ '물'은 '시비하는 소리'가 들끓는 세상과 단절하는 수단으로, 화자가 지향하는 이상(은거의 삶)과는 거리가 있다. '비'는 세상과 단절된 화자의 고독과 괴로움을 심화하는 배경으로, 화자가 처한 현실의 한계(자신을 알아주는 없는 세상)과는 거리가 있다.

④ '물'은 화자가 부정적으로 인식하는 세상을 화자로부터 차단해 주는 역할을 할 뿐, 화자가 현실의 삶에 안주하도록 하는 결정적인 원인이나 기회로 작용하는 것은 아니다. '비' 역시 화자가 현재의 상황으로 인해 느끼는 고독과 괴로움을 강화하므로 화자가 현실의 삶에 안주하도록 하는 계기로 볼 수는 없다.

04 〈보기〉에 따르면, 주관적 변용이란 대상이 지닌 본래의 물리적 속성을 주관적으로 바꾸는 것을 의미한다. ④는 소박한 삶 속에서도 즐거움을 찾는 화자의 행동과 정서를 표현하고 있을 뿐, 대상의 속성을 주관적으로 변용하고 있지는 않다.

왜 오답일까 ① '밤'이라는 추상적 시간을 구체적인 사물처럼 표현하여 그 한가운데를 잘라 이불 아래 넣어 두었다가 '님'이 오신 날 밤에 펼치겠다고 노래한 점에서 대상의 속성을 주관적으로 변용한 발상이 나타나 있다.

② 흰머리를 해묵은 서리에 빗대어, 눈을 녹이는 따뜻한 '바람'을 자신의 머리 위에도 불게 하여 흰머리를 녹여 보겠다고 표현한 점에서 대상의 속성을 주관적으로 변용한 발상이 나타나 있다.

③ '달'과 '청풍'을 초가집의 방에 들여 놓을 수 있는 것처럼 표현한 점과 '강산'은 들일 방이 없어 집 주위에 병풍처럼 둘러 두고 보겠다고 한 점에서 대상의 속성을 주관적으로 변용한 발상이 나타나 있다.

⑤ 촛농을 떨어뜨리며 타고 있는 '촛불'을 속을 태우며 눈물을 흘리는 사람처럼 표현한 점에서 대상의 속성을 주관적으로 변용한 발상이 나타나 있다.

05 〈보기〉를 바탕으로 할 때, (나)의 창작 시기를 작가가 당나라에서 유학하던 시절로 본다면, ㉡은 멀리 떨어진 고국에 대한 그리움을 나타낸 구절로 해석할 수 있다. 이와 달리 창작 시기를 작가가 신라로 돌아온 뒤로 본다면, ㉡은 자신의 능력을 발휘할 수 없어 좌절한 지식인이 세상에 대해 느끼는 거리감으로 해석할 수 있다.

고려 시대

04 ㉮ 가시리 ㉯ 동동

24~27쪽

01 ① **02** ⑤ **03** 주체가 화자일 때에는 나를 서럽게 하는 임을 의미한다. 주체가 임일 때에는 이별을 서러워하는 임을 의미한다. **04** ④ **05** ① **06** ④ **07** ④ **08** ① **09** ③ **10** ⑤

㉮ **작품 해제** 이별의 정한(情恨)을 노래한 대표적인 고려 가요로, 간결한 형식과 소박한 시어를 사용하여 이별의 상황을 어쩔 수 없이 수용하는 화자의 모습을 드러내고 있다.

현대어 풀이 가시겠습니까, (진정으로 떠나) 가시겠습니까?
(나를) 버리고 가시겠습니까? 〈1연〉
나는 어찌 살라 하고 / (나를) 버리고 가시겠습니까? 〈2연〉
(생각 같아서는) 붙잡아 두고 싶지만,
(혹시나 임께서) 서운하면 (다시는) 아니 올까 두렵습니다. 〈3연〉
서러운 임을 (어쩔 수 없이) 보내옵나니, / 가시자마자 곧 돌아오십시오. 〈4연〉

㉯ **작품 해제** 현전하는 국문학 작품 중 가장 오래된 월령체 노래로, 계절의 변화에 따라 임을 떠나보낸 여인의 그리움을 효과적으로 표현하고 있다.

현대어 풀이 덕은 뒤에(신령님께) 바치옵고, 복은 앞에(임에게) 바치오니
덕이며 복이라 하는 것을 진상하러 오십시오. 〈서사〉
정월 냇물은 아아, 얼었다가 녹았다가 하는데
세상에 태어나서 이 몸이여, 홀로 살아가는구나. 〈정월령〉
2월 보름에 아아, 높이 켜 놓은 등불 같구나.
만인을 비추실 모습이시도다. 〈이월령〉
3월 지나며 핀 아아, 봄의 진달래꽃(오얏꽃)이여.
남이 부러워할 모습을 지니고 태어나셨구나. 〈삼월령〉
4월을 잊지 않고 아아, 오는구나 꾀꼬리여.
무엇 때문에 녹사님은 옛날을 잊고 계신지요. 〈사월령〉
5월 5일(단오)에 아아, 단옷날 아침 약은
천년을 사실 약이기에 바치옵니다. 〈오월령〉
6월 보름(유두일)에 아아, 벼랑에 버린 빗 같구나.
돌아보실 임을 잠시나마 따르겠나이다. 〈유월령〉
7월 보름(백중)에 아아, 여러 가지 음식을 벌여 놓고
임과 함께 살고자 소원을 비옵니다. 〈칠월령〉
8월 보름(한가위)은 아아, 한가윗날이지마는
임을 모시고 지내야만 오늘이 뜻있는 한가윗날입니다. 〈팔월령〉
9월 9일(중양절)에 아아, 약이라고 먹는
노란 국화꽃이 집 안에 피니 초가집이 조용하구나. 〈구월령〉
10월에 아아, 잘게 썬 보리수나무 같구나.
꺾어 버리신 후에 (나무를) 지니실 한 분이 없으시도다. 〈시월령〉
11월에 봉당 자리에 아아, 속적삼을 덮고 누워
슬픈 일이구나. 사랑하는 임과 갈라져 각기 살아가는구나. 〈십일월령〉
12월에 분디나무로 깎은 아아, (임께 드릴) 소반 위의 젓가락 같구나.
임의 앞에 들어 가지런히 놓으니 손님이 가져다가 뭅니다. 〈십이월령〉

01 (가)에서 화자는 임을 떠나보내며 다시 돌아오기를 간절히 호소하고 있고, (나)의 〈십이월령〉에는 임과 인연을 맺지 못한 화자의 상황이 나타나 있으므로, (가)와 (나) 모두 대상과의 관계를 긍정적으로 전망하고 있다고 볼 수 없다.

왜 오답일까 ② (나)에서는 정월이 되어 얼었다 녹았다 하는 '나릿믈'과 여전히 임과 떨어져 홀로 살아가는 화자를 대조하여 화자의

쓸쓸한 상황을 부각하고 있다. (가)에는 화자와 대조되는 자연물이 나타나 있지 않다.

③ (가)에는 붙잡고 싶은 임을 떠나보내야 하는 안타까움이, (나)에는 임 없이 홀로 지내고 있는 상황과 임이 아닌 다른 사람과 인연을 맺게 된 상황에 대한 안타까움이 나타나 있다.

④ (가)의 '위 증즐가 대평셩딕'와 (나)의 '아으 동동다리'는 특별한 의미를 지니지 않은 후렴구로, 각 연의 끝부분에서 반복되어 연과 연을 구분하고 작품에 통일성과 형태적 안정감을 부여하고 있다.

⑤ (가)에서는 '~시리', (나)에서는 '~소이다' 등의 경어체를 사용하여 대상을 공경하고 존중하는 화자의 태도를 드러내고 있다.

02 4연에서 화자는 임이 곧바로 돌아오기를 속으로 바라면서도 어쩔 수 없이 임을 떠나보내고 있다.

왜 오답일까 ② 2연의 '날러는 엇디 살라 ᄒᆞ고'에서 화자는 떠나는 임 때문에 자신이 겪게 될 고통과 괴로움을 호소하고 있다.

③ 2연에서는 1연의 'ᄇᆞ리고 가시리잇고'를 반복하여 떠나는 임에 대한 원망과 허탈감을 표현하고 있다.

④ 3연의 '잡ᄉᆞ와 두어리마ᄂᆞᄂᆞᆫ'에서 임을 붙잡고 싶은 욕망과 임을 떠나보낼 수밖에 없는 현실 사이에서 갈등하는 화자의 심리가 드러나고 있다.

03 '셜온'은 '서러운'이라는 의미로, '셜온'의 주체를 화자로 볼 때에는 나를 서럽게 하는 임으로, '임'으로 볼 때에는 이별을 서러워하는 임으로 해석할 수 있다.

04 ㉣은 임과 함께 있어야만 진정한 가배(한가위)라는 뜻으로, 임의 부재로 인해 한가위의 흥겨움을 누리지 못하는 화자의 상황을 표현하고 있다.

왜 오답일까 ① ㉠에서 화자는 '가시리잇고'를 반복하여 임이 자신을 떠나려 하는 상황이 믿기지 않는다는 심리를 드러내고 있다.

② ㉡에는 떠나는 임을 붙잡으면 임이 영영 돌아오지 않을까 염려하여 임을 붙잡지 못하는 화자의 모습이 나타나 있다.

③ ㉢은 화자가 온갖 음식을 차려 놓고 빈 소원으로, 임과 함께 살고 싶다는 화자의 바람을 직접적으로 드러내고 있다.

⑤ ㉤은 '임의 앞에 들어 가지런히 놓으니 손님이 가져다가 뭅니다.'라는 의미로, 사랑하는 임을 두고 뜻하지 않은 인물과 인연을 맺게 된 화자의 상황이 나타나 있다.

05 정월이 되어 얼었다 녹았다 하는 '나릿믈'은 임과 떨어져 홀로 살아가는 화자의 처지와 대비되는 대상이다.

06 〈오월령〉은 단오를, 〈칠월령〉은 백중을 배경으로 시상을 전개하고 있으므로, 〈오월령〉과 〈칠월령〉 모두 세시 풍속을 시적 상황으로 활용하고 있다.

왜 오답일까 ① 〈서사〉는 이어지는 다른 연과 달리 계절이나 세시 풍속을 활용하지 않고 임의 덕과 복만을 기원하고 있는데, 〈보기〉에 따르면, 이는 조선 시대에 들어와 궁중 의식에 맞게 새롭게 추가된 부분으로 볼 수 있다.

② 〈이월령〉, 〈삼월령〉, 〈오월령〉이 임을 향한 순수한 송도(頌禱)의 내용을 담고 있어 궁중 음악과 관련이 있다는 점을 고려할 때, '님'은 임금 혹은 임금처럼 높이 추앙된 공적 인물로 해석할 수 있다.

③ '녹사'는 고려 때의 벼슬 이름으로 임이 벼슬한 남성임을 알 수 있다. 따라서 〈사월령〉에서 임을 '녹사'라고 칭한 것을 통해 화자가 여성임을 짐작할 수 있다.

⑤ 〈십일월령〉에서는 겨울의 춥고 고독한 분위기와 버림받은 화자의 처지가 서로 어울리고 있다.

07 (나)의 '곳고리 새'는 때를 잊지 않고 찾아오는 대상으로, 돌아올 줄 모르는 임과 대비되어 화자의 외로움을 심화한다. 〈보기〉에서 서로 정답게 노니는 '꾀꼬리'는 임을 잃은 화자의 처지와 대조되는 대상으로, 화자의 외로움을 심화한다.

엮인 작품 더 알기

유리왕, 「황조가」 ▶해법문학 Link 고전 시가 32쪽

작품 해제 작가와 연대가 뚜렷한 고대 가요로, 사랑하는 임을 잃은 외로움을 '꾀꼬리'라는 자연물을 매개로 표현하고 있다. 1, 2구에 제시된 자연물의 모습과 3, 4구에 제시된 시적 화자의 정서가 선경후정을 이루어 짧은 형식 안에서 대칭적인 균형과 탄탄한 시상 전개를 갖추고 있다.

기출 작품 딥러닝

㉯ 허난설헌, 「규원가」 ▶해법문학 Link 고전 시가 180쪽

작품 해제 조선 시대 봉건 사회 속에서 가정을 돌보지 않는 남편으로 인해 고통받는 여인의 처지를 노래한 규방 가사이다. 한문어구와 고사를 많이 사용하여 유려한 분위기를 형성하고 있다.

핵심 포인트 **제시된 부분에 나타난 화자의 태도**

박명한 홍안	+	이 님의 탓으로 살 동 말 동 하여라
자신의 상황을 운명으로 받아들이며 한탄함.		임에 대한 원망과 비난을 직접적으로 표출함.

08 (가)는 이별의 상황에 처한 화자의 안타까움과 임이 다시 돌아오기를 바라는 소망을, (나)는 떠난 후 돌아오지 않는 임에 대한 그리움과 서러움을 노래하고 있다.

왜 오답일까 ⑤ (나)에서는 '새소리'에 화자의 감정을 이입하여 화자의 서글픈 심정을 노래하고 있지만, (가)에는 이러한 표현이 쓰이고 있지 않다.

09 (가)의 화자는 떠나는 임을 붙잡으면 임의 마음이 상해 돌아오지 않을 것을 염려하여 임을 보내며 곧 다시 돌아오기를 당부하고 있다. (나)의 화자는 떠난 후 소식조차 끊어진 임을 하염없이 기다리고 있다. 따라서 (가)와 (나)의 화자가 동일 인물이라면 ③과 같은 심정을 느낄 수 있을 것이다.

10 (나)의 화자는 일 년에 한 번이라도 만나는 견우직녀와 자신의 상황을 대조하여 임과의 만남을 기약조차 할 수 없는 처지를 강조하고 있다.

05 정석가 28~29쪽

01 ③ 02 ④ 03 ③ 04 ③ 05 ⑤

작품 해제 본사에 해당하는 2~5연에서 여러 가지 실현 불가능한 상황을 나열하여 사랑하는 임과 이별하지 않겠다는 시적 화자의 의지를 드러낸 고려 가요이다.

현대어 풀이 징이여, 돌이여, 지금에 계시옵니다.
징이여, 돌이여, 지금에 계시옵니다. / 이 좋은 태평성대에 놀고 싶사옵니다. 〈서사〉
사각사각 가는 모래 벼랑에 / 사각사각 가는 모래 벼랑에
구운 밤 닷 되를 심습니다. / 그 밤이 움이 돋아 싹이 나야만
그 밤이 움이 돋아 싹이 나야만 / 유덕하신 임을 이별하고 싶습니다. 〈본사 1〉
옥으로 연꽃을 새기옵니다. / 옥으로 연꽃을 새기옵니다.
바위 위에 접을 붙이옵니다. / 그 꽃이 세 묶음(추운 겨울에) 피어야만
그 꽃이 세 묶음(추운 겨울에) 피어야만 / 유덕하신 임을 이별하고 싶습니다. 〈본사 2〉
무쇠로 철릭을 마름질해 / 무쇠로 철릭을 마름질해
철사로 주름을 박습니다. / 그 옷이 다 헐어야만 / 그 옷이 다 헐어야만
유덕하신 임을 이별하고 싶습니다. 〈본사 3〉
무쇠로 큰 소를 만들어다가 / 무쇠로 큰 소를 만들어다가
쇠로 된 나무가 있는 산에 놓습니다. / 그 소가 쇠로 된 풀을 먹어야
그 소가 쇠로 된 풀을 먹어야 / 유덕하신 임을 이별하고 싶습니다. 〈본사 4〉
구슬이 바위에 떨어진들 / 구슬이 바위에 떨어진들
끈이야 끊어지겠습니까. / 천 년을 외로이 떨어져 살아간들
천 년을 외로이 떨어져 살아간들 / 믿음이야 끊어지겠습니까. 〈결사〉

01 본사에서는 반어적 표현인 '유덕ᄒᆞ신 님 여히ᄋᆞ와지이다'를 매 연의 끝마다 반복하여 임과 이별하지 않겠다는 화자의 소망을 드러내고 있다.

왜 오답일까 ① 서사의 1행, 본사의 1행과 4행, 결사의 1행과 4행을 두 번씩 반복하여 리듬감을 형성하고 있다.
② 2연에서는 구운 밤, 3연에서는 옥으로 새긴 연꽃, 4연에서는 무쇠로 만든 옷, 5연에서는 무쇠로 만든 소와 같은 소재를 활용하여 불가능한 상황을 설정하고 있다.
⑤ 결사에서는 '긴힛단 그츠리잇가'와 '신잇단 그츠리잇가'라는 설의적 표현을 활용하여 임에 대한 영원한 사랑과 믿음을 강조하고 있다.

02 3연의 '바회'는 생명이 살기 힘든 환경을 의미하고, 4연의 '텰ᄉᆞ'는 오랫동안 존속되는 속성을 지닌 대상이다. 따라서 두 시어 모두 화자가 실현 불가능한 상황을 설정하기 위해 활용한 대상일 뿐 임에 대한 화자의 사랑을 상징한다고 보기는 어렵다.

03 [A]에는 문장의 어순을 바꾼 도치법이 사용되지 않았다. 다른 연들이 총 6행으로 구성되어 '님'과의 영원한 사랑을 노래한 것과 달리 [A]는 총 3행으로 구성되어 태평성대에 대한 기원을 노래하고 있다.

04 〈보기〉를 바탕으로 하면 「정석가」는 남녀 간의 사랑뿐 아니라 군신 간의 충의를 노래한 작품으로 해석할 수도 있다. ⓒ(긴)은 임에 대한 변치 않는 믿음과 사랑을 끈에 비유한 것이다. 이때의 '님'을 임금으로 본다면 군신 간의 충의를 뜻한다고 볼 수 있다.

05 윗글의 2~5연에서는 현실에서 일어날 수 없는 역설적인 상황을, 〈보기〉에서는 임을 맞이하기 위해 허겁지겁 달려가는 행동을 과장하여 표현하고 있다.

왜 오답일까 ① 윗글과 달리 〈보기〉에는 시간('저녁밥', '밤' 등)과 공간('중문', '대문', '건넌 산' 등)이 구체적으로 드러나 있다.
②, ③ 〈보기〉에는 역설적 표현이 나타나 있지 않으며, 윗글과 〈보기〉 모두 연쇄법과 대조법이 쓰이지 않았다.
④ 윗글에는 '삭삭기'와 같은 의성어를, 〈보기〉에는 '천방지방' 등과 같은 의태어를 사용했지만, 모두 고요한 분위기를 조성하고 있지는 않다.

엮인 작품 더 알기

작자 미상, 「임이 오마 하거늘」 ▶해법문학 Link 고전 시가 208쪽

작품 해제 그리운 임을 빨리 만나고 싶은 마음을 진솔하게 표현한 사설시조이다. 임을 기다리는 간절한 마음에 주추리 삼대를 임으로 착각하고 허둥지둥 달려갔다가 겸연쩍어하는 모습에서 해학성이 나타나고 있다.

06 청산별곡 30~32쪽

01 ③ 02 ③ 03 ④ 04 ③ 05 ③ 06 ⑤ 07 ④ 08 ④ 09 ②

작품 해제 고려 시대 민중들의 삶의 애환이 담긴 고려 가요로, 상징성이 짙은 시어를 사용하고, 후렴구를 통해 음악적 효과를 얻고 있어 높은 문학성을 인정받은 작품이다.

현대어 풀이 살겠노라 살겠노라. 청산에 살겠노라.
머루와 다래를 먹고 청산에 살겠노라. 〈1연〉
우는구나 우는구나 새여, 자고 일어나 우는구나 새여.
너보다 시름 많은 나도 자고 일어나 울고 있노라. 〈2연〉
가는 새 가는 새 본다. 물 아래로 날아가는 새 본다.
이끼 묻은 쟁기를 가지고, 물 아래로 날아가는 새 본다. 〈3연〉
이럭저럭하여 낮은 지내 왔건만,
올 사람도 갈 사람도 없는 밤은 또 어찌할 것인가. 〈4연〉
어디다 던지는 돌인가, 누구를 맞히려는 돌인가.
미워할 이도 사랑할 이도 없이 맞아서 울고 있노라. 〈5연〉
살겠노라 살겠노라. 바다에 살겠노라.
나문재, 굴, 조개를 먹고, 바다에 살겠노라. 〈6연〉
가다가 가다가 듣노라. 외딴 부엌을 지나가다가 듣노라.
사슴이 장대에 올라가서 해금을 켜는 것을 듣노라. 〈7연〉
가더니 불룩한 술독에 진한 술을 빚는구나.
조롱박꽃 모양의 누룩이 매워 (나를) 붙잡으니, 나는 어찌하리. 〈8연〉

01 윗글의 화자는 삶의 비애와 고독을 느끼고 있으며, 답답한 현실을 벗어나 청산이나 바다와 같은 곳으로 도피하고 싶어 한다.

02 8연의 '내 엇디 ᄒᆞ리잇고'에서 설의적 표현을 통해 고통스러운 삶의 대한 화자의 체념을 드러내고 있을 뿐, 화자의 다짐을 강조하고 있지는 않다.

왜 오답일까 ① 후렴구 '얄리얄리 얄라셩 얄라리 얄라'에서 울림소리인 'ㄹ'과 'ㅇ'을 반복하여 음악적 효과를 거두고 있다.
② '살어리랏다' 등의 시구를 반복하여 시적 의미를 강화하고 있다.
④ 2연에서 새에게 말을 건네며 화자의 비애감을 드러내고 있다.
⑤ 1~4연은 청산, 5~8연은 바다를 중심으로 시상을 대칭적으로 전개하여 주제 의식을 표현하고 있다.

03 ㉠(새)은 화자가 느끼는 슬픔과 고독의 감정이 이입된 대상이자 동병상련(同病相憐)의 대상으로 볼 수 있고, ㉡(가던 새)은 속세에 대한 화자의 미련을 보여 주는 대상으로 볼 수 있다.

04 ⓒ에서 화자는 고통스러운 삶의 원인이 내부가 아닌 외부 상황에 있다고 인식하고 있으며, 자신의 의지와 무관한 운명적 삶에 체념하고 있다.

왜 오답일까 ① '멀위', 'ᄃᆞ래'는 소박한 음식을 상징한다.
② 오가는 사람도 없는 외로운 밤을 어찌 보낼지 탄식하는 화자의 모습에서 고독한 삶에 대한 절망감을 엿볼 수 있다.
④ '사슴이 장대에 올라가서 해금을 켜는 것을 들어라.'라는 의미로 볼 때, 이는 불가능한 상황이므로 자신의 고통스러운 삶에 기적이 일어나기를 바라는 화자의 절박한 심정이 담긴 것으로 볼 수 있다.
⑤ '조롱곳 누록'은 '강수'와 관련 있는 소재이므로, 술을 마시며 현실의 괴로움을 잊고자 하는 체념적 태도가 드러나 있다.

05 〈보기〉에서는 일제 강점기와 밀접한 '신작로, 정거장'과 같은 소재가 나타나지만, 윗글에서는 역사적 사건과 관련된 소재가 제시되어 있지 않다.

왜 오답일까 ① 윗글은 '살어리∨살어리∨랏다', 〈보기〉는 '문전의∨옥토는∨어찌되고'와 같이 3음보 율격이 나타나 있다.
② 윗글의 '어듸라 더디던 돌코 누리라 마치던 돌코' 등과 〈보기〉의 '밭은 헐려서 신작로 되고 / 집은 헐려서 정거장 되네'에서 유사한 문장 구조를 활용하여 운율감을 형성하고 있다.
④ 윗글의 화자는 청산이나 바다로 도피하고 싶을 만큼 현실을 부정적으로 인식하고 있으며, 〈보기〉의 화자는 '쪽박의 신세' 등에서 현실에 대한 부정적 인식을 드러내고 있다.
⑤ 윗글의 '얄리얄리 얄라셩 얄라리 얄라'와, 〈보기〉의 '아리랑 아리랑 아라리요 / 아리랑 배 띄워라 노다 가세'가 후렴구로 쓰이고 있다.

엮인 작품 더 알기

작자 미상, 「아리랑 타령」

작품 해제 구한말에서 일제 강점기에 이르기까지 위기에 처한 민족의 현실을 담은 민요로, 잘못된 개화 정책에 대한 비판 등을 주제로 하고 있다.

06 5연의 '돌'은 화자의 의지와 무관한 비극적 운명을 의미하며, 화자에게 비애를 느끼게 하는 대상이다.

기출 작품 딥러닝

㉯ 윤선도, 「오우가」 ▶해법문학 Link 고전 시가 228쪽

작품 해제 총 6수로 이루어진 연시조로, 물·바위·소나무·대나무·달을 벗으로 의인화하여 자연물의 특징을 인간의 덕으로 환원하여 예찬하고 있다.

핵심 포인트 **「오우가」에 나타난 다섯 벗**

제2수	물(영원성)	↔	구름, 바람
제3수	바위(불변성)	↔	꽃, 풀
제4수	소나무(지조와 절개)	↔	꽃, 잎
제5수	대나무(겸허함과 절개)		
제6수	달(포용과 과묵함)		

07 (나)는 각 연의 마지막 행에서 화자가 지향하는 대상의 속성을 제시하며 시상을 집약하고 있지만, (가)의 마지막 행은 특별한 의미를 지니지 않은 후렴구로 시상을 집약한다고 볼 수 없다.

왜 오답일까 ② (나)의 〈제1수〉에서 화자의 다섯 벗을 소개하고 있으므로, 〈제1수〉가 〈제2수〉부터 〈제6수〉까지의 내용을 안내하고 있다.
③ (가)는 '살어리∨살어리∨랏다'와 같이 3음보를, (나)는 '내 벗이∨몇이나 하니∨수석과∨송죽이라'와 같이 4음보를 사용하고 있다.
⑤ (가)의 〈제5장〉에서 '어듸라 더디던 돌코 / 누리라 마치던 돌코'가 대구를, (나)의 〈제2수〉의 초장과 중장, 〈제4수〉의 초장, 〈제5수〉의 초장에서 대구를 이루고 있다.

08 ㉠(돌)은 화자의 의지와 무관한 비극적 운명을 의미하는 시어이고, ㉡(바위)은 화자가 지향하는 변치 않는 태도를 지닌 자연물이다.

09 (가)의 '새'는 동병상련(同病相憐)의 대상이자 화자의 비애를 부각하는 자연물로, 화자는 '새'를 합일하고자 하는 대상으로 여기고 있지 않다.

왜 오답일까 ③ (나)의 '다섯'은 화자가 벗으로 삼는 자연물로, 화자는 이들이 자신이 본받아야 할 바람직한 삶의 덕목을 지녔다고 보고 있다.
④ (나)의 '꽃'은 피자마자 쉽게 지는 순간성을 지닌 대상으로, 영원성과 불변성을 지닌 '바위'와 대조적인 존재이다.
⑤ (나)의 '그'는 '대나무'를 가리키는 표현으로, 화자는 사시사철 푸른 대나무의 지조와 절개를 본받고 싶어 한다.

07 애상과 한탄 33~35쪽

01 ⑤ 02 ④ 03 ③ 04 ① 05 ④ 06 ④ 07 ② 08 ③ 09 ④

㉮ 작품 해제 봄날의 한밤중을 배경으로 하여 봄밤에 느끼는 애상과 우수의 정서를 시각적 심상과 청각적 심상을 활용하여 형상화한 시조이다.

㉯ 작품 해제 자신의 백발을 해묵은 서리에 비유하여, 젊음을 되찾고 싶은 소망을 표현한 시조로, 화자의 달관적 태도와 관조적 자세가 돋보이고 있다.

01 (가)와 (나)의 종장에서 영탄적 표현을 사용하여 각각 봄밤에 느끼는 애상적 정서와 늙음에 대한 한탄과 인생을 달관하는 자세를 드러내고 있다.

02 (나)의 화자는 어쩔 수 없이 늙을 수밖에 없는 인생의 무상함에 대해 탄식하면서도 한편으로는 달관적인 자세를 통해 낙천적이고 여유 있는 태도를 드러내고 있다.

03 (가)의 화자는 봄날 밤에 느끼는 애상감에 잠을 이루지 못하고 있고, 〈보기〉의 화자는 꿈에서라도 '님'을 만나고자 잠을 이루려 하지만 '자규'의 울음소리 때문에 잠을 이루지 못하고 있다. 따라서 '자규'가 잠든 화자를 깨우는 역할을 한다는 설명은 적절하지 않다.

왜 오답일까 ④ '삼경'은 밤 11시부터 새벽 1시 사이이고, '수벽달'은 새벽에 뜨는 달이므로, 모두 시간적 배경을 구체적으로 나타내 준다.

⑤ '일지 춘심'은 봄날 밤의 애상적인 정서를 표현한 시어이고, '단장 춘심'은 임에 대한 그리움으로 몹시 슬퍼 창자가 끊어질 듯한 화자의 심리를 표현한 시어이다.

엮인 작품 더 알기

호석균, 「쑴에나 님을 볼려」

작품 해제 임에 대한 연모의 정과 이별의 슬픔을 표현한 시조로, '자규'에 화자의 감정을 이입하여 표현하고 있다.

04 ㉠에는 봄날 밤에 느끼는 애상감으로 잠을 못 이루는 화자의 상황이 드러나 있다. '전전반측(輾轉反側)'은 누워서 몸을 이리저리 뒤척이며 잠을 이루지 못함을 뜻하는 말로, 이러한 상황에 부합한다.

왜 오답일까 ② 풍수지탄(風樹之嘆): 효도를 다하지 못한 채 어버이를 여읜 자식의 슬픔

③ 설상가상(雪上加霜): 눈 위에 서리가 덮인다는 뜻으로, 난처한 일이나 불행한 일이 잇따라 일어남.

④ 이심전심(以心傳心): 마음과 마음으로 서로 뜻이 통함.

⑤ 동상이몽(同床異夢): 같은 자리에 자면서 다른 꿈을 꿈.

05 '잠간'은 눈을 녹이는 봄바람을 잠깐 빌려다가 자신의 백발을 녹여 젊음을 되찾고 싶은 바람을 표현하기 위해 사용한 시어이지, 이를 통해 인생이 짧다는 것을 강조한 것은 아니다.

왜 오답일까 ① (나)의 화자는 시간의 흐름에 따라 늙을 수밖에 없는 인간의 삶에 대해 무상감을 느끼며 늙음을 한탄하면서도 여유와 관조를 잃지 않는 모습을 보여 주고 있다.

② 초장에서 화자는 눈을 녹인 봄바람이 '건듯(잠깐)' 불고 사라졌다고 표현하고 있는데, 이는 청춘의 시기가 짧게 지나갔음을 탄식하는 것으로 볼 수 있다.

③ '춘산'의 녹색 이미지와 '눈'의 흰색 이미지가 대비되고 있다.

⑤ 종장에는 눈을 녹이는 '바룸'의 힘을 빌려와 자신의 '히무근 서리(흰머리)'를 녹여 젊음을 되찾고자 하는 발상이 나타나 있다.

06 (나)의 화자와 〈보기〉의 화자 모두 세월의 흐름에 따라 늙을 수밖에 없는 인간의 삶에 서글픔을 느끼고 있으나, 이에 괴로워하지 않고 이러한 순리를 달관적 태도로 여유롭게 받아들이고 있다.

왜 오답일까 ①, ③ (나)의 화자는 '바룸'을 빌려서 흰머리를 녹여 젊음을 되찾고자 하고 있고, 〈보기〉의 화자는 늙는 길을 '가싀'로 막고 백발을 '막디'로 쳐서 늙는 것을 막아 보려 하고 있다.

② (나)의 '히무근 서리'는 흰머리를 빗댄 시어로, 〈보기〉의 '백발'과 같은 의미이다.

⑤ 〈보기〉에서는 '백발'을 의인화하여 시간의 흐름을 막을 수 없다는 인식을 드러내고 있다.

엮인 작품 더 알기

우탁, 「훈 손에 막디 잡고」 ▶해법문학 Link 고전 시가 96쪽

작품 해제 늙는 것을 피하고자 하지만 흐르는 세월 앞에 어찌할 수 없는 인간의 마음을 해학적으로 노래한 시조로, 인생무상의 서글픔을 여유롭게 받아들이는 달관의 태도가 나타나 있다.

기출 작품 딥러닝

㉮ 이정보, 「국화야 너는 어이」 ▶해법문학 Link 고전 시가 196쪽

작품 해제 낙엽이 떨어지는 추운 겨울에 홀로 피는 국화를 의인화하여 예찬한 시조로, 꿋꿋하게 절개를 지키며 살겠다는 화자의 의지가 강조되어 있다.

핵심 포인트 국화에 대한 예찬

국화(오상고절)	↔	일반적인 꽃
춥고 쓸쓸한 낙목한천에 피어남.		따뜻하고 평온한 삼월 동풍에 피어남.

⬇

서릿발이 심한 상황에서도 굴하지 않고 피어나는 국화의 지조와 절개 예찬

㉰ 최치원, 「촉규화」 ▶해법문학 Link 고전 시가 58쪽

작품 해제 당나라 유학 시절 최치원이 지었다고 전해지는 5언 율시의 한시로, 출신상의 한계로 평범하게 살아야 했던 작가의 처지를 자연물에 빗대어 표현하고 있다.

핵심 포인트 시어의 비유적 의미

꽃(촉규화)	화자 자신
쓸쓸하게 황량한 밭	당나라(화자가 머물고 있는 공간)
향기	화자의 완숙한 학문적 경지
수레나 말 탄 사람	임금이나 고관대작
벌이나 나비들	하찮은 사람들

07 (가)에서는 '국화', '낙목한천'을 통해 가을이라는 계절적 배경을, (나)에서는 '이화', '일지 춘심'을 통해 봄이라는 계절적 배경을, (다)에서는 '매우', '맥풍' 등의 시어를 통해 초여름이라는 계절적 배경을 드러내어 시적 분위기를 조성하고 있다.

왜 오답일까 ① (가), (다)에는 청각적 심상이 나타나 있지 않다.

③ (가)에서는 '국화'에게 말을 건네는 말투로 친밀감을 드러내고 있지만, (나)와 (다)에는 대화체가 나타나 있지 않다.

④ (다)의 '수레나 말을 탄 사람 그 뉘가 보아 줄까?'에 설의적 표현이 나타나지만, 이는 자신의 탁월한 능력을 알아주는 이가 없는 처지에 대한 한스러움과 냉소를 강조하여 드러내기 위한 것이다.

08 (가)에서 '삼월 동풍'은 꽃이 피기 좋은 따뜻한 봄으로, 평온하고 순탄한 시절을 의미한다. (나)에서 '삼경'은 밤 11시에서 새벽 1시 사이의 깊은 밤으로, 봄밤의 애상과 우수를 느낄 수 있는 시간적 배경을 나타낸다.

왜 오답일까 ① (가)의 '네 홀로'는 다른 꽃들과 달리 낙목한천에 피어나는 국화의 속성을 드러내는 표현이다.

② (나)에서 화자가 밝은 달빛을 받은 '이화'를 바라보며 느낀 애상감과 우수는 '자규'의 울음소리를 매개로 더욱 심화된다.

④ (가)의 '오상고절'은 서릿발이 심한 상황에서도 굴하지 아니하고 외로이 지키는 절개로, 국화의 굳건한 절개를 드러내는 시어이다. (나)의 '다정'은 봄밤의 분위기에 취해 잠들지 못하는 화자의 애상적 정서를 드러내는 시어이다.

⑤ (가)의 '너뿐인가 하노라'에는 국화를 예찬하는 화자의 태도가, (나)의 '잠 못 들어 하노라'에는 애상과 우수의 감흥에 젖어 잠들지 못하는 화자의 모습이 나타나 있다.

09 〈보기〉에서는 최치원이 출신상의 한계로 세상에 크게 쓰이지 못한 채 평범한 사람들 속에서 살아야 할 때가 많았다고 하였다. 이러한 내용을 고려할 때, 화자를 의미하는 '촉규화'를 엿보는 '벌이나 나비들'은 평범하거나 하찮은 사람들을 가리킨다. 따라서 ㉣은 자신을 등용해 줄 위치에 있는 사람들이 아닌, 평범한 사람들을 뜻한다.

08 명분과 현실의 대립

36~37쪽

01 ③ 02 ③ 03 ① 04 ③ 05 ②

㉮ 작품 해제 고려에서 조선으로의 왕조 교체기 때 이방원이 고려의 충신이던 정몽주를 회유하기 위해 지은 시조로, 「하여가(何如歌)」로 불린다. 비유와 상징을 통해 정치적 의도를 표현하고 있다.

㉯ 작품 해제 「하여가」에 대한 정몽주의 답가로, 「단심가(丹心歌)」라고도 불린다. 직설적인 언어와 반복적인 표현을 사용하여 고려 왕조에 대한 변함없는 충성심을 표현하고 있다.

01 (가)에서는 '엇더ᄒᆞ며(엇더하료, 엇더ᄒᆞ리)'를 반복하여 상대방을 회유하려 하고 있고, (나)에서는 '주거'를 반복하여 자신의 굳은 의지를 강조하고 있다.

왜 오답일까 ② (나)에는 문장의 뜻을 점점 강하게 하거나 크게 하여 화자의 의지를 드러내는 점층적 표현이 나타나 있지만, 연쇄적 표현은 쓰이고 있지 않다.

02 〈보기〉에 따르면, (가)는 조선을 개국한 이방원이 고려의 충신 정몽주를 회유하기 위해 지은 시조이다. (가)의 화자는 칡덩굴이 서로 얽히며 자라나는 자연의 섭리처럼 우리도 서로 어울려 한평생을 살아가자고 설득하고 있으므로, ③의 내용은 적절하지 않다.

03 (가)의 화자는 초장에서 이렇게 산들 어떠하며 저렇게 산들 어떠하겠느냐고 말하고 있다. '이런들'과 '져런들'은 이쪽과 저쪽을 구분할 필요가 없다는 화자의 생각을 나타내는 시어이다.

04 [A]의 화자는 조선의 개국에 협조한 자신을 '가마귀'에, 겉과 속이 다른 고려 유신을 겉은 희고 속은 검은 '백로'에 비유하여 표리부동(表裏不同)의 태도를 경계하고 있다.

왜 오답일까 ① 동병상련(同病相憐): 어려운 처지에 있는 사람끼리 서로 가엾게 여김.

② 부화뇌동(附和雷同): 줏대 없이 남의 의견에 따라 움직임.

④ 유유상종(類類相從): 같은 무리끼리 서로 사귐.

⑤ 배은망덕(背恩忘德): 남에게 입은 은덕을 저버리고 배신하는 태도가 있음.

엮인 작품 더 알기

이직, 「가마귀 검다 ᄒᆞ고」 ▶해법문학 Link 고전 시가 97쪽

작품 해제 조선의 개국에 참여한 고려 유신인 작가가 자신의 행위를 정당화하기 위해 지은 시조로, 검은 까마귀와 하얀 백로를 대조하여 겉과 속이 다른 소인배를 비난하고 있다.

05 '일편단심(一片丹心)'은 임금에 대한 변함없는 충성심 및 화자의 지조와 절개를 의미한다. ②는 죽어서도 변하지 않는 굳은 절개를 노래한 시조로, '독야청청' 역시 화자의 지조와 절개를 의미한다.

왜 오답일까 ① 망국의 한과 인생무상을 표현한 시조로, '태평연월'은 고려의 전성기를 의미한다.

③ 무인의 호탕한 기개를 노래한 시조로, '긴 ᄑᆞ람 큰 ᄒᆞᆫ 소리'는 대장부의 호방한 기상을 의미한다.

④ 아름다운 자연에 순응하며 순리대로 살아가려는 마음을 노래한 시조로, '천석고황'은 자연의 아름다운 경치를 몹시 사랑하고 즐기는 버릇을 뜻한다.

⑤ 가을 달밤의 풍류와 정취를 노래한 시조로, '무심한 달빛'은 부와 권력 같은 세속적인 가치를 추구하지 않는 자연을 의미한다.

09 ㉮ 송인 ㉯ 사리화 38~39쪽

01 ④ 02 ④ 03 ⑤ 04 ② 05 ⑤ 06 ④

㉮ 작품 해제 정지상이 쓴 칠언 절구의 한시로, 자연사와 인간사의 대조 및 물의 이미지를 활용하여 이별의 정한을 표현하고 있다.

㉯ 작품 해제 이제현이 쓴 칠언 절구의 한시로, 탐관오리가 백성들을 수탈하는 것을 참새가 백성들이 애써 지은 곡식을 쪼아 먹는 것에 빗대어 풍자하고 있다.

01 (나)의 화자는 참새에게 말을 건네는 방식을 취하고 있을 뿐, 화자와 참새 사이의 대화는 나타나 있지 않다.

왜 오답일까 ① (가)는 1구와 3구에서 아름다운 자연의 풍경을, 2구와 4구에서 임과 이별하는 화자의 정서를 드러내고 있다.

② (가)의 3구와 4구에서 문장의 순서가 뒤바뀌어 있는데, 이렇게 도치의 방식으로 시상을 마무리하여 여운을 유발하고 있다.

③ (나)는 참새가 가을 들판을 날아다니며 곡식을 먹는 것을 탐관오리가 농민을 수탈하는 상황에 빗대어 세태를 우의적으로 비판하고 있다.

⑤ (가)와 (나) 모두 한 구가 7개의 한자로, 전체 작품이 4구로 구성되어 있는 7언 절구의 한시이다.

02 ㉣(대동강 물)은 이별의 눈물과 동일시되는 대상이자 화자의 눈물로 인해 마르지 않는 대상일 뿐, 화자의 감정이 이입되어 있는 대상은 아니다.

왜 오답일까 ① ㉠(풀빛)은 화자의 슬픔과 대비되어 이별의 정한을 심화하고 있다.

② ㉡(남포)는 화자가 임을 떠나보내는 공간이다.

⑤ ㉤(다 없애다니)에서 농민의 땀의 결실인 곡식을 먹어 치우는 참새에 대한 탄식과 원망이 나타나고 있다.

03 (가)의 결구(結句)는 이별을 슬퍼하며 흘리는 눈물이 대동강의 푸른 물결에 해마다 더해진다는 의미이므로, 현실에 대한 무상감이 푸른 물결과 대응한다는 설명은 적절하지 않다.

왜 오답일까 ① 결구의 '푸른 물결'과 기구의 '풀빛'은 모두 푸른색의 이미지로, 시각적으로 어울린다.

②, ③ 대동강의 깊은 강물을 이별의 눈물과 동일시하여 '이별 눈물' 때문에 대동강 물이 마르지 않을 것이라고 과장하여 표현함으로써 이별의 슬픔을 강조하고 있다.

04 (나)의 화자는 권력자들의 부당한 착취로 궁핍하고 힘들게 살아야 하는 농민의 처지를 안타까워하고 있다.

왜 오답일까 ① (나)의 화자가 현실을 부정적으로 인식하고 있지만, 이에 대한 적극적인 극복 의지를 드러낸 것은 아니다.

05 (가)에서는 비가 그친 뒤 더욱 짙어진 풀빛과 임과 이별한 화자의 상황을 대비하여 이별의 정한을 더욱 심화하고 있다. 〈보기〉에서는 생동감 넘치는 봄의 풍경과 임과 사별한 화자의 상황을 대조하여 임에 대한 그리움과 슬픔을 강조하여 드러내고 있다.

왜 오답일까 ② (가)의 '대동강 물이야 언제나 마르려나'에 설의적 표현이 나타나 있지만, 〈보기〉에는 설의적 표현이 쓰이지 않았다.

④ 〈보기〉에서는 '이 비 그치면 ~것다'와 같이 유사한 통사 구조를 반복하고 있다. 하지만 (가)에서는 유사한 통사 구조가 반복되고 있지 않다.

엮인 작품 더 알기

이수복, 「봄비」

작품 해제 머지않아 다가올 아름다운 봄날의 모습을 상상하면서, 사별한 임에 대한 애잔한 슬픔과 그리움을 노래한 현대 시이다. 화자는 아지랑이를 임 앞에 타오르는 향불의 연기와 연결지어 애상감을 표현하고 있다.

06 (나)의 '늙은 홀아비'는 힘없고 순박한 농민으로 화자에게 연민을 불러일으키는 대상이고, 〈보기〉의 '이방'은 백성을 착취하는 권력층으로 화자가 비판하는 대상이다.

왜 오답일까 ① '가렴주구'는 세금을 가혹하게 거두어들이고, 무리하게 재물을 빼앗는 것을 뜻하는데, (나)와 〈보기〉 모두 백성을 수탈하는 지배층의 횡포가 나타나 있다.

③, ⑤ (나)는 농민을 수탈하는 탐관오리를 참새에 빗대어 주제를 우회적으로 드러내고 있으며, 〈보기〉는 탐관오리인 황두의 횡포를 직설적으로 고발하고 있다.

엮인 작품 더 알기

정약용, 「탐진촌요」 ▶해법문학 Link 고전 시가 304쪽

작품 해제 정약용이 지은 칠언 절구의 한시이다. '탐진'은 정약용이 귀양살이 한 전남 강진의 옛 이름으로, 작가는 그곳에서 농민들의 어려운 삶을 목격하고 농민의 생활고를 가중하는 탐관오리의 횡포를 고발하는 시를 썼다.

조선 시대

10 용비어천가 42~43쪽

01 ① 02 ④ 03 ③ 04 ⑤ 05 ③

작품 해제 세종이 정인지, 권제, 안지 등에게 명하여 편찬한 악장으로, 조선을 건국한 육조(六祖)의 사적을 찬양함으로써 새 왕조 창업의 정당성을 강조하고 있다.

현대어 풀이 우리나라의 여섯 용(임금)이 나시어 하신 일(개국 창업)마다 하늘이 내리신 복이시니 / (그래서) 옛날 (중국의) 성인이 하신 일들과 부절을 합친 것처럼 꼭 맞으시니 〈제1장〉
뿌리가 깊은 나무는 바람에도 흔들리지 아니하므로 꽃이 좋고 열매도 많으니
샘이 깊은 물은 가뭄에도 그치지 않고 솟아나므로 내가 되어서 바다에 이르니 〈제2장〉
주국 대왕(주나라의 시조인 고공단보)이 빈곡에 사시어 제업을 여시니
우리 시조가 경흥에 사시어 왕업을 여시니 〈제3장〉
네 분의 할아버지(이성계의 네 조상)가 편안히 못 계시어 몇 곳을 옮기셨습니까? 몇 간 집에 사셨습니까?
구중궁궐 깊은 곳에 드시어서 태평을 누리실 적에 이 뜻(개국 과정에서 조상들이 겪었던 고초)을 잊지 마십시오. 〈제110장〉
천 년 전에 미리 정하신 한강 북쪽 땅에 (여러 대에 걸쳐) 어진 일을 쌓고 나라를 여시어 점지받은 나라의 운수가 끝이 없으시니
(그렇지만) 성스럽고 신령스런 임금이 왕위를 이으셔도 하늘을 공경하고 백성을 위하여 힘쓰셔야 나라가 더욱 굳건할 것입니다.
임금이시여 아소서. (하나라 태강처럼) 낙수에 사냥 가서 할아버지(우왕)의 공덕만을 믿었던 것입니까? 〈제125장〉

01 윗글에서는 조선 왕조의 창업이 하늘의 뜻에 의한 것임을 밝히고 조선을 건국한 육조(六祖)의 사적을 언급함으로써 조선 건국의 정당성을 부각하고 있다. 하지만 조선 왕들의 인품과 업적을 중국에 알려 조선 건국의 정당성을 부각하고 있지는 않다.

02 〈제3장〉의 전절에는 '주국 대왕', 즉 주나라 시조인 고공단보의 일화가 제시되어 있다. 하지만 〈제110장〉의 전절에는 중국의 황제나 위인과 관련된 고사가 나타나 있지 않다.
왜 오답일까 ① 〈제1장〉은 1절 3구로 이루어져 있다.
②, ③ 〈제1장〉과 〈제3장〉에서는 중국 고사 속 성군과 조선 왕실의 조상이 업적과 능력 면에서 비슷하다는 것을 대구하여 강조함으로써 조선 개국의 정당성을 부각하고 있다. 한편, 〈제2장〉에서는 나라를 자연 현상에 비유하고 있다.
⑤ 〈제110장〉에서는 왕조 창업의 어려움을 잊지 말 것을, 〈제125장〉에서는 백성들을 위해 근면히 생활할 것을 권하고 있다.

03 ㉢의 'ᄉᆡ미 기픈 믈'은 유서 깊은 나라를 의미하는 표현으로 조선 왕조가 이처럼 오랫동안 유지되기를 송축하고 있는 것이다.
왜 오답일까 ① '고성(古聖)'은 '옛 성인'이라는 뜻으로 중국의 역대 성군을 일컬으며, '동부(同符)ᄒᆞ다'는 '꼭 들어맞는다'는 뜻이다. 하늘의 뜻에 따라 천자의 자리에 앉은 중국의 임금들처럼 우리나라의 임금들도 하늘의 뜻에 따라 왕이 되었다는 것을 밝힌 것이다.
② '불휘 기픈 남ᄀᆞᆫ'은 기초가 튼튼한 나라를 비유한 표현으로, 'ᄇᆞᄅᆞᆷ'은 이러한 나라를 흔들려고 하는 국가적 시련이나 고통을 의미한다.
⑤ '구중'은 임금이 있는 대궐 안을 이르는 말로, 왕조를 창업한 선조들의 고난을 잊지 말아야 하는 공간에 해당한다.

04 〈제2장〉은 자연 현상을 들어 이상적인 나라의 모습에 비유하고 있으나 이를 인간의 삶과 대조하고 있지는 않다. 〈제125장〉은 태강왕 고사를 언급하여 후세 왕들에게 교훈을 전하고 있을 뿐 자연 현상과 대조된 인간의 삶이 나타나지는 않는다. 그러므로 〈제2장〉과 〈제125장〉은 모두 자연 현상과 인간의 삶을 대조적으로 보여 주고 있지 않다.
왜 오답일까 ② 〈제125장〉의 '하나빌 미드니잇가'에서 설의적 표현을 통해 후왕에 대한 권계의 의도를 강조하고 있다.
③ 〈제125장〉은 '님금하'에 돈호법이 사용되어 청자가 명확하게 나타나 있다.
④ 〈제125장〉에서는 '천세', '누인개국', '복년', '성신', '경천근민', '낙수' 등 비교적 한자어의 사용이 많지만, 〈제2장〉에서는 한자어를 사용하지 않고 순우리말을 구사하여 어감을 살리고 있다.

05 '경천근민'은 하늘을 공경하고 백성을 다스리는 데 부지런해야 한다는 뜻으로, 후대의 왕에게 권계하는 내용에 해당한다.

11 자연을 누리는 삶 44~45쪽

01 ④ 02 ③ 03 ⑤ 04 ④ 05 ④ 06 ⑤

㉮ 작품 해제 자연과 하나가 되어 풍류를 즐기는 삶을 노래한 시조로, 의인법을 통해 물아일체적 삶과 안분지족의 생활 태도를 노래하고 있다.

㉯ 작품 해제 자연 속에 묻혀 유유자적하게 살고 싶은 마음을 노래한 시조로, 대구를 통해 주제를 효과적으로 표현하고 있다.

㉰ 작품 해제 김수장이 지닌 가객으로서의 자부심이 드러난 시조로, 흰 구름을 의인화하여 물아일체의 경지를 나타내고 있다.

01 (나)의 초장과 중장에서 종결 어미 '-(이)로다'가 쓰였고, 종장에서 '-리라'로 변화하였는데, 이는 화자의 반성적 태도를 드러내는 것이 아니라 화자의 다짐을 강조하는 표현 효과가 있다.
왜 오답일까 ① (가)에서 가까운 '초려 삼간'에서 주변의 '강산'으로 시선을 이동하며 시상을 전개하고 있다.
② (가)에서는 '초려 삼간' 등의 시각적 이미지를 통해 소박한 삶의 모습을 드러내고 있다.
③ (나)의 초장과 중장에서 '~업슨 ~이오 ~업슨 ~(이)로다'와 같은 문장 구조를 반복하여 리듬감을 형성하고 있다.
⑤ (다)의 종장은 '어느 누가 이 좋은 삶을 아는 사람이 있다 하겠는가?'라는 뜻으로, 의문형 문장을 통해 자연에 묻혀 지내는 화자의 만족감을 강조하고 있다.

02 (가)의 화자는 '돌'과 '청풍'에게 인격을 부여하여 초려 삼간 중 방 하나씩을 나누어 함께 살겠다고 하였으며, (나)의 화자는 '청산'에게 인격을 부여하여 말이 없다고 표현하며 이러한 자연 속에서 늙고 싶다고 하였다.

왜 오답일까 ①, ④ (가)의 '십 년을 경영ᄒᆞ여'에서 (가)의 화자가 자연에서의 삶을 자발적으로 준비하고 계획했음을 알 수 있다. 따라서 '경영'을 현실 정치에 대한 미련으로 해석하는 것은 적절하지 않다.
⑤ (가)에서는 '초려 삼간'이라는 시어를 통해 자연 속에서의 소박한 삶을 추구하겠다는 의지를 보여 주고 있다. (나)에서 '갑 업슨'은 자연이 특정인의 소유물이 아니라 누구나 공평하고 자유롭게 누릴 수 있는 대상임을 나타낸 것이다.

03 (다)의 화자는 자연에 묻혀 조용하게 지내면서 풍류를 즐기는 삶을 살고 있다. (나)의 화자가 이와 같은 삶을 지향한다면 ⓐ(분별 업시 늘그리라)는 자연과 물아일체가 되어 살아가겠다는 의지를 드러낸 것으로 볼 수 있다.

04 ㉣(백운이 절로 존다)에서 '백운'은 화자의 노랫소리와 조응하는 시적 대상으로, 화자가 보고 있는 자연의 일부일 뿐 스스로를 표현한 말로 볼 수 없다.

05 (다)에서는 '평조 한닙'이라는 청각적 이미지를 활용하여 화자의 만족감을 드러내고 있고, 〈보기〉에서는 '곡구롱 우는 소리'라는 청각적 이미지를 활용하여 화자의 한가로운 일상과 평화로운 심정을 드러내고 있다.

왜 오답일까 ① (다)에서만 선경후정의 방식이 나타나 있다.
② 〈보기〉의 종장에서 화자의 아내가 술을 거르며 맛보라고 하였지만, 이를 대상과의 대화가 삽입된 것으로 보기는 어렵다.
③ (다)의 '백운이 절로 존다'에서 의인법을 통해 자연과 인간의 조화 의식을 드러내고 있으나, 〈보기〉에는 의인화된 표현이 쓰이고 있지 않다.

엮인 작품 더 알기

오경화, 「곡구롱 우는 소리에」 ▶해법문학 Link 고전 시가 200쪽

작품 해제 낮잠을 자다가 꾀꼬리 우는 소리에 깨어 일어나 바라본 가족의 모습을 그린 사설시조이다. 시각적, 청각적 이미지를 활용하였으며, 중장과 종장에서 가족의 일상을 열거하고 있다.

06 '고립무원(孤立無援)'은 '고립되어 구원받을 처지가 없음.'을 뜻한다. ①~④는 모두 자연 친화적 의식을 드러내는 한자 성어이다.

왜 오답일까 ① 안빈낙도(安貧樂道): 가난한 생활을 하면서도 편안한 마음으로 도를 즐겨 지킴.
② 유유자적(悠悠自適): 속세를 떠나 아무 속박 없이 조용하고 편안하게 삶.
③ 연하고질(煙霞痼疾): 자연의 아름다운 경치를 몹시 사랑하고 즐기는 성벽(性癖)
④ 풍월주인(風月主人): 맑은 바람과 밝은 달 따위의 아름다운 자연을 즐기는 사람

12 사랑과 이별

46~48쪽

01 ① 02 ⑤ 03 ② 04 ② 05 ④ 06 ② 07 ④ 08 ④

㉮ 작품 해제 자존심과 연정 사이에서 겪는 갈등을 우리말로 절묘하게 표현한 시조로, 이별의 회한(悔恨)과 그리움이 드러나고 있다.

㉯ 작품 해제 헤어진 임에 대한 그리움을 드러낸 시조로, 봄에서 가을로의 시간의 흐름과 하강적 이미지를 활용하여 정서를 심화하고 있다.

㉰ 작품 해제 임이 자신을 잊지 않기를 바라는 마음을 노래한 시조로, '묏버들'을 화자의 분신으로 활용하고 있다.

01 (가)의 '보내고 그리ᄂᆞᆫ 정', (나)의 '이별ᄒᆞᆫ 님~저도 날 싱각ᄂᆞᆫ가', (다)의 '새닙곳 나거든 날인가도 너기쇼셔'에 근거할 때, (가)~(다)의 화자는 이별의 정한을 드러내고 있다.

왜 오답일까 ④ (가)의 '제 구ᄐᆡ여'를 참고할 때, 화자는 이별의 상황을 미리 알고 있었다고 볼 수 있다.

02 ㉤(새닙곳 나거든)은 '새잎이 나면'이라는 뜻으로, 화자가 임에게 보낸 묏버들에 새잎이 나면 자신을 기억해 달라는 안타까운 소망을 투영한 시구이다.

왜 오답일까 ① ㉠(어져 내 일이야)에서 감탄사 '어져'를 활용하여 감정을 집약적으로 드러내고 있다.
② ㉡(이시라 ᄒᆞ더면)은 '있으라고 했다면'이라는 뜻으로, 현재 화자는 이별한 상태이므로 실제 상황과 다른 상황을 가정해 후회하는 마음을 드러낸다고 볼 수 있다.
③ ㉢(추풍낙엽)에서 시간적 배경이 가을임을 알 수 있으며, 임과 이별한 봄에서 가을로 시간이 흘렀음을 드러내고 있다.
④ ㉣(보내노라 님의손ᄃᆡ)은 '임에게 보내노라'라는 뜻으로 말의 순서를 바꾸어 변화를 주고 있다.

03 '제 구ᄐᆡ야'는 행동의 주체를 중의적으로 표현하여 화자의 복잡한 심경을 드러낸 것이다. 구태여 가는 임으로 해석하든 구태여 보내고 그리워하는 자신으로 해석하든 이별은 필연적인 것이고 그 이별의 책임을 따져 묻는 것이 의미가 없다는 생각이 함축되어 있는 것으로 볼 수 있다.

04 '이화우'는 하얀 배꽃을 뜻하며 '님'과의 이별이 봄에 일어났음을 알려 준다. 또한 '추풍낙엽'과 대비하여 봄에 한 이별의 상황이 가을까지 지속되고 있음을 알 수 있다.

왜 오답일까 ① 〈보기〉의 내용으로 볼 때, (나)는 여성 작자인 계랑이 자신이 실제 겪었던 경험을 바탕으로 한 작품임을 알 수 있다.
③ '저도 날 싱각ᄂᆞᆫ가'에서는 임이 자신을 그리워하고 있는지 궁금해하며 임을 그리워하는 화자의 모습이 드러난다.
④ '천 리'라는 시어를 통해 헤어진 임과의 거리감을 표현하고 있다.
⑤ '꿈'에서라도 헤어진 임을 만나고 싶어 하는 모습을 통해 화자의 외로움을 드러내고 있다.

05 임진왜란은 두 사람이 헤어지고도 한참 뒤인 최경창이 죽은 뒤에 일어난 사건이므로 두 사람의 사랑에 장애가 되었다고 볼 수 없다.

기출 작품 딥러닝

㉯ 안민영, 「임 이별하올 져긔」

[작품 해제] 절뚝이는 나귀를 통해 임과 함께하는 시간을 연장하고픈 바람을 드러낸 시조로, 이별의 순간에 느끼는 화자의 슬픔이 감각적으로 드러나고 있다.

[핵심 포인트] **'나귀'의 기능**

져는 나귀 — 다리를 젊. → 걸음이 느림.

↓

임의 얼굴을 자세히 볼 수 있음.

↓

임과 함께하는 시간을 연장하고 싶은 마음

㉰ 박문욱, 「내게는 원수가 업서」

[작품 해제] 개와 닭에게 잘 풀리지 않는 사랑의 책임을 전가한 사설시조로, 임을 그리워하는 마음을 해학적으로 표현하고 있다.

[핵심 포인트] **해학적 표현**

개, 닭 — 임을 떠나게 하는 방해물

↓

개와 닭의 훼방을 과장스럽고 해학적으로 묘사해 임에 대한 그리움을 드러냄.

06 (가)와 (다)는 부재하는 임에 대한 그리움을, (나)는 임과 이별하는 순간의 아쉬움과 안타까움을 나타내고 있다. 이러한 그리움과 아쉬움은 모두 임과 함께하지 못하는 상황 때문이다. 따라서 (가)~(다) 모두 임과 함께하고 싶은 소망을 담고 있다고 볼 수 있다.

07 (나)의 '가노라 돌쳐셜 제'는 가겠다고 돌아서는 임의 모습으로, 임은 다리를 저는 나귀를 타고 있으므로 임이 빠르게 멀어진다는 이해는 적절하지 않다.

[왜 오답일까] ① '어져'는 감탄사로 영탄적 표현에, '모로ᄃᆞ냐'는 '몰랐던가?'라는 물음으로 설의적 표현에 해당한다. 이를 통해 화자는 임을 떠나보낸 것을 후회하는 마음을 드러내고 있다.

② '보내고 그리ᄂᆞᆫ 정'에서 임을 보낸 행위와 보내고 그리워하는 심리를 대비하고 있다.

③ 나귀가 다리를 절어 속도가 느려지면 임과 이별도 그만큼 천천히 진행되기 때문에, 화자는 '져는 나귀 한치 마소'라고 말한 것이다.

⑤ '꽃 아릭 눈물 젹신 얼골'에서 시각적, 촉각적 이미지가 느껴지며, 이를 통해 이별의 슬픔과 안타까움이 드러나고 있다.

08 (다)는 임의 부재로 인한 슬픔을 개와 닭을 이용하여 해학적으로 드러내고 있는 작품이다. 개와 닭은 임과의 만남을 방해하는 원망의 대상으로 나타나며, 화자는 이들을 없애겠다는 의지를 보이고 있지만 상황을 가정하고 있지는 않다.

엮인 작품 더 알기

작자 미상, 「춘향가」 ▶해법문학 Link 고전 산문 290쪽

[작품 해제] 판소리 다섯 마당 가운데 하나이다. 표면적으로는 이몽룡과 춘향의 신분을 뛰어넘는 사랑을 다루고 있지만, 그 이면에는 신분의 제약을 벗어난 인간 해방과 불의한 지배층에 대한 서민들의 저항 의지를 담아내고 있다.

13 옛 왕조에 대한 그리움

49~51쪽

01 ② 02 ④ 03 ① 04 ② 05 ④ 06 ① 07 ⑤ 08 ② 09 ②

㉮ [작품 해제] 고려의 옛 도읍지를 돌아보면서 느끼는 감회를 노래한 회고가(懷古歌)의 대표작으로, 망국의 한과 안타까움이 잘 드러나 있다.

㉯ [작품 해제] 고려의 충신이었던 작가가 잡초가 우거진 고려의 옛 궁궐터를 돌아보며 지은 시조로, 지난날을 회고하고 세월의 덧없음을 노래하고 있다.

㉰ [작품 해제] 고려 왕조에 대한 충절을 드러낸 시조로, 눈 속에서 푸르름을 잃지 않는 대나무를 통해 화자의 절개를 강조하고 있다.

01 (가)는 시각적 이미지를 통해 고려 왕조의 멸망에 대한 탄식을 드러내고 있을 뿐, 공감각적 이미지는 쓰이지 않았다.

[왜 오답일까] ① (가)에서 '산천(자연)'과 '인걸(인간사)'을 대조하여 인생무상의 정서를 드러내고 있다.

③ (나)에서 멸망한 고려 왕조를 '추초'에 빗대 화자의 무상감을 드러내고 있다.

④ (나)의 '석양'은 하루해가 저무는 시점과 고려 왕조의 몰락이라는 의미를 지닌 중의적인 표현이다.

⑤ (다)에서 '디(대나무)'를 '너'라고 표현하며 높은 절개를 지닌 존재인 대나무를 화자 자신과 동일시하고 있다.

02 (다)의 '눈 속의 프를소냐'는 눈 속에서도 푸르름을 유지하고 있는 대나무의 절개를 강조하는 말로, 이와 같은 태도를 유지하겠다는 화자의 의지를 담은 표현이나 새 왕조에 협력하는 사람들을 원망하는 뜻으로 쓴 표현은 아니다.

03 (가)~(다)에서는 멸망한 고려에 대한 그리움과 충성심이 드러나므로, 고국의 멸망을 한탄한다는 의미의 '맥수지탄(麥秀之嘆)'이 가장 적절하다. 이는 기자(箕子)가 은(殷)나라가 망한 뒤에도 보리만은 잘 자라는 것을 보고 한탄하였다는 데서 유래한 한자 성어이다.

[왜 오답일까] ② 수구초심(首丘初心): 고향을 그리워하는 마음을 이르는 말

③ 일장춘몽(一場春夢): 헛된 영화나 덧없는 일을 비유적으로 이르는 말

④ 타산지석(他山之石): 본이 되지 않은 남의 말이나 행동도 자신의 지식과 인격을 수양하는 데에 도움이 될 수 있음을 비유적으로 이르는 말

⑤ 표리부동(表裏不同): 겉으로 드러나는 언행과 속으로 가지는 생각이 다름을 이르는 말

04 ㉠(인걸)은 고려의 인재를, ㉡(디)은 고려에 대한 지조와 절개를 지키는 충신을 상징하므로 ㉠과 ㉡은 모두 화자가 긍정적으로 생각하는 대상이라 할 수 있다.

05 (가)는 시조의 형식인 4음보를 통해 작가의 생각을 표현하고 있다. 사대부들의 사상을 표현하기에는 간결하고 안정적인 시조의 4음보 형식이 더 적합했다는 내용을 〈보기 1〉에서 찾아볼 수 있다.

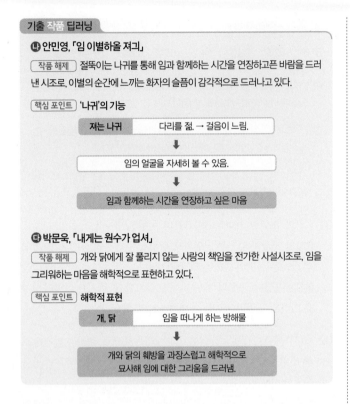

왜 오답일까 ② (가)에는 '오백 년 도읍지', 〈보기 2〉에서는 '반천 년 왕업'을 언급하며 오래 유지된 고려의 위업을 회상하고 있다.
⑤ (가)에서는 고려 왕조의 영광을 회상하면서 인생무상을 드러내는 반면 〈보기 2〉에서는 고려의 멸망을 돌이킬 수 없는 역사의 흐름으로 보고, 무상감에서 벗어나 현실에 충실해야 함을 드러내고 있다.

엮인 작품 더 알기

정도전, 「선인교 나린 물이」 ▶해법문학 Link 고전 시가 126쪽

작품 해제 조선의 개국 공신인 정도전이 지은 시조이다. '물소리'를 통해 고려 왕업의 무상함을 드러내면서도, 고려의 패망을 역사의 흐름으로 보는 관점을 통해 무상감을 극복하려는 태도를 보이고 있다.

기출 작품 딥러닝

㉮ 왕방연, 「천만리 머나먼 길히」 ▶해법문학 Link 고전 시가 132쪽

작품 해제 세조의 왕위 찬탈로 폐위된 단종을 영월로 압송하는 임무를 맡았던 작가가 자신의 죄책감을 시냇물에 이입하여 드러낸 시조이다.

핵심 포인트 **감정 이입을 통한 정서 표현**

'나'		물
고운 임과 이별함. 슬픔, 울음소리	감정 이입 ➡	'나'와 같음. 슬픔, 냇물소리

㉯ 임제, 「청초 우거진 골에」 ▶해법문학 Link 고전 시가 138쪽

작품 해제 작가가 평안도 도사로 부임하러 가는 길에 황진이의 무덤에 들려 인생의 허무함을 읊은 시조이다.

핵심 포인트 **색채 대비를 통한 비애감의 표현**

청초 (푸른색)	홍안 (붉은색)	백골 (흰색)

⬇

색채가 대비되는 시어 배열
무상감, 비애감의 극대화

06 (가)에서는 '고은 님'과 헤어진 것에 대한 안타까움이, (나)에서는 '잔 자바 권ᄒᆞᆯ 이'가 없는 것에 대한 안타까움이, (다)에서는 망한 고려 왕조에 대한 안타까움이 나타나 있다.

07 '잔 자바 권ᄒᆞᆯ 이 업스니'에서는 대상의 부재로 인한 상실감, 슬픔, 안타까움의 정서 등이 드러나 있다. 각박한 세태와는 관련이 없다.
왜 오답일까 ① 이별한 임과의 거리가 '천만리'라고 과장하여 돌이킬 수 없는 이별의 상황을 강조하고 있다.
② 화자 자신이 울고 있다고 하지 않고, '져 물'을 'ᄂᆡ ᄋᆞᆫ'과 동일시하여 슬픔을 표현하고 있다.
④ 생전의 아름답고 생기 있던 얼굴인 '홍안'과 사후의 '백골'을 대비하여 화자가 느끼는 인생의 무상감을 표현하고 있다.

08 ㉡(청초)은 '백골'과 대조되어 유한한 인간의 삶과 대조되는 무한한 자연을 상징하는 반면, ㉢(추초)은 마른 풀로써 쇠락한 왕조의 도읍지와 유사한 성격을 지닌 자연물이므로 ②는 적절하다.
왜 오답일까 ① ㉠(냇ᄀᆞ)과 ㉡은 모두 화자의 슬픔을 심화하는 소재이다.
⑤ ㉡은 '홍안', '백골'과 색채 대비를 이루고 있지만, ㉢은 색채 대비를 이루고 있지 않다.

09 (다)의 '만월대'는 고려 왕궁터이며, 이와 대비되는 다른 공간은 제시되어 있지 않다. 하지만 〈보기〉에서는 '홍진(속세)'에 묻혀 사는 다른 이들과 '산림(숲)'에 묻혀 사는 자신을 대비하여 제시하고 있다.
왜 오답일까 ① (다)와 〈보기〉 모두 4음보의 율격을 사용하고 있다.
③ (다)의 '눈물계워ᄒᆞ노라'에서 침울한 분위기를, 〈보기〉에서는 봄을 맞이한 화자의 들뜬 분위기를 느낄 수 있다.
④ (다)의 석양은 고려 왕조의 멸망을 상징하여 화자의 정서를 심화하며, 〈보기〉의 석양은 '도화 행화'와 조화를 이루어 봄의 아름다움을 드러내고 있다.
⑤ (다)에서는 영탄적 어미를 사용하여 혼잣말하고 있고, 〈보기〉에서는 '홍진에 ~ 엇더ᄒᆞᆫ고'처럼 대상에게 질문을 건네고 있다.

엮인 작품 더 알기

정극인, 「상춘곡」 ▶해법문학 Link 고전 시가 156쪽

작품 해제 정극인이 벼슬에서 물러나 고향에 머물며 자연의 아름다움과 그 자연을 즐기는 흥취를 노래한 가사이다. 은일 가사의 첫 작품으로 손꼽히며, 물아일체의 경지와 강호가도의 정서가 잘 드러나 있다.

14 지조와 충절 52~53쪽

01 ⑤ 02 ② 03 ③ 04 ② 05 ③

㉮ 작품 해제 세조가 단종을 폐위하고 왕위에 오르자 이에 항거한 성삼문이 지은 시조로, 중국 고사 속 인물인 백이·숙제와 자신의 절개를 비교하여 굳은 절의를 드러내고 있다.

㉯ 작품 해제 단종과의 이별로 인한 슬픔을 촛불에 빗대어 표현한 시조로, 임금에 대한 충정과 절의를 노래하고 있다.

㉰ 작품 해제 조선 후기의 시조로, 자신의 꿋꿋한 절개를 추운 겨울에 홀로 피는 국화에 빗대어 표현하고 있다.

01 (가)의 '한ᄒᆞ노라', (나)의 '모로도다', (다)의 'ᄒᆞ노라'와 같이 영탄적 표현을 사용하여 지조와 절개를 지키겠다는 화자의 정서를 부각하고 있다.
왜 오답일까 ① (가)에서 백이숙제와 관련된 고사를 활용하고 있으나 삶에 대한 반성을 드러내고 있는 것은 아니며, (나)와 (다)에서 고사를 활용하고 있지 않다.
② (다)의 '국화', '삼월 동풍', '낙목한천'은 계절감을 주는 어휘로, 시적 분위기를 조성하고 있다. 하지만 (가)와 (나)에는 계절감을 주는 어휘가 제시되어 있지 않다.

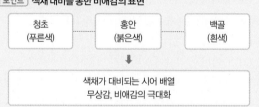

④ (다)에서는 겨울에 홀로 피는 국화를 예찬하여 주제를 드러내고 있으나, (가)와 (나)에는 예찬하는 대상이 나타나 있지 않다.

02 (가)의 화자는 '이제'가 은나라 주왕의 폭정을 막으려 하지 않고 숨어 산 것을 원망한 것이 아니라, 백이와 숙제가 주나라의 땅에서 난 고사리를 먹은 것을 원망한다고 볼 수 있다.

03 〈보기〉에서는 (나)와 달리 '물이 거스리 흐르고져(물이 거슬러 흐른다면)'라는 불가능한 상황을 가정해 임(단종)에게 자신의 슬픔을 전달하고 싶은 화자의 심리를 드러내고 있다.

왜 오답일까 ① (나)는 '날과 갓트여 속 타는 쥴 모로도다'로, 〈보기〉는 '나도 우러 녜리라'로 화자의 심리를 직설적으로 드러내고 있다.

② (나)는 '촛불'을 〈보기〉는 '여흘'을 객관적 상관물로 활용하여 화자의 심리를 드러내고 있다.

④ 윗글의 '모로는고'에서 설의적 표현을 통해 화자의 안타까움이, 〈보기〉의 '보내도다'에서 영탄적 표현을 통해 '님'에 대한 화자의 죄책감이 드러나고 있다.

⑤ (나)에서는 '촛불'이 타는 시각적 심상을, 〈보기〉에서는 '여흘'의 소리인 청각적 심상을 활용하여 화자의 심리를 구체화하고 있다.

엮인 작품 더 알기

원호, 「간밤에 우던 여흘」

작품 해제 작가가 영월에 유배된 단종을 따라 그 가까운 곳에 석실(石室)을 마련하고 지낼 때 지은 시조이다. 이 시에서 '물'은 억울하게 쫓겨난 임금의 슬픔, 그런 임금에 대한 화자의 충절과 그리움이 투영된 대상이다.

04 '삼월 동풍'은 일반적인 꽃들의 개화 시기인 '봄'을 의미한다.

왜 오답일까 ① '국화'는 '오상고절'과 관계있는 대상으로 자연물이면서 '지조, 절개'라는 상징적 의미도 함께 지니고 있다.

③ '낙목한천'은 '국화'의 개화 시기인 늦가을을 가리키는 시어로, 시련 속에서도 피어나는 국화의 가치를 돋보이게 한다.

⑤ '너뿐인가 하노라'에서 '너'는 국화를 의미하므로, 화자가 의인화된 대상을 예찬하고 있다고 볼 수 있다.

05 ㉢(촛불)을 인격화하여 자신이 단종과 이별한 상황의 감정을 촛불에 빗대어 표현하고 있으므로 감정 이입의 기법이 사용된 것이다.

15 어부단가 54~55쪽

01 ⑤ 02 ② 03 ⑤ 04 ④ 05 ③ 06 ③

작품 해제 생업을 떠나 자연을 벗하며 고기잡이하는 풍류객으로서의 어부의 생활을 그린 작품으로, 자연 속에 있으면서도 현실을 지향하는 내면 의식이 드러나 있다.

01 윗글에서는 의성어나 의태어와 같은 음성 상징어가 쓰이지 않았다.

왜 오답일까 ① 화자의 시선이 '만경과'에서 '천심 녹수'와 '만첩청산', '산두'와 '수중', '장안'으로 이동하면서 시상을 전개하고 있다.

② 〈제2수〉의 '굽어보면 천심 녹수 돌아보니 만첩청산', 〈제3수〉의 '청하에 밥을 싸고 녹류에 고기 꿰어', 〈제4수〉의 '산두에 한운 일고 수중에 백구 난다'에 대구가 사용되어 운율을 느끼게 한다.

③ 〈제2수〉의 '천심 녹수', '만첩청산', '십장 홍진', '월백'과 〈제3수〉의 '청하', '녹류'에서 색채 이미지를 사용하여 자연을 드러내고 있다.

④ 〈제1수〉의 '날 가는 줄을 알랴', 〈제3수〉의 '어느 분이 아실까', 〈제5수〉의 '잊은 때가 있으랴', '제세현이 없으랴'에서 설의적 표현이 나타나 있다.

02 〈제5수〉에서 화자는 임금이 계신 '장안'의 '북궐'을 '잊은 때가 있으랴'라고 하였다. 이는 속세를 완전히 잊지 못하고 임금에 대한 걱정을 드러낸 것이나, 자신이 아니더라도 '제세현'이 있을 것이라 여기고 있으므로 임금이 부르면 언제든 돌아가야 한다는 것은 화자의 생각으로 볼 수 없다.

03 '시름'은 '장안'과 '북궐'에서 비롯한 정서로, 임금과 세속 정치에 대한 화자의 걱정을 의미한다. 따라서 '시름'은 우국의 심정을 드러낸 표현이다.

왜 오답일까 ① 〈보기〉에서 작가는 은퇴 후 고향에 돌아와 유유자적하는 삶을 보냈다고 하였다. '어부의 생애'에는 이런 모습이 담겨 있다고 볼 수 있다.

② 〈보기〉에서 작가는 고향으로 돌아온 후 자연을 즐기는 삶을 살았다고 하였다. '일엽편주'를 '만경과'에 띄워 둔 모습은 작가가 자연을 즐기는 모습이라 할 수 있다.

③ 〈보기〉에서 이 작품에는 자연과 더불어 살면서 깨달은 참된 의미와 유유자적하는 삶의 즐거움이 담겨 있다고 하였다. '일반 청의미'는 '평범하지만 그 속에서 발견할 수 있는 맑은 의미'라는 뜻으로 자연 속에서 발견한 참된 삶의 의미 또는 즐거움을 의미하는 것으로 해석할 수 있다.

④ 〈보기〉에 따르면, 이 작품에는 우국의 심정이 나타나 있는데, '어주에 누어신들 잊은 때가 있으랴'는 고깃배에 누워 있지만 임금과 정치가 항상 걱정이 된다는 우국의 심정을 표현한 것으로 볼 수 있다.

04 ㉣(장안)은 '한양'을 의미하는 것으로 속세를 나타내는 표현이다. ㉠(천심 녹수), ㉡(노적 화총), ㉢(산두), ㉤(어주)은 모두 자연이나 자연 속의 삶과 관계있는 시어이다.

05 화자는 현재 자연 속에 살면서 그 즐거움을 누리고 있다. 그러나 〈제5수〉에서는 '장안'과 '북궐'을 의식하며 속세에 대한 미련과 함께 임금에 대한 걱정을 드러낸다. 따라서 화자는 '강호'에서의 삶에 만족하면서도 '인세'에 대한 미련을 보이고 있다.

06 ⓐ(만첩청산)는 '천심 녹수'와 함께 '십장 홍진'을 가리고 있고, 〈보기〉의 ⓑ(머흔 구름)도 '세상'을 가리고 있으므로, ⓐ와 ⓑ는 모두 화자가 부정적으로 인식하는 공간을 차단하고 있다.

엮인 작품 더 알기

윤선도, 「어부사시사」 ▶해법문학 Link 고전 시가 230쪽

작품 해제 이현보는 고려 시대부터 전해지던 「어부사」를 5수의 「어부단가」와 9수의 「어부장가」로 개작하였는데, 이 작품은 이현보의 「어부장가」에 여음구를 넣어 다시 창작한 연시조로 알려져 있다.

16 오륜가 56~57쪽

01 ③ 02 ④ 03 ① 04 ④ 05 〈제1수〉는 다른 수에서 오륜의 덕목을 구체적으로 말하기 전에, 오륜을 배워야 하는 이유와 목적을 설명하는 서두의 역할을 한다.

작품 해제 작가가 해주에서 감사 생활을 할 때 지은 교훈 시조로, 백성들이 일상에서 지켜야 할 일들을 노래로 표현하고 있다.

01 ㉢은 종(신하)이 주인(임금)을 대할 때 두 마음을 품지 않는 충성심과 일편단심을 강조하는 시구이다.

왜 오답일까 ① 〈보기〉를 통해 오륜가류의 시조는 백성을 교화하는 목적으로 창작되었음을 알 수 있으며, ㉠은 이 말씀을 들으십시오라는 뜻으로 이러한 의도가 드러난 시구이다.

② ㉡에서 부모의 은덕이 매우 커서 다 갚기 어렵다며 자식이 부모의 은혜에 보답할 것을 권하고 있다.

④ ㉣은 아내가 남편에게 밥상을 가지고 갈 때 눈썹 높이로 가지런히 든다는 것으로 일상생활에서 행해야 할 아내의 자세를 보여 주고 있다.

⑤ ㉤에서 하지 말아야 할 행동을 가정하여 이러한 행동을 한다면 짐승과 같다고 강조하고 있다.

02 〈제4수〉는 아내가 남편에게 지켜야 할 도리를 문답 방식이 아니라 독백의 형식으로 제시하고 있다.

왜 오답일까 ① 〈제1수〉의 종장에서 화자는 '이 말삼'을 잊지 않고 배우고아 말 것이라는 의지를 보이고 있다.

② 〈제2수〉의 중장에서 '부모곧 아니시면'이라는 가정을 통해 자식의 도리를 당위적으로 제시하고 있다.

③ 〈제3수〉의 중장에서 벌과 개미가 이 뜻을 먼저 안다고 하여, 종과 주인 사이의 이치가 자연의 이치와 같은 것임을 유추하고 있다.

⑤ 〈제6수〉의 초장에서 늙은이를 부모에 어른을 형에 빗대어 사회적 관계도 가정에서의 관계와 마찬가지로 중요한 실천 윤리임을 나타내고 있다.

03 〈보기〉의 〈제13수〉에는 백성들이 농사를 지으면서 서로 돕고 협력해야 한다는 상부상조의 덕목을 권장하고 있는데, 이는 윗글에서 언급하지 않은 내용이다.

왜 오답일까 ③, ④ 윗글과 〈보기〉에서는 부모님의 한 젖을 먹고 자란 것을 근거로 형제간에 우애 있게 지낼 것을 강조하고 있다. 형제간의 모습이 닮은 것은 〈보기〉의 〈제3수〉에만 언급되었다.

엮인 작품 더 알기

정철, 「훈민가」

작품 해제 작가가 강원도 관찰사로 부임하여, 백성들에게 유교적 덕목을 일깨우기 위해 지은 전 16수의 연시조이다. 평이한 시어와 명령형 · 청유형 어미 등을 활용하여 형제 우애(제3수), 상부상조(제13수) 등의 주제 의식을 보여 주고 있다.

04 윗글은 오륜의 다섯 덕목 중 붕우유신 대신 형제간의 우애를 첨가하여 〈제5수〉에서 다루고 있다. 〈제2수〉에서는 부자유친, 〈제3수〉에서는 군신유의, 〈제4수〉에서는 부부유별, 〈제6수〉에서는 장유유서를 강조하고 있다.

05 〈제2수〉부터 〈제6수〉까지 다섯 가지 인륜을 다루고 있는 것에 비해 〈제1수〉는 인륜을 배워야 하는 이유를 밝힘으로써 작품 전체의 서두 역할을 하고 있다.

17 방옹시여 58~59쪽

01 ③ 02 ⑤ 03 ⑤ 04 ④ 05 ⑤

작품 해제 작가가 광해군이 일으킨 계축옥사에 연루되어 김포로 유배갔을 때 쓴 것으로 추정되는 30수의 시조를 모은 작품이다.

현대어 풀이 산골 마을에 눈이 내리니 돌길이 눈 속에 묻혔구나.
사립문을 열지 마라. 이렇게 묻혀 사는 나를 찾을 사람이 누가 있으랴.
(다만) 밤중에 나타난 한 조각 밝은 달 그것만이 내 벗인가 하노라. 〈제1수〉
서까래가 기나 짧으나, 기둥이 기울거나 뒤틀리거나
방이 몇 칸 되지 않는 작은 초가를 작다고 비웃지 마라.
아아, 온 산 가득한 덩굴에 비친 달이 다 내 것인가 하노라. 〈제8수〉
한식날 밤에 비가 오고 나더니 봄빛이 다 퍼졌구나.
무정한 꽃과 버들도 때를 알고 피었건만
어찌 우리 임은 한 번 떠나시고는 다시 돌아오지 않으시는가. 〈제17수〉
창밖에 바스락바스락 소리가 나 임이신가 일어나 보니
난초가 자라난 지름길에 낙엽이 웬 말인가.
아아, 유한한 나의 애간장이 다 끊어질 것 같구나. 〈제19수〉
봄이 왔다 해도 소식을 몰랐는데 / 냇가의 푸른 버들이 (소식을) 먼저 아는구나.
아아, 인간의 이별을 또 어찌하느냐. 〈제21수〉
노래를 (맨 처음으로) 만든 사람은 시름이 많기도 많았구나.
말만으로는 (뜻한 바를) 다 말할 수가 없어서 노래로 불러서 (시름을) 풀었던가.
진실로 풀릴 것이면 나도 불러 보리라. 〈제29수〉

01 (다)에서 '화류'는 오지 않는 임과 달리 때를 맞춰 핀다는 점에서 화자의 탄식을 유발하는 객관적 상관물에 해당하지만, 화자가 '화류'에 감정을 이입하고 있지는 않다.

왜 오답일까 ① (가)의 '날 ᄎᆞ즈리 뉘 이스리'에서 설의적 표현을 통해 속세와 단절된 화자의 상황을 드러내고 있다.

② (나)의 '셧ᄀᆞ래 기나 ᄌᆞ르나 기동이 기우나 트나'에서 대구를 통해 '수간모옥'의 특성을 구체화하고 있다.

④ (라)는 가을의 계절감을 드러내는 '낙엽'을 활용해 쓸쓸한 분위기를 형성하고 있다.

⑤ (마)는 자연물인 '푸른 버들'과 화자를 대비하여 이별의 슬픔을 부각하고 있다.

02 (마)의 화자는 봄의 소식을 먼저 안 '푸른 버들'과 봄이 왔음을 느끼지 못한 자신의 상황을 대비하여 이별의 슬픔을 드러내고 있을 뿐, 소식 없는 임을 원망하고 있지는 않다.

왜 오답일까 ① (가)의 화자는 속세와 단절된 채 '산촌'에서 지내고 있다.

② (나)의 '만산 나월이 다 늬 거신가 ᄒᆞ노라'에서 자연에 은거하는 삶에 대한 화자의 만족감과 자긍심을 엿볼 수 있다.

③ (다)의 화자는 봄에 때를 맞추어 피어난 '화류'를 보며 돌아오지 않는 임을 그리워하고 있다.

④ (라)의 '유한ᄒᆞᆫ 간장이 다 끈칠ᄶᅡ ᄒᆞ노라'에서 화자는 부재하는 임에 대한 그리움과 이로 인해 자신이 느끼는 고통을 직설적으로 드러내고 있다.

03 정계에서 축출된 작가의 처지를 고려하면 '시름'은 어지러운 시대를 살아가며 생기는 세상사에 대한 염려나 작가의 복잡한 심경 등을 의미한다고 볼 수 있다.

왜 오답일까 ① '눈'은 화자가 머무는 '산촌'과 속세를 차단하고 있다.

②, ④ '일편명월'과 '만산 나월'은 작가가 지향하는 자연을 의미한다.

③ '수간모옥'은 현재 화자가 머무는 공간으로, 자연에 묻혀 살아가는 삶에 대한 자부심이 투영되어 있는 대상이다.

04 (라)의 중장에서는 착각을 야기한 대상이 '낙엽'임이 나타나 있을 뿐, 대상에 대한 구체적인 묘사는 제시되어 있지 않다. 〈보기〉의 중장에서는 착각을 야기한 대상인 '봉황'의 행동을 구체적으로 묘사하고 있을 뿐, 대상에 대한 비판은 제시되어 있지 않다.

왜 오답일까 ① (라)의 초장에서는 '워셕버셕'이라는 청각적 자극이, 〈보기〉의 초장에서는 '어른어른커늘'이라는 시각적 자극이 나타난다. 이러한 감각적 자극이 화자의 착각을 불러일으키는 원인에 해당한다.

② (라)의 초장의 '님이신가 이러 보니'와 〈보기〉의 초장의 '님만 너겨 풀떡 니러나 뚝딱 나셔 보니'에서 창밖의 변화에 즉각적으로 반응하는 화자의 모습을 확인할 수 있다.

⑤ (라)의 화자는 종장에서 '유한ᄒᆞᆫ 간장이 다 끈칠ᄶᅡ ᄒᆞ노라'라며 자신의 내면적 고통을 토로하고 있다. 〈보기〉의 화자는 종장에서 '놈 우일 번ᄒᆞ여라'라며 타인의 비웃음을 의식하여 밤인 것을 다행으로 여기고 있다.

엮인 작품 더 알기

작자 미상, 「벽사창이 어룬어룬커늘」 ▶해법문학 Link 고전 시가 206쪽

작품 해제 임이 오기를 간절히 바라는 마음 때문에 착각한 상황을 그린 사설시조이다. 임에 대한 그리움을 진솔하게 표현하여 웃음과 연민을 자아내고 있다.

05 (바)의 종장에서 ㉡(나)은 삶의 시름을 해소할 수만 있다면 ㉠(노래 삼긴 사람)과 같이 노래를 불러 보겠다고 이야기하고 있다.

18 사우가 60~61쪽

01 ⑤ 02 ⑤ 03 ⑤ 04 ⑤ 05 ①

작품 해제 어려운 환경에서도 꿋꿋한 생명력을 보이는 솔, 국화, 매화, 대나무를 자신의 벗으로 표현하여 작가의 가치관을 드러낸 전 4수의 연시조이다.

현대어 풀이 바위에 서 있는 솔이 위엄 있고 당당하니 반갑구나.
바람과 서리를 겪어도 조금도 여위지 않는구나.
어쩌다 봄빛을 가져 고칠 줄을 모르는가. 〈제1수〉
동쪽 울타리에 심은 국화가 귀한 줄 누가 아느냐.
따뜻한 봄볕을 마다하고 늦가을 된서리에 혼자 피니
아, 맑고 고결한 내 벗이 다만 너뿐인가 하노라. 〈제2수〉
꽃은 많으나 매화를 심은 뜻은
눈 속에 꽃이 피어 눈과 같은 흰빛인 것이 귀하기 때문이다.
하물며 그윽한 향기는 귀하게 여기지 않고 어이하리. 〈제3수〉
백설이 자주 내리는 날에 대나무를 보려 창을 여니
온갖 꽃은 간 데 없고 대숲만 푸르구나.
어째서 (대나무만) 맑은 바람을 반기며 흔들흔들하는가. 〈제4수〉

01 〈제1수〉에서는 '풍상'과 '봄빛', 〈제2수〉에서는 '춘광'과 '엄상', 〈제3수〉에서는 '눈', 〈제4수〉에서는 '백설'과 같이 계절감을 나타내는 시어를 활용하여 사우(소나무, 국화, 매화, 대나무)의 속성을 예찬하고 있다.

왜 오답일까 ① 〈제4수〉에는 '흔덕흔덕'이라는 의태어가 사용되었지만, 〈제1수〉에는 음성 상징어가 사용되지 않았다.

③ 〈제4수〉의 '백설'과 푸른 '대숲'에서 흰색과 푸른색의 색채 대비가 나타나지만, 〈제3수〉에는 색채 대비가 나타나지 않는다.

02 '흔덕흔덕'은 눈이 오는 겨울날에도 맑은 바람과 어울려 흔들리는 '대'의 모습을 형상화한 시어로, 대나무의 불변성과 강인함을 보여 주는 표현이다. 이를 시련에 침착하고 여유 있게 대처하는 모습으로 이해하는 것은 적절하지 않다.

왜 오답일까 ① '바위'는 '솔'이 서 있는 땅으로, 풀과 나무가 자라기 힘든 조건이라는 점에서 척박한 환경으로 볼 수 있다.

② 〈제1수〉는 '솔'의 늠연함을, 〈제2수〉는 '국화'의 청고함을, 〈제3수〉는 '매화'의 그윽함을, 〈제4수〉는 '대'의 푸름을 노래하고 있다.

③ '청고'는 맑고 고결함을, '청풍'은 맑은 바람을 뜻하는 말로 각각 '국화'와 '대'가 지닌 맑고 깨끗한 속성을 부각하고 있다.

④ 따뜻한 봄에 피어나고 날이 추워지면 지는 '온갖 꽃'은 추운 겨울에도 푸른 '대'와 대조되는 자연물이다.

03 ㉠(봄빛)은 사계절 변함없이 푸른빛을 잃지 않는 '솔'의 불변성과 지조를 나타낸다. ㉡(춘광)은 '국화'가 마다하는 따뜻한 봄볕으로, 늦가을에 홀로 피어나는 국화의 청고함과 고고함을 부각하는 외적 상황으로 볼 수 있다.

04 백설 속에서도 푸른빛을 잃지 않는 '대'는 화자의 의지와 신념을 보여 주는 대상일 뿐, 인목 대비를 상징하는 대상으로 볼 수는 없다.

왜 오답일까 ① 작가가 유배 생활 중에 윗글을 창작했다는 〈보기〉의 내용을 고려할 때, '솔'은 작가 자신을, '풍상'은 정치 상황 속에서

겪는 시련을 의미한다고 볼 수 있다.

② 작가가 유배지에서 힘든 생활을 했음에도 윗글을 통해 씩씩한 기상을 드러냈다는 〈보기〉의 내용을 고려할 때, 풍상에도 전혀 움츠러들지 않는 '솔'은 씩씩한 기상을 잃지 않는 작가의 모습을 형상화한 것으로 이해할 수 있다.

③ 다른 꽃들과 달리 추운 늦가을에 피는 '국화'는 지조 있고 청고한 존재로, 시류에 영합하지 않겠다는 작가의 고고한 정신을 상징하는 소재로 볼 수 있다.

④ 다른 꽃들과 달리 추운 겨울에 피는 '매화'는 외적 강인함과 내적 아름다움을 지닌 존재로, 이를 귀하게 여기는 화자의 모습에서 자신의 삶에 대한 자부심을 엿볼 수 있다.

05 〈보기〉에서는 자연물인 '매화'를 '너'로 지칭하며 의인화하여 친근감을 드러내고 있지만, [A]에서는 '매화'를 의인화하지 않았다.

왜 오답일까 ② [A]와 〈보기〉 모두 시각적 심상과 후각적 심상을 통해 매화의 속성을 표현하고 있다.

③ [A]의 중장에서는 '귀하도다'라는 영탄적 표현으로, 〈보기〉의 중장에서는 '피었구나'라는 영탄적 표현으로 대상에 대한 화자의 정서를 나타내고 있다.

④ [A]에서 '꽃이 무한호되 매화를 심은 뜻은'을 통해 일반적인 꽃들과는 다른 매화의 가치를 부각하고 있으나, 〈보기〉에서는 매화 외의 다른 대상을 언급하고 있지 않다.

⑤ 〈보기〉의 화자는 연약한 매화가 꽃을 피우리라고 기대하지 않다가 기약을 지키고 꽃을 피워 낸 매화를 보고 감탄하고 있다. [A]에서 화자는 일관된 태도로 매화의 강인함과 내적 아름다움을 예찬하고 있다.

엮인 작품 더 알기

안민영, 「매화사」 ▶해법문학 Link 고전 시가 232쪽

작품 해제 매화의 아름다움과 지조, 절개 등을 예찬한 전 8수의 연시조 중 〈제2수〉로, 눈 속에 피어나는 매화의 고결한 성품을 예찬하고 있다.

19 견회요 62~64쪽

01 ④ 02 ③ 03 ① 04 ③ 05 ③ 06 ② 07 ①

작품 해제 귀양지에서 부모와 임금을 그리워하는 마음을 아름다운 우리말로 형상화한 전 5수의 연시조이다.

01 윗글에서 현실의 부정적인 측면이 나타난다고 볼 수 있으나, 이를 반어적인 표현을 통해 강조하고 있지는 않다.

왜 오답일까 ① 〈제1수〉의 '분별할 줄 이시랴'에서 설의적 표현을 통해 화자의 의지를 강조하고 있다.

② 〈제4수〉의 '뫼흔 길고 길고 물은 멀고 멀고'에서 대구적 표현을 사용하여 외부와 단절된 화자의 처지를 드러내고 있다.

③ '슬프나∨즐거오나∨옳다 하나∨외다 하나'와 같이 시 전체에서 4음보의 규칙적인 배열을 통해 리듬감을 형성하고 있다.

⑤ 〈제2수〉의 '임이 생각하여 보소서'에서 '임'에게 말을 건네는 방식으로 화자의 억울함을 호소하고 있으며, 〈제3수〉의 '울어 예는 저 시내야'에서 '시냇물'에게 말을 건네 임을 향한 화자의 변함없는 마음을 드러내고 있다.

02 [A]에는 화자가 한 행동이 임금에 대한 충성심 때문이었음을 밝히고 있고, [B]에는 부모와 화자 사이의 장애물을 언급하며 부모에 대한 화자의 간절한 그리움을 드러내고 있다.

왜 오답일까 ① [B]에서만 짝을 잃은 기러기인 '외기러기'의 속성에 빗대어 부모와 떨어진 화자의 심정을 드러내고 있다.

④ [A]에는 임금이 자신의 충성심을 알아주지 않는 것에 대한 화자의 고뇌가 드러나 있으나, [B]에는 화자가 자연에서 유유자적하는 모습이 나타나고 있지 않다.

⑤ [A]에서 화자는 자신이 한 일에 대해 '망령'되고, '어리석'다고 밝히고 있으므로 과거의 행동에 대한 자부심이 드러난다고 보기 어려우며, [B]에서도 자신의 처지에 대한 억울함을 드러내고 있지 않다.

03 ㉠(시내)은 임금을 향한 화자의 변함없는 충성심을, ㉡(외기러기)은 어버이를 가까이에서 모시지 못하는 화자의 안타까움을 간접적으로 드러내는 소재로, 모두 감정 이입의 대상물이다.

04 〈제3수〉의 '임 향한 내 뜻'은 화자가 추구하는 충(忠)을 드러낸 것일 뿐, 아버지의 관직 복귀를 원하는 마음에서 비롯되었다는 단서는 찾을 수 없다.

왜 오답일까 ① 〈제1수〉의 '해올 일만 닦고 닦을 뿐'은 외부 상황이나 다른 사람의 시비에 흔들리지 않고 자신이 해야 할 일을 하겠다는 말로, 불의한 세력을 두려워하지 않고 상소를 올린 행위와 연결 지을 수 있다.

② 〈제2수〉는 자신의 처지를 하소연한 내용으로, '아무가 아무리 일러도'에서는 자신을 모함하여 귀양 가게 한 사람들에 대한 작가의 부정적인 감정이 담겨 있다고 볼 수 있다.

④ 〈제4수〉의 '많고 많고 하고 하고'는 유배지에서 느끼는 어버이에 대한 그리움을 같은 뜻의 서술어를 반복하여 드러낸 것이다.

⑤ 〈제5수〉의 '임금을 잊으면'은 임금에 대한 충심을 버리는 행위로 화자는 이를 불효와 같은 일이라고 하였다. 〈보기〉에 따르면, 자신에게 미칠 화가 두려워 임금에게 충성된 말을 하지 않는 것이 바로 '임금을 잊'는 태도라고 볼 수 있다.

05 윗글의 화자 '갑'이 〈제2수〉의 '내 일 망령된 줄 내라 하여 모를 것인가'에서 자신이 지나친 행동을 했다고 표현하고 있는 것과 달리 〈보기〉의 화자 '을'은 '과도 허물도 천만 업소이다'에서 자신의 결백을 호소하며 자신에게 잘못이 없다고 주장하고 있다.

왜 오답일까 ① 〈보기〉의 화자만 '잔월효성'에게 자신의 결백함을 호소하고 있다.

② 윗글의 화자는 〈제3수〉의 '임 향한 내 뜻을 조차 그칠 줄 모르는가'에서 임에 대한 변함없는 마음을, 〈보기〉의 화자도 '넋이라도 님은 한데 녀져라'에서 임에 대한 변함없는 사랑을 드러내고 있다.

④, ⑤ 윗글의 화자는 〈제1수〉에서 '내 몸의 해올 일만 닦고 닦을 뿐'이라며 자신의 의지대로 행동할 것임을 밝히면서도, 〈제2수〉에서 '임이 생각하여 보소서'라고 말하며 임이 자신의 억울함을 알아주기를 바라고 있다.

엮인 작품 더 알기

정서, 「정과정」 ▶해법문학 Link 고전 시가 78쪽

작품 해제 고려 의종 때 정서가 귀양지에서 임금께 자신의 결백을 밝히고 선처를 청하기 위해 지은 노래로 충신연주지사의 시초로 평가받는다.

현대어 풀이 (역모에 가담했다는 나에 대한 참소가) 옳지 않으며 거짓인 줄을
새벽녘의 달과 별은 알고 있을 것입니다. / 넋이라도 임과 함께 지내고 싶습니다.
어기신 이가 누구십니까? / (나는) 잘못도 허물도 전혀 없습니다.
무리들의 (참소하던) 말입니다.

기출 작품 딥러닝

㉯ 안조환, 「만언사」 ▶해법문학 Link 고전 시가 254쪽

작품 해제 34세 때 추자도로 귀양 간 작가가 유배 생활의 고통과 어려움을 사실적으로 그려 낸 가사로, 절절한 신세 한탄이 드러나 있다.

핵심 포인트 **제시된 부분에 나타난 시상 전개**

고통스러운 유배 생활(1~11행)	➡	과거에 대한 반성(12~20행)		
• 맥반 염장: 초라한 밥상 • 현순백결: 누더기 옷		흰 구름 (욕심 없는 삶)	↔ 대조	푸른 구름 (공명을 좇는 삶)

현대어 풀이 남쪽 지방 더운 날에 빨지 못한 누비바지
땀이 배고 때 오르니 굴뚝 막는 데 쓰는 덕석(소의 등을 덮어 주던 멍석)인가.
덥고 검은 것은 말더라도 냄새를 어찌하리. / 아아, 내 일이야 가련하도 되었구나.
(예전에) 손잡고 반기는 집 내 가지 않았는데
(지금은) 등을 밀어 내치는 집에 구차히 빌붙어 있으니
훌륭한 밥과 반찬은 어디 가고 보리밥에 소금장을 대하며
좋은 옷은 어디 가고 여기저기 기운 누더기 옷이 되었는가.
이 몸이 살았는가 죽어서 귀신인가. / 말하니 살았으나 모양은 귀신이로다.
한숨 끝에 눈물 나고 눈물 끝에 한숨이라. 〈중략〉
해마다 풍년 드니 해마다 보리 베어 / 마당에 두드리고 방아에 쓸어 내어
일부는 밥을 하고 일부는 술을 만들어
밥 먹어 배부르고 술 먹어 취한 후에
잔뜩 먹고 배를 두드리며 태평한 세월을 즐기는 노래를 부르나니
농사짓는 일의 재미가 이런 줄 알았다면 / 공명을 탐하지 말고 농사를 힘쓸 것을
흰 구름이 즐거운 줄 푸른 구름이 알았으면 / 꽃 찾는 나비와 벌이 그물에 걸렸겠느냐.

06 ㉡에서 화자는 임금을 향한 충성심도 하늘이 만들었다는 운명론적 인식관을 바탕으로 하여, 충의 절대성과 자신의 태도에 대한 당위를 드러내고 있다.

왜 오답일까 ① ㉠에서 자연물 '뫼'와 '물'을 활용하여 화자와 어버이 사이의 거리감을 강조하고 있다.

③ ㉢에서 '빨지 못한 누비바지'를 '굴뚝 막은 덕석'에 빗대어 화자의 고통스러운 처지를 드러내고 있다.

④ ㉣에서 비단옷과 화려한 옷을 뜻하는 '금의 화복'과 누더기 옷을 뜻하는 '현순백결'을 대조하여 현재의 궁핍한 삶을 강조하고 있다.

⑤ ㉤에서 '~ 끝에'라는 문장 구조를 반복해 '한숨'과 '눈물'을 대구하고 있다.

07 〈보기〉에 따르면, (가)의 작가는 정치적 이유로 유배를 당했으며, 작품을 통해 임금에 대한 변함없는 충정을 드러내며 유교 이념을 굳건히 지키는 태도를 보였다. (가)의 〈제3수〉에도 임금에 대한 변함없는 충정을 다짐하는 내용이 나타나 있을 뿐, 자연에 은거하고자 하는 소망은 찾아보기 어렵다.

왜 오답일까 ② (가)의 〈제5수〉에서 '임금을 잊으면 긔 불효'라는 표현을 통해 임금에 대한 '충정'이 '효'와 같은 것이라는 인식을 드러내고 있다.

③ (나)의 '남방 염천 찌는 날에 빨지 못한 누비바지'는 더운 여름날 계절에 맞지 않는 겨울옷을 입은 채 유배지에서 힘겨운 삶을 살고 있는 화자의 모습을 사실적으로 드러내고 있다.

④ (나)의 '공명을 탐치 말고 농사에 힘쓸 것을'을 통해 화자가 공명을 탐했던 자신의 과거를 반성하고 있음을 알 수 있다.

⑤ (나)의 '탐화봉접이 그물에 걸렸으랴'는 화자가 자신을 꽃을 탐하는 벌과 나비에 비유한 것으로, 개인적 잘못을 저질러 유배된 것을 '그물에 걸린 것'에 비유하고 있다.

20 만흥 65~67쪽

01 ③ 02 ④ 03 ④ 04 ③ 05 ② 06 ④ 07 ③

작품 해제 세속과 떨어져 자연과 더불어 살아가는 삶이 부귀공명을 추구하며 살아가는 것에 비해 훨씬 낫다는 자부심을 드러낸 전 6수의 연시조이다.

현대어 풀이 산수 간 바위 아래에 띠풀로 이은 초가집을 지으려 하니
그것(나의 뜻)을 모르는 남들은 비웃는다 하지만 / 어리석고 시골에 사는 세상 물정
모르는 내 생각에는 (이것이) 내 분수인가 하노라. 〈제1수〉
보리밥과 풋나물을 알맞게 먹은 후에
바위 끝 물가에서 실컷 노니노라.
그 나머지 다른 일이야 부러워할 것이 있으랴. 〈제2수〉
잔 들고 혼자 앉아 먼 산을 바라보니
그리워하던 임이 온다고 한들 반가움이 이러하랴.
말씀도 웃음도 아니하지만 마냥 좋아하노라. 〈제3수〉
누가 (자연이) 삼정승보다 낫다더니 만승천자가 이만하겠는가?
이제 생각해 보니 소부와 허유가 영리하도다.
아마도 자연 속에서 느끼는 한가한 흥취는 비할 데가 없으리라. 〈제4수〉
내 천성이 게으른 것을 하늘이 아셔서
세상의 많은 일 가운데 하나도 맡기지 않으시고
다만 다툴 상대가 없는 자연을 지키라고 하셨도다. 〈제5수〉
강산이 좋다고 한들 나의 분수로 (이렇게 편하게) 누워 있겠는가.
(이 모두가) 임금의 은혜인 것을 이제 더욱 알겠도다.
(하지만) 아무리 갚고자 해도 내가 할 수 있는 일이 없구나. 〈제6수〉

01 〈제2수〉의 종장, 〈제3수〉의 중장, 〈제4수〉와 〈제6수〉의 초장에서 의문형 문장을 활용하여 화자의 정서를 강조하고 있다(ㄴ). 〈제3수〉에서 먼 산을 바라보며 느끼는 기쁨과 반가운 임을 만나는 기쁨을, 〈제4수〉에서 자연 속에서의 삶과 만승천자의 삶을 비교하여 자연에 묻혀 사는 즐거움을 강조하고 있다(ㄷ).

02 화자는 자연 속에 묻혀 사는 자신의 삶이 만승천자, 즉 황제의 삶보다 낫다고 여기지만, '소부 허유'보다 낫다고 생각하고 있지는 않다. '소부 허유'는 화자와 마찬가지로 자연을 벗 삼아 살던 고사 속 인물들로, 화자는 자신보다 앞서 자연을 즐겼던 '소부 허유'가 약았다고 표현하며 자연에서의 삶을 예찬하고 있다.

왜 오답일까 ① 〈제1수〉의 '내 분인가 ᄒᆞ노라'에서 자연 속에서 '뛰집'을 짓고 살아가는 것이 자신의 분수에 맞다고 여기는 화자의 생각이 나타나 있다.

② 〈제2수〉의 종장에서 자연에서의 삶을 즐기는 일 외에 세속의 일에는 관심을 두지 않으려는 화자의 의지가 드러나 있다.

③ 〈제3수〉의 초·중장에서 화자는 그리워하는 임이 오는 것보다 잔들고 혼자 앉아 먼 산을 바라보는 즐거움이 더 좋다고 밝히고 있다.

⑤ 〈제6수〉의 초·중장에서 화자는 '강산'에서 누리는 삶이 임금의 은혜 덕분에 주어진 것이라는 인식을 드러내고 있다.

03 ㉠(그 나믄 녀나믄 일)은 세속의 일을, ㉡(임천한흥)은 자연 속에서 느끼는 한가한 흥취를 의미한다. 화자는 〈제1수〉에서 자신을 '햐암'이라고 일컬으며 자연에 묻혀 사는 삶이 자신의 분수에 어울린다는 인식을 드러내고 있으므로, ㉠보다 ㉡이 자신의 분수에 어울린다고 생각할 것임을 알 수 있다.

04 '햐암'은 자연에 묻혀 사는 화자 자신을 겸손하게 표현한 시어로, 화자가 세상 물정에 어두워져 '햐암' 같은 존재가 된 것은 아니다.

왜 오답일까 ① '뛰집'과 '보리밥 풋ᄂᆞ믈'은 자연에서의 소박한 삶의 모습을 드러내는 시어로, 이를 통해 세상일을 피해 자연에 숨어 살아가는 작가의 모습을 짐작할 수 있다.

② 혼탁한 정치적 상황으로 정적들로부터 숱하게 탄핵과 모함을 받았던 작가의 삶으로 미루어 보아, 화자의 삶을 비웃는 '그 모론 놈들'에는 작가를 탄핵하고 모함한 정적들이 포함된다고 볼 수 있다.

④ '알마초', '슬ᄏᆞ지'와 같은 순우리말 시어를 통해 순우리말 표현을 잘 살리고 있다고 볼 수 있다.

⑤ '먼 뫼'는 화자에게 '님'이 오는 기쁨보다 더 큰 기쁨을 주는 존재로, 화자가 유배와 낙향을 반복하며 겪은 시련을 치유해 주는 자연 공간으로 볼 수 있다.

05 [A]와 〈보기〉의 화자 모두 자연에 묻혀 지내는 한가롭고 흥겨운 삶을 임금의 은혜 덕분이라고 표현하고 있다.

왜 오답일까 ① 〈보기〉에는 시냇가에서 잡은 싱싱한 물고기를 안주 삼아 술을 마시는 구체적인 행동이 나타나 있다. 이와 달리 [A]는 임금의 은혜를 예찬하고 있을 뿐 자연에서 풍류를 즐기는 구체적인 모습은 나타나 있지 않다.

③ 〈보기〉와 [A]에는 자연에서의 만족감이 드러나 있으나 속세와 자연을 비교하고 있지 않다.

④ 〈보기〉와 [A]의 화자 모두 자연에서의 소박하고 여유로운 삶을 지향하고 있다.

엮인 작품 더 알기

맹사성, 「강호사시가」 ▶해법문학 Link 고전 시가 144쪽

작품 해제 강호에서 자연을 즐기며 한가롭게 지내는 삶을 임금의 은혜와 결부하여 표현한 조선 전기 강호가도의 대표작으로, 〈보기〉는 전 4수 중 〈춘사(春詞)〉에 해당하는 부분이다.

기출 작품 딥러닝

㉯ 정철, 「훈민가」

작품 해제 작가가 강원도 관찰사로 부임하여, 백성들에게 유교적 덕목을 일깨우기 위해 지은 전 16수의 연시조이다.

핵심 포인트 **「훈민가」의 창작 의도**

수	훈계의 내용
2수	군신 간의 의리를 강조함.
4수	부모에 대한 효도를 강조함.
10수	벗과의 바른 관계를 강조함.
14수	남의 물건을 탐내지 않을 것을 강조함.

⬇

창작 의도
백성에게 유교적인 윤리관에 근거하여 바람직한 생활을 영위하도록 권유하기 위함.

현대어 풀이 임금과 백성 사이 하늘과 땅이로되 / 나의 서러운 일을 (임금께서) 다 알려고 하시거든 / 우린들 살찐 미나리를 혼자 어찌 먹겠는가? 〈제2수〉
어버이께서 살아 계실 때 (부모님을) 섬기는 일을 다하여라. / 돌아가신 뒤에 애달파 한들 어찌하겠는가? / 평생에 다시 못할 일이 이것뿐인가 하노라. 〈제4수〉
남남으로 태어난 중에 벗처럼 믿음이 있는 이가 있겠는가? / 나의 잘못된 일을 다 말하여 충고하는구나. / 이 몸이 벗이 아니었다면 사람 되기 쉬울 것인가? 〈제10수〉
비록 못 입어도 남의 옷을 빼앗지 마라. / 비록 못 먹어도 남의 밥을 빌어먹지 마라. / 한 번만이라도 때가 묻은 후면 다시 씻기 어려울 것이다. 〈제14수〉

06 (나)의 〈제14수〉에서는 초장과 중장에서 '비록 ~ 마라'라는 문장 구조를 반복하여 남의 물건을 탐내거나 음식을 동냥하지 말 것을 강조하고 있다.

왜 오답일까 ① (가)의 '누고셔 삼공도곤 낫다 하더니 만승이 이만하랴'에서 설의적 표현을 활용해 자연 속에서의 삶이 삼공의 삶이나 황제의 삶보다도 낫다는 화자의 생각을 드러내고 있다.

② (나)의 '벗같이 유신하랴'는 벗처럼 믿음이 있는 이가 드문 것을 강조하는 설의적 표현이다.

③ (나)의 '어버이 사라신 제'는 '부모님이 살아 계실 때'를 의미하므로, 상황을 가정한 것으로 볼 수 없다.

⑤ (가)의 '슬카지 노니노라'에는 예스러운 표현에 쓰여 감동의 느낌을 나타내는 종결 어미 '-노라'가, (나)의 '닐오려 하노매라'에는 감탄을 나타내는 종결 어미인 '-노매라'가 쓰이고 있다.

07 〈보기〉에 따르면, (가)의 〈제1수〉는 '긴장 조성 - 긴장 고조 - 긴장 해소'의 구조를 지니고 있다. 〈제1수〉의 종장에서 '나'는 '남'이 비웃을지라도 자연에 묻혀 소박하게 사는 삶이 자신의 분수에 맞다고 여기며 계속해서 안분지족의 삶을 살아가고자 하므로, '나'의 행위와 '남'의 웃음을 절충하여 긴장을 해소했다는 설명은 적절하지 않다.

왜 오답일까 ① 〈제1수〉의 초장에서 '띠집'을 짓는 '나'의 행위는 '나'를 둘러싼 세계의 가치와는 어울리지 않는 것으로, 긴장을 조성한다고 볼 수 있다.

② '나'의 행위를 바라보는 '남'의 비웃음은 〈제1수〉의 초장에서 조성된 긴장을 고조하고 있다고 볼 수 있다.

⑤ 〈보기〉에 따르면, 연시조에서는 각 수에서 유사한 시구를 반복하는 등의 방식으로 유기성을 높이는데, (가)의 〈제1수〉와 〈제6수〉는 '내 분'이라는 시어를 통해 유기적으로 연결되어 있다고 볼 수 있다.

21 강호구가 68~69쪽

01 ⑤ **02** ③ **03** ③ **04** ④ **05** ③

작품 해제 작가가 벼슬에서 물러나 고향의 자연을 마음껏 즐기는 모습을 '강호한적'이라는 시어로 압축하여 드러낸 전 9수의 연시조이다.

현대어 풀이 아아, 임금님의 은혜로구나. 끝이 없는 임금님의 은혜로구나.
자연에서 편안하게 늙어 가는 것도 내 분수에 넘치는 일인데
하물며 두 아들이 정성을 다해 봉양하니 이 또한 어찌된 일인가 하노라. 〈제2수〉
자연을 사랑하는 마음의 병은 약을 써도 효험이 없고
자연에 버려진 지 십 년이 되었구나.
그러나 이제 죽지 못하고 살아가는 것도 임금님의 은혜인가 하노라. 〈제3수〉
다리를 저는 나귀를 바삐 몰아 해질 무렵에 손님이 오셨는데
보리 껍질로 만든 거친 밥만 있고 반찬이 될 만한 것이 전혀 없다.
아이야, 배를 내어 띄워라. 그물을 놓아 고기를 낚아 보리라. 〈제4수〉
달이 밝고 바람이 잔잔하니 물결이 비단과 같다.
조그마한 배를 타고 비스듬히 누워 왔다 갔다 하며 느끼는 즐거움을
흰 갈매기야, 너무 즐겨 마라. 세상 사람들이 (이러한 즐거움을) 알까 두렵구나. 〈제5수〉
모래 위에서 자는 갈매기 한가하구나.
자연의 풍취가 네 것인가 내 것인가.
석양에 배의 돛을 반쯤 올리고 돌아오는 멋은 너도 나만 못하리라. 〈제6수〉
관직에서 받던 월급이 그친 이후 어부의 삶을 살아가니
생각 없는 사람들은 (나에게) 괴롭겠다고 말하지만
두어라, 자연 속에서 한가롭게 살아가는 것이 내 분수에 맞는 일인가 하노라. 〈제9수〉

01 〈제2수〉·〈제3수〉·〈제5수〉·〈제9수〉는 '하노라', 〈제4수〉는 '보리라', 〈제6수〉는 '못하리라'와 같이 '-라'로 시상을 마무리하여 시 전체에 통일감을 형성하고 있다.

02 화자는 자연 속에서 누리는 소박한 삶이 자신의 분수에 어울린다고 여기며 만족감을 느끼고 있다.

03 ㉢은 자연에서 느끼는 흥과 즐거움을 화자 자신만 알았으면 하는 마음을 드러낸 표현이다.

왜 오답일까 ① ㉠에서 화자는 자연 속에서 지내며 두 아들의 봉양을 받는 것을 분수에 넘치는 일로 인식하며 임금의 은혜로 돌리고 있다.

② ㉡에서 화자는 손님을 대접할 마땅한 음식이 없어 그물을 놓아 물고기를 잡으려 하는데, 이를 통해 화자의 소박한 삶의 모습을 엿볼 수 있다.

④ 〈보기〉에 따르면 윗글은 벼슬에서 물러난 뒤 자연을 즐기며 살아가는 어부의 삶을 노래한 작품이므로, ㉣는 이러한 모습을 표현한 구절로 볼 수 있다.

⑤ ㉤은 자연에서의 유유자적한 삶이 자신의 분수에 어울린다는 의미로, 자연 속에서 지내는 삶에 대한 만족감을 표현한 구절로 볼 수 있다.

04 윗글에서 '백구'는 화자가 말을 건네는 의인화된 대상으로, 화자가 자연에서 느끼는 흥이나 만족감을 부각하는 소재에 해당한다.

05 윗글의 '강호에 바리연디 십 년 밧기 되어세라'와 〈보기〉의 '인간을 떠나와도 내 몸이 겨를 업다'를 통해 속세와 거리를 두고 지내는 삶의 모습을 확인할 수 있다.

엮인 작품 더 알기

송순, 「면앙정가」 ▶해법문학 Link 고전 시가 162쪽

작품 해제 작가가 벼슬에서 물러나 고향인 전남 담양에 머물던 시기에 창작한 작품으로, 면앙정 주변의 아름다운 자연에서 얻은 흥취를 사계절의 변화에 따라 노래한 가사이다. 제시된 부분은 결사로, 자연 속에서 즐기는 풍류에 대한 만족감과 임금의 은혜에 대한 감사가 나타나 있다.

현대어 풀이 속세를 떠나와도 내 몸이 여유가 없다.
이것도 보려 하고 저것도 들으려 하고
바람도 쐬려 하고 달도 맞으려 하고
밤은 언제 줍고 고기는 언제 낚으며,
사립문은 누가 닫으며 떨어진 꽃은 누가 쓸겠는가? 〈중략〉
술이 익었으니 벗이라고 없겠느냐.
(노래를) 부르게 하며, (악기를) 타게 하며, 켜게 하며, 흔들며
온갖 소리로 흥취를 재촉하니
근심이라고 있으며 시름이라고 붙어 있겠는가?
누웠다가 앉았다가 굽혔다가 젖혔다가
(시를) 읊었다가 휘파람을 불었다가 마음 놓고 노니
천지도 넓디넓고 세월도 한가하다.
복희 황제 시대의 태평성대를 몰랐더니 지금이야 그것이로구나.
신선이 어떤지 (몰랐더니) 이 몸이 그것(신선)이로구나.
강산풍월 거느리고 내가 백 년을 다 누리면
악양루 위의 이태백이 살아온다고 한들
호탕 정회야 이보다 더 하겠느냐.
이 몸이 이렇게 지내는 것도 또한 임금의 은혜이시구나.

22 전원사시가 70~71쪽

01 ① 02 ③ 03 ⑤ 04 ② 05 ⑤

작품 해제 춘·하·추·동 사계절의 순서에 따라 각 2수씩의 읊고 이어 제석(除夕)이라 하여 섣달 그믐날 감회를 2수 덧붙여 마무리한 전 10수의 연시조이다.

현대어 풀이 봄이 점점 깊어지니 녹다 남은 눈이 다 녹는구나.
매화는 벌써 지고 버들가지는 누르렀다.
아이야, 울타리 잘 고치고 채소밭 갈도록 하여라. 〈제1수-춘(春) 1〉
남은 꽃 다 진 뒤에 수풀이 깊어 간다. / 한낮의 외딴 마을에 낮닭의 울음소리로구나.
아이야, 계면조 불러라. 긴 졸음 깨워 보자. 〈제3수-하(夏) 1〉
흰 이슬 서리 되니 가을이 깊어 가네. / 긴 들 누런 구름 한 빛이 피었구나.
아이야, 빚은 술 걸러라. 가을 흥에 겨워하노라. 〈제5수-추(秋) 1〉
북풍이 높이 부니 앞산에 눈이 내린다.
초가지붕의 처마 밑 찬 빛이 석양이 거의 되었다.
아이야, 팥죽 익었느냐. 먹고 잘까 하노라. 〈제7수-동(冬) 1〉
이봐 아이들아 새해 온다 즐거워 마라.
야단스러운 세월이 젊음을 빼앗아 가느니라.
우리도 새해 즐기다가 이렇게 백발이 되었구나. 〈제9수-제석(除夕) 1〉

01 (가)는 시각적 이미지를 활용하여 봄의 풍경과 정취를, (나)는 시각적 이미지와 청각적 이미지를 통해 여름의 풍경과 정취를, (다)는 시각적 이미지를 통해 가을의 풍경과 정취를, (라)는 시각적 이미지를 통해 겨울의 풍경과 정취를 표현하고 있다.

왜 오답일까 ②, ③ 계절의 흐름을 중심으로 시상을 전개하면서 전원생활의 흥취를 병렬적으로 드러내고 있다.

⑤ 화자가 '아히'에게 말을 건네고 있을 뿐, 화자와 '아히' 사이의 대화는 나타나지 않는다.

02 '모첨'이 초가지붕의 처마를 의미하는 것은 맞지만, 화자는 겨울의 흥취를 즐기며 '두죽'을 먹고자 하고 있으므로, 모첨이 혹독한 겨울을 보내야 하는 화자의 처지와 조응한다는 내용은 적절하지 않다.

왜 오답일까 ①, ② (라)는 '북풍'이 불고 '눈'이 내리는 풍경을 통해 겨울날의 정취를 드러내고 있는데, 이는 우리나라의 겨울철은 주로 차가운 북풍이 불어온다는 점과 관련지어 이해할 수 있다.

⑤ '두죽'은 불린 콩을 갈아서 쌀과 함께 끓인 죽으로, 윗글에서는 팥죽을 가리킨다. 겨울이라는 계절적 배경과 관련지어 생각할 때, '두죽'을 통해 동짓날 팥죽을 먹는 풍경을 떠올릴 수 있다.

03 화자는 새해를 맞이하여 즐거워하는 '아히돌'에게 훈계하며 늙음을 한탄하고 있을 뿐, '아히돌'을 유유자적한 삶을 방해하는 대상으로 여기고 있는 것은 아니다.

왜 오답일까 ① 계절의 풍경과 흥취를 노래하는 (가)~(라)와 달리, (마)에서는 늙음에 대해 탄식하고 있다.

② (마)에서는 새해를 맞이하는 상황이 나타나 있을 뿐, 풍경에 대한 묘사는 나타나지 않는다.

④ 종장의 '우리도 새히 즐겨ᄒᆞ다가'를 통해 '우리'도 어린 시절에는 '아히돌'처럼 새해를 맞이하는 것을 즐거워했음을 알 수 있다.

04 '녹음이 기퍼 간다'는 깊어 가는 여름의 모습을 시각적으로 표현한 구절이다. 화자는 전원생활을 즐기고 있을 뿐, 윗글에 속세와 단절된 채 숨어 지내는 화자의 모습은 나타나 있지 않다.

왜 오답일까 ① 농사일을 위해 밭을 가꾸는 것은 노동에 해당하는 행위이므로, 자연을 노동의 삶이 드러나는 생활공간으로 바라보는 사대부층의 관점이 나타나 있다고 볼 수 있다.

③ 여름 한낮에 긴 졸음에서 깨어나기 위해 노래를 청하는 모습에서 자연에서 여유로움을 느끼는 사대부층의 생각을 엿볼 수 있다.

④ '황운'은 추수를 앞두고 누렇게 익은 벼를 비유한 표현으로, 풍요로운 자연에 대한 만족감을 느끼는 사대부층의 모습이 드러나 있다.

⑤ '비즌 술 걸러라'에는 술을 마시며 가을의 흥취를 느끼고자 하는 화자의 모습이 나타나 있는데, 이를 통해 자연을 흥취를 느끼는 공간으로 바라보는 사대부층의 인식을 엿볼 수 있다.

05 (가)~(라)는 계절의 풍경에 따른 화자의 반응이나 정취가 (마)는 새해를 맞이하는 상황을 통해 순환하는 자연과 늙어 가는 화자의 처지의 대비가 나타날 뿐, 자연의 이치를 삶에 구현하지 못하는 인간의 모습이 나타나 있다고 보기 어렵다.

왜 오답일까 ① 〈보기〉에 따르면 사시가는 사계절의 추이에 맞추어 시상을 전개하는 시가이다. (가)는 봄, (나)는 여름, (다)는 가을, (라)는 겨울을 계절적 배경으로 하여 시상을 전개하므로, 윗글은 사시가의 요건을 갖추고 있다고 할 수 있다.

② 〈보기〉에 따르면 사시가는 각 연을 유기적으로 연결하기 위해 동일한 어휘나 유사한 표현을 연마다 반복한다. (가)~(라)에서도 종장의 첫머리에서 '아히야'를 반복하여 각 연을 유기적으로 연결하고 통일성을 부여하고 있다.

23 매화사 72~73쪽

01 ④ 02 ⑤ 03 ③ 04 ④ 05 ⑤

작품 해제 작가가 1840년에 스승인 박효관의 산방을 찾아 함께 어울리며 책상 위에 놓인 매화에 붙여 노래한 전 8수의 연시조이다.

01 윗글은 시적 대상인 '매화'의 아름다움과 지조, 절개를 예찬하고 있을 뿐, 시간의 흐름에 따른 매화의 변화 과정은 나타나 있지 않다.

왜 오답일까 ① 시각적 이미지, 후각적 이미지, 촉각적 이미지, 공감각적 이미지 등 다양한 감각적 심상을 통해 추운 겨울에 피어난 매화의 특징을 표현하고 있다.

② '피었구나', '하노라', '네로구나' 등과 같은 영탄적 표현을 사용하여 매화에 대한 화자의 예찬과 애정을 강조하고 있다.

③ '매영이∨부딋친 창에∨옥인 금차∨비겻구나'와 같이 4음보의 율격을 사용하여 운율을 형성하고 있다.

⑤ 시적 대상인 '매화'에게 말을 건네는 방식으로 매화에 대한 친밀감을 드러내고 있다.

02 〈제8수〉에서는 '철쭉', '두견화'와 달리 눈 속에서도 피어나는 꽃인 매화의 절개와 지조를 예찬하고 있다.

왜 오답일까 ① 〈제1수〉에서는 매화의 그림자와 풍류를, 〈제2수〉에서는 매화의 고결한 성품을 예찬하고 있으므로, 〈제2수〉가 〈제1수〉에 비해 대상의 동일한 특성을 더욱 깊이 있게 묘사하고 있다는 설명은 적절하지 않다.

② 〈제5수〉에서는 매화를 '너'로 표현하며 의인화하고 있지만, 〈제1수〉에서는 매화를 의인화한 부분이 나타나지 않는다.

③ 〈제3수〉와 〈제6수〉는 모두 매화의 절개와 지조를 예찬하고 있다.

④ 〈제6수〉의 종장 '아무리 얼우려 한들 봄뜻이야 앗을쏘냐'에서는 설의적 표현을 통해 매화의 강인한 의지를 예찬하고 있다. 〈제4수〉에는 의문의 형식이 나타나지 않는다.

03 〈제3수〉에서는 눈이 내린 상황과 황혼의 달이 뜬 상황에서 매화가 피어나 서로 조응하는 것으로 보고 있으므로, 눈과 황혼의 달이 조응한 후에 화자와 매화 사이에 조응이 일어난 것으로는 볼 수 없다.

04 ㉣에서 '찬 기운'은 매화에게 시련을 주는 존재이므로, 매화와 조화를 이루는 대상으로 볼 수 없다.

왜 오답일까 ① ㉠에는 연약하고 엉성한 매화가 눈이 올 때 피어나겠다는 약속을 지킬지 의심스러워하는 화자의 생각이 나타나 있다.

② ㉡은 눈이 올 때쯤 피겠다는 약속을 지킨 매화에 대한 감탄이 나타난 구절로, 매화를 신의 있는 대상으로 여기는 화자의 인식이 나타나 있다.

③ ㉢에서 '청향이 잔에 떴으니'는 후각적 이미지인 매화의 향기를 시각적 이미지로 전이한 공감각적 심상으로 향기를 눈에 보이듯 표현하고 있다.

⑤ ㉤은 흰 눈이 날리는 겨울에 피어나는 매화의 높은 절개를 예찬한 구절로, 매화를 고난 속에서도 뜻을 꺾지 않는 지조 있는 대상으로 여기는 화자의 인식이 나타나 있다.

05 '봄뜻'은 당대의 이념과 관련지으면 '지조와 절개'로, 심미적으로 접근한다면 '추운 겨울이 피어난 아름다운 꽃'으로, 풍류적 태도와 관련지으면 '흥취를 고조하는 대상'으로 이해할 수 있다. 그러므로 '봄뜻'을 당대 이념에만 국한하여 감상해야 그 의미를 파악할 수 있는 것은 아니다.

왜 오답일까 ① 〈제1수〉에서 거문고를 타며 노래하는 행위로 '매영'이 불러일으킨 시흥을 즐기는 풍류적 태도를 확인할 수 있다.

② 술잔을 들어 다른 이들에게 권하는 행위를 통해 고조된 흥취를 사람들과 함께하고 싶은 풍류적 태도를 확인할 수 있다.

③ 〈제3수〉의 중장은 달빛을 받은 매화가 햇빛을 받았을 때의 모습보다 아름답기 때문에 매화가 황혼에 뜨는 달을 기다린다는 의미로, '황혼월'은 매화의 아름다움을 돋보이게 하는 대상이다.

④ '아치 고절'은 '우아한 풍치와 높은 절개'로, 매화를 예찬하는 표현이다. '우아한 풍치'는 매화에 부여된 심미적인 가치를, '높은 절개'는 당대의 규범적 가치를 나타낸다.

24 임을 기다리는 마음 74~75쪽

01 ④ 02 ③ 03 ② 04 ② 05 ①

(가) **작품 해제** 임에 대한 애타는 그리움을 표현한 사설시조로, 자연물을 임으로 착각하는 화자의 모습을 통해 해학성을 드러내고 있다.

현대어 풀이 임이 오겠다고 하기에 저녁밥을 일찍 지어 먹고
중문을 나와서 대문으로 나가 문지방 위에 달려가 앉아서 손을 이마에 대고 임이 오는가 하여 건너편 산을 바라보니, 검은빛과 흰빛이 섞인 것이 서 있기에 저것이 틀림없이 임이로구나 버선을 벗어 품에 품고 신을 벗어 손에 쥐고, 엎치락뒤치락 허둥거리며 진 곳 마른 곳 가리지 않고 우당탕퉁탕 건너가서, 정겨운 말을 하려고 곁눈으로 흘깃 보니, 작년 7월 13일날 껍질을 벗긴 후 씨를 받느라고 밭머리에 세워 둔 삼의 줄기가 알뜰히도 나를 속였구나.
마침 밤이기에 망정이지 행여 낮이었다면 남을 웃길 뻔했구나.

(나) **작품 해제** 오지 않는 임에 대한 원망의 심정을 표현한 사설시조로, '성, 담, 집, 두지, 궤, 쌍배목, 걸쇠, 자물쇠'와 같은 장애물을 나열하여 과장하고 있다.

현대어 풀이 어찌하여 못 오던가, 무슨 일로 못 오던가?
너 오는 길에 무쇠로 성을 쌓고, 성 안에 담을 쌓고, 담 안에 집을 짓고, 집 안에 뒤주를 놓고, 뒤주 안에 궤짝을 놓고, 그 안에 너를 결박하여 넣고, 쌍배목, 걸쇠, 금거북 자물쇠로 꽁꽁 잠가 두었더냐? 너 어째서 그렇게 아니 오던가?
한 해도 열두 달이고, 한 달이 서른 날인데, 나를 보러 올 하루가 없겠는가?

(다) **작품 해제** 임을 기다리는 간절한 심정을 표현한 사설시조로, 짖는 개 때문에 임이 오지 않는다는 발상을 통해 임에 대한 미움을 전가하여 표현하고 있다.

현대어 풀이 개를 열 마리 넘게 기르지만 이 개처럼 얄미우랴.
미워하는 임이 오면 꼬리를 휘저으며 뛰어올랐다 내리뛰었다 하면서 반겨서 맞이하고, 사랑하는 임이 오면 뒷발을 버둥거리며 뒤로 물러났다 앞으로 나아갔다 하며 캉캉 짖어서 돌아가게 한다.
쉰밥이 그릇그릇 쌓인다 한들 너에게 먹일 성싶으냐.

01 (가)의 화자는 중장에서 '주추리 삼대'를 임으로 착각하여 신도 제대로 신지 않은 채 달려 나가고 있다. (가)의 종장에서 화자는 이러한 자신의 행동이 남을 웃길 뻔하였다고 멋쩍어하므로 자신의 경솔한 행동을 부끄러워한다고 볼 수 있다.

02 (가)의 화자는 자신의 행동이 낮에 이루어졌다면 어땠을지를, (나)의 화자는 임이 오지 못하는 이유를 추측하고 있다. 그렇지만 이를 통해 화자의 바람을 표현하고 있지는 않다.

왜 오답일까 ① (가)의 '주추리 삼대 솔드리도 날 소겨다'에서 반어적 표현을 통해 화자의 낭패감을 효과적으로 드러내고 있다. (다)는 반어적 표현을 사용하지 않았다.

② 연쇄적 표현은 (나)의 중장에서만 나타나 있다.

④ (가)의 '보션 버서 품에 품고 신 버서 손에 쥐고'와 (다)의 중장에서는 유사한 문장 구조를 반복하는 대구법을 사용하고 있다.

⑤ (나)의 '어이 못 오던가'와 '날 보라 올 홀리 업스랴'에서 의문형 문장으로 임에 대한 화자의 답답한 심정을 드러내었으며, (다)의 '요 개ㄱ치 얄믜오랴'와 '너 머길 줄이 이시랴'에서 의문형 문장으로 개에 대한 화자의 원망을 드러내고 있다.

03 '거머횟들 ~ 님이로다'에는 임을 기다리는 간절한 마음에 '거머횟들'을 임으로 착각한 화자의 모습이 나타나 있다.

왜 오답일까 ① '님이 ~ ᄇ라보니'는 화자가 임을 기다리는 상황이다.

③ '보션 ~ 건너가셔'에는 임을 만나기 위해 타인의 시선을 의식하지 않은 채 정신없이 달려가는 화자의 모습이 나타나 있다.

④ '정엣 말 ~ 소겨다'는 '주추리 삼대'를 임으로 착각했음을 자각하는 부분이다.

⑤ '모쳐라 ~ 우일 번ᄒ괘라'에서 화자는 낮이었다면 다른 사람을 웃길 뻔했다며 타인의 시선을 의식하고 있다.

04 ㉠(금거북 자물쇠)은 임이 오지 못하도록 막는 장애물이다. ②의 '약수' 역시 임과 화자의 만남을 가로막는 역할을 한다.

05 (가)의 '보션'과 '신'은 실생활에서 흔히 볼 수 있는 소재로, 조금이라도 임을 빨리 만나기 위해 '보션'과 '신'을 벗어 손에 쥐고 거침없이 뛰쳐나가는 화자의 모습을 통해 솔직함과 대담성을 엿볼 수 있다. 이때 '보션'과 '신'이 임의 소중함을 상징하는 것은 아니다.

왜 오답일까 ② (나)의 중장에서 화자는 임이 '무쇠로 만든 성 → 성 안에 쌓은 담 → 담 안에 지은 집 → 집 안에 놓은 뒤주 → 뒤주 안에 있는 궤'에 갇혀 있어 오지 못한다는 과장된 상황을 연쇄적으로 늘어놓고 있다.

③ (나)의 화자는 종장에서 자신을 보러 올 하루가 없냐며 직설적으로 원망의 감정을 드러내고 있다.

④ (다)에서 화자는 '개'가 '뮈온 님'을 반기고, '고온 님'을 돌아가게 한다며, '개' 때문에 임이 오지 못하는 것처럼 표현하고 있다. 이를 통해 임에 대한 원망을 해학적으로 드러내고 있다.

⑤ (다)에서는 '홰홰', '버동버동' 같은 의태어와 '캉캉' 같은 의성어를 활용하여 '개'의 행동을 생생하게 표현하고 있다.

25 삶의 고뇌와 시름 76~77쪽

01 ① 02 ③ 03 ⑤ 04 ⑤ 05 ⑤

㉮ **작품 해제** 시름으로부터 벗어나고 싶은 마음을 표현한 사설시조로, 한숨에게 인격을 부여하여 해학적으로 표현하고 있다.

현대어 풀이 한숨아 가느다란 한숨아, 네 어느 틈으로 들어오느냐?
고미장지, 세살장지, 가로닫이, 여닫이에 암톨쩌귀, 수톨쩌귀, 배목걸쇠 뚝딱 박고, 용 거북 자물쇠로 꼭꼭 채웠는데, 병풍처럼 덜컥 접고 족자처럼 대굴대굴 말았느냐 네 어느 틈으로 들어오느냐?
어찌 된 일인지 네가 오는 날 밤이면 잠 못 들어 하노라.

㉯ **작품 해제** 삶의 고뇌를 장지문의 종류와 그 부속품을 나열하여 드러낸 사설시조로, '창'을 만들어 답답함을 해소하고픈 소망을 드러내고 있다.

현대어 풀이 창 내고자 창을 내고자 이내 가슴에 창을 내고자
고미장지 세살장지 들장지 열장지 암톨쩌귀 수톨쩌귀 배목걸쇠 크나큰 장도리로 뚝딱 박아 이내 가슴에 창을 내고자
이따금 몹시 답답할 때면 여닫아 볼까 하노라.

㉰ **작품 해제** 탐관오리의 횡포와 허세를 풍자한 사설시조로, 우의적 수법과 익살스러운 표현을 통해 약육강식의 세태를 폭로하고 있다.

현대어 풀이 두터비가 파리를 물고 두엄 위에 뛰어 올라가 앉아
건넛산을 바라보니 흰 송골매가 떠 있거든 가슴이 섬뜩하여 펄쩍 뛰어 내닫다가 두엄 아래 자빠졌구나.
마침 날랜 나이기에 망정이지(하마터면) 피멍이 들 뻔했구나.

01 (가)의 화자는 끝없는 시름과 답답한 삶에 잠을 이루지 못하고 있고, (나)의 화자는 답답한 마음을 해소하기 위해 마음에 창을 내고자 하고 있으며, (다)의 화자는 탐관오리의 횡포와 허세를 고발하고 있으므로 (가)~(다)의 화자 모두 현실을 부정적으로 인식하고 있다고 볼 수 있다.

왜 오답일까 ② (다)는 '두터비', 'ᄑ리', '백송골'의 관계를 통해 탐관오리의 허세와 횡포를 우의적으로 표현하고 있다. (가), (나)에는 우의적 표현이 나타나 있지 않다.

③ (가)는 '네 어늬 틈으로 드러온다'를, (나)는 '창 내고쟈'를 반복하여 화자의 정서를 강조하고 있다. (다)에는 반복적인 표현이 나타나지 않는다.

④ (가)는 의인화한 대상인 '한숨'에게 말을 건네며 시상을 전개하고 있다. (나)에는 의인화한 대상이 나타나지 않으며, (다)는 '두터비'를 의인화하고 있지만 '두터비'에게 말을 건네고 있지 않다.

⑤ (가)의 초장과 중장에서 '드러온다(들어오느냐?)'를 활용해 빈틈없는 문단속에도 '한숨'이 들어오는 상황에 대한 의문과 시름을 보여 주고 있다. (나)와 (다)에는 의문형이 나타나지 않는다.

02 (가)에서 '한숨'은 삶의 고뇌와 시름을 의미한다. 화자는 외부에서 들어오는 '한숨'을 막기 위해 꼼꼼하게 문단속을 하고 있으므로, '한숨'의 원인을 자신의 내부에서 찾고 있다고 보기는 어렵다.

왜 오답일까 ① (가)는 중장에서 장지문의 종류와 돌쩌귀 등의 부속품을 나열하며 '한숨', 즉 삶의 시름과 고뇌를 막고 싶은 바람을, (나)는 중장에서 장지문의 종류와 부속품을 나열하며 마음에 창을 내어 답답함을 해소하고 싶은 바람을 강조하고 있다.

②, ④ (가)에는 의인화된 한숨으로 화자의 근심을 표현한 기발한 발상이, (나)에는 추상적인 대상인 '마음'에 '창'을 낸다는 기발한 발상이 담겨 있다. 이를 통해 해학성을 획득하고 있다.

⑤ (가)와 (나)는 중장에서 장지문의 종류와 돌쩌귀 등의 부속품을 열거하고 있다는 점에서 유사한데, 이를 통해 두 작품 간에 상호 교섭이 일어났음을 짐작할 수 있다.

03 ㉤(백송골)은 화자가 비판하는 대상인 '두터비'가 두려워하는 대상으로, 중앙 관리나 외세를 의미한다.

04 (다)와 〈보기〉의 '두터비'는 백성에게 횡포를 부리는 탐관오리를 의미한다. (다)에는 '두터비'의 외양 묘사가 나타나지 않은 반면, 〈보기〉에서는 '두터비'를 한 눈이 멀고 한 다리를 저는 모습으로 묘사하여 탐관오리에 대한 화자의 부정적인 인식을 강조하여 드러내고 있다.

왜 오답일까 ①, ③ (다)와 〈보기〉는 화자가 일관되게 유지된다는 견해와 시상이 전개되면서 시적 대상이던 '두터비'가 화자로 바뀐

다는 견해가 있다. 후자의 견해를 따를 때, 종장에서 자기 합리화하는 화자를 '두터비'로 볼 수 있지만, 초·중장의 화자는 외부의 관찰자로 '두터비'로 볼 수 없다.

② (다)와 〈보기〉 모두 '두터비'를 희화화하고 있다.

④ 〈보기〉의 종장에서는 한자어를 추가하여 '둔자(鈍者)ㅣ런들 어혈질 번ᄒᆞ괘라'와 같이 표현하고 있으므로, (다)에 비해 〈보기〉에서 '두터비'의 허장성세를 더욱 신랄하게 보여 주고 있다고 할 수 있다.

엮인 작품 더 알기

작자 미상, 「ᄒᆞᆫ 눈 멀고 ᄒᆞᆫ 다리 저는」 ▶해법문학 Link 고전 시가 220쪽

작품 해제 (다)와 소재와 주제, 시상 전개가 동일하고 표현도 상당 부분 유사한 사설시조로, (다)보다 더 우스꽝스럽게 두꺼비를 묘사했다는 특징이 있다.

05 '두터비'는 약자를 괴롭히는 강자, 'ᄑᆞ리'는 '두터비'에게 수탈당하는 약자, '백송골'은 '두터비'보다 더 강한 대상을 의미한다. ⑤에서 '솔개'는 '두터비'에, '쥐'는 'ᄑᆞ리'에, '봉황'은 '백송골'에 각각 대응한다.

왜 오답일까 ① '나비'와 '범나비'는 동등한 관계로, 화자는 자신이 지향하는 세계인 청산에 이들과 함께 가고자 한다. '꽃'은 청산에 가는 도중에 쉴 수 있는 공간으로 볼 수 있다.

② '까마귀'는 화자가 긍정적으로 평가하는, '백로'는 화자가 비판적으로 평가하는 대상이다. '너'는 '백로'를 가리키는 표현이다.

③ 수양 대군이 단종을 폐위한 계유정난을 풍자한 작품으로, '눈서리'는 수양 대군의 포악함을, '낙락장송'은 단종에게 충성하는 중신들을, '꽃'은 이제 막 벼슬길에 나간 젊은 유생들을 가리킨다.

④ '대추', '밤', '벼' 모두 늦가을 농촌의 풍요로움을 보여 주는 소재이다.

26 해학과 풍자 78~79쪽

01 ① 02 ⑤ 03 ① 04 ② 05 ③

㉮ 작품 해제 어린아이가 고추잠자리를 잡는 놀이를 통해 서로가 서로를 모해하는 세상을 풍자한 사설시조로, 중의적인 표현을 통해 주제를 암시하고 있다.

현대어 풀이 발가벗은 아이들이 거미줄 테를 들고 개천을 왔다 갔다 하며 "발가숭아 발가숭아, 저리 가면 죽고 이리 오면 산다." 부르는 것이 발가숭이로다. 아마도 세상일이 다 이러한 것인가 하노라.

㉯ 작품 해제 게젓 장수의 현학적인 면을 풍자한 사설시조로, 대화체를 통해 생동감을 유발하고 있다.

현대어 풀이 "사람들아, 동난젓 사오." "저 장수야, 네 물건 그 무엇이라 외치느냐? 사자."
밖은 단단하고 안은 물렁하며, 두 눈은 위로 솟아 하늘을 향하고, 앞뒤로 기는 작은 발 여덟 개, 큰 발 두 개, 청장이 아스슥하는 동난젓 사오.
장수야, 그렇게 거북하게 말하지 말고 게젓이라 하려무나.

㉰ 작품 해제 탐관오리의 횡포를 우의적으로 풍자한 사설시조로, 관리들을 다양한 '물쐿'에 비유하고 있다.

현대어 풀이 이 몸이 살자 하니 물것 역겨워 못살겠구나.
피의 껍질 같은 가랑니, 보리알같이 통통한 살찐 이, 굶주린 이, 알에서 갓 깬 이, 잔 벼룩, 굵은 벼룩, 강벼룩, 왜벼룩, 기는 놈, 뛰는 놈에, 비파 같은 빈대 새끼, 사령 같은 등에아비, 각다귀, 사마귀, 흰 바퀴벌레, 누런 바퀴벌레, 바구미, 거저리, 부리 뾰족한 모기, 다리 기다란 모기, 야윈 모기, 살진 모기, 그리마, 뾰록이가 밤낮을 가리지 않고 빈 때 없이 물거니 쏘거니 빨거니 물어뜯거니 하는 것이 심한 당비루(피부병)보다 더 고약하구나.
그중에 차마 견디지 못할 것은 유월 복더위에 쉬파리인가 하노라.

01 (가)의 '져리 가면 죽ᄂᆞ리라 이리 오면 ᄉᆞᄂᆞ리라', (나)의 '소아리 팔족 대아리 이족', (다)의 '피ㅅ겨 ᄀᆞᄐᆞᆫ 갈앙니 볼리알 ᄀᆞᄐᆞᆫ 슈퉁니' 등에서 대구법을 활용하여 리듬감을 부여하고 있다.

왜 오답일까 ③ (나)에만 해당하는 설명이다. (나)는 '게젓 장수'와 '댁'의 대화를 인용하여 시상을 전개하고 있다. (가)에서는 '붉가버슨 아해'들이 고추잠자리에게 하는 말인 '붉가숭아 붉가숭아 져리 가면 죽ᄂᆞ니라 이리 오면 ᄉᆞᄂᆞ리라'가 인용되었다.

④ (다)에만 해당하는 설명이다. (다)의 중장에서 '물쐿'의 모습을 '~ ᄀᆞᄐᆞᆫ'이라는 표현을 통해 다양한 대상에 빗대어 드러내고 있다.

02 ⓐ(붉가버슨 아해)는 고추잠자리를 속여 잠자리를 잡으려 하는 아이들로, 타인을 모해하고 속이는 자를 의미할 뿐, 중의적 표현은 아니다.

왜 오답일까 ③ ⓑ(붉가숭이)는 유사한 발음을 활용한 중의적 표현이다. ⓑ를 '붉가버슨 아해'로 본다면 타인을 속이는 자로, ⓑ를 고추잠자리로 본다면 타인에게 속아 넘어가는 자로 이해할 수 있다.

03 (나)의 화자는 쉬운 우리말을 두고 어려운 한자어를 사용하여 '게'를 설명하는 게젓 장수의 현학적인 태도를 비판하고 있다. '허장성세(虛張聲勢)'는 '실속은 없으면서 큰소리치거나 허세를 부림.'을 의미하는 말로, 게젓 장수에 대한 비판의 의도를 드러내기에 적절한 표현이다.

왜 오답일까 ② 후안무치(厚顔無恥): 뻔뻔스러워 부끄러움이 없음.

③ 안하무인(眼下無人): 방자하고 교만하여 다른 사람을 업신여김.

④ 견강부회(牽强附會): 이치에 맞지 않는 말을 억지로 끌어 붙여 자기에게 유리하게 함.

⑤ 부화뇌동(附和雷同): 줏대 없이 남의 의견에 따라 움직임.

04 (다)에서 탐관오리를 '물쐿'에 비유한 것은 관리들의 힘이 하찮음을 표현하고자 한 것이 아니라 백성들을 착취하는 탐관오리가 너무 많은 상황을 우의적, 해학적으로 표현하고자 한 것이다.

05 ⓒ(거북이)는 한자어를 사용하여 '게젓'을 장황하고 어렵게 설명하는 게젓 장수에 대한 화자의 부정적 인식을 집약적으로 드러내는 표현이다.

왜 오답일까 ① ㉠(세상일)은 속고 속이는 각박한 세태로, 화자가 부정적으로 인식하는 대상일 뿐, ㉠이 화자의 슬픔을 유발하는 근

본적인 원인이라고 볼 수는 없다.

② ㉡(동난지이)은 게젓 장수가 설명하는 대상인 '게젓'으로, 화자가 ㉡ 자체를 긍정적으로 여긴다고 볼 수는 없다.

④ ㉣(당빌리)은 피부병의 일종으로, 화자는 쉴 새 없이 물어대는 '물썻'으로 인한 고통이 심한 당비루보다 더 고약하다고 이야기하고 있다. 따라서 ㉣은 화자의 삶을 가장 고통스럽게 하는 대상이 아니다.

⑤ ㉤(쉬ᄑᆞ리)은 '물썻' 중에서도 화자가 가장 견디기 어려워하는 대상으로, 화자의 감정이 이입된 대상이 아니다.

27 상춘곡 80~83쪽

01 ③ **02** ③ **03** ③ **04** ③ **05** ⑤ **06** 자연에 묻혀 소박하게 사는 삶에 만족하는 안분지족의 태도를 보여 주고 있다. **07** ③ **08** ④

작품 해제 작가가 벼슬에서 물러나 고향에 머물면서 지은 가사로, 봄 풍경의 아름다움을 묘사하면서 그 속에서 느끼는 흥취와 풍류를 표현하고 있다.

01 윗글에 문장의 어순을 뒤바꾸는 도치법은 사용되지 않았다.

왜 오답일까 ① '도화 행화ᄂᆞᆫ 석양리예 픠여 잇고 / 녹양방초ᄂᆞᆫ 세우 중에 프르도다'에서 붉은색과 푸른색의 대비를 통해 봄날의 아름다운 경치를 효과적으로 표현하고 있다.

② '수풀에 우ᄂᆞᆫ 새ᄂᆞᆫ 춘기를 뭇내 계워 소리마다 교태로다'에서 새의 울음소리(청각적 심상)을 통해 봄날의 풍경을 생동감을 있게 그려 내고 있다.

④ '도화 행화ᄂᆞᆫ 석양리예 픠여 잇고 / 녹양방초ᄂᆞᆫ 세우 중에 프르도다', '답청으란 오ᄂᆞᆯ ᄒᆞ고 욕기란 내일 ᄒᆞ새 / 아ᄎᆞᆷ에 채산ᄒᆞ고 나조ᄒᆡ 조수ᄒᆞ새' 등에서 동일한 문장 구조를 반복하여 운율을 형성하고 있다.

⑤ '청풍명월 외예 엇던 벗이 잇ᄉᆞ올고'에서 자연을 의미하는 '청풍명월'을 '벗'으로 의인화하여 긍정적 속성을 부각하고 있다.

02 ㉢에서 화자는 '도화'를 보며 무릉도원을 떠올리고 있는데, 이는 자신이 바라보는 봄날의 풍경이 무릉도원과 같이 아름다움을 강조하기 위한 표현이다. 화자는 현재의 삶에 만족하고 있으므로, ㉢이 이상향에 대한 갈망을 표현한 구절이라는 이해는 적절하지 않다.

왜 오답일까 ① ㉠에서 화자는 '수풀에 우ᄂᆞᆫ 새'에 감정을 이입하여 봄날에 느끼는 고조된 흥취를 표현하고 있다.

② ㉡에서 화자는 청유형 어미 '-쟈스라'를 사용하여 이웃들에게 함께 산수 구경을 가자고 권유하고 있다.

④ ㉣에서 '공명'과 '부귀'를 주체로, 화자 자신을 객체로 설정하여 공명과 부귀를 멀리하고자 하는 화자의 가치관을 드러내고 있다.

⑤ ㉤에서 설의적 표현인 '잇ᄉᆞ올고'를 통해 자연과 벗하며 사는 삶에 대한 화자의 지향을 보여 주고 있다.

03 '정자'는 화자가 수간모옥을 거쳐 이동한 장소로, 화자는 봄날 '정자'에 앉아 한가로운 가운데 참된 즐거움을 느끼고 있으므로, '정자'가 화자에게 슬픔을 불러일으킨다는 설명은 적절하지 않다.

왜 오답일까 ① '홍진'은 번거롭고 속된 세상을 비유적으로 이르는 말로, 자연을 의미하는 '산림'과 대조적인 공간으로 볼 수 있다.

② '풍월주인'은 맑은 바람과 밝은 달 따위의 아름다운 자연을 즐기는 사람을 의미하는 시어로, 화자는 봄날의 아름다운 자연을 즐기는 자신을 '풍월주인'으로 표현하며 만족감과 자부심을 드러내고 있다.

④ '두견화'는 진달래꽃으로 봄이라는 계절적 배경을 드러내고 있다.

⑤ '훗튼 혜음'은 세속적 가치인 '공명'과 '부귀'를 탐하는 생각을 의미한다.

04 윗글은 화자의 공간 이동에 따라 시상을 전개하고 있는데, '수간모옥 → 정자 → 시냇가 → 봉두'로 이동함에 따라 화자가 있는 공간이 점차 좁은 공간에서 넓고 개방된 공간으로 확대되고 있다.

05 [E]는 산봉우리에서 바라본 봄의 경치를 표현한 부분으로, 봄이 찾아오며 겨울 들판에 봄빛이 넘쳐나는 모습을 묘사한 것일 뿐 인간과 자연의 조화로운 합일을 표현한 것은 아니다.

왜 오답일까 ① [A]에서 '석양'과 '세우'는 하강의 이미지이며, '도화 행화'와 '녹양방초'는 상승의 이미지이다. 따라서 [A]에서는 하강 이미지의 시어와 상승 이미지의 시어를 나란히 배치하여 조화와 균형을 이루고 있다.

② [B]에서 화자는 오늘과 내일, 아침과 저녁에 할 일을 정해 두고 있으므로, '오ᄂᆞᆯ'과 '내일', '아ᄎᆞᆷ'과 '나조'로 봄놀이를 적절히 배치하고 있음을 알 수 있다.

③ [C]의 '곳나모 가지 것거 수 노코 먹으리라'에는 술에 취하지 않기 위해 술잔을 세어 가며 술을 마시는 모습이 나타나 있는데, 이를 통해 사대부의 절제된 풍류 의식을 엿볼 수 있다.

④ [D]의 '청향', '낙홍'에는 화자의 고조된 흥취가 반영되어 있는데, 뒤에 이어지는 '진다'라는 표현을 통해 고조된 흥취를 다스리고 있다고 볼 수 있다.

06 윗글의 '단표누항에 훗튼 혜음 아니 ᄒᆞᄂᆡ / 아모타 백년행락이 이만ᄒᆞᆫ ᄃᆞᆯ 엇지ᄒᆞ리'에서 화자가 부귀와 공명을 탐하지 않고 자연을 즐기며 소박하게 사는 삶에 안분지족하고 있음을 알 수 있다. 〈보기〉의 화자 역시 남은 것이 포도 덩굴과 노래 악보뿐인 가난한 삶 속에서도 자연을 벗 삼아 살아가며 안분지족하고 있다.

엮인 작품 더 알기

김수장, 「내 소리 담박한 중에」 ▶해법문학 Link 고전 시가 238쪽

작품 해제 가난한 삶 속에서도 자연과 음악에 만족하며 살아가는 안빈낙도·안분지족의 태도를 노래한 시조이다. '수경 포도'를 통해 자연 속에 묻혀 사는 소박한 삶을, '일 권 가보'를 통해 풍류를 즐기는 모습을, '풍월'을 통해 자연 친화적 태도를 드러내고 있다.

기출 작품 딥러닝

㉯ 이이, 「고산구곡가」 ▶해법문학 Link 고전 시가 148쪽

작품 해제 작가가 주자(朱子)의 「무이구곡가」를 본떠 지었다고 알려진 작품으로, 서곡 1수, 본문 9수로 된 전 10수의 연시조이다. 매 수마다 고산의 특정 경관의 아름다움을 읊으면서도, '봄~겨울', '낮~밤'의 흐름에 따라 시상을 전개한다는 특징이 있다.

핵심 포인트 「고산구곡가」의 시간적 유기성

계절에 따른 시상 전개			시간에 따른 시상 전개	
봄	〈제3수〉 늦은 봄의 화암 ⋯ 수록 부분	+	아침	〈제2수〉 관암의 아침 햇살
여름	〈제4수〉 녹음 짙은 취병		낮	〈제6수〉 소쇄한 은병
가을	〈제8수〉 서리가 내린 풍암 ⋯ 수록 부분		저녁	〈제5수〉 해 저문 송애 〈제7수〉 황혼의 조협
겨울	〈제10수〉 눈 속에 묻힌 문산 ⋯ 수록 부분		달밤	〈제9수〉 달 밝은 금탄

현대어 풀이 이곡은 어디인가 화암의 늦봄 경치로다.
푸른 물결에 꽃을 띄워 멀리 들판으로 보내노라.
사람들이 명승지를 모르니 알게 한들 어떠하리. 〈제3수〉
칠곡은 어디인가 단풍이 가득한 바위에 가을 빛이 좋구나.
맑은 서리 엷게 치니 절벽이 수놓은 비단 같구나.
서늘한 바위에 혼자 앉아서 집에 가는 것도 잊고 있노라. 〈제8수〉
구곡은 어디인가 문산에 한 해가 저물었구나.
기암괴석이 눈 속에 묻혀 있구나.
놀러 다니는 사람은 오지도 아니하고 볼 것 없다 말하더라. 〈제10수〉

07 (가)는 '도화 행화는 ~ 세우 중에 프르도다' 등에서 자연물을 통하여 봄이라는 시간적 배경을 시각적으로 드러내고 있다. (나)는 '곳(꽃)', '청상(서리)', '눈' 등 자연물을 통해 각각 봄, 가을, 겨울의 시간적 배경을 시각적으로 드러내고 있다.

08 ㉣에서 화자는 질문의 형식을 통해 사람들에게 화암의 늦봄 경치를 알리고 싶은 마음을 제시하여 청자의 공감을 유도하고 있다.

왜 오답일까 ① ㉠에서 화자는 속세의 사람들에게 자연에 묻혀 사는 자신의 삶이 어떠한지를 물으며 자부심을 드러내고 있다. 따라서 청자와 화자가 동질적인 삶을 살고 있음을 질문하기를 통해 확인한 것으로 볼 수 없다.

② ㉡에서 화자는 이웃 사람들에게 산수 구경을 권유하고 있을 뿐, 청자를 불러들여 지난날의 경험을 상기시키고 있는 것이 아니다.

③ ㉢에서 화자는 '소동 아희'에게 술동이가 비었으면 자기에게 알리라고 이야기하고 있으므로, 상대의 부탁을 수용하거나 자신과 뜻을 같이할 것을 명령하는 것이 아니다.

⑤ ㉤에서 화자는 고산에 와 보지 않았으면서 볼 것이 없다고 말하는 세속의 경박함을 비판하고 있을 뿐, 타인의 말을 청자에게 전하며 조언을 구하는 것은 아니다.

28 만분가 84~87쪽

01 ⑤ 02 ⑤ 03 ③ 04 ⑤ 05 흉중에 쌓인 말씀 쓸커시 사뢰리라
06 ④ 07 ⑤

작품 해제 무오사화에 연루되어 귀양살이한 작가가 자신의 억울한 심정과 연군의 정을 토로한 가사로, 조선 전기 유배 가사의 효시로 평가받고 있다.

01 윗글에 계절에 따른 경치의 변화나 이를 구체적으로 묘사한 부분은 나타나지 않는다.

왜 오답일까 ① '초객의 후신인가 상심도 끝이 없고 / 가 태부의 넋이런가 한숨은 무슨 일인고' 등에서 동일한 문장 구조를 반복하여 화자의 정서를 강조하고 있다.

② '구만리', '천층랑' 등과 같이 과장된 표현을 사용하여 화자의 심리를 부각하고 있다.

③ 고사 속 인물인 '초객'과 '가 태부'에 자신을 비유하여 화자의 억울함과 결백함을 드러내고 있다.

④ (다)의 '화산에 우는 새'와 '입 노란 새끼 새들'은 임금을 그리워하는 화자의 심정을 간접적으로 드러내는 자연물이다.

02 ㉤은 작가가 무오사화에 연루되어 유배당하기 전에 동료들과 함께 조정에서 생활하던 과거 시절을 떠올리는 구절로 볼 수 있다.

왜 오답일까 ① 조위가 무오사화에 연루되어 유배 생활을 했다는 〈보기〉의 내용을 고려할 때, ㉠을 작가가 십 년 동안 유배 생활을 하며 떠돌아다녔음을 표현한 시구로 볼 수 있다.

03 [C]의 '백옥 같은 이내 마음'은 화자가 임을 위해 지킨 마음이므로, [C]는 임금에 대한 화자의 마음이 순수함을 나타내는 구절로 볼 수 있다. 그러나 [나]의 '옥 같은 얼굴'은 임금의 얼굴을 비유한 것으로, [나]는 임금의 안위를 걱정하는 화자의 마음을 표현한 구절이다.

왜 오답일까 ① [A]에서 화자는 두견의 넋이 되어서라도 임을 만나고자 하고, [마]에서 화자는 낙월이 되어서라도 임을 만나고자 하므로, [A]와 [마] 모두 죽어서 다른 존재가 되어서라도 자신의 소망을 이루고자 하는 의지가 담겨 있다고 볼 수 있다.

② [B]의 '쓸커시 사뢰리라', [다]의 '슬카장 삷자 하니'에서 알 수 있듯이 화자는 자신의 심정을 마음껏 임금에게 전하고자 한다.

④ [D]에는 임과 떨어져 해 질 녘 대나무에 기대어 서 있는 화자의 쓸쓸함이, [가]에는 혼자 차가운 잠자리에 든 화자의 쓸쓸함이 담겨 있다.

⑤ [E]에서 난꽃을 꺾어 들고 임 계신 곳을 바라보는 화자의 모습과 [라]에서 '이 임이 어디 간고'라고 탄식하며 창밖을 바라보는 화자의 모습을 통해 연군의 정을 확인할 수 있다.

엮인 작품 더 알기

정철, 「속미인곡」 ▶해법문학 Link 고전 시가 176쪽

작품 해제 충신연주지사의 대표작이다. 〈보기〉는 「속미인곡」의 끝부분으로 독수공방의 슬픔과 임과의 재회를 바라는 소망이 나타나 있다.

04 ⓐ의 '구름'은 화자의 분신으로, 죽어서라도 임을 만나고 싶은 화자의 소망을 담고 있다. ⓑ의 '구름'은 화자가 임을 바라보는 것을 방해하고 있으므로, 화자와 임 사이를 가로막고 있는 장애물을 상징한다.

05 「만분가」는 무오사화로 인해 억울하게 귀양살이를 하게 된 작가가 자신의 억울함을 토로하기 위해 창작한 작품으로, '흉중에 쌓인 말씀 쓸커시 사뢰리라'는 자신의 억울함을 호소하고 싶어 하는 화자의 심정이 나타난 부분이다.

기출 작품 딥러닝

㉮ 작자 미상, 「서경별곡」 ▶해법문학 Link 고전 시가 76쪽

작품 해제 임과의 이별을 부정하고 임과의 사랑을 가로막는 것들에 대한 원망을 드러내는 고려 가요로, 적극적이면서도 솔직한 화자의 모습이 드러나 있다.

핵심 포인트 **「서경별곡」에 나타난 화자의 태도**

- 생활 터전과 생업을 모두 버리고서라도 임을 따라가고자 함.
- 구슬과 끈에 빗대어 임에 대한 사랑과 믿음을 맹세함.

⬇

화자의 태도

- 임과의 사랑을 이루려는 적극적인 태도를 보임.
- 자신의 감정을 솔직하게 표현함.

현대어 풀이 서경(평양)이 서울이지마는
새로 닦은 곳인 소성경(평양)을 사랑합니다마는
임과 이별할 것이라면 차라리 길쌈하던 베를 버리고서라도
사랑만 해 주신다면 울면서 따라가겠습니다. 〈제1연〉
구슬이 바위에 떨어진들 / 끈이야 끊어지겠습니다까?
(임과 헤어져) 천 년을 홀로 살아간들
사랑하는 임에 대한 믿음이야 끊기고 변할 리가 있겠습니까? 〈제2연〉

㉯ 조위, 「만분가」 ▶해법문학 Link 고전 시가 158쪽

현대어 풀이 이 몸이 녹아도 옥황상제 처분이요, / 이 몸이 죽어도 옥황상제 처분이구나. / 녹아지고 죽어서 혼백조차 흩어지고 / 공산 해골같이 임자 없이 굴러다니가. / 곤륜산 제일봉에 매우 큰 소나무가 되어 / 바람비 뿌린 뒤 소리 임의 귀에 들리게 하거나, / 오랜 세월 윤회하여 금강산 학이 되어 / 일만 이천 봉에 마음껏 솟아올라 / 가을 달 밝은 밤에 두어 소리 슬피 울어 / 임의 귀에 들리게 하는 것도 옥황상제 처분이겠구나. / 한이 뿌리가 되고 눈물로 가지 삼아 / 임의 집 창밖에 외로운 매화 되어, / 눈 속에 혼자 피어 베갯머리에 시드는 듯 / 드문드문 비치는 달그림자가 임의 옷에 비치거든, / 불쌍한 이 얼굴을 너로구나 반겨 주실까 궁금하구나. / 동풍이 뜻이 있어 매화 향기를 불어 올려 / 고결한 이내 생애 자연에나 부치고 싶구나. / 빈 낚싯대 비스듬히 들고 빈 배를 혼자 띄워, / 한강 건너 저어 궁궐에 가고 싶구나.

06 (가)의 '좃니노이다'는 임이 자신을 사랑해 주기만 한다면 길쌈하던 베를 버리고라도 임을 따르겠다는 화자의 마음을 드러내고 있다. (나)의 '빗취어든'은 달빛에 비치는 그림자가 되어서라도 임의 곁에 있고 싶은 화자의 소망을 드러내고 있다.

왜 오답일까 ① (가)의 '셔울'은 화자가 머무르고 있는 공간이지만 (나)의 '건덕궁'은 화자가 가고 싶어 하는, 임이 계신 공간이다.
② (가)의 '질삼뵈'는 화자의 생업과 관련된 것으로, 화자는 임을 따라가기 위해 생업도 버릴 수 있다는 적극적인 태도를 취하고 있다. (나)의 '빈 낙대'는 화자의 무심한 마음을 대변하는 소재이다.
③ (가)의 '우러곰'과 (나)의 '슬피 우러'는 모두 화자의 심정을 드러낸다.
⑤ (가)의 '그츠리잇가'는 임에 대한 사랑과 믿음이 변치 않을 것이라는 화자의 확신을, (나)의 '반기실가'는 임이 나를 반겨 주실지에 대한 화자의 기대와 우려를 드러낸다.

07 'ᄀ을 ᄃᆞᆯ 불근 밤'과 '월중'은 화자가 임을 그리워하고 있는 시간이지 임과 재회한 순간은 아니다.

왜 오답일까 ① '이 몸이 녹아져도 ~ 옥황상제 처분이라'에서 화자는 임과 떨어져 임을 그리워하며 지내는 자신의 처지를 '옥황상제 처분'으로 여기며 체념하고 있다.
② 화자는 죽은 뒤에 윤회하여 '만장송'이나 '금강산 학'이 되어서 임에게 자신의 마음을 전하려 하므로, '만장송'과 '금강산 학'은 화자의 분신으로 볼 수 있다.
③ '바람비 뿌린 소리'와 '두어 소리'는 '님의 귀에 들리'고자 하는 것으로, 임에게 전하고자 하는 화자의 마음을 담고 있다고 볼 수 있다.
④ 자신의 한이 '뿌리'가 되고 눈물로 '가지'를 삼아 매화가 되겠다고 표현하여 화자의 억울함과 한의 정서를 드러내고 있다.

29 관동별곡 88~91쪽

01 ③ 02 ① 03 ① 04 오랜 시간 동안 하늘을 향해 솟아 있는 '망고대'와 '혈망봉'을 보면서 충신의 변치 않는 곧은 절개를 떠올리며 '망고대'와 '혈망봉'을 예찬하고 있다. 05 ① 06 ③ 07 ④ 08 ②

작품 해제 작가가 강원도 관찰사로 부임하여 금강산과 관동 팔경을 유람한 후 쓴 기행 가사로, 생략과 비약을 활용하여 활기 넘치는 문장을 구사하고 있다.

01 윗글의 화자는 금강산의 아름다움에 감탄하며 관리로서의 임무와 풍류를 즐기고자 하는 개인적인 욕구 사이에서 갈등하고 있을 뿐, 화자가 현실에서 도피하려는 모습이나 자연을 현실 도피의 공간으로 여기는 모습은 나타나지 않는다.

왜 오답일까 ① 윗글은 화자가 시간의 흐름에 따라 금강산과 관동 팔경의 이곳저곳을 옮겨 다니며 보고 느낀 것을 중심으로 하여 시상을 전개하고 있다.
② '션사를 ᄢᅴ워 내여 두우로 향ᄒᆞ살가 / 션인을 ᄎᆞᄌᆞ려 단혈의 머므살가'에서 의문형 종결 어미를 반복하여 자연을 즐기고 싶은 화자의 소망을 표현하고 있다.
④ 윗글은 여행하며 느끼는 화자의 감상과 더불어 화자의 정치적 포부를 함께 다루고 있다. 화자는 (라)의 '억만창싱을 다 취케 밍근

후의 / 그제야 고텨 맛나 또 흔 잔 흐잣고야'에서 강원도 관찰사로서 백성들과 좋은 것을 나누며 선정을 펼치겠다는 정치적 포부를 드러내고 있다.

⑤ 윗글의 갈래는 가사로, 가사는 '영듕이∨무스 호고∨시졀이∨삼월인 제'처럼 3(4) · 4조, 4음보의 율격을 바탕으로 한다.

02 '만폭동'으로 들어가는 화자의 모습이 나타나는 (가)의 1~4행에서는 단일한 감각적 심상만이 드러난다.

왜 오답일까 ② (가)의 '은 フ튼 무지게 옥 フ튼 룡의 초리'에서 폭포를 '룡의 초리'에 빗대어 만폭동 폭포의 역동성을 강조하고 있다.

③ (가)의 '호의현샹이 반공의 소소 뜨니'에서 '호의현샹'은 흰 저고리와 검은 치마라는 의미로, 학의 모습을 의인화하여 표현한 것이다.

④ (가)의 '셔호 녯 쥬인을 반겨서 넘노는 듯'에서 매화를 아내로 삼고 학을 자식으로 삼아 풍류를 즐겼다고 하는 중국 송나라 임포의 고사[매처학자(梅妻鶴子)]를 인용하고 있다.

⑤ (나)의 '부용을 고잣는 듯 빅옥을 뭇것는 듯 / 동명을 박추는 듯 북극(北極)을 괴왓는 듯'에서 진헐대에서 바라본 산봉우리의 변화무쌍한 모습을 대구의 형식으로 표현하고 있다.

03 화자가 '뉵셔루 오십천'을 보면서 '한강의 목멱'에 닿게 하고 싶다고 한 것은 서울에 임금이 계시기 때문에 임금을 향한 마음을 비유적으로 표현한 것이지 화자 자신이 실제로 '한강의 목멱'으로 떠나고 싶기 때문이 아니다.

왜 오답일까 ② 화자는 '왕뎡이 유흔'하기 때문에 자연을 더 즐기지 못하는 아쉬움을 '유회도 하도 할샤 긱수도 둘 듸 업다'라고 표현하고 있다.

③ 화자는 꿈속에서 신선과 대화를 나눈 뒤 관찰사로서의 공적 임무와 자연을 즐기고 싶은 개인적 욕구 사이에서 발생하는 내적 갈등을 해소하고, 평온한 마음으로 충의와 연군을 지향하게 된다.

④ 화자는 꿈에서 신선을 만나 '챵히슈'를 먹으며 술을 '억만창싱(모든 백성)'에게 고루 나누고 싶다고 말함으로써 애민 정신을 드러내고 있다.

⑤ '명월이 쳔산만낙의 아니 비친 듸 업다'는 꿈에서 깨어나 현실로 돌아오니 밝은 달이 온 세상을 대낮같이 비추고 있다는 뜻으로, 임금의 은총이 온 세상에 미치고 있음을 표현한 부분이다.

04 [A]에서 화자는 오랜 시간 동안 하늘을 향해 솟아 있는 '망고대'와 '혈망봉'을 보면서 자신도 망고대와 혈망봉과 같이 절개를 지키는 신하가 되고 싶어 하는 마음을 드러내고 있다.

05 [B]는 자연물인 '파도'를 '굿득 노흔 고래'에 비유하고 있으며, 〈보기〉는 '실フ티 플텨이셔 뵈フ티 거러시니'에서 자연물인 '폭포'의 모습을 '실'과 '뵈'에 비유하고 있다.

왜 오답일까 ③ [B]와 〈보기〉 화자가 관찰한 자연 현상을 묘사하고 있으므로 모두 인간의 접근을 허용하지 않는 자연의 냉혹함과는 거리가 멀다.

⑤ [B]는 망양정에 올라 바라본 바다의 모습을 묘사하였으므로 천문 현상과 관련이 없다.

06 〈보기〉의 화자는 추운 겨울날 옥루 고처(임금이 계신 궁궐)는 괜찮은지 염려하며 연군지정을 드러내고 있다. ⓒ은 아름다운 태백산의 풍경을 담은 오십천을 임금이 계신 곳(한강의 목멱)으로 향하게 하고 싶다는 말로 연군지정을 표현하고 있다.

엮인 작품 더 알기

박인로, 「오륜가」

작품 해제 박인로의 「오륜가(五倫歌)」는 총 25수의 연시조로 〈보기〉는 군신유의를 다룬 다섯 수 중 넷째 수에 해당하는 부분이다. 북풍의 찬 바람에 임금께서 춥지 않을까 걱정하는 내용으로 비유적 표현을 통한 서정성이 돋보인다.

기출 작품 딥러닝

㉮ 정철, 「관동별곡」 ▶해법문학 Link 고전 시가 166쪽

현대어 풀이 금강산의 최고봉인 비로봉에 올라 본 사람이 누구신가? (공자는 동산에 올라 노나라가 작음을 알고 태산에 올라 천하가 작다고 했는데) 동산과 태산의 어느 것이 비로봉보다 높던가? 노나라가 좁은 줄도 우리는 모르거든, 하물며 넓거나 넓은 천하를 공자는 어찌하여 작다고 했는가? 아! 공자와 같은 높고 넓은 경지를 어찌하면 알 수 있겠는가? (동산, 태산보다 높은 비로봉에 올라도 공자의 높은 경지에) 오르지 못하는데 내려감이 무엇이 괴이할까? 원통골 좁은 길로 사자봉을 찾아가니, 그 앞에 넓은 바위가 화룡소가 되었구나. 마치 천 년 묵은 늙은 용이 굽이굽이 서려 있는 것 같은 화룡소의 물이 밤낮으로 흘러 내어 넓은 바다에 이었으니, (바람과 구름을 타고 승천하여 비를 뿌리는 전설 속의 용처럼) 바람과 구름을 언제 얻어 흡족한 비를 내리려느냐? 그늘진 낭떠러지에 시든 풀을 다 살려 내려무나.

마하연, 묘길상, 안문재를 넘어 내려가 썩은 외나무다리를 건너 불정대에 올라 (눈앞에 펼쳐진 십이 폭포는) 천 길이나 되는 절벽을 공중에 세워 두고, 은하수 큰 굽이를 마디마디 잘라 내어 실처럼 풀어서 베처럼 걸어 놓았으니, 산수도경에는 열두 굽이라 하였으나, 내가 보기에는 그보다 더 되어 보인다. 만일 이백이 지금 있어서 다시 의논하게 되면, 여산 폭포가 여기보다 낫다는 말은 못할 것이다.

내금강의 경치만 매양 보겠는가? 이제는 동해로 가자꾸나. 남여 타고 천천히 걸어서 산영루에 오르니, 눈부시게 반짝이는 시냇물과 여러 소리로 우짖는 산새는 나와의 이별을 원망하는 듯하다.

㉯ 최익현, 「유한라산기」

작품 해제 작가가 한라산을 여행한 뒤 쓴 기행문으로, 한라산의 빼어난 풍경에 대한 사실적 묘사와 이에 따른 감회가 적절히 어우러지고 있다.

핵심 포인트 **'한라산'에 대한 화자의 태도**

- 백록담은 신선이 사는 듯하며 백록담을 둘러싼 봉우리들을 천부의 성곽이라고 표현함.
- 소동파의 시구가 적벽에서만 알맞지는 않았을 것이라고 이야기함.

↓

화자의 태도

한라산의 아름다움에 감탄함.

07 '마하연', '묘길상', '안문재'는 모두 여정에 해당한다. ⓔ에서 화자는 자신이 지나온 곳을 간단히 나열하는 한편 서술어는 '너머 디여'로 최소화하여 여정을 간결하고 압축적으로 제시하고 있다.

왜 오답일까 ① ㉠에서 화자는 비로봉의 높은 산세를 바라보며 동산에 올라가 노나라가 작다고 하고, 태산에 올라가 천하가 작다고 한 공자의 고사를 떠올리고 있다. 이는 공자의 기개와 높은 경지를 떠올린 부분으로, 비로봉이 동산과 태산에 미치지 못함을 말하고 있는 것이 아니다. ㉠에 이어지는 부분에서 화자 자신이 공자의 경지에 미치지 못함을 말하고 있을 뿐이다.

② ㉡의 '더 디위'는 천하를 작다고 했던 성현(공자)의 높은 기개와 정신적 경지, 즉 호연지기(浩然之氣)를 뜻하는 것이다. 따라서 ㉡은 성현에 대한 화자의 경외감이 드러난 부분이며 정치적 위상에 대한 불만과는 거리가 멀다.

③ ㉢의 '삼일우'는 '음애예 이온 풀'을 살려낼 수 있는 소재로서 죽어가는 대상에게 생명력을 불어넣는 존재를 뜻한다. 여기서 '음애예 이온 풀'은 백성(민초)을, ㉢은 그런 백성에게 선정을 베풀고자 하는 화자의 정치적인 소망을 상징한다고 볼 수 있다. 따라서 ㉢은 '위정자에 대한 비판'과는 거리가 멀다.

⑤ ㉤의 '남여'는 '의자와 비슷하고 뚜껑이 없는 작은 가마'를 가리키고 '완보'는 '느린 걸음'을 뜻하므로, '이동하는 모습을 과장되게 묘사하여 자신의 권위를 강조하고 있다.'라는 설명은 적절하지 않다.

08 (가)의 '이적선이 이제 이셔 고텨 의논ᄒᆞ게 되면 여산이 여긔도곤 낫단 말 못ᄒᆞ려니'에서 화자는 '여산'을 직접 유람한 것이 아니라 이적선의 글을 통해 와유했다는 것을 알 수 있다. 따라서 상상하던 '여산'의 모습과 실제로 바라본 '여산'의 모습을 비교했다는 설명은 적절하지 않다.

왜 오답일까 ① (가)에서 화자는 '화룡소'를 직접 보고 느낀 감회를 서술하였으므로 「관동별곡」을 읽은 다른 이들에게 와유의 기회를 제공할 수 있을 것이다.

③ (나)의 글쓴이는 1문단에서 직접 '백록담'과 주변을 관찰한 내용을 서술하고 있으므로 원유를 통해 자연의 형세를 묘사하였다는 설명은 적절하다.

④ (나)의 글쓴이는 3문단에서 자신이 직접 경험한 최고봉의 모습을 서술한 후, 4문단에서 『맹자』의 구절을 인용하며 '성현의 역량을 이로써 가히 상상할 수 있다.'라고 하였다. 따라서 원유가 호연지기를 기르는 기회가 될 수 있다는 설명은 적절하다.

⑤ (나)의 글쓴이는 4문단에서 '또 소동파에게 당시에 이 산을 ~ 라는 시구가 적벽에서만 알맞지는 않았을 것이다.'라고 하였으므로 와유했던 적벽의 모습(간접 경험)과 원유를 통해 확인한 한라산의 모습(직접 경험)을 비교하여 한라산의 아름다움을 강조하고 있다고 볼 수 있다.

30 속미인곡

92~95쪽

01⑤ 02⑤ 03④ 04④ 05④ 06③ 07③ 08④

작품 해제 두 여인의 대화 형식을 활용하여 임금을 향한 충심을 노래한 충신연주지사의 대표작으로, 「사미인곡」의 속편에 해당한다.

01 '츈한 고열', '츄일 동텬'과 같이 계절감을 드러내는 표현이 사용되기는 했지만, 계절의 변화에 따라 시상을 전개하고 있지는 않다.

왜 오답일까 ① '구롬', '안개', 'ᄇᆞ람', '믈결'과 같이 화자와 임의 사이를 가로막는 장애물을 통해 단절감을 표현하고 있다.

② '어와 네여이고 이내 ᄉᆞ셜 드러 보오' 등에서 영탄적 표현을 활용하여 임을 만나고 싶은 화자의 간절한 그리움을 드러내고 있다.

③ '강텬의 혼쟈 셔셔 디는 ᄒᆡ를 구버보니'에서 해 질 녘을 시간적 배경으로 삼아, '모쳠 츤 자리의 밤듕만 도라오니' 늦은 밤을 시간적 배경으로 삼아 화자의 슬픔을 강조하고 있다.

④ 두 인물(보조 화자인 갑녀와 중심 화자인 을녀)의 대화 형식을 통해 주제를 구현하고 있다. 을녀는 갑녀의 질문에 대답하며 자신의 신세를 한탄하고 자신의 상황과 정서를 풀어내고 있다.

02 화자는 꿈에서 임을 만났지만 쉴 새 없이 흐르는 눈물 때문에 하고 싶은 말을 하지 못한 채 닭 울음소리에 잠에서 깨어났다.

왜 오답일까 ① '믈 ᄀᆞ톤 얼굴이 편ᄒᆞ실 적 몃 날일고 ~ 기나긴 밤의 좀은 엇디 자시ᄂᆞᆫ고'에 임의 건강과 안위를 걱정하는 화자의 모습이 나타나 있다.

② '엇던디 날 보시고 네로다 녀기실식'에서 화자가 현재와 달리 과거에는 임에게 사랑을 받았음을 알 수 있다.

③ 화자는 임을 보고 싶은 마음에 높은 산에 올라가 보기도 하고, 물가로 가 뱃길을 알아보고자 했다.

④ '이릭야 교틱야 어즈러이 ᄒᆞ돗쩐디'와 '내 몸의 지은 죄 뫼ᄀᆞ티 빠혀시니' 등에서 화자가 임과 이별하게 된 원인을 자신의 잘못된 행동 때문이라고 생각하고 있음을 알 수 있다.

03 ⓓ(모쳠)는 현재 화자가 홀로 머무는 공간으로, 화자는 임을 만나기 위해 하루 종일 헤매다가 ⓓ로 돌아와 자신의 쓸쓸하고 외로운 처지를 탄식하고 있다. 따라서 ⓓ는 화자의 쓸쓸한 처지를 보여 주는 공간일 뿐, 화자가 ⓓ에서 임과의 재회를 확신하고 있다고 볼 수 없다.

왜 오답일까 ②, ③ 화자는 임을 보고 싶은 마음에 ⓑ(놉픈 뫼)에 올라가 보지만 '구롬, 안개' 때문에 임의 모습을 보지 못한다. ⓑ에 이어 찾아간 ⓒ(물ᄀᆞ)에서도 'ᄇᆞ람, 믈결' 때문에 임을 찾아갈 수도, 임의 소식을 들을 수도 없다. 이러한 상황은 임의 모습을 보거나 임의 소식을 들을 수 있을지도 모른다는 화자의 기대를 좌절시켜 절망감과 허탈감을 불러일으킨다.

⑤ 화자는 ⓔ(꿈)에서 잠시나마 그리운 임을 만나게 되므로, ⓔ에서 일시적으로나마 화자의 소망이 이루어진다고 볼 수 있다.

04 윗글의 '낙월'과 〈보기〉의 '범나비'는 모두 죽어서라도 임을 따르겠다는 화자의 일편단심을 보여 주는 대상일 뿐 두 대상 모두 화자와 임의 관계에 대한 긍정적인 전망을 담고 있지 않다.

왜 오답일까 ①, ②, ⑤ 윗글의 화자와 〈보기〉의 화자는 모두 이별한 임에 대한 그리움으로 인해 죽어서 다른 대상(낙월, 구즌비, 범나비)이 되어서라도 임의 곁에 가까이 가고 싶다고 소망하고 있다.
③ '범나비'는 향기 묻은 날개로 임의 옷에 앉을 수 있는 존재이므로 멀리서 임을 비추다가 사라지는 존재인 '낙월'에 비해 적극적인 성격을 띠고 있다고 할 수 있다.

05 사공 없이 홀로 걸려 있는 '빈 비'는 임과 이별하고 홀로 지내는 화자와 상황이 유사한 대상으로, 화자의 외로움과 상실감을 우회적으로 드러내고 있다.

기출 작품 딥러닝

㉯ 이담명, 「사노친곡」

작품 해제 관서 지방으로 유배를 간 화자가 지은 전 12수의 연시조로, 순환하는 자연과 귀양살이하는 자신의 처지를 대조하여 고향에 계신 노모에 대한 그리움을 드러내고 있다.

핵심 포인트 「사노친곡」에 나타난 화자의 정서

자연		화자
봄은 또 오고 풀은 또 푸르듯 어김없이 순환하여 다시 돌아옴.	↔	유배지에서 고향으로 돌아가지 못하고 있음.

↓

고향에 돌아가지 못하는 처지에 대한 한탄과
노모에 대한 간절한 그리움

현대어 풀이 봄은 오고 또 오고 풀은 푸르고 또 푸르니
나도 이 봄 오고 이 풀 푸른 것처럼
어느 날 고향에 돌아가 노모를 뵐 것인가. 〈제1수〉
어머님의 연세는 칠십오 세요 고갯길은 수천 리오.
(고향에) 돌아갈 기약은 갈수록 아득하다.
아마도 잠 없는 한밤중에 눈물겨워 서러워라. 〈제2수〉
기러기 날지 않으니 편지를 누가 전할까.
시름이 가득하니 꿈에서라도 시름을 잊을 것인가.
날마다 노친의 얼굴이 눈앞에 보이는 듯 또렷하구나. 〈제6수〉

06 (가)의 '하늘히라 원망ᄒᆞ며 사ᄅᆞᆷ이라 허믈ᄒᆞ랴', (나)의 〈제6수〉의 초장과 중장 등에서 설의적 표현을 활용하여 화자의 정서를 드러내고 있다.
왜 오답일까 ① (가)는 '하늘히라 원망ᄒᆞ며 사ᄅᆞᆷ이라 허믈ᄒᆞ랴' 등에서, (나)는 〈제1수〉와 〈제2수〉의 초장에서 대구법이 사용되었다.
② (가)의 '뫼ᄀᆞ티 빠혀시니'에서 직유법이 사용되었지만 (나)에는 직유법이 쓰이지 않았다.

07 '셜워 플텨 혜니 조믈의 타시로다'에서 화자는 임과의 이별을 자신의 운명 탓으로 돌리고 있을 뿐, 임을 원망하거나 임에게 서운해하고 있지 않다.

08 ㉠(오면된 계성)은 화자의 잠을 깨워 임이 부재하는 현실을 일깨우는 대상이고, ㉡(기럭이)은 멀리 떨어져 있는 노모에게 소식을 전할 수 없는 현실을 일깨우는 대상이다.

31 ㉮ 고공가 ㉯ 고공답주인가 96~100쪽

01 ⑤ 02 ② 03 ⑤ 04 ⑤ 05 ⑤ 06 ② 07 ③ 08 ④
09 ④ 10 ⑤ 11 ①

㉮ 작품 해제 임진왜란 직후에 쓰인 가사로, 정사에 힘쓰지 않고 사리사욕만 채우는 관리들을 집안의 어리석고 게으른 머슴에 빗대어 비판하고 있다.

㉯ 작품 해제 작가가 「고공가」에 답하여 지은 가사로, 머슴들을 비판하는 한편 주인도 어른 종의 말에 귀를 기울일 것을 권고하고 있다.

01 (가)와 (나)에서는 '고공'들이 자신의 의무를 게을리 하여 가세가 기울게 된 현실을 비판하면서 이를 개선하기 위해 머슴과 주인의 태도 변화가 필요하다는 것을 강조하고 있다.

02 (가)의 '~는 듯'과 같은 표현은 머슴들의 행동에 대한 추측을 드러내는 것으로, 머슴들로 인한 피해를 비유적으로 드러내고 있는 것은 아니다.
왜 오답일까 ① (가)에서는 'ᄒᆞᆫ아비', 즉 조상이 터를 닦아 살림을 일으킨 과거에는 '고공도 근검'하였으나, 오늘날의 고공들은 '혬이 어찌 아주 업'다며 과거와 현재를 대비하여 시상을 전개하고 있다.
③ (나)의 '비 ᄉᆡ여 셔근 집을 뉘라서 곳쳐 이며 / 옷 버서 문허진 담 뉘라셔 곳쳐 쏠고'에서 대구를 통해 문제 상황을 제시하고 있다.
④ (나)의 '명령을 뉘 드ᄅᆞ며 논의를 눌라 ᄒᆞᆯ고'에서 설의적 표현을 통해 마누라의 심리적 부담감을 부각하고 있다.
⑤ (나)의 '집일을 곳치거든 ~ 어른 죵을 미드쇼서'에서 연쇄법을 통해 청자가 해야 할 일의 우선순위를 밝히고 있다.

03 (가)에서 화자는 생각 있는 새 머슴들에게 집안일을 맡겨 문제를 해결하고자 하나 이러한 이들을 얻기 어려움을 토로하고 있으므로, 고공들에게 집안일을 믿고 맡겨 시름을 잊음으로써 문제를 해결하고 있는 것은 아니다.

04 ⓔ(너희너)은 새로운 인재가 아니라 기존에 있던 고공들이므로 기존의 부패한 신하들을 의미한다.

05 ⓐ~ⓓ는 모두 제 역할을 하지 못하는 관리들의 부패한 모습을, ⓔ는 현실의 문제점을 해결하기 위해 앞으로 해야 할 일을 의미한다.

06 (나)의 화자는 '명령을 뉘 드ᄅᆞ며 논의를 눌라 ᄒᆞᆯ고'에서 의논할 상대도 없이 홀로 근심하고 있는 '마누라'의 처지를 안타까워하며 탄식하고 있다.

07 (나)에서 '마누라'에 비유된 임금은 혼자서 속앓이를 하며 끙끙 앓고 있는데 이에 (나)의 화자는 관리들에게 상벌을 분명히 하고 고위 관리들을 믿을 것을 충고하고 있다. 따라서 임금이 신하를 신뢰하고 서로 합심해야 한다는 교훈을 주기 위해 (나)를 창작했다고 보는 것이 가장 적절하다.

08 (나)에서는 인물들 간의 대화가 나타나지 않으며 (가)의 청자에게까

지 공감의 확대를 꾀하고 있다고 보기도 어렵다.

왜 오답일까 ①, ③ (나)에서 (가)의 '새끼 꼬며 니르리라'에 대응하는 '새끼 꼬기 마르시고 내 말숨 드로쇼셔'나 (가)의 '요사이 고공들은 혬이 어찌 아주 업서'에 대응하는 '혬 업는 죵의 일은 뭇도 아니 ᄒ려니와'와 같은 언급이 나타난다. 이를 통해 (나)의 화자가 (가)의 화자에게 답하고 있으며, 두 작품 사이에 대화가 이루어지고 있음을 알 수 있다.
② (가)에서는 청자인 '고공'의 반응 없이 화자의 발화가 독백에 가까운 형태로 전달되고 있다.
⑤ (나)의 화자는 (가)의 화자인 '마누라'에게 '새끼 꼬기'를 멈추고 자신의 충언을 받아들이라는 의도를 전달하고 있다.

기출 작품 딥러닝

㉮ 정철, 「어와 동량재를」

작품 해제 조정의 신하들이 당쟁만을 일삼으며 나라의 인재들을 모함하고 내치던 세태를 풍자한 시조이다.

핵심 포인트 시어의 의미

동량재	나라의 유능한 인재를 의미하며, 이를 등용하지 못하는 화자의 안타까운 심정이 드러남.
헐뜨더 기운 집	당시 위태로운 조정의 상황을 나타내는 표현으로, 세태에 대한 비판적 시각이 드러남.
뭇 목수	당쟁만 일삼고 자신의 역할을 다하지 못하는 무능한 신하들을 나타내는 말로, 비판적·풍자적 시각이 드러남.

현대어 풀이 아아, 쓸 만한 재목을 저렇게 버려두면 어찌할 것인가.
허물고 뜯어내 기울어 가는 집에 다툼이 많기도 많구나.
여러 목수들이 작은 자나 들고 허둥대기만 하다가 마는구나.

09 (가)와 (나)에는 색채와 관련된 시어가 쓰이지 않았다.

왜 오답일까 ① (나)의 '집일을 곳치거든 죵들을 휘오시고 / 죵들을 휘오거든 상벌을 밝히시고 / 상벌을 밝히거든 어른 죵을 미드쇼셔'에서 연쇄법이 쓰였고, (나)의 3~4행에서 '뉘라셔 곳쳐'가 반복되고 있다. 이와 달리 (가)에는 연쇄와 반복의 표현 기법이 쓰이지 않았다.
② (나)는 '옥 ᄀᆞᄐᆞᆫ 얼굴'에서 직유의 방식을 사용하고 있으나, (가)는 '동량재(나라의 인재)', '기운 집(어려운 지경에 놓인 나라)' 등에서 은유의 방식을 사용하고 있을 뿐, 직유는 나타나지 않는다.
③ (가)는 당과 싸움만 일삼으며 인재 등용을 등한시하는 현실을 비판하고 있고, (나)는 본분을 망각하고 제 소임을 다하지 않는 신하들에 대한 비판적 의식이 나타나 있다.
⑤ (가)는 '뎌리 ᄒ야 어이 ᄒᆞᆯ고'에서, (나)는 '뉘라셔 곳쳐 쏠고', '뉘라셔 힘써 ᄒᆞᆯ고', '논의를 눌라 ᄒᆞᆯ고' 등에서 설의적 표현을 사용하여 안타까움의 정서를 강조하고 있다.

10 화자는 문제 해결 방법으로 '상벌을 밝'힐 것을 제시하고 있는데, 이는 집안일을 등한시하는 종들을 휘어잡아 기강을 바로잡으려는 것이다. 따라서 ⓜ(상벌)은 화자가 공정하고 엄중하게 시행되기를 바라는 일이라고 볼 수 있다.

왜 오답일까 ① '제 소임 다 바리고 몸 쓰릴 쁜이로다'로 볼 때, ㉠(바깥 마름)은 직분을 망각하여 화자의 비판을 받고 있는 존재이다.
② ㉡(불한당 구멍 도적)은 가까운 곳에 있으며 화자에게 불안감을 주고 있는 세력인 왜적을 의미한다.
③ ㉢(너 주인)은 '마누라(임금)'로, 잘못된 일을 고치도록 화자가 설득하고 있는 청자이다.
④ 화자는 '마누라(임금)'가 새끼를 꼬고 있을 것이 아니라 자신의 충언을 받아들여 서둘러 실천하기를 바라고 있으므로, ㉣(새끼 꼬기)은 화자가 청자에게 당부하는 시급하고 중요한 행위라고 볼 수 없다.

11 (가)에서는 '동량재'에 대한 잘못된 대우를 한탄하고 있고, (나)에서는 집안을 일으키기 위해서는 '어른 죵'을 믿어야 한다고 말하고 있다. 따라서 (가)의 '동량재'와 (나)의 '어른 죵'은 국가의 바람직한 경영을 위해 필요한 존재라고 이해할 수 있다.

왜 오답일까 ② (나)에서는 '기운 집'을 바로 세우기 위해 실천해야 할 해결책을 제시하며 이러한 해결책이 실행되면 '가도'가 바로 설 것이라고 이야기하고 있다. 따라서 위험에 놓여 있지만 힘을 합쳐 일으켜 세워야 할 나라를 '되돌릴 길 없이 기울어 패망한 국가'라고 감상하는 것은 적절하지 않다.
③ (가)의 '의논'은 바른 방향을 잡지 못하고 불필요하게 전개되는 당쟁을 꼬집는 말이므로, 국가 대사를 위한 대책인 (나)의 '논의'와는 성격이 다르다.
④ (가)의 '뭇 목수'는 조정의 일에 관심은 많으나 당쟁을 일삼는 이들을 가리키고, (나)의 '혬 업는 죵'은 조정의 일에 무심하고 직무를 소홀히 하는 이들을 가리킨다.
⑤ (가)의 여러 목수들은 '고자 자'를 들고 입씨름만 하고 있을 뿐 집을 바로 세울 실행력을 발휘하지 못하고 있으며, (나)의 '문허진 담'은 위험에 빠진 국가를 가리킨다. 따라서 '고자 자'와 '문허진 담'이 외세의 침입에 협조한 것이라는 감상은 적절하지 않다.

32 탄궁가

101~103쪽

01 ② 02 ② 03 ③ 04 ③ 05 ③ 06 ④

작품 해제 작가의 개성이 잘 드러난 작품으로 평가받는 가사로, 가난에서 벗어날 수 없는 화자의 처지를 가난 귀신과 대화하는 설정으로 드러내고 있다.

01 (가)의 '안표 누공인들 나같이 비었으며 / 원헌간난인들 나같이 극심할까'에서 공자의 제자인 안연과 원헌의 고사를 인용하여 화자 자신의 처지와 비교하고 있다(ㄹ). 또한 (라)의 '베틀 북도 쓸데없어 공벽에 남아 있고 / 시루 솥도 버려 두니 붉은빛이 다 되었다'에서 가난하여 쓸모없어진 세간들을 나열하고 있으며(ㄱ), (마)에서 화자는 평생을 자신과 함께했던 가난을 '궁귀' 즉 '가난 귀신'으로 형상화하여 제시하고 있다(ㄷ).

02 (가)의 '삼순구식 ~ 못 쓰거나', '안표 누공인들 ~ 극심할까'와 (라)의 '시절이 풍년인들 ~ 어이 가리올꼬'와 '세시 절기 ~ 어이하야 접대할꼬' 등에서 유사한 통사 구조를 반복하고 있다.

03 ⓒ(장초)은 특별한 삶의 자세를 지니고 있거나 화자에게 그것을 일깨워 주는 존재가 아니라, 현실을 알거나 느끼지 못해 현실의 어려움으로 괴로워하는 화자가 부러워하는 대상이다.

왜 오답일까 ① ㉠(뻐꾸기)은 울음소리를 통해 화자에게 봄철, 즉 농사를 지을 시기가 왔음을 상기하고 있다.

② ㉡(부역 세금)은 국가에서 의무적으로 부여하는 육체노동과 세금으로, 화자는 자신의 궁핍한 형편 때문에 '부역'과 '세금'을 어떻게 부담해야 할지 고민하고 있다.

④ ㉣(붉은빛)은 '시루 솥'을 오랫동안 사용하지 않아 녹이 슨 모습을 나타낸 것으로, 화자의 가난한 처지를 시각적으로 보여 주고 있다.

⑤ ㉤(후량)은 '말린 음식'으로, 어려운 형편에도 술과 음식을 장만하여 '궁귀'에게 예를 갖추어 떠나보내려는 화자의 배려가 담긴 대상이다.

04 화자는 [A]에서 하늘이 정해 준 자신의 가난에 대해 '이대도록 고초한고(이토록 괴로운고)'라며 탄식하고 있지만, [B]에서 빈천도 자신의 분수이니 '셜워 므슴하리(서러워한들 무엇하리)'라며 가난에 대해 체념하는 수용적인 태도를 보여 주고 있다.

왜 오답일까 ① [B]의 '하늘 삼긴 이내 궁'은 벗어날 수 없는 자신의 가난을 운명적으로 인식하는 화자의 태도가 나타난 것이지, 모든 사람은 평등하다는 신념을 나타낸 것은 아니다.

② '싸리피 바랑이'는 잡초로, 농사가 잘 지어지지 않는 화자의 어려운 상황을 강조하는 소재이므로 화자의 낙관적 세계관을 드러낸다고 보기 어렵다.

④ '부러워하나 어찌하리'는 '환곡 장리', '부역 세금' 등을 감당하기 어려워 괴로워하는 화자의 정서가 드러나 있으며, '설마한들 어이하리'에는 벗어날 수 없는 가난에 대한 체념의 정서가 드러나 있다.

⑤ '이 얼굴 지녀 있어'는 가난한 화자의 모습을 나타낸 것으로, 자신에 능력에 자신감을 보인다는 설명은 적절하지 않다. 또한 '빈천도 내 분'은 가난에 대한 체념과 수용의 태도가 드러난 것으로 자신감이 약화된 표현으로 보기는 어렵다.

05 '갑'은 가난에서 벗어날 수 없다는 체념과 달관의 태도를 보이고 있으며, '을'은 부귀는 얻으려 한다고 얻을 수 있는 것이 아님을 말하고 있을 뿐, 둘 다 물질을 추구하는 삶이 덧없음을 말하고 있지는 않다.

왜 오답일까 ② '갑'은 '하늘 삼긴 이내 궁'에서, '을'은 '인간 어내 일이 명 밧긔 삼겨시리'에서 자신의 가난을 하늘이 정한 운명으로 받아들이는 모습을 보이고 있다.

④ '갑'은 '무정한 세상은 다 나를 버리거늘'에서 세상이 가난한 자신을 버렸다는 인식을 드러내고 있다.

⑤ '을'은 과거 지향했던 '강호 한 꿈'의 가치를 떠올리며 가난 때문에 그것을 잊고 있었던 자신의 삶을 되돌아보고 있다.

엮인 작품 더 알기

박인로, 「누항사」 ▶해법문학 Link 고전 시가 246쪽

현대어 풀이 자연에서 즐기는 꿈을 꾼 지도 오래더니
먹고사는 일이 누가 되어 잊었도다. 〈중략〉
나의 빈천함을 싫게 여겨 손을 젓는다고 하여 (가난이) 물러가며
남의 부귀를 부러워하여 손을 친다고 (부귀가) 오겠는가.
인간 세상의 어느 일이 운명 밖에 생겼겠느냐?
가난하지만 원망하지 않는 것이 어렵다고 하지만
내 생애가 이러하지만 서러운 뜻은 없도다.

06 화자는 가난한 형편 때문에 무엇으로 제사를 올려야 할지 난감해하고 있다. 따라서 음식을 차려 조상들에게 정성껏 제사를 드리는 장면을 떠올리는 것은 적절하지 않다.

왜 오답일까 ① '동린에 따비 얻고 서사에 호미 얻고'에서 이웃집을 여기저기 다니며 농기구를 빌리는 화자의 모습이 나타나 있다.

② '싸리피 바랑이는 나기도 싫지 않던가'에서 곡식보다 잡초가 무성하게 자라나 허탈해하는 화자의 모습이 나타나 있다.

③ '겨울을 덥다 한들 몸을 어이 가리올꼬'에서 겨울이 아무리 따뜻하다 해도 제대로 갖춰 입을 옷이 없어 추위에 떨고 있는 모습이 나타나 있다.

⑤ '죽 쑨 물 상전 먹고 건더기 건져 종을 주니 / 눈 위에 바늘 젓고 코로는 휘파람 분다'에서 화자가 음식을 풍족하게 주지 못하자 이에 불만을 표현하는 종들의 모습이 나타나 있다.

33 누항사 104~108쪽

01 ② 02 ③ 03 ④ 04 ⑤ 05 ③ 06 ⑤ 07 ④ 08 ⑤ 09 ⑤

작품 해제 작가가 임진왜란이 끝난 뒤 고향에 돌아가 생활할 때 지은 가사로, 일상생활의 경험을 사실적으로 형상화하면서 정신적인 가치를 추구하겠다는 의지를 노래하고 있다.

01 (다)~(마)에 걸쳐 농사를 짓기 위해 이웃집에 소를 빌리러 간 화자의 일화를 제시하여 화자의 궁핍한 생활상을 구체적으로 드러내고 있다.

왜 오답일까 ③ '명월청풍', '백구' 등 자연물이 등장하고는 있지만 이러한 소재들이 화자의 모습과 대비되고 있지 않으며, 화자가 삶의 허무함을 드러내고 있지도 않다.

④ 농사를 짓기 시작할 때라는 시간적 배경은 알 수 있지만 윗글에 계절의 변화가 드러나 있지는 않다.

⑤ 화자와 다른 인물 간의 대화가 삽입된 것은 맞지만, 이는 농사를 짓기 위해 소를 빌려야만 하는 화자의 가난한 처지를 드러내기 위한 것이지 화자가 지향하는 삶의 자세를 직접적으로 드러내기 위한 것은 아니다.

02 (다)에서 화자는 소가 없어 밭을 갈지 못하는 어려움에 처해 있으며, (라)에서는 이 어려움을 해소하기 위해 이웃에 사는 소 주인을 찾아가 소를 빌리려 하고 있다.

왜 오답일까 ① (가)에는 청빈한 삶을 살았던 화자의 과거가 아닌, (다)와 마찬가지로 가난한 현재의 모습이 나타나 있다.

② (사)에는 현재 자신의 처지에서 벗어나려는 태도가 아니라, 자신의 처지를 원망하지 않고 살겠다는 태도가 나타나 있다.

④ (마)에서는 소를 빌리지 못한 화자의 실망감이 나타날 뿐 소 주인에 대한 원망은 나타나 있지 않다. (바) 역시 세상의 야박한 인심에 대한 원망은 나타나 있지 않다.

⑤ (사)에는 자연을 잊고 살았던 것에 대한 반성과 앞으로의 다짐이 드러날 뿐 자연을 누리며 산 것에 대한 자부심은 드러나 있지 않다.

03 ㉣에서 화자는 소를 빌리지 못해 농사를 짓지 못하는 상황에서 쓸모없어진 농기구를 바라보며 자신의 신세를 한탄하고 있다. 그러나 자신이 소를 빌리려고 시도한 일 자체를 폄하하고 있지는 않다.

04 [E]에서는 대구법과 설의법을 활용하여, 빈천을 싫게 여긴다고 사라지는 것이 아니며 남의 부귀를 부럽게 여긴다고 자신에게 오는 것이 아니라는 가치관을 나타내고 있다. 그러나 이 시구에서 주객이 전도되어 있다고 보기는 어렵다.

05 (바)에서 '먼 들'은 농사를 짓는 삶의 터전에 해당하는 공간으로, 화자는 이를 보며 더욱 상실감에 빠지고 있다. 따라서 '먼 들'이 화자에게 마음의 위안을 준다고는 볼 수 없다.

왜 오답일까 ① (나)의 '기한이 절신하다 일단심을 이질난가'에서 화자는 배고픔과 추위가 몸을 괴롭힌다고 하더라도 굳은 의지를 잊지는 않을 것이라 하였으므로, '안연'처럼 '누항'에서 학문을 연마하는 것을 포기하지 않았음을 알 수 있다.

06 ⓐ~ⓓ는 소 주인의 말에 해당하고, ⓔ는 소를 빌려주지 못하겠다는 소 주인의 말에 대답하는 화자의 말에 해당한다.

07 '후리쳐 던져 두쟈'는 더 이상 농사를 지을 수 없어 아예 농사를 포기하려는 체념의 정서가 나타난 구절로, 이를 신분제의 동요나 혼란한 사회상에 대한 불만을 나타낸 구절이라고 보기는 어렵다.

왜 오답일까 ③ 소 주인은 화자와의 약속을 어기고 음식을 대접한 다른 이웃에게 소를 빌려주고 있다. 〈보기〉를 바탕으로 할 때, 이는 명분보다 개인적 이익을 더 중시하는 사회상의 변화를 반영한 것으로 볼 수 있다.

기출 작품 딥러닝

㉮ 조찬한, 「빈천을 팔려고」 ▶해법문학 Link 고전 시가 204쪽

작품 해제 아름다운 자연을 부귀와 바꿀 수 없다는 의지를 표현한 시조로, 가난을 사고파는 대상으로 표현한 참신한 발상과 풍자적 표현이 돋보이고 있다.

핵심 포인트 **대조를 통한 화자의 가치관 표현**

빈천	↔ 대비	권문
가난하고 지위가 낮은 상태로, 화자의 현재 삶		세속적이고 물질적인 가치를 추구하는 삶
↓		↓
(자연 속에서) 긍정적		부정적

08 (가)는 '누가 먼저 하자고 하겠는가'에서 이해타산에 밝은 세태를, (나)는 '장부 뜻을 바꿀런가', '일단심을 잊을런가' 등에서 화자의 의지를 설의적 표현으로 강조하고 있다.

09 (가)의 화자는 '빈천'을 '권문'에 팔고자 했으나 '강산과 풍월'을 줄 수 없어 자연에서의 삶을 선택하고 있으며, (나)의 화자는 '안빈 일념, 일단심'을 잊지 않고 가난 속에서도 선비로서의 지조를 지키려는 모습을 보이고 있다. 따라서 (가)와 (나) 모두 현실과 타협하며 살았던 과거의 태도를 반성하는 모습은 확인할 수 없다.

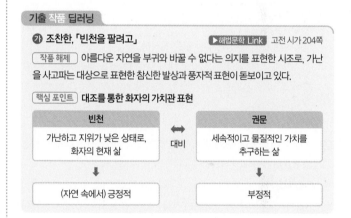

34 농가월령가 109~111쪽

01 ④ 02 ⑤ 03 ① 04 ① 05 ⑤ 06 ① 07 실학사상에 영향을 받아 농산물을 시장에 팔아 이익을 얻을 것을 권유하고 있다.

작품 해제 각 달에 해야 할 농사일과 세시 풍속, 백성들이 지켜야 할 예의범절 등을 월령체 형식으로 소개한 가사로, 계몽적인 성격이 잘 드러나고 있다.

01 색채어는 빛깔을 나타내는 시어를 의미하는데, (가)의 '녹음'에서 '녹색'이라는 색채어가 쓰였으나 이밖에 다른 색채어가 쓰이지 않았으므로 다양한 색채어를 활용하고 있다고 보기 어렵다.

왜 오답일까 ① (가)의 '입하 소만 절긔로다'와 (나)의 '백로 추분 절긔로다'에서 감탄형 어미를 사용하여 절기를 소개하고 있다.

② (가)의 '떡갈잎 퍼질 젹에 뻐꾹새 주조 울고 / 보리 이삭 패어 나니 꾀꼬리 소리 혼다'와 (나)의 '북두성 주로 도라 서천을 가리치니', '귀또람이 말근 소리 벽간에 들거고나' 등에서 자연물을 통해 계절의 변화를 나타내고 있다.

③ (가)의 '수수 동부 녹두 춤깨 부룩을 적게 호소 / 갈 꺾어 거름홀 제 풀 베어 섞어 호소'와 (나)의 '안팎 마당 닦아 노코 발채 망구 장만호소', '알밤 모아 말리여라 철 대야 쓰게 호소'에서 명령형 어미를 사용하여 농가에서 해야 할 일을 제시하고 있다.

⑤ (나)에서 모은 '알밤'을 말려 제사 등에 쓸 것을 권장하고, 명주를 끊어 내 만든 옷감으로 부모님의 수의와 자식의 혼수를 마련할 것을 권장하고 있다.

02 (나)의 '백설 갓흔 면화 송이 산호 갓흔 고추 다래'에 직유법이 사용되었으나 (가)에는 이러한 표현이 나타나지 않는다.

왜 오답일까 ② (가)와 (나)는 모두 4음보의 율격이 나타나고 있다.

③ (가)에는 '뻐꾸기', '꾀꼬리', (나)에는 '귀또람이' 등의 자연물이 등장하나 이에 감정 이입을 하여 화자의 정서를 드러내고 있지는 않다.

03 '비 온 끝에 빗치 나'는 화창한 날씨는 4월이 농사일을 하기에 적절한 때이므로 농사일을 부지런히 해야 함을 나타내기 위한 것이며, 농민들의 애환과는 무관하다.

04 ㉠은 남녀노소 할 것 없이 바쁜 농번기의 상황을 나타낸 것이지 애정요의 성격과는 관계가 없다.

왜 오답일까 ② ㉡은 물을 댄 논에 써레질을 하여 모내기를 해야 한다는 내용으로, 해당 시기에 해야 할 일을 알려 주고 있는 것이다.

③ ㉢은 농촌에 거주하는 양반이 농민들에게 수확과 관련한 농사일을 장려하는 내용으로 볼 수 있다.

④ ㉣은 잘 익은 밤을 모아 말려서 나중에 필요한 철에 사용하라는 것이므로, 미래의 용도를 대비한 실용적 측면을 고려했다고 볼 수 있다.

⑤ ㉤은 나이가 많은 부모님을 위해 수의를 준비하라는 내용으로, 효의 윤리와 관련된 것으로 볼 수 있다.

05 윗글에서는 한 해 동안 계절에 따라 해야 할 일을 나열하며 농사일을 권장하고 있을 뿐, 글쓴이가 농민들을 위로하려는 내용을 확인할 수 없다.

왜 오답일까 ① 윗글과 〈보기〉의 글쓴이 모두 곡식이 누렇게 익은 모습을 '황운'에 빗대 삶의 현장에서 볼 수 있는 결실을 포착하고 있다.

② 〈보기〉의 글쓴이는 '살여울 긴 모래예 ~ 고기 푸는 장사로다'에서 어촌의 모습을 구체적으로 묘사하여 현장감을 드러내고 있다.

④ 〈보기〉의 글쓴이는 '중양이 거의로다 내노리 호쟈스라'에서 청유형 어미를 사용하여 중양절에 내놀이를 즐기고픈 마음을 드러내고 있다.

엮인 작품 더 알기

신계영, 「월선헌십육경가」

작품 해제 작가가 벼슬을 그만두고 고향으로 돌아가 지은 은일 가사로, 전원생활의 재미를 노래하고 있다. 한가한 삶을 즐기는 사대부의 여유뿐 아니라 작가가 체험한 구체적인 생활공간으로서의 자연의 모습이 함께 드러나고 있다.

현대어 풀이 동녘 둔덕 밖에 크나큰 넓은 들에 / 넓디넓은 누런 구름이 한 빛이 되었도다 / 중양절이 거의 되었다 내놀이 하러 가자 / 붉은 게 여물고 누런 닭이 살쪘으니 / 술이 익었으니 벗이야 없겠느냐 / 전원의 흥미는 날로 깊어 가는구나 / 살여울 긴 모래에 밤불이 밝았으니 / 게 잡는 아이들이 그물을 흩어 놓고 / 호두포 먼 굽이에 밀물이 밀려오니 / 돛단배(에서 부르는) 어부의 노랫소리 고기 파는 장사로다

06 (가)에는 4월에 심고 기를 만한 작물로 수수, 동부, 녹두, 참깨를 열거하고 있지만 〈보기〉에는 이러한 작물들이 언급되어 있지 않으므로 특정 시기에 재배해야 하는 작물이 제시된 작품은 (가)이다.

왜 오답일까 ② 〈보기〉의 〈제4수〉 '청풍에 옷깃 열고 긴 휘파람 흘리 불 제'에서 농사일 중에 휴식을 즐기는 여유로움이 드러나고 있다. (가)는 그달에 해야 할 농사일에 대한 내용이 제시되어 있을 뿐 휴식의 즐거움은 언급하고 있지 않다.

③ (가)는 〈보기〉와 달리, 보리, 수수, 동부, 녹두, 참깨 등의 먹는 것과 '잠농(누에치기)', '면화' 등의 입는 것과 관련한 농사일이 나타나 있다.

④ (가)와 〈보기〉의 화자는 농사일을 소재로, '건강한 노동의 공간'이라는 점에 주목하여 농촌을 묘사하고 있다.

⑤ (가)와 〈보기〉는 모두 농촌을 배경으로, 일하는 농부들의 일상적인 삶을 묘사하고 있다.

엮인 작품 더 알기

위백규, 「농가」

작품 해제 작가가 영농의 경험을 바탕으로 농부로서의 삶을 사실적으로 묘사한 총 9장의 연시조이다. 기존 사대부들의 작품이 자연을 관념적 대상으로 삼은 것과 달리 이 작품에서는 자연을 구체적인 삶의 현장으로 보고 있다. 또한 일상어를 사용하고 농부의 입장에서 농민들의 삶을 노래했다는 특징이 있다.

07 〈보기 2〉의 '담배 줄 녹두 말은 ~ 흥정홀 것 잇지 마소'에서 수확한 농작물을 시장에 팔아 돈을 벌 것을 권하고 있다.

35 유산가 112~113쪽

01 ③ 02 ③ 03 ① 04 ⑤ 05 ④

작품 해제 조선 후기 경기·서울 지방을 중심으로 불린 잡가의 대표작으로, 율격의 파격과 자유로운 언어 구사 등을 통해 봄 풍경을 즐기는 풍류를 노래하고 있다.

현대어 풀이 꽃이 활짝 피어 봄을 맞이한 성에 만발하구나, 시절이 좋구나. 벗님네야, 산천 경치를 구경 가자꾸나.
대나무 지팡이와 짚신, 한 소쿠리의 밥, 물을 들고 천 리 강산 들어가니 온 산의 꽃들은 일 년에 한 번 다시 피어나서 봄 색을 자랑하느라고 색깔마다 붉었는데, 푸른 소나무와 대나무는 울창하고, 아름다운 꽃과 풀은 활짝 피어 화려한 가운데 꽃 속에 잠든 나비는 여기저기 날고 있도다.
버드나무 위로 나는 꾀꼬리는 조각조각 금 조각이요, 꽃 사이에 춤추는 나비는 가루가루 흩어지는 눈이로다. 봄 석 달의 아름다운 계절이 좋구나. 도화는 만발하여 점점이 붉어 있고, 고기잡이배를 띄워 놓고 봄을 즐기니 무릉도원이 바로 여기 아니냐? 버드나무 가는 가지는 가닥가닥 녹색을 띠고, 황산 골짜기에 봄을 맞았으니 도연명이 다섯 그루의 버드나무를 심어 놓고 지냈다는 곳이 여기 아니냐?
제비는 물을 차고 오르며 날고, 기러기는 무리를 지어 하늘 한복판에 높이 떠서 두 날개를 활짝 펴고 펄펄 흰 구름 사이에 높이 떠서 천 리 먼 길을 어찌 갈까 하고 슬피 운다.
먼 산은 첩첩, 태산은 우뚝하며, 기이한 바위는 층층이 쌓였고, 큰 소나무는 가지가 축축 늘어지고 구부러져 성난 바람에 흥이 겨워 우줄우줄 춤을 춘다.
층층 바위 절벽 위의 폭포수는 콸콸 쏟아지는데, 마치 수정발을 드리운 듯, 이 골짜기 저 골짜기 물이 주루룩룩, 쌀쌀 흘러내리고 여러 곳의 물이 한 곳에 합수하여 천방지방으로 솟아오르고 퍼져 나가고 끝없이 이어지고 방울지며 흐르다가 건너편 병풍 모양의 바위로 으르렁 콸콸 흐르는 물결이 은옥같이 흩어지니, 소부와 허유가 세상과 단절하고 지내던 기산과 영수가 바로 여기가 아니냐?
주걱주걱 울어 대는 주걱새(두견)는 예나 다름이 없고, 소쩍소쩍 울어 대는 소쩍새는 풍년을 노래함이라. 해 뜨고 해 지는 광경이 눈앞에 펼쳐졌구나. 아름다운 경치가 무궁토록 좋을시고.

01 '무릉도원이 예 아니냐', '연명 오류가 예 아니냐' 등에서 설의법을 사용하여 자연의 아름다움에 대한 공감을 드러내고 있으나 이를 통해 화자의 의지를 드러내고 있는 것은 아니다.
왜 오답일까 ① '기암은 층층, 장송은 낙락', '이 골 물이 주루루룩, 저 골 물이 쏼쏼' 등에서 대구를 통한 리듬감을 느낄 수 있다.
② '거지중천 → 원산 → 태산(기암 → 장송 → 폭포)'으로 이어지는 시선의 이동을 확인할 수 있다.
④ '유상앵비는 편편금이요, 화간접무는 분분설이라'에서 은유적 표현을, '수정렴 드리운 듯', '은옥같이 흩어지니' 등에서 직유법을 사용하여 자연 풍경의 아름다움을 묘사하고 있다.
⑤ '장송은 낙락 ~ 광풍에 흥을 겨워 우줄우줄 춤을 춘다.'에서 소나무가 바람에 흔들리는 모습을 의인화여 실감 나게 드러내고 있다.

02 윗글에서 산길의 개울물에 꽃잎과 나뭇잎이 떠내려오는 장면은 찾아볼 수 없다.
왜 오답일까 ① '죽장망혜 단표자로 천 리 강산을 들어를 가니'에서 확인할 수 있다.
② '층암 절벽상의 폭포수는 콸콸 ~ 흐르는 물결이 은옥같이 흩어지니'에서 확인할 수 있다.
④ '만산 홍록들은 일 년 일도 다시 피어 춘색을 자랑노라 색색이 붉었는데, 창송취죽은 창창울울한데'에서 확인할 수 있다.
⑤ '유상앵비는 편편금이요, 화간접무는 분분설이라'에서 확인할 수 있다.

03 ㉠에서 화자는 '벗님네'에게 '산천경개를 구경을 가세.'라고 권유하고 있는데, 여기서 '산천경개'는 봄의 아름다운 경치를 의미하므로 ①은 적절하다.
왜 오답일까 ② ㉡에서 화자는 버드나무 가지와 골짜기의 봄 풍경을 보며 고사 속 인물인 도연명의 이상향을 떠올리고 있으나, 이는 자신이 본 자연 풍경이 그만큼 아름다운 것임을 드러내기 위해서이다.
③ ㉢에서 '어이 갈꼬 슬피 운다.'는 기러기가 울며 날아가는 모습을 의인화하여 표현한 것일 뿐 화자의 감정이 이입된 것은 아니다.
④ ㉣에서는 절벽에서 떨어지는 폭포수의 흐름이 생동감 있게 묘사되어 동적 이미지가 드러나고 있다.
⑤ ㉤에서 화자는 해가 뜨고 지는 광경을 보며 아름다운 풍광에 감탄하고 있다.

04 윗글의 화자는 자연 속에서 느끼는 흥겨움과 즐거움을 표현하고 있으며 화자의 정서가 변화하는 부분은 찾아볼 수 없다. 따라서 화자의 정서가 변화하거나 삶의 애환에서 벗어나지 못한다는 설명은 적절하지 않다.
왜 오답일까 ① '펄펄펄', '우줄우줄' 등의 의태어와 '으르렁', '콸콸' 등의 의성어를 통해 자연의 모습을 생동감 있게 표현하고 있다.
② 윗글의 화자는 봄 경치를 만끽하며 즐기는 감상을 노래하고 있으므로, 이를 통해 낙천적인 태도와 유흥적 삶의 모습을 엿볼 수 있다.
③ 화자가 즐기고 있는 봄 경치를 '무릉도원'이라고 표현함으로써 자연을 이상적 공간으로 형상화하고 있다.
④ 잡가는 가사 형식의 정형성이 무너진 모습을 보이는데, '층암 절벽상의 ~ 은옥같이 흩어지니' 등에서 가사의 기본 율격과 어긋난 표현이 나타나 있다.

05 '유상앵비는 편편금이요'는 한시의 구절을 인용한 표현이므로 Ⓐ의 예, '이 골 물이 주루루룩, 저 골 물이 쏼쏼'은 우리말 음성 상징어를 사용한 표현이므로 Ⓑ의 예에 해당한다.
왜 오답일까 ① '죽장망혜 단표자'는 상투적인 한자어를 인용한 표현으로 Ⓐ와 관련이 있다.
② 윗글에서 화자가 '벗님네'에게 말을 건네고는 있지만, 화자와 청자가 대화를 나누는 형식이 나타나지는 않는다.
③ <보기>에 따르면 잡가의 향유 계층은 양반, 창작 계층은 전문적인 소리패이므로, Ⓐ는 향유 계층과 Ⓑ는 창작 계층과 관련이 있다.
⑤ 윗글에서 '기산 영수'와 같은 고사 속 이상향을 인용한 것은 맞으나 이를 통해 중국보다 우리나라의 풍경이 더 아름다움을 표현하고 있지는 않다. 고사 속 이상향을 언급한 것은 양반 계층의 취향을 반영한 것이므로 Ⓐ의 예에 해당한다.

36 ㉮ 시집살이 노래 ㉯ 잠 노래 114~116쪽

01 ⑤ 02 ④ 03 (1) 시집살이 개집살이 (2) 고추 당추 맵다 해도
04 ③ 05 ⑤ 06 ② 07 ②

㉮ 작품 해제 시집살이의 어려움과 고통을 표현한 민요로, 대화 형식의 구성, 언어유희와 비유 등을 활용해 화자의 정서를 생동감 있게 드러내고 있다.

㉯ 작품 해제 바느질할 때 불렀던 민요로, 잠을 의인화하여 청자로 설정한 뒤 잠에 대한 원망의 심리를 늘어놓고 있다.

01 (가), (나) 모두 고달픈 화자 자신의 처지를 한탄하고 있을 뿐, 문제가 해결된 것은 아니다.

왜 오답일까 ① (가)는 '시집살이 어떱데까?'라고 묻는 사촌 동생의 물음에 형님이 '이애 이애 그 말 마라'와 같이 대답하고 있는 등 전반적으로 대화체의 구성이 나타난다. (나)는 '잠아 잠아 짙은 잠아 이내 눈에 쌓인 잠아'와 같이 청자에게 말을 건네는 방식이 나타나 있다.

② (가)는 '배꽃 같은 요내 얼굴 ~ 오리발이 다 되었네'에서 결혼하기 이전 화자의 모습과 결혼 이후 화자의 모습을 대조하여 시집살이의 고충을 부각하고 있으며, (나)의 '주야에 한가하여 ~ 그런 사람 있건마는'에서 화자와 달리 낮에 한가하여 잠을 자기 어려운 처지에 놓인 사람을 등장시켜 밤늦게까지 일해야 하는 처지를 부각하고 있다.

③ (가)의 화자는 고된 시집살이를 참아야만 하는 자신의 처지를 한탄하고 있으며, (나)의 화자는 잠을 참으면서 일해야 하는 자신의 처지를 한탄하고 있다.

④ (가)는 '형님 온다 ∨ 형님 온다 ∨ 분고개로 ∨ 형님 온다', (나)는 '잠아 잠아 ∨ 짙은 잠아 ∨ 이내 눈에 ∨ 쌓인 잠아'와 같이 4음보의 구성을 보이고 있다.

02 ㉣은 고된 시집살이로 인해 어여쁘던 자신의 외모가 거칠고 헝클어졌음을 비유적으로 표현한 것으로, 그만큼 시집살이가 힘듦을 토로한 것이지 자신의 의지를 밝힌 것은 아니다.

왜 오답일까 ① '시아버니같이 어려우랴?'라고 물음으로써 시집살이의 어려움을 강조하고 있다.

② 시집 식구들과 자신을 '새'에 비유하여 시집살이의 괴로움을 해학적으로 나타내고 있다.

③ 며느리가 참고 견뎌야 하는 부당한 속박을 '삼 년이요'를 반복하여 제시함으로써 시집살이의 어려움을 나타내고 있다.

⑤ 베갯머리에서 흘린 눈물이 연못을 이루었다고 과장하여 시집살이의 한을 표현하고 있다.

03 (1) 발음의 유사성을 활용해 '시집살이'를 '개집살이'라고 표현함으로써, 대상을 희화화하고 시집살이의 고단함과 힘듦을 나타내고 있다.

(2) '고추'와 '당추'는 동일한 대상을 나타내는 어휘로, 같은 말을 두 번 반복하지 않고 다른 말로 표현함으로써 동어 반복을 피하며 운율을 살리고 있다.

04 〈보기〉와 달리 (가)는 시집 식구들을 '새'로 비유한 모습과 시집살이로 인해 변해 버린 자신의 모습을 열거하여 제시함으로써 시집살이의 괴로움을 구체적으로 드러내고 있다.

왜 오답일까 ① 〈보기〉에서는 '제비', '황새', '뱀' 등을 활용하여 탐관오리의 횡포를 우의적으로 나타내고 있으나 (가)에서는 그러한 표현을 찾아볼 수 없다.

② (가)는 시집 식구들과 화자를 '새'에 빗대어 표현하고 있고, 〈보기〉는 착취당하는 백성을 '새'로 나타내고 있을 뿐, 감정 이입은 나타나지 않는다.

④ (가)는 사촌 동생과 형님의 대화를 통해 시집살이의 고통과 괴로움을 나타내고 있고, 〈보기〉 역시 화자와 '제비'의 대화를 통해 고통받는 백성들의 삶을 나타내고 있다.

⑤ (가)에서는 과거 어여뻤던 자신의 모습과 현재 거칠어진 자신의 모습을 대비하여 제시하고 있으나 〈보기〉에서 과거와 현재를 대비하고 있지 않다.

엮인 작품 더 알기

정약용, 「고시 8」

작품 해제 힘없고 나약한 백성을 제비에, 부정한 관리들을 황새와 뱀에 빗대 가렴주구의 현실에 대한 비판과 풍자를 보여 주는 한시이다. 화자와 제비의 대화 형식을 통해 관리들의 횡포로 힘겨운 삶을 살고 있는 백성들의 현실을 나타내고 있다.

05 [E]는 자꾸만 몰려오는 잠 때문에 눈이 감기는 화자의 모습을 묘사하고 있을 뿐, 화자가 나이가 들어 눈이 침침한 것을 한탄하고 있는 것은 아니다.

왜 오답일까 ① 잠을 욕심 많은 대상으로 표현해 어젯밤에도 오던 잠이 아침에 다시 온다며 잠에 대한 원망의 정서를 드러내고 있다.

② '잠아'와 '가라'를 반복하여 잠을 쫓고 싶은 화자의 마음을 드러내고 있다.

③ 한가하게 지내면서도 잠에 들지 못해 괴로워하는 사람이 있는 반면 잠을 참으며 일해야 하는 자신의 처지를 비교하여 제시함으로써 불공평한 세상에 대한 인식을 드러내고 있다.

④ 낮에 못다 한 일을 저녁밥을 먹자마자 다시 시작하는 모습을 통해 한시도 쉴 틈 없이 일해야 하는 상황임을 짐작해 볼 수 있다.

06 '잠 못 들어 한하는데'의 주체는 화자가 아니라 화자와 대조적인 상황에 처한 인물이다.

07 ⓑ(여윈 잠)는 '귓도리'의 울음소리라는 외부적 요인에 의해 방해받고 있다.

엮인 작품 더 알기

작자 미상, 「귓도리 저 귓도리」 ▶해법문학 Link 고전 시가 210쪽

작품 해제 가을밤을 배경으로 이별한 여인의 외로움을 귀뚜라미에 감정 이입하여 나타낸 작품이다. 화자는 귀뚜라미가 자신의 잠을 깨워 얄밉기도 하지만 자신의 심정을 헤아릴 줄 아는 것은 귀뚜라미뿐이라고 하면서 동병상련의 정서를 드러내고 있다.

37 ㉮ 정선 아리랑 ㉯ 밀양 아리랑

117~119쪽

01 ④ 02 ④ 03 ③ 04 ① 05 ④ 06 ② 07 ④

㉮ 작품 해제 가난 속에서도 낙천적으로 살아온 강원도 정선 사람들의 구체적인 삶의 모습과 정서가 고스란히 담겨 있는 민요로, 정선의 향토색이 잘 드러나 있으며 토속적 어휘와 구어적 표현이 나타나 있다.

㉯ 작품 해제 경상도 밀양 지방을 중심으로 전승된 민요로, 순수하고 애틋한 사랑의 감정을 표현하고 있다.

01 (가)에는 대상을 의인화한 표현이 드러나지 않는다. (나)에는 '남천강 말없이 흘러만 간다'라는 의인화한 표현이 나타나지만 이를 통해 자연을 예찬하고 있는 것은 아니다.

왜 오답일까 ① (가)와 (나)는 각 연의 내용이 하나의 주제로 연결되는 것이 아니라 다양한 상황과 정서가 나열된 형태로 계속 이어 부를 수 있는 열린 구조를 취하고 있다.

② (가)의 '명사십리가 아니면 해당화가 왜 피며 / 모춘 삼월이 아니라면은 두견새는 왜 우나', (나)의 '세상에 핀 꽃은 울긋불긋 / 내 마음에 핀 꽃은 울렁울렁' 등에서 대구를 통해 운율감을 형성하고 있다.

③ (가)의 '배 좀 건너 주게', '나를 넘겨 주게' 등과 (나)의 '날 좀 보소'에서 명령형 종결 어미를 사용하여 화자의 바람을 나타내고 있다.

02 ㉣에서 화자는 임과 만나기 위해 뱃사공에게 자신을 배에 태워 강을 건너게 해 달라고 말하고 있을 뿐 뱃사공에게 원망을 표출하고 있는 것은 아니다.

03 〈보기〉에 따르면, '올동백'은 윗글의 화자(처녀)가 임(총각)을 만나기 위해 둘러댄 핑곗거리인데, '올동백이 다 떨어진다'에서 화자는 임과 만날 수 있는 구실이 사라질까 초조해하고 있다.

04 [A]에 나타난 자연물인 '동지섣달 꽃'은 겨울에 핀 소중한 꽃을 의미한다. 이때 '동지섣달 꽃'은 임이 나를 소중하게 바라보았으면 하는 마음을 빗댄 보조 관념이며, 감정 이입의 대상으로 쓰이지 않았다.

05 (나)에는 반어적인 표현이 사용되지 않았다. 〈보기〉의 화자는 '임 가고 싶어 가느냐'에서 설의법을 사용하여 임과의 이별이 어쩔 수 없는 상황임을 강조하고 있다.

왜 오답일까 ① (나)는 '영남루', '남천강', 〈보기〉는 '문경 새재'라는 실제 지명을 사용하여 향토색을 드러내고 있다.

② (나)의 '세상에 핀 꽃은 울긋불긋 / 내 마음에 핀 꽃은 울렁울렁'에서 대구를 통해 화자의 설레는 마음을 표현하고, 〈보기〉의 '청천 하늘에 잔별도 많고 / 우리네 가슴에는 눈물도 많다'에서 대구를 통해 화자의 슬픔을 드러내고 있다.

⑤ (나)의 '저 건너 대숲은 의의한데 / 아랑의 설은 넋이 애달프다'에서 자연과 인간사를 대비하고 있고, 〈보기〉의 '청천 하늘에 잔별도 많고 / 우리네 가슴에는 눈물도 많다'에서 삶에 대한 답답함을 하늘의 수많은 별과 관련지음으로써 시각적 이미지로 한(恨)의 정서를 형상화하고 있다.

기출 작품 딥러닝

㉯ **작자 미상, 「청천에 떠서」**

작품 해제 임에 대한 간절한 그리움을 표현한 사설시조로, 기러기에게 자신의 마음을 전해 달라고 부탁하는 방식을 취하고 있다.

핵심 포인트 **시상 전개 방식**

화자의 요청	외기러기의 거절
"월황혼 계워 갈 제 적막 공규에 던져진 듯 홀로 안져 님 그려 ᄎᆞ마 못 살네라" 말을 전ᄒᆞ여 쥬렴	우리도 님 보러 밧비 ᄀᆞ옵는 길이오매 전ᄒᆞ동 말동 ᄒᆞ여라

⬇

화자의 요청과 기러기의 거절을 통해 임에 대한 간절한 그리움을 나타냄.

현대어 풀이 맑은 하늘에 떠서 울고 가는 외기러기야. 날지 말고 내 말 좀 들어다오. 한양성에 잠깐 들러 부디 내 말 잊지 말고 외쳐 불러 이르기를 "달 뜬 저녁 깊어 갈 때 쓸쓸한 빈 규방에 던져진 듯 홀로 앉아 임 그리며 차마 못 살겠노라"라고 부디 내 말을 전해 주렴.
"우리도 임 보러 바삐 가는 길이라 전할 수 있을지 없을지 모르겠소이다."

06 '한양성 내에 잠간 들러'는 화자가 기러기에게 요청하는 것이고, '우리도 님 보러 밧비 ᄀᆞ옵는 길'은 기러기가 자신의 갈 길을 가는 상황이므로 수락이 아닌 거절의 말로 이해할 수 있다.

07 [D]에서는 자연의 순환 현상인 해와 달이 뜨고 지는 것을, 한 번 가고 돌아오지 않는 임과 대조하여 화자의 상황을 효과적으로 드러내고 있다.

왜 오답일까 ① 늙어 버린 '고비', '고사리'처럼 늙음은 자연의 섭리인데, 이와 다르게 임이 늙지 않았으면 바람을 나타낸 것은 임에 대한 애정이 담긴 표현이라고 할 수 있다.

② 임이 떠나는 것을 해가 지는 것에 빗대어, 임이 어쩔 수 없이 떠났으며 이유가 있을 것이라 이해하고 있다.

③ 동생이 묻고 '성님'이 답하는 방식으로 시집살이로 인해 고단한 여성의 삶을 표현하고 있다.

⑤ 임이 오지 않는 것은 자신을 생각하지 않기 때문이라고 말하며 오지 않는 임에 대한 원망을 표출하고 있다.

38 만보

120~121쪽

01 ② 02 ③ 03 ③ 04 ④ 05 ③ 06 ④

작품 해제 오언 배율의 한시로, 수확의 기쁨이 있는 가을 풍경과 학문적 성취감을 맛보지 못한 자신의 모습을 대비하고 있다.

01 결실의 계절인 가을의 정경과 대비하여 화자는 이룬 것이 없는 자신의 처지를 한탄하고 있다. 즉, 윗글은 화자의 공허한 내면을 외부 상황의 풍요로움과 대비하여 학문적 성취를 이루지 못한 화자의 회한과 한탄의 정서를 부각하고 있다.

02 '구름'은 '고개'와 함께 화자의 시야에 보이는 자연물로, 화자는 마당에 서서 '구름 낀 고개', '들판' 등 주변 경관을 감상하고 있을 뿐, '구름'을 화자의 학문적 성취를 방해하는 대상으로 보기는 어렵다.
왜 오답일까 ① 화자는 어지러이 널려 있는 '책들'을 정리하며 자신의 삶을 돌아보고 있다.
② 화자는 '마당'에서 구름 낀 고개와 쓸쓸한 들판을 바라보고 있다.
④ '가을걷이'는 일 년 동안 지은 농사의 결실을 의미하는 것으로, 풍요로운 가을의 계절적 특성을 나타내고 있다.
⑤ 우뚝하고 휜하게 선 '해오라기'의 모습과 오랫동안 숙원을 풀지 못한 화자의 모습을 대비하여 제시하고 있다.

03 ㉠에서 화자는 흩어져 있던 책들을 다시 정리하면서 자신을 성찰하고 회한에 잠기고 있다. ㉡에서 화자는 학문적 성취를 이루지 못한 것에 대한 반성과 회한으로 거문고를 타면서 수심을 달래고 있다.

04 [D]의 '갈까마귀'는 가을에 돌아오는 까마귀로, 가을이 무르익었음을 알리는 역할을 한다. 그러나 화자는 계절이 바뀌어 가을이 된 것처럼 세월을 막을 수 없음을 한탄하고 있지는 않다.

05 윗글에서는 우뚝하고 휜하게 선 '해오라기'를, 〈보기〉에서는 고향 쪽으로 자유롭게 날아가는 '기러기'를 화자의 처지와 대비하여 화자의 정서를 나타내고 있다.
왜 오답일까 ① 〈보기〉의 화자는 고향에 대한 그리움을 드러내고 있으나, 윗글에서는 특정 공간에 대한 염원을 찾아볼 수 없다.
② 윗글의 화자는 학문적 성취를 이루지 못한 자신의 삶에 대한 비판적 태도를 지니고 있으나, 〈보기〉의 화자는 고향을 그리워하고 있을 뿐 자신에 대한 비판적 인식은 찾아볼 수 없다.
④ 윗글에서는 학문적 성취에 대한 동경을, 〈보기〉에서는 고향 땅에 대한 그리움을 드러내고 있다.
⑤ 윗글에서는 가을이라는 계절절 배경을 확인할 수 있으나 계절의 변화가 나타나는 것은 아니며, 〈보기〉에서는 시간의 변화를 찾아볼 수 없다.

엮인 작품 더 알기

두보, 「귀안」 ▶해법문학 Link 고전 시가 125쪽
작품 해제 두보가 유랑 중이던 때의 봄에 피란지인 성도(成都)에서 지은 것으로, 고향 쪽으로 날아가는 기러기를 바라보며 나그네의 고독과 향수를 읊은 작품이다.

06 윗글과 〈보기〉의 화자는 공통적으로 학문적 수양과 그 성취의 어려움을 노래하고 있다.

엮인 작품 더 알기

이황, 「도산십이곡」 ▶해법문학 Link 고전 시가 146쪽
작품 해제 벼슬에서 물러나 고향인 안동에 도산 서원을 세운 작가가 자연에 묻혀 학문에 힘쓰면서 자연에 대한 감흥과 수양의 경지를 읊은 총 12수의 연시조이다.

39 ㉮ 영립 ㉯ 곡자 122~123쪽

01 ⑤ 02 ④ 03 ⑤ 04 ③ 05 ③ 06 ④

㉮ 작품 해제 칠언 율시의 한시로, 삿갓을 소재로 하여 풍류를 즐기는 삶과 자신의 삶에 대한 자부심을 노래하고 있다.

㉯ 작품 해제 작가가 두 자식을 연이어 잃고 난 뒤 쓴 한시로, 쓸쓸한 배경 묘사와 고사의 인용으로 화자의 슬픔을 강조하고 있다.

01 (가)는 한곳에 얽매이지 않고 여기저기 떠도는 나그네의 삶에서 느끼는 감정을 '흥겨우면'으로, (나)는 자식을 잃은 상황에서 느끼는 슬픔을 '서러워라'로 나타내고 있다.
왜 오답일까 ① (나)에는 '지난해', '올해' 등의 시간적 표현이 제시되어 있으나 이로 인한 화자의 심경 변화는 나타나 있지 않다.
③ (나)에는 자식을 잃은 고통스러운 현실이 제시되어 있을 뿐 이에 대한 극복 의지는 나타나 있지 않으며, (가)에는 자연을 벗 삼은 방랑 생활에 대한 만족감이 나타나 있을 뿐 고통스러운 현실은 확인할 수 없다.
④ (가)는 자신의 방랑 생활에 대한 만족감이, (나)는 자식을 잃은 슬픔이 작품 창작의 바탕이 되고 있다.

02 ㉠(꽃나무)은 자연을 벗하며 풍류를 즐기는 화자의 정서를 심화하는 자연물로 화자의 흥취를 부각하고 있다. ㉡(사시나무)은 죽음을 상징하는 나무로, 자식을 잃은 어머니의 비애를 부각하는 자연물이다.

03 '하늘 가득 비바람'은 시련이나 고난을 의미하는 것으로, 화자는 이러한 시련이 닥쳐도 삿갓을 쓴 자신은 크게 걱정할 일이 없지만, 값비싼 의관으로 겉치장을 한 속인들은 자신의 옷이 상할까 전전긍긍하게 된다고 하였다. 따라서 '하늘 가득 비바람'을 허세를 부리는 속인들의 모습을 나타낸 것이라고 해석하는 것은 적절하지 않다.
왜 오답일까 ① '빈 배'에는 아무 것도 담겨 있지 않으므로, 이를 '가뿐한 내 삿갓'에 비유한 것은 무욕의 삶을 나타낸 것이라고 할 수 있다.
② '배'는 이동의 수단으로 여기저기 유랑하며 살던 화자의 삶을 나타낸 것이다.
③ 화자는 '하늘 가득 비바람 쳐도 나만은 걱정이 없네'라고 말하며 겉치장에만 신경 쓰는 속인들과 대비하여 자신의 삶에 대한 만족감을 표출하고 있다.
④ '달구경'은 자연을 벗하며 풍류를 즐기는 자연 친화적 삶의 면모를 보여 주고 있다.

04 [C]에서 화자는 어린 나이에 죽은 자식들의 혼을 위로하기 위해 제를 올리고 있을 뿐, 자식과의 재회에 대한 소망을 드러내고 있지 않다.
왜 오답일까 ① [A]에는 자식의 죽음이라는 이 작품의 창작 동기가 나타나 있다.
② [B]에서는 '광릉'이라는 실제 지명을 사용하여 작품의 사실성을 높이고 있다.

④ [D]에서는 뱃속에 또 다른 아이를 가진 화자의 현재 상황과 자식을 잃었던 과거의 경험이 대비되어 화자의 슬픔을 더욱 부각하고 있다.

⑤ [E]의 '황대사'는 당나라 무후(武后)가 황자(皇子)를 모두 죽이는 것을 풍자한 글로, 화자의 처지와 관련된 고사를 인용하여 자식을 앞세운 화자의 슬픔을 고조하고 있다.

05 〈보기〉는 황대 아래 심은 오이를 모두 따 가서 하나도 남지 않았다는 내용으로, 화자의 상황을 고려할 때 ⓐ(황대사)를 언급한 이유는 두 아이를 모두 잃은 슬픔을 나타내기 위해서이다.

엮인 작품 더 알기

장회 태자, 「황대사」

작품 해제 당나라 측천무후의 둘째 아들인 장회 태자가 쓴 악부시로, 아들을 죽이고 자신의 지위를 공고히 하려는 측천무후를 경계하기 위해 지은 작품이다. 그러나 결국 그도 무후에 의해 죽게 된다.

06 (나)의 '어찌 잘 자라길 바랄 수 있으리오', 〈보기〉의 '못다 이르고 어찌 갑니까'에서 모두 설의적 표현을 활용하여 화자의 정서를 부각하고 있다.

왜 오답일까 ① 〈보기〉에는 시구의 반복이 나타나 있지 않으나, (나)의 '서러워라 서러워라'에서 시구의 반복을 통해 자식을 잃은 슬픔을 표출하고 있다.

② 〈보기〉와 달리 (나)는 '광릉 땅'에 위치한 '두 무덤'을 공간적 배경으로 제시하여 자식이 죽은 상황을 나타내고 있다.

③ 〈보기〉의 '도 닦아 기다리겠노라'에서 슬픔 극복의 의지가 구체적 행위로 나타나고 있다. 하지만 (나)에서 화자의 의지는 나타나지 않는다.

⑤ (나)는 죽은 자식들을, 〈보기〉는 죽은 누이를 그리워하는 마음이 작품 창작의 바탕이 되고 있다.

40 ㈎ 보리타작 ㈏ 고시 7 ㈐ 탐진촌요

124~125쪽

01 ② 02 ① 03 ② 04 ③ 05 ⑤

㈎ 작품 해제 보리타작하는 농민들의 모습을 사실적으로 노래한 한시로, 농민들의 삶을 통해 화자 자신의 삶을 성찰하는 태도가 드러나 있다.

㈏ 작품 해제 탐관오리의 횡포를 '부평초, 연잎, 행채'에 빗대 우의적으로 드러낸 한시로, 백성들에 대한 화자의 연민이 나타나 있다.

㈐ 작품 해제 작가가 탐진(전남 강진의 옛 이름)에서 귀양살이할 때 쓴 한시로, 세금을 독촉하는 탐관오리의 횡포가 사실적으로 드러나 있다.

01 (가)의 '젓빛처럼 뿌옇고', '검게 탄 두 어깨'와 (다)의 '눈결같이 고왔는데'에서 색채 이미지를 활용하여 각각 막걸리, 농민, 무명을 선명하게 형상화하고 있다.

02 화자는 활기차게 일하는 농민들을 보면서 세속적 욕망에 집착했던 자신의 삶을 반성하고 있다. 따라서 화자가 관찰 대상인 농민들에게 동질감을 느끼고 있다는 설명은 적절하지 않다.

03 ㉡은 보리타작하는 농민의 어깨를 묘사한 부분으로 노동을 통해 건강한 삶을 영위하는 농민들의 삶을 나타낸 것이다.

왜 오답일까 ① ㉠에서는 '높기가 한 자'라는 과장된 표현을 사용하여 농민들의 생활상을 생생하게 제시하고 있다.

③ ㉢에서 '노랫가락'이 점점 높아진다는 청각적 심상을 사용하여, 높아지는 노랫가락과 함께 보리타작도 절정에 이르고 있음을 나타내고 있다.

⑤ ㉤에서 세금 독촉을 성화에 빗대어 백성들이 받았던 압박을 드러내고 있다.

04 '더부살이 신세'는 정처 없이 여기저기 떠도는 '부평초'의 삶을 비유적으로 나타낸 말로, '행채'는 '부평초'를 괴롭힐 뿐, '부평초'에게 연민을 느끼는 것은 아니다.

왜 오답일까 ① 뿌리가 있는 일반 '풀'과 그렇지 못해 한곳에 자리 잡지 못하고 떠다니는 '부평초'의 처지가 대조되고 있다.

② 뿌리가 없어 정착하지 못하고 바람이 부는 대로 여기저기 떠다니는 모습을 통해 '부평초'의 힘든 삶을 집약적으로 제시하고 있다.

④ '연잎은 너무 괄시를 하고 / 행채도 이리저리 가리기만 해'에서 '부평초'의 힘든 삶은 '연잎'과 '행채'로 대표되는 외부적 요인 때문임을 알 수 있다.

⑤ '어쩌면 그리 서로 어그러지기만 할까'에서 지배층의 수탈로 인해 고통을 겪는 농민들에 대한 시적 화자의 안타까움이 표출되고 있다.

05 물 위를 떠다니는 '부평초'는 삶의 뿌리를 잃고 여기저기 떠도는 백성들의 처지를 나타낸 것으로 볼 수 있지만, 서울로 떠나는 '세곡선'은 농민들에게 거둔 농작물을 서울로 옮기는 배이므로 이는 농민들에 대한 수탈을 의미한다.

왜 오답일까 ① 매달린 꼭지 없이 물 위를 둥둥 떠다니는 '부평초'는 안정된 삶의 기반을 지니지 못한 백성들의 처지를 나타내고 있다.

② '연잎'과 '행채'는 '부평초'를 괴롭히는 존재이므로 백성들을 억압하고 수탈하는 지배층을 의미한다고 볼 수 있다.

③ '이방'과 '황두'는 농민들이 애써 거둔 농작물을 빼앗는 수탈의 주체로 묘사되고 있다.

④ '황두'는 눈결같이 고운 무명을 빼앗는데, 이는 '이방'에게 상납할 돈을 마련하기 위해서이다. 이를 통해 당시 관리들의 부패한 모습을 짐작할 수 있다.

상고 시대~통일 신라 시대

01 주몽 신화 128~131쪽

01 ③ 02 ④ 03 ③ 04 ④ 05 ③ 06 ③ 07 ④ 08 ①

작품 해제 고구려의 시조인 주몽의 탄생과 영웅적 일대기 및 고구려 건국 과정을 보여 주는 신화로, 영웅 서사 문학의 기본적인 틀을 잘 갖추고 있어 후대 영웅 소설의 서사 구조에 영향을 주었다.

01 유화는 금와의 아들들과 신하들이 주몽을 해치려는 것을 알고 주몽에게 서둘러 떠날 것을 지시한다.

왜 오답일까 ① 유화는 금와에게 부모의 중매도 없이 혼인한 죄로 부모가 자신을 귀양 보냈다는 사실을 이야기했다.

② 금와는 개와 돼지가 유화가 낳은 알을 먹지 않자 길이나 들에 내다 버렸다.

④ 주몽은 의도적으로 좋은 말은 적게 먹여 여위게 하고, 나쁜 말은 잘 먹여 살찌게 했는데, 금와는 말의 겉모습만 보고 여윈 말을 주몽에게 주었다.

⑤ 대소는 주몽의 비정상적인 출생을 이유로 금와를 설득하려고 했다.

02 주몽이 뛰어난 능력 때문에 금와의 여러 아들로부터 질투를 받아 시련을 겪는 것은 맞으나, 이것을 주몽이 당대인들에게 신성한 존재로 여겨졌다는 근거로 보기는 어렵다.

왜 오답일까 ① 〈보기〉를 참고하면, 신화는 그것을 향유한 집단의 문화를 반영한다. 그러므로 주몽이 하늘의 신과 물의 신의 혈통이라는 것을 통해 주몽 신화를 향유한 집단이 천신과 수신을 숭배했다고 추측할 수 있다.

② 주몽이 알의 모습으로 태어난 점은 영웅의 일대기 구조 중 '기이한 탄생'에 해당하며, 이것은 일반인과 다른 주몽의 신성성을 부각하여 주몽을 신격화하는 데 기여한다.

③ 당시의 풍속에서 활쏘기를 잘하는 이를 '주몽'이라고 불렀다는 내용을 통해 당대 사람들이 활쏘기를 즐겨 하고 그에 따른 문화를 형성했음을 추측할 수 있다.

⑤ 주몽 신화에는 구체적 지명과 국호 등이 나타난다. 〈보기〉를 참고하면, 이러한 요소들은 주몽 신화가 역사적 사실에 기반을 둔 이야기임을 보여 주는 것이다.

03 주몽은 좋은 말을 얻기 위해 지혜를 발휘하며 금와는 주몽의 의도에 따라 여윈 말을 주몽에게 주고 살찐 말을 자신이 갖는다. 따라서 ㉢(말)이 주몽과 금와가 갈등하는 원인이자 주몽이 겪을 더 큰 시련의 발단이 된다는 설명은 적절하지 않다.

왜 오답일까 ① 하늘에 떠 있는 해가 유화를 비춘 뒤 유화가 알을 낳았다는 내용은 주몽이 하늘의 신인 천제의 자손임을 보여 준다.

04 〈보기〉에는 단군왕검이 국가를 세우는 과정에서 겪는 갈등과 위기가 나타나지 않는다. 이와 달리 윗글에는 주몽이 국가를 세우기까지 겪는 위기와 그 극복 과정이 그려져 있다.

왜 오답일까 ① 윗글과 〈보기〉 모두 건국 이념은 드러나 있지 않다.

② 유화는 부모의 허락 없이 해모수와 혼인한 후 시련을 겪지만, 웅녀는 시련을 극복하여 인간이 된 후 환웅과 혼인한다.

③ 윗글에서 주몽과 함께 도망치는 '세 사람'은 건국 시조인 주몽의 조력자이지만, 〈보기〉의 풍백·우사·운사는 환웅 천왕이 데려온 신으로 건국 시조인 단군왕검의 조력자가 아니다.

⑤ 〈보기〉의 환웅은 직접 인간 세계로 내려와 인간 세계를 다스리고 교화하지만, 윗글의 해모수는 인간 세계로 내려와 유화와 정을 통했을 뿐 국가 건설의 기틀을 닦지는 않는다.

엮인 작품 더 알기

작자 미상, 「단군 신화(檀君神話)」 ▶해법문학 Link 고전 산문 24쪽

작품 해제 고조선의 건국 신화로, '환인[父] – 환웅[子] – 단군[孫]'의 삼대기 구조로 이루어져 있다. 환웅이 천왕으로 불린 점에서 그가 주술권과 지배권을 모두 장악한 제정일치 시대의 통치자였음을 알 수 있고, 곰과 범이 등장하는 점에서 특정 자연물이나 동식물을 집단의 상징물로 삼는 토템 신앙을, 풍백(바람)·우사(비)·운사(구름)를 통해 농경 사회의 특징을 엿볼 수 있다.

기출 작품 딥러닝

㉮ 김부식, 「진삼국사기표」

작품 해제 1145년에 김부식이 「삼국사기」를 진헌하면서 올린 표문이다. 학자들이 중국의 역사는 잘 알면서도 고려의 역사는 잘 알지 못하는 상황에서 독자적인 역사의식을 정립하기 위해 「삼국사기」를 편찬했음을 공손한 태도로 밝히고 있다.

핵심 포인트 **「진삼국사기표」의 집필 의도**

- 역사서 저술을 명한 임금의 생각을 밝히고 칭송함.
- 지금까지의 역사 기록에 나타난 문제점을 밝히고, 후세에 전할 만한 역사서 편찬이 필요함을 강조함.

↓

집필 의도

- 「삼국사기」 편찬의 당위성을 밝힘.
- 「삼국사기」 편찬에 최선을 다했음을 밝히고 공손한 태도를 드러냄.

㉯ 이규보, 「동명왕편 서」

작품 해제 고구려 건국 시조인 동명왕의 일대기를 시로 읊은 「동명왕편」의 서문으로, 「동명왕편」을 서술한 배경과 동기를 밝히고 있다.

핵심 포인트 **「동명왕편 서」의 집필 의도**

동명왕 이야기에 대한 글쓴이의 인식 변화

황당하고 기괴하여 이야기할 것이 못 됨. ➡ 성스럽고 신이함.

↓

집필 의도

동명왕 이야기를 기록하는 행위의 목적과 타당성을 밝힘.

05 (가)에서는 '고기(古記)'에 대해 문자가 거칠고 불합리하며 사적이 빠지고 없어져서 후세에 권장하거나 후세를 경계하는 데 쓸 수 없다고 기술하고 있다.

왜 오답일까 ① (가)의 '늙은 신에게 명하여 이를 편집토록 하셨으나'에서 글쓴이가 왕명으로 사서를 편찬했음을 알 수 있다.

② (가)의 '겨우 책을 엮었으나, 끝내 보잘 것이 없어 스스로 부끄러울 뿐입니다.'에서 글쓴이의 겸손한 태도가 드러난다.

④ (가)의 "우리나라의 일에 이르러서는 도리어 아득하여 그 전말을 알지 못하니, 매우 개탄할 노릇이다."라는 왕의 한탄에서 당시의 학사·대부들이 우리나라의 역사에 대해 잘 알지 못했음을 확인할 수 있다.

⑤ (가)의 '외국은 간략히 하는 바람에 그 일이 자세히 실리지 않았습니다.'에서 중국의 역사서에는 우리나라의 삼국과 관련된 내용이 자세히 기술되어 있지 않음을 알 수 있다.

06 백낙천이 읊은 것은 동명왕 이야기가 아니라 '방사가 하늘에 오르고 땅에 들어갔다는 일'이다. (나)에서는 오직 시인 백낙천이 그 일이 인멸될까 두려워 노래로 기록했다고 밝혔다.

07 (가)의 글쓴이는 학사와 대부들이 우리나라의 역사를 잘 모른다는 문제점을 지적한 왕의 말을 직접 인용하여 역사서 편찬의 이유를 밝히고 있을 뿐, (가)에 대화를 인용한 부분은 나타나지 않는다. (나)의 글쓴이는 자신이 과거에 한 말을 인용했을 뿐, (나) 역시 대화를 인용한 부분은 나타나지 않는다. 또한 (나)에 인용된 내용은 동명왕 이야기에 대한 과거 글쓴이의 부정적인 견해로, 현재 글쓴이의 주장과는 상반된 내용이므로 이를 통해 글쓴이가 자신의 주장을 강화하고 있다고 볼 수 없다.

왜 오답일까 ② (가)에서는 옛날 열국의 일을, (나)에서는 백낙천의 일을 끌어들여 논지를 보강하고 있다.

08 〈보기〉의 '에서'는 앞말이 행동이 이루어지고 있는 처소의 부사어임을 나타내는 격 조사이다. 이와 쓰임이 가장 비슷한 것은 ①이다.

왜 오답일까 ② '바람에'의 '에'는 앞말이 원인의 부사어임을 나타내는 격 조사이다.

③ '후세에'의 '에'는 앞말이 어떤 움직임이나 작용이 미치는 대상의 부사어임을 나타내는 격 조사이다.

④ '나중에'의 '에'는 앞말이 시간의 부사어임을 나타내는 격 조사이다.

⑤ '근원에'의 '에'는 앞말이 진행 방향의 부사어임을 나타내는 격 조사이다.

02 김현감호

132~133쪽

01 ④ 02 ② 03 ③ 04 ② 05 ⑤ 06 ④

작품 해제 김현과 호랑이 처녀의 비극적인 사랑과 호랑이 처녀의 희생을 통한 김현의 입신을 다룬 전설로, 호원사의 건립 내력을 밝힌 사찰 연기 설화이자 호랑이가 인간으로 변신하는 변신형 설화이다.

01 호랑이 처녀는 김현에게 공을 세울 기회를 주기 위해 사람들을 해치고 자결하기 전에 다친 사람들을 치료할 방법을 알려 준다. 치료법을 알려 준다는 점에서 사람을 해친 것이 호랑이 처녀의 진심이 아님을 알 수 있다.

왜 오답일까 ① 호랑이 처녀가 김현을 위해 희생하겠다는 확고한 생각을 전했으므로, 김현과 호랑이 처녀는 앞으로 일어날 일을 알고 있는 상황이다.

② 원성왕이 김현에게 먼저 벼슬을 준 것은 범을 잡겠다고 자청한 김현을 격려하기 위해서이다.

③, ⑤ 김현은 호랑이 처녀의 죽음으로 벼슬을 얻는 것을 도리에 어긋난 일로 여기나, 결국 호랑이 처녀의 설득에 따라 호랑이를 잡았다는 공을 세우고 벼슬을 얻는다.

02 호랑이 처녀는 자신의 죽음에 따른 다섯 가지 구체적인 이로움을 밝히며 김현이 자신의 의견을 따르도록 설득하고 있다.

03 호랑이 처녀는 '천명을 따르는 것, 자신의 소원 성취, 김현의 경사, 호랑이 일족의 복, 나라 사람들의 기쁨'을 자신이 죽어서 얻는 이로움으로 밝히고 있다.

04 ⓐ는 김현이 호랑이 처녀에게 베푼 은혜로, 김현이 호랑이 처녀를 위해 호원사를 짓고 불경을 강설한 것이다. ⓑ는 호랑이 처녀가 김현에게 베푼 은혜로, 호랑이 처녀가 자결하여 김현이 벼슬을 얻도록 한 것이다. 김현이 벼슬을 얻은 후 호원사를 짓고 불경을 강설했으므로, ⓐ에 해당하는 사건은 ⓑ에 해당하는 사건보다 뒤에 일어난 것이다.

왜 오답일까 ① ⓐ는 호랑이 처녀에게 은혜를 갚기 위한 행위이므로, 김현의 기대감이 반영되었다고 보기 어렵다.

③ ⓐ에는 호랑이 처녀에 대한 김현의 연민이 담겨 있다고 볼 수 있지만, ⓑ는 김현의 부탁이 아니라 호랑이 처녀의 의지에 따른 행위이다.

⑤ ⓐ, ⓑ를 베푸는 이는 각각 김현과 호랑이 처녀로, ⓑ는 호랑이 처녀의 죽음에서 비롯된 것이나 ⓐ는 김현의 죽음에서 비롯된 것이 아니다.

05 호랑이 처녀가 전해 준 민간요법은 윗글에 제시된 구체적인 증거물로 전설의 특징을 보여 주고 있다. 이 민간요법을 사용하는 사람들의 행동을 윗글의 내용을 사실화하려는 노력으로 이해하는 것은 적절하지 않다.

왜 오답일까 ① 윗글에는 '호원사'의 창시 유래가 드러나므로 윗글을 사찰 연기 설화로 볼 수 있다.

② 원성왕은 신라의 제38대 왕으로, 실존 인물이라는 점에서 이야기를 역사적 사실과 결부하여 사실화하는 역할을 한다.

③「논호림」은 김현이 만들어 세상에 알리고 지금까지도 일컬어 오는 것이므로, 전설의 증거물이라 할 수 있다.

④ 호랑이에게 입은 해를 종교적인 방법으로 해결한다는 점에서 윗글이 불교의 신이성을 높여 불교의 전파와 교화를 용이하게 했을 것이라고 추측할 수 있다.

06 〈보기〉의 '부처님이 사물에 감응하는 방법이 다양해서 김현이 정성껏 탑돌이를 하자 이에 감동하여 이로움으로 보답하고자 한 것'을 참고할 때, 호랑이 처녀는 부처가 김현의 정성에 감동하여 보낸 대상임을 알 수 있다. 김현은 호랑이 처녀의 희생으로 벼슬을 얻는데, 이는 부처님이 김현의 정성에 보답한 것이다.

왜 오답일까 ① 호랑이 처녀는 김현에게 불경을 강해 달라고 부탁했을 뿐, 불계의 깨달음을 직접 전하지는 않았다.

② 호랑이 처녀는 사람을 구하는 방법을 김현에게만 전달했으며, 사람들에게 존경받고 있지 않다.

③ 〈보기〉에 따르면 호랑이 처녀의 행위는 짐승의 본성이 어질어서 그런 것이 아니며, 윗글에서 호랑이 처녀는 부처님의 보답을 받는 대상이 아니다.

⑤ 호랑이 처녀는 오빠들이 저지른 악행을 대신 감당했다.

03 조신의 꿈 134~135쪽

01 ② 02 ⑤ 03 ⑤ 04 ⑤ 05 ⑤

작품 해제 '현실 – 꿈 – 현실'의 환몽 구조로 이루어진 전기적(傳奇的) 설화로, 세속적 욕망을 품게 된 조신이 꿈속에서 가난하고 고통스러운 삶을 경험한 뒤 깨어나 인간의 욕망과 집착이 한낱 꿈과 같이 헛됨을 깨닫는 과정을 그려 내고 있다.

01 김흔의 딸을 흠모하던 조신은 꿈속에서 고달픈 속세의 삶을 경험한 후 꿈에서 깨어나 깨달음을 얻는다. 윗글은 이러한 과정을 통해 세속적 욕망이 헛된 것이라는 불교적 교훈을 제시하고 있다.

02 조신은 꿈속에서 50여 년의 시간을 보내지만, 그 시간은 현실에서 하룻밤 꿈에 불과했다. 수염과 머리털이 센 것은 꿈속에서 겪은 세속적 삶의 고통이 그만큼 컸다는 것을 보여 준다.

왜 오답일까 ① 조신은 관음보살에게 김흔의 딸과 살게 해 달라고 비는데, 조신이 승려의 신분임을 고려할 때 이는 부적절한 욕망이다.

② 조신의 꿈에 나타난 김흔의 딸은 부모의 명령을 거역할 수 없어 억지로 다른 사람의 아내가 되었다고 이야기한다.

③ 조신의 아내는 아이가 개에 물려 아파하는 것을 보고 눈물을 흘리다가 조신에게 이별을 제안한다.

④ 조신은 꿈속에서 자신이 원하는 세속적 삶을 살지만 가난으로 인한 극심한 고통을 겪은 후 꿈에서 깨어나 세속적 욕망의 덧없음을 깨닫는다.

03 [A]에서 주어와 서술어의 위치를 의도적으로 뒤바꾸어 표현하는 도치법은 찾을 수 없다.

왜 오답일까 ① '어느 겨를에 부부간의 애정을 즐길 수가 있겠습니까?'에서 의문형 문장을 통해 이별의 당위성을 강조하고 있다.

② '부끄러움이 산과도 같이 무겁습니다.'에서 걸식을 하며 느끼는 부끄러움을 자연물인 '산'에 빗대어 비유적으로 표현하고 있다.

③ 젊고 아름다웠던 자신의 과거 모습과 한 가지 음식도 나누어 먹고 옷 한 가지도 나누어 입던 과거의 행동을 묘사하여 부부간의 정이 깊었음을 드러내고 있다.

④ '붉은 얼굴과 예쁜 웃음도 풀 위의 이슬이요, 지초와 난초 같은 약속도 바람에 나부끼는 버들가지입니다.'에서 대구법을 활용하여 과거와 달라진 현재의 상황을 나타내고 있다.

04 조신은 꿈을 꾸기 전 ㉠(현실)에서 세속적 욕망으로 내적 갈등을 겪지만, ㉡(꿈)에서 세속적 삶과 가난으로 인한 고통을 경험하고, ㉢(현실)에서 세속적 욕망을 버리며 갈등을 해소하게 된다.

왜 오답일까 ① 윗글은 전지적 작가 시점에서 서술된 작품으로, 서술자의 교체는 일어나지 않는다.

② '현실'에 해당하는 ㉠과 ㉢이 액자식 구성의 외부 이야기, '꿈'에 해당하는 ㉡이 액자식 구성의 내부 이야기이다.

③ 윗글은 꿈에서의 사건이 현실에 영향을 주는 구조이므로, 꿈속 사건으로 인해 현실 속 사건의 진행이 지연된다고는 볼 수 있으나 현실의 사건이 꿈속 사건을 지연시킨다고 보기는 어렵다.

④ ㉠에서 나타나는 조신의 욕망은 김흔의 딸과 함께 사는 것인데, 이는 ㉡에서 성취되고 ㉢에서 세속적 욕망의 헛됨을 깨달으며 갈등이 해소된다.

05 조신이 자신의 꿈에서 김흔의 딸과 부부의 연을 맺는다는 점 자체를 현실에서 일어나기 힘든 기이한 사건으로 보기는 어렵다.

왜 오답일까 ① 윗글은 '정토사'라는 절을 건립하게 된 배경을 보여 주는 사찰 연기 설화이다.

② 〈보기〉에 따르면 전설에는 특별한 능력이 없는 평범한 인물이 등장하는데, 윗글의 주인공 역시 평범한 인물이라는 점에서 전설의 특징을 확인할 수 있다.

③ 〈보기〉에 따르면 전설은 평범한 인물이 문제 상황을 극복하지 못하고 비극적인 결말을 맺는다는 점에서 신화와 다르다. 조신이 꿈속에서 김흔의 딸과 부부의 연을 맺지만 세속적 삶의 고통을 이겨 내지 못하고 이별하는 점이나 결국 김흔의 딸과 사랑을 이루지 못한다는 점 역시 전설의 특징과 관련지어 이해할 수 있다.

④ 실제 지명인 '명주'와 절 이름인 '흥교사' 등은 전설의 내용에 사실성과 신빙성을 더해 주는 역할을 한다.

고려 시대

04 공방전 138~141쪽

01 ④ 02 ③ 03 ⑤ 04 ④ 05 ① 06 ③ 07 ③ 08 ②
09 ①

작품 해제 돈(엽전)을 의인화한 전기(傳記) 형식의 가전체로, 돈의 내력과 그 흥망성쇠를 보여 줌으로써 재물을 탐하는 것을 경계하고 있다.

01 당시 간관들이 임금에게 공방의 폐해에 대해 상소했다는 내용이 제시되어 있을 뿐, 공방에 대한 임금의 평가는 나타나지 않았다.

02 호제 때 공방은 부민후라는 벼슬을 하며 염철승 근과 함께 조정에 있었다. 근이 공방을 '가형(남에게 자기의 맏형을 겸손하게 이르는 말)'이라고 부른 점으로 보아 공방과 근이 가까이 지냈음을 알 수 있다.

왜 오답일까 ① 공방의 아버지 천은 주나라의 태재로 나라의 세금을 담당했다.

② 공방이 아니라 공방의 선조가 난리를 피해 강가의 숯 화로로 이사하여 가족을 이루고 살았다.

④ 공방은 세상의 변화에 잘 대응하여 한나라에서 벼슬을 얻었다.

⑤ 공방은 국가를 이롭게 하는 것에는 도자기와 철을 주조하는 생산 기술만 있는 것이 아니라고 보았다.

03 ㉤은 돈의 폐해를 지적하는 사람이 많았으나 호제가 이를 수용하지 않았다는 의미이다.

왜 오답일까 ① ㉠에서는 돈이 처음 사용되기 시작한 시점을 언급하며 초기에는 돈이 활발히 유통되지 않았음을 드러내고 있다.

② ㉡에서는 돈의 재료인 쇠의 거친 특성 및 용광로에서 쇠를 녹여 돈을 만드는 과정을 드러내고 있다.

③ ㉢에서 '겉은 둥그렇고 가운데는 네모나'다는 것은 둥근 테두리 가운데 네모난 구멍이 뚫린 돈의 형태를 표현한 구절이다.

④ ㉣에서는 돈을 의인화한 공방을 탐욕스럽고 염치없는 대상으로 표현하여 돈 때문에 탐욕스러워지고 체면을 지키지 않는 사람들의 모습을 우의적으로 드러내고 있다.

04 공방이 곡식을 천대하고 화폐를 귀중히 여기도록 하여 백성들이 나라의 근본인 농사를 버리고 화폐를 좇게 되었을 뿐, 물가가 떨어져서 농사의 필요성이 사라진 것은 아니다.

왜 오답일까 ① '백성들이 근본을 버리고 끝을 좇도록 하고, 농사짓는 것을 방해했다.'에서 농사짓는 것을 등한시하는 경향이 나타났음을 추측할 수 있다.

② '자모의 경중을 저울질하는 것'에서 돈이 활발히 쓰이면서 돈을 빌려주고 높은 이자를 받는 대금업이 성행했음을 추측할 수 있다.

③ '화폐를 귀중하게 여겼다.'에서 화폐의 활발한 유통으로 그 중요성이 커졌음을 추측할 수 있다.

⑤ '공방은 교묘하게 권세 있는 귀족들을 섬겨 ~ 관직을 올리고 내리는 것이 그의 손바닥 안에 있었다.'에서 매관매직으로 부를 축적할 수 있었음을 짐작할 수 있다.

05 〈보기〉에서 사신은 작가의 목소리를 대변하는 인물로, 공방의 행적과 그에 따른 폐단을 언급하면서 공방과 같이 일보다 말이 앞서는 사람을 경계해야 한다고 논평하고 있다.

왜 오답일까 ②, ③ 공방의 폐단과 공방에 대한 부정적인 견해만이 나타나 있다.

④ 공방의 무리가 권력자인 지배 계층에게 아부하여 올바른 사람들을 모함한 상황이 나타나 있을 뿐, 지배 계층의 변화를 촉구하는 내용은 나타나 있지 않다.

⑤ 공방의 부정적 영향을 강조하며 공방의 무리를 모두 없애야 했다고 논평하고 있을 뿐, 공방의 대리물을 제시하고 있지는 않다.

기출 작품 딥러닝

임춘, 「국순전」 ▶해법문학 Link 고전 산문 60쪽

작품 해제 술을 의인화한 '국순'의 일생을 전기(傳記) 형식으로 기록한 가전체 문학의 효시로, 술의 내력과 그 흥망성쇠를 통해 술 때문에 향락에 빠진 임금과 이를 따르는 간신을 풍자하고 있다.

전체 줄거리

도입	• 국순과 국순의 집안 내력 소개 • 국순의 아버지 주(酎)의 행적과 죽음	
전개	• 국순의 성품과 정계 진출 • 국순의 은퇴와 죽음	• 국순이 저지른 온갖 전횡 • 국순의 자손
비평	국순에 대한 사신의 부정적 평가	

핵심 포인트 국순의 공과(功過)

공(功)	• 성품이 맑고 도량이 넓음. • 사람들의 기운을 더해 줌.	➡ 향락에 빠진 임금과 간신들을 풍자하고 경계함.
과(過)	• 임금의 마음을 혼미하게 함. • 임금에게 아첨만 하고 간언하지 않음.	

06 인물 간의 대화를 통해 인물의 심리나 성격 등을 짐작할 수 있을 뿐, 시·공간적 배경은 알 수 없다.

왜 오답일까 ①, ④ 국순은 술을 의인화한 인물로, 국순과 관련된 여러 이야기를 제시하여 술의 특성을 우의적으로 드러내고 있다.

② 시간적 순서에 따라 국순의 일대기를 서술하고 있다.

⑤ 중국 진나라의 학자인 '산도'를 언급하여 국순의 행적을 역사적 사실과 관련짓고 있다.

07 ㉢은 국순이 낮은 벼슬자리를 탄식하며 한 말로, 자신의 처지를 불만족스럽게 여겨 이를 극복하려 함을 드러내는 구절이다.

왜 오답일까 ① '만경창파'란 만 이랑의 푸른 물결이라는 뜻으로, 한없이 넓고 넓은 바다를 이르는 말이다. ㉠은 국순의 성품을 바다에 비유하여 넓고 깊은 국순의 마음을 표현한 구절이다.

② ㉡은 국순의 면모에 감탄하면서도 국순이 장래 세상에 부정적인 영향을 끼칠 것임을 경고하는 구절이다.

④ ㉣은 국순이 권세를 얻은 후 맡은 소임을 나타낸 것으로, 술이 친교 모임이나 공식적 행사에서 널리 쓰였음을 의미한다.

⑤ ㉤은 더 이상 임금의 사랑을 받지 못하는 상황이 되자 세간의 평을 의식하여 스스로 벼슬자리에서 물러나는 국순의 모습을 드러낸 것이다.

08 [B]에서는 국순이 사람들에게 사랑받은 이야기를, [C]에서는 국순이 출사 후 권세를 얻고 임금에게 총애받다가 관직에서 물러난 이야기를 기술하고 있다.

왜 오답일까 ① [A]에서는 국순의 조상들이 임금으로부터 예물을 받은 행적 등을 언급하여 국순의 유서 깊은 가문 내력을 드러내고 있다.

③, ⑤ [E]는 [C]에 나타난 국순의 행적을 요약적으로 제시하고 평가한 사신의 논평으로, 작가가 전하고자 하는 바를 드러내고 있다.

④ [D]에서는 국순에게 자식이 없고, 당나라 이후로 그의 친척이 다시 중국에서 번성하였다고 언급하고 있다.

09 ⓐ는 술에 탐닉하여 국정을 외면하는 임금을 보면서도 아무 말도 하지 않고 모른 척하는 국순의 태도를 드러낸다. 이를 나타내기에 가장 적절한 말은 '입을 다물고 아무 말도 하지 아니함.'을 뜻하는 '함구무언(緘口無言)'이다.

왜 오답일까 ② 중언부언(重言復言): 이미 한 말을 자꾸 되풀이함. 또는 그런 말

③ 중구난방(衆口難防): 뭇사람의 말을 막기가 어렵다는 뜻으로, 막기 어려울 정도로 여럿이 마구 지껄임을 이르는 말

④ 이실직고(以實直告): 사실 그대로 고함.

⑤ 어불성설(語不成說): 말이 조금도 사리에 맞지 아니함.

05 이옥설 142~143쪽

01 ⑤ 02 ③ 03 ⑤ 04 ⑤ 05 ①

작품 해제 퇴락한 행랑채를 수리하는 경험에서 얻은 깨달음을 인간의 삶과 정치 현실에 적용한 교훈적 수필이다.

01 과거에 행랑채를 고친 글쓴이의 경험 및 이를 통해 얻은 교훈과 깨달음이 제시되어 있을 뿐, 이를 바탕으로 현재의 문제를 해결하는 모습은 나타나 있지 않다.

왜 오답일까 ①, ②, ③ 글쓴이는 일상에서 행랑채 수리를 늦추다가 비용이 많이 든 상황과 서둘러 기와를 갈아 비용이 적게 든 상황을 비교하며 자신의 행동을 반성하고 있다.

④ 글의 끝부분에서 '어찌 삼가지 않겠는가.'와 같은 의문형 문장을 활용하여 경계의 태도를 강조하고 있다.

02 글쓴이가 ㉠(비)에 젖은 행랑채를 방치한 탓에 일부 재목이 썩었고 결국 행랑채를 수리하게 되었으므로, ㉠은 문제 상황을 유발하는 원인이다.

왜 오답일까 ①, ② ㉠은 글쓴이가 자아 성찰을 하는 계기를 제공하는 대상일 뿐, ㉠을 자아 성찰의 도구나 글쓴이가 동경하는 대상으로 보기는 어렵다.

④ 발상의 전환은 통념을 벗어난 창조적인 생각을 의미하는데, 윗글에서 ㉠이 발상의 전환을 일으키지는 않는다.

03 설에는 사물의 유사점에 근거하여 사고를 확장하는 유추의 과정이 나타난다. 〈보기〉에 따라 윗글을 이해하면, A는 행랑채를 수리한 경험, B는 사람 역시 잘못을 빨리 고쳐야 다시 착한 사람이 될 수 있다는 깨달음, C는 백성을 좀먹는 무리들을 제거하여 정치를 바로잡아야 한다는 의견에 해당한다. 따라서 C는 유추를 통해 깨달음이 새롭게 확장된 결과이지 앞 내용을 반복하여 다시 강조한 것이 아니다.

04 윗글에서 '백성을 좀먹는 무리들'은 정치권력을 악용하여 '백성들'을 도탄에 빠지게 하는 세력, 즉 탐관오리를 가리킨다. 〈보기〉에서는 국가를 '물'에, 군주를 '용'에, 백성들을 '작은 물고기'에, 백성들을 수탈하는 세력을 작은 물고기를 잡아먹는 '큰 물고기'에 빗대었으며, '메기, 잉어, 가물치'는 모두 큰 물고기의 예로 제시된 것이다.

엮인 작품 더 알기

이옥, 「어부(魚賦)」

작품 해제 조선 후기 한문 수필로, 국가의 현실 상황을 약육강식의 세계인 수국(水國)에 빗대어 중간 지배층이 백성들을 수탈하여 군자의 덕이 미치지 못하는 현실을 비판하고 올바른 정치의 방향을 제시하고 있다.

05 ⓐ(쓸)는 어떤 일을 하는 데에 재료나 도구, 수단을 이용한다는 의미로 사용되었다. 이와 가장 유사한 의미로 사용된 것은 ①이다.

왜 오답일까 ② '도리에 맞는 바른 상태가 되다.'의 의미이다.

③ '어떤 말이나 언어를 사용하다.'의 의미이다.

④ '힘이나 노력 따위를 들이다.'의 의미이다.

⑤ '다른 사람에게 베풀거나 내다.'의 의미이다.

06 차마설 144~145쪽

01 ③ 02 ② 03 ⑤ 04 ⑤ 05 ③

작품 해제 말을 빌려 탄 개인적인 경험을 통해 소유에 대한 보편적인 깨달음을 제시하고 올바른 삶의 태도를 촉구하는 교훈적 수필이다.

01 '하물며 진짜로 자기가 가지고 있는 경우야 더 말해 무엇하겠는가.', '이 어찌 미혹된 일이 아니겠는가.' 등에서 의문의 형식을 사용하여 글쓴이의 생각을 강조하여 표현하고 있다(ㄴ). 또한 마지막 문단에서 맹자의 말을 인용하여 소유에 대한 성찰과 깨달음을 집약적으로 나타내고 있다(ㄷ).

왜 오답일까 ㄱ. 고사성어를 활용하고 있지 않다.

ㄹ. 자신의 경험을 바탕으로 한 깨달음을 전하고 있을 뿐 대화 형식이 나타나지 않는다.

02 글쓴이는 소유에 대한 지나친 집착을 경계하고 있을 뿐, 소유에 대한 상반된 관점을 비교하거나 그 장단점을 분석하고 있지는 않다.

03 글쓴이는 사람이 가진 모든 것은 다른 대상으로부터 빌린 것으로, 인간에게 진정한 자기 소유는 없으므로 소유에 지나치게 집착하지 않는 것이 바른 삶의 자세임을 제시하고 있다.

04 글쓴이는 사람이 소유한 모든 것은 다른 대상으로부터 빌린 것이라며 소유에 대한 집착에서 벗어나야 한다는 교훈을 전하고 있다.

왜 오답일까 ① [A]에는 다른 사람에게 말을 빌려 탄 경험이, [B]에는 경험에 대한 의견이 제시되어 있다.

② 다른 사람에게 말을 빌려 탄 것은 글쓴이가 경험한 사실에 해당한다.

③ 글쓴이는 자신의 경험을 통해 사람이 가지고 있는 것은 모두 다른 사람에게서 빌린 것이므로 지나친 소유욕을 경계해야 한다는 깨달음을 얻었다.

④ 글쓴이는 사람이 가지고 있는 것 가운데 남에게 빌리지 않은 것이 없다는 이치를 중심으로 자신의 경험과 그를 통한 깨달음을 전하고 있다.

05 윗글의 글쓴이는 잘못된 소유 관념을 비판하고 소유에 대한 지나친 집착을 경계하고 있다. ③의 화자 역시 부귀공명을 탐하지 말라고 이야기하고 있으므로, 윗글과 그 주제 의식이 가장 유사하다고 볼 수 있다.

왜 오답일까 ① 이별한 형제에 대한 그리움을 담은 시조이다.

② 임에게 보내는 사랑을 '묏버들'이라는 자연물을 통해 드러낸 시조이다.

④ 보편적인 관점에서는 늙음과 인생무상에 대한 한탄을 담은 시조로 볼 수 있으며, 작가가 기생이라는 점을 고려하면 떠나간 임에 대한 그리움과 임의 마음을 빼앗은 동료에 대한 원망을 담은 시조로 볼 수 있다.

⑤ 전원생활의 멋과 풍류를 노래한 시조이다.

07 접과기 146~147쪽

01 ① 02 ⑤ 03 ⑤ 04 ③ 05 ②

작품 해제 나쁜 배나무에 좋은 배나무 가지를 접붙여 풍성한 열매를 얻은 경험을 바탕으로 돌아가신 아버지가 남긴 교훈과 아버지에 대한 애틋한 그리움을 표현한 고전 수필이다.

01 (가)에는 과수를 접붙이는 일에 대한 글쓴이의 생각이 제시되어 있을 뿐, 과수의 접목에 대한 다른 사람의 반응은 나타나 있지 않다.

왜 오답일까 ④ '하물며 ~ 그 정도일 뿐이랴?'에서 설의적 표현을 통해 아버지를 공경하는 마음을 강조하고 있다.

⑤ '이에 기록하여 경계하는 바이다.'에서 글쓴이의 집필 의도가 직접적으로 드러나 있다.

02 '나'는 배나무의 싹이 나오고 잎이 필 때에 이르러서도 과수를 접붙이는 일이 괴이한 요술 같다고 느꼈으며 가을에 열매가 주렁주렁 열린 다음에야 과수를 접붙이는 일에 대한 의심을 거두었다. 또한, 아버지가 돌아가신 후 아홉 해가 지나 나무를 보고 열매를 먹으며 아버지의 뜻을 깨닫게 된 것이므로, ⑤의 내용은 적절하지 않다.

03 글쓴이가 '나무를 부여잡고 목이 메어서 차마 떠나지 못한' 것은 '과수의 접목'을 통해 깨달은 바가 행동으로 실현된 것이 아니라 돌아가신 아버지에 대한 그리움 때문이다.

왜 오답일까 ②, ③ 글쓴이는 과수를 접붙일 때 발생하는 현상에 매몰되지 않고 경험을 통해 인식을 확장하여 개과천선이라는 교훈을 이끌어 내고 있다.

04 소백과 한선자의 고사는 소백의 은덕과 한선자의 은혜를 잊지 않기 위해 그들과 관련된 나무를 아끼고 잘 보살폈다는 내용이다. 글쓴이는 이러한 고사를 인용하여 접붙인 배나무를 물려주신 아버지의 깊은 뜻을 새기고 돌아가신 아버지를 공경하며 배나무를 더욱 잘 보살피려는 마음을 강조하고자 했다.

05 윗글의 글쓴이는 접붙인 배나무 열매를 먹으며 돌아가신 아버지를 떠올리고 있으며, 〈보기〉의 화자는 '반중 조홍감'을 보며 돌아가신 부모님을 떠올리고 있다.

왜 오답일까 ① 윗글과 〈보기〉 모두 세태를 풍자한 내용은 찾을 수 없다.

③ 윗글과 〈보기〉 모두 글쓴이와 화자의 감정을 자연물에 이입한 부분은 나타나지 않는다.

④ 윗글과 〈보기〉 모두 과거와 대비되는 현재의 모습에 대한 성찰은 나타나지 않는다.

⑤ 윗글과 〈보기〉 모두 감탄사를 활용하지 않았다.

엮인 작품 더 알기

박인로, 「반중 조홍감이」 ▶해법문학 Link 고전 시가 222쪽

작품 해제 「조홍시가」의 제1수로, 한음 이덕형에게서 홍시를 대접받은 작가가 회귤 고사를 떠올리고 돌아가신 어버이에 대한 그리움을 표현한 시조이다.

조선 시대

08 이생규장전 150~151쪽

01 ① 02 ④ 03 ② 04 ② 05 절개를 지키기 위해 목숨을 끊은 최 소저의 행동에서 여성의 절개를 중요시하는 유교적 가치관을, 부모의 시신을 수습하여 장사를 지낸 이생과 최 소저의 행동에서 부모에 대한 효를 중요시하는 유교적 가치관을 확인할 수 있다.

작품 해제 『금오신화』에 실린 다섯 편의 전기(傳記) 소설 중 하나로, 전반부는 살아 있는 남녀 간의 사랑을, 후반부는 산 남자와 죽은 여자의 사랑을 다루어 죽음을 초월한 남녀 간의 애절한 사랑을 그려 내고 있다.

01 윗글은 고려 말기에 홍건적이 침략한 실제 역사적 사실을 배경으로 서사를 전개하고 있다.

02 이생은 최 소저와 재회한 후 벼슬을 구하지 않고 세상사를 잊은 채 최 소저와 시를 주고받으며 세월을 보냈으므로 ④는 적절하지 않다.
왜 오답일까 ① [앞부분 줄거리]와 글의 첫 문단에서 이생이 최 소저와 혼인한 이듬해 과거에 급제했음을 알 수 있다.
② 두 번째 문단에서 홍건적의 침입으로 이생의 집안 식구들과 친척들이 각자 살길을 찾아 도망쳤음을 알 수 있다.
⑤ 양가 부모님의 유골을 어떤 곳에 그냥 내버려 두었다는 최 소저의 대답을 통해 양가 부모님 모두 홍건적의 침략으로 목숨을 잃었음을 알 수 있다.

03 [A]는 이생과 재회한 최 소저가 그동안의 사건을 서술한 부분이다. 최 소저는 홍건적의 침입으로 죽음을 당해 처지가 달라진 것이지 성격이 변화한 것이 아니다.
왜 오답일까 ①, ⑤ [A]는 최 소저의 환신이 이생과 혼인하기 전부터 혼인 후 죽음을 맞이하게 되기까지의 과정을 시간의 흐름에 따라 간략하게 제시한 부분이다.
③ '어찌 횡액을 만나 구렁에 넘어질 줄 알았겠습니까?'에서 설의적 표현을 통해 홍건적의 침입으로 자신이 죽게 될 줄 생각하지 못했음을 부각하여 나타내고 있다.
④ 이생과 이별한 자신의 처지를 '짝 잃은 새'에 비유했다.

04 이생은 죽은 최 소저와 재회한 후 함께 담 안에 머무는데, 이는 이승의 사람과 저승의 영혼이 만나 다시 인연을 맺는다는 점에서 죽음을 초월한 간절한 사랑을 보여 주는 것이다. 윗글에 이상 세계로 볼 만한 공간은 나타나지 않으며, 담이 현실 세계와 이상 세계를 이어 주는 역할을 한다는 해석은 적절하지 않다.
왜 오답일까 ③ 홍건적의 침입으로 인한 최 소저의 죽음은 담 밖의 폭력적이고 파괴적인 세력에 의해 담 안의 화합과 사랑의 세계가 파괴된 것임을 보여 준다.
④ 부모 몰래 연애를 한 이생을 지방으로 쫓아낸 이생의 아버지는 봉건적 윤리관에 예속된 인물로 볼 수 있다.
⑤ 최 소저의 환신이 돌아온 후 이생은 외부 세계와의 관계를 끊어 버리는데, 이러한 행동은 폭력적이고 파괴적인 담 밖 세계에 대한 부정과 거부로 해석할 수 있다.

05 홍건적에게 맞서 목숨을 걸고 절개를 지킨 최 소저의 행동에는 여성의 절개라는 유교적 가치관이, 부모의 시신을 수습하고 예를 갖추어 장사를 지낸 이생과 최 소저의 행동에는 부모에 대한 효라는 유교적 가치관이 반영되어 있다.

09 만복사저포기 152~155쪽

01 ③ 02 ④ 03 ③ 04 ⑤ 05 ② 06 ④ 07 ⑤ 08 ① 09 ⑤ 10 ⑤

작품 해제 불우한 서생 양생이 부처와의 내기에서 이겨 죽은 처녀의 환신과 만나 사랑을 나누다가 이별한다는 비현실적이고 몽환적인 내용의 작품이다.

01 여인의 부모가 죽은 딸의 대상을 치르기 위해 절에 가고 있으며, 양생에게 자신의 딸이 왜구들의 난리 때 죽었다는 사실을 말해 주는 것으로 보아 딸의 죽음을 사실로 받아들이고 있음을 알 수 있다.
왜 오답일까 ① 여인은 양생이 자신의 부모를 만나기를 바라는 마음에 은주발을 내어 준다.
② 여인은 시녀에게 자신의 필요를 말하고 시녀는 이를 이행하는 역할을 하고 있다.
④ 종은 양생이 들고 있는 은주발이 주인의 딸의 장례 때 함께 묻은 물건임을 알아보고 주인에게 이를 알렸다.
⑤ 양생은 여인의 부모를 만나서 그동안의 자초지종을 듣고 나서야 여인이 이미 죽은 인물임을 알게 된다.

02 ㉣에서 여인의 부모는 양생의 말에 놀라며 양생에게 딸이 죽었다는 사실을 말해 주려 하고 있다. 양생의 말이 사실이 아님을 증명하려는 모습은 보이지 않는다.

03 윗글에서 주인공이 초월적 존재로부터 자신의 능력을 인정받는 내용은 찾을 수 없다.
왜 오답일까 ① 홀로 살던 양생이 귀신과 사랑에 빠진다는 비현실적인 내용을 다루고 있다.
② 이승과 저승의 이원론적 세계관을 바탕으로 하며, 양생이 아름다운 여인을 만나고자 하는 소원을 부처님과의 내기를 통해 성취하게 된다.
④ 우리나라 남원의 만복사를 배경으로 삼고 있다.
⑤ 양생이 부처에게 소원을 빌어 여인을 만나는 것에서 작가의 불교관이, 혼약을 부모님께 알리지 않은 것이 명교의 법전에 어긋난다는 여인의 말에서 작가의 유교관이 드러난다.

04 대상 날에 재를 올려 억울하게 죽은 사람의 명복을 비는 행위는 당시 사회 문화적으로 당연하게 여겨지던 제의이다. 이를 '낭만적 환상'으로 보기는 어렵다.

왜 오답일까 ① 여인을 죽음에 이르게 한 왜구들의 침입은 부정적 현실의 모습이라 할 수 있다.

② 죽은 사람과 산 사람의 사랑은 생사를 초월한 사랑이라는 측면에서 애정 지상주의를 보여 준다.

③, ④ 부모의 허락을 받지 않고 남녀가 만나는 것이 명교의 법전에 위배된다는 여인의 말은 유교적 질서가 여전히 작용하고 있음을 보여 주는 것이나, 이와 관계없이 여인이 양생과 사랑을 나눈다는 점은 자유연애 사상이 구현된 것으로 볼 수 있다.

05 '은주발'은 여인이 죽었을 때 같이 묻은 부장품으로, 여인의 부모는 양생이 '은주발'을 가지고 있는 것을 보고 양생이 자신의 딸과 어떠한 관계가 있음을 알게 된다. 따라서 '은주발'은 양생과 여인의 부모를 연결해 주는 매개물의 역할을 함을 알 수 있다.

왜 오답일까 ③ 양생은 '은주발'을 받기 전 이미 여인과 혼약했다.

⑤ 여인은 부모에게 원망의 감정을 가지고 있지 않다.

기출 작품 딥러닝

김시습, 「취유부벽정기」 ▶해법문학 Link 고전 산문 99쪽

작품 해제 평양의 부벽루에서 인간 홍생과 선녀 기씨녀가 함께 시를 짓고 논 이야기로, 두 사람 사이에 이루어진 정신적 사랑과 고국의 흥망성쇠에 대한 회고의 정을 담은 애정 소설이다.

전체 줄거리

발단	송도에 사는 부유한 상인인 홍생이 대동강에서 배를 타고 부벽정에 이르러 아름다운 달밤의 경치를 즐김.
전개	홍생은 고금의 흥망성쇠를 노래하다가 기자왕의 후손인 기씨녀를 만나 함께 시를 짓고 놂. ··· 수록 부분
위기	집으로 돌아온 홍생은 기씨녀에 대한 생각으로 병이 듦.
절정	꿈에 기씨녀의 시녀가 나타나 기씨녀의 추천으로 홍생이 선계의 벼슬을 받게 되었음을 알림.
결말	홍생은 목욕재계하고 조용히 숨을 거두었는데, 그 얼굴은 마치 산 사람과 같았음.

핵심 포인트 「취유부벽정기」에 담긴 민족 주체 사상

홍생과 기씨녀가 읊은 시

고조선에 대한 회고와 고구려의 역사와 인물에 관한 것

⬇

민족사의 정통성을 '단군 조선 → 기자 조선 → 고구려 → 고려'로 이어지는 역사에서 찾고자 함.

06 [뒷부분 줄거리]를 보면 홍생은 꿈속 시녀의 말을 듣고 여인이 홍생의 능력을 아껴 선계의 벼슬을 명령했음을 알게 된다. 홍생이 먼저 여인에게 자신도 선계로 가고 싶다고 말한 것은 아니다.

07 [A]의 화자는 인간사의 무상함을 표출하고 있을 뿐, [A]에 시간의 흐름에 따라 화자의 심리가 변화하거나 내적 갈등이 심화되는 양상은 나타나지 않는다.

왜 오답일까 ③ '기자묘 뜰 앞에는 ~ 담쟁이가 얽히었네.'에서 '옛 성터'의 모습을 구체적으로 묘사하여 화자가 느끼는 무상감을 부각하고 있다.

④ '초목만 의희한데'에는 영속적인 자연이, '영웅은 자취 없어'에는 유한한 인간사가 나타나며, 이 둘은 서로 대비된다.

08 ㉠(거룩한 선인)과 ㉡(항아)은 지상계에 속한 인물이 아니라 선계에 속한 인물로, 작품에 비현실성을 부여하는 역할을 한다.

09 '옛 성터'는 과거의 영화로웠던 시절과 대비되는 초라한 모습으로, 화자의 무상감을 불러일으키는 공간이다. 〈보기〉의 시에서 이와 비슷한 역할을 하는 시어는 ⓔ의 '높은 무덤'이다.

10 여인이 선계에서 부벽정을 찾아온 것은 고국에 대한 그리움 때문이다. 또한 현실을 초월하고 싶은 작가의 욕구는 [견해 1]과 관련 있다.

왜 오답일까 ② 현실에서 자신의 뜻을 펼칠 수 없었던 작가 김시습의 삶과 관련지어 볼 때, 홍생이 선계의 벼슬을 받은 것은 작가 자신의 욕망이 투영된 것으로 볼 수 있다.

③ 작가와 여인을 동일시하여 감상하면, '나의 선고 준왕께서는 필부의 손에 패하여 ~ 맹세하고 죽기만 기다렸습니다.'는 세조의 왕위 찬탈을 비판하고 세조 정권에 항거하는 작가 의식을 표현한 구절로 볼 수 있다.

④ 작가와 여인을 동일시하여 감상하면, '나의 선조 기자님께서는 ~ 그리하여 오래도록 문화가 빛났는데'는 우리 민족에 대한 작가의 문화적 자긍심을 표현한 구절로 볼 수 있다.

10 최고운전 156~157쪽

01 ⑤ 02 ④ 03 ③ 04 ⑤

작품 해제 최치원의 일생을 허구화한 전기적(傳奇的) 영웅 소설이다. 대부분의 군담 소설이 전쟁을 소재로 민족의 영웅을 그려 낸 것과 달리 뛰어난 문재(文才)를 과시하는 인물을 주인공으로 설정하여 당나라에 대한 우리 민족의 우월성을 드러내고 있다.

01 청의동자는 신선의 시중을 든다는 사내아이로 초월적 존재에 해당하는데, 청의동자 수 명이 파경노 대신 말을 기르는 일을 하는 장면을 통해 파경노가 비범한 인물임을 드러내고 있다.

왜 오답일까 ① 윗글에 삽입된 시는 함 속 물건을 설명한 것으로, 인물의 뛰어난 능력을 드러내고 있다.

② 윗글에는 신라와 당나라라는 두 개의 다른 공간이 드러나지만, 시간적 순서에 따라 순차적으로 사건이 전개되고 있다.

③ 인물의 외양을 묘사한 부분은 나타나지 않는다.

④ 윗글에 과거 사건에 대한 회상은 나타나지 않는다. 윗글은 시간적 순서에 따라 사건을 전개하고 있다.

02 꿈을 꾼 것은 나 승상의 딸이고, 치원은 잠에서 깨어난 후 시를 지었으므로 치원이 나 승상의 딸과 같은 꿈을 꾸었다는 설명은 적절하지 않다.

왜 오답일까 ③ [앞부분 줄거리]를 통해 아이가 나 승상 댁에 들어가기 전부터 함의 존재를 알고 있었음을 확인할 수 있다.
⑤ 황제는 함 속에 달걀만 넣어 보냈기 때문에 치원이 지은 시 중 마지막 두 구가 잘못되었다고 생각했다.

03 꿈속에서 하늘에서 내려온 동자 십여 명(천상계의 존재)이 노래하자 함이 열린 점, 함 속에 있던 사람들이 시를 지어 읊거나 글씨를 쓴다는 점 등으로 보아, '꿈'은 앞으로 치원이 시를 지어 국가를 위기에서 구할 것임을 암시한다(ㄱ). 치원의 시를 믿지 않던 나 승상은 꿈 이야기를 듣고 왕에게 시를 바쳤으므로, 꿈이 나 승상에게 치원의 시를 통해 위기를 해결할 수 있다는 믿음을 주었다고 볼 수 있다(ㄹ).

04 신라 왕은 치원이 지은 시를 황제에게 바쳤으므로 그 시의 내용에 의심을 품었다고 보기 어렵다. 신라 왕은 나 승상에게 시를 지은 과정에 대해 질문했을 뿐 시의 내용을 의심하고 있지는 않다.
왜 오답일까 ① 아이는 의도적으로 거울을 깨뜨림으로써 나 승상 댁에 노복으로 들어가고 이후 승상의 사위가 되는 일을 도모한다.
② 치원이 밀봉한 함 속에 든 물건을 정확히 알아내는 모습은 인물의 비범한 능력을 드러낸 것이다.
③ 자신의 이름을 스스로 짓는 것은 인물의 주체적 면모를 보여 주는 행위로 해석할 수 있다.
④ 치원은 함 속의 물건을 알아내어 시를 지음으로써 당나라 황제의 위협으로부터 나라를 구해 낸다.

11 홍길동전 158~161쪽

01 ③ 02 ⑤ 03 ⑤ 04 ⑤ 05 ④ 06 ③ 07 ③ 08 ④
09 ⑤ 10 ③

작품 해제 우리나라 최초의 한글 소설로, 적서 차별의 신분 제도와 부패한 정치 현실을 개혁하려는 작가의 혁명 사상이 드러난 작품이다. 영웅 소설의 구조와 전기성을 바탕으로 한 사건 전개에서 고전 소설의 전형적인 모습을 보여 주고 있다.

01 공은 길동의 처지와 심정을 이해했지만 사회적 관념과 질서를 우선시하여 이를 드러내지 않고, 오히려 길동을 책망하며 꾸짖었다. 따라서 길동의 처지에 공감하여 문제를 해결하려고 했다고 볼 수 없다.
왜 오답일까 ① 길동은 "소인이 평생 서러워하는 바는 ~ 어찌 사람이라 하겠습니까?"라고 말하며 현실의 제약 때문에 괴로워하고 있다.
② '길동이 공경하며 대답했다.'라는 구절이나 길동의 말에서 공손한 태도로 공과 대화하고 있음을 알 수 있다.
④ 공은 "지척에 임금님이 계시고 아래로 아비가 있는데"라고 말하며 유교적 사상인 충과 효를 바탕으로 여덟 길동을 꾸짖고 있다.
⑤ 길동은 사대문에 병조판서 벼슬을 내리면 잡히겠다는 내용의 글을 써 붙였다.

02 [A]에서는 부모님의 은혜를, [B]에서는 아버지가 입은 나라의 은혜를 먼저 언급하고 이어서 호부호형할 수 없는 자신의 처지를 밝히고 있다.
왜 오답일까 ① [A]와 [B] 모두 공손한 태도가 나타나 있을 뿐, 상대를 억누르는 고압적인 자세는 나타나 있지 않다.
②, ④ [B]에만 해당하는 설명이다. 길동은 도적으로 활동하면서 백성을 범하지 않고 백성을 착취한 수령의 재물만 빼앗았다고 변명하며 이와 함께 십 년이 지나면 조선을 떠난다는 점을 근거로 들어 임금에게 자신을 잡으라는 공문을 거두어 달라고 요청하고 있다.
③ [A]에서 "어찌 사람이라 하겠습니까?"라는 의문의 형식으로 호부호형하고 싶은 마음을 완곡하게 드러내고 있다.

03 전기적 요소란 비현실적이고 진기한 내용을 의미하므로, 여덟 길동이 모두 풀로 만든 허수아비였다는 내용을 전기적 요소로 볼 수 있다.

04 길동이 '십 년이 지나면 조선을 떠나 갈 곳이 있'다고 말한 것과 [뒷부분 줄거리]에서 길동이 병조판서 벼슬을 받은 뒤 조선을 떠난다는 내용을 볼 때, 그가 조선의 제도 내에서 사회 부조리를 해결하려 했다고 보기는 어렵다.
왜 오답일까 ① 서자라는 이유로 천대받던 길동이 병조판서 벼슬을 요구하는 것은 벼슬길에 나아가고자 하는 길동의 개인적 욕망이 반영된 행동으로 볼 수 있다.
② '종의 몸에서 태어난 자식'은 길동이 서자 신분임을 드러내는데, 서자라는 이유로 아버지를 아버지라, 형을 형이라 부르지 못하는 길동의 상황에서 당대에는 신분에 따른 제약이 컸음을 알 수 있다.
③ 길동은 백성은 추호도 범하지 않고 백성을 착취한 수령의 재물만 빼앗았다며 도적의 무리에 참여하여 도둑질한 행위를 정당화하는데, 백성의 재물을 도둑질한 탐관오리를 벌하기 위해 자신 역시 도둑질을 했다는 점에서 행위와 명분 사이에 괴리가 있음을 알 수 있다.
④ 임금이 길동에게 병조판서 벼슬을 내려 신분을 상승시켜 줄 뿐, 신분 제도 자체의 모순을 해소하려는 모습이 나타나지 않은 점에서 당시 사회가 문제를 해결하는 데 한계가 있었음을 알 수 있다.

05 ⓐ는 8명의 길동이 서로 자신이 진짜가 아니라고 주장하며 다투는 상황이다. '중구난방(衆口難防)'은 뭇사람의 말을 막기가 어렵다는 뜻으로, 막기 어려울 정도로 여럿이 마구 지껄임을 이르는 말이므로 ⓐ와 같은 상황을 나타내기에 적절하다.
왜 오답일까 ① 용호상박(龍虎相搏): 용과 범이 서로 싸운다는 뜻으로, 강자끼리 서로 싸움을 이르는 말
② 어불성설(語不成說): 말이 조금도 사리에 맞지 아니함.
③ 구밀복검(口蜜腹劍): 입에는 꿀이 있고 배 속에는 칼이 있다는 뜻으로, 말로는 친한 듯하나 속으로는 해칠 생각이 있음을 이르는 말
⑤ 언어도단(言語道斷): 말할 길이 끊어졌다는 뜻으로, 어이가 없어서 말하려 해도 말할 수 없음을 이르는 말

기출 작품 딥러닝

허균, 「장생전」

작품 해제 걸식을 일삼으며 익살꾼 노릇을 하지만 실제로는 비범한 능력을 지닌 장생의 일화와 기이한 행적을 나열하여 이상향 건설에 대한 바람을 표현한 한문 소설이다.

전체 줄거리

도입	장생이 기축년에 서울에서 걸식을 하며 살아감. 그는 자신이 밀양 좌수의 아들이었으나 아버지가 들인 비첩의 모함으로 종이 되었고, 아내마저 죽자 떠돌이 생활을 하게 됐다고 밝힘.
전개	• 용모가 뛰어나고 이야기와 노래를 잘함. • 흉내 내기를 잘하며, 동냥한 것을 다른 거지들에게 줌. • 계집아이가 잃어버린 봉미를 찾아 줌. • 죽은 뒤 벌레가 되어 날아감. • 홍세희의 앞날을 예언함.
논평	서술자가 장생을 신이나 검선으로 추측함.

핵심 포인트 「장생전」에 나타난 작가의 사상

장생의 행적	• 바다 동쪽으로 향하여 한 나라로 떠남.(현실에서 이루지 못한 이상을 펼치기 위해 새로운 세계를 찾아감.) • 다른 사람들을 돌보아 주고, 전쟁을 예언함.

↓

장생이란 기인을 통해 이상향 건설이라는 작가의 사상을 드러냄.

06 윗글은 장생의 기이한 행적에 대한 일화를 병렬적으로 제시하고 있을 뿐, 인물 사이의 갈등이 구체적으로 드러나지는 않는다.

07 장생의 시체가 부패하여 벌레가 되더니 날개가 돋아 날아가 버렸다는 내용으로 볼 때, ⓒ(벌레)은 주인공의 기이한 죽음을 보여 준다고 볼 수 있다.

왜 오답일까 ① 장생이 술만 있으면 잔뜩 마시고는 노래를 불러 주변을 즐겁게 했다는 내용으로 볼 때, ㉠(술)은 주인공이 풍류를 즐기는 인물임을 드러내는 소재이다.

② 장생이 계집아이를 들쳐 메고 경회루 위로 올라가 잃어버린 봉미를 찾아 주는 내용으로 볼 때, ㉡(봉미)은 주인공의 기이한 능력을 드러내는 소재이다.

④ ㉣(옷과 버선)은 주인공의 기이한 죽음을 강조하는 소재이다.

⑤ 장생이 죽지 않고 바다 동쪽으로 향하여 한 나라를 찾아갔다고 말했으므로, ㉤(짚신)이 현실의 고통을 암시한다고 보기는 어렵다.

08 ⓐ는 봉미를 도둑맞는 상황이다. '양상군자(梁上君子)'는 들보 위의 군자라는 뜻으로 도둑을 완곡하게 이르는 말이므로, ⓐ의 상황을 나타내기에 적절하다.

왜 오답일까 ① 인지상정(人之常情): 사람이면 누구나 가지는 보통의 마음

② 막역지우(莫逆之友): 서로 거스름이 없는 친구라는 뜻으로, 허물이 없이 아주 친한 친구를 이르는 말

③ 부창부수(夫唱婦隨): 남편이 주장하고 아내가 이에 잘 따름. 또는 부부 사이의 그런 도리

⑤ 견원지간(犬猿之間): 개와 원숭이의 사이라는 뜻으로, 사이가 매우 나쁜 두 관계를 비유적으로 이르는 말

09 장생은 입을 찡그려 피리, 거문고, 비파 등의 소리를 진짜와 같이 낸다고 했으므로 소리를 잘 흉내 낸 것이지 악기 연주에 뛰어난 능력이 있었던 것은 아니다.

10 장생은 구걸한 음식을 걸인들을 구제하는 데 쓰거나 계집아이의 잃어버린 봉미를 찾아 주는 등 자신의 능력을 타인을 위해 사용하고 있다.

12 최척전

162~163쪽

01 ③ 02 ④ 03 ① 04 ⑤

작품 해제 최척과 옥영의 사랑 이야기를 바탕으로 전란으로 인한 가족의 이산과 기적적인 재회를 그린 한문 소설이다. 임진왜란과 정유재란으로 인한 민중의 고난과 가족 이산의 아픔이 사실적으로 나타나 있다.

01 '요양', '남원'과 같은 구체적인 지명과 '갑오년', '정유년'과 같은 구체적인 시간을 언급하여 이야기에 현실감을 더하고 있다.

02 <보기>에 따르면, 윗글은 영웅을 주인공으로 설정하여 민족적 자존심의 고취에 역점을 둔 영웅 소설과 달리 당시 민중이 겪은 전쟁의 피해에 초점을 두고 있다. 주인공 최척은 평범한 인물로, 윗글은 최척 일가의 이야기를 통해 전란 속에서 민중이 겪은 고난과 이산의 아픔을 사실적으로 그려 내고 있다.

왜 오답일까 ①, ③ 최척, 옥영, 몽석은 전란으로 인해 이별과 재회를 반복하는 인물들로, 당대 민중의 고통스러운 삶을 보여 주고 있다.

② 최척과 몽석은 전쟁에 참여했다가 후금의 포로로 잡히는데, 이들의 삶을 통해 당시의 전쟁 상황과 이로 인한 피해를 구체화하고 있다.

⑤ 최척과 몽석이 포로수용소에서 우연히 재회하는 것은 또 다른 제목인 '기우록'의 의미가 '기이한 만남의 기록'인 것과 관련 있다.

03 ㉠에서 옥영은 최척과 헤어졌다가 다시 만난 자신의 상황을 끊어진 거문고 줄이 다시 이어지는 것과 반쪽으로 나뉘었던 거울이 합해지는 것에 빗대어 비유적으로 표현하고 있다.

왜 오답일까 ② ㉡은 옥영이 자결을 결심하며 한 말로, 옥영이 최척과의 이별로 인해 느끼는 슬픔이 매우 크고 고통스러움을 드러낸 것이다.

③ ㉢은 최척이 속한 명나라 군대가 전쟁에서 패했음을 나타낸 것으로, 명나라 군사로 참전한 최척이 위기를 겪게 될 것을 암시하고 있다.

④ ㉣은 후금이 명나라 군사는 죽이고 조선 군사는 살상하지 않는 상황에서, 최척이 조선 사람이라는 출신을 활용하여 위기를 모면하는 상황을 나타낸 것이다.

⑤ ⓜ은 최척이 몽석을 후금의 첩자로 의심하여 자신의 정체를 숨기고 있음을 나타낸 것이다.

04 윗글에서는 최척과 그의 아들 몽석이 직접 만나지만, 〈보기〉에서는 정생과 둘째 아들 몽진의 장인인 침의가 만난다. 따라서 윗글에 재회의 실마리가 되는 인물을 새롭게 추가했다는 평가는 적절하지 않다.
왜 오답일까 ③ 윗글의 최척은 조선 사람이라는 점을 활용하여 조선 군대 속에 숨어 들어가 죽음을 모면했고, 〈보기〉의 정생은 조선 사람임을 밝혀 죽음을 모면했다는 점에서 인물이 위기를 극복하는 방법이 유사하다.
④ 〈보기〉에서는 정생이 전쟁터에서 벗어난 장면을 간략하게 서술하고 있지만, 윗글에서는 최척이 참전했다가 위기에 처하고 도망치는 장면을 확장하여 인물이 겪는 고난을 구체적으로 드러내고 있다.

엮인 작품 더 알기

유몽인, 「홍도전(紅桃傳)」

작품 해제 조선 광해군 13년에 유몽인이 지은 야담집인 『어우야담(於于野談)』에 수록된 작품으로, 전쟁으로 인한 한 가정의 수난을 그려 내고 있다.

13 박씨전 164~165쪽

01 ① 02 ③ 03 ⑤ 04 ④ 05 ②

작품 해제 병자호란을 배경으로 한 역사 군담 소설로, 실존 인물인 이시백과 가공인물인 이시백의 아내 박씨를 주인공으로 하여 병자호란의 패배를 심리적으로 보상하고 민족적인 긍지와 자부심을 일깨우고 있다.

01 호왕과 황후, 우상과 박씨, 상과 신하들의 대화를 통해 병자호란이 일어나는 과정을 보여 주고 있다.

02 황후는 간신 김자점이 박씨의 말을 듣지 않을 것을 예측한 것이며, 우상은 처음에는 박씨의 말을 의아하게 여겼으나 이내 박씨의 의견을 받아들여 조정에 전하고 있다.
왜 오답일까 ① '부디 우의정 이시백의 집 후원은 범치 말라'는 황후의 말을 통해 황후가 용골대, 용율대 형제가 박씨를 만나는 것을 경계하고 있음을 알 수 있다.
② '김자점의 말이 그른 줄 알되, 아무 말도 못하더라.'를 통해 조정의 신하들이 김자점의 말이 틀린 것을 알면서도 김자점의 권세를 두려워하여 이에 반박하지 못하고 있음을 알 수 있다.
④ 황후가 용골대, 용율대 형제에게 임경업을 피해 가라고 한 것과 박씨가 임경업을 내직으로 불러들여야 한다고 한 것은 두 사람 모두 임경업이 호적을 막을 수 있다고 판단했기 때문이다.
⑤ 황후와 박씨 모두 천기를 보는 신이한 재주를 지녔으며 이 재주를 각각 청나라와 조선을 위해 사용하고 있다.

03 ⓒ(김자점)은 박씨의 말을 따랐을 때 '호적이 의주를 쳐 항성하면 그 세를 당치 못하며, 국가 흥망이 경각에 있을' 것이라는 결과를 예상하며 박씨의 말을 따르자는 ⓛ(좌의정 원두표)과 반대되는 주장을 펼치고 있다.
왜 오답일까 ① ㉠(상)은 박씨의 말을 따르자는 ⓛ(좌의정 원두표)의 의견에 동조하고 있다.
② ㉠(상)은 ⓒ(김자점)의 의견을 거부하지 못하고 조회를 파하고 있다.
③, ④ ⓛ(좌의정 원두표)은 북방 오랑캐가 간계가 많다는 특징을 근거로 들어 박씨의 말을 따르자는 의견을 내세우고 있다.

04 〈보기〉에 따르면, 윗글은 병자호란이라는 역사적 사실에 허구적 내용을 가미하여 민중이 느꼈던 전란의 패배감을 정신적으로 보상하고자 했다. 이는 허구적 인물인 박씨의 활약과 관계된 것이지 전쟁의 원인을 간신으로 특정하는 것과는 관련이 없다.
왜 오답일까 ① 실존 인물을 등장시켜 윗글이 병자호란이라는 역사적 사건을 배경으로 하고 있음을 알려 주고 있다.
② 박씨는 청나라의 침략을 미리 알고 대비하려는 신이한 능력과 영웅적 면모를 지닌 인물이다. 따라서 박씨는 전란으로 고난을 겪은 뒤 영웅을 기다리는 백성의 바람을 투영한 인물로 볼 수 있다.
③ 윗글에서 박씨는 남편인 우상이나 조정의 무능력한 남성 지배층보다 우월한 능력을 지니고 있는데, 이는 병자호란 때 나라를 지키지 못한 남성과 남성 중심의 권력 구조를 간접적으로 비판하기 위한 설정으로 볼 수 있다.
⑤ '상'과 조정의 신하들은 청나라의 침입에 적절하게 대응하지 못하고 있다. 윗글은 이와 같은 지배 계층의 무능력한 모습을 부각하여 비판하고 있다.

05 '명심불망(銘心不忘)'은 마음에 깊이 새겨 두어 오래오래 잊지 아니한다는 뜻이다.

14 홍계월전 166~167쪽

01 ① 02 ④ 03 ④ 04 ① 05 ④

작품 해제 명나라를 배경으로 주인공인 홍계월의 고행담과 무용담을 엮은 조선 후기 대표적인 여성 영웅 소설로, 남성의 전유물로 여겨지던 권위를 여성에게 부여하여 봉건적 가치관에 맞서는 여성 의식을 보여 주고 있다.

01 평국(홍계월)은 어의의 진맥 후 자신이 여성이라는 것이 밝혀질 것을 예측하고 천자에게 자신의 지난 삶과 남장을 한 이유를 밝히며 사의를 표하고 있다. 따라서 병은 평국이 성별을 밝히는 계기가 될 뿐, 평국이 병을 핑계로 자신의 본색을 숨기려 했다고 볼 수 없다.
왜 오답일까 ② '부모도 눈물을 흘리며 위로했다.'에서 계월의 부모는 여성이라는 신분 때문에 사회적 지위를 포기해야 하는 딸의 심정에 공감하며 딸을 위로하고 있다.
③ '어의가 내 맥을 보았으니, 본색이 드러났을 것이다.'에서 계월은 어의가 맥을 본 후 자신이 여성이라는 사실이 발각되었을 것이라 예측하고 있다.

④ 어의는 평국을 진맥한 후 천자에게 "남자의 맥이 아니라 이상합니다."라며 평국과 관련하여 새롭게 안 사실을 보고하고 있다.
⑤ 천자가 평국이 병이 든 사실을 안 뒤 명의를 급히 보내고, "병이 중하면, 짐이 친히 가 볼 것이다."라고 말한 것을 통해 평국을 소중히 여기고 평국의 병을 염려하고 있음을 알 수 있다.

02 ㉡의 '계월'은 평국이다. 즉 평국이 여성임이 드러나서 평국을 계월로 칭하고 있는 것이지 새로운 인물이 등장한 것은 아니다.
왜 오답일까 ① ㉠에는 평국이 전쟁터에 나가 적군을 물리친 과거 행적이 제시되어 있다.
② ㉠의 '미심쩍긴 하나'에서 평국의 정체에 대한 천자의 심리가 직접적으로 드러나 있다.
③ ㉡에서는 계월의 모습을 연꽃, 초승달 등에 빗대어 표현하고 있다.
⑤ ㉡의 '젊고 아름다우면서도 침착한 태도는 당대 제일이었다.'는 등장인물에 대한 서술자의 논평이다.

03 계월은 [A]에서 자신이 여자임을 숨긴 이유를 밝히고 천자를 속인 자신을 처벌할 것을 요청하고 있다. 천자는 [B]에서 계월의 공이 크니 계월이 여자라고 탓하지 않겠다며 계월에게 지금과 같이 나라에 충성할 것을 지시하고 있다.
왜 오답일까 ① [A]의 글쓴이는 자신의 삶의 행적과 남장을 한 경위를 밝히며 처벌을 요청하고 있을 뿐 상대를 회유하고 있다고 보기는 어렵다. [B]의 글쓴이는 계월이 과거에 쌓은 공을 언급하여 벼슬을 내려놓은 계월을 설득하고 있다.
② 신하와 임금이라는 신분의 차이에 따라 서술 방식에 차이가 나타나는 것은 맞지만, [A]와 [B]의 글쓴이가 같은 목적으로 글을 쓴 것은 아니다. [A]의 글쓴이는 자신의 잘못을 알리고 처벌을 요구하기 위해, [B]의 글쓴이는 상대의 잘못을 탓하지 않음을 밝히고 벼슬을 거두지 않을 것임을 알리기 위해 글을 썼다.
③ [A]의 글쓴이는 자신의 죄를 인정하고 처벌을 바라고 있을 뿐 억울함을 호소하지 않는다.
⑤ [A]의 글쓴이가 [B]의 글쓴이에게 바라는 바는 자신을 처벌하는 것인데, [B]의 글쓴이는 이를 수용하지 않는다.

04 계월이 명문가의 자식으로 태어난 것은 맞지만, 윗글에 제시된 부분에서는 이를 확인할 수 없다.
왜 오답일까 ② ⓑ: 장 사랑의 난 때 부모를 잃고 도적 맹길의 환란을 만나 물속에 빠져 죽을 뻔한 일에 해당한다.
③ ⓒ: 여공의 도움으로 죽을 고비를 넘긴 일에 해당한다.
④ ⓓ: 남장 여자라는 사실이 발각된 일에 해당한다.
⑤ ⓔ: 천자가 계월이 남자 행세를 한 것을 용서한 일에 해당한다.

05 계월이 '남자 옷을 벗고 여자 옷으로 갈아입은' 행동은 여성임이 밝혀졌기 때문에 어쩔 수 없이 당대 여성의 전형적인 삶을 살아가려 결심한 것을 보여 준다.
왜 오답일까 ① 계월이 여성임에도 벼슬을 거두지 않은 천자의 결정은 사회적 권위를 지니지 못했던 당대 여성 독자들에게 신분 상승의 희망을 심어 주었을 것이다.
② 여성의 옷차림 위에 조복을 입고 관직을 수행하는 계월은 사회적 지위를 지닌 새로운 여성의 모습을 보여 준다.
③ 계월은 자신이 여성임을 밝히며 천자에게 '유지와 인수를 올'리는데, 이는 자신의 벼슬을 내려놓는 것을 의미한다. 계월의 행동은 여성이 벼슬을 할 수 없던 당대의 시대상을 보여 주는 것으로, 이를 통해 오랜 시간 동안 사회적 권위가 남성의 전유물로 여겨져 왔음을 추측할 수 있다.
⑤ 계월이 수많은 남성을 휘하에 부리는 것은 남성보다 뛰어난 여성의 모습을 나타내는 것으로, 당시 남성의 권위에 억눌려 있던 여성 독자들에게 통쾌함을 주었을 것이다.

15 숙향전

168~169쪽

01 ② 02 ① 03 ⑤ 04 ② 05 ②

작품 해제 천상계의 인물인 숙향이 지상계로 내려와 온갖 시련을 극복하면서 사랑을 성취하는 과정을 담은 애정 소설로, 영웅의 일대기 구조에 따라 주인공 숙향의 수난을 그려 내고 있다.

01 숙향과 후토 부인의 대화를 통해 숙향이 천상에서 지은 죄 때문에 인간 세상에서 겪는 고생의 내막이 드러나고 있다.

02 '인간 세상의 부모가 난중에 죽었으면 시왕전에 왔사올 것이니 반가이 만나 볼 수 있겠나이까?'에서 숙향이 부모가 난중에 죽어 저승에 왔을 것이라고 짐작하고 있음을 알 수 있다.
왜 오답일까 ③ 이선은 숙향과 생사를 함께하고자 할 뿐 원수를 갚으려고 하지는 않는다.
④ 후토 부인은 숙향이 전생에 천상계의 선녀였음을 알려 주고 있다.
⑤ 숙향은 일반적인 영웅 소설의 주인공과 달리 비범한 능력이나 영웅적 면모를 지니고 있지 않으며, 위기에 봉착했을 때 천상의 초월적 존재의 도움을 받아 위기를 극복한다.

03 ㉤에서는 이방 원통의 발화를 통해 이전 사건을 요약적으로 제시하여 숙향이 겪었던 일을 전달하고 있다.

04 [B]에서 후토 부인은 자신을 '한낱 조그마한 신령'으로, 숙향을 '월궁의 으뜸 선녀'로 칭하며 숙향을 존대하고 있는데, 여기에는 천상에서 지은 죄로 지상계에서 고생을 겪더라도 본래의 신분에는 변함이 없다는 생각이 전제되어 있다. 후토 부인이 지상계에서 죄를 모두 치르면 천상계의 신분이 변할 수 있다고 생각하는 것은 아니다.
왜 오답일까 ① [A]의 '천상에 득죄하여 인간 세상에 내려와 고초가 심하거늘'을 통해 확인할 수 있다.
③ [B]의 '그대는 월궁의 으뜸 선녀라. 비록 천상에서 지은 죄로 인간 세상에 내려와 일시 고생을 겪었으나'에서 확인할 수 있다.

④ [C]의 '봉래산 선관 선녀로서 인간 세상에 귀양 왔사오니'에서 확인할 수 있다.

⑤ [C]의 '기한이 차면 봉래로 돌아갈 것이요'에서 확인할 수 있다.

05 ⓐ에서 숙향은 혼자서 의지할 곳이 없어 울고 있는 처지이다. '고립무원(孤立無援)'은 고립되어 구원을 받을 데가 없음을 의미하는 말로, ⓐ에 나타난 숙향의 처지를 나타내기에 가장 적절하다.

왜 오답일까 ① 각골통한(刻骨痛恨): 뼈에 사무칠 만큼 원통하고 한스러움. 또는 그런 일

③ 기호지세(騎虎之勢): 호랑이를 타고 달리는 형세라는 뜻으로, 이미 시작한 일을 중도에서 그만둘 수 없는 경우를 비유적으로 이르는 말

④ 절치부심(切齒腐心): 몹시 분하여 이를 갈며 속을 썩임.

⑤ 풍수지탄(風樹之嘆): 효도를 다하지 못한 채 어버이를 여읜 자식의 슬픔을 이르는 말

16 구운몽 170~173쪽

01 ① 02 ④ 03 ① 04 ⑤ 05 ④ 06 ③ 07 ① 08 ④ 09 ④

작품 해제 김만중이 유배지에서 모친 윤씨를 위로하기 위해 지은 국문 소설로, 성진이라는 불제자가 하룻밤 꿈에서 온갖 부귀영화를 맛보고 깨어난 후 인간의 부귀영화가 일장춘몽에 불과하다는 것을 깨닫고 불법에 귀의한다는 내용을 담고 있다.

01 높은 대와 많은 집이 한순간에 사라지면서 성진이 꿈에서 완전히 깨어나는 상황과 성진의 모습을 묘사하여 꿈에서 현실로 장면이 전환되었음을 나타내고 있다.

왜 오답일까 ②, ③ 윗글은 전지적 작가 시점으로 작품 밖 서술자에 의해 등장인물의 내면까지도 기술되고 있다.

④ 시간적 순서에 따라 사건이 전개되고 있으며, 과거와 현재가 교차하는 역순행적 구성은 나타나지 않는다.

02 윗글은 성진이 하룻밤 꿈속에서 세속의 부귀영화를 누리다 깨어난 뒤 세속적 욕망의 무상함을 깨닫는 이야기이다. ㉮~㉲를 시간적 순서에 따라 정리하면, 성진이 스승에게 질책을 받아 꿈을 꾸게 된 후(㉲), 꿈에서 입신양명을 이루고(㉮) 관직에서 물러난 뒤(㉱) 호승으로 분한 스승을 만나(㉯) 꿈에서 깨어나게 된다(㉰).

03 ⓐ(꿈)는 양소유가 꾸는 꿈이므로 꿈속의 인물이 꾼 꿈이고, ⓑ(춘몽)는 성진이 양소유로 태어나 부귀영화를 누린 꿈이므로 현실 세계의 인물이 꾸는 꿈이라 할 수 있다. ⓑ(춘몽)는 육관 대사가 세속적 욕망을 품은 성진으로 하여금 꾸게 한 꿈으로, 성진이 지닌 욕망을 실현시켜 성진에게 깨달음을 얻게 하는 역할을 한다.

04 꿈이 성진의 세속적 욕망이 실현된 공간은 맞으나 성진은 꿈을 통해 세속적 욕망의 허무함을 느끼고 인생무상의 깨달음을 얻고 있으므로 꿈속의 행복한 모습으로 어머니를 위로하려 했다는 내용은 적절하지 않다.

왜 오답일까 ① '구(九)'는 아홉 인물, 즉 양소유(성진)와 팔 낭자(팔선녀)를 의미한다.

② '운(雲)'은 바람에 따라 흘러가고 흩어지는 구름으로, 부귀공명을 누리는 세속적 삶 역시 흘러가는 구름과 같이 덧없다는 성진의 깨달음을 보여 준다.

③, ④ '몽(夢)'은 세속적 삶을 갈망하던 성진과 팔선녀가 꾼 하룻밤 꿈을 의미하는 것으로, '현실 – 꿈 – 현실'이라는 작품의 구성을 보여 준다.

05 저녁에 피운 ㉣(향로)의 불이 사라졌다는 내용을 통해 성진이 꿈을 꾸는 동안 저녁에서 새벽까지 시간이 흘렀음을 알 수 있다.

왜 오답일까 ① ㉠(막대)은 호승(육관 대사)의 등장을 알리는 소재이다.

② ㉡(돌난간)은 꿈속의 양소유가 있는 공간 중 일부이다.

③ 성진이 꿈에서 깨자 사라진 ㉢(높은 대)은 꿈속에서 양소유가 누렸던 권세의 허무함을 드러내는 소재이다.

⑤ ㉤(염주)은 승려로서 성진의 신분을 드러내는 소재이다.

기출 작품 딥러닝

남영로, 「옥루몽」 ▶해법문학 Link 고전 산문 218쪽

작품 해제 64회로 이루어진 회장체 소설로, 천상계의 신선인 문창성이 꿈속에서 양창곡으로 태어나 영화로운 삶을 누리다가 꿈에서 깨어나는 환몽 구조를 취하고 있다.

전체 줄거리

발단	천상계의 선관 문창성은 술을 마시고 다섯 선녀를 희롱한 죄로 벌을 받게 됨. 이들은 인간 세상으로 떨어져 양창곡, 윤 소저, 황 소저, 강남홍, 벽성선, 일지련으로 다시 태어남.
전개	양창곡은 16세가 되어 과거에 응시하러 상경하던 길에 강남홍을 만남. 장원 급제한 양창곡은 윤 소저, 기생 벽성선, 황 소저와 인연을 맺음. 한편 위기에 처한 강남홍은 강물에 투신했다가 윤 소저의 도움으로 구출되어 남쪽 나라로 감.
위기	남만이 명나라를 침공하여 양창곡이 대원수로 출정함. 남만의 지휘관으로 출정한 강남홍은 상대편 장수가 양창곡임을 알고 명나라 진영으로 도망가 양창곡과 재회함.
절정	적국인 축융국의 공주 일지련은 강남홍에게 생포되었다가 양창곡에게 연모의 정을 품고 부왕을 움직여 명나라에 항복하게 함. 천자는 양창곡을 연왕에, 강남홍을 만성후에 봉함.
결말	양창곡은 두 부인(윤 부인, 황 부인)과 세 첩(강남홍, 벽성선, 일지련)과 함께 부귀영화를 누리다가 천상으로 올라가 다시 선관이 됨. ⋯→ 수록 부분

핵심 포인트 「옥루몽」의 환몽 구조

현실		꿈		현실
천상계		속세		천상계
천상계의 선관인 문창성이 지상계를 그리워하는 시를 짓고 선녀들을 희롱한 죄로 벌을 받음.	적강 ➡	문창성과 다섯 선녀가 인간 세상에서 다시 태어나 인연을 맺고 부귀영화를 누림.	회귀 ➡	인간 세상에서 천수를 다한 양창곡과 다섯 선녀가 다시 천상계로 돌아감.

06 잠든 강남홍이 꿈속 세계로 들어가 보살을 만나 천상계로 이동했다가 보살이 석장을 공중에 던지자 꿈에서 깨어나 인간 세상으로 돌아오는 부분에서 순간적으로 장면을 전환하여 환상적인 면모를 강조하고 있다.

왜 오답일까 ① 윗글은 서술자의 설명과 인물 간의 대화를 통해 사건을 전개하고 있을 뿐, 서술자가 개입하여 미래의 사건을 예고한 부분은 나타나지 않는다.

② 윗글은 「옥루몽」의 결말 부분으로, 제시된 부분에 인물 간의 갈등은 나타나지 않는다.

④ 인물의 내적 독백이나 난관을 극복하고자 하는 의지는 나타나 있지 않다.

⑤ '눈썹이 푸르며 얼굴이 백옥 같은데 비단 가사를 걸치고 석장을 짚고 있다가'에서 보살의 외양을 묘사하고 있는데, 이는 천상계의 존재인 보살의 신비로움을 부각한 것이지 인물의 혼란스러운 심리 상태를 드러낸 것은 아니다.

07 강남홍은 속세의 공간인 '취봉루'에서 잠이 들어 꿈을 꾸는데, 꿈속에서 보살의 도움으로 천상계인 '백옥루'를 경험하게 된다. 따라서 '취봉루'는 천상계에서 속세로 입몽하는 공간이 아니라 속세에서 천상계로 입몽하는 공간이다.

왜 오답일까 ② 강남홍은 꿈에서 '백옥루'에서 잠들어 있는 자신의 전신을 본 뒤 자신이 천상계 인물임을 깨닫는다. 따라서 '백옥루'는 속세에서의 입몽을 통해 자신의 정체를 깨닫게 되는 공간에 해당한다.

③ 보살이 인간 세상의 인연이 남았음을 말한 후 석장을 던지자 강남홍이 꿈에서 깨어 다시 인간 세상으로 돌아오므로 보살은 천상계에서 속세로의 각몽을 유도하는 존재로 볼 수 있다.

④ 꿈 이야기를 들은 허 부인은 옥련봉 돌부처에게 기도하여 연왕(양창곡)을 낳은 것을 떠올리며 암자를 지어 공덕을 갚자고 제안하고 있다. 이는 천상계의 존재인 보살(옥련봉 돌부처)에 대한 속세에서의 보답이라고 할 수 있다.

⑤ 〈보기〉에 따르면, 윗글의 남녀 주인공들은 속세에서 천수를 모두 누리고 죽은 뒤에야 천상계로 복귀할 수 있다. 양창곡 일가는 부귀영화를 누리다가 천수를 다했으므로, 윗글이 주인공들이 속세에서 연을 다한 뒤 천상계로 복귀하는 구조로 이루어졌음을 알 수 있다.

08 강남홍이 백옥루에서 본 선관과 선녀들은 잠들어 있으므로, 이들이 강남홍을 반갑게 맞이해 주었다는 내용은 적절하지 않다.

왜 오답일까 ① 강남홍은 꿈속에서 명산의 가운데 봉우리에 이르러 보살을 처음 만났다.

② 강남홍은 보살의 인도에 따라 남천문 위에 올라 백옥루를 바라보게 되었다.

③ 허 부인의 말 '내 고향에 있을 적 늦도록 무자하여 옥련봉 돌부처에게 기도하고 연왕을 낳았으니'에서 알 수 있다.

⑤ 자신이 천상계의 존재임을 깨달은 강남홍은 "이미 여기 왔으니 다시 인간 세상에 돌아갈 마음이 없나이다."라고 이야기하며 천상계에 머물고 싶은 마음을 밝히고 있다.

09 윗글의 '꿈'은 천상계로, 강남홍이 인간 세상에서의 연을 다한 뒤 돌아가야 하는 공간이다. 〈보기〉의 '꿈'은 지상계로, 성진(양소유)에게 세속적 욕망의 덧없음을 깨닫게 하는 공간일 뿐 천상계의 존재이자 승려인 성진이 돌아가야 하는 공간이 아니다.

왜 오답일까 ① 윗글과 〈보기〉 모두 꿈과 현실이 교차하는 환몽 구조로 이루어져 있으며 '꿈'이 중요한 기능을 하고 있다.

②, ③ 윗글에서는 보살이 석장을 던져 강남홍을 꿈에서 깨어나게 하고, 〈보기〉에서는 노승이 석장으로 돌난간을 두드려 성진을 꿈에서 깨어나게 한다.

⑤ 윗글의 강남홍은 꿈속에서 보살의 도움으로 자신이 천상계의 존재임을 자각하게 된다. 〈보기〉의 성진은 꿈을 깬 이후에야 자신이 '연화도량의 성진 행자'임을 자각하게 된다.

17 사씨남정기 174~177쪽

01 ④ 02 ⑤ 03 ③ 04 ④ 05 ② 06 ④ 07 ④ 08 ① 09 ④

작품 해제 양반 사대부인 유한림의 가정에서 벌어진 처첩 간의 갈등을 통해 축첩 제도의 문제점을 비판하고 권선징악적 주제를 전하는 국문 소설로, 치밀한 구성과 섬세한 심리 묘사로 당대의 현실을 사실적으로 그려 내고 있다.

01 '부인은 평소 ~ 어찌 그 뜻을 어길 리가 있겠는가?'에서 작중 사건에 대한 서술자의 견해를 직접 드러내고 있다.

왜 오답일까 ①, ② 인물 간의 대화를 중심으로 사건이 전개되고 있을 뿐 사건을 요약적으로 진술하거나 배경을 구체적으로 묘사한 부분은 나타나지 않는다.

③ 사 소저가 유 소사 집안의 청혼을 거절하는 상황이 드러나 있긴 하지만 지현이 사 소저의 집에 찾아와 다시 청혼의 의사를 밝힌 뒤 혼사가 성사되고 있으며, 인물 간의 첨예한 갈등이 나타나 있지 않다.

⑤ 하나의 사건을 시간의 흐름에 따라 전개하고 있다.

02 부인은 지현을 직접 대면하지 않고 유모를 통해 지현과 이야기를 주고받고 있다. 지현의 말을 부인에게 전하고 부인의 혼인 승낙 의사를 다시 지현에게 전하는 것은 부인이 아닌 유모이다.

왜 오답일까 ① 매파가 유 소사의 아들과 사 소저의 혼인을 제안하자 부인은 매우 기뻐했지만 사 소저는 혼인 제안을 거절했다.

② 유 소사는 매파를 보내 자신의 아들과 사 소저의 혼인을 추진하고자 했으나 사 소저가 이를 거절하자 지현을 찾아가 중매를 부탁하고 있다.

③ '소녀는 그 집에 들어가기를 원하지 않사옵니다.'에서 사 소저는 유 소사 아들과의 혼사에 대한 의견을 분명하게 밝히고 있다.
④ 유 소사의 부탁을 받은 지현은 사 소저의 집을 직접 방문하여 혼인의 뜻을 전하고 있다.

03 '매파 주씨의 말'을 전해 들은 사 소저는 유 소사 집안에 대해 의심을 품게 되는데 그 첫 번째 이유는 덕이 아닌 색을 먼저 일컬은 점이고 두 번째 이유는 유 소사 집안의 부귀를 자랑하면서도 사 소저 선친의 성대한 덕은 일컫지 않은 점이다. 이러한 내용만으로 매파가 사 소저의 총명함과 덕성을 무시하는 발언을 했을 것이라고 추측하기는 어렵다.
왜 오답일까 ①, ② 매파가 외면적 아름다움인 '색'을 먼저 일컬었다는 점을 통해 사 소저와 유 소사 아들의 외모에 관해 언급했을 것임을 추측할 수 있다.
④, ⑤ '유씨 집안의 부귀를 극히 자랑하면서도 우리 선 급사의 성대한 덕은 일컫지 않았습니다.'를 통해 추측할 수 있다.

04 ㉠(1차 청혼)에서는 매파의 말을 들은 부인이 사 소저와 이야기를 나눈 후 청혼을 거절하지만, ㉡(2차 청혼)에서는 지현의 말을 전해 들은 부인이 사 소저와의 상의 없이 혼사를 결정하고 있다.
왜 오답일까 ① ㉠에서는 매파가, ㉡에서는 지현이 청혼의 뜻을 전달하고 있다.
② ㉠과 ㉡ 모두 혼인의 당사자인 유 소사 아들과 사 소저의 만남은 나타나 있지 않다.
③ ㉠과 달리 ㉡에서는 부인이 아닌 유모가 등장하여 청혼에 대한 승낙 의사를 밝히고 있다.
⑤ ㉡에서 지현은 '매파가 실언을 하여 그리 되었을 것'이라는 유 소사의 말을 전하며, ㉠에서 혼인이 성사되지 못한 이유가 전달자인 매파 때문일 것이라는 생각을 밝히고 있다.

05 부인이 혼사에 대한 사 소저의 의견을 존중하고 있는 것은 맞으나 이는 부인이 평소 지혜로운 딸을 기특하게 여겼기 때문이다. 이를 통해 당시 가정 내에서 자녀의 의사를 존중하는 분위기가 있었다고 추측하기는 어렵다.
왜 오답일까 ① 유모는 사 소저의 집에 방문한 지현을 정중하게 대접하고 있는데, 이를 통해 당시 사대부 집안에서 예를 갖추어 손님을 대접했음을 짐작할 수 있다.
③ 사 소저의 남동생은 어린아이이지만 집안의 유일한 남자이기 때문에 유모는 사 소저의 남동생을 안고 나와 지현을 맞이하고 있다. 이를 통해 당시의 가부장적 분위기를 짐작할 수 있다.
④ 집안 간의 혼사를 주선하는 직업인 '매파'가 등장하는 것과 남녀유별을 강조하는 유교적 가치관을 고려할 때, 당시 대부분의 혼사가 중매를 통해 이루어졌을 것임을 추측할 수 있다.
⑤ 부귀영화나 외모를 중시하지 않고 덕성과 인품을 강조하는 사 소저의 모습은 당시 사대부들이 추구한 유교적 가치관을 반영하고 있다.

기출 작품 딥러닝

작자 미상, 「창선감의록」 ▶해법문학 Link 고전산문 231쪽

작품 해제 일부다처제 사회의 한 가정에서 일어나는 갈등과 모함을 다룬 국문 소설로, 충효와 형제간의 우애라는 유교적 이념 및 권선징악의 주제를 강조하고 있다.

전체 줄거리

발단	병부 상서 화욱은 심씨, 요씨, 정씨 세 명의 부인이 있었음. 심씨는 맏아들 춘을, 정씨는 둘째 아들 진을 낳음. 화욱은 용렬한 화춘 대신 총명한 화진을 아껴 심씨와 춘의 불만을 삼.
전개	조정에 간신 엄숭이 득세하자 화욱은 벼슬에서 물러남. 화욱은 화진을 윤혁의 딸인 윤옥화, 수양딸인 남채봉과 정혼하게 하고 죽음. 한편 윤옥화의 쌍둥이 남동생 윤여옥과 진채경(진 소저)은 정혼한 사이인데, 엄숭의 양아들 조문화가 자신의 아들을 진채경과 혼인시키고자 그녀의 아버지를 모함함. 진채경은 아버지의 목숨을 구하기 위해 혼약을 허락했다가 남장하고 도망침. ···▸ 수록 부분
위기	화진이 과거에 급제하여 벼슬길에 나섬. 이를 시기하던 화춘은 화진을 모함하여 귀양 가게 하고 화진의 아내에게도 누명을 씌워 내쫓음. 한편 홀로 남은 윤옥화는 엄숭의 아들 엄세번에게 시집가게 될 위기에 처하는데, 윤여옥이 이를 저지함.
절정	유배지에서 도사를 만나 병법을 익힌 화진이 해적을 토벌하여 공을 세움. 화진의 능력을 인정한 조정에서는 그를 정남대원수에 봉하여 남방의 어지러움을 모두 평정하게 함.
결말	화진이 남방을 평정하자, 천자는 그에게 진국공의 봉작을 내림. 화진은 아내와 재회하고, 심씨와 화춘도 개과천선하여 가정의 화목을 이룸.

핵심 포인트 **제시된 부분에 나타난 진 소저의 면모**

- 아버지를 살리기 위해 원치 않는 혼사를 수락함.
- 부모님이 귀양 간 후 조문화의 눈을 피할 계획을 세워 도망감.

⬇

진 소저의 면모	
• 효심이 깊음.	• 지략을 발휘하여 해결책을 모색하는 적극적 면모를 지님.

06 마을 사람은 진 소저의 행방을 묻는 조문화의 가인을 쌀쌀맞게 대하며 원하는 정보를 주지 않고 있을 뿐, 조문화의 가인들이 진 소저를 감시하지 못하도록 방해한 것은 아니다.
왜 오답일까 ① 진 소저가 마음을 진정시키기 위해 수십 일 정도의 시간을 달라고 했는데도 조문화의 아들이 다급하게 혼인을 서두르자 조문화는 이를 제지하며 진 소저의 말을 따르도록 하고 있다.
② 진 소저는 유모 및 시녀 운섬 등과 야밤에 행장을 꾸린 뒤 모두 남장을 한 채 회남을 향해 떠났다.
③ '저 아이는 이미 주머니 속에 든 물건이나 다름이 없게 되었다'는 조문화의 말을 통해 그가 아들과 진 소저의 혼인이 이루어지지 않을 것이라고는 전혀 생각하지 못함을 알 수 있다.
⑤ 진 소저는 부모님이 멀리 갈 때까지 집 안에 머물며 마음을 추스르고 감기가 나은 뒤 조문화의 아들과 혼례를 올릴 것처럼 행동한다. 하지만 이는 조문화를 안심시키고 그들을 피해 도망가기 위한 계획으로 볼 수 있다.

07 [A]는 조문화가 자신의 아들과 진 소저를 혼인시키기 위해 전하는 말로, '만일 형수가 살아서 옥문을 나서게 하고 싶다면'과 같이 상황을 가정하여, 진 공을 살리고 싶다면 자신의 제안에 따라야 한다는 의중을 청자인 오 낭중에게 전하고 있다. [B]는 오 부인이 아버지를

살리기 위해 조문화의 제안을 수락하려는 진 소저에게 건네는 말로, '지금 내 마음은 황금을 건 것에 비할 바가 아니로구나.'에서 비교할 만한 상황을 들어 조문화 아들과의 혼인 여부를 청자인 진 소저의 뜻에 맡긴다는 의중을 드러내고 있다.

왜 오답일까 ① [A]에서는 조문화가 오 낭중에게 명령을 내리고 있으므로 화자와 청자가 상하 관계임을 알 수 있다. [B]에서는 오 부인이 조문화 아들과의 혼사 여부를 진 소저의 판단을 맡기고 있으므로, 오 부인이 상하 관계를 바탕으로 목적을 이루려 한다고 볼 수 없다.

② [A]에서 조문화는 진형수에 대한 지난 원한을 드러내고 있다. [B]에서 오 부인은 진 소저를 가여워하고 있을 뿐 원망하고 있지 않다.

③ [A]에서 조문화는 진형수를 구할 방안으로 자신의 아들과 진 소저의 혼인을 제시하고 있고, [B]에서 오 부인은 선택권을 진 소저에게 넘기고 있다.

⑤ [A]와 [B] 모두 이상적 가치를 내세우는 모습은 나타나지 않는다.

08 오 낭중은 조문화의 말을 듣고 오 부인과 진 소저에게 그대로 전하는 인물로, 윗글의 서술자는 오 낭중을 '본시 권세를 두려워하여 예예 하고 대답만 할 줄 아는 위인'으로 평가하고 있다. 따라서 그가 올바른 사리 판별로 진 공 가문이 위기 상황을 극복하도록 한다고 보는 것은 적절하지 않다.

왜 오답일까 ② 진 공은 조문화의 청혼을 거절한 탓에 조문화의 노여움을 사 옥에 갇히고 귀양을 가게 된다. 이는 권력을 가진 신하가 정치를 좌우하는 현실의 모습이라 할 수 있다.

③ 부모님이 귀양을 떠난 후 진 소저는 마음을 진정시킨다는 이유로 성례를 미루고 계획을 세워 회남으로 떠나는데, 이는 문제 상황을 지혜롭게 해결해 가는 면모를 드러낸 것이다.

④ 진 공이 조문화의 혼사 요청을 거절한 것은 가문의 문제이고 이로 인해 옥살이를 하고 귀양을 가게 된 것은 정치의 문제이므로, 이를 통해 가문의 문제와 정치의 문제가 연결될 수 있음을 알 수 있다.

⑤ 유모는 조문화의 가인과 시비에게 진 소저의 말을 전하고 진 소저와 함께 행장을 꾸리고 남장을 하여 도망가는 주변 인물로, 적극적인 인물인 진 소저를 돕고 있다.

09 마음을 추스르고 병이 다 나으면 은혜를 갚기 위해 조문화의 아들과 혼례를 올릴 것이라는 진 소저의 말에는 조문화를 안심시킨 뒤 그의 눈을 피해 달아나려는 의도가 담겨 있다.

왜 오답일까 ① 진 공을 살리려면 진 소저를 자신의 아들과 혼인시켜야 한다는 조문화의 협박에 분노한 것이다.

② 진 공의 목숨을 살리기 위해 조문화 아들과의 혼인을 받아들이겠다는 진 소저의 의사가 나타나 있다.

③ 진 소저는 아버지를 구하기 위해 망설임 없이 혼인을 승낙하고 있다.

⑤ 조문화는 진 소저의 화를 돋우지 않기 위해 문밖에서 동정을 살피라고 지시하고 있을 뿐, 조문화가 진 소저에게 연민을 느끼거나 진 소저를 배려하고 있는 것은 아니다.

18 운영전

178~179쪽

01 ⑤ 02 ⑤ 03 ⑤ 04 ④ 05 ⑤

작품 해제 궁녀 운영과 김 진사의 비극적 사랑을 그린 몽유록 형식의 애정 소설로, 고전 소설의 보편적인 주제인 권선징악에서 벗어나 자유연애 사상을 담고 있는 개성적인 작품이다.

01 운영과 김 진사가 겪는 내적 갈등과 운영과 안평 대군 간의 외적 갈등의 원인은 궁궐이라는 특수한 공간과 궁녀라는 운영의 신분에 있다. 따라서 외부 상황을 내적 갈등과 외적 갈등의 주된 원인으로 볼 수 있다.

왜 오답일까 ① 운영과 김 진사의 사이를 의심하는 안평 대군과 운영의 갈등이 나타나 있긴 하지만 운영이 안평 대군에게 대적하고 있지 않으므로 이를 대립 구도로 보기 어려우며 인물 간의 갈등이 해소되고 있지도 않다.

② 윗글에 제시된 배경은 궁궐이라는 현실적인 공간이다.

③ 인물의 성격 변화는 드러나지 않는다.

④ 전기적 요소는 나타나 있지 않으며 주인공이 초월적 능력을 갖게 되지도 않았다.

02 운영은 자신을 의심하는 안평 대군에게 '천지의 귀신들이 죽 늘어서 밝게 비추고 시녀 다섯 사람이 한순간도 떨어지지 않고 함께 있었'음을 호소하고 있을 뿐, 대군에 대한 충성심을 언급하지는 않았다.

왜 오답일까 ① 운영이 목숨을 끊으려 하자 자란은 절필을 선언하며 운영이 자결하지 못하도록 돕고 있다.

② 특은 김 진사에게 궁의 담을 넘어 운영을 보쌈해 오라고 제안하는데, 이는 비윤리적인 해결책으로 볼 수 있다.

③ "지난번 부연시에서도 그러한 마음이 희미하게 엿보였는데 ~ 네가 생각하는 사람이 김생 아니냐?"를 통해 안평 대군이 운영과 김 진사의 사이를 이전부터 의심해 왔음을 알 수 있다.

④ "김생의 상량문에도 말이 의심스러운 데가 있었는데"라는 안평 대군의 말을 통해 김 진사가 이전에 운영에 대한 마음을 상량문을 통해 내비쳤음을 알 수 있다.

03 운영이 김 진사와의 사랑을 밝히지 못하고 단념하는 모습은 인간의 자연스러운 본성마저 억압당하며 제한된 삶을 살아가야 했던 조선 시대 궁녀의 삶을 보여 준다. 따라서 작가는 운영과 김 진사의 안타까운 사랑을 통해 억압적인 현실에도 불구하고 본성(사랑)을 추구하고자 하는 모습을 표현한 것으로 볼 수 있다.

04 안평 대군의 말을 통해 운영이 쓴 오언 절구에는 '님을 그리워하는 마음'이 나타나 있음을 알 수 있다. 이와 가장 유사한 정서를 담은 작품은 이별한 임에 대한 그리움을 노래한 ④이다.

왜 오답일까 ① 고려 왕업의 무상함을 노래한 작품이다.

② 농촌에서 즐기는 풍류의 즐거움을 드러낸 작품이다.

③ 학문을 수양하겠다는 의지를 드러낸 작품이다. 여기서 '고인'은 공자, 맹자, 주자와 같은 성현을 말한다.

⑤ 자연 속에서 즐기는 안빈낙도를 드러낸 작품이다.

05 〈보기〉에 따르면 김 진사와 운영은 천상계에서 지은 죄 때문에 지상계에서 고난을 겪게 된 것이다. 안평 대군이 김 진사와 운영이 지상계에서 겪는 고난의 원인을 제공한다는 점에서 그를 긍정적 인물로 평가하기는 어렵다.

왜 오답일까 ①, ② 천상의 선인이었던 김 진사와 운영이 천상계에서 죄를 짓고 지상계로 내려와 인연을 이어 가고 있으므로, 천상계의 인연이 지상계에서도 이어지고 있음을 알 수 있다. 또한 천상계와 지상계가 이어진다는 점에서 김 진사와 운영이 지상계에서 겪는 시련이 천상계에서 저지른 잘못으로 인해 이미 예정되어 있던 것임을 짐작할 수 있다.

③ '적강'이란 신선이 인간 세상에 내려오거나 사람으로 태어나는 것을 말한다. 천상의 선인이었던 두 사람이 인간 세상에서 김 진사와 운영으로 태어난 점에서 윗글에 적강 화소가 드러나 있음을 알 수 있다.

19 채봉감별곡 180~183쪽

01 ③ 02 ① 03 ⑤ 04 ⑤ 05 ③ 06 ⑤ 07 ④ 08 ④
09 ③ 10 ②

작품 해제 권세에 굴하지 않는 진실한 사랑을 그려 낸 애정 소설로, 주인공 채봉이 주체적 의지에 따라 부모의 명령을 거역하고 사랑을 성취한다는 점에서 근대적 여성관과 봉건적 세계에 대한 도전 정신이 드러나 있다.

01 (다)의 '처음 후원에서 ~ 이야기를 한다.'에서 채봉이 겪은 일을 요약적으로 제시하여 독자의 이해를 돕고 있다.

왜 오답일까 ① 윗글에 비현실적인 존재는 등장하지 않으며, 이 감사의 도움을 통해 채봉과 장필성의 혼사가 실현되어 갈등이 해소되고 있다.

②, ⑤ 윗글은 시간적 순서에 따라 사건이 전개되고 있으며, 현재에서 과거로 시간의 흐름이 역전된 부분이나 다른 장소에서 동시에 벌어진 사건이 병치된 부분은 나타나지 않는다.

④ 빈번한 장면의 전환과 인물의 혼란스러운 심리는 나타나지 않는다.

02 (마)의 "네가 송이를 보기 위해 이방이라는 천한 일을 자원하고 들어온 지 예닐곱 달이 되었구나."라는 이 감사의 말을 통해 알 수 있다.

왜 오답일까 ② (다)에서 채봉은 기생이 된 후 글을 통해 장필성을 만났다고 이야기하고 있다. 또한 (마)를 통해 장필성이 채봉의 거취를 알고 이방으로 자원하여 예닐곱 달 동안 일한 것을 알 수 있다. 따라서 채봉과 장필성은 다시 만나기 전에 이미 서로의 생사를 알고 있었음을 확인할 수 있다.

③ (다)의 '처음 후원에서 장필성과 글을 주고받았던 일에서부터 ~ 김 진사가 서울로 올라가서 벼슬을 구하려고 허 판서와 관계한 일이며'를 통해 채봉과 장필성의 혼약이 김 진사와 허 판서의 만남 이전에 이루어졌음을 알 수 있다.

④ (가)의 "계집애 자식이란 것은 으레 부모가 하는 대로 좇아가는 법이랍니다."라는 부인의 말을 통해 부인이 채봉을 허 판서의 첩으로 보내려는 김 진사의 의견에 동조하고 있음을 알 수 있다.

⑤ (가)에서 채봉은 '조금도 서슴지 않고' 부모에게 혼인에 대한 자신의 신념을 밝히고 있다.

03 장필성은 채봉과의 사랑을 이루기 위해 자신의 신분에 비해 천한 일인 이방에 자원한 것이지, 일자리를 구하기 위해 이방이 된 것이 아니다. 윗글의 내용만으로 당시 일자리가 드물었는지는 알 수 없다.

왜 오답일까 ① 김 진사가 벼슬을 구하기 위해 허 판서와 관계한 일로 미루어 볼 때, 매관매직이 성행했음을 알 수 있다.

② 채봉이 기생이 되고 장필성이 이방이 되는 것으로 미루어 볼 때, 신분 제도가 혼란스러웠음을 알 수 있다.

③ 채봉을 허 판서의 첩으로 보내려는 김 진사와 부인의 계획을 통해 첩을 들이는 일이 빈번했음을 알 수 있다.

④ 채봉의 부모가 일방적으로 채봉의 혼인 상대를 정하는 모습을 통해 혼인이 성사되는 데 있어 부모의 의사가 중요했음을 알 수 있다.

04 채봉은 부모의 뜻에 따르지 않기는 했으나 부모와의 인연을 끊지 않았고 기생이 되어서 아버지를 구하려 했으므로, 채봉을 효를 지키지 않은 인물로 보기는 어렵다.

왜 오답일까 ① 채봉은 스스로 기생이 되어 허 판서에게 잡힌 아버지를 구했으므로, 스스로 문제를 해결하는 능동적인 인물로 볼 수 있다.

② 장필성이 채봉을 만나기 위해 이방에 자원하는 점이나 이 감사가 채봉과 장필성의 재회를 돕는다는 점에서, 주인공이 장애를 극복하는 과정에 전기적인 요소가 개입하지 않았음을 알 수 있다.

③ 김 진사가 채봉을 허 판서의 첩으로 보내려는 목적은 벼슬을 통한 신분 상승이므로, 그가 세속적인 욕망을 추구하는 인물임을 알 수 있다.

④ "계집애 자식이란 것은 으레 부모가 하는 대로 좇아가는 법이랍니다."라는 말을 통해 김 진사의 부인이 자식은 부모의 뜻을 따라야 한다는 유교적 가치관을 따르는 인물임을 알 수 있다.

05 ㉠에는 채봉이라는 인물에 대한 서술자의 평가가, ㉣에는 채봉과 장필성이 재회한 상황에 대한 서술자의 개인적 감상이 나타나 있다.

기출 작품 딥러닝

작자 미상, 「매화전」

작품 해제 계모로 인해 고난을 겪는 매화와 양유가 도술의 도움으로 시련을 극복하고 사랑을 이루는 과정을 그린 국문 소설로, 설화적 요소에 판소리 문체가 가미되어 있다.

전체 줄거리

발단	경기도 장단골의 선비 김 주부는 조정의 간신배들이 자신을 해치려 하자 무남독녀 매화를 남장시켜 길에 버리고 구월산으로 몸을 피함.
전개	조 병사에 의해 구출된 매화는 그의 아들 양유와 함께 자라며 혼인을 약속함. 양유의 계모 최 씨는 매화를 자신의 동생과 혼인시키기 위해 계략을 세움. ···› 수록 부분
위기	매화는 조 병사에게 구박당하다 집에서 쫓겨남. 최 씨 남동생의 무리를 피하려다 물에 빠진 매화를 김 주부가 도술을 부려 구출함. ···› 수록 부분
절정	양유가 다른 사람과 혼인하기로 한 전날, 김 주부가 보낸 호랑이에게 물려 구월산으로 옴. 상대도 모른 채 혼례를 올리던 매화와 양유가 비로소 서로를 알아봄. ···› 수록 부분
결말	김 주부가 조 병사를 구월산으로 불러 양유를 만나게 하고 그곳에서 임진왜란을 피함. 그 후 김 주부는 신선이 되고 다른 사람들은 고향에 돌아가 행복하게 삶.

핵심 포인트 「매화전」에 나타난 갈등 구조

매화 ⟷ 조 병사
매화의 신분으로 인한 갈등으로, 최 씨가 꾸민 계략 때문에 발생함.

매화 ⟷ 최 씨
최 씨가 매화를 자신의 남동생과 결혼시키려 하여 발생함.

06 '양유 내념에 행여 살려 줄까 일어나', '양유 이 말을 듣고 크게 놀라고 매우 기뻐하여'와 같이 서술자가 등장인물의 심리를 직접 제시하고 있다.

07 최씨는 매화를 탐내어 자신의 남동생과 매화를 혼인시키기 위해 계략을 꾸미는 인물이므로, 최씨가 매화를 낮잡아 평가하고 있다고 볼 수 없다.

왜 오답일까 ① 조 병사가 매화의 근본을 알아보기 위해 장단골에 찾아가기 전, 최 씨의 동생이 미리 장단골에 가서 매화의 근본에 대해 나쁘게 이야기할 사람을 매수해 두었다.

② '주부라 하는 놈은 이미 도망하였거니와 저희 딸 매화 비록 천인의 자식이나'에서 주모는 매화가 천인의 자식이라고 말하고 있다.

③ 조 병사는 장단골에 다녀오기 전에는 매화의 비범함을 높이 평가했으나 그곳에서 거짓 증언을 들은 뒤에는 매화를 천인의 자식이라며 내쫓으려 한다.

08 낯선 곳에 납치되어 두려움에 떨던 양유는 ㉠(봉서)에 적힌 글을 본 후 녹의홍상을 입은 낭자를 유심히 살펴보고, 양유와 매화가 서로를 알아보게 된다. 따라서 ㉠은 양유와 매화가 서로의 정체를 파악하게 되는 실마리로 작용한다.

09 매화는 조 병사의 집에서 쫓겨나 부모를 만나고 김 주부의 도움으로 양유와 재회했을 뿐, 윗글에 매화가 자신에게 닥친 문제를 해결하기 위해 능동적으로 노력하는 모습은 나타나지 않는다.

왜 오답일까 ① 양유는 자신과 매화의 혼사를 반대하는 조 병사의 말에 슬퍼하고 있을 뿐, 이에 적극적으로 맞서고 있지 않다.

② 김 주부는 양유와 매화의 재회를 위해 동자를 호랑이로 변신시켜 양유를 납치하는 초월적 능력을 발휘한다.

④ 최 씨는 매화와 자신의 동생을 결혼시키기 위해 동생을 시켜 사람을 매수하여 거짓 증언을 하게 하는 등 매화에게 해가 되는 일을 서슴지 않고 있다.

⑤ 조 병사는 매화가 천한 집안 출신이라는 이유로 양유와 매화의 혼인을 반대하므로, 가문의 권위를 중시하는 봉건적인 인물로 볼 수 있다.

10 조 병사와 최 씨는 A(혼사의 진행)에 있어 매화의 신분을 가장 먼저 고려했다.

왜 오답일까 ① 조 병사는 최 씨의 말을 듣고 매화의 근본을 알기 위해 양유와 매화의 혼사에 앞서 장단골을 찾아갔다.

③ 조 병사가 양유와 매화를 혼인시키려 하자 최 씨가 매화의 근본을 문제 삼아 혼사를 방해하고 동생을 시켜 자신의 계략을 실행하고 있으므로, 최 씨와 최 씨의 동생 때문에 B(혼사의 장애)가 발생했다고 볼 수 있다.

④ '산중이라고 어찌 매화 없으리요마는 양유 없는 게 한이로다.'에서 매화가 C(남녀의 이별)의 상태에서도 여전히 양유를 그리워하고 있었음을 알 수 있다.

⑤ D(남녀의 재결합)의 과정에서 김 주부가 동자를 호랑이로 변신시켜 양유를 납치하는 것과 문득 광풍이 일어나 봉서가 내려지는 장면 등에서 비현실적 요소가 개입되었음을 알 수 있다.

20 유충렬전 184~187쪽

01② 02⑤ 03② 04④ 05⑤ 06① 07⑤ 08④ 09①

작품 해제 유충렬의 영웅적 일대기를 그린 조선 후기 대표적인 영웅 군담 소설로, 천상에서 지상으로 적강한 유충렬이 고난을 극복하고 위기에 처한 가문과 국가를 구하는 이야기를 그려 내고 있다.

01 '귀신인들 아니 울며 혼백인들 아니 울리오', '정한담의 혼백과 간담인들 성할쏘냐.'는 서술자가 직접 개입하여 자신의 주관적인 판단을 나타낸 편집자적 논평이다(ㄱ). 또한 도성에 침입한 정한담이 천자를 찾아 위협하는 장면을 구체적으로 묘사하여 사건의 긴박함을 고조하고 있다(ㄷ).

02 유충렬을 천신이라고 한 정한담의 말은 유충렬이 비범한 능력을 가진 인물임을 표현한 것일 뿐, 이를 통해 유충렬이 천상에서 지은 죄를 씻었다고 보기는 어렵다.

왜 오답일까 ① 천상의 잔치에서 싸운 죄로 천상계에서 지상계로 유배된 유충렬과 정한담이 지상계에서도 대립하고 있는 것으로 보아 천상계의 갈등이 지상계까지 이어지고 있다고 볼 수 있다.

② 호국의 왕이 악인인 정한담을 돕고 있다는 설정은 병자호란 이후 생긴 청나라에 대한 당대의 강한 적개심을 반영하고 있다고 볼 수 있다.
③ 〈보기〉에서 유충렬은 비범하고 신이한 능력으로 위기에 처한 국가를 구출한다고 했다. 이러한 모습은 십만 명의 적군을 한칼에 무찌르는 모습에서 잘 나타나 있다.
④ 충신인 유충렬이 간신인 정한담에게 승리한다는 결말에서 임금에 대한 충절이라는 유교적 윤리관을 확인할 수 있다.

03 정한담은 천자에게 항복을 받고 옥새를 빼앗기 위해 ㉯(도성)로 들어간다. 이때 천자는 ㉱(변수 가)로 도망가는데, 천자가 정한담을 피해 도망간 것일 뿐, 정한담이 천자를 ㉱(변수 가)로 유인한 것은 아니다.
왜 오답일까 ①, ④ 정한담은 유충렬과 직접 대적하는 것을 피하기 위해 군사를 둘로 나누어 ㉮(금산성)를 공격하여 유충렬을 ㉮(금산성)로 유인하고, 유충렬이 ㉯(도성)에서 나온 틈을 타 ㉯(도성)를 공격했다. 따라서 유충렬이 ㉯(도성)에서 ㉮(금산성)로 이동한 것은 정한담의 의도대로 행동한 것이라고 할 수 있다.
③ 유충렬은 ㉮(금산성)에서 적군을 무찌른 뒤 ㉰(호산대)에 진을 치고 있는 적을 함몰하기 위해 달려가려고 했다.
⑤ ㉰(호산대)로 이동하던 유충렬은 난데없는 빗방울을 맞고 천기를 살펴 천자가 위험에 빠졌음을 알아채고, 천자를 구하기 위해 ㉱(변수 가)로 이동한다.

04 ㉣에서 난데없이 빗방울이 떨어지는 상황에 괴이함을 느낀 유충렬은 천기를 살펴 천자가 위험에 처했음을 알게 된다. 따라서 ㉣은 유충렬의 비범한 능력을 보여 주는 대목이다.

05 ⓐ는 정한담이 스스로 자신의 능력을 높이 평가한 부분이고, ⓑ는 서술자가 직접 개입하여 천자를 구하러 오는 유충렬의 활약상을 과장하여 표현한 부분이다.

기출 작품 딥러닝

작자 미상, 「소대성전」 ▶해법문학 Link 고전 산문 154쪽

작품 해제 소대성의 영웅적 일대기를 그린 영웅 군담 소설로, 비범한 능력을 지녔지만 품팔이와 걸식을 일삼으며 비참하게 살아가던 소대성이 고난을 극복하고 지위를 회복하는 활약상을 그려 내고 있다.

전체 줄거리

발단	명의 병부상서 소량은 자식이 없어 고민하던 중 청룡사 노승에게 거액을 시주하고 현몽을 꾼 후 대성을 얻음. 10세 되던 해 부모가 세상을 떠나자 소대성은 집을 나가 품팔이와 걸식으로 연명하다 이 승상을 만남. ···› 수록 부분
전개	소대성의 인물됨을 알아본 이 승상은 소대성을 딸 채봉과 약혼시키나, 이 승상의 부인과 세 아들은 대성의 신분이 미천함을 못마땅하게 여김.
위기	혼인 전날 이 승상이 병으로 세상을 떠나자 이 승상의 부인 등은 자객을 보내 소대성을 죽이려 하고, 소대성은 도술로 위험을 피한 뒤 집을 떠남.
절정	소대성은 어느 노승을 만나 병법과 무술을 공부하고, 5년 후 위태로운 지경에 놓인 황제를 구함. 이에 황제는 소대성을 대원수로 임명함. ···› 수록 부분
결말	이후 노왕이 된 소대성은 채봉을 왕후로 맞이하고 행복하게 살아감.

핵심 포인트 「소대성전」에 나타난 영웅의 일대기 구조

영웅의 일대기 구조	「소대성전」의 내용
고귀한 혈통을 지니고 태어남. 혹은 잉태나 출생이 비정상적임.	용왕의 아들이나 천상계에서 저지른 잘못 때문에 인간 세상에서 태어남.
어려서부터 비범함을 보임.	도술을 부리는 등 비범한 능력을 지님.
일찍 기아(棄兒, 내다 버린 아이)가 되거나 죽을 고비에 이름.	10세 무렵 부모를 잃고 유랑함.
양육자의 도움으로 위기에서 벗어남.	소대성의 비범함을 알아본 이 승상의 보살핌을 받음.
자라서 다시 위기에 부딪힘.	이 승상이 죽자 왕 부인 등에게 죽임을 당할 위기에 처함.
위기를 극복하고 승리자가 됨.	이 승상 댁에서 나온 이후 무술을 연마하여 위험에 처한 황제를 구하고 대원수가 됨.

06 소대성이 죽은 이 승상에게 갑주를 받고 잠깐 졸다 깨어나자 이 승상은 사라지고 그 자리에 갑옷과 투구만 놓여 있다. 이러한 부분을 통해 비현실적 요소를 활용하여 사건을 전개하고 있음을 알 수 있다.

07 이 승상은 죽은 몸으로 소대성에게 나타나 소대성이 전장에 나가 큰 공을 세울 수 있도록 갑주를 내어 주고 있다. 따라서 죽은 후에도 소대성을 돕고 있음을 알 수 있다.

08 ㉢(조대)은 이 승상이 꿈에서 깨어난 후 이동한 특정 현실 공간이다. ㉤(소나무 밑)은 소대성이 초월적 존재인 이 승상에게 갑주를 받고 졸다가 깨어난 공간으로, 이곳에는 이 승상은 사라지고 갑옷과 투구만 남아 있었다. 따라서 ㉤은 소대성이 자신의 경험이 꿈이었음을 확인하는 공간으로 볼 수 있다.
왜 오답일까 ① ㉠(책상)은 이 승상이 꿈을 꾸기 전에 머물고 있는 특정 현실 공간이고, ㉡(조대)은 몸은 ㉠에 머문 채 꿈을 꾸며 경험하는 초현실 공간이다.
② ㉡(조대)은 청룡을 본 꿈속 공간이고 ㉢(조대)은 아이를 만난 특정 현실 공간이다. 〈보기〉에 따르면 꿈속 공간인 ㉡은 특정 현실 공간인 ㉢에 근거하면서도 초현실 공간의 성격을 지닌 공간이므로, ㉡에서 본 청룡은 ㉢에서 자고 있는 아이를 상징한다고 볼 수 있다.
③ 이 승상은 꿈속 공간인 ㉡에서 청룡을 본 뒤 특정 현실 공간인 조대로 나가 아이를 만나고 있으므로, ㉡은 이 승상을 아이에게로 이끌기 위해 설정된 초현실 공간이다. 소대성은 ㉣(이곳)에서 초월적 존재인 이 승상에게 보신갑을 받고 있으므로, ㉣은 소대성과 이 승상의 만남을 위해 설정된 초현실 공간이다.
⑤ 소대성이 ㉣(이곳)에서 이 승상에게 받은 보신갑은 ㉤(소나무 밑)에 갑옷과 투구로 남아 있으므로, 특정 현실 공간인 ㉤과 초현실 공간인 ㉣이 겹쳐져 있지만 초월적 존재인 이 승상이 사라지면서 초현실 공간인 ㉣도 사라졌다고 볼 수 있다.

09 [A]에서는 나무 베는 아이의 의상, 머리털, 얼굴 모습 등을 묘사하여 인물의 외양을 드러내고 있다. [B]에서는 소대성을 만난 이 승상의 발화를 통해 소대성을 다시 만난 감회를 드러내고 있다.

왜 오답일까 ② [A]의 '여상의 자취 조대에 있건마는 그를 알아본 문왕의 그림자 없고, 와룡은 남양에 누웠으되 삼고초려한 유황숙의 자취는 없으니'에서 대구적 표현이 사용되었지만, [B]는 대구적 표현을 사용하지 않았다. 또한 인물에 대한 부정적 인식도 드러내고 있지 않다.

③ [A]와 [B] 모두 요약적 서술을 사용하지 않았고, 시대적 배경을 제시하지도 않았다.

④ [A]에는 현실을 탄식하는 '아이(소대성)'의 독백이 나타나 있고, [B]에는 소대성을 다시 만난 감회를 드러내는 이 승상의 발화가 나타나 있다. 또한 [A]와 [B] 모두 인물들 사이의 갈등을 제시하고 있지 않다.

⑤ [A]에는 과거 사건에 대한 회상이 나타나지 않는다. [B]에는 소대성의 독백에서 과거 사건을 언급하고 있으나, 이를 통해 현재 사건의 원인을 제시한 것은 아니다.

21 임경업전

188~189쪽

01 ⑤　02 ⑤　03 ③　04 ③　05 ③

작품 해제 병자호란을 배경으로 하여 인조 때의 명장 임경업 장군의 생애를 영웅화한 소설로, 역사적 사실에 허구적 요소를 가미하여 뛰어난 능력을 지녔지만 포부를 이루지 못하고 죽은 임경업 장군을 통해 병자호란 패배에 따른 치욕을 풀고자 하는 민중의 정서를 반영하고 있다.

01 주인공인 임경업의 초월적 능력은 그가 전옥에서 몸을 날려 입궐하는 장면에서 나타난다. 윗글에 임경업이 적대자인 김자점과 슬기와 계략을 대결하는 모습은 나타나지 않는다.

왜 오답일까 ① 주인공인 충신 임경업과 주변 인물인 간신 김자점의 갈등을 통해 서사적인 흥미를 높이고 있다.

② 임경업이 간신 김자점에 의해 억울하게 죽음을 당하는 것은 작품의 비극성을 높이는 요소이다.

③ 임경업이 입궐하여 임금과 나누는 대화에 그간의 사정과 상황이 나타나 있다.

④ 김자점이 처형을 당하는 [뒷부분 줄거리]에서 권선징악의 세계관이 드러난다.

02 임경업은 전옥 관원으로부터 자신을 역적으로 전옥에 가둔 것이 김자점의 계교임을 들은 뒤에야 몸을 날려 입궐하는 비범한 능력을 발휘했다.

왜 오답일까 ② 호왕은 임경업의 충심에 감복하여 임경업의 뜻대로 세자와 대군을 풀어 주었을 뿐, 임경업을 회유하고 있지 않다.

④ 임경업에게 임금의 하교를 전하지 못한 사람은 승지이다.

03 관원은 역적으로 몰려 전옥에 갇힌 임경업을 불쌍히 여겨 김자점의 모계를 알려 줬을 뿐 임경업에게 자신의 부탁을 들어줄 것을 요구하고 있지 않다.

04 [A]에서 임금은 임경업의 청죄에 놀라 임경업에게 그 경위를 묻고 있다. [B]에서 임금은 김자점에게 임경업을 죽이려는 의도를 질문한 뒤 이는 부동을 꾀하기 위한 것이라고 확신하며 김자점의 의도를 꿰뚫어 말하고 있다.

05 ⓒ에서는 임경업의 죽음을 운명으로 받아들이며 슬퍼하고 있으므로, ⓒ가 운명에 대한 저항 의식을 드러낸다고 볼 수 없다.

왜 오답일까 ① ⓐ는 김자점의 반역 행위에 대한 식자층의 반응으로, 김자점의 소행을 혐오스럽다고 표현한 부분에서 김자점에 대한 부정적인 평가를 확인할 수 있다.

② ⓑ는 임금을 뵙고 나오던 임경업이 피습되는 대목에 나타난 식자층의 반응으로, "아프고 괴로우며 애석하네."에서 임경업의 시련에 대한 안타까움을 확인할 수 있다.

④ ⓓ는 임금을 뵙고 나오던 임경업이 피습되는 대목에 나타난 평민층의 반응으로, '그 아니 가엾지 아니리오.'에서 임경업에 대한 연민을 확인할 수 있다.

⑤ ⓔ는 임경업이 죽는 대목에 나타난 평민층의 반응으로, '만민이라도 깨달아 본받게 함이라.'에서 임경업의 충절을 본받길 바라는 태도가 나타난다.

22 조웅전

190~191쪽

01 ②　02 ④　03 ⑤　04 ①　05 ③

작품 해제 군신 간의 충의와 자유연애 사상을 주제로 한 영웅 군담 소설이다. 전반부는 조웅의 고행담 및 조웅과 장 소저의 결연담을, 후반부는 조웅의 무용담을 보여 주고 있다.

01 조웅의 모친인 왕 부인은 이두병이 천자의 자리를 차지한 뒤 조웅을 죽이려 할까 봐 걱정하고 있다.

왜 오답일까 ① 조웅은 왕 부인의 만류로 이두병과 대적하기를 포기한 것이 아니라, 아직 힘이 부족하고 문안에 군사가 많으며 문이 굳게 닫혀 있어 이두병에게 대적하기를 포기하고 돌아서고 있다.

③ 왕 부인은 자신들의 종적이 탄로 나면 유배당한 태자와 사생을 함께하기도 전에 죽음을 당할 수 있다며 통곡하고 있으므로, 조웅 모자가 송 태자와 사생을 같이하겠다는 계획을 실행했다고 볼 수 없다.

④ 조웅이 분개한 것은 새로운 황제가 자신의 능력을 알아주지 않아서가 아니라, 이두병이 황위를 찬탈했기 때문이다.

⑤ '여러 신하들이 다시 간하여 태산 계량도에 유배하여 주거를 제한하고 소식을 끊게 하였다.'에서 이두병은 송 태자를 유배 보내자는 신하들의 제안을 받아들였음을 알 수 있다.

02 '인적은 고요하고 월색은 뜰에 가득한데'에 정적인 이미지가 나타나지만, 이는 낭만적인 분위기가 아니라 이두병에게 황위를 빼앗기고 난 후 대궐의 고요하고 적막한 분위기를 고조하고 있다.

03 장안 큰길에서 여러 사람이 부르는 시절 노래인 [A]는 이두병의 황위 찬탈을 비판하는 내용으로, 황위를 찬탈하고 태자를 폐위한 이두병에 대한 조웅의 분노를 심화하는 역할을 한다(ㄷ). 또한 [A]에는 이두병으로 대변되는 악에 맞서 선이 회복되기를 바라는 작가의 욕구가 드러나 있다고 볼 수 있다(ㄹ).

04 〈보기〉는 이두병에 대한 반감과 비판을 직설적으로 표현하고 있다.
왜 오답일까 ② '간신이 조정에 가득하도다!'에서 이두병에게 동조하는 신하들을 비판하고 있다.
③ '진시황의 날랜 사슴 ~ 임자를 주었거늘'에서 진시황 사후에 항우가 비범한 능력이 있는 책사 범증이 있음에도 황제가 되지 못하고 유방이 황제가 된 고사를 인용하여 황위 찬탈의 부당함을 강조하고 있다.
④ '천명이 온전하거늘 네 어이 장수하리오.'에서 설의적 표현을 활용하여 이두병을 꾸짖으려는 의도를 강조하고 있다.
⑤ 현재의 황제인 이두병을 '너'라고 지칭하며 낮잡아 이름으로써 황제로서의 권위를 인정하지 않음을 드러내고 있다.

05 조웅은 황위를 차지한 이두병에게 원수 갚을 묘책을 생각하다가 분노하는 데서 그칠 뿐, 윗글에 그가 떠올린 구체적인 묘책이나 실제로 원수를 갚는 모습은 나타나 있지 않다. 따라서 원수 갚을 묘책을 떠올리는 모습에서 조웅의 비범한 능력이 나타난다는 설명은 적절하지 않다.

23 정을선전 192~193쪽

01 ② 02 ⑤ 03 ④ 04 ⑤ 05 ③

작품 해제 정을선과 유추연의 파란 많은 사랑을 그린 가정 소설로, 유추연이 계모의 학대와 남편 정을선의 다른 부인의 모함을 극복하는 과정을 담아내고 있다.

01 노태는 노 씨의 계략에 따라 정 시랑이 유 소저를 부정한 여자로 오해하도록 하여 혼사를 방해하고 있다.
왜 오답일까 ① 유 소저는 노 씨의 학대 때문에 괴로워하는 것이지, 정 시랑과의 혼인을 부당하게 여겨 괴로워하는 것이 아니다.
③ 노 씨는 노태를 사주하여 유 소저의 혼사를 방해하고 있다.
④ 유 소저가 노 씨와 노태의 관계를 신중하게 알아보는 모습은 나타나지 않는다.
⑤ 유 승상은 정공 부자가 떠나는 이유와 유 소저의 억울한 상황을 모르고 있다.

02 ⓜ에서 노 씨는 자신의 계략으로 정 시랑이 유 소저의 부정을 의심하여 혼사가 실패로 돌아갔음에도 불구하고, 이를 모르는 척하며 유 승상에게 정 시랑이 떠난 이유를 묻고 있다. 이를 통해 노 씨의 뻔뻔하고 파렴치한 태도를 엿볼 수 있다.

03 [A]는 서술자가 사건의 전말을 요약적으로 제시한 부분으로, 사건의 내막을 설명하여 독자의 이해를 돕고 있다(ㄴ). 또한 '가련하다.'에서 서술자가 직접 개입하여 유 소저의 상황에 대한 생각을 드러내고 있다(ㄹ).

04 ⓑ에서는 노 씨가 음식에 독약을 넣어 유 소저를 죽이려고 하는데, 이때 '난데없는 바람'이라는 비현실적 요소가 개입되어 유 소저가 처한 문제를 해결하는 단서로 작용한다. ⓓ에서는 노 씨가 노태를 시켜 유 소저를 모함하는데, 이 과정에는 비현실적 요소가 개입되지 않는다.
왜 오답일까 ① 1차 위해에서는 노 씨가 직접 유 소저가 독약을 넣은 음식을 먹도록 유도하고 있으므로, 노 씨가 ⓐ에서 자신을 ⓑ의 주체로 설정했다고 볼 수 있다.
② 1차 위해에서 유모는 유 소저가 독약이 든 음식을 먹지 않도록 돕고 있으므로, ⓑ에서 유모가 조력자의 기능을 한다고 볼 수 있다.
③ ⓓ에서 노태는 노 씨에게 사주받은대로 간부(姦夫)로 위장하여 ⓒ를 실행하고 있다.
④ 노 씨는 1차 위해가 실패로 돌아가자 노태를 사주하여 유 소저에게 해를 입히고자 했으므로 ⓑ의 실패가 ⓒ에서 2차 위해를 계획하는 내적 동기를 유발했다고 볼 수 있다.

05 정 시랑은 유 소저의 부정을 의심하여 첫날밤에 유 소저를 버리고 상경했지만, 〈보기〉의 신랑은 신부가 음탕하다고 오해하여 달아난 것이다.

엮인 작품 더 알기

서정주, 「신부」

작품 해제 첫날밤에 생긴 오해로 인해 4, 50년을 첫날밤의 모습 그대로 앉아 있던 신부가 우연히 들른 신랑의 손길이 닿은 후에야 재가 되어 내려앉았다는 이야기를 담담하게 표현한 산문시이다. 신랑의 오해에 초점을 맞춘 전반부와 신랑을 기다리다 재로 변한 신부의 모습에 초점을 맞춘 후반부의 대칭적 구조로, 한국 여인의 정절과 한을 그려 내고 있다.

24 적성의전 194~195쪽

01 ④ 02 ⑤ 03 ② 04 ③ 05 ③

작품 해제 안평국의 왕자인 적성의가 어머니를 살릴 약을 구하는 과정에서 고난을 극복하는 이야기를 통해 부모에 대한 효도와 형제간의 우애를 강조한 작품이다.

01 윗글에는 성의와 왕비가 서로의 소식을 알게 되는 상황과 항의가 성의를 해치기 위해 계략을 꾸미는 상황이 나타나 있을 뿐, 성의의 영웅적 활약상은 나타나지 않는다.
왜 오답일까 ① 성의가 왕비에게 보낸 편지에 성의가 겪었던 일들이 요약적으로 제시되어 있다.

② '성의 자연 심사가 울적해져서', '성의 편지 듣기를 다하매 가슴이 미어지고 간장이 끊기는 듯하는 중에 한편으로 반가워' 등에서 인물의 심리를 직접적으로 제시하고 있다.
③ 성의가 시력을 되찾는 장면에서 전기적 요소가 나타난다.
⑤ 주인공이자 선인인 성의와 악인인 항의의 대립 구도가 나타난다.

02 ㉠(편지)의 내용을 들은 성의는 잃었던 시력을 되찾게 된다. ㉡(서찰)을 통해 성의의 생존 사실을 알게 된 항의가 성의를 해치려는 계략을 꾸미고 있으므로, ㉡은 주인공의 위기를 불러오는 계기로 작용한다.

03 〈보기〉와 윗글을 통해 성의는 어머니의 병을 고칠 약을 구하기 위해 서천으로 떠났다가 항의의 공격으로 일영주를 빼앗기고 눈이 멀었음을 알 수 있다. 하지만 일영주를 구할 때 공주의 도움을 받았는지는 윗글을 통해 알 수 없다.
왜 오답일까 ① 〈보기〉의 '천만 번 생각해 보아도 네 형의 불측한 행실은 천하에 더 이상 없을지니, 너를 시기하여 행선 도중 불행한 화를 당하여 돌아오지 못하는 것은 아니냐?'를 통해 왕비가 항의를 의심하고 있음을 알 수 있다.
③ 〈보기〉에서 왕비는 성의의 소식을 알지 못해 슬퍼하고 있다.
④ 윗글에서 성의가 일영주를 구해 돌아오던 중 포악한 변을 만나 죽을 위기에 처했다가 살아난 점과 성의가 돌아오면 자신의 전후 행적이 발각될까 걱정하는 항의의 모습, 〈보기〉에서 성의의 소식을 알아 오겠다고 떠난 항의가 일영주만 가지고 돌아온 점을 고려할 때 항의가 성의를 해치고 일영주를 빼앗았음을 알 수 있다.
⑤ 윗글의 '연전에 모비의 병환을 위하여 ~ 일영주를 얻었습니다.'와 〈보기〉의 '어미를 위해 ~ 서천에 가 약을 얻었으니'를 통해 알 수 있다.

04 윗글에서는 주인공의 형 '항의'가, 〈보기〉에서는 '저승의 수문장'이 주인공의 과업 성취를 방해하는 존재이다.
왜 오답일까 ① 윗글과 〈보기〉의 주인공 모두 고귀한 혈통을 지녔다.
② 윗글에는 성의가 왕비의 병을 치유할 일영주를 구하기 위해 서역으로 떠난 상황만 제시되어 있을 뿐 제시된 내용만으로 성의가 부모로부터 과업을 달성해 달라고 부탁받았는지는 알 수 없다. 〈보기〉의 바리데기는 부모에게 버림받았지만 자신의 의지로 약수를 구하러 떠난다.
④ 성의는 왕비의 병을 고치기 위해, 바리데기는 부모의 병을 고치기 위해 각각 서천과 저승으로 떠나 온갖 고초를 겪는데, 이를 운명적으로 결정된 것이라고 볼 만한 근거는 나타나 있지 않다.
⑤ 윗글과 〈보기〉의 주인공 모두 자신의 영예를 위해서가 아니라 부모의 병을 고치려는 목적으로 위험을 무릅쓴 것이다.

05 ⓐ에서 항의는 성의가 돌아오면 자신이 성의에게 해를 끼치고 일영주를 빼앗았던 행동이 발각될까 봐 걱정하고 있다. '전전긍긍(戰戰兢兢)'이란 몹시 두려워서 벌벌 떨며 조심함을 뜻하는 말로, ⓐ에 나타난 항의의 심정을 나타내기에 적절하다.
왜 오답일까 ① 고립무원(孤立無援): 고립되어 도움을 받을 데가 없음.
② 수구초심(首丘初心): 여우가 죽을 때에 머리를 자기가 살던 굴 쪽으로 둔다는 뜻으로, 고향을 그리워하는 마음을 이르는 말
④ 풍수지탄(風樹之嘆): 효도를 다하지 못한 채 어버이를 여읜 자식의 슬픔을 이르는 말
⑤ 학수고대(鶴首苦待): 학의 목처럼 목을 길게 빼고 간절히 기다림.

25 춘향전

196~199쪽

01 ② 02 ② 03 ② 04 ③ 05 ⑤ 06 ⑤ 07 ③ 08 ② 09 ①

작품 해제 기생의 딸 춘향과 양반 도령 이몽룡의 신분을 뛰어넘은 사랑을 그린 판소리계 소설로, 그 이면에는 신분의 제약을 벗어난 인간 해방과 불의한 지배 계층에 대한 항거가 담겨 있다.

01 윗글은 주로 대화를 통해 사건의 진행 과정을 보여 주고 있으며 윗글에서 배경 묘사가 나타난 부분은 찾을 수 없다.
왜 오답일까 ③ '몹쓸 년의 팔자로다.'에서 비속어를 사용하여 이 도령과 이별해야 하는 상황에 처한 춘향의 애통함을 나타내고 있다.
④ '온몸을 수수잎 틀 듯하고 매가 꿩을 꿰 차는 듯하고'에서 비유적 표현을 통해 춘향의 분노와 충격을 보여 주고 있다.
⑤ '코가 벌렁벌렁하며 이를 뽀드득 뽀드득 갈며'에서 의태어와 의성어를 통해 춘향의 행위를 나타내고 있다.

02 "사정이 그렇기로 네 얘기를 아버님께는 못 여쭈고"라는 이 도령의 말을 통해 이 도령이 아버지에게 춘향과의 만남을 밝히지 않았음을 알 수 있다.
왜 오답일까 ① 춘향의 어머니는 춘향에게 닥친 시련을 모르고 춘향과 이 도령이 사랑싸움을 한다고 생각하고 있다.
③ 춘향은 이 도령의 첩이 되려는 생각을 갖고 있다. 춘향이 분노하는 이유는 첩이 될 수밖에 없는 상황 때문이 아니라 이 도령과 이별해야 하는 상황 때문이다.
④ 이 도령의 어머니는 춘향의 존재가 아들인 이 도령의 출세에 걸림돌이 될까 봐 염려하고 있으므로, 아들의 출세보다 자신의 체면을 중시한다고 볼 근거는 없다.
⑤ 이 도령의 아버지는 이 도령의 상황을 모르고 있으므로, 그가 아들의 감정보다 자신의 입신양명을 우선시하고 있는지는 알 수 없다.

03 이 도령이 이별을 고하자 춘향이 자신의 신세를 한탄하며 절규하는 부분에서 그녀의 격정적 면모가 드러난다.
왜 오답일까 ① 춘향은 이 도령과의 이별을 슬퍼하며 자신의 신세를 한탄하고 있는 것이므로, 이러한 모습에서 문제를 숙고하여 대

응책을 모색하는 치밀한 면모가 나타난다고 보기는 어렵다.

③ 이 도령을 먼저 보내고 자신도 뒤따를 것이라고 말하는 춘향의 모습은 이 도령과의 사랑을 이루려는 의지를 보여 주는 것이지 원치 않는 상황을 받아들이는 수용적 면모를 보여 주는 것은 아니다.

④ 춘향은 신분의 제약으로 자신이 이 도령의 정실부인이 될 수 없음을 알기 때문에, 이 도령에게 재상가의 요조숙녀와 혼인하더라도 자신을 잊지 말라고 말하고 있는 것이다. 이러한 모습에서 목표를 이루려 단호하게 행동하는 적극적 면모가 나타난다고 보기는 어렵다.

04 ㉢에서 이 도령은 자신의 앞날을 염려하여 춘향과의 만남을 반대하는 어머니의 말을 근거로 들어 춘향과 이별할 수밖에 없다고 이야기하고 있다. 따라서 춘향의 욕망이 실현되기 어려운 이유는 이 도령의 효심보다는 두 사람의 신분 차이에 있다고 볼 수 있다.

왜 오답일까 ① ㉠에서 이 도령과 함께 한양으로 갈 수 없다고 말하는 모습을 통해 춘향이 당대의 사회 현실과 이 도령과 자신의 신분 차이를 인지하고 있음을 알 수 있다.

② ㉡은 이 도령의 첩이 되려는 춘향의 욕망이 나타난 구절이다.

④ ㉣에서 춘향은 격렬한 반응을 보이며 욕망의 좌절에 따른 감정을 표출하고 있다.

⑤ ㉤에서 춘향이 자신의 몸이 천하다고 표현한 것을 볼 때, 자신의 욕망이 좌절된 것이 자신의 낮은 신분 때문이라고 생각하고 있음을 알 수 있다.

05 〈보기〉에서 춘향과 이 도령은 이별할 수밖에 없는 현재의 상황을 받아들이고 있으므로, 이별의 상황을 거부하려는 의지를 드러내고 있다고 볼 수 없다. 윗글의 춘향 역시 이 도령에 대한 원망과 분노를 표현하고 있을 뿐 이 도령과 이별할 수 없다는 의지를 직설적으로 드러내고 있는 것은 아니다.

왜 오답일까 ① 윗글의 춘향은 이별을 애통해해며 자신의 신세를 한탄하고 있다. 〈보기〉의 춘향은 이 도령이 언제나 돌아올 수 있을지를 애달프게 묻고 있을 뿐, 자신의 신세를 한탄하고 있지는 않다.

② 윗글에서는 이 도령이 춘향에게 이별을 고하자 춘향이 이에 분노하고 있다. 이와 달리 〈보기〉에서 춘향과 이 도령은 이별할 수밖에 없는 현재의 상황을 받아들이고 서로의 변치 않는 사랑을 맹세하고 있다.

③ 〈보기〉에서 이 도령은 "우리 연분은 청송녹죽 같아서 무너지고 끊어질 줄 없을지니, 설마 후일 상봉하여 그리던 회포를 못 펴 볼까?"라고 말하며 춘향과의 재회를 확신하고 있다.

④ 〈보기〉에서 이 도령과 춘향은 사랑의 정표인 '면경'과 '옥지환'을 주고받고 있다.

기출 작품 딥러닝

작자 미상, 「이춘풍전」 ▶해법문학 Link 고전 산문 214쪽

작품 해제 가정을 돌보지 않는 이춘풍의 방탕한 생활상과 슬기롭고 유능한 아내의 활약상을 통해 허위적인 남성 중심 사회를 비판하고 진취적인 여성상을 제시한 작품이다.

전체 줄거리

발단	서울 다락골에 살던 이춘풍은 방탕하게 살다가 가산을 탕진하는데, 아내 김 씨 덕분에 가산을 회복함.
전개	이춘풍은 호조로부터 돈 이천 냥을 빌려 평양으로 장사를 하러 떠나지만, 기생 추월에게 빠져 돈을 몽땅 빼앗김. 이 소식을 들은 김 씨는 비장 차림으로 변장을 하고 평안 감사를 따라 평양으로 향함.
위기	김 씨는 이춘풍에게 곤장을 친 다음, 추월을 추궁하여 돈을 되찾아 이춘풍에게 되돌려 줌.
절정	돈을 되찾은 이춘풍은 서울 집으로 돌아와 거만한 태도를 보임. 이에 김 씨는 다시 비장으로 변장하고 나타나 이춘풍을 직접적으로 비판함. ···› 수록 부분
결말	김 씨가 비장의 옷을 벗어 자신의 정체를 드러내자, 이춘풍은 모든 사실을 깨닫고 지난날을 반성함. 이후 이춘풍은 호조에서 빌린 돈을 모두 갚고 아내와 행복하게 삶. ···› 수록 부분

핵심 포인트 「이춘풍전」에 나타난 문제 상황과 해결

문제 상황		해결
집에 돌아온 이춘풍이 여전히 거만한 태도로 허세를 부리며 아내를 핍박함.	➡	이춘풍의 아내가 다시 비장으로 변장하여 이춘풍을 꾸짖음.

⬇

방탕한 남편을 꾸짖어 개과천선하게 한다는 점에서 허위적인 남성 중심 사회를 비판하고 새로운 여성상을 보여 줌.

06 남장을 통한 문제 해결은 오히려 여성의 지위에 제약이 있었음을 드러내는 것이다. 따라서 춘풍의 처가 비장으로 활약했다고 하더라도 남성과 동등한 사회적 지위에 올랐다고 보기는 어렵다.

07 춘풍의 처는 평양에서 집으로 돌아와서도 계속 허세를 부리는 춘풍을 꾸짖고 잘못을 깨닫게 하기 위해 비장 행세를 하고 춘풍 앞에 다시 나타난다.

왜 오답일까 ① 춘풍의 처는 춘풍의 사정을 모두 알고 있지만 짐짓 모른 체하고 있다.

② 춘풍은 처가 자신의 사정을 모른다고 생각하여 허세를 부리고 있다.

④ 춘풍은 처가 비장의 이야기를 듣고 자신이 평양에서 겪은 일을 알게 될까 봐 염려하고 있다.

⑤ 춘풍은 예상치 못한 비장의 정체에 깜짝 놀라고 있다.

08 춘풍의 처가 비장으로 변장한 것이므로, 비장이 춘풍의 과거 행적을 춘풍의 처에게 폭로하고 있다는 설명은 적절하지 않다.

왜 오답일까 ① '사건 Ⅰ'에서 춘풍은 음식 타박을 하고 허세를 부리고 있다. '사건 Ⅱ'에서 춘풍의 처는 이러한 춘풍의 태도에 변화를 이끌어 내기 위해 회계 비장의 복색으로 춘풍 앞에 나타난 것이다.

③ '사건 Ⅲ'에서는 춘풍의 처가 자신의 정체를 밝히면서 그녀가 꾸민 일이 종결되고 있다.

④ 춘풍은 '사건 Ⅰ'에서는 처를 타박하고 있지만 '사건 Ⅲ'에서는 자신의 잘못을 깨닫고 처와 금슬 좋은 모습을 보이고 있다.

⑤ '사건 Ⅰ'에서 '사건 Ⅱ'로 전개될 때에는 춘풍의 처가 비장의 복색을 하여 춘풍의 태도 변화를 이끌어 내고, '사건 Ⅱ'에서 '사건 Ⅲ'

으로 전개될 때에는 춘풍의 처가 비장의 복색을 벗어 춘풍에게 자신의 정체를 드러낸다.

09 윗글과 〈보기〉는 모두 판소리계 소설에 속한다. 이와 같은 판소리계 소설은 판소리가 지닌 현장성의 영향으로 현재형 표현이 사용되는 경우가 많은데, 윗글과 〈보기〉 역시 '장사에 남긴 듯이 의기양양하니', '좌수, 별감 넋을 잃고 이방, 호방 혼을 잃고 나졸들이 분주하네.' 등과 같이 현재형 종결 어미를 사용하여 현장감을 느낄 수 있다.

왜 오답일까 ② 〈보기〉에서는 장면을 극대화하여 암행어사 출두에 당황한 수령들의 모습을 묘사하고 있다. 윗글에는 장면을 극대화하여 묘사한 부분은 나타나지 않는다.

③ 윗글은 자신의 처에게 거만한 모습을 보이던 춘풍이 비장으로 변장한 처에게 비굴하게 구는 모습을 해학적으로 표현하고 있다. 〈보기〉는 암행어사가 출두하자 혼비백산하여 달아나는 수령들의 모습을 해학적으로 표현하고 있다.

④ 윗글은 '저 잡놈 거동 보소.', '그 거동은 차마 못 볼러라.', '좌불안석하는 꼴은 혼자 보기 아깝더라.' 등에서, 〈보기〉는 '초목금수인들 아니 떨랴.', '모든 수령 도망갈 제 거동 보소.' 등에서 서술자의 논평이 나타난다.

26 심청전 200~201쪽

01 ⑤ 02 ④ 03 ③ 04 ② 05 ①

작품 해제 전래 설화를 바탕으로 한 판소리계 소설로, 아버지의 눈을 뜨게 하기 위해 자신의 목숨을 바치는 효녀 심청을 주인공으로 하여 유교의 근본 사상인 효를 강조하고 있다.

01 윗글의 (가)에서는 심 봉사와 심청의 대화를 중심으로 심청이 인당수의 제물이 되어 떠나는 날 아침의 상황을 드러내고 있다.

왜 오답일까 ① 심청이 심 봉사를 위해 인당수의 제물로 팔려 가는 비극적 상황이 제시되어 있을 뿐, 이를 해학적으로 묘사하고 있는 것은 아니다.

② 인물의 외양을 묘사한 부분은 나타나지 않는다.

③ (가)는 현실계를, (나)는 환상계를 배경으로 하고 있지만 시간의 흐름에 따라 공간이 달라지고 있을 뿐 현실계와 환상계를 나란히 두고 사건을 전개하는 것은 아니다.

④ 윗글은 전지적 작가 시점으로 서술되고 있다.

02 [A]에 의문문이 나타나 있기는 하지만, 이를 통해 상대방을 잘 달래어 시키는 말을 듣도록 하고 있는 것은 아니다. [A]에서 심 봉사는 의문문의 형식을 활용하여 심청의 말을 믿기 어려운 심정과 충격을 드러내고 있으며('참말이냐, 참말이냐? 애고 애고, 이게 웬 말인고?' 등), 남경 뱃사람들을 강하게 비판하고 있다('장사도 좋지마는 사람 사다 제사하는 데 어디서 보았느냐?' 등). 또한 동네 사람들의 동조를 이끌어 내며 도움을 청하고 있다('여보시오 동네 사람, 저런 놈들을 그저 두고 보오?').

왜 오답일까 ① '참말이냐, 참말이냐? 애고 애고, 이게 웬 말인고? 못 가리라, 못 가리라.'에서 동일한 말을 반복하여 공양미 삼백 석을 받고 인당수 제물로 팔려 간다는 심청에 대한 심정을 강조하고 있다.

② '너의 어머니 늦게야 ~ 이만치 자랐는데'에서 부인이 죽고 홀로 힘들게 심청을 키운 일을 요약적으로 제시하며 심청의 결정을 만류하고 있다.

③ '칠년대한 가물 적에 ~ 큰 비가 내렸느니라.'에서 고사를 인용하여 사람을 제물로 바치는 행위의 부당함을 부각하고 있다.

⑤ '하느님의 어지심과 귀신의 밝은 마음 앙화가 없겠느냐?'에서 초월적 존재인 '하느님'과 '귀신'을 언급하며 사람을 제물로 바치는 행위로 인해 화를 입을 것임을 경고하고 있다.

03 사해용왕이 심청에게 준 비단과 보배는 현실계에서 심청이 갖은 고생을 하며 아버지에게 효를 다한 데 대한 보상의 성격을 지니고 있다. 사해용왕이 심청에게 비단과 보배를 준 것을 심청이 자신의 희생으로 유발된 갈등을 스스로 해소하는 것으로 볼 수는 없다.

왜 오답일까 ① 뱃사람들은 심청의 목숨에 대한 보상으로 심 봉사에게 공양미 삼백 석을 준 것이다.

② 심청은 아버지의 눈을 뜨게 하고 싶은 욕구와 공양미 삼백 석을 마련할 수 없는 가난한 현실 사이에서 갈등하다가 자신을 희생하기로 결정한 것이다.

④ 심청과 심 봉사는 심청의 희생 결정에 대한 생각이 달라 갈등을 빚고 있다.

⑤ '조상 제사를 끊게 되오니 추모하는 마음을 이기지 못하겠습니다.'에는 자신의 희생으로 인해 더 이상 조상 제사를 지내지 못하는 데 대한 심청의 심리적 갈등이 나타나 있다.

04 윗글은 시간의 순차적 흐름에 따른 공간의 변화를 중심으로 서사가 진행되고 있다. 심청은 시간의 흐름에 따라 현실계에서 환상계로, 환상계에서 다시 현실계로 돌아오고 있으므로, 윗글이 이야기 속에 또 다른 이야기가 나타나는 액자식 구성을 취하고 있다고 볼 수 없다.

왜 오답일까 ① 뱃사람들은 윗글의 (가)에 등장하는 인물로, (가)는 심청이 환상계에 들어가기 이전인 〈보기〉의 1단계에 해당한다.

③ 〈보기〉의 3단계에서 심청이 고귀한 신분이 되고, 심 봉사가 눈을 뜨므로 행복한 결말을 예상할 수 있다.

④ 윗글에서 옥황상제는 심청을 인당수로 돌려보내라고 분부하고 있으므로, 심청이 〈보기〉의 2단계(환상계)에서 3단계(현실계)로 복귀할 수 있도록 돕는 역할을 한다.

⑤ 인당수 용왕과 사해용왕에게 심청을 삼 년 동안 받들어 단장하라는 옥황상제의 분부와 심청에게 인간 세상에 나아가서 부귀와 영

광을 즐기라는 용궁 시녀와 여덟 선녀의 축언을 고려할 때, 심청이 〈보기〉의 3단계(현실계)에서 귀한 신분인 황후가 되는 것은 환상계의 질서가 현실계까지 영향을 미친 것으로 볼 수 있다.

05 윗글의 심청은 죽음이라는 통과 의례를 거쳐 고귀한 신분인 황후가 되고 심 봉사와 재회한다. 〈보기〉의 숙영은 죽음이라는 통과 의례를 거쳐 3년이라는 기한을 어긴 죄를 용서받고 선군과 재회하여 비극적 사랑이 아닌 축복받는 사랑을 하며 부귀영화를 누린다. 따라서 윗글과 〈보기〉에서 '죽음'은 모두 재회와 도약을 위한 통과 의례를 의미한다고 볼 수 있다.

27 토끼전 202~205쪽

01① 02① 03② 04④ 05⑤ 06③ 07③ 08③ 09③

작품 해제 동물을 의인화한 판소리계 소설로, 자라의 속임수에 넘어가 수궁에 들어갔다가 죽을 위기에 처한 토끼가 기지를 발휘하여 살아 돌아온다는 이야기를 그리고 있다. 서민 의식을 바탕으로 한 날카로운 풍자와 해학이 잘 드러나 있다.

01 윗글에서는 주로 용왕과 토끼의 대화를 통해 사건이 전개되는데, 토끼의 간을 요구하는 용왕과 이에 맞서는 토끼의 응변이 이어지고 있다.

02 〈보기〉는 「토끼전」과 근원이 같은 판소리 사설로, 이야기 전개상 [A]와 〈보기〉는 같은 장면에 해당한다. [A]에서 토끼는 자신의 배를 갈랐을 때 간이 없는 부정적 상황을 가정하여 위기를 벗어나고자 하지만, 〈보기〉에는 부정적 상황을 가정한 부분이 나타나지 않는다.

왜 오답일까 ② [A]와 〈보기〉 모두 토끼가 자신의 몸에 간을 넣고 빼는 곳이 있다며 용왕의 궁금증을 유발하고 있다.

③ 〈보기〉에서는 토끼가 '복희씨'와 '신농씨'와 관련된 중국의 고사를 활용하여 용왕을 설득하고 있지만, [A]에는 고사가 나타나 있지 않다.

④ 〈보기〉의 '복희씨는 어이하야 사신인수가 되었으며 신농씨 어쩐 일로 인신우두가 되었으며, 대왕은 어찌하야 꼬리가 저리 지드란허옵고 소퇴는 무슨 일로 꼬리가 요리 묘똑허옵고'에서 대구의 방식으로 대상의 특성을 나열하고 있다. [A]에는 대구가 나타나지 않는다.

⑤ 〈보기〉에서는 용왕의 꼬리와 토끼의 꼬리, 용왕의 몸과 토끼의 몸 등을 대비하여 세상 만물이 모두 그 생김과 구조가 다르다는 것을 강조하고 있다. [A]에는 이와 같은 대비가 나타나지 않는다.

엮인 작품 더 알기

작자 미상, 「수궁가」 ▶해법문학 Link 고전 산문 295쪽

작품 해제 「구토지설」을 바탕으로 신재효가 개작하여 정착시킨 판소리 사설로, 우의적 수법을 통해 인간 사회의 세태를 비판·풍자하고 있다. 자라의 유혹에 넘어가는 토끼를 통해서는 세속적인 명리를 추구하는 인간의 속물근성을, 토끼의 달변에 쉽게 넘어가는 용왕을 통해서는 지배층의 무능을, 어리석은 용왕에게 충성하는 자라를 통해서는 맹목적 충성에 대한 경계를 보여 주고 있다.

03 ㉡에는 용왕을 속이기 위해 태연하고 천연덕스럽게 행동하는 토끼의 모습이 나타나 있다. 토끼는 추상같은 용왕의 호령에도 주눅 든 기색 없이 대처하고 있으므로 이를 용왕의 위세에 눌려 주눅 든 모습으로 이해하는 것은 적절하지 않다.

왜 오답일까 ① ㉠은 용왕이 자신의 병을 낫게 하기 위해 토끼의 간이 필요하다는 것을 밝히는 부분이다. 이것은 별주부가 토끼를 용궁에 데려온 이유로 볼 수 있다.

③ ㉢에서 토끼는 자신의 몸에 간이 없다는 것을 믿게 하려고 일부러 별주부를 탓하며 큰소리치고 있다.

④ ㉣은 자신을 의심하는 자가사리에 대한 미움을 표현한 것으로, 계획이 무산될까 봐 초조해하는 토끼의 심리를 보여 주고 있다.

⑤ ㉤에서 용왕은 자가사리의 충언을 듣지 않고 호통을 치는 권위적 태도를 보이고 있다.

04 ⓓ는 토끼가 위기에서 벗어나는 과정을 지시하고 있다. 토끼는 급박한 위기 상황에서 간을 두고 다닌다는 거짓말로 용왕을 속임으로써 위기를 벗어난다. 자가사리는 이러한 토끼의 거짓말을 믿지 않은 인물이므로 자가사리가 토끼의 위기 극복을 도왔다고 할 수 없다.

왜 오답일까 ① 윗글의 중심 공간은 '용궁'으로, 지배 계층이 부당한 권력을 행사하는 귀족 사회를 상징한다.

② 중심 소재인 '토끼의 간'을 둘러싸고 갈등과 사건이 진행되고 있다.

③ 별주부가 토끼를 속여 용궁에 데려온 것은 용왕을 향한 충성심 때문이다.

⑤ 용왕이 토끼의 거짓말에 속아 그를 놓아주는 것은 강자에 대한 약자의 승리라고 할 수 있다.

기출 작품 딥러닝

작자 미상, 「장끼전」 ▶해법문학 Link 고전 산문 190쪽

작품 해제 꿩을 의인화한 우화 소설로, 까투리의 말을 무시하다가 죽은 장끼와 남편이 죽은 뒤 바로 개가(改嫁)하는 까투리를 통해 남존여비 사상과 여성의 개가를 금지하는 남성 중심의 유교 윤리를 풍자한 작품이다.

전체 줄거리

발단	굶주린 장끼와 까투리가 자식들을 거느리고 먹이를 찾아 산기슭으로 감. ⋯ 수록 부분
전개	먹이를 찾아 헤매던 장끼는 붉은 콩 하나를 발견하고 기뻐함. ⋯ 수록 부분
위기	까투리가 불길한 꿈 내용과 중국의 고사를 들어 콩 먹기를 만류하지만 장끼는 고집을 꺾지 않고 콩을 먹으려다 덫에 걸림. ⋯ 수록 부분

절정	장끼는 까투리에게 수절하여 정렬부인이 되어 줄 것을 유언으로 남긴 채 죽고, 까투리는 장끼의 깃털 하나를 주워 장례를 치름. ⋯→ 수록 부분
결말	유언에 따라 수절하던 까투리는 홀아비 장끼를 본 후 유유상종이라는 명분을 내세우며 개가하고, 자식들을 모두 혼인시킨 뒤 물에 들어가 조개가 됨.

핵심 포인트 「장끼전」의 주요 인물과 주제 의식

장끼	까투리
• 여자의 말을 무시함. • 자신의 죽음을 까투리 때문이라고 말함.	• 죽어 가는 장끼로부터 수절을 강요당함. • 장끼가 죽고 곧바로 개가함.
• 남존여비 사상 비판 • 남성 우월 의식 비판 • 가부장적 권위주의 비판	• 여성의 개가 금지 비판 • 봉건적 윤리 비판 · 풍자 • 인간의 본능적 욕구 및 여성의 자아실현이라는 진보적 의식 반영

봉건적 유교 윤리 비판 · 풍자

05 ⓜ은 장끼가 덫에서 빠져나오기 위해 애를 쓰면서 자신의 신세를 한탄하는 장면이므로, 장끼가 죽음을 담담히 받아들이고 있다고 볼 수 없다.

왜 오답일까 ① ㉠에서는 장끼가 콩을 먹으러 가는 모습을 '꾸벅꾸벅', '조츰조츰'과 같은 의태어를 활용하여 묘사하고 있다.

② ㉡의 '이 어찌 가련치 아니하리오.'는 서술자의 논평에 해당한다.

③ '명사십리 해당화'를 의인화하여 말을 건네며 다음해에 다시 피는 해당화와 달리 영영 돌아올 수 없는 장끼로 인한 슬픔을 드러내고 있다.

④ ㉣은 자신이 죽은 뒤의 모습을 다양하게 가정해 보는 장끼의 말로, 독자로 하여금 해학을 느끼게 한다.

06 [A]의 '당신도 내 말 들었더라면 이런 변 당할 리 없지.'에서 까투리는 장끼가 콩을 먹지 말라는 자신의 말을 들었더라면 덫에 걸리지 않았을 것이라며 상황을 가정하여 장끼의 행동을 지적하고 있다.

왜 오답일까 ⑤ 까투리가 고서 『자치통감』의 구절을 인용한 것은 맞으나, [A]에 까투리의 실수나 이를 정당화한 내용은 나타나지 않는다.

07 까투리의 꿈은 장끼의 죽음을 암시하는 기능을 하는 장치로, 윗글에서는 까투리의 말을 듣지 않는 장끼의 모습을 통해 남성의 권위주의와 우월 의식을 비판하고 있다. 까투리를 통해 미신에 사로잡힌 서민들을 풍자한다는 감상은 적절하지 않다.

왜 오답일까 ② 윗글은 우화 소설로, 장끼와 까투리를 의인화하여 당대 사회 제도나 사상을 비판 · 풍자하고 있다.

④ 죽어 가면서도 까투리에게 수절을 요구하는 장끼의 태도는 당시의 가부장적인 사회 제도나 사상을 비판하고자 한 설정으로 볼 수 있다.

⑤ 부인인 까투리의 말을 듣지 않다가 죽음에 이르는 장끼의 모습을 통해 남자를 여자보다 우대하고 존중하는 남존여비 사상을 풍자하고 있음을 알 수 있다.

08 「장끼전」은 '까투리'를 중심으로 남존여비와 여성의 개가 금지 같은 가부장제 사회의 문제를, '장끼'를 중심으로 몰락 양반의 삶과 조선 후기 향촌 사회의 다양한 변화상을 형상화했다. 〈보기〉에 제시된 부분은 장끼가 죽기 전에 일어난 사건으로, 장끼가 가족을 위해 도적 서대주를 찾아가 극진히 존대함으로써 양식을 빌려 오는 장면이다. 〈보기〉에서 서대주를 '동지님'이라고 존대하며 비위를 맞추고 양미 이천 석을 빌려 달라고 부탁하는 장끼의 태도는 당당함과는 거리가 멀다.

09 ⓐ에서 까투리는 죽어 가는 장끼의 맥을 짚고 있으므로, '거의 죽게 되어 곧 숨이 끊어질 지경에 이름.'을 의미하는 '명재경각(命在頃刻)'이 장끼의 상황을 나타내기에 적절하다.

왜 오답일까 ① 감탄고토(甘呑苦吐): 달면 삼키고 쓰면 뱉는다는 뜻으로, 자신의 비위에 따라서 사리의 옳고 그름을 판단함을 이르는 말

② 내우외환(內憂外患): 나라 안팎의 여러 가지 어려움

④ 식자우환(識字憂患): 학식이 있는 것이 오히려 근심을 사게 됨.

⑤ 호사다마(好事多魔): 좋은 일에는 흔히 방해되는 일이 많음. 또는 그런 일이 많이 생김.

28 허생전 206~207쪽

01 ② 02 ④ 03 ⑤ 04 ⑤ 05 ⑤

작품 해제 비판적 지식인 허생을 주인공으로 내세워 당대 사회의 경제적 · 사회적 제도의 취약점과 모순, 지배 계층인 사대부의 무능과 허위의식을 풍자한 한문 소설이다.

01 윗글은 시간적 순서에 따라 사건을 전개하고 있다.

왜 오답일까 ① 허생의 말과 행동을 통해 백성을 착취하는 사대부에 대한 비판, 재물을 취하는 것에 대한 부정적인 인식, 이용후생의 실학사상 등을 엿볼 수 있다.

③ 빈 섬에서의 허생의 활동을 요약적으로 제시하고 있다.

④ 허생의 행적을 중심으로 이야기를 전개하고 있다.

⑤ '일본', '장기도'와 같은 실제 지명을 활용하여 이야기의 사실감을 높이고 있다.

02 허생은 글을 아는 자들이 훗날 섬사람들을 해칠지도 모른다고 생각하여 글을 아는 자들을 모두 배에 실어 함께 섬을 빠져나온 것이다. 이는 백성을 착취하는 사대부에 대한 작가의 비판 의식이 나타난 부분으로, 허생이 글을 배우는 일 자체를 회의적으로 인식하는 것은 아니다.

03 허생은 빈 섬이라는 안정된 삶의 터전에서 농사를 통해 양식을 비축하고 나머지를 수출하여 재물을 축적할 수 있도록 군도를 이끌었다. 땅기운이 온전하여 백곡이 잘 자란다고 나타나 있을 뿐, 농토를

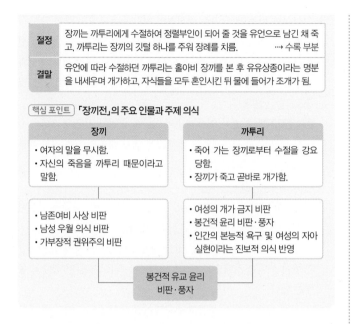

개간하거나 품종을 개량하여 생산량을 증대한 내용은 나타나 있지 않다.

04 〈보기〉에 따르면 소설은 허구적 상상력을 통해 현실을 바꾸고자 하는 작가의 욕망을 드러낸다. 따라서 허생이 군도를 이끌고 섬에 들어가 이상향을 건설한다는 설정은 당시 현실이 그만큼 고통스러웠다는 것을 보여 준다고 할 수 있다.

05 허생이 변 씨에게 "당신은 나를 장사치로 보는가?"라며 역정을 낸 것은 돈을 빌려주고 갚는 과정을 이윤의 관점에서만 보는 변 씨의 사고가 못마땅했기 때문이다. 또한 자신을 장사치와 같이 여기는 변 씨가 사대부로서 그의 자존심을 건드렸기 때문이다. 이로 보아 허생이 사농공상의 계급을 엄격히 구분하는 전통적인 신분 의식을 극복하지 못하고 있음을 알 수 있다.

왜 오답일까 ② 허생은 변 씨에게 돈을 빌린 후 그 돈을 갚고도 남을 만큼 돈을 벌었으므로, 그가 돈의 가치를 모른다거나 경제관념이 부족하다고 보기는 어렵다.

③ 허생이 재물에 연연하지 않는 것은 맞지만 윗글의 내용만으로 그가 안분지족의 삶을 추구하고 있다고 판단하기는 어렵다.

④ 허생은 변 씨에게 일관되게 당당한 태도를 취하는 인물로, 표리부동과는 거리가 멀다.

29 호질 208~209쪽

01 ④ 02 ③ 03 ③ 04 ④ 05 ④ 06 ②

작품 해제 도학자인 북곽 선생과 수절 과부인 동리자의 위선적 행동을 통해 당시 지배 계층인 양반들의 도덕관념을 풍자한 한문 소설로, '범의 질책'이라는 제목처럼 의인화된 범을 내세워 작가의 비판 의식을 드러내고 있다.

01 '정나라 어느 고을'이라는 지명과 각 인물이 '북곽 선생', '동리자'라고 불린다는 내용만 제시되어 있을 뿐, 지명과 인명에 대한 구체적인 정보는 나타나지 않았다.

왜 오답일까 ① 북곽 선생의 행동을 우스꽝스럽게 표현하여 해학적인 효과를 거두고 있다.

② '정나라 어느 고을에 ~ 제후들은 그 이름을 흠모하였다.'에서 북곽 선생에 대한 정보를, '같은 고을 동쪽에는 ~ 그의 아들 다섯은 모두 성이 달랐다.'에서 동리자에 대한 정보를 요약적으로 제시하고 있다.

③ 의인화한 범을 등장시켜 양반의 위선적인 모습을 비판하는 주제 의식을 표현하고 있다.

⑤ 북곽 선생이 처한 상황과 행동을 묘사하여 북곽 선생의 위선적인 면모를 보여 주고 있다.

02 [A]에서 다섯 아들은 어질고 총명하여 현자로 칭송받는 북곽 선생이 과부의 방에 들어올 리 없다고 판단하여 상황을 정확히 파악하지 못하고 북곽 선생을 둔갑한 여우로 여기고 있다.

03 〈보기〉에 따르면, 작가는 직접적인 비판이 용납되지 않던 당시 사회에서 범의 입을 빌려 지배층을 비판하고자 했다. 작가는 "그 선비, 냄새가 참 구리기도 하구나."라는 범의 말을 빌려 북곽 선생과 같이 겉과 속이 다른 위선적인 지배층의 모습을 폭로하고자 한 것으로 볼 수 있다.

왜 오답일까 ① 범이 북곽 선생의 얼굴을 외면한 것은 똥구덩이 속에서 나온 북곽 선생에게서 풍겨 오는 냄새 때문으로, 이러한 행동에 사회의 부조리를 외면하는 지배층을 풍자하려는 의도가 담겨 있다고 볼 수는 없다.

② '선비'는 북곽 선생의 신분을 표현하는 것일 뿐, 윗글에 신분제 사회에 대한 문제의식은 나타나 있지 않다.

④ 범이 길을 막고 있는 것은 먹을 것을 구하기 위해서이지, 이러한 행동에 부패한 지배층을 단죄하고자 하는 의도가 담겨 있다고 볼 수는 없다.

⑤ 북곽 선생이 범을 붙잡고 똥구덩이를 빠져나온 것이지 범이 북곽 선생을 구한 것은 아니다.

04 ㉣(벌판)은 북곽 선생이 다섯 아들을 피해 달아나는 공간으로, 윗글에 북곽 선생이 자신의 잘못을 성찰하는 모습은 나타나지 않는다.

왜 오답일까 ①, ②, ③ 북곽 선생과 동리자는 깊은 밤 동리자의 방 안에서 밀회하고 있으므로, ㉠(이 깊은 밤)은 북곽 선생의 본색이 드러나는 시간, ㉡(방 안)은 여색을 탐하는 북곽 선생의 욕망이 표출되는 공간, ㉢(오늘 밤)은 북곽 선생의 위선이 부각되는 시간으로 볼 수 있다.

⑤ 북곽 선생은 자신의 본색이 폭로될까 봐 다급히 달아나다가 구덩이에 빠지는데, 냄새나는 똥이 가득 찬 ㉤(똥구덩이)은 북곽 선생의 타락을 상징하는 공간으로 볼 수 있다.

05 '명불허전(名不虛傳)'은 명성이나 명예가 헛되이 퍼진 것이 아니라는 뜻으로, 이름날 만한 까닭이 있음을 이르는 말이다. 북곽 선생은 명망 높은 선비이지만, 실상은 위선적이고 여색을 탐하는 인물이다. 동리자와 몰래 만나다가 정체를 들킬 위기에 처하자 우스꽝스러운 행동을 하며 달아나는 북곽 선생의 모습에 대해 '명불허전'이라는 말의 진위를 의심하는 반응을 보일 수 있을 것이다.

왜 오답일까 ① '호연지기(浩然之氣)'는 거침없이 넓고 큰 기개를 뜻하는 말로, 깊은 밤 동리자를 몰래 만나 시를 읊는 북곽 선생에게는 어울리지 않는다.

② '기호지세(騎虎之勢)'는 호랑이를 타고 달리는 형세라는 뜻으로, 이미 시작한 일을 중도에서 그만둘 수 없는 경우를 비유적으로 이르는 말이다. 다섯 아들은 북곽 선생을 둔갑한 여우로 여기는 어리석은 모습을 보이고 있으므로, '기호지세(騎虎之勢)'는 다섯 아들에게는 어울리지 않는다.

③ '일편단심(一片丹心)'은 한 조각의 붉은 마음이라는 뜻으로, 진심에서 우러나오는 변치 아니하는 마음을 이르는 말로, 성(姓)이 다른 다섯 아들을 둔 동리자에게는 어울리지 않는다.

⑤ '명실상부(名實相符)'는 이름과 실상이 서로 꼭 맞음을 뜻하는 말로, 북곽 선생과 동리자에게는 어울리지 않는다.

06 북곽 선생은 겉으로는 점잖은 체하나 속은 음탕한 인물이다. ②는 '백로'를 겉과 속이 다른 대상으로 그려 표리부동을 경계한 작품이므로, 북곽 선생의 표리부동한 태도를 비판하기에 적절하다.
왜 오답일까 ① 나쁜 무리와 어울리는 것을 경계한 시조이다.
③ 임을 향한 변함없는 사랑을 노래한 시조이다.
④ 대나무의 겸허함과 절개를 예찬한 시조이다.
⑤ 초야에 묻혀 지내는 한가로운 삶을 노래한 시조이다.

30 주옹설 210~211쪽

01④ 02① 03⑤ 04⑤ 05⑤

작품 해제 '손'과 주옹의 문답을 통해 험난한 세상을 살아가는 바람직한 삶의 태도를 제시한 교훈적 수필이다. 작가는 자신의 허구적 대리인인 주옹의 입을 빌려 안전한 것만을 택해 나태에 빠지기보다는 위태로운 상황에 대비하여 늘 조심하고 경계하며 살아야 함을 강조하고 있다.

01 '운명론적 시각'이란 모든 일은 미리 정해진 필연적인 법칙에 따라 일어나므로 인간의 의지로는 바꿀 수 없다는 관점으로, 윗글에 운명론적 시각은 나타나 있지 않다. 또한 윗글은 세상을 올바르게 살아가는 태도에 대한 교훈을 제시하고 있을 뿐 현실의 문제에 대한 해결 방안을 제시하고 있지 않다.
왜 오답일까 ① 손의 질문과 주옹의 대답으로 구성되어 있다.
② 위태로움 속에서 오히려 평정을 유지할 수 있다는 주옹의 역설적 발상이 드러나 있다.
③ 추상적인 대상인 인생을 물 위의 배에 비유하고 있다.
⑤ 평탄한 땅에서의 태연하고 느긋한 삶의 태도와 언제라도 물에 빠질 위험이 있는 배 위에서의 삶의 태도를 대조하여 늘 조심스럽게 경계하며 살아가야 한다는 주제를 이끌어 내고 있다.

02 주옹은 손의 질문을 받고 배 위에서 살아가는 이유와 인간 세상을 살아갈 때 경계해야 할 바를 말하고 있다. 주옹의 대답에 따르면, 인간 세상은 거대한 물결과 큰 바람이 있어 위험한 곳이며 욕심을 부리느라 나중을 생각하지 않다가 마침내 위기에 처할 수 있는 곳이다.

03 ⓜ을 제외한 나머지는 모두 위험이 도사리는 물 위를 나타내는 말이다. ⓜ은 그러한 물 위에 떠 있는 배이자 주옹 자신의 삶을 의미한다.

04 [A]는 주옹이 부른 노래로, <보기>에서 제시한 바와 같이 작가의 생각을 집약적으로 드러내고 있다. '한가로이 지내다'는 유유자적한 삶을 의미하는 것이지 후환 없는 안전한 삶을 의미하는 것은 아니다.
왜 오답일까 ② '빈 배'는 욕심을 버린 주옹 자신을 가리킨다.
③ '물 한가운데'는 주옹이 떠 있는 물 위로, 항상 조심하고 경계하며 살아가야 하는 공간이다.
④ 자연물인 '밝은 달'을 배에 싣는다는 것은 욕심을 버린 삶의 태도를 드러낸다.

05 <보기>의 거사는 게으름 병이 있는 사람으로 어떻게 하면 게으름을 고칠 수 있는지 묻고 있다. 윗글의 주옹의 시각에서 게으른 삶은 곧 편안한 삶으로, 주옹은 위험이 없이 태평하기만 한 상황은 결국 스스로를 쓸모없게 만든다고 생각한다. 따라서 주옹이 거사에게 ⑤와 같은 조언을 할 것으로 예상할 수 있다.

역인 작품 더 알기

이규보, 「용풍(慵諷)」

작품 해제 게으름 병을 앓는 '거사'와 '객'의 대화를 통해 게으름과 주색(酒色)을 경계하라는 교훈을 전하는 한문 수필이다. 제목인 '용풍'은 게으름을 풍자한다는 의미로, 거사는 자신의 게으름 병을 치료하기 위해 주색을 이용하는 객의 묘안을 통해 자신의 잘못을 깨닫고 참된 삶을 살아가고자 다짐하게 된다.

31 수오재기 212~215쪽

01③ 02② 03② 04④ 05③ 06② 07③ 08④
09③

작품 해제 정약용이 쓴 고전 수필로, 큰형 정약현이 자신의 집에 붙인 당호(堂號) '수오재'를 통해 본질적 자아를 유지할 때 비로소 세상의 바람에 흔들리거나 유혹당하지 않는다는 깨달음을 얻은 과정을 담고 있다.

01 '천하 만물 가운데 ~ 없앨 수가 있겠는가.'에서 스스로 묻고 답하는 자문자답의 형식을 활용하여 깨달음을 구체적으로 제시하고 있다.
왜 오답일까 ① 윗글에 유래가 있는 옛날의 일인 고사(故事)는 나타나 있지 않다.
④ 자신의 지난 삶을 반성하고 있을 뿐, 현재의 삶과 비교하며 향수를 드러내고 있지는 않다.
⑤ 역설적 표현은 사용되지 않았다.

02 실과 끈으로 묶고 빗장과 자물쇠로 잠가서 '나'를 지킨다는 것은 '나'를 지키기 위한 철저한 수양을 비유적으로 표현한 것이다.
왜 오답일까 ① ㉠에서 '나'가 달아난다는 것은 사람의 마음이 상황이나 환경, 현실적 조건에 따라 쉽게 변함을 의미한다.
③ ㉢의 앞에 있는 '조정에 나아가 검은 사모관대에 비단 도포를 입고' 로 보아, ㉢은 벼슬을 하며 분주하게 지낸 글쓴이의 모습을 표현한 것임을 알 수 있다.
④ ㉣에서 큰형님은 본질적인 자아를 지켜 '나'를 잃지 않을 수 있었음을 설명하고 있다.
⑤ ⓜ에서는 성현인 맹자의 말을 인용하여 설득력을 높이고 있다.

03 글쓴이는 ㄴ에서 얻은 깨달음을 확장하여 ㄷ에서 자신의 삶에 적용하고 있으며, 윗글에 반전은 나타나지 않는다.

왜 오답일까 ① ㄱ에서 글쓴이는 '수오재'라는 이름을 처음 들었을 때 생긴 의문을 제기하여 독자의 관심을 이끌어 내고 있다.

③, ④ ㄷ에서 글쓴이는 '나'를 지키지 못한 지난날의 삶을 돌아보며 '나'를 지켜야 하는 이유에 대한 깨달음을 확대 적용하고 있다.

⑤ ㄹ에서 글쓴이는 윗글을 쓰게 된 내력을 밝히며 독자에게 자신의 깨달음을 전하고자 하고 있다.

04 ⓐ(장기)는 윗글의 글쓴이가 귀양을 떠난 곳으로, 글쓴이는 ⓐ에서 본질적인 자아를 소홀히 한 자신을 반성하고 '나'를 지키는 것의 의미를 생각한다. ⓑ(아라비아의 사막)는 〈보기〉의 화자가 생명의 본질을 깨닫기 위해 떠나려는 곳으로, 화자는 ⓑ에서 본질적인 자아를 대면하여 '원시의 본연한 자태'를 배울 것이라는 의지를 다지고 있다. 따라서 ⓐ와 ⓑ는 모두 자아 성찰이 이루어지는 공간으로 볼 수 있다.

엮인 작품 더 알기

유치환, 「생명의 서」 ▶해법문학 Link 현대 시 123쪽

작품 해제 죽음을 불사하면서도 본연의 모습을 추구하려는 강인한 의지가 나타난 현대 시로, 관념적인 어휘를 사용하면서도 의지적이고 결연한 어조로 주제를 표현하고 있다. 화자는 '아라비아의 사막'으로 떠나 생명의 본질을 추구하고자 하는데, 참되고 순수한 생명의 모습을 찾을 수 없다면 차라리 죽음을 선택하겠다는 의지를 다지고 있다.

05 '나를 지키는 것'은 어떠한 환경 속에서도 변하거나 흔들리지 않는 본질적 자아를 지키는 것이다. 글쓴이는 '수오재'라는 이름을 통해 본질적 자아를 지킬 때 세상의 바람에 흔들리거나 유혹당하지 않는다는 깨달음을 얻고 본질적 자아를 지키는 것의 중요성을 강조하고 있다. ③의 C는 위험한 상황에서도 자신의 신념을 지켰으므로, 본질적 자아를 지킨 사례에 해당한다고 볼 수 있다.

기출 작품 딥러닝

㉮ 박인로, 「선상탄」 ▶해법문학 Link 고전 시가 242쪽

작품 해제 조선 후기 전쟁 문학을 대표하는 가사로, 임진왜란이 끝난 후 여전히 전운이 가시지 않은 부산진에 주사(舟師)로 내려온 작가가 왜적에 대한 강한 적개심과 우국충정, 평화로운 세상에 대한 염원을 노래한 작품이다.

핵심 포인트 **중국의 고사를 인용한 효과**

헌원씨에 대한 원망	고대 중국에서 문명을 일으켜 발전시킨 헌원씨가 배를 만든 것을 원망함.
진시황에 대한 원망	불로초를 구하기 위해 왜에 동남동녀를 보내어 왜적을 만든 진시황을 원망함.

⬇

왜적에 대한 강한 분노와 전쟁에 대한 안타까운 심정을 효과적으로 표현함.

㉯ 정약용, 「파리를 조문한다」

작품 해제 정약용이 강진에서 유배 중이던 때 굶주림과 질병으로 많은 사람이 죽어 파리 떼가 창궐한 것을 보고 쓴 고전 수필로, 굶주려 죽은 백성에 대한 연민과 안타까움을 드러내고 백성을 착취하는 탐관오리를 비판하고 있다.

핵심 포인트 **「파리를 조문한다」의 집필 의도**

파리	굶주림과 전염병, 탐관오리의 횡포로 고통받으며 죽어 간 백성들의 혼이 깃든 존재

⬇

집필 의도

- 백성에 대한 안타까움과 연민을 드러냄.
- 백성을 수탈하는 관리들을 비판함.
- 임금의 선정으로 현실의 문제가 개선되기 바라는 소망을 표현함.

06 (가)의 화자는 왜적이 쳐들어온 원인이 배를 만들었다고 전하는 헌원씨와 불사약을 찾기 위해 왜에 동남동녀를 보낸 진시황에게 있다고 생각하고 이들을 원망하고 있다. 따라서 [B]에서 화자가 헌원씨를 추모하고 있다는 설명은 적절하지 않다.

07 ㉢은 파리를 사람처럼 대하며 조문하는 말로, 의인법을 사용하여 굶어 죽은 백성들을 위로하고자 하는 마음을 드러내고 있다.

왜 오답일까 ① ㉠에서는 큰 기근, 혹독한 추위, 전염병, 가혹한 착취 등을 열거하여 백성들이 죽음에 이르게 된 상황을 나타내고 있다.

② ㉡에서는 설의법을 사용하여 고통받으며 죽어 간 백성들의 시신에서 생긴 파리가 우리 사람과 다를 바 없는 존재라는 인식을 드러내고 있다.

④ ㉣에서는 '어진 이'와 '소인배', '봉황'과 '까마귀'를 대비하여 고통을 호소하거나 도움을 요청할 곳이 없는 백성들의 절박한 상황을 드러내고 있다.

⑤ ㉤에서는 '번개처럼', '우레처럼'이라는 비유적 표현을 통해 글쓴이가 바라는, 선정을 베풀어 백성들의 고통을 해소해 주는 임금의 모습을 나타내고 있다.

08 (가)의 화자는 배 위에서 '우국 단심'을 다짐하고 있을 뿐, 왜적을 이기기 위한 구체적인 방안을 마련하거나 이를 실행할 것을 다짐하고 있지는 않다.

왜 오답일까 ① (가)의 화자는 주사(舟師)로 임명받아 배 위에서 적진을 바라보며 우국 단심을 잊지 않겠다고 다짐하고 있다. (나)의 화자는 탐관오리의 횡포로 굶어 죽는 백성들에 대한 연민과 애정을 바탕으로 현실을 바라보고 있다.

② (가)의 화자는 배를 만든 헌원씨와 왜로 동남동녀를 보낸 진시황 때문에 우리나라가 왜적에게 침략받았다고 생각하고 있다.

③ (나)의 ㉠에서 화자는 큰 기근, 겨울의 혹독한 추위와 전염병, 가혹한 착취로 수많은 백성이 죽었다고 밝히고 있다.

⑤ (나)의 마지막 문단에서 화자는 임금이 해와 달과 같이 백성의 사정을 잘 살피고 어진 정치를 베풀어 백성이 굶주리지 않기를 바라는 소망을 드러내고 있다.

09 〈보기〉의 '행채'는 '연잎'과 마찬가지로 '부평초'가 살아가기 어렵게 만드는 존재로, 백성을 수탈하는 지배층에 해당한다. (나)의 '임금님'은 선정을 베풀어 백성의 고통을 해소해 줄 수 있는 존재로, 〈보기〉에는 (나)의 '임금님'에 대응하는 대상이 나타나 있지 않다.

32 일야구도하기 216~217쪽

01 ③ 02 ④ 03 ③ 04 ② 05 ④ 06 ③

작품 해제 박지원이 청나라에 다녀온 경험을 쓴 『열하일기(熱河日記)』에 실려 있는 글로, 밤중에 강을 아홉 번 건넌 경험을 통해 깨달은 바를 기록한 기행 수필이다.

01 윗글은 글쓴이가 하룻밤에 강을 아홉 번 건넌 경험을 통해 얻은 깨달음을 전하는 기행 수필이다.

02 글쓴이는 강을 건넌 경험을 통해 외물에 현혹되지 않고 마음을 다스리는 일의 중요성을 깨닫게 된다. 글쓴이가 두려움과 걱정 없이 편안한 마음으로 강을 건널 수 있었던 것은 안전하게 강을 건너는 방법을 익혔기 때문이 아니라 보이는 것과 들리는 것에 신경 쓰지 않고 마음을 다스렸기 때문이다.

03 글쓴이는 눈과 귀를 통해 지각된 외물에 영향을 받지 않고 대상을 이성적으로 바라볼 때 대상의 정확한 본질을 파악할 수 있다는 깨달음을 전하고 있다. 어려움이 닥쳤을 때 긍정적이고 낙천적인 자세로 어려움을 극복하겠다는 반응은 윗글의 내용과는 어울리지 않는다.

04 글쓴이는 요동 벌판이 평평하고 드넓기 때문에 강물이 거세게 소리를 내지 않는다는 생각이 잘못되었음을 지적하고, 낮에는 눈에 보이는 위험에 신경을 써서 강물 소리를 듣지 못한 것임을 밝히고 있다.

05 ㉯(제 귀와 눈만 믿는 사람)는 현실을 왜곡해서 받아들이는 사람이 아니라 보고 듣는 외적인 것에 얽매여 대상의 본질을 제대로 파악하지 못하는 사람을 의미한다.

왜 오답일까 ①, ③ ㉮(마음을 차분히 다스린 사람)는 마음을 가라앉혀 외물에 휩쓸리지 않는 사람으로, 외물에 영향을 받지 않고 대상을 이성적으로 바라볼 때 대상의 정확한 본질을 파악할 수 있다는 깨달음을 얻은 글쓴이와 관련 있다.

② ㉯는 외물에 얽매여 대상의 본질을 제대로 파악하지 못하는 사람으로, 낮에는 눈에 보이는 위험에 너무 신경 써서 강물 소리를 듣지 못하고 밤에는 귀에 들리는 소리에 너무 신경 써서 두려움을 느끼는 사람과 관련 있다.

⑤ '제 귀와 눈의 총명함만 믿는 사람들'은 외물에 귀와 눈을 빼앗겨 대상의 본질을 제대로 파악하지 못하는 사람이므로, ㉯와 관련 있다.

06 ⓐ의 '달리다'는 '어떤 일이나 상태 따위가 무엇에 의존하다.'라는 의미이다. ③의 '달려' 역시 이와 같은 의미로 사용되었다.

왜 오답일까 ① '물건이 잇대어져 붙다.'의 의미로 사용되었다.

② '사람이 동행하게 되거나 곁에 있게 되다.'의 의미로 사용되었다.

④ '이름이나 제목 따위가 정해져 붙다.'의 의미로 사용되었다.

⑤ '글이나 말에 설명 따위가 덧붙거나 보태지다.'의 의미로 사용되었다.

33 통곡할 만한 자리 218~220쪽

01 ③ 02 ② 03 ④ 04 ⑤ 05 ④ 06 ④

작품 해제 박지원이 청나라 황제의 생일을 축하하는 사절단을 따라 북경으로 가는 도중 광활한 요동 벌판을 보고 쓴 기행문으로, 참신한 발상과 비유로 드넓은 평야를 통곡하기 좋은 곳이라고 말한 이유를 설명하고 있다.

01 글쓴이는 일반적인 통념을 깨뜨리는 독특한 발상을 중심으로 자신의 주장을 펼치고 있을 뿐, 역설적 상황을 제시하지는 않았다.

왜 오답일까 ① 한나라 때의 가의와 관련된 고사(故事)를 인용하여 정 진사의 이해를 돕고 있다.

② 인간의 칠정 중에서 오로지 슬픔만이 울음을 유발한다고 생각하는 보편적인 인식을 제시한 뒤, 이를 반박하여 칠정이 모두 울음을 자아낸다는 생각을 제시하고 있다.

④ '통곡 소리는 천지간에 우레와 같이 지극한 감정에서 터져 나오고, 터져 나온 소리는 사리에 절실할 것이니 웃음소리와 뭐가 다르겠는가?', '어찌 사람들이 놀라고 괴이하게 여기지 않을 수 있겠는가?' 등에서 설의적 표현을 통해 전달하고자 하는 바를 강조하고 있다.

⑤ '기쁨이 극에 달하면 울게 되고 ~ 욕심이 극에 달해도 울음이 날 만한 걸세.'에서 유사한 통사 구조를 반복하여 칠정이 모두 울음을 자아낸다는 생각을 강화하고 있다.

02 글쓴이는 울음은 모든 감정이 극에 달하면 나오는 것이라는 창의적인 발상을 보여 주고 있다. 울음에 대한 상식적이고 관습적인 생각을 지니고 있던 정 진사는 글쓴이와의 대화를 통해 울음에 대한 새로운 깨달음을 얻고 있다.

03 ㉣은 슬플 때에만 울음이 나온다는 통념에 젖어 슬픈 상황에서 억지로 울음을 만들어 내는 사례에 해당한다. 따라서 ㉣을 슬픈 감정이 극에 달해 나오는 진실한 울음의 사례로 보는 것은 적절하지 않다.

왜 오답일까 ② ㉡은 요동 벌판을 보고 '한바탕 통곡하기 좋은 곳'이라고 말하는 글쓴이의 생각을 이해하지 못한 정 진사의 질문으로, 울음이 슬픈 감정에서만 비롯되는 것이라는 보편적인 인식을 보여 주는 구절이다.

⑤ ㉤은 갓난아이가 기쁨과 즐거움에 감동하여 우는 것이라는 글쓴이의 창의적인 발상을 드러낸 구절로, 울음을 슬픔과만 관련지어 생각하는 일반적인 통념에서 벗어난 새로운 시각을 보여 주고 있다.

04 ⓐ는 작가가 넓은 요동 벌판을 보며 내뱉은 말이다. 이에 의문을 느낀 정 진사가 글쓴이에게 요동 벌판을 보고 '통곡하기 좋은 곳'이라고 말한 이유를 묻고 글쓴이는 대답을 통해 자신의 생각을 펼치고 있으므로, ⓐ는 정 진사의 의문을 불러일으켜 '울음'에 대한 글쓴이의 생각을 펼치는 계기로 작용한다고 볼 수 있다.

왜 오답일까 ① 실제와 반대되는 뜻을 지닌 표현은 사용되지 않았다.

② 글쓴이는 정 진사와 대화하면서 자신의 생각을 전할 뿐, 언쟁을 벌인 것이 아니다.

③ 광활한 벌판을 보며 느낀 감동을 말한 것으로, 깨달음에 대한 확신과 거리가 멀다.

④ ⓐ는 드넓은 요동 벌판을 마주한 글쓴이의 감격을 표현한 구절일 뿐, 이를 억눌린 감정을 표출한 것으로 보기는 어렵다.

05 글쓴이는 청나라 기행 중 드넓은 벌판과 마주하고 한바탕 통곡하기 좋은 곳이라고 말한다. 이때의 '울음'은 넓은 세상을 만났을 때 느끼는 감격과 기쁨을 드러낸 것으로, 글쓴이는 이러한 감정을 갓난아이가 태어났을 때의 울음을 통해 설명하고 있다. 따라서 '나'의 인식 과정 3단계 중 ⓓ의 '울음'은 세상에서 겪게 될 갈등에 대한 한탄에서 나오는 것이 아니라, 갑갑한 조선을 벗어나 청나라의 선진 문화를 새롭게 접한 기쁨을 비유한 것으로 이해하는 것이 적절하다.

왜 오답일까 ① 체험 과정 2단계는 글쓴이가 한바탕 통곡하고 싶은 감정을 느끼기 전이므로, ⓐ는 '나'가 드넓은 벌판을 보는 것이다.

② 드넓은 요동 벌판을 향해 가는 체험 과정 1단계는 아기가 넓은 곳으로 빠져나오는 과정으로 볼 수 있다. 여기서 '태중'은 청나라의 선진 문물을 배척하는 조선의 답답한 정황을 비유한 표현이다.

③ 〈보기 1〉에 따르면, 박지원은 『열하일기』를 통해 청나라의 선진 문화가 배척할 대상이 아니라고 주장함으로써 청나라에 대한 새로운 관점을 보여 주고자 했다. 따라서 '나'의 인식 과정 2단계에서 '넓은 곳'은 당시 청나라의 선진 문화를 의미한다고 볼 수 있다.

⑤ 체험 과정 3단계에서 글쓴이는 넓은 세상을 접한 감격과 기쁨에 한바탕 통곡하고 싶다는 반응을 보이고 있는데, 이는 슬픔만이 울음을 유발한다는 일반적인 통념과 다른 새로운 관점으로 볼 수 있다.

06 〈보기〉의 마지막 행 '경치가 긔졀ᄒᆞ다'는 경치가 매우 절묘하다는 의미로, 견문에 대한 감상을 드러낸 표현이다.

왜 오답일까 ① 윗글에는 '삼류하', '냉정', 〈보기〉에는 '디마도', '좌슈포' 등과 같이 화자가 이동한 경로가 제시되어 있다.

② 윗글은 글쓴이와 정 진사의 문답 형식을 통해 내용을 전개하고 있다. 반면 〈보기〉는 화자가 견문과 감상을 서술하고 있을 뿐 문답 형식은 나타나지 않는다.

③ 윗글은 갓난아이의 울음소리를 예로 들어 글쓴이가 말하고자 하는 바를 설득력 있게 전달하고 있다. 반면 〈보기〉에는 구체적인 예를 들어 설명한 부분이 나타나지 않는다.

⑤ 윗글에는 여정이 제시되어 있을 뿐 이동 과정에서 겪은 어려움은 언급되어 있지 않다. 반면 〈보기〉에는 배를 타고 이동하며 뱃멀미 때문에 고생하는 장면이 구체적으로 묘사되어 있다.

엮인 작품 더 알기

김인겸, 「일동장유가(日東壯遊歌)」 ▶해법문학 Link 고전 시가 250쪽

작품 해제 영조 39년 조엄이 일본 통신사로 갈 때 통신사를 보좌하여 여러 기록을 책임지는 임무를 맡은 작가가 약 11개월 동안의 여정과 견문을 기록한 장편 기행 가사이다. 일본의 문물제도와 인물 및 풍속, 외교 임무를 수행하는 과정과 이에 대한 느낌을 상세히 기록하고, 여기에 작가의 날카로운 비판과 해학을 곁들였다.

현대어 풀이 배 안을 돌아보니 사람마다 뱃멀미를 하고 똥물을 다 토하고 기절하여 죽을 지경이네. 다행이로다, 종사상은 태연히 앉아 계시는구나. 선실에 도로 들어와 눈 감고 누웠더니 대마도 가깝다고 사공이 말하거늘 다시 일어나 나와 보니 십 리는 남았구나. 왜선 십여 척이 우리 배를 인도할 배로 맞으러 나왔네. 그제야 돛을 치고 뱃머리에 줄을 매어 왜선에 던지니 왜놈이 그 줄을 받아 제 배에 매어 놓고 동시에 저으니 배가 편안하고 조용하게 좌수포에 들어가니 오후 6시 반에서 7시 반 사이가 되었고 짐을 실은 배는 먼저 왔네. 포구로 들어가며 좌우를 돌아보니 산봉우리들은 깎아지른 듯 서 있어 경치가 매우 절묘하구나.

34 규중칠우쟁론기 221~223쪽

01 ③ 02 ① 03 ③ 04 ⑤ 05 ⑤ 06 ① 07 ④ 08 ③

작품 해제 바느질을 하는 데 필요한 일곱 가지 사물을 의인화하여 자기 공을 내세우는 모습을 그린 작품으로, 자신의 처지를 망각하고 공치사만 일삼는 세태를 풍자하고 직분에 따른 성실한 삶을 추구해야 한다는 교훈을 전하고 있다.

01 윗글은 처음부터 끝까지 '부인네 방 가온데'에서 이야기가 진행되고 있으므로 공간적 배경의 변화는 나타나지 않는다.

왜 오답일까 ① '우화적 기법'이란 인격화한 동식물이나 기타 사물을 주인공으로 하여 그들의 행동을 통해 풍자와 교훈의 뜻을 나타내는 방법이다. 윗글은 바느질 도구를 의인화하여 공치사만 일삼는 현실을 풍자하고 직분에 따라 성실하게 살아야 한다는 교훈을 주고 있다는 점에서 우화적 기법이 사용되었다.

② 주로 등장인물 간의 대화를 통해 내용을 전개하고 있다.

④ 바느질 도구의 쓰임새나 생김새와 연관 지어 규중 칠우의 이름을 붙이고 있다.

⑤ 윗글은 전지적 작가 시점으로 서술되고 있다.

02 규중 칠우는 각자 자신의 공만 내세우며 다투고 있고, 부인은 규중 칠우보다 사람의 공이 크다고 말하고 있다. 이를 통해 글쓴이는 타인의 가치를 존중하지 않는 세태를 풍자하고 비판하려 했다고 볼 수 있다.

03 감토 할미는 다른 인물들의 자기 자랑을 말리면서 자신의 공로를 드러내고 있을 뿐, 인물 간의 다툼을 만류하고 있다고 보기는 어렵다.

왜 오답일까 ② 청홍 흑백 각시를 깎아내리며 자신의 공로를 강조하고 있다.

④, ⑤ 자신의 잘못을 인정하고 용서를 구하는 태도는 바람직하지만, 여러 사람이 함께 잘못한 상황에서 아첨을 통해 자신만 곤경에서 벗어나고자 한 모습은 비판의 대상이 될 수 있다.

04 '척 부인'은 자신이 바느질에서 맡는 역할의 중요성을 강조하며 스스로의 위상을 높이려 하고 있다.

왜 오답일까 ② "작의지공이 내 으뜸 되리라."라며 자신의 공을 자랑하려는 의도를 직접적으로 드러내고 있다.

05 〈보기〉에 따르면 내간 문학에는 당시 여성들의 인식 변화가 반영되어 있다. 윗글에서 의인화된 규중 칠우가 자신의 역할을 당당하게 내세우며 주장을 펼치는 모습은 가부장적 질서가 강했던 조선 시대의 분위기를 고려할 때 생소한 모습으로, 당시 여성들이 인식 변화를 보여 주는 것으로 이해할 수 있다.

왜 오답일까 ① 〈보기〉에는 내간 문학은 남성 위주의 사회에서 여성들이 겪는 삶의 애환을 드러낸다고 했으므로, 여성들이 남성 위주의 사회를 모방하려는 의식이 있었다고 보기는 어렵다.

② 규중 부인이 규중 칠우의 공을 인정하지 않은 것은 맞으나 옷을 만드는 자신의 공을 내세운다는 점을 볼 때, 윗글이 여성의 공을 인정하지 않는 남성 위주의 사회를 그려 냈다고 보기는 어렵다.

③ 윗글에서 규중 칠우가 명호를 얻는 모습은 바느질 도구가 여성과 친숙한 도구임을 강조하는 것일 뿐, 이것을 통해 여성들이 사회에 적극적으로 참여하게 되었다고 보기는 어렵다.

④ 규중 부인이 감토 할미를 높이 평가한 것은 감토 할미의 나이가 많기 때문이 아니라 감토 할미가 규중 부인에게 빠르게 사과의 말을 올렸기 때문이다.

기출 작품 딥러닝

정진권, 「손과 발의 일기」

작품 해제 손과 발을 의인화하여 두 대상의 입장에서 같은 날 쓴 일기를 대조하며 자신의 상황에 만족하지 못하고 타인을 부러워하는 태도와 타인의 역할과 가치를 알아주지 않는 세태를 풍자한 수필이다.

핵심 포인트 '손'과 '발'의 태도

손	발
• 온종일 쉬지 않고 움직임. • 발은 일하지 않는다고 생각함.	• 온종일 쉬지 않고 버팀. • 손을 떠받치는 것이 부당하다고 생각함.
• 햇볕에 탐. • 시원한 양말로 몸을 가리고 그늘 속에 있는 발을 부러워함.	• 구두 속에 갇혀 숨 막혀 함. • 시원하게 돌아다니는 손을 부러워함.

↓

• 상대방의 역할과 가치를 폄하함.
• 자신의 상황에 만족하지 못하고 상대방을 부러워함.

06 윗글은 신체 부위인 '손'과 '발'을 의인화하여 서로의 역할을 폄하하는 일기의 내용을 통해 타인의 가치를 알아주지 않는 세태를 풍자하고 있다.

왜 오답일까 ② '손'과 '발'의 긍정적인 속성을 드러내고 있지는 않다.

③ 의문형 문장을 반복하고는 있으나, 이는 글쓴이의 탐구 정신을 강조하기 위한 것이 아니라 '손'과 '발'이 지닌 불만을 강조하기 위한 것이다.

⑤ 일기 형식을 빌린 것은 맞으나, 신체 부위의 변화 과정을 기록하고 있지는 않다.

07 윗글의 '손'과 '발'은 서로의 입장을 고려하지 않고 자신의 고충에만 주목하여 서로를 부러워하고 있으므로, 상대방과 입장을 바꾸어 생각해 보라는 조언을 할 수 있다.

08 인간의 입장에서 사물의 장점 또는 단점을 거론하여 교훈적 의미를 제시하는 것은 ②, ③, ④이다. 이 중에서 ③은 남을 부러워하지 않고 자신의 처지에 만족하는 '나무'의 덕성을 통해 삶의 교훈을 전한다는 점에서 윗글과 주제가 유사하다.

왜 오답일까 ② 시련과 고난에도 굴하지 않는 보리의 생명력과 인내력을 예찬하고 있다.

④ 나무의 점잖음과 너그러움을 본받아야 함을 강조하고 있다.

35 동명일기 224~225쪽

01 ⑤ 02 ① 03 ④ 04 ② 05 ④

작품 해제 함흥 판관으로 부임하는 남편을 따라 명승고적을 유람하던 글쓴이가 동해 월출과 일출의 광경을 세밀하게 관찰하여 사실적으로 묘사한 기행 수필이다.

01 글쓴이는 자연 풍경을 세심히 관찰하며 아름다움에 감탄하고 있을 뿐 자연물에서 덕성을 찾거나 자신의 다짐을 드러내고 있지는 않다.

왜 오답일까 ① 월출과 일출의 모습을 관찰하여 자세히 묘사하고 있다.

② (나)에서 대화를 삽입하여 여정의 현장감을 살리고 있다.

③ '얼레빗 같은 잔등', '회오리밤' 등 순우리말을 사용하여 표현의 운치를 높이고 있다.

④ 시각적 이미지와 비유적 표현을 활용하여 자연 경관을 생생하게 묘사하고 글쓴이의 개성을 드러내고 있다.

02 (가)의 '사군이 세록지신으로 ~ 성주의 은혜 아닌 것이 있으리오.'에서 글쓴이는 남편이 계속해서 벼슬을 하는 상황과 그러한 남편 덕에 월출 장관을 보게 된 자신의 상황을 모두 임금의 은혜로 돌리며 유교적 가치관을 드러내고 있다. (다)에는 이러한 내용이 나타나지 않는다.

왜 오답일까 ② (가)와 (다) 모두 시간적 순서에 따라 월출과 일출의 과정을 묘사하고 있다.

③ (가)는 '달'을 '얼레빗 잔등'과 '쾌백반'에, (다)는 떠오르는 '해'를 '작은 회오리밤', '큰 쟁반', '수레바퀴'에 비유하고 있다.

④ (가)에는 '달'의 붉은 기운이 사라지고 흰빛으로 변해 가는 과정이 나타나 있다. 일출의 경관을 묘사한 (다)에서 '해'는 일관되게 붉은색을 지닌 대상으로 색채 변화가 나타나지 않는다.

⑤ (가)와 (다) 모두 해당하지 않는 설명이다.

03 기생들은 자신의 경험을 바탕으로 해돋이를 보려고 기다리는 글쓴이를 만류하고 있을 뿐, 글쓴이를 무시하고 있다고 보기는 어렵다.

04 (다)에서 떠오르는 해를 비유한 표현은 '작은 회오리밤', '큰 쟁반', '수레바퀴'이다. 해 주변의 붉은 기운을 비유한 표현은 '큰 실오라기 같은 줄', '손바닥 넓이', '숯불 빛', '백지 반 장 넓이', '항 같고 독 같은 것', '소의 혀'이다.

05 글쓴이는 여행을 통해 울적한 심사를 풀기를 기대하고 있을 뿐, 죽은 이를 완전히 잊을 수 있을 것이라고 기대하고 있는 것은 아니다.
왜 오답일까 ① 〈보기〉에서 남편인 원님에게 동명 보기를 허락받는 글쓴이의 모습에서 당시 규중의 여인이 먼 여행을 떠나려면 남편의 허락이 필요했음을 짐작할 수 있다.
② 〈보기〉의 '원님께 다시 동명 보기를 청하니', '거년에 비록 낭패하였으나'를 통해 알 수 있다.
⑤ 〈보기〉에서 남편인 원님은 처음에는 글쓴이의 부탁을 수락하지 않았으나 글쓴이가 재차 요청하자 동행을 허락하고 있다.

36 한중록 226~227쪽

01 ① 02 ③ 03 ⑤ 04 ③ 05 ⑤

작품 해제 사도 세자의 빈(嬪)이었던 혜경궁 홍씨가 쓴 회고록으로, 사도 세자의 비극적인 죽음과 이를 둘러싼 역사적 사실 및 자신의 기구한 운명을 서술한 궁정 수필이다.

01 윗글은 사도 세자의 아내인 혜경궁 홍씨가 사도 세자의 죽음을 중심으로 자신의 일생을 돌아보며 쓴 고전 수필로, 우아하고 품위 있는 문장과 왕실에서 쓰는 궁중 용어(동궁, 빈궁 등)가 나타나 있다.
왜 오답일까 ② 윗글에는 구체적인 독자가 명시되어 있지 않다.
④ 글쓴이의 슬프고 처절한 정서가 드러나 있어 중립적인 태도나 객관적인 묘사와는 거리가 멀다.
⑤ 서술자 '나'의 입장에서 과거의 사건을 기술하고 있다.

02 남편인 사도 세자가 뒤주에 갇혀 죽을 위기에 처한 것을 비통해하며 자결하려 하는 모습에서 '나'의 절망감과 비통함을 엿볼 수 있다.
왜 오답일까 ① '그날 큰 변이 날 줄 어이 알았으리오.'에서 '나'가 비극적인 일을 미처 예상하지 못했음을 알 수 있다.
② '나'는 영조에게 세자를 대처분할 것을 고한 선희궁의 결정을 옳다고 생각하지는 않으나 어쩔 수 없이 받아들이고 있다.
④ 세손은 자발적으로 휘령전으로 들어가 영조에게 아버지를 살려 달라고 간청하고 있다.
⑤ '나'는 경모궁에 대한 안타까움을 드러낼 뿐, 영조에게는 연민을 느끼지 않는다.

03 혜경궁 홍씨가 영조에게 글을 올린 것은 아들인 세손의 안전을 간청하기 위한 것이지, 남편의 폐위가 부당함을 호소하기 위해서가 아니다.

04 ㉢은 남편인 사도 세자가 폐위되어 죽을 위기에 처한 상황에서 남편을 따라 목숨을 끊고 싶은 '나'의 마음을 표현한 구절로, '나'가 스스로를 책망하고 있는 것은 아니다.
왜 오답일까 ① 자신의 아들인 경모궁을 대처분하여 국가의 종사를 평안히 하라는 선희궁의 말을 통해 선희궁이 국가의 일을 우선시하고 있음을 알 수 있다.

05 [A]와 〈보기〉 모두 사도 세자의 어머니([A]의 선희궁, 〈보기〉의 영빈)가 영조에게 아들을 대처분할 것을 이야기하고 있으므로 인물 간의 첨예한 갈등이 나타난다고 보기는 어렵다.
왜 오답일까 ①, ②, ③ 글쓴이가 자신의 실제 체험을 서술한 [A]와 달리, 영화 시나리오인 〈보기〉에서는 작가가 자신의 상상력을 가미하여 역사적 사실을 재구성하여 보여 주고 있다. 또한 이 과정에서 인물의 대사와 행동을 통해 사건을 현재화하여 표현하고 있다.
④ [A]에는 '내 겪은 일이 기구하고 흉독함을 서러워할 뿐이라.'와 같이 글쓴이의 주관적인 의견이 제시되어 있다.

37 춘향가 228~231쪽

01 ⑤ 02 ① 03 ② 04 ④ 05 ③ 06 ⑤ 07 ③ 08 ④
09 ③ 10 ③ 11 ②

작품 해제 퇴기의 딸 춘향과 양반 도령 이몽룡의 사랑을 다룬 판소리 사설로, 신분을 뛰어넘는 사랑을 다루면서도 이들의 사랑을 방해하는 변학도의 횡포에 맞서는 갈등의 서사 구조를 지니고 있어 이후 판소리계 소설과 신소설 등으로 다양하게 재창작되었다.

01 윗글은 판소리로, 사건을 요약적으로 제시해야 할 때는 아니리를 선택하고, 인물의 내면 심리와 감정을 표현해야 할 때는 다양한 속도의 창을 적절히 선택하여 표현 효과를 높이고 있다.
왜 오답일까 ① 인물의 독백이 아닌 사또에게 자신의 뜻을 정확히 밝히는 춘향의 말과 행동을 통해 절개를 지키겠다는 인물의 굳은 의지를 드러내고 있다.
② 윗글에는 세상 물정에 어두운 인물이 등장하지 않는다.
③ '기특다 칭찬하고 그만 내보냈으면 관청과 동네에 아무 일이 없어 좋을 것을'에서 서술자의 개입이 나타나는데 이는 앞으로 일어날 사건(이몽룡이 암행어사가 되어 출두함.)을 암시하고 있는 것이지 인물에 대한 색다른 견해를 제시한 것은 아니다.

02 ㉠에는 기생에게 정절이 가당치 않다는 신분 차별적 사고가 깔려 있다. 이것은 춘향을 위한 충고라기보다는 사또 자신의 탐욕을 채우고자 하는 의도로 하는 말이다.
왜 오답일까 ② ㉡에서 춘향은 유교적 가치관인 충과 절개가 다르지 않음을 강조하여 사또의 제안이 부당함을 밝히고 있다.

③ 대부인 수절과 기생의 자식인 자신의 수절이 다르지 않다는 춘향의 말(ⓒ)에서 평등 의식을 엿볼 수 있다.
④ ⓔ에서 숫자 일과 같은 발음으로 시작하는 단어인 '일편단심', '일시 일각'을 나열하여 해학적인 효과를 얻고 있다.
⑤ ⓜ에서는 매를 맞은 후 피가 나는 춘향의 다리를 묘사하여 독자의 동정심을 유발하고 있다.

03 사회에서 정한 신분 때문에 고난을 겪는 것은 ㉰(사또)가 아니라 ㉯(춘향)이다.
왜 오답일까 ④ ㉯는 기생도 충절을 지켜야 한다는 가치관을, ㉰는 기생에게는 충효와 정절이 필요 없다는 가치관을 지니고 있다.
⑤ ㉰는 사또라는 신분적 특권을 이용하여 ㉯에게 수청을 들 것을 강요하고 있다.

04 춘향은 '소녀가 무슨 죄요?', '삼생가약 변하리까.'와 같은 설의적 표현으로 자신의 억울함을 하소연하고, 이몽룡에 대한 마음을 꺾지 않으리라는 단호한 입장을 표명하고 있다.
왜 오답일까 ② 매를 한 대씩 맞을 때마다 맞은 횟수(일, 이, 삼, 사, 오)로 시작하는 단어를 나열하고 있지만, 이를 통해 고요한 마음으로 사물이나 현상을 관찰하거나 비추어 보는 관조적인 분위기를 드러내는 것은 아니다.
③ 사자성어를 활용하여 자신이 생각을 드러내고 변 사또를 비판하고 있을 뿐, 지배층 전체를 꾸짖는다고 보기는 어렵다.

05 춘향이 사유 재산을 축적했다는 근거는 윗글에서 찾을 수 없으며, 춘향을 기생의 딸로 설정한 것은 신분이 낮은 인물이라도 곧은 신념과 의지를 지닌다면 고귀한 신분을 쟁취할 수 있다는 극적인 설정과 연관 있다.

06 ⓔ에서 '보다'는 춘향을 바라보았다는 의미로, 정성을 기울여 보호하며 돕는다는 '보살피다'와는 의미가 다르다.

기출 작품 딥러닝

작자 미상, 「적벽가」 ▶해법문학 Link 고전 산문 286쪽

작품 해제 중국 소설 「삼국지연의(三國志演義)」를 차용한 판소리 사설로, 판소리 사설의 다섯 마당 중 하나이다. 조조가 백만 대군을 이끌고 오나라와 대치하여 싸우던 적벽 대전의 이야기를 판소리로 재창작했다.

전체 줄거리

발단	유비가 관우, 장비와 의형제를 맺고, 천하를 얻기 위해 삼고초려 끝에 제갈공명을 데려옴.
전개	조조가 백만 대군을 이끌고 남벌길에 오르고, 군사들은 제각각 자신의 설움을 늘어놓음.
위기	조조가 제갈공명의 지략에 당해 패하고, 이어서 장판교에서도 장비에게 패함.
절정	제갈공명은 손권과 주유의 마음을 움직여 조조와 적벽전을 벌여 크게 승리함. ⋯➝ 수록 부분
결말	조조는 화용도에서 관우에게 또다시 패한 후, 겨우 살아 돌아감. ⋯➝ 수록 부분

핵심 포인트 **새타령의 표현 방식과 그 효과**

새	울음소리	상징하는 의미
두견새	귀촉도 귀촉도	고향에 돌아가고 싶은 군사들의 심정을 보여 줌.
소쩍새	소텡 소텡	군량이 모자라 솥이 비고, 배고픔을 겪는 군사들
삐쭉새	입삐죽 입삐죽	대군을 잃은 조조를 비웃음.
꾀꼬리	꾀꼬리 수리루리루	도망갈 꾀를 짜내기에 분주한 조조를 희화화함.
까마귀	고리각 까옥	대로를 버리고 샛길로 도망가는 조조를 조롱함.
뻐꾸기	쑥국 쑥쑥국	병이 낫기를 바라는 군사들의 바람을 보여 줌.

⬇

새의 울음소리로 전쟁에 차출된 군사들의 심경과 조조에 대한 비판을 드러냄.

07 조조는 (가)에서 주변 인물인 정욱으로부터 조롱을 받고 있고, (바)에서 자신을 살려 달라고 관우에게 비는 장졸들에게 동조하고 있다. 따라서 조조가 장졸들에게 권위를 내세우고 있다고 보기 어렵다.

08 '까마귀'는 들판 대로로 가지 못하고 적에게 쫓겨 도망하는 조조의 처지를 상징하는 소재로, 이를 까마귀가 어미에게 먹이를 물어다 주어 보은한다는 데에서 유래한 말인 '효조'와 연결하는 해석은 적절하지 않다.

09 (가)에서는 어처구니없는 말과 행동을 하는 조조와 그를 한심하다는 듯 대하는 정욱의 모습이 드러날 뿐, 갈등의 해소는 나타나지 않는다. (라)는 조자룡이 등장하여 조조의 무리를 습격하고 있을 뿐, 인물 간의 갈등이 고조된다고 보기 어렵다.
왜 오답일까 ① (가)에서는 조조의 모습을 희극적으로 연출하여 골계미를 부각하고 있다.
②, ④ (가)는 조조와 정욱의 대화를 구체적으로 제시하기 때문에 사건 전개 속도가 느리지만, (라)는 서술자의 서술로 사건을 급박하게 전개하여 긴장감을 고조하고 있다.
⑤ (가)는 창을 하는 중간중간에 가락 없이 이야기하듯 엮어 나가는 사설인 아니리로 구연되는 부분으로, 산문적 표현에 가깝다. 이에 비해 (라)는 엇모리장단으로 구연되는 부분으로, 반복과 대구를 통해 리듬감을 부여하는 등 노래로 부르기에 적합한 요소를 가지고 있다.

10 ⓒ에서 조조는 전쟁에서 패배하여 도망가는 상황에서 적장을 비웃고 있다. 이후 조자룡을 만나 다시 위기에 처하는 모습으로 보아 이는 조조의 어리석음과 허세를 보여 주는 구절에 해당한다. ⓒ에 반어적 표현은 나타나 있지 않으며 ⓒ이 상황의 반전을 암시한다고 볼 수도 없다.
왜 오답일까 ⑤ ⓜ은 조조가 장졸들에게 하는 말이지만 실상은 관공에게 자비를 구하는 말이다. 따라서 장졸들에게 하는 말을 통해 조조가 자신의 바람을 간접적으로 관공에게 전달하고 있다고 볼 수 있다.

11 ⓐ에서 장졸들은 관공에게 조조를 살려 달라고 빌고 있다. '애걸복걸(哀乞伏乞)'은 소원 따위를 들어 달라고 애처롭게 사정하며 간절히 빎을 의미하는 말로, ⓐ의 상황을 나타내기에 적절하다.

왜 오답일까 ① 입신양명(立身揚名): 출세하여 이름을 세상에 떨침.
③ 전전긍긍(戰戰兢兢): 몹시 두려워서 벌벌 떨며 조심함.
④ 만시지탄(晩時之歎): 시기에 늦어 기회를 놓쳤음을 안타까워하는 탄식
⑤ 학수고대(鶴首苦待): 학의 목처럼 목을 길게 빼고 간절히 기다림.

38 흥보가 232~234쪽

01⑤ 02④ 03② 04① 05③ 06② 07③

작품 해제 조선 후기 판소리 다섯 마당 중 하나로, '박타령'이라고도 불린다. 형제 간의 우애와 인과응보에 따른 권선징악이라는 주제 의식을 해학적으로 그려 내고 있으며, 양반 계층이 몰락하고 신흥 부유층이 성장한 조선 후기의 시대상을 반영하고 있다.

01 윗글에는 진양조장단과 자진모리장단이 나타나 있다. 흥보 아내가 가난한 신세를 한탄하는 부분에서는 가장 느린 진양조장단을, 흥보가 박에서 나온 돈을 보며 기뻐하는 장면에서는 좀 더 빠른 박자의 자진모리장단을 활용하여 내용을 효과적으로 드러내고 있으며, 해학적인 표현을 통해 희극미를 드러내고 있어 전반적으로 우울한 분위기가 나타난다는 설명은 적절하지 않다.

왜 오답일까 ① 못된 형인 놀보와 착한 동생인 흥보의 선악 구도가 윗글의 중심축이다.
② '텁텁, 꼭꼬, 후닥닥, 퍽퍽' 등의 음성 상징어를 사용하고 있다.
③ 윗글에서 흥보는 제비가 물어다 준 박씨로 인해 부자가 된다. 이는 비현실적인 요소이다.
④ 서술자는 '놀보 놈의 거동 봐라.', '놀보 기집이라도 후해서 전곡간에 주었으면 좋으련마는' 등에서 사건에 대한 자신의 생각을 덧붙이고 있다.

02 ㉣은 극심한 가난에서 벗어날 수 없는 자신의 신세를 한탄하는 구절로, 흥보의 아내가 가난을 자신의 탓으로 돌리고 있다고 볼 수는 없다. ㉣의 앞부분인 '잘살고 못살기는 묘 쓰기으 ~ 명과 수복을 점지허는 거나?'에서 흥보의 아내는 가난을 운명의 탓으로 돌리고 있다.

왜 오답일까 ② ㉡에서는 '아주벰(아주버니의 방언)'의 '벰'과 '도마 뱀'의 '뱀'의 발음이 유사하다는 것을 활용한 언어유희가 나타난다.

03 '생살지권을 가진 돈'이란 화폐의 영향력이 커지고 물질적인 가치관이 팽배해지던 당시 사회의 모습이 나타난 구절이다. 끼니조차 잇기 어려운 형편의 흥보는 박에서 나온 돈을 보고 기뻐하고 있으므로, 흥보가 물질적 가치를 좇는 세태를 경계하고 있다고 보기는 어렵다.

04 흥보와 그 아내가 밤낮으로 돈을 벌며 노력하는 모습에서 가족을 소중히 여기는 면모와 성실한 태도를 엿볼 수 있다. 하지만 이들이 부정적 현실에 맞서 싸우려는 저항감을 지니고 있다고 보기는 어렵다.

왜 오답일까 ② 흥보는 아내에게 놀보 부부가 전곡을 많이 주었으나 도둑맞아 잃어버렸다고 거짓말하며 형님 내외를 옹호하고 있다.
③ 흥보는 많은 재물을 얻은 후 이를 다른 이들과 나누려 하는 윤리적인 인물인데 반해 놀보는 곡식을 빌려 달라는 동생의 부탁을 거절하며 자신의 가축들만 배불리는, 이윤과 축재를 중시하는 이해타산적인 인물이다.
④ 형수에게 뺨을 맞은 흥보의 심리를 '형님한테 맞던 것은 여반장이오, ~ 땅이 툭 꺼지난 듯'이라고 표현한 것으로 보아 놀보보다 형수에게 받은 수모가 더욱 충격적이었음을 짐작할 수 있다.

05 [A]에서는 흥보의 아내가 가장 느린 장단인 진양조에 맞추어 자신의 가난한 처지를 한탄하고 있으므로 해학성이 드러난다고 보기 어렵다.

왜 오답일까 ① [A]의 '가난이야, 가난이야, 원수년으 가난이야.'와 [B]의 '얼씨고나 좋을씨고, 얼씨고나 좋을씨고'에서 4·4조의 반복을 통해 리듬감을 형성하고 있다.
② [A]는 진양조장단에 맞춘 노래(창)로 가난을 한탄하는 흥보 아내의 심리를, [B]는 자진모리장단에 맞춘 노래(창)로 돈을 보고 기뻐하는 흥보의 심리를 드러내고 있다.
④ [A]의 '매였는가?, 점지허는 거나?, 웬일이냐?', [B]의 '이제 오느냐?, 어디 가 있느냐?'에서 의문형 어구를 사용하여 인물의 정서를 강조하고 있다.
⑤ [A]에서는 '원수년, 이년', [B]에서는 '이놈'과 같은 비속어가 나타나며, [A]와 [B] 모두 일상적이고 생생한 구어와 비속어를 사용하여 인물의 상황을 사실적으로 제시하고 있다.

06 '궤'는 제비가 보은의 의미로 흥보에게 물어다 준 박에서 나온 것으로 흥보 가족의 문제인 가난을 해결해 준다. 이로 인해 흥보는 부자가 되고, 이를 흉내 내다 혼쭐이 난 놀보는 도리어 집이 망하면서 두 사람의 상황은 역전된다. 그러나 결국 흥보와 놀보는 서로 화해하게 되므로 '궤'가 갈등의 발단이 된다는 이해는 적절하지 않다.

07 〈보기 1〉에 따르면, 다양한 계층이 함께 향유한 판소리에는 서민과 양반의 언어가 혼재되어 나타난다. 판소리의 특징이 남아 있는 〈보기 2〉에는 '양주', '용정' 등의 한자어와 '품', '우리' 등의 고유어가 함께 사용되고 있다.

왜 오답일까 ① 판소리가 서민들의 생활상을 그려 냈다는 〈보기 1〉의 내용으로 보아, 〈보기 2〉에 나타난 다양한 품 팔기 내용은 조선 후기 서민들의 삶을 소재로 한 것임을 알 수 있다.

② 〈보기 2〉에서는 4음보의 반복이 나타나는데, 이는 노래로 공연되었던 판소리의 영향을 받은 것으로 볼 수 있다.
④ 판소리 공연의 창자는 짧은 문장이 반복되는 〈보기 2〉를 빠른 장단에 맞추어 노래했을 것으로 짐작할 수 있다.
⑤ 판소리의 공연 상황에 따라 특정 장면을 축소·확장했다는 〈보기 1〉의 내용으로 보아, 상황에 따라 〈보기 2〉에 열거된 다양한 품 팔기 내용을 줄이거나 추가했을 것으로 짐작할 수 있다.

39 봉산 탈춤 235~237쪽

01 ⑤ 02 ⑤ 03 ③ 04 ① 05 ① 06 ⑤ 07 ②

작품 해제 황해도 봉산 지방에서 전승되던 가면극으로, 해학적이고 익살스러운 대사를 통해 양반의 무지와 허세를 비판하고 평민 의식의 성장을 보여 주고 있다.

01 윗글에 제시된 부분은 제6과장 양반춤으로, 서민인 말뚝이가 어리석고 무능한 양반을 조롱하고 희화화하고 있다. 따라서 말뚝이의 모습을 통해 억압받는 서민의 생활상을 보여 준다는 설명은 적절하지 않다.

02 양반들이 말뚝이의 변명에 쉽게 태도를 바꾸는 것은 어리석은 양반들의 모습을 풍자하려는 것으로, 윗글에 양반들이 서민들과 화합하려 하는 의지는 드러나지 않는다.

03 윗글에서 비판의 대상이 되는 어리석은 인물은 양반들이며, 말뚝이는 양반을 비판하는 역할을 하는 인물이다.
왜 오답일까 ① 말뚝이와 양반의 신분 차이가 드러나므로 이와 같은 모습이 잘 드러나는 복장을 준비하는 것이 적절하다.
② '여보, 구경하시는 양반들, 말씀 좀 들어 보시오.'처럼 관객에게 말을 건넴으로써 관객을 극에 참여시키고 있다.
④ 양반들이 말뚝이의 변명에 안심하여 다 같이 춤을 추는 부분에서는 갈등이 일시적으로 해소되고 흥겨운 분위기가 고조되고 있으므로, 음악을 신나게 연주하는 것이 어울린다.
⑤ '여보, 악공들 ~ 바가지장단 좀 쳐 주오.'에서 말뚝이는 악공들에게 양반의 권위를 무시하는 말을 건네며 양반들의 화를 돋우고 있으므로, 악공들의 위치 역시 객석에서 잘 볼 수 있는 곳에 배정하는 것이 좋다.

04 ㉠은 양반을 낮잡는 표현인 '샌님'을 사용하여 양반다운 위엄을 가진 자를 찾아볼 수 없는 현실을 드러내고 있다.
왜 오답일까 ② 취발이의 날램을 비호에 빗대어 그가 돈을 많이 벌어 힘을 키운 신흥 상인 계층임을 암시하고 있다.
③ 양반의 코앞에 취발이의 엉덩이를 내밀게 한 것은 양반을 조롱하는 행동으로, 이를 통해 관객의 웃음을 유발하고 있다.
④ '모가지를 뽑아서 밑구녕에다 갖다 박아라.'는 양반의 체면에 맞지 않는 거친 언행으로, 양반을 풍자하는 효과가 있다.
⑤ ㉤은 죄를 지은 취발이를 잡아 가두지 말고 취발이에게 돈을 받고 풀어 주자는 제안으로, '시대가 금전이면 그만인데'라는 말과 함께 당시의 부패한 사회를 풍자하고 있다.

05 '노새 원님'은 '노생원님'을 비꼬아 표현한 것으로, 발음의 유사성을 활용한 언어유희이다. ①의 '매아미'와 '맵다', '쓰르라미'와 '쓰다'도 발음의 유사성을 활용한 언어유희이다.
왜 오답일까 ② 말의 앞뒤 순서를 뒤바꾼 언어유희에 해당한다.
③ 동일한 음절을 반복한 언어유희에 해당한다.
④ 동음이의어를 활용한 언어유희에 해당한다.
⑤ 점점 멀어져 가는 대상의 모습을 점강적으로 표현하고 있다.

06 '전령'은 양반의 권위를 상징하는 것으로, 양반들은 이것을 말뚝이에게 위임하여 취발이를 제압하여 잡아 오도록 하고 있다.

07 윗글의 '양반들'은 양반으로서의 체통이나 권위를 상실하고 말뚝이에게 조롱과 놀림의 대상이 되고 있다. 〈보기〉에서 '남산골 샌님들'로 대표되는 '양반'은 고지식하지만 지조가 있고 청렴 개결한 삶을 사는 사람들이므로 ②와 같은 내용으로 윗글의 '양반들'을 비판할 것으로 예상할 수 있다.

엮인 작품 더 알기

이희승, 「딸깍발이」
작품 해제 옛 선비의 의기와 강직한 삶의 태도를 통해 사라져 가는 선비 정신을 계승해야 함을 전하는 현대 수필이다. '딸깍발이'란 일상적으로 신을 신발이 없어 맑은 날에도 나막신을 신는다는 의미로, 가난한 선비를 낮잡아 이르는 말이다. 이 작품은 '딸깍발이'로 불리던 남산골 선비들의 청렴하고 결백한 생활과 지조를 생생하게 보여 주고 있다.

40 하회 별신굿 탈놀이 238~239쪽

01 ⑤ 02 ⑤ 03 ③ 04 ② 05 ⑤

작품 해제 경상북도 안동 하회 마을에서 서민들이 연행한 전통 가면극으로, 마을 굿의 일종인 별신굿을 거행할 때 공연되었다. 외설적인 언어와 재담을 통해 양반 계층의 이중성을 풍자하고 있다.

01 윗글은 엉뚱한 말놀이를 하는 양반과 선비의 모습, 이들을 풍자하는 초랭이의 말을 통해 지배층의 이중성을 풍자하고 있다. 이때 양반과 선비는 갈등의 당사자이고, 초랭이는 양반과 선비의 싸움을 부추기는 인물이므로 윗글에 갈등을 중재하는 인물이 나타난다고 보기 어렵다.

왜 오답일까 ① 상쇠의 가락에 맞춰 양반, 선비, 부네, 초랭이가 어울려 춤을 추는 장면이나 가문과 학식의 우열을 두고 다투던 양반과 선비가 춤이나 추자며 다툼을 멈추는 장면에서 인물들이 춤을 통해 일시적으로 갈등을 해소하고 서로 어우러져 흥겨운 분위기를 조성하고 있다.

② 양반과 선비의 재담에서 '문하시중, 문상시대', '사서삼경, 팔서육경'이라는 언어유희를 사용하여 웃음을 유발하고 있다.

③ '문하시중', '사서삼경', '지체' 등의 한자어와 '할뱀', '꼬라지' 같은 일상어와 비속어가 뒤섞여서 사용되고 있다.

④ 상쇠의 가락, 고수의 장단 등은 탈놀이의 분위기를 형성하는 음악적 요소이다.

02 ⓜ에서 선비는 초랭이가 엉터리로 나열한 육경을 근거로 삼아 양반을 무시함으로써 자신의 낮은 학식과 무지함을 스스로 폭로하고 있다.

왜 오답일까 ① ㉠의 뒤에 이어지는 '우리 할뱀은 바로 문상시대인걸.'을 볼 때, 선비가 양반의 지위에 위압감을 느끼고 있다고 보기 어렵다.

② 양반은 자신의 할아버지가 문하시중보다 높은 문상시중을 지냈다는 선비의 말을 인정하며 지체만 높으면 제일이냐고 반박하고 있으므로, 양반이 선비의 재치 있는 생각에 감탄하고 있다거나 이를 반어적으로 드러내고 있다고 볼 수 없다.

③ ㉢에서 양반은 선비가 말한 팔서육경이 무엇인지에 대한 의문을 드러낼 뿐 상대에 대한 반발심을 느끼고 있는 것은 아니다.

④ 초랭이는 언어유희를 활용하여 육경을 엉터리로 나열하며 무식한 양반과 선비를 조롱하고 있을 뿐, 자신의 학식이 우월함을 표현하고자 한 것이 아니다.

03 ⓐ에서 선비는 '사서삼경(四書三經)'을 다 읽었다는 양반의 말에 자신은 그 배수인 '팔서육경(八書六經)'을 다 읽었다고 응수하고 있다. ③에서도 열녀(烈女)의 '열'과 숫자 '열'이 발음이 같다는 점과 '백'이 숫자 '열'의 배수라는 점을 활용하여 '열녀도 더 되고 백녀'라고 표현하고 있으므로, ⓐ와 발상 및 표현이 유사하다고 볼 수 있다.

왜 오답일까 ① '말'과 '이'의 순서를 뒤바꾼 언어유희이다.

② '신 것'과 '시건방지다'의 발음이 유사한 점을 활용한 언어유희이다.

④ 동음이의어를 활용한 언어유희이다.

⑤ 비속어를 사용하여 해학성을 드러낸 표현이다.

04 고수가 육경의 한 소절마다 장단을 치는 것은 초랭이가 말하는 대사의 운율감을 살리고 관객의 주의를 집중하기 위해서이다. 육경을 엉터리로 나열하는 초랭이의 말은 양반과 선비의 낮은 학식을 드러내어 양반과 선비를 희화화하는 역할을 한다.

05 [A]에서 부네와 양반이 어울려 추는 춤은 선비의 분노를 유발하여 갈등을 심화하는 역할을 하므로, 부네와 양반의 춤이 극의 내용과 무관하다는 ⑤의 내용은 적절하지 않다.

왜 오답일까 ① '선비는 관객석에서 누군가를 찾기 시작한다.', '관객 속에서 열심히 무언가를 찾던 선비' 등을 통해 탈놀이에서 무대와 관객석 사이에 뚜렷한 경계를 두지 않으며 사건의 자연스러운 전개를 위해 관객석도 적극적으로 활용한다는 점을 알 수 있다.

41 꼭두각시놀음 240~241쪽

01 ② 02 ⑤ 03 ④ 04 ⑤ 05 ③

작품 해제 유랑 예인 집단인 남사당패가 공연한 이 전통극은 현전하는 유일한 민속 인형극으로, 주인공 박첨지 일가의 파탄과 구원이라는 줄거리를 통해 가부장제 사회의 모순을 비판한 작품이다. 전체 2마당 8막으로 이루어져 있으며 조선 후기의 사회상과 민중의 언어 및 정서가 잘 반영되어 있다.

01 산받이는 박첨지에게 평양 감사의 우스꽝스러운 죽음을 전해 들었으며, 상여가 나온 후에는 상여의 주인도 모른 채 곡을 하는 박첨지에게 상여의 주인이 평안 감사임을 알려 주고 있으므로, ②는 윗글의 내용과 일치하지 않는다.

02 <보기>에 따르면 윗글은 서민층을 대상으로 연행되었던 인형극이다. 윗글에 어려운 한자어나 관념적인 어휘가 나타나지 않고 서민들이 쓰는 쉬운 일상어와 비속어가 주로 나타난 것은 이러한 특징과 관련지어 생각할 수 있다.

왜 오답일까 ① <보기>와 윗글의 내용만으로, 음악을 통해 장면을 전환했는지는 파악할 수 없다.

② <보기>에 따르면 윗글은 인형 조종사가 몸을 감추고 인형을 조종하여 극을 진행했으므로, 관객들은 인형의 대사와 몸짓을 통해 극의 내용을 파악했을 것이다.

③ <보기>에서 관객들은 등장인물과 수시로 대화를 나누었다고 제시하고 있으므로, 관객이 극에 적극적으로 참여하기 어려웠다는 내용은 적절하지 않다.

④ <보기>에 따르면 윗글은 지배 계층의 횡포를 풍자함으로써 서민들의 억눌린 감정을 해소해 주었다. 평양 감사는 박첨지에게 상금을 주기는커녕 계속해서 부당한 요구를 하고 있으므로 박첨지가 보상을 받음으로써 서민들의 억눌린 감정을 해소해 주었다는 내용은 적절하지 않다.

03 ㉣은 평안 감사의 죽음의 원인을 설명한 부분으로, 탐관오리인 평양 감사가 우스꽝스러운 죽음을 당한다는 설정을 통해 지배 계층을 풍자하고 있다. 따라서 등장인물의 상황을 해학적으로 제시하여 연민을 불러일으킨다는 반응은 적절하지 않다.

왜 오답일까 ① ㉠은 동일한 음절을 활용한 언어유희로, 언어적 표현으로 웃음을 유발한다는 점에서 위트에도 해당한다.
② ㉡에서 뒤통수부터 나오는 홍동지의 행동은 일반적인 행동과 반대되는 것으로, 웃음을 유발하고 있다.
③ ㉢에서 홍동지는 뒤돌아 있다가 앞으로 돌면서 어쩐지 앞이 깜깜하더라고 말하는 언어적 표현을 통해 웃음을 유발하고 있다.
⑤ ㉤에서 상여의 주인을 착각한 채 우는 박첨지의 행동은 청중의 습관적 기대를 깨 버리는 모습으로 해학적 효과를 불러일으킨다.

04 산받이는 박첨지, 홍동지와 대화를 나누며 박첨지와 홍동지가 평안 감사를 찾아가도록 하고 있다. 또한 박첨지에게 상여의 주인이 누구인지 알려 주는 등 극 중 사건을 이끌어 가는 역할을 하고 있다.

05 [A]에서 평안 감사는 꿩 사냥에 정신이 팔려 박첨지에게 계속 부당한 요구를 하고 있다. '가렴주구(苛斂誅求)'는 '세금을 가혹하게 거두어들이고, 무리하게 재물을 빼앗음.'을 뜻하므로, [A]를 표현하기에 가장 적절하다.
왜 오답일까 ① 토사구팽(兎死狗烹): 토끼가 죽으면 토끼를 잡던 사냥개도 필요 없게 되어 주인에게 삶아 먹히게 된다는 뜻으로, 필요할 때는 쓰고 필요 없을 때는 야박하게 버리는 경우를 이르는 말
② 사필귀정(事必歸正): 모든 일은 반드시 바른길로 돌아감.
④ 호가호위(狐假虎威): 남의 권세를 빌려 위세를 부림.
⑤ 호사유피(虎死留皮): 호랑이는 죽어서 가죽을 남긴다는 뜻으로, 사람은 죽어서 명예를 남겨야 함을 이르는 말

42 바리데기 신화 242~243쪽

01 ③ 02 ④ 03 ⑤ 04 ④ 05 석가세존은 버림받은 바리공주를 구해 주었고, 부모의 약을 구하러 가는 바리공주가 큰 바다를 건널 수 있도록 나화를 주었다.

작품 해제 죽은 사람의 혼령을 천도하는 오구굿에서 구연되던 서사 무가로, 부모에게 버림받은 바리공주가 병든 부모를 위해 온갖 고난을 이겨 내고 무조신(巫祖神)이 된 이야기를 그려 내고 있다.

01 바리공주가 자신을 '국왕의 세자'라고 밝히자 석가세존은 과거에 자신이 그녀를 구해 주었던 사실을 언급하고 있다. 이를 통해 석가세존이 이미 바리공주의 정체를 알고 있었음을 확인할 수 있다.
왜 오답일까 ① '사승포 고의적삼 ~ 바지 끈에 매이시고'에서 바리공주가 남자로 변장한 후 약을 구하러 나섰다는 것을 알 수 있다.
② '험로 삼천 리를 어찌 가려느냐?'라는 석가세존의 말에서 석가세존이 바리공주가 겪을 일을 걱정하고 있음이 드러난다.
④ '궐문 밖을 내달으니, 갈 바를 알지 못할러라.'에서 약이 있는 곳을 몰라 막막함을 느끼는 바리공주의 심정을 알 수 있다.
⑤ 바리공주는 약을 찾으러 가는 길에 우연히 석가세존이 있는 장소에 들어가게 된다.

02 ㉣에서 석가세존은 인간이 올 수 없는 곳에 바리공주가 들어온 것에 놀라 그 경위를 묻고 있는 것이지 자신을 찾아온 이유를 묻고 있는 것이 아니다.

03 [E]에는 바리공주와 석가세존의 대화가 나타나 있는데, 이를 통해 바리공주가 길을 떠나게 된 이유, 과거에 석가세존이 바리공주를 구해 주었다는 사실 등이 드러난다. 그러나 두 사람이 갈등을 보이지는 않으므로 ⑤는 적절하지 않다.
왜 오답일까 ① [A]에서는 고의적삼, 두루마기, 쌍상토(쌍상투), 패래이(패랭이), 무쇠 주랑(지팡이) 등을 열거하여 남장한 뒤 떠나려는 바리공주의 모습을 보여 주고 있다.
② [B]는 윗글의 구비 문학적 성격을 보여 주는 부분으로, 서술자가 작품에 직접 개입하여 '우여! 슬프다.'와 같이 정서를 표현하고 있다.
③ [C]에서는 주랑을 휘둘러 짚을 때마다 천 리를 가는 바리공주의 행위를 반복하여 공주의 신이한 능력을 강조하고 있다.
④ [D]에서는 시각적 이미지, 후각적 이미지, 청각적 이미지를 활용하여 봄날의 풍경을 감각적으로 드러내고 있다.

04 윗글에서 바리공주는 지팡이를 한 번 휘둘러 짚을 때마다 천 리를 가는 비범한 능력을 지닌 존재로, 바리공주가 이러한 능력을 고단한 여정 중에 획득한 것은 아니다. 〈보기〉에는 바리공주의 비범한 능력이 나타나 있지 않다.
왜 오답일까 ③ 윗글에서는 부모를 살리기 위해 약려수를 구하러 떠나는 모습에서 바리공주의 의지를 엿볼 수 있다. 〈보기〉에서 역시 '만 리 길을 달려갈 채비를 한다.', '끝까지 살과 뼈로 살아 있다.'에서 약려수를 찾아 고난과 시련의 길을 떠나려 하는 바리공주의 의지를 엿볼 수 있다.

엮인 작품 더 알기
강은교, 「바리데기의 여행 노래-3곡·사랑」
작품 해제 「바리데기 신화」의 내용을 소재로 한 현대 연작시로, 부모에게 버림받은 바리공주가 삶의 허무를 극복하고 끝내 자기 존재의 완성을 이루는 모습을 담아내고 있다. 〈보기〉에 제시된 부분은 결혼과 출산의 통과 의례를 거친 바리공주가 약려수를 얻어 이승의 부모에게 가기까지의 심리적 갈등과 의지를 그려 내고 있다.

05 '너의 잔명을 구해 주었거든'에서 석가세존이 버림받은 바리공주를 구해 주었음을 알 수 있으며, '나화를 줄 것이니 ~ 대해가 육지가 되나니라.'에서 약려수를 구하는 바리공주의 여정에 도움이 되는 나화를 주었음을 알 수 있다.

1회

246~251쪽

01 ① 02 ③ 03 ⑤ 04 ⑤ 05 ③ 06 ① 07 ③ 08 ②
09 ⑤ 10 ④ 11 ② 12 ①

작품 딥러닝 [01~04]

㉮ 작자 미상, 「상저가」 ▶해법문학 Link 고전 시가 87쪽

작품 해제 현재 전해지는 고려 가요 중 유일한 노동요로, 두 사람 이상이 절구질을 하며 곡식을 찧을 때 부른 노래이다. 한 사람이 메기면 다른 사람이 '히얘', '히야해'를 후렴구로 받는 노동요의 전형적인 형태를 보여 주며, 내용 면에서는 부모에 대한 효를 노래하고 있어 유교적 성격을 띠고 있다.

핵심 포인트 **운율 형성 방법과 그 효과**

운율 형성 방법		효과
• 음성 상징어(듥긔동)의 활용 • 여음구(히얘, 히야해)의 반복	➡	• 흥을 돋움. • 노동의 능률을 높임.

현대어 풀이 덜커덩 방아나 찧어 / 거친 밥이나 지어서
아버님 어머님께 드리옵고 / 남거든 내가 먹으리.

㉯ 이황, 「상저가」

작품 해제 '방아 찧기'라는 소재를 빌어 치국안민(治國安民)부터 부모 공양에 이르기까지 신분과 직분에 따라 저마다 마땅히 해야 할 일을 노래한 교훈적 가사이다. 본사에서 '~은(는) ~의 홀 일이오'라는 구절을 반복하여 사람마다 지켜야 할 직분을 대구적으로 열거하고 있다.

핵심 포인트 **「상저가」의 시상 전개 방식**

서사		본사		결사
방아 노래를 부를 것을 알림.	➡	• 농사를 짓게 된 유래 • 방아로 찧은 곡식을 나누어 먹으며, 각자의 직분을 다할 것을 권유함.	➡	부모 공양의 권유

현대어 풀이 어와, 계장님네 이 방아를 찧겠노라.
이 방아 찧을 때 내가 방아 노래를 부르마.
태고 적에는 혼돈스러워 곡식이 없었으나
고대에 신농씨가 시험하여 쟁기와 따비와 같은 농기구를 만든 후에
순임금을 섬겨 농사를 관리한 후직씨가 땅을 보고 논밭을 구별하니
논밭이 생겨났으니 곡식인들 아니 나겠느냐?
곡식이 비록 난다 한들 찧어 아니 먹겠느냐?
깊은 산에 돋은 나무를 도끼로 베어 내어
방아를 찧을 수 있는 돌(방아확)을 앉히고, 공이 맞추어 걸어 내니 방아로다.
〈중략〉
이 밥을 지어 내니 먹을 사람이 많기도 많다.
깊은 궁궐에 있는 우리 임금님 생각한 후에
온 나라 백성들 중 (밥을) 아니 먹을 이 있겠는가.
먹고 놀겠느냐? 할 일이 다 있으니
나라를 다스리고 백성을 평안하게 하는 것은 임금의 할 일이오.
음양을 잘 다스리는 것은 재상의 할 일이오.
왕명을 받아 교화를 잘 펴는 것은 각 도의 으뜸 벼슬인 방백의 할 일이오.
임금의 허물을 임금 앞에서 거리낌 없이 이야기하는 것은 대간의 할 일이오.
적의 침입을 막는 것은 장수의 할 일이오.
농사를 권하고 학문을 흥하게 하는 것은 수령의 할 일이오.
집에서는 부모에게 효도하고 밖에서는 어른을 공경하는 것은 선비의 할 일이오.
사람의 본분을 다하고 농사에 힘쓰는 것은 백성의 할 일이오.
길쌈하고 음식을 차리는 것은 부녀의 할 일이오.
임금을 가까이 모시고 상관을 위해 죽는 것은 군사의 할 일이라.
우리도 이 방아를 찧어 내어 부모를 공양하리라.

01 (가)에서는 행마다 '히얘', '히야해'라는 여음구를 반복하여, (나)에서는 'ᄒᆞᆯ 일이오'라는 시구를 반복하여 리듬감을 형성하고 있다.
왜 오답일까 ② (가)와 (나) 모두 두 대상을 비교하는 내용은 나타나지 않는다.
③ (나)에는 '-ㄹ소냐'라는 의문형 어미를 반복하여 내용을 강조한 설의법이 사용되었지만, (가)에는 설의법이 사용되지 않았다.
④ (나)는 화자가 '계장님ᄂᆡ'라고 청자를 부르며 방아 노래를 통해 각자의 직분을 나열한다는 점에서 깨우침을 준다고 볼 수 있지만, (가)는 화자의 독백으로 시상을 전개하고 있다.
⑤ (가)에는 방아 찧는 소리를 표현한 의성어인 '듥긔동'이 나타나지만, (나)에는 음성 상징어가 나타나 있지 않다.

02 [C]에서 화자는 임금의 선정과 헤아림으로 굶는 이 없이 모든 백성이 밥을 나누어 먹는 상황을 표현하고 있다. 이를 풍류를 즐기는 모습으로 이해하는 것은 적절하지 않다.

03 '게우즌 바비나'는 '거친 밥이나'라는 의미로, 백성의 소박한 삶의 모습을 나타내고 있을 뿐 백성에게 농사를 장려하려는 의도가 담겨 있다고 보기는 어렵다. (나)의 '장기 찌부' 역시 농사의 내력을 설명하기 위해 동원된 소재일 뿐 백성에게 농사를 장려하려는 의도가 담겨 있다고 보기는 어렵다.
왜 오답일까 ①, ② 〈보기〉에 따르면 노동요인 (가)는 일할 때의 동작에 맞추어 선후창으로 불렸을 것이다. 즉, 한 사람이 '듥긔동 방해나 디허' 하고 선창하면 다른 사람이 '히얘' 하고 후창했을 것으로 추측할 수 있다. 또한 후렴구에 나타난 '히얘', '히야해'와 같은 감탄사는 일하는 이의 기운을 북돋워 노동의 능률을 높이려는 기능과 밀접히 연관되어 있다.
③ (나)의 화자는 서사에서 '방하 노래 내 부르마'와 같이 방아 노래를 부를 것을 알린 뒤, 본사에서 '치국안민은 성상의 ᄒᆞᆯ 일이오 ~ 친상사장은 군사의 ᄒᆞᆯ 일이라'라며 다양한 유교적 도리를 전달하고 있다.
④ (가)의 '아바님 어마님ᄭᅴ 받좁고'는 효의 가치를 반영한 구절이다. (나)에서도 '부모 공양ᄒᆞ리라'라는 구절을 통해 효를 다할 것을 강조하고 있다.

04 ㉠의 '밥'은 비록 거칠지만 부모를 공양하기 위해 정성껏 준비하는 것이므로, 부모를 향한 자식의 사랑과 정성이 담겨 있다고 볼 수 있다. ㉡의 '밥'은 임금의 헤아림 덕택에 모든 백성이 먹게 된 것이므로, 백성을 위한 임금의 마음이 담겨 있다고 볼 수 있다.

작품 딥러닝 [05~09]

㉮ 송지양, 「다모전」

작품 해제 관가의 여종으로서 아전이나 포졸의 업무를 보조하던 다모의 행적을 담은 고전 소설이다. 특히 가난한 사람을 대하는 의로운 행적을 중점적으로 서술하여 올바른 법 집행의 중요성을 강조하고 있다.

전체 줄거리

발단	임진년 어느 날 다모 김 씨는 금주령을 어긴 혐의로 밀고된 남산골의 한 양반집을 수색하라는 임무를 받음. ⋯→ 수록 부분
전개	양반집에서 밀주를 찾아낸 다모는 남편의 병구완을 위해 밀주를 빚었다는 주인 할미의 사연을 듣고 잘못을 눈감아 줌. 다모는 주인 할미가 시동생에게 밀주 한 잔을 권했다는 이야기를 듣고 그의 행색과 용모를 자세히 물음. ⋯→ 수록 부분
위기	다모는 한성부로 향하던 중 주인 할미를 밀고한 시동생을 발견하고 그를 꾸짖음. 다모가 주인 할미의 잘못을 눈감아 주었음을 알게 된 아전은 주부에게 다모의 죄를 아룀. ⋯→ 수록 부분
절정	주부는 성난 체하며 다모에게 곤장 20대의 벌을 내림. ⋯→ 수록 부분
결말	주부가 일과 후 다모를 조용히 불러 다모의 의로운 행동을 칭찬하고 엽전 열 꿰미를 상으로 줌. 다모는 주인 할미에게 상금을 모두 줌. ⋯→ 수록 부분

핵심 포인트 **작품 속 사건에 나타난 인물의 면모**

사건		인물의 면모
주인 할미와 다모 다모가 금주령을 어긴 주인 할미를 도와줌.	➡	인정이 많고, 인간으로서의 도리를 중요시하는 다모의 면모가 드러남.
젊은 생원과 다모 다모가 형수를 고발한 젊은 생원을 꾸짖음.	➡	하급 관리이나, 당당하고 정의심이 넘치는 다모의 면모가 드러남.
주부와 다모 주부가 주인 할미를 도운 다모에게 벌을 주나 후에 그 행동을 칭찬함.	➡	국법과 인륜 사이의 조화를 도모하는 주부의 지혜로운 면모가 드러남.

㉯ 이항복, 「시절도 저러ᄒᆞ니」

작품 해제 당쟁으로 인해 혼란스러운 정치 현실을 완곡하게 비판한 이항복의 시조이다.

핵심 포인트 **시어에 담긴 의미**

시절	• 당파 싸움을 일삼는 정치 세태 • 인사에 영향을 미침.

현대어 풀이 시절이 저렇게 어수선하니 사람이 하는 일도 모두 이렇구나.
(사람들이 하는 일이) 이러하니 (세상이 또 어찌) 저러하지 않겠느냐.
이렇다 저렇다 하고 (싸움만 하니) 한숨 겨워 하노라.

05 주인공인 다모가 가난한 양반집 주인 할미와의 관계에서 보여 주는 말과 행동을 통해 인간에 대한 연민과 온정을, 형수를 고발한 시동생(젊은 생원)과의 관계에서 보여 주는 매서운 말과 행동을 통해 정의로운 성품을 보여 주고 있다.

왜 오답일까 ① (가)에는 전기적 요소는 나타나지 않는다. 또한 다모는 정의로운 인물일 뿐 영웅성을 지닌 인물은 아니다.

② (가)는 전지적 작가 시점으로 서술되고 있으므로, 서술자는 이야기 외부에 있다.

④ 서술자가 다모가 겪은 여러 사건을 일관된 관점에서 서술하여 그녀의 정의로운 인물됨을 보여 주고 있다.

⑤ (가)에서 다모는 법의 잣대를 경직되게 적용하지 않고 자신의 가치관에 따라 주체적·능동적으로 사건을 판단하여 행동하고 있다. 따라서 그녀가 피동적인 인물에서 주체적이고 능동적인 인물로 성장했다는 설명은 적절하지 않다.

06 주인 할미의 말 "우리 집 양반이 원래 숙환이 있는데 ~ 노인의 병구완이나마 하려고 감히 금령을 어기게 되었네만"에서 주인 할미가 병든 남편을 위하여 어쩔 수 없이 술을 빚었음을 알 수 있다.

07 다모는 법을 어겼다는 이유로 벌을 받지만 주부는 다모의 정의로운 행동을 인정하여 엽전 열 꿰미를 상으로 주고 다모는 이를 주인 할미를 돕는 데 쓴다. 작가는 이를 통해 인간에 대한 연민과 사랑의 가치를 강조하고 공과 사의 대립을 조화롭게 해소하는 모습을 보여 주고자 한 것이지, 부조리한 세태를 비판하고자 한 것은 아니다.

왜 오답일까 ① 주인 할미는 양반임에도 양식이 없어 밥을 지어 먹지 못하고 장작도 떼지 못하고 있다. 이러한 상황을 통해 극심한 기근에 시달렸던 조선 후기의 상황과 이에 따른 몰락 양반의 궁핍상을 짐작할 수 있다.

② 다모가 주인 할미를 도왔던 까닭은 주인 할미의 안타까운 상황을 고려할 때 실정법을 적용하여 그녀를 처벌하기보다 인정과 연민으로 그녀의 상황을 눈감아 주는 것이 낫다고 판단했기 때문이다. 아전이 그런 다모를 꾸짖은 것은 실정법을 더 중요시했기 때문이다. 같은 상황에 대한 다모와 아전의 서로 다른 반응을 통해 당시 금주령을 두고 벌어졌던 실정법과 인정 사이의 갈등을 확인할 수 있다.

④ 젊은 생원은 가족 간의 신의와 애정보다 보상금에 대한 욕심이 더 커서 밀주를 빚은 형수를 밀고한 파렴치한 인물이다. 이와 대비하여 다모는 불쌍한 사람에 대한 연민으로 주인 할미의 죄를 눈감아 주고 젊은 생원을 꾸짖는 인물이다.

⑤ 주부가 공개적으로 다모를 벌한 것은 법질서를 확립해야 하는 자신의 직분과 공적 책임에 충실했던 결과이다. 이후 다모의 정의로움을 칭찬하고 상을 준 행동에는 백성을 소중히 여기는 개인의 가치관, 즉 위민 의식이 담겨 있다. 이러한 주부의 태도에서 공과 사의 대립을 조화롭게 해소하는 바람직한 삶의 자세를 발견할 수 있다.

08 (나)의 작가는 당파 싸움으로 어지러운 조정의 상황을 부정적으로 바라보고 있을 뿐, 이러한 책임을 자신에게로 돌리고 있지는 않다.

09 (나)의 화자는 초장에서 시절이 저러하니 사람이 하는 일도 이러하다고 표현하고 있는데, 이는 조정의 정치적 상황이 어지러우니 사람들의 언행도 어수선하다는 의미이다. 여기에는 외부의 상황이 사람의 언행에 영향을 미친다는 관점이 깔려 있는데, 이러한 관점에서 본다면 젊은 생원의 파렴치한 행동 역시 당대의 각박한 세태에서 비롯된 것이라는 반응을 보일 수 있을 것이다.

왜 오답일까 ① (나)의 화자가 나라의 법질서를 바로잡는 일을 중요시하리라 추측할 수 있으나 다모를 인정을 저버린 인물로 보기는 어렵다.

작품 딥러닝 [10~12]

㉮ 비평문

중심 내용 고상한 품격과 아름다움을 중시하는 양반 사대부들의 평시조와 달리 사설시조가 지닌 거칠면서도 활기에 찬 삶의 역동성에 주목하여 주요 작품을 분석한 글이다. 그중 임의 부재가 자아내는 그리움의 정서를 다룬 작품들을 설명한 내용의 일부를 발췌하여 본문에 실었다.

㉯ 작자 미상, 「져 건너 흰옷 닙은 사롬」

작품 해제 젊은 남성의 활기찬 모습에 매혹된 여성의 심정과 이성을 향한 마음을 솔직하게 표현한 사설시조이다. 활달한 젊은 남성에게 반한 화자의 심리를 진솔하게 드러내어 여성 화자를 사랑을 능동적으로 주도하려는 주체적 존재로 그려 내고 있다.

핵심 포인트 **「져 건너 흰옷 닙은 사롬」의 구성**

초장	길에서 매력적인 젊은 남성을 보게 됨.
중장	돌다리를 활달하게 건너가는 매력적인 남성을 내 남편으로 삼고 싶음.
종장	남편으로 삼을 수 없다면 벗의 임이 되게 하여서라도 계속 보고 싶음.

현대어 풀이 저기 건너편에 흰옷 입은 사람 몹시 얄밉고도 얄미워라.
작은 돌다리 건너 큰 돌다리 넘어 깡충깡충 뛰어간다 (다리를) 가로질러 뛰어가는구나 어허 내 서방으로 삼고 싶구나.
진실로 내 서방이 못 된다면 벗의 임이라도 되었으면 좋겠구나.

㉰ 작자 미상, 「천지간 만물지중에」 ▶해법문학 Link 고전 시가 212쪽

작품 해제 소식 없는 임에 대한 간절한 그리움을 열거와 과장을 통해 형상화한 사설시조이다. 초장에서 세상에서 가장 무서운 것이 무엇이냐는 질문을 던진 후 사람에게 두려움을 주는 소재를 나열한 뒤, 이런 것들보다 더 무서운 것이 임을 만나지 못하는 고통임을 절절하게 드러내고 있다.

핵심 포인트 **「천지간 만물지중에」에 나타난 표현 방식**

문답법	초장에서 이 세상에서 제일 무서운 것을 묻고, 중장과 종장에서 이에 대한 답을 함.
열거법	중장에서 사람들이 무섭다고 여기는 존재들을 나열함.
과장법	종장에서 임을 못 보는 고통을 과장하여 드러냄.

현대어 풀이 천지간 만물 중에 그 무엇이 무서운고?
늙은 호랑이, 승냥이, 이리, 이무기, 독사, 지네, 거미, 사나운 귀신과 도깨비, 요망하고 괴이하며 사악한 기운, 호랑이의 정령, 총각 귀신, 염라대왕이 보낸 사자와 저승의 시왕이 보낸 차사를 모두 다 겪어 보았으나
아마도 임을 못 보면 간장에 불이 나서 타 죽게 되고, (임을) 보게 될지라도 놀랍고 끔찍하여 두 팔과 두 다리가 저절로 녹아내린 듯 취한 듯 말조차 할 수 없기는 (소식이 없는) 임뿐인가 하노라.

㉱ 작자 미상, 「나모도 바히돌도 업슨」 ▶해법문학 Link 고전 시가 212쪽

작품 해제 임을 여읜 슬픔을 과장된 상황 설정을 통해 해학적으로 표현한 사설시조이다. 화자는 죽을 위기에 빠진 까투리와 위기에 직면한 도사공의 상황을 설정한 다음, 임을 잃은 자신의 처지와 견주어 자신의 상실감을 과장되게 표현하고 있다.

핵심 포인트 **비교를 통한 이별의 정서 표현**

초장	피할 곳 없이 매에게 쫓기는 까투리의 마음
중장	안개 낀 어두운 밤, 거친 풍랑을 만나 난파 위기에 놓인 데다 해적까지 만난 도사공의 마음
	∧
종장	엊그제 임과 이별한 화자의 마음

현대어 풀이 나무도 바위도 없는 산에 매에게 쫓긴 까투리의 마음과
넓은 바다 한가운데 일천 석 실은 배에 노도 잃고, 닻도 잃고, 돛 줄도 끊어지고 돛대도 꺾어지고, 키도 빠지고, 바람 불어 물결치고 안개 뒤섞여 자욱한 날에 갈 길은 천 리만리 남았는데, 사방이 깜깜하고 어둑어둑 저물어서 천지는 적막하고 사나운 물결이 일어나는데 해적까지 만난 도사공의 마음과
엊그제 임과 이별한 나의 마음이야 어디다 비교하리오.

10 (다)의 화자는 중장에서 사람들이 무섭다고 말하는 온갖 것을 열거하고 이보다 더 끔찍한 것이 임을 보지 못하는 것이라고 표현하고 있다. 화자가 자연물에 자신의 감정을 이입한 부분은 찾을 수 없다.

왜 오답일까 ① (나)~(라)는 평민들이 향유한 사설시조로, (나)에서는 젊은 남성에 대한 솔직한 욕망을, (다)와 (라)에서는 임과 이별한 슬픔을 드러내고 있다는 점에서 모두 일상적이고 세속적인 사랑을 제재로 하고 있다.

② (다)와 (라)의 임은 모두 부재하는 대상으로, 화자에게 상실감을 안겨 주는 존재이다.

③ (나)의 화자는 매력적인 남성에 대한 관심을 솔직하고 직설적으로 표현하고 있다.

⑤ (라)는 임과의 이별로 인해 화자가 느끼는 절박함과 비애를 다른 절망적인 상황에 견주어 강렬하게 표현하고 있다.

11 (나)의 화자는 '흰옷 닙은 사롬'이 자기 남편이 되기를 바라지만, 자신의 남편이 되지 못한다면 벗의 임이라도 되어 그 사람과 만나는 상황을 기대하고 있다. 이는 벗에 대한 우정 때문이 아니라 임에 대한 강한 욕망에서 비롯된 것으로 볼 수 있다.

왜 오답일까 ① ㉠에서 작은 돌다리와 큰 돌다리를 가로질러 뛰어가는 젊은 남성의 모습을 생생하게 묘사하여 그가 지닌 생기와 매력을 보여 주고 있다.

③ (다)의 화자는 ㉢에서 세상 사람들이 무섭다고 여기는 온갖 것을 나열한 뒤 종장에서 이보다 더 무서운 것이 임을 보지 못하는 고통이라고 밝힘으로써 임을 만나지 못하는 화자의 슬픔을 부각하고 있다.

④ (라)의 화자는 ㉣에서 안개 낀 어두운 밤에 거친 풍랑을 만난 데다가 수적까지 만난 도사공의 상황을 점층적으로 강조하여 표현하고 있다.

⑤ (라)의 화자는 ㉤에서 설의적 표현을 사용하여 엊그제 임과 이별한 자신의 마음은 그 어떤 절망적인 상황과도 비교할 수 없다는 생각을 드러내며 자신의 상황에 대한 비극적인 인식을 강조하고 있다.

12 (라)는 화자의 깊은 슬픔을 노래한 시조로, 이 슬픔은 '님 여흰 내 안'이라는 표현에서 알 수 있듯 임과의 이별에서 비롯한 것이다. 〈보기〉에서 화자는 '노래'를 통해 시름을 풀 수 있다고 했는데, 〈보기〉의 화자가 임과 이별한 상황에 놓여 있다고 가정한다면 '노래'는 임과의 이별로 인한 슬픔을 해소하기 위한 것으로 볼 수 있다.

2회 | 252~257쪽

01 ① 02 ⑤ 03 ② 04 ③ 05 ④ 06 ⑤ 07 ③ 08 ④
09 ① 10 ③ 11 ③ 12 ⑤ 13 ③

작품 딥러닝 [01~05]

㉮ 장경세, 「강호연군가」

작품 해제 퇴계 이황의 「도산십이곡」을 본떠서 지은 연시조로, 임금에 대한 그리움과 자연에서 안분지족하며 살아가는 삶의 자세를 표현하고 있다.

핵심 포인트 **「강호연군가」의 구성 방식**

이황의 「도산십이곡」을 모방함.

전반부(1수~6수)	후반부(7수~12수)
연군지정, 우국지정	안분지족, 학문 수양
• 2수: 자연 속에서 임금을 그리워함. • 3수: 당쟁을 일삼는 세태를 한탄함. • 6수: 항상 임금과 나라를 걱정함.	• 11수: 헛된 부귀에 집착하지 않고 자연에서의 삶을 즐김. • 12수: 때를 만나지 못해 자연에 묻혀 살며 만족감을 느낌.

현대어 풀이 속세의 꿈에서 깨어난 지 이십 년이 되었는데 어제처럼 느껴지는구나.
푸른 버드나무와 향기로운 풀에 저절로 놓인 말이 되어
때때로 고개를 들어 임금을 그리워 우노라. 〈제2수〉
시절이 매우 수상하니 마음을 둘 곳이 없다.
교목들도 예전처럼 있고 신하도 가득한데
서로의 분쟁은 여기저기 끊이지 않으니 그것을 몰라 하노라. 〈제3수〉
송옥이 가을을 만나 무슨 일이 슬프던가.
차가운 서리와 흰 이슬은 하늘의 기운이라.
나의 남은 저 근심은 봄가을이 따로 없구나. 〈제6수〉
장부의 몸이 되어 굶주림과 추위를 두려워할 것인가.
자연 속에 있으니 즐거움이 끝이 없다.
나는 싫다 뜬구름 같은 부귀를 따를 줄이 있으랴. 〈제11수〉
어진 임금을 만나 도를 행하는 것은 군자의 뜻이지만
때가 어긋나면 벼슬에 나가지 않고 자연에 묻혀 풍류를 즐겨 하네.
넉넉한 솔바람에 달을 보는 것이 나뿐인가 하노라. 〈제12수〉

㉯ 허균, 「통곡헌기」 ▶해법문학 Link 고전 산문 278쪽

작품 해제 작가가 조카 허친이 집 이름을 '통곡헌'이라고 지은 내력을 소개하고 그에 대한 자신의 생각을 담은 고전 수필로, 고정 관념에 사로잡힌 사람들을 깨우치고자 하는 의도와 함께 현실에 대한 비판적 인식을 드러내고 있다.

핵심 포인트 **대비되는 대상의 의미**

'가의, 묵적, 양주, 완적, 당구'의 통곡	↔	아녀자의 통곡
세상이 잘못된 것에 대한 깊은 생각을 품은 비판과 통한의 표현		이별이나 굴욕 등 소소한 감정의 표현

01 (가)는 〈제6수〉에서 '송옥'과 관련된 고사를 활용하여 화자의 우국지정과 연군지정을 표현하고 있다. (나)는 '가의, 묵적, 양주, 완적, 당구'와 관련된 고사를 활용하여 군자들이 시대의 아픔을 맞아 절실하게 통곡했음을 드러내고 있다.

02 ㉤은 부정적 현실에 스스로 목숨을 끊은 팽함과 굴원의 고사를 활용하여 현재 세태가 고사 속 인물들이 통곡을 넘어 자결을 택할 정도로 부정적임을 나타낸 구절이다.

왜 오답일까 ① '봄 ㄱ을'과 같이 계절감을 나타내는 어휘를 활용하여 화자의 우국지정이 매우 깊음을 드러내고 있다.
② '기한 두려울까'라는 의문형 표현을 사용하여 화자가 지향하는 삶의 모습, 즉 자연 속에서 굶주림과 추위를 두려워하지 않는 태도를 부각하고 있다.
③ '조카를 비웃은 많은 사람들'은 통곡에 대한 통념에서 벗어나지 못한 자들로, 글쓴이가 이들을 꾸짖은 것은 고정 관념에 사로잡힌 사람들을 깨우치기 위한 것으로 볼 수 있다.
④ '그분들'은 세상이 잘못된 것을 절실하게 통곡한 옛사람들로, 오늘날은 그들이 살던 시대보다 훨씬 말세에 가깝다는 내용을 통해 현실에 대한 글쓴이의 부정적 인식을 엿볼 수 있다.

03 (가)의 〈제3수〉에서 화자는 당쟁으로 혼란스러운 나라의 상황을 걱정하고 있다. 이러한 화자의 마음은 시대의 현실을 근심하여 자신의 집에 통곡한다는 이름의 편액을 내건 허친의 마음과 서로 통한다.

왜 오답일까 ① (가)에서 〈제2수〉의 '노힌 몰'은 임금을 그리워하는 화자의 모습을 표현한 객관적 상관물이다. (나)에서 나라와 시대를 걱정하는 허친의 마음을 짐작할 수 있으나 임금을 향한 그리움은 나타나지 않는다.
③, ⑤ (나)에 허친이 계절의 변화에 민감하게 반응하는 모습이나 허친의 자연 친화적 태도는 나타나지 않는다.
④ '서리'는 계절감을 나타내는 자연물로, 높은 지조를 상징한다고 볼 수 없다.

04 (가)의 〈제6수〉에서 화자는 가을을 맞아 슬퍼했다는 중국의 문인 송옥과 봄가을 없이 나라를 걱정하는 자신을 비교하며 자신의 우국지정을 강조하고 있다. 화자가 자연 현상과 인간의 삶을 대조한 것은 아니다.

05 ⓐ는 군자들이 삶과 세상에 대한 깊은 걱정 때문에 한 '통곡', ⓑ는 아녀자가 이별의 슬픔이나 남에게 받은 굴욕 때문에 한 '통곡', ⓒ는 허친이 자신의 집 편액에 적은 '통곡'이다. 개인적 상실이나 굴욕의 체험에서 비롯된 통곡은 ⓒ가 아니라 ⓑ이다.

왜 오답일까 ① "슬픔에 이르면 반드시 곡을 하기 마련"이라는 말에서 ⓐ~ⓒ 모두 칠정 중 '슬픔'에서 비롯함을 알 수 있다.
⑤ 글쓴이는 불우한 시대에 집에 '통곡헌'이라는 이름을 붙이는 것이 오히려 적절하다는, 통념을 깨는 인식을 드러내고 있으므로, ⓒ의 '통곡'은 통념에서 벗어난 새로운 인식이 반영되어 있다고 볼 수 있다.

작품 딥러닝 [06~10]

㉮ 박지원, 「민옹전」 ▶해법문학 Link 고전 산문 229쪽

작품 해제 성품이 곧고 능력이 뛰어난 민유신이라는 실존 인물을 대상으로 한 전계 소설로, 서술자 '나'는 민옹의 이야기를 듣고 그중 가치 있는 것들을 추려 내어 전달하는 역할을 한다. 이 작품은 유능한 재주와 포부를 지녔지만 불우한 삶을 살았던 인물의 생애를 통해 당대의 부정한 세태를 풍자하고 있다.

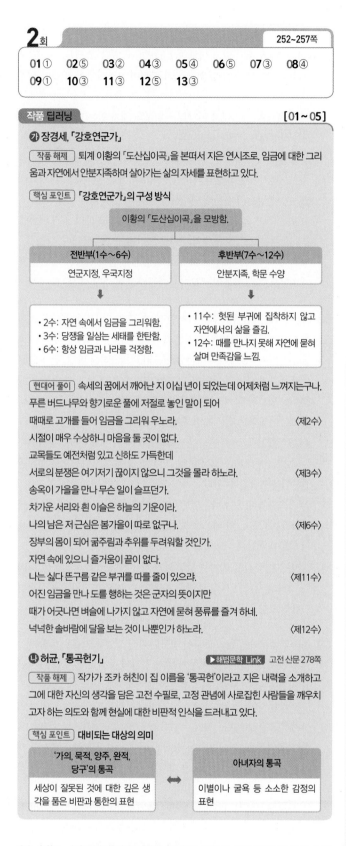

전체 줄거리

발단	남양에 사는 민유신은 어릴 때부터 매우 영특했으나 이인좌의 난에 종군한 공으로 첨사를 제수받은 것 외에는 벼슬을 하지 않고 지냈음.
전개	병으로 누워 지내다 우울증이 생긴 '나'는 민옹을 추천받아 그를 초대함. 민옹은 기발한 방법으로 '나'의 입맛을 돋우어 주고 잠을 잘 잘 수 있도록 해 줌. ⋯ 수록 부분
위기	어느 날 함께 자리한 손님들이 민옹을 궁지에 몰아넣으려고 어려운 질문을 퍼부었으나 민옹은 명쾌하게 대답함. ⋯ 수록 부분
절정	'나'가 자신을 찾아온 민옹을 파자(破字)로 놀리자 민옹은 그것을 칭찬하는 말로 바꾸어 말함.
결말	그다음 해 민옹이 죽고 '나'는 민옹과 나누었던 말을 모아 글을 쓰고 시를 지어 그의 죽음을 슬퍼함.

핵심 포인트 「민옹전」에 나타나는 문답 형식

손님들의 질문	민옹의 대답
제일 맛있는 것	소금
불사약	밥
두려운 것	자기 자신
황충	탐관오리

↓

- 진리는 평범한 곳에 있음을 드러냄.
- 당시의 시정 세태를 비판함.

(나) 작자 미상, 「이야기꾼」

작품 해제 조선 말기에 편찬된 야담집 『해동야서(海東野書)』에 실린 야담으로, 인색한 부자가 이야기꾼인 오물음의 지혜로운 이야기를 듣고 자신의 잘못을 뉘우치게 되었다는 교훈적인 내용이다. 인물이 전하는 이야기를 통해 나누고 베푸는 삶의 중요성을 전하고 있다.

핵심 포인트 '옛이야기'의 역할

옛이야기
이동지(종실과 동일한 유형의 인물)가 평생을 인색하게 살다가 죽을 때가 되어서야 재물의 덧없음을 깨달음.

↓

- 종실이 자신의 태도를 반성하는 계기가 됨.
- 오물음의 재치를 보여 줌.

06 (가)는 일인칭 서술자인 '나'가 민옹과 관련된 이야기를 전달하고 있으며, (나)는 외부 이야기와 내부 이야기 모두 작품 밖 전지적 서술자에 의해 서술되고 있으므로 (가)와 (나) 모두 시점의 이동이 나타나지 않는다.

왜 오답일까 ① (가)는 민옹과 관련된 다양한 일화를 나열하여 민옹의 뛰어난 언변과 재치를 보여 주고 있지만, (나)는 오물음이 종실 노인에게 이야기를 들려주는 하나의 일화만 제시되어 있다.

② (나)는 '외부 이야기(오물음과 종실 노인 소개) - 내부 이야기(장안 갑부 이동지를 주인공으로 하는 옛이야기) - 외부 이야기(종실 노인이 옛이야기를 통해 깨달음을 얻음.)'의 액자식 구성을 취하고 있다. 이와 달리 (가)는 민옹과 관련된 다양한 일화가 병렬식으로 나열되어 있다.

④ (가)의 주동 인물인 민옹과 (나)의 주동 인물인 오물음 모두 언변이 좋은 달변가이다.

07 손님들은 민옹을 시험하기 위해 계속해서 어려운 질문을 던지는데, 민옹은 매번 재치 있고 명쾌하게 답변하고 있다. 손님은 물을 말이 다하여 더 이상 따질 수 없게 되자 감정이 고조되어 ㉢과 같이 질문하고 있다.

왜 오답일까 ① ㉠에서 손님들은 민옹의 재치 있는 답변에 대한 생각을 직설적으로 표현하고 있다.

② ㉡에서 민옹이 웃은 것은 자신을 시험하기 위해 일부러 어려운 질문을 던지는 손님들의 의도를 간파했기 때문이다. 민옹은 빙그레 웃은 후 손님들의 질문에 명쾌하게 답변하고 있다.

④ ㉣은 '오씨 성을 가진 사람'이 '오물음'이라고 불리게 된 이유를 설명한 부분으로, 오물음의 재치를 드러낸 구절은 아니다.

⑤ ㉤에 이어지는 내용으로 보아 종실은 여전히 인색한 태도를 보이고 있으므로, 인물의 태도가 달라졌다고 볼 수 없다.

08 (가)에서는 사람들이 잡으려 하는 '황충'과 관련된 민옹의 말을 통해 황충보다 더 큰 피해를 끼치는 부정적인 인간의 모습을 풍자하고 있다. '옹은 자신에 대해서는 추어올리고 칭찬하는 반면, 곁에 있는 사람에 대해서는 조롱하고 업신여기곤 하였다.'는 민옹의 답변에 풍자의 의도가 담겨 있었음을 뜻하는 구절일 뿐 민옹을 풍자의 대상으로 이해하는 것은 적절하지 않다.

왜 오답일까 ① 실존 인물인 민유신을 기리기 위해 (가)를 창작했다는 〈보기〉의 내용을 고려할 때, '민옹'은 민유신을 바탕으로 설정한 인물임을 짐작할 수 있다.

② 서술자가 민옹과 나누었던 은어, 해학, 풍자 등을 모아서 (가)를 지었다는 〈보기〉의 내용을 고려할 때, (가)에서 서술자 '나'는 민옹의 일화를 전달하는 역할을 하고 있음을 알 수 있다.

③ 민옹은 곡식을 해치는 황충의 특성을 바탕으로, 웅얼웅얼 소리를 내며 몰려다니며 실제 황충보다 더 큰 피해를 끼치는 부정적인 인간의 모습을 풍자하고 있다.

09 (나)의 '옛이야기'는 오물음이 청자인 종실 노인을 일깨우기 위해 기지를 발휘하여 지어낸 이야기이다. 청자인 종실 노인이 많은 재산을 지녔음에도 물욕을 버리지 못하고 인색하게 살아온 상황을 두루 고려하여 지어낸 이야기이므로, 청자의 상황을 고려하여 지어낸 이야기라고 할 수 있다.

왜 오답일까 ② '옛이야기'는 종실 노인에게 자신의 삶을 성찰할 계기를 마련해 주려는 목적에서 지어낸 이야기이므로, 재미만을 목적으로 한 이야기라고 할 수 없다.

④ 사회 현실이 아니라 종실 노인을 풍자하기 위해 만든 이야기이다.

⑤ 현실 도피를 목적으로 한 이야기도 아닐 뿐더러 비현실성과 환상성을 바탕으로 한 전기적 요소도 나타나지 않았다.

10 [A]에서 민옹은 자신을 잘 다스리면 순수한 마음을 잃지 않을 수 있으나 조금만 그릇된 생각을 하면 그 생각이 자신을 망친다고 이야기하고 있다. 또한 성인의 말을 인용하여 이기심을 누르고 예를 따르며 사악함을 막는 자기 수양을 통해 진실된 마음을 보존할 수 있음을 밝히고 있다. 〈보기〉의 '나' 역시 유혹에 잘 넘어가는 존재로,

〈보기〉에서는 '실과 끈으로 묶고 빗장과 자물쇠로 잠'그는 철저한 자기 수양을 통해 '나'를 지켜야 함을 강조하고 있다. 따라서 [A]의 '나'와 〈보기〉의 '나' 모두 수양을 통해 지켜 낼 수 있는 존재이다.

왜 오답일까 ② [A]의 '차분히 잘 생각하면 갓난아이처럼 순수한 마음을 ~ 쳐 죽이거나 베어 버릴 것이야.'에 '나'가 지닌 선악의 양면성이 나타나 있다. 〈보기〉의 '나'는 현실적인 조건이나 상황에 따라 쉽게 마음이 변하므로 자기 수양을 통해 지켜야 하는 대상일 뿐, 선악의 양면성을 지니고 있는 것은 아니다.

작품 딥러닝 [11~13]

㉮ 이옥봉, 「몽혼」

작품 해제 조선 시대의 여류 시인 이옥봉이 지은 한시로, 꿈속의 넋이 임을 찾아간다는 상황을 가정하여 임에 대한 간절한 그리움을 표현하고 있다.

핵심 포인트 「몽혼」에 나타난 표현과 그 효과

가정법	과장법
꿈속의 넋이 임을 찾아가 자취를 남기게 하는 상황을 가정함.	그대의 집 문 앞의 돌길이 닳아서 모래가 되었을 것임.

⬇

임에 대한 간절한 그리움을 효과적으로 표현함.

㉯ 작자 미상, 「설월이 만창훈듸」

작품 해제 임을 그리워하는 안타까운 심정을 노래한 시조이다. 임의 발자국 소리가 아님을 알면서도 바람 소리에 행여 임이 오는 것일까 헛된 기대를 품는 모습에서 간절한 그리움이 드러나 있다.

핵심 포인트 그리움을 환기하는 소재

설월	➡	애상적 분위기를 형성함.
바람 소리	➡	임의 발걸음 소리를 연상시킴.

현대어 풀이 눈 위에 비치는 달빛이 창에 가득한데 바람아 불지 말아라.
(임의) 신발 끄는 소리가 아닌 줄 분명히 알지만
그립고 아쉬울 때에는 행여나 그 사람인가 하노라.

㉰ 작자 미상, 「베틀 노래」

작품 해제 부녀자들이 베를 짤 때 부르던 구전 민요로, 고단한 노동을 하면서도 스스로를 직녀에 비유하는 낭만적 상상력과 가족에 대한 사랑이 나타나 있다.

핵심 포인트 「베틀 노래」에 나타난 표현상 특징

대구	• 베를 짜는 과정을 리듬감 있게 드러냄. • 가족에 대한 애정을 효과적으로 드러냄.
비유	• 화자 자신을 베를 짜는 선녀에 빗대어 노동에 대한 긍정적 인식과 낭만적 태도를 드러냄. • 직유법을 통해 대상의 이미지를 선명하게 드러냄.
추보식 구성	'뽕 따기 → 실뽑기 → 실 걸기 → 이매(잉아) 걸기 → 베 짜기'라는 노동 과정을 효과적으로 드러냄.

현대어 풀이 김매러 갈 때는 갈뽕을 따 가지고
김매고 올 적에는 올뽕을 따 가지고
세 칸짜리 방에서 누에를 길러 청실홍실 뽑아내서
강릉 가서 베틀에 날실을 걸어 서울 가서 날실에 풀을 먹이고 고루 다듬어 말리어 감아다가
하늘에다 베틀을 놓고 구름 속에다 잉아를 걸어
함경나무로 만든 베틀에 오리나무로 된 북을 걸어
짜궁짜궁 (베를) 짜 내어 가지잎과 묶어라.
배꽃같이 표백하여 참외같이 올을 짓고
오이씨 같은 버선을 지어 오빠께 드리고
겹옷 짓고 솜옷 지어 우리 부모님께 드리겠네.

11 (다)의 화자는 힘든 노동을 하면서도 자신을 베 짜는 선녀에 비유하는 낭만적 상상력을 발휘하고 있으며 자신이 짠 베로 가족들의 옷을 지으려는 가족애를 드러내고 있다. 화자는 베를 짜는 과정을 노래로 부르며 노동을 긍정적으로 받아들이고 있으므로 삶을 비관적으로 인식하고 있다고 보기 어렵다.

왜 오답일까 ① '꿈속의 넋'이 자취를 남기는 것은 화자가 가정한 비현실적인 상황으로, 화자의 깊은 그리움을 강조하기 위한 표현이다.
② '바람'에게 말을 건네는 방식으로 자연물을 의인화하여 화자의 그리움을 드러내고 있다.
④ (가)와 (나)의 화자는 모두 임의 부재로 인해 상실감을 느끼고 있다.
⑤ (가)의 '달 비친 사창'에서 시각적 이미지를, (나)의 '설월이 만창훈듸'에서 시각적 이미지를, '예리성'에서 청각적 이미지를, (다)의 '배꽃같이 바래워서 참외같이 올 짓고'에서 시각적 이미지를, '짜궁짜궁 짜아 내어'에서 청각적 이미지를 떠올릴 수 있다. 따라서 (가)~(다) 모두 감각적 이미지를 활용하여 표현의 효과를 높이고 있다고 볼 수 있다.

12 (가)의 '꿈속의 넋에게 자취를 남기게 한다면 / 그대 문 앞의 돌길은 모래가 되었을 테지요.'는 꿈속에서 화자의 넋이 수도 없이 임의 집 문 앞을 찾아가서 돌길이 닳아 모래가 되었을 것이라는 의미로, 임에 대한 그리움을 과장하여 표현한 구절이다. 이러한 내용에 비추어 볼 때, (가)의 화자가 꿈속에서 임을 찾아가는 일이 줄었다는 ⑤의 내용은 적절하지 않다.

13 [B]는 실뽑기와 실 걸기의 과정을 묘사한 부분이다. 강릉 가서 베틀에 날실을 걸고 서울 가서 날실에 풀을 먹이고 고루 다듬어 말리어 감는다는 표현이나 자신을 하늘에서 베를 짜는 선녀에 비유한 표현을 통해 화자가 실뽑기와 실 걸기의 과정을 낭만적이고 환상적으로 묘사하고 있음을 알 수 있다.

왜 오답일까 ① '김매러 ~ 적에는 ~을 따 가지고'라는 문장 구조를 반복하여 운율감을 형성하고 있다.
② '갈 적에는 갈뽕'과 '올 적에는 올뽕'에서 언어유희를 활용하고 있다.
④ '배꽃같이', '참외같이'와 같은 비유적 표현과 베 짜는 소리를 표현한 의성어 '짜궁짜궁'을 활용하여 베 짜는 장면을 생동감 있게 그려 내고 있다.

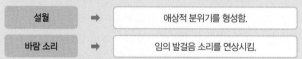

3회 258~264쪽

01 ③ 02 ② 03 ② 04 ⑤ 05 ⑤ 06 ③ 07 ② 08 ⑤
09 ③ 10 ⑤ 11 ③ 12 ②

작품 딥러닝 [01~04]

㉮ 이황, 「도산십이곡」 ▶해법문학 Link 고전 시가 146쪽

작품 해제 작가가 안동에 도산 서원을 세우고 학문에 열중하면서 자연을 대할 때 일어나는 감흥과 수양의 경지를 읊은 전 12수의 연시조이다.

핵심 포인트 **성리학적 이념의 문학적 형상화**

언지	〈제2곡〉	자연에의 동화	➡	사대부의 성리학적 이상 생활
	〈제4곡〉	연군지정		
언학	〈제9곡〉	옛 성현의 가르침을 본받음.		
	〈제10곡〉	벼슬을 그만두고 학문에 정진함.		
	〈제11곡〉	부단한 학문 수양의 의지		

현대어 풀이 안개와 노을로 집을 삼고, 바람과 달을 벗으로 삼아
태평성대에 병으로 늙어 가네.
이 중에 바라는 것은 허물이나 없이 살아가는 것이로다. 〈제2곡〉
그윽한 향기를 풍기는 난초가 계곡에 있으니 자연이 듣기가 좋구나.
흰 구름이 산에 있으니 자연이 보기가 좋구나.
이 중에 저 아름다운 한 사람(임금)을 더욱 잊지 못하네. 〈제4곡〉
옛 성현도 나를 보지 못하고 나도 옛 성현을 보지 못하네.
옛 성현을 보지 못해도 (성현이) 가던 길이 앞에 있네.
가던 길이 앞에 있는데 따르지 않고 어쩌겠는가? 〈제9곡〉
그 당시 가던 길을 몇 해씩이나 버려 두고
어디 가 다니다가 이제야 돌아왔는가?
이제야 돌아왔으니 다시는 딴마음을 먹지 않으리. 〈제10곡〉
푸른 산은 어찌하여 영원히 푸르며
흐르는 물은 어찌하여 밤낮으로 그치지 않고 흐르는가?
우리도 (부지런히 학문을 닦아) 그치지 않고 언제나 푸르게 살리라. 〈제11곡〉

㉯ 한용운, 「수의 비밀」 ▶해법문학 Link 현대 시 60쪽

작품 해제 역설적 표현과 경어체의 사용으로 '당신'에 대한 변함없는 기다림과 사랑을 표현한 현대 시이다.

핵심 포인트 **역설적 표현을 통한 주제의 형상화**

수놓기	임에 대한 사랑, 자기 정화의 과정 (화자의 입장에서는 그쳐서는 안 될 행동임.)

⬇

주머니를 짓고 싶어서 ⟷(모순) 다 짓지 않음.

㉰ 비평문

중심 내용 시에서 나타나는 화자와 청자의 유형을 설명한 글이다. 작품의 이면에 있는 화자와 청자를 '함축적 화자, 함축적 청자', 작품의 표면에 나타난 화자와 청자를 '현상적 화자, 현상적 청자'라고 하여, 그 표현 효과에 대해 설명하고 있다.

01 2연의 마지막 행 '이 작은 주머니는 ~ 다 짓지 않는 것입니다.'에서 역설적 표현을 통해 '당신'에 대한 변함없는 사랑과 기다림의 자세를 드러내고 있다.
왜 오답일까 ① (가)와 (나)의 화자 모두 현실 도피적 태도를 보이고 있지 않다.
② (가)의 〈제9곡〉에 연쇄적 표현이 나타났으나 이러한 표현을 통해 화자의 다짐을 부각할 뿐, 화자가 겪는 갈등 상황을 부각하고 있는 것은 아니다.
④ (나)에서 시간에 따른 대상의 변화를 언급한 부분은 찾을 수 없다.
⑤ (나)는 '-ㅂ니다'라는 경어체 종결 어미를 반복하여 임에 대한 화자의 태도를 표현하고 있을 뿐, 이를 통해 화자의 의지를 강조하고 있다고 보기는 어렵다.

02 〈제4곡〉의 '피미일인'은 임금을 가리키는 표현으로, 자연 속에서도 임금의 안위를 생각하는 화자의 연군지정을 드러내고 있다. 〈보기〉에서 화자는 속세를 떠나 자연에서 사는 삶에 만족하고 있다고 하였으므로, 이를 속세에 대한 미련으로 해석하는 것은 적절하지 않다.
왜 오답일까 ④ '녀 듸'란 벼슬길을 의미하므로, '녀 듸 ᄆᆞ음 마로리'에는 학문 이외의 다른 것을 생각하지 않고 오로지 자기 수양과 학문 도야, 후학 양성에만 힘쓰겠다는 다짐이 드러나 있다.

03 주머니에 손때가 많이 묻었다는 것을 통해 화자가 오랜 기간 동안 수놓기를 시작했다가 그만두기를 반복해 왔음을 알 수 있다. 〈보기〉에 따르면, 화자가 수놓기를 완결 짓지 않는 이유는 수놓기를 완결 짓는 것이 임을 기다리는 행위의 종결을 뜻하기 때문이다.
왜 오답일까 ① '옷 짓기'는 화자가 '당신'에 대한 사랑을 표현하는 한 방법이므로, 화자가 '심의'와 '도포', '자리옷'을 지었다는 것을 통해 '당신'에 대한 정성과 사랑을 엿볼 수 있다.
③ 화자는 '나의 마음'이 '수놓는 금실'을 따라간다고 표현했으며, '수놓는 금실'이 작은 주머니 위를 움직이며 수를 완성해 나가는 과정을 자신의 사랑을 참을성 있게 완성해 나가는 과정으로 인식하고 있다. 따라서 '금실'은 임을 찾아가며 사랑을 완성해 나가는 화자의 분신으로 볼 수 있다.
⑤ '수놓기'를 완결 짓는 것은 임을 기다리는 행위의 종결을 뜻한다는 점에서, '작은 주머니'를 다 짓지 않는 화자의 행위에는 임을 향한 사랑이 지속되기를 바라는 화자의 마음이 담겨 있다고 볼 수 있다.

04 (나)의 '나'는 현상적 화자로 현상적 청자인 '당신'에게 말을 건네는 방식을 취하고 있을 뿐, '당신'에게 바라는 바를 이루어 줄 것을 부탁하고 있지는 않다.
왜 오답일까 ③ '우리'는 말하는 이 자기와 듣는 사람을 포함한 일인칭 대명사로, 현상적 화자와 함축적 청자를 포함하고 있다고 볼 수 있다.

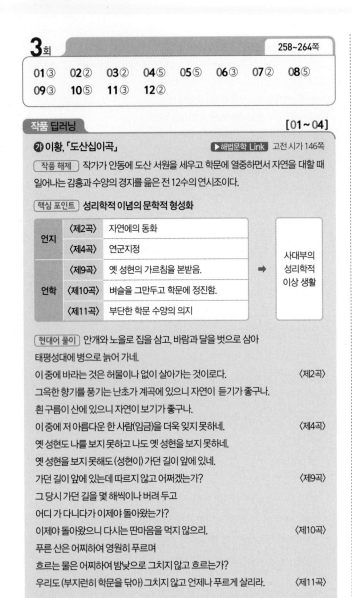

작품 딥러닝 [05~08]

㉮ 비평문

중심 내용 교술 갈래의 특성을 전반적으로 설명한 글이다. 교술 갈래는 삶에 대한 글쓴이의 인식과 성찰을 바탕으로 하기 때문에 성찰적·반성적·교훈적·비판적인 특성을 지니고 있으며, 작가의 직접적 체험을 바탕으로 하는 고백의 글이기 때문에 소재는 무한하지만 시점은 일인칭으로 제한된다는 특징이 있음을 밝히고 있다.

㉯ 이규보, 「이상자대」 ▶해법문학 Link 고전 산문 76쪽

작품 해제 일반적인 통념과는 반대로 말하는 관상가와의 문답을 통해 대상을 바라보는 새로운 관점을 제시한 한문 수필이다.

핵심 포인트 **글쓴이의 깨달음과 작품의 주제 의식**

관상가의 생각	• 사람의 현재 모습이나 행동보다 미래의 모습을 기준으로 관상을 봄. • 고정 관념이나 편견에 얽매이지 않고, 대상의 이면에 숨겨진 의미를 찾는 것을 강조함.

⬇ '나'와 관상가의 문답

'나'의 깨달음	일반적인 관상가들과 다르게 생각하는 관상가의 모습을 통해 선입견과 편견을 버리고 유연한 시각으로 대상을 바라봐야 한다는 깨달음을 얻음.

㉰ 박태원, 「여백을 위한 잡담」 ▶해법문학 Link 수필·극 28쪽

작품 해제 자신의 남다른 머리 모양에 대한 주변 사람들의 반응과 그에 대한 자신의 생각을 진솔하게 밝히고 있는 현대 수필이다.

핵심 포인트 **글쓴이의 집필 의도와 전달하고자 한 바**

집필 의도	자신의 작품은 좋아하지만 머리 모양에는 호감을 갖지 않는 사람들에게 지금의 머리 모양을 갖게 된 까닭을 설명하기 위해
전달하고자 한 바	• 자신의 머리 모양은 일부러 그렇게 한 것도 아니고, 머리카락이 억세게 타고나서 어쩔 도리가 없음. • 별다른 방법이 생기기 전까지 얼마 동안은 이대로 지낼 수밖에 없으므로 이대로 인정해 주었으면 함.

05 '내 머리터럭은 그저 제멋대로 위로 뻗쳤다.'는 작가가 현재의 머리 모양을 할 수밖에 없었던 사정을 설명하기 위한 것이지, 이를 통해 타인과 조화를 이루지 못하는 자신을 비판하고자 한 것은 아니다.

왜 오답일까 ① (나)에서 서술자인 '나'는 일반적인 관상가들과는 다른 시각으로 대상을 바라보는 관상가의 말과 행동을 관찰하여 전달하고 있다.

② (나)에서 작가가 관상가와 대화를 나눈 후 그의 대답을 적은 것은 관상가의 말을 빌려 독자에게 교훈을 전달하기 위한 것이다.

③ (다)에서 작가는 자신이 독특한 머리 모양을 하게 된 이유를 글의 제재로 삼아 이에 대한 자신의 생각을 진솔하게 드러내고 있다.

④ (다)는 서술자인 '나'가 자신의 머리 모양과 관련된 체험을 직접 서술하고 있다. 또한 자신이 독특한 머리 모양을 하게 된 이유를 돌아보고 이를 밝히고 있다.

06 (다)의 글쓴이는 중학을 졸업한 이후 머리를 기르게 된 내력을 언급하며 자신의 기대와 달리 억센 머리카락과 게으른 품성으로 인해 현재와 같은 머리 모양을 갖게 되었음을 밝히고 있다.

왜 오답일까 ① (나)는 관상가와의 문답을 통해 대상을 바라보는 새로운 관점을 제시한 글로, (나)에 스스로 묻고 스스로 대답하는 방식은 나타나지 않았다.

② (나)와 (다) 모두 작가의 체험과 깨달음을 전하는 교술 갈래로, 주관적인 성격을 지니고 있다.

⑤ (가)는 통념을 깨는 관상쟁이의 독특한 관상법을, (나)는 '나'의 머리 모양에 대한 사람들의 부정적인 반응을 일관되게 제시하고 있다. (가)와 (나) 모두 대비되는 일화를 제시하고 있지 않다.

07 '이상한 관상가'가 민첩하여 잘 달리는 자를 보고 ㉡과 같이 말한 이유는 그러한 재주를 가진 자는 자객이 되거나 간악한 우두머리가 되어 끝내는 발에 족쇄를 차고 목에 칼을 쓰게 된다고 생각했기 때문이다.

왜 오답일까 ① '오직 장님만이 ~ 뛰어나기에'에서 장님이 재물을 탐내지 않아 치욕을 멀리하기 때문에 눈이 밝다고 답했음을 알 수 있다.

③ '무릇 색이라는 것은 ~ 추하게 여기기 때문에'에서 음탕하고 사치한 사람은 색을 아름답다 여기지만, 단정하고 순박한 사람은 색을 추하게 여기기 때문에 아름다운 여인이 아름답기도 하고 추하기도 할 것이라고 답했음을 알 수 있다.

④ '이른바 인자한 사람이 ~ 슬프게 울기 때문에'에서 인자한 사람이 죽으면 많은 백성이 슬퍼하기 때문에 인자한 이는 많은 사람을 아프게 할 사람이라고 답했음을 알 수 있다.

⑤ '잔혹한 사람이 죽으면 ~ 손뼉을 치는 사람도 있기에'에서 잔혹한 사람이 죽으면 이를 축하하는 사람이 많기 때문에 잔혹하기 이를 데 없는 사람은 많은 사람의 마음을 기쁘게 할 사람이라고 답했음을 알 수 있다.

08 (나)의 ⓐ(기이한 관상가)는 고정 관념과 편견에 얽매이지 않고 대상의 이면에 숨겨진 의미를 바라보는 사람이다. (다)의 ⓑ(어떤 이)는 글쓴이의 독특한 머리 모양만 보고 그 속사정을 모른 채 고정 관념과 편견에 젖어 부정적인 평가를 내리는 사람이므로, ⓐ는 ⓑ에게 ⑤와 같이 조언할 수 있을 것이다.

작품 딥러닝 [09~12]

㉮ 윤선도, 「어부사시사」 ▶해법문학 Link 고전 시가 230쪽

작품 해제 작가가 65세 때 전남 보길도에 은거하며 지은 연시조로, 계절마다 펼쳐지는 어촌의 아름다운 경치와 어부 생활의 흥취를 담고 있다. 세속을 벗어나 자연과의 합일을 추구하는 삶의 경지를 격조 높고 아름답게 표현하고 있다.

핵심 포인트 「어부사시사」에 나타난 시간의 흐름

계절의 흐름		'출항 → 귀항'
• 춘사 → 하사 → 추사 → 동사 • 각 계절마다 각각 10수씩 구성됨.	+	초장과 중장 사이에 있는 여음구에 변화를 주어 표현함.

여음구의 의미

초장과 중장 사이	2수	닫 드러라 닫 드러라 (닻 올려라)	출항에서 귀항까지의 과정을 정연하게 보여 주는 여음구를 활용해 각 수를 유기적으로 연결함.
	4수	이어라 이어라 (노 저어라)	
	8수	비 미여라 비 미여라 (배 매어라)	
	10수	비 븟텨라 비 븟텨라 (배 대어라)	
중장과 종장 사이	지국총 지국총 어사와		노 젓는 소리와 노 저을 때 외치는 소리를 나타낸 의성어

현대어 풀이 우는 것이 뻐꾸기인가, 푸른 것이 버드나무 숲인가.
어촌의 두어 집이 안개 속에 들락날락하는구나.
맑고 깊은 못에 온갖 고기 뛰논다. 〈춘사 4〉
작고 초라한 집을 바라보니 흰 구름에 둘러싸여 있다.
부들부채 가로로 비스듬히 쥐고 돌이 많은 좁은 길로 올라가자.
어부가 한가하더냐 이것이 구실이로다. 〈하사 10〉
보길도에 가을이 드니 고기마다 살쪄 있다.
넓고 맑은 물에서 마음껏 놀아 보자.
인간 세상을 돌아보니 멀수록 더욱 좋구나. 〈추사 2〉
물가에 있는 외로운 솔 혼자 어찌 씩씩한가.
험한 구름 한하지 마라 세상을 가리는구나.
큰 물결과 작은 물결의 소리를 싫어하지 말라 속세의 시끄러움을 막는구나. 〈동사 8〉

㉯ 이강백, 「북어 대가리」 ▶해법문학 Link 수필·극 224쪽

작품 해제 상징적인 소재와 대립적인 가치관을 가진 인물을 통해 분업화되고 획일화된 현대 산업 사회의 삶을 비판하는 희곡이다.

전체 줄거리

발단	새벽마다 오는 트럭에 상자를 싣고 내리는 일을 하는 창고지기 자앙은 매사에 꼼꼼하고 성실하게 일을 처리함. 동료인 기임은 그런 자앙을 못마땅하게 여기며 아무렇게나 일함.
전개	기임은 트럭 운전수의 딸인 다링과 함께 술을 마시고, 자앙은 기임에게 잔소리를 퍼부으면서도 북어로 해장국을 끓여 줌.
절정	자신의 생활에 싫증이 난 기임은 다링의 제안에 따라 상자 하나를 고의로 바꿈. 이에 불안해진 자앙은 편지를 써서 잘못을 바로잡으려 하지만 기임은 오히려 자앙에게 창고를 떠날 것이라고 말함.
하강	다링은 아버지가 누구인지 모르는 아이를 임신하고, 트럭 운전수는 기임과 다링의 결혼을 서두름. 기임은 바뀐 상자 때문에 편지를 보내려는 자앙에게 쓸데없는 짓이라고 말하며 편지를 찢음.
대단원	기임은 창고를 떠나며 자앙에게 북어 대가리를 건네고, 창고에 혼자 남은 자앙은 잠시 갈등하나 현재의 삶을 유지할 것을 다짐함. ···› 수록 부분

핵심 포인트 '창고'의 상징적 의미

창고		
• 창문이 없음. • 매일 같은 시각 트럭이 와서 보관할 상자들을 내려놓고 출고할 상자들을 실어 감. • 창고지기는 상자 속 물건들을 알 수 없음.	➡	분업화되고 획일화된 현대 산업 사회

09 (가)의 〈동사 8〉에서 '세상'은 '딘훤'이 그치지 않는 부정적인 공간이지만, '머흔 구룸'은 이러한 부정적인 '셰상'을 가려 주는 긍정적인 존재이므로 ③은 적절하지 않다.

왜 오답일까 ① (가)의 '어촌'은 화자가 추구하는 유유자적한 삶을 살아가는 자연의 공간이다.

② (가)의 '와실'은 작고 초라한 집을 비유적으로 이르는 말로, 화자의 소박한 삶을 단적으로 보여 주는 공간이다.

④ (나)에서 '창고 밖'의 공간을 트럭의 경음기 소리와 기임의 환호성 등으로 표현한 것은 극 갈래가 지닌 공간적 제약과 관련있다.

⑤ (나)에서 자앙은 '창고 안'에 머물며 자신을 둘러싼 세상에 대한 정확한 인식을 포기하고 기계적인 일상을 반복한다. 이러한 모습을 통해 '창고 안'은 획일화되고 분업화된 현대 산업 사회를 상징하는 공간임을 짐작할 수 있다.

10 ㉠(고기)은 풍요롭고 생기 가득한 자연물로, 자연에서 느끼는 화자의 만족감을 보여 준다. ㉡(북어 대가리)은 방향성과 실천력을 잃은 생명력 없는 대상으로, 가치관의 혼란으로 인한 화자의 불안감을 보여 준다.

11 '만경딩파'는 한없이 넓고 맑은 바다를 이르는 말로, 세속을 벗어난 자연을 의미한다. 화자는 '만경딩파'에서 한가로움과 흥을 즐기려 하고 있으므로, 이를 화자가 극복해야 할 현실적 장애물로 이해하는 것은 적절하지 않다.

왜 오답일까 ④ 〈동사 8〉의 초장에서 화자는 '외로운 솔'을 보며 '싁싁훈고'라고 감탄하고 있다. 이는 자연과의 합일을 추구하는 화자의 태도가 드러난 구절로 화자는 솔의 기상과 자신의 절개를 동일시하고 있다.

12 '화려한 색깔의 스웨터'는 창고 밖으로 떠나는 기임에게 자앙이 주는 이별의 선물일 뿐, 두 인물 사이의 새로운 갈등을 예고하는 것은 아니다.

왜 오답일까 ③ ⓒ에서는 기임이 떠난 후 홀로 창고에 남은 자앙의 상황과 자신이 믿어 온 가치와 신념에 대한 의문이 대사를 통해 현재화되어 나타나고 있다.

④ ⓓ에서는 대사 중간에 시간적 여백을 두어 자신의 신념과 가치가 옳은 것인지 고민하는 자앙의 내적 갈등이 심화되고 있음을 보여 주고 있다.

⑤ ⓔ는 그동안 창고에서 해 온 일을 되풀이하는 자앙의 모습을 통해 인물이 자신을 둘러싼 세계에 대한 정확한 인식을 포기하고 이전의 기계적인 일상으로 되돌아갔음을 보여 주고 있다.

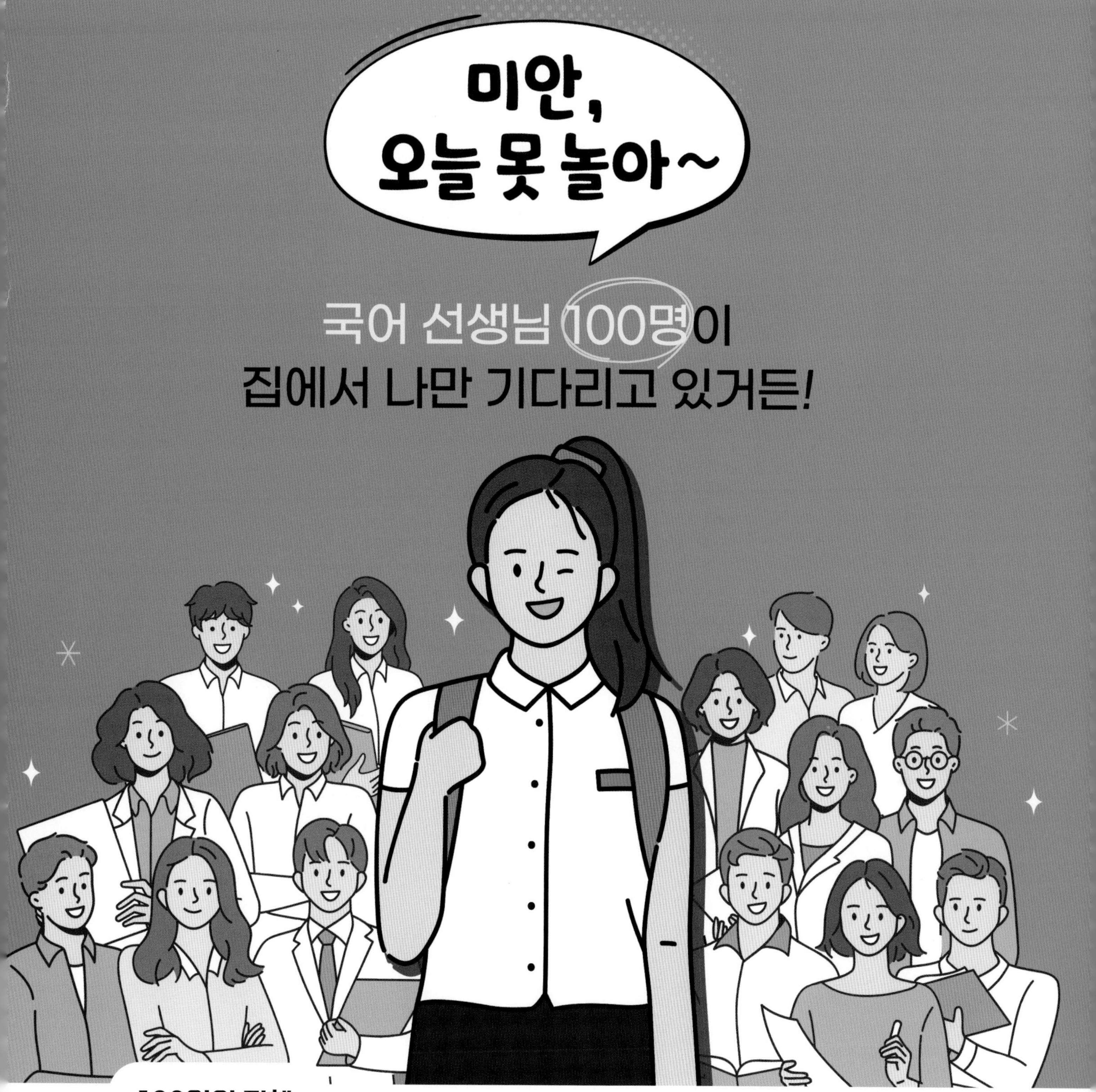
미안,
오늘 못 놀아~
국어 선생님 100명이
집에서 나만 기다리고 있거든!

명강사 100인의 지혜를 담다
문학
문법 화작
독서

Q

· 정답과 해설 ·

해법문학Q

고전 문학 문제편

book.chunjae.co.kr

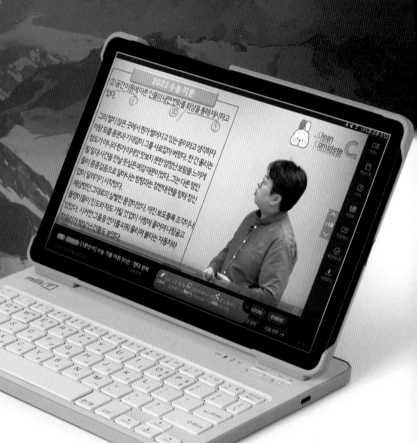

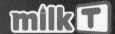